【传世经典 文白对照】

资治通鉴

十三

唐纪

〔宋〕司马光　编撰

沈志华　张宏儒　主编

中华书局

目录

卷第二百八　唐纪二十四

起乙巳(705)二月尽丁未(707)凡二年有奇

中宗大和大圣大昭孝皇帝中
神龙元年(乙巳,705)

1　二月辛亥,帝帅百官诣上阳宫问太后起居,自是每十日一往。

2　甲寅,复国号曰唐。郊庙、社稷、陵寝、百官、旗帜、服色、文字皆如永淳以前故事。复以神都为东都,北都为并州,老君为玄元皇帝。

3　乙卯,凤阁侍郎、同平章事韦承庆贬高要尉;正谏大夫、同平章事房融除名,流高州;司礼卿崔神庆流钦州。杨再思为户部尚书、同中书门下三品、西京留守。

太后之迁上阳宫也,太仆卿、同中书门下三品姚元之独鸣咽流涕。桓彦范、张柬之谓曰:"今日岂公涕泣时邪?恐公祸由此始。"元之曰:"元之事则天皇帝久,乍此辞违,悲不能忍。且元之前日从公诛奸逆,人臣之义也;今日别旧君,亦人臣之义也,虽获罪,实所甘心。"是日,出为亳州刺史。

4　甲子,立妃韦氏为皇后,赦天下。追赠后父玄贞为上洛王、母崔氏为妃。

中宗大和大圣大昭孝皇帝中

唐中宗神龙元年(乙巳,公元705年)

1　二月辛亥(初一),唐中宗带领文武百官到上阳宫去向武则天请安,问候她的日常生活状况;从此唐中宗每十天前来问候一次。

2　甲寅(初四),唐中宗下诏恢复大唐国号。规定诸如郊庙、社稷、陵寝、百官、旗帜、服色、文字等典章礼仪制度也都恢复唐高宗永淳以前的定制。将神都恢复东都旧名,将北都恢复并州旧名,称老君为玄元皇帝。

3　乙卯(初五),唐中宗将凤阁侍郎、同平章事韦承庆贬为高要县尉;将正谏大夫、同平章事房融除名并流放到高州;将司礼卿崔神庆流放到钦州。唐中宗又任命杨再思为户部尚书、同中书门下三品、西京留守。

在武则天被迁到上阳宫时,只有太仆卿、同中书门下三品姚元之一人痛哭流涕。桓彦范、张柬之对他说:"今天哪里是您悲哀哭泣的日子? 恐怕从今以后您就要大祸临头了。"姚元之回答说:"元之侍奉则天皇帝日久,现在突然要分手了,所以感到悲痛难忍。况且元之前几天追随诸公诛灭奸邪逆徒,是尽作臣子的本分;今天辞别旧主,也同样是在尽作臣子的本分,即使因此而受到惩罚,我也心甘情愿。"在这一天,姚元之被外放为亳州刺史。

4　甲子(十四日),唐中宗将他的妃子韦氏立为皇后,大赦天下。追赠韦后之父韦玄贞为上洛王,追赠韦后之母崔氏为上洛王妃。

　　左拾遗贾虚己上疏，以为："异姓不王，古今通制。今中兴之始，万姓喁喁以观陛下之政，而先王后族，非所以广德美于天下也。且先朝赠后父太原王，殷鉴不远，须防其渐。若以恩制已行，宜令皇后固让，则益增谦冲之德矣。"不听。

　　初，韦后生邵王重润、长宁安乐二公主，上之迁房陵也，安乐公主生于道中，上特爱之。上在房陵与后同幽闭，备尝艰危，情爱甚笃。上每闻敕使至，辄惶恐欲自杀，后止之曰："祸福无常，宁失一死，何遽如是？"上尝与后私誓曰："异时幸复见天日，当惟卿所欲，不相禁制。"及再为皇后，遂干预朝政，如武后在高宗之世。桓彦范上表，以为："《易》称'无攸遂，在中馈，贞吉'，《书》称'牝鸡之辰，惟家之索'。伏见陛下每临朝，皇后必施帷幔坐殿上，预闻政事。臣窃观自古帝王，未有与妇人共政而不破国亡身者也。且以阴乘阳，违天也；以妇陵夫，违人也。伏愿陛下览古今之戒，以社稷苍生为念，令皇后专居中宫，治阴教，勿出外朝干国政。"

　　先是，胡僧慧范以妖妄游权贵之门，与张易之兄弟善，韦后亦重之。及易之诛，复称慧范预其谋，以功加银青光禄大夫，赐爵上庸县公，出入宫掖，上数微行幸其舍。彦范复表言慧范执左道以乱政，请诛之。上皆不听。

左拾遗贾虚已上疏认为：“异姓之人不得封为王，是从古至今的定制。现在中兴刚刚开始，黎民百姓无不归心景仰，细观陛下如何治理这个国家，陛下却首先追赠皇后的父亲为王，这不是在全国推广陛下贤德仁政的好办法。况且高宗时期赠武则天的父亲武士彟为太原王，最终导致武则天专擅朝政。这个教训离现在并不遥远，陛下应该从一点一滴做起，防止这种现象再次发生。如果认为命令已经发布无法收回的话，陛下应该命令皇后坚决推辞，这便更增加皇后谦虚守礼的美德。”唐中宗没有采纳他的建议。

　　先前，韦后共生育了邵王李重润以及长宁和安乐两公主，在唐中宗被放逐到房陵去的时候，安乐公主在路上出生，所以唐中宗特别喜欢她。中宗与韦后在房陵被幽禁期间，共同经历了各种艰难困苦的生活，因而两个人的感情十分深厚。中宗每当听到武则天派使者来的消息，就惊惶失措地想要自杀，韦后制止他说：“祸福并非一成不变，最多不过一死，您何必这么着急呢？”中宗曾经私下对韦后发誓：“如果日后我能重见天日，一定会让你随心所欲，不加任何限制。”所以在韦氏重新成为皇后以后，便像武则天在高宗朝那样干预起朝政来了。桓彦范上表，认为：“《周易》说：‘妇女不必专事，在家中馈食方面无所坠失，就是吉利。’《尚书》说：‘如果母鸡司晨打鸣，这个家庭就要败落了。’我发现陛下每次上朝，皇后总是坐在帷帐后面参与对军国大事的处理。臣认为历朝帝王，没有哪一个与妇人共同执政的皇帝最终不国破身亡的。再说阴凌驾于阳之上，是违背自然法则的；以妇人之身欺凌丈夫，是违背夫妻正常准则的。希望陛下接受古今治乱兴衰的经验教训，时刻想着社稷与百姓，敦促皇后严守皇后的本分，一心一意地致力于女子的教化，不要到外朝来干预朝廷政事。”

　　在此之前，胡僧慧范凭借花言巧语在高官显宦们中间交游，与张易之、张昌宗兄弟等人相处得很好，韦后也很看重他。等到张易之被诛灭以后，韦后又称慧范也参与了诛杀张易之等人的谋划，唐中宗于是因功给慧范加号为银青光禄大夫，并赐爵为上庸县公，使他得以出入皇宫，唐中宗也多次穿便衣到他所居住的地方去。桓彦范又上表指控慧范宣扬邪门歪道紊乱朝政，请求将他处死。唐中宗对这些建议都没有采纳。

5　初，武后诛唐宗室，有才德者先死，惟吴王恪之子郁林侯千里，褊躁无才，又数献符瑞，故独得免。上即位，立为成王，拜左金吾大将军。武后所诛唐诸王、妃、主、驸马等皆无人葬埋，子孙或流窜岭表，或拘囚历年，或逃匿民间，为人佣保。至是，制州县求访其枢，以礼改葬，追复官爵，召其子孙，使之承袭，无子孙者为择后置之。既而宗室子孙相继而至，皆召见，涕泣舞蹈，各以亲疏袭爵拜官有差。

6　二张之诛也，洛州长史薛季昶谓张柬之、敬晖曰："二凶虽除，产、禄犹在，去草不去根，终当复生。"二人曰："大事已定，彼犹机上肉耳，夫何能为？所诛已多，不可复益也。"季昶叹曰："吾不知死所矣。"朝邑尉武强刘幽求亦谓桓彦范、敬晖曰："武三思尚存，公辈终无葬地；若不早图，噬脐无及。"不从。

上女安乐公主适三思子崇训。上官婉儿，仪之女孙也，仪死，没入掖庭，辩慧善属文，明习吏事。则天爱之，自圣历以后，百司表奏多令参决。及上即位，又使专掌制命，益委任之，拜为婕妤，用事于中。三思通焉，故党于武氏，又荐三思于韦后，引入禁中，上遂与三思图议政事，张柬之等皆受制于三思矣。上使韦后与三思双陆，而自居旁为之点筹，三思遂与后通，由是武氏之势复振。

5 武则天在铲除李唐宗室的时候,最先杀掉的是那些具有治理国家的才能的人,只有吴王李恪的儿子郁林侯李千里,目光狭窄性情浮躁,没有才能,再加上一次又一次地向武则天献上祥瑞的吉兆,因而得以幸免于难。唐中宗即位之后,封李千里为成王,任命他为左金吾大将军。但武则天时期所诛杀的李唐诸王、王妃、公主、驸马等都还没有人安葬,这些人的子孙中有人被流放到岭南地区,有的已经在监狱中拘禁了数年之久,有的隐藏在民间成为富人的雇工。现在唐中宗颁下制书,命令各州县寻访这些死去的宗室贵族的灵柩,根据死者的身份依礼改葬;并且给这些死者恢复原任官爵;召回他们的子孙,让他们承袭父辈的爵位;对那些没有子孙的人,则替他们选择后嗣以续其香火。不久,散落各地的宗室子孙相继来到东都,唐中宗全都召见了他们,大家流着泪向中宗行了舞拜礼。中宗根据血缘关系的亲疏远近任命了大小不等的职务。

6 张易之、张昌宗被诛灭后,洛州长史薛季昶对张柬之和敬晖说:"张易之、张昌宗这两个元凶虽然已被铲除,但吕产、吕禄这样的人还在朝中任职,锄草时不铲掉草根,终究还会长出草来。"张柬之、敬晖回答说:"现在大局已定,你说的那些人不过是桌子上的肉罢了,还能有什么作为?现在杀的人已经够多的了,不能再多杀了。"薛季昶叹口气说:"我死无葬身之地了。"朝邑尉武强人刘幽求也对桓彦范和敬晖说:"武三思还没有受到惩处,你们这些人终究会死无葬身之地;如果现在不及早作准备,等到大祸临头再后悔就来不及了。"桓彦范和敬晖也没有采纳他的建议。

唐中宗的女儿安乐公主嫁给了武三思的儿子武崇训。上官婉儿是上官仪的孙女,上官仪被杀后被没入后宫。她聪明伶俐,能言善辩,写得一手好文章,又熟悉官府事务。武则天十分喜欢她,自圣历年间以后,更是经常让她参与对各官署衙门所上的表章奏疏的处理。唐中宗即位后,更加信任她,又让她专门负责草拟皇帝的命令,任命她为婕妤,执掌宫中事务。上官婉儿与武三思私通,所以成了武氏的党羽,她又向韦后推荐了武三思,将武三思召到宫中,唐中宗于是开始与武三思商议政事,张柬之等人从此开始受到了武三思的遏制。唐中宗让韦后与武三思一起玩一种叫作双陆的游戏,自己则坐在一旁为他们数筹码;武三思于是又开始与韦后私通,武氏的势力再次强大起来。

张柬之等数劝上诛诸武,上不听。柬之等曰:"革命之际,宗室诸李,诛夷略尽。今赖天地之灵,陛下返正,而武氏滥官僭爵,按堵如故,岂远近所望邪? 愿颇抑损其禄位以慰天下?"又不听。柬之等或抚床叹愤,或弹指出血,曰:"主上昔为英王,时称勇烈,吾所以不诛诸武者,欲使上自诛之以张天子之威耳。今反如此,事势已去,知复奈何!"

上数微服幸武三思第,监察御史清河崔皎密疏谏曰:"国命初复,则天皇帝在西宫,人心犹有附会。周之旧臣,列居朝廷,陛下奈何轻有外游,不察豫且之祸!"上泄之,三思之党切齿。

丙寅,以太子宾客武三思为司空、同中书门下三品。

7 左散骑常侍谯王重福,上之庶子也,其妃,张易之之甥。韦后恶之,谮于上曰:"重润之死,重福为之也。"由是贬濮州员外刺史,又改均州刺史,常令州司防守之。

8 丁卯,以右散骑常侍安定王武攸暨为司徒、定王。

9 辛未,相王固让太尉及知政事,许之。又立为皇太弟,相王固辞而止。

10 甲戌,以国子祭酒始平祝钦明同中书门下三品,黄门侍郎、知侍中事韦安石为刑部尚书,罢知政事。

张柬之屡次建议唐中宗诛灭武氏集团的党羽,唐中宗都没有听从劝告。张柬之等人说:"武则天改唐为周的时候,李唐宗室被诛杀殆尽。现在多亏天地神灵的庇佑,陛下又重登帝位,但武氏死党们却仍然像以往一样把持着他们所窃取的官爵职位,这种情形难道是朝野之士所希望看到的吗?希望陛下减少他们的俸禄,削夺他们的官爵以告慰天下之人!"唐中宗仍然没有采纳他们的建议。张柬之等人有的拍着几案叹息,有的弹击手指以致出血,纷纷说:"皇上过去作英王时,在人们眼里是一个勇武刚烈的人,我们之所以没有诛灭武氏党羽成员,是为了让皇上能亲手诛杀他们以便伸张天子的声威。现在皇上却反过头来重用武氏集团成员,大势已去,我们还能有什么办法呢?"

　　唐中宗屡次身着便服到武三思的家里去,监察御史清河人崔皎秘密上疏说:"大唐国号刚刚恢复,则天皇帝还住在西边的上阳宫里,还有人想依附她。武周时期的旧臣,仍然在朝廷供职,陛下怎么能轻易地外出游幸,却不注意考察体会神龟身着鱼服而被打鱼的豫且捉住的教训呢?"唐中宗把密疏的内容泄露了出去,从而使武三思和他的党羽们对崔皎恨之入骨。

　　丙寅(十六日),唐中宗任命太子宾客武三思为司空、同中书门下三品。

　　7　左散骑常侍谯王李重福,是唐中宗的庶子;他的妃子,是张易之的外孙女。韦后讨厌李重福,便在中宗面前诬陷他说:"李重润等人被迫自杀,是李重福在武则天面前诬陷所致。"唐中宗因此将李重福贬为濮州员外刺史,不久又改任他为均州刺史,并且常常命令州官对他严加防范。

　　8　丁卯(十七日),唐中宗任命右散骑常侍、安定王武攸暨为司徒、定王。

　　9　辛未(二十一日),相王李旦坚决要求辞去太尉及宰相职务,唐中宗同意了他的辞职请求。唐中宗又想立相王李旦为皇太弟,相王坚决推辞,作罢。

　　10　甲戌(二十四日),唐中宗任命国子祭酒始平人祝钦明为同中书门下三品;任命黄门侍郎、知侍中事韦安石为刑部尚书,同时免去他的宰相职务。

11　丁丑,武三思、武攸暨固辞新官爵及政事,许之,并加开府仪同三司。

12　立皇子义兴王重俊为卫王,北海王重茂为温王,仍以重俊为洛州牧。

13　三月甲申,制:"文明已来破家子孙皆复旧资荫,唯徐敬业、裴炎不在免限。"

14　丁亥,制:"酷吏周兴、来俊臣等,已死者追夺官爵,存者皆流岭南恶地。"

15　己丑,以袁恕己为中书令。

16　以安车徵安平王武攸绪于嵩山,既至,除太子宾客。固请还山,许之。

17　制:"枭氏、蟒氏皆复旧姓。"

18　术士郑普思、尚衣奉御叶静能皆以妖妄为上所信重,夏,四月,墨敕以普思为秘书监,静能为国子祭酒。桓彦范、崔玄暐固执不可,上曰:"已用之,无容遽改。"彦范曰:"陛下初即位,下制云:'政令皆依贞观故事。'贞观中,魏徵、虞世南、颜师古为秘书监,孔颖达为国子祭酒,岂普思、静能之比乎?"庚戌,左拾遗李邕上疏,以为:"《诗》三百,一言以蔽之,曰'思无邪'。若有神仙能令人不死,则秦始皇、汉武帝得之矣;佛能为人福利,则梁武帝得之矣。尧、舜所以为帝王首者,亦修人事而已。尊宠此属,何补于国?"上皆不听。

11 丁丑(二十七日),武三思和武攸暨坚决推辞刚刚被任命的职务和爵位,唐中宗同意了他们的请求,并且加封他们为开府仪同三司。

12 唐中宗立皇子义兴王李重俊为卫王,立北海王李重茂为温王;同时李重俊仍然担任洛州牧职务。

13 三月甲申(初五),唐中宗颁下制书:"凡是自从文明年间以来残破了的家族的子孙都可以恢复原来的资望与荫庇,只有徐敬业、裴炎两案不在赦免之列。"

14 丁亥(初八),唐中宗颁下制书:"酷吏周兴、来俊臣等人,已经死去的要追夺官爵,现在还活着的都要流放到岭南烟瘴之地。"

15 己丑(初十),唐中宗任命袁恕已为中书令。

16 唐中宗下令用可以坐乘的车到嵩山征召安平王武攸绪,武攸绪一来到京师,就被任命为太子宾客。由于他坚决要求再回到嵩山去,唐中宗才取消了这一任命。

17 唐中宗颁下制书:"枭氏、蟒氏都恢复原来所姓萧氏、王氏。"

18 江湖术士郑普思和尚衣奉御叶静能都凭借花言巧语得到唐中宗的信任和重用,夏季,四月,唐中宗没有经过外朝大臣的同意,亲笔书写敕书任命郑普思为秘书监,任命叶静能为国子祭酒。桓彦范和崔玄暐坚持认为不能这样做,唐中宗道:"我已经任命了他们,不能这样快就改变任命。"桓彦范说:"陛下在刚刚即位时,曾颁下制书说:'国家的各项行政措施与法令都将完全依照贞观时期的定制。'贞观时期,担任秘书监职务的是魏徵、虞世南和颜师古,担任国子祭酒职务的是孔颖达,这些人的道德才能是现在的郑普思和叶静能所能比拟的吗?"庚戌(初一),左拾遗李邕上疏认为:"《诗经》三百篇,用一句话来概括,叫作'思想纯正'。如果真有能让人长生不老的神仙,那么秦始皇和汉武帝早就找到了;如果佛祖真能为人谋利造福,那么梁武帝也早就如愿以偿了。唐尧、虞舜之所以能够成为历代帝王中首屈一指的典范,也不过是由于他们努力去做人本身力所能及的事情而已。陛下对郑普思和叶静能这样的人尊宠有加,对于治理国家有什么用处?"唐中宗对上述建议都没有接受。

19 上即位之日，驿召魏元忠于高要。丁卯，至都，拜卫尉卿、同平章事。

20 甲戌，以魏元忠为兵部尚书，韦安石为吏部尚书，李怀远为右散骑常侍，唐休璟为辅国大将军，崔玄暐检校益府长史，杨再思检校杨府长史，祝钦明为刑部尚书，并同中书门下三品。元忠等皆以东宫旧僚褒之也。

21 乙亥，以张柬之为中书令。

22 戊寅，追赠故邵王重润为懿德太子。

23 五月壬午，迁周庙七主于西京崇尊庙，制："武氏三代讳，奏事者皆不得犯。"

24 乙酉，立太庙、社稷于东都。

25 以张柬之等及武攸暨、武三思、郑普思等十六人皆为立功之人，赐以铁券，自非反逆，各恕十死。

26 癸巳，敬晖等帅百官上表，以为："五运迭兴，事不两大。天授革命之际，宗室诛窜殆尽，岂得与诸武并封？今天命惟新，而诸武封建如旧，并居京师，开辟以来未有斯理。愿陛下为社稷计，顺遐迩心，降其王爵以安内外。"上不许。

敬晖等畏武三思之谗，以考功员外郎崔湜为耳目，伺其动静。湜见上亲三思而忌晖等，乃悉以晖等谋告三思，反为三思用，三思引为中书舍人。湜，仁师之孙也。

19　唐中宗即位那一天,派驿马前往高要县召回魏元忠。丁卯(十八日),魏元忠一行抵达东都,唐中宗任命他为卫尉卿、同平章事。

20　甲戌(二十五日),唐中宗任命魏元忠为兵部尚书,任命韦安石为吏部尚书,任命李怀远为右散骑常侍,任命唐休璟为辅国大将军,任命崔玄暐检校益府长史,任命杨再思检校杨府长史,任命祝钦明为刑部尚书,上述人等均加同中书门下三品衔。魏元忠等人都是由于曾在中宗作太子时作过东宫僚属的缘故,而得到如此隆重的褒奖。

21　乙亥(二十六日),唐中宗任命张柬之为中书令。

22　戊寅(二十九日),唐中宗下诏赠予已经死去的邵王李重润懿德太子的谥号。

23　五月壬午(初四),唐中宗将武周七庙迁到西京崇尊庙,并颁下制书:"对于武太后祖孙三代人的名讳,上奏言事的臣民都不得触犯。"

24　乙酉(初七),唐中宗在东都设立太庙及社稷神主。

25　唐中宗把张柬之等人以及武攸暨、武三思、郑普思等十六人都当作为国家立下功劳的人,向他们赐予铁券,并规定如果这些人所犯的不是谋反谋大逆之罪,每个人都可以宽恕十次死罪。

26　癸巳(十五日),敬晖等人率领文武百官上表唐中宗,认为"五德之运轮流兴起,没有两德同时盛大的事情。天授年间改朝换代之际,李唐宗室被诛杀流徙殆尽,哪里有与武氏同殿受封的权利?现在上天又重新眷顾李姓,但武氏仍然像以往那样封官建爵,与李姓宗室一起居住在京师,这真是开天辟地以来从未有过的事情。希望陛下为大唐江山着想,顺从朝野士民的心愿,削夺他们的王爵以安定人心。"唐中宗没有同意他们的建议。

敬晖等人害怕武三思的谗言陷害,便把考功员外郎崔湜当作自己的耳目,以便随时刺探武三思的消息。崔湜见中宗亲近武三思而猜忌敬晖等人,便把敬晖等人的打算全部告诉了武三思,反而成了为武三思效劳的人,武三思引用崔湜作了中书舍人。崔湜,是崔仁师的孙子。

先是，殿中侍御史南皮郑愔诎事二张，二张败，贬宣州司士参军，坐赃，亡入东都，私谒武三思。初见三思，哭甚哀，既而大笑。三思素贵重，甚怪之，愔曰："始见大王而哭，哀大王将戮死而灭族也。后乃大笑，喜大王之得愔也。大王虽得天子之意，彼五人皆据将相之权，胆略过人，废太后如反掌。大王自视势位与太后孰重？彼五人日夜切齿欲噬大王之肉，非尽大王之族不足以快其志。大王不去此五人，危如朝露，而晏然尚自以为泰山之安，此愔所以为大王寒心也。"三思大悦，与之登楼，问自安之策，引为中书舍人，与崔湜皆为三思谋主。

三思与韦后日夜谮晖等，云："恃功专权，将不利于社稷。"上信之。三思等因为上画策："不若封晖等为王，罢其政事，外不失尊宠功臣，内实夺之权。"上以为然。甲午，以侍中齐公敬晖为平阳王，桓彦范为扶阳王，中书令汉阳公张柬之为汉阳王，南阳公袁恕己为南阳王，特进、同中书门下三品博陵公崔玄暐为博陵王，罢知政事，赐金帛鞍马，令朝朔望。仍赐彦范姓韦氏，与皇后同籍。寻又以玄暐检校益州长史、知都督事，又改梁州刺史。三思令百官复修则天之政，不附武氏者斥之，为五王所逐者复之，大权尽归三思矣。

在此以前,殿中侍御史南皮县人郑愔巴结张易之和张昌宗,二张败死之后,被贬为宣州司士参军,又因犯贪赃罪的缘故,不得不逃到东都私下拜见武三思。郑愔刚见到武三思时,哭得很悲哀,一会儿又放声大笑。武三思向来位尊任重,对郑愔的悲喜无常感到非常奇怪,郑愔解释道:"我在刚刚见到大王时之所以痛哭失声,是在为大王将被戮尸灭族而感到悲哀。悲哀之后又放声大笑,是在为大王能得到郑愔的帮助从而最终会得以免祸而感到高兴。大王您虽然深得天子的欢心,但张柬之、敬晖、桓彦范、崔玄暐和袁恕己五人手中都掌握着将相大权,并且个个胆略过人,以至于他们废掉太后的帝位都易如反掌。大王您自己考虑您与太后相比哪一个权势地位更重一些? 那五个人对您恨之入骨,日夜都想吃下您的肉,如果不能把大王灭族,他们是不会称心如意的。大王您如果不尽快除掉这五个人,您的生命安全就会像早晨的露水一样没有保障,可是您却还是怡然自乐,自以为像泰山一样安然无恙,这就是我郑愔为大王您所感到痛心的原因。"武三思十分高兴,与郑愔一起上楼,向他请教平安无祸的办法,并引用他作了中书舍人,与崔湜一道成为自己的谋主。

武三思与韦后天天在唐中宗面前诬陷敬晖等人,说他们"倚仗功劳专擅朝政,将对大唐的江山社稷不利"。中宗相信了他们两人的谗言。武三思等人趁机为中宗出谋划策:"不如封敬晖等人为王,同时罢免他们所担任的职务,这样的话,表面不失为尊宠功臣,而实际上又能剥夺他们的权力。"唐中宗认为这样做很好。甲午(十六日),唐中宗封侍中齐公敬晖为平阳王,桓彦范为扶阳王,中书令汉阳公张柬之为汉阳王,南阳公袁恕己为南阳王,特进、同中书门下三品博陵公崔玄暐为博陵王,同时免去他们的宰相职务,赏赐上述五人金帛鞍马,只要求他们每月于初一、十五两回朝见。又赐桓彦范姓韦氏,让他与韦后同族。不久唐中宗又任命崔玄暐检校益州长史、知都督事,后来又改任他为梁州刺史。随后武三思便下令文武百官重新恢复执行武则天时期的政策,凡是拒不趋附武氏集团的人都被排斥去位,那些被张柬之、桓彦范等人免官放逐的人又得到重新起用,朝政大权全部落入武三思之手。

五王之请削武氏诸王也,求人为表,众莫肯为。中书舍人岑羲为之,语甚激切。中书舍人偃师毕构次当读表,辞色明厉。三思既得志,羲改秘书少监,出构为润州刺史。

易州刺史赵履温,桓彦范之妻兄也。彦范之诛二张,称履温预其谋,召为司农少卿,履温以二婢遗彦范。及彦范罢政事,履温复夺其婢。

上嘉宋璟忠直,屡迁黄门侍郎。武三思尝以事属璟,璟正色拒之曰:"今太后既复子明辟,王当以侯就第,何得尚干朝政!独不见产、禄之事乎!"

27　以韦安石兼检校中书令,魏元忠兼检校侍中,又以李湛为右散骑常侍,赵承恩为光禄卿,杨元琰为卫尉卿。

先是,元琰知三思浸用事,请弃官为僧,上不许。敬晖闻之,笑曰:"使我早知,劝上许之,髡去胡头,岂不妙哉?"元琰多须类胡,故晖戏之。元琰曰:"功成名遂,不退将危。此乃由衷之请,非徒然也。"晖知其意,瞿然不悦。及晖等得罪,元琰独免。

28　上官婕妤劝韦后袭则天故事,上表请天下士庶为出母服丧三年,又请百姓年二十三为丁,五十九免役,改易制度以收时望。制皆许之。

张柬之等五王请求中宗削去武氏集团成员的王爵,曾找人为他们拟表,众位朝臣中没有人敢于出头。中书舍人岑羲代他们草拟了表章,遣词用语十分激动。中书舍人偃师人毕构接下来为他们宣读表章,言语和神态显得非常严肃。武三思得志以后,便改任岑羲为秘书少监,外放毕构为润州刺史。

易州刺史赵履温,是桓彦范的妻兄。桓彦范诛杀张易之、张昌宗等人之后,声称赵履温也参与了诛除逆党的策划,唐中宗召他入京并将他任命为司农少卿,赵履温把两个婢女送给了桓彦范。等到桓彦范被免去宰相职务以后,赵履温又夺回了他那两个婢女。

唐中宗赞赏宋璟的忠直方正,连续把他提拔到黄门侍郎的高位。武三思曾经让宋璟替他办一件事,宋璟义正辞严地拒绝他说:"现在太后都已经将帝位传给了太子,大王你就应当以侯爵的身份回到自己家里去,怎么还可以干预朝政呢?你难道不知道吕产、吕禄两人的结局吗?"

27 唐中宗任命韦安石兼任检校中书令,任命魏元忠兼任检校侍中,又任命李湛为右散骑常侍,任命赵承恩为光禄卿,任命杨元琰为卫尉卿。

在此之前,杨元琰见武三思日益专擅朝政,便向唐中宗请求允许他辞去官位,削发为僧,唐中宗没有同意。敬晖听说这件事后,对杨元琰打趣说:"要是我早一点得知此事,我就去劝陛下同意你的要求,髡去你这胡人所有的头发,岂不是更好吗?"杨元琰长了一脸的络腮胡须,看上去像胡人,所以敬晖拿他开这样的玩笑。杨元琰回答说:"人在功成名就以后,如果不急流勇退,就会遇到很大的危险。我的确是想辞官出家当和尚的,不仅仅是作个样子。"敬晖知道他的真实想法之后非常吃惊,感到很不高兴。在敬晖等人因武三思的诬陷而被杀后,只有杨元琰一人得以幸免。

28 上官婕妤劝韦后承袭武则天时期所实行的典章制度,向中宗上表请求规定全国士民百姓一律为被父亲休弃的母亲服丧三年,又请求规定天下百姓二十三岁时才算成丁,到五十九岁就免除劳役,她这样做的目的是收买人心。唐中宗对她的所有建议都同意。

29　癸卯，制，降诸武，梁王三思为德静王，定王攸暨为乐寿王，河内王懿宗等十二人皆降为公，以厌人心。

30　甲辰，以唐休璟为左仆射，同中书门下三品如故；豆卢钦望为右仆射。

31　六月壬子，以左骁卫大将军裴思说充灵武军大总管，以备突厥。

32　癸亥，命右仆射豆卢钦望，有军国重事，中书门下可共平章。

先是，仆射为正宰相，其后多兼中书门下之职，午前决朝政，午后决省事。至是，钦望专为仆射，不敢预政事，故有是命。是后专拜仆射者，不复为宰相矣。

又以韦安石为中书令，魏元忠为侍中，杨再思检校中书令。

33　丁卯，祔孝敬皇帝于太庙，号义宗。

34　戊辰，洛水溢，流二千余家。

35　秋，七月辛巳，以太子宾客韦巨源同中书门下三品，西京留守如故。

36　特进汉阳王张柬之表请归襄州养疾。乙未，以柬之为襄州刺史，不知州事，给全俸。

37　河南、北十七州大水。八月戊申，以水灾求直言。右卫骑曹参军西河宋务光上疏，以为："水阴类，臣妾之象，恐后庭有干外朝之政者，宜杜绝其萌。今霖雨不止，乃闭坊门以禳之，至使里巷谓坊门为宰相，言朝廷使之燮理阴阳也。又，太子国本，

29　癸卯(二十五日),唐中宗颁下制书,下令降低武氏集团成员的爵位,将梁王武三思降为德静县王,将定王武攸暨降为乐寿县王,将河内王武懿宗等十二人降封为公爵。唐中宗这样做的目的是为了满足天下臣民的心愿。

30　甲辰(二十六日),唐中宗任命唐休璟为尚书左仆射,仍加同中书门下三品衔;又任命豆卢钦望为尚书右仆射。

31　六月壬子(初四),唐中宗任命左骁卫大将军裴思说为灵武军大总管,目的是为了防备突厥兵的侵扰。

32　癸亥(十五日),唐中宗下令尚书右仆射豆卢钦望在涉及有关军国大事的讨论时,可以参与宰相会议,共同商议处理意见。

在此之前,仆射就是正宰相,后来宰相大多兼任中书门下之职,每次上朝都是在上午商议处理朝廷大事,下午处理各自官署的事务。由于现在豆卢钦望只是任右仆射一职,不敢参与宰相们对于军国大事的讨论,所以唐中宗下达了这样的命令。此后专任尚书仆射的人,便不再是宰相了。

唐中宗又任命韦安石为中书令,任命魏元忠为侍中,任命杨再思为检校中书令。

33　丁卯(十九日),唐中宗将孝敬皇帝李弘的神主祔祭于太庙,庙号为唐义宗。

34　戊辰(二十日),洛水溢出河岸,冲走两千多户人家。

35　秋季,七月辛巳(初四),唐中宗任命太子宾客韦巨源为同中书门下三品,并且保留他原任的西京留守职务。

36　特进汉阳王张柬之上表请求回到襄州养病。乙未(十八日),唐中宗任命张柬之为襄州刺史,但不必亲自负责该州事务而领取全额俸禄。

37　黄河南北十七个州发大水。八月戊申(初一),唐中宗因发生水灾的缘故而下诏要求臣下直言规谏自己的过失。右卫骑曹参军西河县人宋务光上疏认为:"水主阴,是女人之象,恐怕是有后宫干预外朝政事的现象,陛下应当设法防患于未然。现在阴雨不止,朝廷便关闭坊市北门来祈求晴天,以至于老百姓误认为看守坊门的人就是宰相,说是朝廷让他来调解阴阳。再者,太子乃是立国的根本,

宜早择贤能而立之。又,外戚太盛,如武三思等,宜解其机要,厚以禄赐。又,郑普思、叶静能以小技窃大位,亦朝政之蠹也。"疏奏,不省。

38 壬戌,追立妃赵氏为恭皇后,孝敬皇帝妃裴氏为哀皇后。

39 九月壬午,上祀昊天上帝、皇地祇于明堂,以高宗配。

40 初,上在房陵,州司制约甚急,刺史河东张知謇、灵昌崔敬嗣独待遇以礼,供给丰赡。上德之,擢知謇自贝州刺史为左卫将军,赐爵范阳公。敬嗣已卒,求得其子汪,嗜酒,不堪厘职,除五品散官。

41 改葬上洛王韦玄贞,其仪皆如太原王故事。

42 癸巳,太子宾客、同中书门下三品韦巨源罢为礼部尚书,以其从父安石为中书令故也。

43 以左卫将军上邽纪处讷兼检校太府卿,处讷娶武三思之妻姊故也。

44 冬,十月,命唐休璟留守京师。

45 癸亥,上幸龙门。乙丑,猎于新安而还。

46 辛未,以魏元忠为中书令,杨再思为侍中。

47 十一月戊寅,群臣上皇帝尊号曰应天皇帝,皇后曰顺天皇后。壬午,上与后谒谢太庙,赦天下。相王、太平公主加实封,皆满万户。

应当及早选择贤良而有才能的王子，将他立为太子。此外，外戚势力太大，对于像武三思等人，应当解除他们所担任的重要职务，再多给他们一些俸禄。最后一点，郑普思、叶静能仅凭一些雕虫小技就窃据高位，他们也是腐蚀朝政的蛀虫。"这篇奏疏呈上来之后，唐中宗没有理睬。

38 壬戌(十五日)，唐中宗将妃子赵氏追立为恭皇后，将孝敬皇帝李弘的妃子裴氏追立为哀皇后。

39 九月壬午(初五)，唐中宗在明堂祭祀天地之神，以唐高宗配享。

40 当初，唐中宗被贬到房陵时，地方州县官吏对他限制约束得十分严格，只有刺史河东县人张知謇和灵昌县人崔敬嗣两人对他以礼相待，在衣食住行等方面供给得十分丰富。唐中宗很感激他们两人，于是将张知謇由贝州刺史提拔为左卫将军并赐爵为范阳公。崔敬嗣已经去世，唐中宗便找到他的儿子崔汪，但由于崔汪嗜酒如命，实在不能胜任任何实际工作，只好给了他一个五品散官的称号。

41 唐中宗为韦后的父亲洛阳王韦玄贞改葬，整个仪式都依照武则天之父武士彟的先例。

42 癸巳(十六日)，太子宾客、同中书门下三品韦巨源被罢免为礼部尚书，这是因为他的叔父韦安石被任命为中书令的缘故。

43 唐中宗任命左卫将军上邽人纪处讷兼任检校太府卿，这是由于纪处讷娶了武三思之妻的姐姐的缘故。

44 冬季，十月，唐中宗任命唐休璟留守京师。

45 癸亥(十七日)，唐中宗巡幸龙门。乙丑(十九日)，唐中宗在新安狩猎之后又返回东都。

46 辛未(二十五日)，唐中宗任命魏元忠为中书令，任命杨再思为侍中。

47 十一月戊寅(初二)，群臣给唐中宗上尊号为应天皇帝，为韦后上尊号为顺天皇后。壬午(初六)，中宗与韦后一同到太庙拜谢列祖列宗，并下诏赦免天下罪囚；同时下诏将相王李旦和太平公主的实封户都加至一万户。

48 己丑，上御洛城南楼，观泼寒胡戏。清源尉吕元泰上疏，以为："谋时寒若，何必裸身挥水，鼓舞衢路以索之？"疏奏，不纳。

49 壬寅，则天崩于上阳宫，年八十二。遗制："去帝号，称则天大圣皇后。王、萧二族及褚遂良、韩瑗、柳奭亲属皆赦之。"

上居谅阴，以魏元忠摄冢宰三日。元忠素负忠直之望，中外赖之。武三思惮之，矫太后遗制，慰谕元忠，赐实封百户。元忠捧制，感咽涕泗，见者曰："事去矣！"

十二月丁卯，上始御同明殿见群臣。

50 太后将合葬乾陵，给事中严善思上疏，以为："乾陵玄宫以石为门，铁锢其缝，今启其门，必须镌凿。神明之道，体尚幽玄，动众加功，恐多惊黩。况合葬非古，汉时诸陵，皇后多不合葬，魏、晋已降，始有合者。望于乾陵之傍更择吉地为陵，若神道有知，幽涂自当通会；若其无知，合之何益？"不从。

51 是岁，户部奏天下户六百一十五万，口三千七百一十四万有畸。

二年(丙午，706)

1 春，正月戊戌，以吏部尚书李峤同中书门下三品，中书侍郎于惟谦同平章事。

2 闰月丙午，制："太平、长宁、安乐、宜城、新都、定安、金城公主并开府，置官属。"

48　己丑(十三日),唐中宗登上洛城南楼观看泼寒胡戏。清源尉吕元泰上疏认为:"君主善于谋划,则四时寒暑自然顺畅无碍,何必赤身裸体,泼水为乐,在大街上击鼓起舞以乞求寒冬的到来呢?"奏疏呈上以后,中宗没有采纳他的建议。

49　壬寅(二十六日),武则天在上阳宫驾崩,终年八十二岁。临死时武则天留下遗命:"去掉皇帝称号,以后称我为则天大圣皇后。高宗的后妃王氏和萧氏家族以及褚遂良、韩瑗、柳奭三人的亲属都要全部赦免。"

唐中宗在为武则天居丧守制期间,派魏元忠代理三天冢宰职务。魏元忠向来就有忠直方正的声望,因而深得朝野倚重。武三思对此很是担忧,乃伪造武则天的遗命,对魏元忠好言劝慰,并赐魏元忠食百户租税。魏元忠手捧"太后遗制"涕泪纵横,看见这一情景的人说:"事情已经无可挽回了!"

十二月丁卯(二十一日),唐中宗才亲临同明殿召见群臣。

50　武则天的灵柩将要与唐高宗李治合葬于乾陵,给事中严善思上疏认为:"乾陵墓穴的门是用石头砌成的,石门的门缝又用熔化的铁水堵塞起来,如果想打开石门,就必须使用钻凿一类的工具。供奉神祇之道,重在保持幽静深远的气氛,倘若兴师动众地打开石门,恐怕对高宗遗体多有惊动亵渎。况且夫妻合葬并非古制,汉代皇帝的陵墓,大多数都没有皇后合葬,从魏晋以来,才有合葬的。希望陛下能在乾陵旁边另外选择风水好的地段修建陵墓,假如帝后神灵有知,两人在阴间自然会友好交往;不然的话,即使是把两人合葬又能有什么用处呢?"唐中宗没有听从他的劝告。

51　这一年,户部上报唐中宗说,全国共有六百一十五万户,总计三千七百一十四万多人。

唐中宗神龙二年(丙午,公元706年)

1　春季,正月戊戌(二十三日),唐中宗任命吏部尚书李峤为同中书门下三品,任命中书侍郎于惟谦为同平章事。

2　闰月丙午(初一),唐中宗颁下制书:"太平公主、长宁公主、安乐公主、宜城公主、新都公主、定安公主和金城公主都可以开建官署和辟置僚属。"

3 武三思以敬晖、桓彦范、袁恕己尚在京师,忌之,乙卯,出为滑、洺、豫三州刺史。

4 赐阌乡僧万回号法云公。

5 甲戌,以突骑施酋长乌质勒为怀德郡王。

6 二月乙未,以刑部尚书韦巨源同中书门下三品,仍与皇后叙宗族。

7 丙申,僧慧范等九人并加五品阶,赐爵郡、县公;道士史崇恩等加五品阶,除国子祭酒,同正;叶静能加金紫光禄大夫。

8 选左、右台及内外五品以上官二十人为十道巡察使,委之察吏抚人,荐贤直狱。二年一代,考其功罪而进退之。易州刺史魏人姜师度、礼部员外郎马怀素、殿中侍御史临漳源乾曜、监察御史灵昌卢怀慎、卫尉少卿滏阳李杰皆预焉。

9 三月甲辰,中书令韦安石罢为户部尚书;户部尚书苏瓌为侍中、西京留守。瓌,颋之父也。唐休璟致仕。

10 初,少府监丞弘农宋之问及弟兖州司仓之逊皆坐附会张易之贬岭南。逃归东都,匿于友人光禄卿、驸马都尉王同皎家。同皎疾武三思及韦后所为,每与所亲言之,辄切齿。之逊于帘下闻之,密遣其子昙及甥校书郎李悛告三思,欲以自赎。三思使昙、悛及抚州司仓冉祖雍上书告同皎与洛阳人张仲之、祖延庆、武当丞寿春周憬等潜结壮士,谋杀三思,因勒兵诣阙,废皇后。上命御史大人李承嘉、监察御史姚绍之按其事,又命杨再思、李峤、韦巨源参验。仲之言三思罪状,

3　因为敬晖、桓彦范和袁恕己三人仍在京师，武三思忌恨他们，乙卯(初十)，武三思将三人分别外放为滑州、洺州和豫州刺史。

4　唐中宗赐予闾乡和尚万回法云公的称号。

5　甲戌(二十九日)，唐中宗封突骑施酋长乌质勒为怀德郡王。

6　二月乙未(二十一日)，唐中宗任命刑部尚书韦巨源为同中书门下三品，并且仍然准许他列入韦皇后的家族之中。

7　丙申(二十二日)，唐中宗将胡僧慧范等九人各加五品官阶，并且分别赐予郡公或县公的爵位；将道士史崇恩等人各加五品官阶，并且任命他们为国子祭酒，员外特置同正员；给叶静能加金紫光禄大夫衔。

8　唐中宗下诏选拔左、右御史台及朝廷内外五品以上官员共二十人为十道巡察使，让他们负责考察官吏政绩、安抚黎民百姓、举荐贤良方正之士和复核平反冤狱等事务。各道巡察使每两年轮换一次，根据他们的功绩与过失来决定其官职的升降。易州刺史魏县人姜师度、礼部员外郎马怀素、殿中侍御史临漳县人源乾曜、监察御史灵昌县人卢怀慎和卫尉少卿滏阳县人李杰都被选中。

9　三月甲辰(初一)，中书令韦安石被贬为户部尚书；户部尚书苏瑰担任侍中、西京留守。苏瑰是苏颋的父亲。唐休璟因年老退休。

10　先前，少府监丞弘农县人宋之问和他的弟弟兖州司仓宋之逊都因依附张易之而被贬岭南。两人逃回东都后，藏在友人光禄卿、驸马都尉王同皎家中。王同皎痛恨武三思和韦后的所作所为，因而每当他同亲近的人谈起这些事时，都对武三思和韦后恨之入骨。宋之逊在门帘后边听到了王同皎所说的话，便秘密地派他的儿子宋昙和他的外甥校书郎李悛告诉了武三思，希望通过这样做来将功赎罪。武三思让宋昙、李悛及抚州司仓冉祖雍上书，控告王同皎伙同洛阳人张仲之、祖延庆、武当县丞寿春县人周憬等秘密招纳壮士，计划杀掉武三思，并趁机带兵闯入皇宫，废掉韦皇后。中宗指派御史大夫李承嘉和监察御史姚绍之审理这件案子，又让杨再思、李峤和韦巨源参与此案的审理。张仲之历数武三思罪状，

事连宫壸。再思、巨源阳寐不听。峤与绍之命反接送狱。仲之还顾,言不已,绍之命桩之,折其臂。仲之大呼曰:"吾已负汝,死当讼汝于天!"庚戌,同皎等皆坐斩,籍没其家。周憬亡入比干庙中,大言曰:"比干古之忠臣,知吾此心。三思与皇后淫乱,倾危国家,行当枭首都市,恨不及见耳!"遂自刭。之问、之逊、昙、悛、祖雍并除京官,加朝散大夫。

11　武三思与韦后日夜谮敬晖等不已,复左迁晖为朗州刺史,崔玄暐为均州刺史,桓彦范为亳州刺史,袁恕己为郢州刺史。与晖等同立功者皆以为党与坐贬。

12　大置员外官,自京司及诸州凡二千余人,宦官超迁七品以上员外官者又将千人。

魏元忠自端州还,为相,不复强谏,惟与时俯仰,中外失望。酸枣尉袁楚客致书元忠,以为:"主上新服厥命,惟新厥德,当进君子,退小人,以兴大化,岂可安其荣宠,循默而已?今不早建太子,择师傅而辅之,一失也。公主开府置僚属,二失也。崇长缁衣,使游走权门,借势纳赂,三失也。俳优小人,盗窃品秩,四失也。有司选进贤才,皆以货取势求,五失也。宠进宦者,殆满千人,为长乱之阶,六失也。王公贵戚,赏赐无度,竞为侈靡,七失也。广置员外官,伤财害民,八失也。

涉及武三思与韦后的私情,但杨再思和韦巨源假装睡觉,根本不予理睬。李峤和姚绍之下令手下人将张仲之反绑双手,送到监狱中关押。张仲之挣扎着回过头来,嘴里还在不停地申辩,姚绍之又下令左右对他严刑拷讯,打断了他的手臂。张仲之大声呼喊着说:"现在我输给了你,但即使是我死了,也一定要到上天那里去告你!"庚戌(初七),王同皎等人都被判处斩刑,全家所有财产也都被官府没收。周憬逃到比干的庙中,对着比干的灵位高声说道:"您比干是上古有名的忠臣,一定能知道我对大唐朝廷忠贞不渝。武三思与韦皇后通奸乱伦,一心想颠覆大唐的江山社稷,迟早会在闹市上被枭首示众,只可惜我见不到这一天了!"说完之后即自杀而死。宋之问、宋之逊、宋昙、李悛、冉祖雍等人都被任命为京官,被加封为朝散大夫。

11　武三思和韦后日夜不停地诬陷敬晖等人,于是唐中宗又将敬晖降职为郎州刺史,将崔玄暐降职为均州刺史,将桓彦范降职为亳州刺史,将袁恕己降职为郓州刺史。当时与张柬之、敬晖等一起诛灭张易之、张昌宗而立下功勋的人都被当作敬晖等人的同党而受到贬职处分。

12　唐中宗大量增置员外官,从在京各司直到地方各州总共增置员外官两千多人,此外,还破格提拔近千名宦官为七品以上员外官。

魏元忠从端州回京并被任命为宰相,就再也不敢犯颜直谏了,遇事只是看别人的脸色随声附和;朝野人士对他十分失望。酸枣县尉袁楚客写信给魏元忠说:"现在皇帝刚刚即位,应当革新自己的德行,即应提拔任用君子贬黜斥退小人,以振兴深远的教化,您怎么能安于恩宠,对任何有亏圣德的行为都一概缄默无言呢?现在还不早定太子之位,并选择师傅对他加以辅导教诲,是第一个过失。允许公主建置官署及辟用僚属,是第二个过失。过分推崇佛家弟子,使得他们奔走游说于权贵之家,借机广收钱物,是第三个过失。演唱滑稽歌舞的卑贱小人窃据朝廷的官员俸禄,是第四个过失。每当有关部门选拔任用贤才的时候,应辟者只有靠行贿或者依附于权贵之门才能受到任用,是第五个过失。皇帝宠爱提拔宦官近千人之多,从而埋下变乱的祸根,是第六个过失。对王公贵族过度赏赐,以至这些人奢侈成风,互相攀比,是第七个过失。大量增置正员之外的员外官,耗费钱财坑害百姓,是第八个过失。

先朝宫女,得自便居外,出入无禁,交通请谒,九失也。左道之人,荧惑主听,盗窃禄位,十失也。凡此十失,君侯不正,谁与正之哉?"元忠得书,愧谢而已。

13 夏,四月,改赠后父韦玄贞为酆王,后四弟皆赠郡王。

14 己丑,左散骑常侍、同中书门下三品李怀远致仕。

15 处士韦月将上书告武三思潜通宫掖,必为逆乱。上大怒,命斩之。黄门侍郎宋璟奏请推按,上益怒,不及整巾,屣履出侧门,谓璟曰:"朕谓已斩,乃犹未邪?"命趋斩之。璟曰:"人言宫中私于三思,陛下不问而诛之,臣恐天下必有窃议。"固请按之,上不许,璟曰:"必欲斩月将,请先斩臣!不然,臣终不敢奉诏。"上怒少解。左御史大夫苏珦、给事中徐坚、大理卿长安尹思贞皆以为方夏行戮,有违时令。上乃命与杖,流岭南。过秋分一日,平晓,广州都督周仁轨斩之。

16 御史大夫李承嘉附武三思,诋尹思贞于朝,思贞曰:"公附会奸臣,将图不轨,先除忠臣邪?"承嘉怒,劾奏思贞,出为青州刺史。或谓思贞曰:"公平日讷于言,及廷折承嘉,何其敏邪?"思贞曰:"物不能鸣者,激之则鸣。承嘉恃威权相陵,仆义不受屈,亦不知言之从何而至也。"

先朝的宫女可以在宫禁之外居住,并且不受限制地出入宫门,与外人交往勾结,大行请托之风,是第九个过失。旁门左道之徒蛊惑皇帝的心神从而得以窃据俸禄职位,是第十个过失。当今朝政有十大过失,您不去尽力匡正,谁还能匡正它呢?"魏元忠读罢来信,也只能是羞愧致歉而已。

13 夏季,四月,唐中宗改赠韦后之父上洛王韦玄贞为酆王,韦后的四个弟弟韦洵、韦浩、韦洞、韦泚都被追赠为郡王。

14 己丑(十六日),左散骑常侍、同中书门下三品李怀远因年事已高而退休。

15 拒不出仕为官的韦月将上书控告武三思暗地里与韦皇后通奸,日后必将谋反叛逆。唐中宗勃然大怒,下令将韦月将斩首。黄门侍郎宋璟上奏请求依法推究审验,中宗越发愤怒,顾不上穿戴整齐,拖着便鞋走出大明宫的侧门对宋璟说:"朕还以为早就把韦月将斩首了呢,难道到现在还没有执行吗?"接着下令赶紧将韦月将处斩。宋璟说:"有人上书揭发皇后与武三思有私情,陛下不问,就要杀掉上书的人,我担心天下臣民一定会对此大加非议。"仍然坚决地请求审理武三思,唐中宗坚决不答应,宋璟于是对中宗说:"如果陛下一定要将韦月将斩首,那就先将我斩首好了!否则我终将不敢按照您的指令行事。"唐中宗的怒气这才渐渐地平息了一些。左御史大夫苏珦、给事中徐坚和大理卿长安人尹思贞也纷纷说刚入夏季便杀戮罪人,与季节的自然变化相违背。唐中宗于是下令将韦月将处以杖刑,并把他流放到岭南。在这一年秋分的第二天,天刚破晓,广州都督周仁轨便将韦月将斩首。

16 御史大夫李承嘉为依附武三思而在朝廷之上诋毁尹思贞,尹思贞说:"您为了投靠奸臣图谋不轨,竟然要首先铲除忠臣吗?"李承嘉十分生气,便上奏中宗弹劾尹思贞,将他外放为青州刺史。有人问尹思贞:"您平日不善言辞,但在当廷驳斥李承嘉时,为什么思路如此敏捷?"尹思贞回答说:"大凡不能发出声响的东西,敲击一下就会发出声响。李承嘉仗势欺压我,我只是仗义直言,不买他的账,也不清楚那些激烈的言辞是从哪里想出来的。"

17　武三思恶宋璟,出之检校贝州刺史。

18　五月庚申,葬则天大圣皇后于乾陵。

19　武三思使郑愔告朗州刺史敬晖、亳州刺史韦彦范、襄州刺史张柬之、郢州刺史袁恕己、均州刺史崔玄暐与王同皎通谋。六月戊寅,贬晖崖州司马,彦范泷州司马,柬之新州司马,恕己窦州司马,玄暐白州司马,并员外置,仍长任,削其勋封,复彦范姓桓氏。

20　初,韦玄贞流钦州而卒,蛮酋宁承基兄弟逼取其女,妻崔氏不与,承基等杀之。及其四男洵、浩、洞、泚,上命广州都督周仁轨使将兵二万讨之。承基等亡入海,仁轨追斩之,以其首祭崔氏墓,杀掠其部众殆尽。上喜,加仁轨镇国大将军,充五府大使,赐爵汝南郡公。韦后隔帘拜仁轨,以父事之。及韦后败,仁轨以党与诛。

21　秋,七月戊申,立卫王重俊为太子。太子性明果,而官属率贵游子弟,所为多不法。左庶子姚珽屡谏,不听。珽,琦之弟也。

22　丙寅,以李峤为中书令。
23　上将还西京,辛未,左散骑常侍李怀远同中书门下三品,充东都留守。

17 武三思憎恶宋璟,便怂恿唐中宗将他外放为检校贝州刺史。

18 五月庚申(十八日),唐中宗将则天大圣皇后的灵柩与乾陵之中的唐高宗合葬。

19 武三思指使郑愔控告朗州刺史敬晖、亳州刺史韦彦范(桓彦范当时被赐姓韦)、襄州刺史张柬之、郓州刺史袁恕己和均州刺史崔玄暐与王同皎同谋废掉韦后。六月戊寅(初六),唐中宗将敬晖贬为崖州司马,将韦彦范贬为泷州司马,将张柬之贬为新州司马,将袁恕己贬为窦州司马,将崔玄暐贬为白州司马,一律为员外官,还得长期留在任上,并且削夺他们的勋爵;此外,还将韦彦范的赐姓夺回,恢复他原来的桓姓。

20 先前,韦玄贞被流放到钦州后去世,蛮人部落酋长宁承基兄弟前来相逼,要娶韦玄贞的女儿,他的妻子崔氏不同意把女儿嫁给宁承基,宁承基兄弟便杀了她,韦玄贞的四个儿子韦洵、韦浩、韦洞和韦泚也同时被杀。现在唐中宗命令广州都督周仁轨率领两万人马去征讨宁承基兄弟。宁承基等人逃到海上,周仁轨仍然率军追上他们,将他们斩首,并用砍下来的首级祭奠崔氏的坟墓,而且放纵兵士,几乎将宁承基兄弟的部落杀戮抢掠一空。唐中宗对此十分满意,加周仁轨镇国大将军称号,并派他充任广、桂、邕、容、琼五府大使,还赐予他汝南郡公的爵位。周仁轨入朝参见皇帝时,韦后在帘帐后面对他行礼,像对待父亲那样对待他。等到后来韦后谋逆被杀后,周仁轨作为韦后的同党而被杀。

21 秋季,七月戊申(初七),唐中宗立卫王李重俊为太子。太子生性聪明果决,但太子官属都是王公贵族的子弟,这些人平常所做的大多是违法的事情。左庶子姚珽屡次进谏,太子却根本不听从他的劝告。姚珽,是姚璹的弟弟。

22 丙寅(二十五日),唐中宗任命李峤为中书令。

23 唐中宗即将回到西京长安,辛未(三十日),任命左散骑常侍李怀远为同中书门下三品,充任东都留守。

24　武三思阴令人疏皇后秽行,榜于天津桥,请加废黜。上大怒,命御史大夫李承嘉穷核其事。承嘉奏言:"敬晖、桓彦范、张柬之、袁恕己、崔玄暐使人为之,虽云废后,实谋大逆,请族诛之。"三思又使安乐公主潛之于内,侍御史郑愔言之于外,上命法司结竟。大理丞三原李朝隐奏称:"晖等未经推鞫,不可遽就诛夷。"大理丞裴谈奏称:"晖等宜据制书处斩籍没,不应更加推鞫。"上以晖等尝赐铁券,许以不死,乃长流晖于琼州,彦范于瀼州,柬之于泷州,恕己于环州,玄暐于古州,子弟年十六以上,皆流岭外。擢承嘉为金紫光禄大夫,进爵襄武郡公,谈为刑部尚书,出李朝隐为闻喜令。

三思又讽太子上表,请夷晖等三族。上不许。

中书舍人崔湜说三思曰:"晖等异日北归,终为后患,不如遣使矫制杀之。"三思问谁可使者,湜荐大理正周利用。利用先为五王所恶,贬嘉州司马,乃以利用摄右台侍御史,奉使岭外。比至,柬之、玄暐已死,遇彦范于贵州,令左右缚之,曳于竹槎之上,肉尽至骨,然后杖杀。得晖,剐而杀之。恕己素服黄金,利用逼之使饮野葛汁,尽数升不死,不胜毒愤,捂地,爪甲殆尽,仍捶杀之。利用还,擢拜御史中丞。薛季昶累贬儋州司马,饮药死。

24　武三思暗地里派人分条陈述韦后的肮脏行为,将这些文字张贴在东都洛阳的天津桥上,请求中宗下诏废黜韦后。唐中宗勃然大怒,下令御史大夫李承嘉竭尽全力地追查此事。李承嘉上奏说:"这些文字是敬晖、桓彦范、张柬之、袁恕己和崔玄晖派人书写和张贴的,虽然上面所写的只是请求废黜皇后,但他们实际上是想谋大逆,请陛下允许将这五个人灭族。"武三思又指使安乐公主在宫中对五人横加诬陷,还指派侍御史郑愔在外朝对五人大加弹劾,唐中宗于是下令三法司审结此案。大理丞三原人李朝隐上奏说:"敬晖等人还没有经过详细审讯,不能急于将他们灭族。"大理丞裴谈上奏说:"对敬晖等人应当按照皇帝的制命处以斩刑,没收财产,不需要再经过审讯了。"唐中宗考虑到曾赐给敬晖等人铁券,许诺过不对他们处以死刑,便下令对他们处以长期流刑,将敬晖流放到琼州,将桓彦范流放到瀼州,将张柬之流放到泷州,将袁恕己流放到环州,将崔玄晖流放到古州,五人的子弟中凡十六岁以上的都流放到岭外。中宗又提升李承嘉为金紫光禄大夫,将其封号提升为襄武郡公,大理丞裴谈也被提升为刑部尚书,还将李朝隐外放为闻喜令。

武三思又暗示太子李重俊上表,请求将敬晖等人夷三族,唐中宗没有同意。

中书舍人崔湜对武三思说:"日后如果敬晖等人又回到朝中,最终还是要成为祸患,您不如派人伪造皇帝的命令把他们杀掉。"武三思问他谁可以作为使者去完成这一使命,崔湜向他推荐了大理正周利用。在此以前周利用因受到敬晖等人憎厌的缘故,被贬为嘉州司马,武三思于是让周利用代理右台侍御史职务,奉命出使到岭外。等到周利用到达岭外时,张柬之和崔玄晖已经去世,周利用在贵州遇到桓彦范,便命令手下人将桓彦范捆绑起来,把他放倒在竹筏子上拖着走,直到身上的肉全都磨掉露出骨头时,才将他用杖打死。在抓住敬晖后,便将他剐死。袁恕己平素服食丹药,周利用硬逼着他喝有毒的野葛汁,袁恕己喝下好几升之后还没有被毒死,但毒性发作难以忍受,疼得他用手扒土,几乎把手上的指甲磨光,然后周利用才用棍棒将他活活打死。周利用回朝后,唐中宗将他提升为御史中丞。薛季昶多次被贬,一直到被贬为儋州司马时服毒自杀。

　　三思既杀五王,权倾人主,常言:"我不知代间何者谓之善人,何者谓之恶人。但于我善者则为善人,于我恶者则为恶人耳。"

　　时兵部尚书宗楚客、将作大匠宗晋卿、太府卿纪处讷、鸿胪卿甘元柬皆为三思羽翼。御史中丞周利用、侍御史冉祖雍、太仆丞李俊、光禄丞宋之逊、监察御史姚绍之皆为三思耳目,时人谓之五狗。

　　25　九月戊午,左散骑常侍、同中书门下三品李怀远薨。

　　26　初,李峤为吏部侍郎,欲树私恩,再求入相,奏大置员外官,广引贵势亲识。既而为相,铨衡失序,府库减耗,乃更表言滥官之弊,且请逊位。上慰谕不许。

　　冬,十月己卯,车驾发东都,以前检校并州长史张仁愿检校左屯卫大将军兼洛州长史。戊戌,车驾至西京。十一月乙巳,赦天下。

　　27　丙辰,以蒲州刺史窦从一为雍州刺史。从一,德玄之子也,初名怀贞,避皇后父讳,更名从一,多谄附权贵。太平公主与僧寺争碾硙,雍州司户李元纮判归僧寺。从一大惧,亟命元纮改判。元纮大署判后曰:"南山可移,此判无动!"从一不能夺。元纮,道广之子也。

　　28　初,秘书监郑普思纳其女于后宫,监察御史灵昌崔日用劲奏之,上不听。普思聚党于雍、岐二州,谋作乱。事觉,西京留守苏瓌收系,穷治之。普思妻第五氏以鬼道得幸于皇后,

武三思杀死张柬之、敬晖、桓彦范等五人之后,权势已经超过唐中宗,他常常说:"我不知道人间什么样的人是善人,什么样的人是恶人。我只知道只要是对我好的人就是善人,对我不好的人就是恶人罢了。"

当时,兵部尚书宗楚客、将作大匠宗晋卿、太府卿纪处讷和鸿胪卿甘元柬都是武三思的党羽。御史中丞周利用、侍御史冉祖雍、太仆丞李俊、光禄丞宋之逊、监察御史姚绍之五人又都是武三思的耳目,当时人们称这五人为"五狗"。

25　九月戊午(十七日),左散骑常侍、同中书门下三品李怀远去世。

26　起初,在李峤任户部侍郎时,想要树立自己私人的恩惠以便再次入朝成为宰相,乃奏请大量增置员外官,广泛任用高官显贵的亲戚充任员外官。在他不久后又作了宰相时,由于吏部铨选官吏没有任何原则以及国库储备减少的缘故,乃重新上表指出任官太滥的弊端,并且请求辞去宰相的职位。唐中宗对他好言相劝,没有答应他辞去相位的请求。

冬季,十月己卯(初九),唐中宗一行从东都出发,又任命前任检校并州长史张仁愿为检校左屯卫大将军兼洛州长史。戊戌(二十八日),唐中宗一行抵达西京长安。十一月乙巳(初五),唐中宗下诏赦免全国罪囚。

27　丙辰(十六日),唐中宗任命蒲州刺史窦从一为雍州刺史。窦从一是窦德玄的儿子,原名窦怀贞,为避韦皇后之父韦玄贞的名讳,才改名为窦从一,他为人一向阿谀依附权贵。太平公主与佛寺为争夺一座利用水力打磨米面的碾硙而打官司,雍州司户李元纮判决佛寺胜诉。窦从一非常害怕,急忙下令李元纮改判太平公主胜诉。李元纮在判决书最后用大字写道:"即使是南山可以移动,这个判决的结果也不能更改!"窦从一无法使他改变决定。李元纮,是李道广的儿子。

28　先前,秘书监郑普思把他自己的女儿送入后宫,监察御史灵昌县人崔日用曾上奏弹劾他,中宗没有听从崔日用的意见。后来郑普思在雍州和岐州两地聚集党羽阴谋作乱。事发后西京留守苏瓌逮捕了郑普思,穷究其罪。郑普思的妻子第五氏凭借鬼神邪说而得到韦后的宠爱,

上敕瓌勿治。及车驾还西京,瓌廷争之,上抑瓌而佑普思。侍御史范献忠进曰:"请斩苏瓌!"上曰:"何故?"对曰:"瓌为留守大臣,不能先斩普思,然后奏闻,使之荧惑圣听,其罪大矣。且普思反状明白,而陛下曲为申理。臣闻王者不死,殆谓是乎?臣愿先赐死,不能北面事普思。"魏元忠曰:"苏瓌长者,用刑不枉。普思法当死。"上不得已,戊午,流普思于儋州,馀党皆伏诛。

29　十二月己卯,突厥默啜寇鸣沙,灵武军大总管沙吒忠义与战,军败,死者六千馀人。辛巳,突厥进寇原、会等州,掠陇右牧马万馀匹而去。免忠义官。

30　安西大都护郭元振诣突骑施乌质勒牙帐议军事,天大风雪,元振立于帐前,与乌质勒语。久之,雪深,元振不移足。乌质勒老,不胜寒,会罢而卒。其子娑葛勒兵将攻元振,副使御史中丞解琬知之,劝元振夜逃去,元振曰:"吾以诚心待人,何所疑惧?且深在寇庭,逃将安适?"安卧不动。明旦,入哭,甚哀,娑葛感其义,待元振如初。戊戌,以娑葛袭嗢鹿州都督、怀德王。

31　安乐公主恃宠骄恣,卖官鬻狱,势倾朝野。或自为制敕,掩其文,令上署之,上笑而从之,竟不视也。自请为皇太女,上虽不从,亦不谴责。

唐中宗因此而敕令苏瓌不要对郑普思治罪。等到唐中宗从神都回到西京长安之后，苏瓌在朝廷之上争辩此事，唐中宗压制苏瓌而庇护郑普思。侍御史范献忠对中宗说："请陛下下令将苏瓌斩首!"中宗问道："为什么?"范献忠回答说："苏瓌身为留守大臣却不能先将郑普思处斩，然后再奏报给陛下，以至于让他眩惑陛下，他所犯的罪过可太大啦。况且郑普思谋反的细节清楚明白，但陛下却偏袒他，为他辩解。臣听说将称王于天下的人不会死，大概就是说的这种情况吧? 臣希望陛下先将臣赐死，臣不能面朝北向郑普思称臣。"魏元忠说："苏瓌是一个严谨忠厚的人，他并没有枉法用刑。郑普思谋反属实，依法应处死刑。"唐中宗无奈，戊午(十八日)，下令将郑普思流放到儋州，他的手下党羽都被判处死刑。

29　十二月己卯(初八)，突厥默啜进犯鸣沙，唐灵武军大总管沙吒忠义与突厥兵交战，唐军战败，阵亡六千多人。辛巳(十一日)，突厥兵进犯原州和会州等地，抢掠了陇右的军马一万多匹之后撤走。唐中宗免去了沙吒忠义的职务。

30　安西大都护郭元振到突骑施乌质勒的牙帐中商议军事时，正赶上天降大雪，风也很大。郭元振在牙帐前与乌质勒对面站着谈了很长时间，地上的雪积了很深，郭元振连脚都没移动。但乌质勒年高体弱，耐不住严寒，在这次会面之后就死去了。乌质勒的儿子娑葛聚集部众，打算进攻郭元振，副使、御史中丞解琬得知这一消息后，劝郭元振趁着黑夜逃离此地，郭元振说："我以诚心对待他们，又有什么事可以值得怀疑和害怕呢? 再说我们这些人都在他们的势力范围之内，就算是想逃走，又能逃到哪里去呢?"于是仍然十分镇静地躺在床上，不做其他任何准备。第二天早上，郭元振来到乌质勒的牙帐，对着乌质勒的遗体放声痛哭，乌质勒的儿子娑葛被郭元振的义气所感动，便又像以前那样善待他。戊戌，唐中宗册命娑葛承袭嗢鹿州都督、怀德王。

31　安乐公主倚仗着中宗的宠爱骄横放纵，卖官鬻爵，贪赃枉法，权势极大。甚至自己起草制书敕令，将内容覆盖后让唐中宗在下面签名用印，唐中宗高高兴兴地按照她的意思去签字画押，甚至不去理会制书敕令的具体内容。安乐公主亲自请求唐中宗将她立为皇太女，中宗虽然没有照她说的去做，却也没有责怪她。

景龙元年(丁未,707)

1　春,正月庚戌,制以突厥默啜寇边,命内外官各进平突厥之策。右补阙卢俌上疏,以为:"郤縠悦礼乐,敦《诗》《书》,为晋元帅;杜预射不穿札,建平吴之勋。是知中权制谋,不取一夫之勇。如沙吒忠义,骁将之材,本不足以当大任。又,鸣沙之役,主将先逃,宜正邦宪。赏罚既明,敌无不服。又,边州刺史,宜精择其人,使之蒐卒乘,积资粮,来则御之,去则备之。去岁四方旱灾,未易兴师。当理内以及外,绥近以来远,俟仓廪实,士卒练,然后大举以讨之。"上善之。

2　二月丙戌,上遣武攸暨、武三思诣乾陵祈雨。既而雨降,上喜,制复武氏崇恩庙及昊陵、顺陵,因名酆王庙曰褒德,陵曰荣先。又诏崇恩庙斋郎取五品子充。太常博士杨孚曰:"太庙皆取七品已下子为斋郎,今崇恩庙取五品子,未知太庙当如何?"上命太庙亦准崇恩庙。孚曰:"以臣准君,犹为僭逆,况以君准臣乎?"上乃止。

3　庚寅,敕改诸州中兴寺、观为龙兴,自今奏事不得言中兴。右补阙权若讷上疏,以为:"天、地、日、月等字皆则天能事,贼臣敬晖等轻紊前规。今削之无益于淳化,存之有光于孝理。又,神龙元年制书,一事以上,并依贞观故事,岂可近舍母仪,远尊祖德?"疏奏,手制褒美。

唐中宗景龙元年(丁未,公元707年)

1 春季,正月庚戌(十一日),由于突厥默啜部侵扰边境的缘故,唐中宗颁下制书,命令朝廷内外官员进献讨平突厥的对策。右补阙卢俌上疏认为:"晋大夫郤縠喜欢礼乐,尊崇爱好《诗经》、《尚书》,后来被任命为中军元帅;西晋大臣杜预连盔甲都射不穿,终于成就了平定东吴的功勋。由此可知朝廷中枢在作出决策时,不能单纯看重匹夫之勇。像沙吒忠义这样有勇无谋的人,本来就不足以担当大任。再说,鸣沙一役,沙吒忠义作为主将却率先脱逃,陛下应对其严肃查处以正军法。朝廷赏罚严明,就没有不可征服的敌人。另外,朝廷在选任边疆各州刺史时,应当选派那些善于整治兵马、积草存粮,既能成功地抵御敌人的进犯,又能有效地对付敌人的骚扰的人担任这些职务。上一年各地水旱灾害较多,不便讨伐突厥。应当整饬内地以便更好地治理全国,安抚周边部落以便使远方诸国前来朝贡,等到国家府库充实、兵强马壮的时候,再大举发兵讨伐突厥。"唐中宗认为他的建议很好。

2 二月丙戌(十七日),唐中宗派遣武攸暨、武三思到乾陵求雨。时间不长就下起了雨,唐中宗十分高兴,便发布制命恢复武氏的崇恩庙和昊陵、顺陵,同时将韦后之父酆王韦玄贞的酆王庙改称褒德,并将他的陵墓称作荣先。此外唐中宗还下诏规定崇恩庙的斋郎一律由五品官的子孙充任。太常博士杨孚说:"太庙的斋郎都是由七品以下官的子孙充任的,如果说崇恩庙取五品官子孙作斋郎的话,不知太庙应该取几品官的子孙担任斋郎?"唐中宗下令太庙的规格也和崇恩庙一样。杨孚又说:"臣子享用君主的礼仪规格,就已经是僭越大逆了,何况是要让君主享用臣子的礼仪规格呢?"唐中宗这才取消了这项命令。

3 庚寅(二十一日),唐中宗发布敕命,将各州的中兴寺和中兴观一律改名为龙兴寺和龙兴观,并且规定从今以后臣民上奏言事不得再提到中兴二字。右补阙权若讷上疏认为:"天、地、日、月等字,都是武则天当朝时期所改定的,乃是贼臣敬晖等人随心所欲地破坏前朝定制。现在废除这些规定对于淳厚的社会风尚没有任何好处,但保存这些却有助于使孝敬母亲的美德发扬光大。再者,陛下在神龙元年的制书中说,处理任何事情都要遵奉贞观时期的制度,但陛下怎么可以为遵奉祖先功德而舍弃孝顺母亲的准则呢?"这篇奏疏呈上之后,唐中宗亲笔书写谕旨以示褒奖赞美。

4　三月庚子，吐蕃遣其大臣悉薰热入贡。

5　夏，四月辛巳，以上所养雍王守礼女金城公主妻吐蕃赞普。

6　五月戊戌，以左屯卫大将军张仁愿为朔方道大总管，以备突厥。

7　上以岁旱谷贵，召太府卿纪处讷谋之。明日，武三思使知太史事迦叶志忠奏："是夜，摄提入太微宫，至帝座，主大臣宴见纳忠于天子。"上以为然，敕称处讷忠诚，彻于玄象，赐衣一袭，帛六十段。

8　六月丁卯朔，日有食之。

9　姚嶲道讨击使、监察御史晋昌唐九徵击姚州叛蛮，破之，斩获三千馀人。

10　皇后以太子重俊非其所生，恶之。特进德静王武三思尤忌太子。上官婕妤以三思故，每下制敕，推尊武氏。安乐公主与驸马左卫将军武崇训常陵侮太子，或呼为奴。崇训又教公主言于上，请废太子，立己为皇太女。太子积不能平。

秋，七月辛丑，太子与左羽林大将军李多祚、将军李思冲、李承况、独孤祎之、沙吒忠义等，矫制发羽林千骑兵三百馀人，杀三思、崇训于其第，并亲党十馀人。又使左金吾大将军成王千里及其子天水王禧分兵守宫城诸门，太子与多祚引兵自肃章门斩关而入，叩阁索上官婕妤。婕妤大言曰："观其意欲先索婉儿，次索皇后，次及大家。"上乃与韦后、安乐公主、上官婕妤登玄武门楼以避兵锋，使右羽林大将军刘景仁帅飞骑百馀人屯于楼下以自卫。杨再思、苏瓌、李峤与兵部尚书宗楚客、左卫将军纪处讷拥兵二千馀人屯太极殿前，闭门自守。

4　三月庚子(初二),吐蕃派遣大臣悉薰热前来入朝纳贡。

5　夏季,四月辛巳(十四日),唐中宗把自己收养的雍王李守礼的女儿金城公主嫁给吐蕃赞普作妻子。

6　五月戊戌(初一),唐中宗任命左屯卫大将军张仁愿为朔方道大总管,目的是为了防备突厥兵的侵扰。

7　由于今年大旱,粮食价钱很贵,唐中宗召见太府卿纪处讷商量缓解这一状况的办法。第二天,武三思让知太史事迦叶志忠上奏说:"昨天晚上,摄提星进入太微宫,一直到达太帝星座,所主之事乃是大臣在皇帝闲宴召见时向天子进献忠言。"唐中宗认为他说得对,于是降下敕命,称赞纪处讷忠贞诚信,通于天象,并赏赐他一套衣服和六十段帛。

8　六月丁卯朔(初一),出现日食。

9　姚巂道讨击使、监察御史晋昌县人唐九徵攻打背叛朝廷的姚州蛮族部落,打败了他们,共斩杀和俘获敌人三千多人。

10　韦后认为太子李重俊不是她自己亲生的,所以很讨厌他。特进德静王武三思尤其忌恨太子李重俊。上官婕妤因为与武三思私通的缘故,在她所拟定的制书敕令中也常常尊崇推奉武氏集团。安乐公主与驸马左卫将军武崇训也经常欺凌侮辱太子,甚至有时称太子为奴才。武崇训还唆使安乐公主向唐中宗建议废掉太子,立她自己为皇太女。太子心中积怨已久,始终无法平静。

秋季,七月辛丑(初六),太子李重俊会同左羽林大将军李多祚、将军李思冲、李承况、独孤祎之、沙吒忠义等人,假传皇帝的命令调集羽林千骑兵三百多人,将武三思、武崇训父子及其亲信党羽十多人杀死在武三思家中。又让左金吾大将军成王李千里和他的儿子天水王李禧分头带兵把守宫城各门,太子和李多祚带领兵马从肃章门夺关杀入宫中,四处搜寻上官婕妤。上官婕妤危言耸听地说:"看起来他们是想先抓住我上官婉儿,其次再抓住皇后,最后是要抓住皇帝。"唐中宗便与韦后、安乐公主、上官婕妤一起爬上玄武门门楼躲避,同时派右羽林大将军刘景仁率领侍卫皇帝的亲兵一百多人聚集在门楼之下以保护自己。杨再思、苏瓌、李峤与兵部尚书宗楚客、左卫将军纪处讷拥兵两千多人聚集在太极殿前闭门坚守。

多祚先至玄武楼下,欲升楼,宿卫拒之。多祚与太子狐疑,按兵不战,冀上问之。宫闱令石城杨思勖在上侧,请击之。多祚婿羽林中郎将野呼利为前锋总管,思勖挺刃斩之,多祚军夺气。上据槛俯谓多祚所将千骑曰:"汝辈皆朕宿卫之士,何为从多祚反?苟能斩反者,勿患不富贵。"于是千骑斩多祚、承况、袆之、忠义,馀众皆溃。成王千里、天水王禧攻右延明门,将杀宗楚客、纪处讷,不克而死。太子以百骑走终南山,至鄠西,能属者才数人,憩于林下,为左右所杀。上以其首献太庙及祭三思、崇训之枢,然后枭之朝堂。更成王千里姓曰蝮氏,同党皆伏诛。

东宫僚属无敢近太子尸者,唯永和县丞宁嘉勖解衣裹太子首号哭,贬兴平丞。

太子兵所经诸门守者皆坐流。韦氏之党奏请悉诛之,上更命法司推断。大理卿宋城郑惟忠曰:"大狱始决,人心未安,若复有改推,则反仄者众矣。"上乃止。

以杨思勖为银青光禄大夫,行内常侍。癸卯,赦天下。

赠武三思太尉、梁宣王,武崇训开府仪同三司、鲁忠王。安乐公主请用永泰公主故事,以崇训墓为陵,给事中卢粲驳之,以为:"永泰事出特恩,今鲁王主婿,不可为比。"上手敕曰:"安乐与永泰无异,同穴之义,今古不殊。"粲又奏:"陛下以膝下之爱施及其夫,岂可使上下无辨,君臣一贯哉?"上乃从之。公主怒,出粲为陈州刺史。

李多祚率先来到玄武楼下,想要上楼,但受到宿卫亲兵的抵抗。李多祚和太子都有些犹豫不决,勒住兵马,没有立即攻打玄武楼,而是希望唐中宗能询问他们起兵的原因。宫闱令石城县人杨思勖站在唐中宗身旁,请求皇帝允许他带兵出击。李多祚的女婿羽林中郎将野呼利当时担任前锋总管,被杨思勖拔剑斩首,李多祚手下军士当时就丧失了胆气。唐中宗手扶玄武楼上的栏杆,俯身对楼下李多祚所带领的千骑兵们说:"你们这些人都是朕的宿卫亲兵,为什么要跟着李多祚谋反呢?如果你们能杀掉谋反的人,不必担心没有荣华富贵。"于是千骑兵们将李多祚、李承况、独孤祎之、沙吒忠义斩首,其他的人都四散溃逃。成王李千里、天水王李禧父子攻打右延明门,眼看着就要杀死宗楚客和纪处讷了,但却没能做到,自己反而被杀。太子李重俊带着一百多骑兵逃向终南山,到达鄠县之西时,能够跟得上的只有几个人了,当他在树荫下歇息时,被手下人所杀。唐中宗将太子李重俊的首级献享于太庙,然后又用它祭奠武三思和武崇训的灵柩,最后还在朝堂之上悬首示众。此外,中宗又将成王李千里改姓蝮氏,太子的同党都被处以死刑。

东宫僚属之中没有人敢于靠近太子的尸身,只有永和县丞宁嘉勖脱下衣服裹住太子的头颅放声痛哭,他也因此而被贬为兴平县丞。

太子起兵所通过的各个宫门的守卫者都被判处流刑。韦后集团的成员奏请将这些人全部处死,唐中宗下令三法司审理推问此案。大理卿宋城县人郑惟忠说:"现在这件大案刚刚了结,人心尚未安定下来,如果再重新改判的话,那么因此而辗转不安的人就太多了。"唐中宗这才放弃了这个想法。

唐中宗任命杨思勖为银青光禄大夫,代理内常侍职务。癸卯(初八),唐中宗下诏大赦天下。

唐中宗追赠武三思为太尉、梁宣王,追赠武崇训为开府仪同三司、鲁忠王。安乐公主请求采用永泰公主的先例称武崇训的坟墓为陵,给事中卢粲反驳她说:"永泰公主的事情属于特意降恩。现在鲁王武崇训只是皇帝的女婿,不能与永泰公主相提并论。"唐中宗给他亲手写下敕令说:"安乐公主与永泰公主没有不同,合葬的道理,古今没有区别。"卢粲又上奏道:"陛下将自己对女儿的慈爱推及女婿,怎么可以使得君臣上下没有尊卑贵贱之分呢?"唐中宗这才听从了他的意见。安乐公主十分生气,将卢粲外放为陈州刺史。

襄邑尉襄阳席豫闻安乐公主求为太女,叹曰:"梅福讥切王氏,独何人哉!"乃上书请立太子,言甚深切。太平公主欲表为谏官,豫耻之,逃去。

11 八月戊寅,皇后及王公已下表上尊号曰应天神龙皇帝,改玄武门为神武门,楼为制胜楼。宗楚客又帅百官表请加皇后尊号曰顺天翊圣皇后。上并许之。

12 初,右台大夫苏珦治太子重俊之党,因有引相王者,珦密为之申理,上乃不问。自是安乐公主及兵部尚书宗楚客日夜谋谮相王,使侍御史冉祖雍诬奏相王及太平公主,云:"与重俊通谋,请收付制狱。"上召吏部侍郎兼御史中丞萧至忠,使鞫之,至忠泣曰:"陛下富有四海,不能容一弟一妹,而使人罗织害之乎?相王昔为皇嗣,固请于则天,以天下让陛下,累日不食,此海内所知。奈何以祖雍一言而疑之?"上素友爱,遂寝其事。

右补阙浚仪吴兢闻祖雍之谋,上疏,以为:"自文明以来,国之祚胤,不绝如线,陛下龙兴,恩及九族,求之瘴海,升之阙庭。况相王同气至亲,六合无贰,而贼臣日夜连谋,乃欲陷之极法,祸乱之根,将由此始。夫任以权则虽疏必重,夺其势则虽亲必轻。自古委信异姓,猜忌骨肉,以覆国亡家者,几何人矣。况国家枝叶无几,陛下登极未久,而一子以弄兵受诛,一子以愆违远窜,惟馀一弟朝夕左右,尺布斗粟之讥,不可不慎,《青蝇》之诗,良可畏也。"

襄邑县尉襄阳人席豫听说了安乐公主请求中宗立她为皇太女之后,慨然叹道:"汉代梅福指斥汉成帝冤杀王章,这是一个多么无畏的人哪!"便上书请求唐中宗及早选立太子,语气十分深切诚恳。太平公主打算上表请求任命席豫作朝廷谏官,席豫以此为耻,逃离不应。

　　11　八月戊寅(十三日),韦皇后及王公们上表向唐中宗敬上应天神龙皇帝的尊号,将玄武门改名为神武门,将玄武楼改名为制胜楼。宗楚客又率领文武百官上表请求加封韦皇后的尊号为顺天翊圣皇后。唐中宗全部同意。

　　12　当初,右台御史大夫苏珦负责审理太子李重俊党羽的案子,罪犯中有人牵涉到相王李旦,苏珦秘密地向中宗为相王辩解,唐中宗这才不再追究此事。从此安乐公主和兵部尚书宗楚客就日夜策划诬陷相王李旦,并指使侍御史冉祖雍上奏诬陷相王李旦及太平公主,说他们两人"与李重俊同谋造反,请将他们逮捕审讯"。唐中宗于是选派吏部侍郎兼御史中丞萧至忠负责审理此案,萧至忠流着眼泪说:"陛下富贵已极,拥有五湖四海,却不能容得下一弟一妹,难道还要让人罗织罪名,把他们陷害至死吗? 相王当初做皇太子时,曾坚决地请求武则天允许他把帝位让给陛下,为此多日吃不下饭,这是海内外臣民人所共知的事情。陛下现在为什么仅凭冉祖雍的一句话就怀疑相王呢?"唐中宗与相王李旦及太平公主一向相处得很好,听了这番话以后也就把这件事放下不问了。

　　右补阙浚仪人吴兢听说了冉祖雍的打算以后,上疏认为:"自从文明年间以来,国家的宗庙祭祀,屡次险遭倾覆之灾,陛下重登帝位之后,恩泽遍及宗室九族,访求流散烟瘴之地的王室子孙,让他们再回朝堂。况且相王与陛下乃手足至亲,普天之下再也没有第二个这样的人,但乱臣贼子日夜策划,竟想置之于死地;国家日后发生祸乱的根子,将会从这里铸成。一般说来,如果委以重任,即使是非亲非故的人也必然会举足轻重,若是削夺了势权,那么即使是骨肉至亲也一定会无关紧要。自古以来,君主因信任异姓之人和猜忌骨肉同胞而亡国破家的,已经多得数不清了。现在大唐宗室子弟所剩无几,陛下重登帝位时间也还不长,但竟然有一个儿子因兴兵起事而被杀,另一个儿子因违背父命而流落远方,只剩下相王这么一个弟弟可以朝夕相处,讥刺汉文帝容不下淮南王的民谣,陛下对此不能不格外慎重考虑,《青蝇》诗中所阐发的道理,实在是值得陛下多加注意的呀!"

相王宽厚恭谨,安恬好让,故经武、韦之世,竟免于难。

13 初,右仆射、中书令魏元忠以武三思擅权,意常愤郁。及太子重俊起兵,遇元忠子太仆少卿升于永安门,胁以自随,太子死,并为乱兵所杀。元忠扬言曰:"元恶已死,虽鼎镬何伤?但惜太子陨没耳。"上以其有功,且为高宗、武后所重,故释不问。兵部尚书宗楚客、太府卿纪处讷等共证元忠,云:"与太子通谋,请夷其三族。"制不许。元忠惧,表请解官爵,以散秩还第。丙戌,上手敕听解仆射,以特进、齐公致仕,仍朝朔望。

14 九月丁卯,以吏部侍郎萧至忠为黄门侍郎,兵部尚书宗楚客为左卫将军,兼太府卿纪处讷为太府卿,并同中书门下三品;中书侍郎、同中书门下三品于惟谦罢为国子祭酒。

15 庚子,赦天下,改元。

16 宗楚客等引右卫郎将姚廷筠为御史中丞,使劾奏魏元忠,以为:"侯君集社稷元勋,及其谋反,太宗就群臣乞其命而不得,竟流涕斩之。其后房遗爱、薛万彻、齐王祐等为逆,虽复懿亲,皆从国法。元忠功不逮君集,身又非国戚,与李多祚等谋反,男入逆徒,是宜赤族污宫。但有朋党饰辞营救,以惑圣听,陛下仁恩,欲掩其过。臣所以犯龙鳞,忤圣意者,正以事关宗社耳。"上颇然之。元忠坐系大理,贬渠州司马。

相王李旦为人宽和仁厚,谦恭严谨,而且淡泊名利,从不作非分之争,因而能够平安度过武则天、韦后专权的险恶时期。

13　起初,由于武三思专擅大权的缘故,右仆射、中书令魏元忠心中常常愤懑忧郁。太子李重俊兴兵诛杀武三思的时候,正好在永安门与魏元忠的儿子太仆少卿魏升相遇,顺便裹挟他一起入宫;太子一死,魏升也被乱兵所杀。事后魏元忠扬言说:"最大的恶人武三思已经被杀了,即使我的儿子被处以鼎镬之刑,又有什么可以值得我忧伤的呢?只可惜太子也因此而死罢了。"唐中宗也因为魏元忠立有大功,并且被高宗和武后所看重,才没有追究他这件事。但兵部尚书宗楚客、太府卿纪处讷等人一起向唐中宗证明他说过上面的话,并且声称他"与太子同谋造反,请将魏元忠三族诛灭"。唐中宗没有同意。魏元忠非常恐惧,乃上表请求解除官职和爵位,让他回家作一个闲散官员。丙戌(二十一日),唐中宗亲笔书写敕命,同意魏元忠辞去仆射之职,以特进、齐公的身份退休,每月仍然在初一、十五两个日子入朝参见。

14　九月丁卯,唐中宗任命吏部侍郎萧至忠为黄门侍郎,任命兵部尚书宗楚客为左卫将军,任命兼太府卿纪处讷为太府卿,三人都加同中书门下三品衔;中书侍郎、同中书门下三品于惟谦被贬为国子祭酒。

15　庚子(初五),唐中宗下诏大赦天下,改年号为景龙。

16　宗楚客等人引用右卫郎将姚廷筠为御史中丞,指使他上奏弹劾魏元忠说:"侯君集是开国元勋,在他因谋反而即将被处死之际,太宗皇帝请求诸位大臣宽宥他的死罪,大臣们没有同意,只能挥泪将其斩首。此后的房遗爱、薛万彻、齐王李祐犯上作乱,虽然也都是皇亲国戚,但最终也被依法处死。魏元忠功劳比不上侯君集,又不是宗室亲戚,而他本人竟与李多祚等人阴谋造反,他的儿子魏升又亲身参加作乱,这就应当诛灭其全族,掘毁其住宅。但由于他的同党为了营救他而为他百般辩解,迷惑陛下,陛下仁爱施恩,也试图掩盖他的罪行。现在臣之所以不惜冒触犯圣上旨意的危险也要请求陛下依法严惩魏元忠,是因为这件事关系到大唐的宗庙社稷呀。"唐中宗认为他讲得很正确。于是魏元忠又被大理寺重新审讯,并被贬为渠州司马。

宗楚客令给事中冉祖雍奏言:"元忠既犯大逆,不应出佐渠州。"杨再思、李峤亦赞之。上谓再思等曰:"元忠驱使日久,朕特矜容,制命已行,岂容数改?轻重之权,应自朕出。卿等频奏,殊非朕意!"再思等惶惧拜谢。

监察御史袁守一复表弹元忠曰:"重俊乃陛下之子,犹加昭宪;元忠非勋非戚,焉得独漏严刑?"甲辰,又贬元忠务川尉。

顷之,楚客又令袁守一奏言:"则天昔在三阳宫不豫,狄仁杰奏请陛下监国,元忠密奏以为不可。此则元忠怀逆日久,请加严诛!"上谓杨再思等曰:"以朕思之,人臣事主,必在一心;岂有主上小疾,遽请太子知事?此乃仁杰欲树私恩,未见元忠有失。守一欲借前事以陷元忠,其可乎?"楚客乃止。

元忠行至涪陵而卒。

17　银青光禄大夫、上庸公、圣善中天西明三寺主慧范于东都作圣善寺,长乐坡作大像,府库为之虚耗。上及韦后皆重之,势倾内外,无敢指目者。戊申,侍御史魏传弓发其奸赃四十馀万,请置极法。上欲宥之,传弓曰:"刑赏国之大事,陛下赏已妄加,岂宜刑所不及?"上乃削黜慧范,放于家。

宗楚客让给事中冉祖雍上奏说："魏元忠既然已经犯有大逆之罪，就不应该到渠州出任佐官。"杨再思、李峤也跟着随声附和。唐中宗对杨再思等人道："魏元忠为朝廷效力多年，朕因而对他特意从轻发落，现在制命已经付诸施行，哪里能够屡次更改？再说对魏元忠的处理是轻还是重，应当由朕自己来决定。你们屡次上奏请求严加惩处，早已严重违背了朕的旨意！"杨再思等听罢十分惶恐害怕，连忙向中宗跪拜谢罪。

监察御史袁守一又上表弹劾魏元忠说："李重俊虽然贵为太子，但陛下仍将他明正典刑；魏元忠既无大功勋又非皇亲国戚，为什么唯独他可以逍遥法外？"甲辰(初九)，唐中宗又将魏元忠贬为务川县尉。

过了不久，宗楚客又让袁守一上奏说："当时则天太后在三阳宫患病，狄仁杰上奏请求让陛下以太子身份总揽朝政，魏元忠却秘密上奏加以阻止。这说明他很久以来一直对陛下怀有二心，请陛下对他处以严刑！"唐中宗对杨再思等人说："朕自己觉得，作臣子的事奉君主，必须一心一意，哪里能够君主刚刚有一点小病，就马上把太子请出来主持政务呢？这一定是狄仁杰想树立他自己的私恩，魏元忠阻止其事，没有什么过失。袁守一想借助以前的事情来陷害魏元忠，这怎么可以呢？"宗楚客这才停止了陷害魏元忠的行动。

魏元忠在被贬职后赴任的路上，死在涪陵。

17　银青光禄大夫、上庸公兼圣善、中天、西明三寺住持慧范在东都修建圣善寺，又在长乐坡建造大佛像，官府储备也因这两项工程耗资巨大而空虚。由于唐中宗和韦皇后都很器重慧范，因而他的权势极大，以至于朝廷内外大小官吏中没有人敢对他有丝毫非议。戊申(十三日)，侍御史魏传弓揭发出慧范贪赃四十多万的犯罪事实，请求将他处以极刑。唐中宗打算宽宥慧范，魏传弓说："刑罚与赏赐乃是国家大事，陛下赏赐慧范已经属于妄加了，又怎么可以对他的罪行不施加任何惩罚呢？"唐中宗只好免去他的职务，削夺他的爵位，并将他放逐回家。

宦官左监门大将军薛思简等有宠于安乐公主,纵暴不法,传弓奏请诛之,御史大夫窦从一惧,固止之。时宦官用事,从一为雍州刺史及御史大夫,误见讼者无须,必曲加承接。

18 以杨再思为中书令,韦巨源、纪处讷并为侍中。

19 壬戌,改左、右羽林千骑为万骑。

20 冬,十月丁丑,命左屯卫将军张仁愿充朔方道大总管,以击突厥比至,虏已退,追击,大破之。

21 习艺馆内教苏安恒,矜高好奇,太子重俊之诛武三思也,安恒自言“此我之谋”。太子败,或告之。戊寅,伏诛。

22 十二月乙丑朔,日有食之。

23 是岁,上遣使者分道诣江、淮赎生。中书舍人房子李乂上疏谏曰:“江南乡人采捕为业,鱼鳖之利,黎元所资。虽云雨之私有沾于末利,而生成之惠未洽于平人。何则?江湖之饶,生育无限;府库之用,支供易殚。费之若少,则所济何成?用之傥多,则常支有阙。在其拯物,岂若忧人?且鬻生之徒,惟利是视,钱刀日至,网罟年滋,施之一朝,营之百倍。未若回救赎之钱物,减贫无之徭赋,活国爱人,其福胜彼。”

宦官左监门大将军薛思简等人倚仗自己深得安乐公主的宠爱而暴虐放纵，不守法纪，魏传弓上奏请求将他们依法处死，御史大夫窦从一十分害怕，坚决制止魏传弓这样做。当时宦官掌权，窦从一担任雍州刺史及御史大夫期间，每当发现诉讼人没有胡须时，都要曲意逢迎。

18　唐中宗任命杨再思为中书令，任命韦巨源、纪处讷两人为侍中。

19　壬戌(二十七日)，唐中宗下令将左、右羽林千骑兵改名为万骑兵。

20　冬季，十月丁丑(十三日)，唐中宗任命左屯卫将军张仁愿为朔方道大总管，以进攻突厥；等张仁愿率部赶到时，突厥已经退走，张仁愿率军追击，将敌人打得大败。

21　习艺馆内教苏安恒，自视很高雅，又好发奇言。太子李重俊诛杀武三思之后，苏安恒自己说："这是我出的主意。"太子失败后，有人告发了苏安恒。戊寅(十四日)，苏安恒被杀。

22　十二月乙丑朔(初一)，出现日食。

23　这一年，唐中宗派遣使者分别到江、淮两地放生以赎罪。中书舍人房子县人李义上疏进谏道："生活在江南各州的百姓，一向以捕杀鱼鳖为业，而由此所得之利，也正是黎民百姓的生活来源。虽然说阳光雨露对手工艺人和行商坐贾也不无恩惠，但养育万物的福泽毕竟还没有真正降临到平民百姓的头上。为什么这样说呢？江湖之中蕴藏着富饶的财富，足以养育天地万物。若是单纯用官府储藏的财物供养百姓，那么国库很快就会所剩无几，假如官府所支付的费用减少，那又能办得成什么事？若是支付的太多，就会很快使府库枯竭。花官府的钱来放生赎罪，哪里比得上用它来照顾百姓的生活？况且那些靠出卖鱼鳖养家糊口的人所关心的只是利润收入的多少，只要每天捕杀鱼鳖都能有利可图，捕杀鱼鳖的工具就会一年比一年多，陛下放生只能偶一为之，百姓捕鱼杀生却是日夜不停。陛下不如抽回用于救生放赎的钱物，减少对贫穷困苦的平民百姓所征发的赋税和徭役，这样做既能使国库充足，又能真正爱护百姓，比花钱赎生更能造福百姓。"

卷第二百九 唐纪二十五

起戊申(708)尽庚戌(710)七月凡二年有奇

中宗大和大圣大昭孝皇帝下
景龙二年(戊申,708)

1 春,二月庚寅,宫中言皇后衣笥裙上有五色云起,上令图以示百官。韦巨源请布之天下,从之,仍赦天下。

2 迦叶志忠奏:"昔神尧皇帝未受命,天下歌《桃李子》;文武皇帝未受命,天下歌《秦王破阵乐》;天皇大帝未受命,天下歌《堂堂》;则天皇后未受命,天下歌《娬媚娘》;应天皇帝未受命,天下歌《英王石州》;顺天皇后未受命,天下歌《桑条韦》,盖天意以为顺天皇后宜为国母,主蚕桑之事。谨上《桑韦歌》十二篇,请编之乐府,皇后祀先蚕则奏之。"太常卿郑愔又引而申之。上悦,皆受厚赏。

3 右补阙赵延禧上言:"周、唐一统,符命同归,故高宗封陛下为周王。则天时,唐同泰献《洛水图》。孔子曰:'其或继周者,虽百代可知也。'陛下继则天,子孙当百代王天下。"上悦,擢延禧为谏议大夫。

中宗大和大圣大昭孝皇帝下
唐中宗景龙二年(戊申,公元708年)

1　春季,二月庚寅(二十七日),宫中的人们都说在韦皇后盛衣服的竹箱里,看到里面的裙子上有五色祥云升起,唐中宗便派人画下来给文武百官看。韦巨源请求将这件事向全国公布,唐中宗表示同意,并且下诏赦免全国囚徒。

2　迦叶志忠上奏道:"想当初我大唐高祖神尧皇帝尚未受命于天时,天下流行的歌谣是《桃李子》;在太宗文武皇帝尚未即位之时,天下流行的乐曲是《秦王破阵乐》;在高宗天皇大帝继位之前,天下流行传唱的歌谣是《堂堂》;在则天大圣皇后登基以前,天下所流行的乐曲是《妩媚娘》;在应天皇帝陛下您继位以前,天下所流行传唱的歌曲是《英王石州》;在顺天皇后受命于天以前的永徽末年,就已有人传唱《桑条韦》之歌,大概上天的旨意就是认为顺天皇后应当作为国母来主持社稷宗庙事务。因此臣恭敬地献上《桑韦歌》共十二篇,恳请陛下允许将这首歌编入乐府诗歌之中,以使在皇后祭祀先蚕神位时演奏之用。"接下来太常卿郑愔又顺着这个话题继续加以引申说明。唐中宗听罢十分高兴,迦叶志忠和郑愔因此而得到优厚的赏赐。

3　右补阙赵延禧进言道:"周、唐二代乃是一脉相承,都有祥瑞征兆以示归向,所以高宗皇帝将陛下封为周王。则天太后当朝时,唐同泰进献了《洛水图》。孔子说过:'假定有继承周朝而当政的人,就是以后一百代,也是可以预先知道的。'陛下继承则天太后的周朝而君临天下,所以陛下的子孙必将千秋万代保有天下。"唐中宗听过之后十分高兴,将赵延禧提升为谏议大夫。

4　丁亥，萧至忠上疏，以为："恩幸者止可富之金帛，食以粱肉，不可以公器为私用。今列位已广，冗员倍之，干求未厌，日月增数。陛下降不赀之泽，近戚有无涯之请，卖官利己，鬻法徇私。台寺之内，朱紫盈满，忽事则不存职务，恃势则公违宪章，徒忝官曹，无益时政。"上虽嘉其意，竟不能用。

5　三月丙辰，朔方道大总管张仁愿筑三受降城于河上。

初，朔方军与突厥以河为境，河北有拂云祠，突厥将入寇，必先诣祠祈祷，牧马料兵而后渡河。时默啜悉众西击突骑施，仁愿请乘虚夺取漠南地，于河北筑三受降城，首尾相应，以绝其南寇之路。太子少师唐休璟以为："两汉以来皆北阻大河，今筑城寇境，恐劳人费功，终为虏有。"仁愿固请不已，上竟从之。

仁愿表留岁满镇兵以助其功，咸阳兵二百馀人逃归，仁愿悉擒之，斩于城下，军中股栗，六旬而成。以拂云祠为中城，距东西两城各四百馀里，皆据津要，拓地三百馀里。于牛头朝那山北，置烽候千八百所，以左玉钤卫将军论弓仁为朔方军前锋游弈使，戍诺真水为逻卫。自是突厥不敢渡山畋牧，朔方无复寇掠，减镇兵数万人。

4 丁亥(二十四日),黄门侍郎萧至忠上疏认为"陛下对于那些受到您宠幸的近臣,最多也只能让他们多得些良田美宅,使他们能过锦衣玉食的生活而已,而不能允许他们将朝廷的名位和爵禄当作自己为所欲为的工具。现在国家所设置的官署机构已大为增加,各闲散官员也比以前增加了一倍,但邀俸求官的欲望尚未满足,并且有日益强烈的趋势。陛下随意赏赐给近臣无法计量的钱财,近臣贵戚又怀有永无止境的贪欲,他们将卖官鬻爵的收入据为己有,并且贪赃枉法以徇私情,结果造成了各部院台寺之内挤满了身着朱衣紫绶的高级官员,这些人玩忽职守,不办公务,倚仗权势,公然违抗王命,徒然置身官署,对于时下的政务,没有任何好处。"唐中宗虽然对他所讲的道理十分赞赏,但最终却还是没有采纳他的建议。

5 三月丙辰(二十三日),朔方道大总管张仁愿在黄河边上修筑了中、东、西三个受降城。

当初,唐朔方军与突厥隔黄河为界,在黄河以北有一座拂云祠,突厥部落在即将进犯朔方军时,每次都要先到拂云祠中祈祷,在做好各方面准备以后才发兵渡黄河南下。当时突厥默啜部落调集了全部人马进攻西部的突骑施,于是张仁愿请求率所部乘默啜部后方空虚之机夺取沙漠以南的大片土地,并在黄河北岸修筑中、东、西三座首尾呼应的受降城,以便断绝突厥默啜南下进犯的通道。太子少师唐休璟认为:"自两汉以来,历代都以黄河天险作为北方的边界,如今在突厥境内修筑城池,我担心劳民伤财,终究会被突厥所占有。"张仁愿仍然不停地坚决请求筑城,唐中宗终于同意了。

张仁愿上表请求将戍边期满的镇兵留下帮助完成这一工程,但咸阳籍的镇兵两百多人逃回家乡,张仁愿将这些人全部抓回,并在即将筑起的城下将这些人斩首,致使全军将士心惊胆战。六十天过后,终于将三座受降城修筑完毕。以拂云祠为中城,距离东、西两座受降城各四百多里,而且三城都是建在地理位置险要的地方,展拓边境达三百多里。此外,又在位于牛头的朝那山以北修筑了一千八百多个烽火台,并任命左玉钤卫将军论弓仁为朔方军前锋游弈使,驻扎在诺真水巡逻戍卫。从此以后突厥人再不敢越过朝那山到南边来打猎放牧,朔方军也再没有受到突厥兵的侵犯和掳掠,因此而减少在这一带戍边的兵士达数万人之多。

仁愿建三城,不置瓮门及备守之具。或问之,仁愿曰:
"兵贵进取,不利退守。寇至,当并力出战,回首望城者,犹应
斩之,安用守备,生其退恶之心也?"其后常元楷为朔方军总
管,始筑瓮门。人是以重仁愿而轻元楷。

6　夏,四月癸未,置修文馆大学士四员,直学士八员,学
士十二员,选公卿以下善为文者李峤等为之。每游幸禁苑,
或宗戚宴集,学士无不毕从,赋诗属和。使上官昭容第其甲
乙,优者赐金帛。同预宴者,惟中书、门下及长参王公、亲贵
数人而已,至大宴,方召八座、九列、诸司五品以上预焉。于
是天下靡然争以文华相尚,儒学忠谠之士莫得进矣。

7　秋,七月癸巳,以左屯卫大将军、朔方道大总管张仁
愿同中书门下三品。

8　甲午,清源尉吕元泰上疏,以为:"边境未宁,镇戍不
息,士卒困苦,转输疲弊,而营建佛寺,日广月滋,劳人费财,
无有穷极。昔黄帝、尧、舜、禹、汤、文、武惟以俭约仁义立德
垂名,晋、宋以降,塔庙竞起,而丧乱相继。由其好尚失所,奢
靡相高,人不堪命故也。伏愿回营造之资,充疆场之费,使烽
燧永息,群生富庶,则如来慈悲之施,平等之心,孰过于此?"
疏奏,不省。

张仁愿在修筑这三座受降城时,并没有设计出悬门,也没有装备守城的武器。有人问他为什么这样做,张仁愿回答说:"用兵之道,贵在奋勇向前,撤退和防守是不利的。在敌军来临时,全体将士应当齐心协力地出城应战,甚至连那些回过头来向城池方向张望的士兵,都应当被就地处斩,修筑城池时又哪里用得着准备防守器械来助长部下畏敌退却之心呢?"后来常元楷担任朔方军总管职务,才开始修筑三城悬门。人们因此轻视常元楷而推重张仁愿。

6 夏季,四月癸未(二十一日),唐中宗下令增置修文馆大学士四员,直学士八员,学士十二员,选拔李峤等公卿以下善于写文章的人士担任这些职务。每当唐中宗到他自己的苑囿中巡幸游玩的时候,或者是皇亲国戚宴饮相聚的时候,这些刚刚增置的大学士、直学士和学士们都全部参加,在一旁侍候着赋诗应和。唐中宗又让上官昭容负责评判他们所作诗文的优劣高下,优胜者可以得到金银帛绢的奖赏。一般情况下,只有中书、门下二省高官以及长参王公大臣和受到皇帝宠幸的贵族数人才有资格参加这类聚会,只有在大规模宴饮聚会时,唐中宗才召集被称为"八座"的尚书左右仆射和六部尚书、九卿和各司五品以上官员参加。从此以后,天下士人之间纷纷以文辞华丽互相推崇,而忠良正直的儒学之士则无人得到提拔重用。

7 秋季,七月癸巳(初三),唐中宗任命左屯卫大将军、朔方道大总管张仁愿为同中书门下三品。

8 甲午(初四),清源尉吕元泰上疏认为:"现在边境地区远未安宁,对这些地区的戍守没有停止,士卒为此而常年鞍马劳顿,辎重转运也导致国穷民乏,陛下却日益广建佛寺,更是使得对国家人力财力的耗费永无止期。上古圣君如黄帝、唐尧、虞舜、大禹、商汤、周文王和周武王等人,都是凭着他们的勤俭节约和道德仁义来创立圣人功德并垂名后世的,两晋和刘宋以来,各朝竞相建造佛家寺塔,同时各朝的死丧祸乱也接连不断。这一后果完全是由于各朝君臣治理国家的目标不当,竞相推崇奢侈豪华从而使百姓无力承受所造成的。希望陛下能抽回用于营建佛寺的资财,把它用于边境地区的军事防务,从而使战火永息,百姓安居乐业,如来佛祖大慈大悲、普度众生的恩泽,又怎能与这一功德相比呢?"这篇奏疏呈上以后,唐中宗根本没有去读。

9　安乐、长宁公主及皇后妹郕国夫人、上官婕妤、婕妤母沛国夫人郑氏、尚宫柴氏、贺娄氏，女巫第五英儿、陇西夫人赵氏，皆依势用事，请谒受赇。虽屠沽臧获，用钱三十万，则别降墨敕除官，斜封付中书，时人谓之"斜封官"。钱三万则度为僧尼。其员外、同正、试、摄、检校、判、知官凡数千人。西京、东都各置两吏部侍郎，为四铨，选者岁数万人。

上官婕妤及后宫多立外第，出入无节，朝士往往从之游处，以求进达。安乐公主尤骄横，宰相以下多出其门。与长宁公主竞起第舍，以侈丽相高，拟于宫掖，而精巧过之。安乐公主请昆明池，上以百姓蒲鱼所资，不许。公主不悦，乃更夺民田作定昆池，延袤数里，累石象华山，引水象天津，欲以胜昆明，故名定昆。安乐有织成裙，直钱一亿，花卉鸟兽，皆如粟粒，正视旁视，日中影中，各为一色。

上好击毬，由是风俗相尚，驸马武崇训、杨慎交洒油以筑毬场。慎交，恭仁曾孙也。

上及皇后、公主多营佛寺。左拾遗京兆辛替否上疏谏，略曰："臣闻古之建官，员不必备，士有完行，家有廉节，朝廷有馀俸，百姓有馀食。伏惟陛下百倍行赏，十倍增官，

9　安乐公主、长宁公主及韦皇后的妹妹郕国夫人、上官婕妤、上官婕妤的母亲沛国夫人郑氏、尚宫柴氏、贺娄氏，女巫第五英儿、陇西夫人赵氏等人，全都仗势专擅朝政，大肆收受贿赂，为行贿者请托授官。不管是屠夫酒肆之徒，还是为他人当奴婢的人，只要向这些人行贿三十万钱，就能够直接得到由皇帝亲自用敕书任命的官位，由于这种任命是用斜封的文书交付中书省的，因而这类官员被当时的人们称为"斜封官"。如果行贿三万钱，行贿的就可以被剃度为僧尼。她们受贿之后所任命的员外官、员外同正官、试官、摄官、检校官、判官、知官共计数千人之多。在西京和东都两地分别设置两员吏部侍郎，举行四次选授官职，每年选任官员达数万人。

上官婕妤及宫中的妃嫔姬妾们大多在宫外修建了私宅，这些人出入宫禁不受任何节制，在朝为官的人常常与她们交往以求飞黄腾达。在这些人中间，安乐公主尤为骄傲专横，自宰相以下为官的人，大多数是由于走了她的门路才得以上任。安乐公主还与中宗的另一个女儿长宁公主竞相大兴土木，广建宅第，并在奢侈豪华等方面互相攀比，不仅在建筑规模上完全模仿皇宫，甚至精巧程度上超过皇宫的建筑。安乐公主请求将昆明池赏赐给她，唐中宗以昆明池乃是百姓用来养殖蒲鱼的地方为由而拒绝。安乐公主很不高兴，便抢夺百姓田宅修建定昆池，南北绵延数里，仿照华山的样子堆石建造假山，又按照天河的样子来规划水流。由于安乐公主想要使此湖胜过昆明池，所以她将新建的湖命名为定昆池。安乐公主还有价值一亿钱的裙子，上面缀有谷粒大小的花卉和鸟兽的图案，从正面看或者从侧面看，在日光中看或者在阴影中看，图案的色彩都有不同。

唐中宗喜欢玩马毬游戏，于是朝野上下竞相以打马毬为乐，驸马武崇训、杨慎交洒油修建毬场。杨慎交是杨恭仁的曾孙。

唐中宗和韦皇后以及各位公主大多营建了佛寺。左拾遗京兆人辛替否上疏谏阻，疏文大意是："臣听说上古帝王设置官署时，员额不一定要求齐备，但要求士人一定要具备完美的操行，居家有清廉的节操，朝廷财俸有馀，百姓生计无虞。可是现在陛下所颁发给臣下的赏赐相当于先代百倍，增设的官署员额相当于先代十倍，

金银不供其印,束帛不充于锡,遂使富商豪贾,尽居缨冕之流;鬻伎行巫,或涉膏腴之地。"又曰:"公主,陛下之爱女,然而用不合于古义,行不根于人心,将恐变爱成憎,翻福为祸。何者?竭人之力,费人之财,夺人之家,爱数子而取三怨,使边疆之士不尽力,朝廷之士不尽忠,人之散矣,独持所爱,何所恃乎?君以人为本,本固则邦宁,邦宁则陛下之夫妇母子长相保也。"又曰:"若以造寺必为理体,养人不足经邦,则殷、周已往皆暗乱,汉、魏已降皆圣明,殷、周已往为不长,汉、魏已降为不短矣。陛下缓其所急,急其所缓,亲未来而疏见在,失真实而冀虚无,重俗人之为,轻天子之业,虽以阴阳为炭,万物为铜,役不食之人,使不衣之士,犹尚不给,况资于天生地养,风动雨润,而后得之乎?一旦风尘再扰,霜雹荐臻,沙弥不可操干戈,寺塔不足攘饥馑,臣窃惜之。"疏奏,不省。

时斜封官皆不由两省而授,两省莫敢执奏,即宣示所司。吏部员外郎李朝隐前后执破一千四百馀人,怨谤纷然,朝隐一无所顾。

以至于国家的金银不足以满足铸造官印的需求,府库中的绢帛等财物的储备赶不上陛下赏赐臣下的支出,从而使得富商大贾可以通过出钱买官而居于高贵的职位,也使得有些依靠装神弄鬼代人祈祷或者以卖艺为生的人可以占有肥沃的良田。"他又说:"公主,是陛下心爱的女儿,但是她的日常用度不符合古已有之的规矩,她的所作所为也不注意立足于民心,臣担心长此以往会使喜爱变成憎恶,将福泽变为祸患。为什么呢? 因为这样做耗费百姓人力,浪费百姓钱财,强取百姓家资。陛下为怜爱几个子女而招致三方怨恨,使得戍守边疆的将士们不愿为朝廷尽力,在朝为官的人不愿意为陛下尽忠,人心也会因此而涣散,只剩下几个自己所宠爱的人,陛下还能依靠什么来治理国家呢? 君主是以百姓的拥戴支持为基础的,基础牢固了国家才有可能安宁,国家安宁了陛下夫妇母子才能互相得到长久的保全。"他还说:"如果说只有营建佛寺是治理国家的根本所在,休养士民不足以兴邦建国,那么殷、周以前的君王一定都是昏暗平庸之主,而汉、魏以来的皇帝就全都是圣明天子了,也就是说,殷、周以前的君主没有长处,而汉、魏以后的帝王没有缺陷了。陛下把治理国家的当务之急当作可以从缓的事,又把只能在以后才办的事当作治理国家的当务之急,亲近未来虚无之事而疏远现在的人。再说陛下像这样放弃事物的本原而将希望寄托在虚无之上,重视俗人的作为而轻视天子应当成就的事业,即使是陛下能够以阴阳二气为炭,以宇宙万物为铜,役使那些不需要消耗衣食供养的人,恐怕也无法满足奢侈靡费所需的支出,更何况陛下所依靠的只能是那些天生地养、经过风吹雨打和甘露滋润之后才能生成的自然资源呢? 一旦战乱再起,或者是霜雹成灾,出家的和尚不能拿起刀枪来勤王救主,林立的寺塔更无法缓解饥荒,臣对陛下这种广建佛寺的行为感到十分痛惜。"这篇奏疏呈上之后,唐中宗根本没有去读。

当时斜封官都是不必经过两省的铨选而由皇帝直接降下墨敕任命的,两省长官也因此只是将任命传达给有关部门,不敢对任命本身有任何异议。但是吏部员外郎李朝隐却前后阻止了一千四百多名斜封官,从而引起众口纷纭的怨恨和诽谤,然而李朝隐对于这些言论一概不予理睬。

10 冬,十月己酉,修文馆直学士、起居舍人武平一上表请抑损外戚权宠,不敢斥言韦氏,但请抑损己家。上优制不许。平一名甄,以字行,载德之子也。

11 十一月庚申,突骑施酋长娑葛自立为可汗,杀唐使者御史中丞冯嘉宾,遣其弟遮努等帅众犯塞。

初,娑葛既代乌质勒统众,父时故将阙啜忠节不服,数相攻击。忠节众弱不能支,金山道行军总管郭元振奏追忠节入朝宿卫。

忠节行至播仙城,经略使、右威卫将军周以悌说之曰:“国家不爱高官显爵以待君者,以君有部落之众故也。今脱身入朝,一老胡耳,岂惟不保宠禄,死生亦制于人手。方今宰相宗楚客、纪处讷用事,不若厚赂二公,请留不行,发安西兵及引吐蕃以击娑葛,求阿史那献为可汗以招十姓,使郭虔瓘发拔汗那兵以自助,既不失部落,又得报仇,比于入朝,岂可同日语哉?”郭虔瓘者,历城人,时为西边将。忠节然其言,遣间使赂楚客、处讷,请如以悌之策。

元振闻其谋,上疏,以为:“往岁吐蕃所以犯边,正为求十姓、四镇之地不获故耳。比者息兵请和,非能慕悦中国之礼义也,直以国多内难,人畜疫疠,恐中国乘其弊,故且屈志求自昵,使其国小安,岂能忘取十姓、四镇之地哉?今忠节不论国家大计,

10　冬季,十月己酉(二十一日),修文馆直学士、起居舍人武平一上表请求削夺外戚的权势,减少对外戚的宠爱,由于武平一不敢直接指斥韦后家族,所以只能请求对自己的家族加以抑制减损。唐中宗没有同意他的请求。武平一名甄,人们通常称呼他的字,是武载德的儿子。

11　十一月庚申(初二),突骑施酋长娑葛自立为可汗,杀死了唐朝的使者、御史中丞冯嘉宾,又派他的弟弟遮奴等人率领人马进犯唐朝边塞。

当初,娑葛已经取代了他的父亲乌质勒统领各部人马,但他父亲的旧将阙啜忠节拒不服从他的调遣,并与娑葛多次兴兵交战。阙啜忠节的部众疲弱,顶不住娑葛的打击,所以唐金山道行军总管郭元振奏请唐中宗征召阙啜忠节入朝充任宿卫。

当阙啜忠节奉召走到播仙城时,经略使、右威卫将军周以悌劝他说:"朝廷之所以不惜用高官显爵来对您优礼有加,是因为您掌握着自己部落的全部人马。现在如果您离开您的部落只身入朝,那您只不过是一个老迈的胡人罢了,不但无法保住皇帝对您的恩宠和自己的官爵俸禄,恐怕就连生死也操之于他人之手了。当朝的宰相中宗楚客、纪处讷二人执掌朝政,您不如多用些钱财贿赂这两个人,请他们让皇帝同意您留在西域,不去入朝,同时调集安西都护府所辖军队以及引用吐蕃兵来打击娑葛,再请求册封阿史那献为可汗以招附十姓人马,另外派郭虔瓘调集拔汗那兵相助。这样做既不会失去对各部落的控制,又可以报娑葛相欺之仇,比起您单身入朝受制于人来,岂可同日而语?"郭虔瓘是历城县人,当时在西部边境为将。阙啜忠节认为周以悌的话很对,便暗地里派使者向宗楚客、纪处讷二人行贿,请他俩同意自己按照周以悌的计策行事。

郭元振在得知阙啜忠节的计谋之后上疏认为:"往年吐蕃之所以屡次兴兵入侵,不过是由于他们想要占有突厥十姓和安西四镇之地罢了。最近几年息兵停战,又入贡以求和亲,也并非因为吐蕃真心向往中国的礼义教化之道,只不过是由于吐蕃自己国内多难,人口与牲畜染上了瘟疫,担心中国乘其国贫民弱之机大举进攻而已,所以他们不得不暂且委曲求全,向大唐献媚求和,以便使其国内稍稍安定一些,这怎么能够说明吐蕃放弃了攻取突厥十姓和安西四镇之地的企图呢?现在阙啜忠节不为国家大计着想,

直欲为吐蕃向导,恐四镇危机,将从此始。顷缘默啜凭陵,所应者多,兼四镇兵疲弊,势未能为忠节经略,非怜突骑施也。忠节不体国家中外之意而更求吐蕃,吐蕃得志,则忠节在其掌握,岂得复事唐也?往年吐蕃无恩于中国,犹欲求十姓、四镇之地。今若破娑葛有功,请分于阗、疏勒,不知以何理抑之?又,其所部诸蛮及婆罗门等方不服,若借唐兵助讨之,亦不知以何词拒之?是以古之智者皆不愿受夷狄之惠,盖豫忧其求请无厌,终为后患故也。又,彼请阿史那献者,岂非以献为可汗子孙,欲依之以招怀十姓乎?按献父元庆,叔父仆罗,兄俀子及斛瑟罗、怀道等,皆可汗子孙也。往者唐及吐蕃遍曾立之以为可汗,欲以招抚十姓,皆不能致,寻自破灭。何则?此属非有过人之才,恩威不足以动众,虽复可汗旧种,众心终不亲附,况献又疏远于其父兄乎?若使忠节兵力自能诱胁十姓,则不必求立可汗子孙也。又,欲令郭虔瓘入拔汗那,发其兵,虔瓘前此已尝与忠节擅入拔汗那发兵,不能得其片甲匹马,而拔汗那不胜侵扰,南引吐蕃,奉俀子,还侵四镇。时拔汗那四旁无强寇为援,虔瓘等恣为侵掠,如独行无人之境,犹引俀子为患。今北有娑葛,急则与之并力,内则诸胡坚壁拒守,

只是想作吐蕃军队的向导,恐怕安西四镇的危机将会从这时开始出现。以前由于突厥默啜的侵凌进逼,依附默啜的部落较多,再加上安西四镇兵马疲弱,当时的形势使阙啜忠节不能过多筹划,并不是他爱护突骑施部落。现在阙啜忠节不去设身处地地为朝廷经营中外的大业着想,却反而向吐蕃求助,一旦吐蕃在西域志得意满,就必然会控制阙啜忠节,阙啜忠节又哪里能够事奉唐朝呢?以前吐蕃在无恩于大唐时,尚且想索取突厥十姓和安西四镇之地。如果现在帮助大唐攻破娑葛部有功,吐蕃就会请求朝廷将于阗、疏勒二镇割让给它,到那时不知朝廷能以什么理由压制这一要求?此外,吐蕃统治下的各个蛮族部落以及婆罗门不服从赞普的号令,如果吐蕃请求借用唐兵前往征讨,也不知道朝廷又能以哪种借口拒绝它的要求?所以自古以来聪明的中原国家的帝王都不愿意接受夷狄之君的恩惠,大概是由于担心他们日后的求告请托没有止境,终究会铸成大患的缘故。再说,阙啜忠节请出阿史那献来,还不就是因为阿史那献是可汗的子孙,想靠他来招附十姓吗?不过阿史那献的父亲阿史那元庆、叔父阿史那仆罗、哥哥阿史那俀子及阿史那斛瑟罗、阿史那怀道等人也全都是可汗的子孙。过去大唐朝廷以及吐蕃赞普曾将他们一个个册封为可汗,都希望他们能招附十姓,但均未能达到目的,这些人在位不久便纷纷破族灭家。为什么呢?因为这些人都不具备超出常人的才能,恩德与威名也不足以影响部众,所以虽然他们仍然是可汗的嫡系子孙,各个部落还是不能对他们亲近依附,何况阿史那献与可汗的血缘比他的父兄还要疏远一些呢?倘若阙啜忠节自己的兵力就足以使西突厥十姓部落归附的话,那么他就没有必要请求可汗的子孙阿史那献出来作可汗了。还有,阙啜忠节想派郭虔瓘前往征调拔汗那的兵马,但郭虔瓘在此之前就曾经与阙啜忠节一道擅自进入拔汗那调集人马,却未能得一兵一卒的援助,反而使拔汗那部落因不胜侵扰之故而从南方引来吐蕃军队自卫,并拥戴吐蕃所册立的可汗阿史那俀子,回军进犯安西四镇。当时拔汗那周围并无强大的部落可以援助它,郭虔瓘等人如入无人之境,肆意侵扰抢掠,尚且顾虑阿史那俀子称兵发难。现在拔汗那北部有娑葛部落,一旦走投无路就会与娑葛会合。在这种内有诸胡坚壁固守,

外则突厥伺隙邀遮,臣料虔瓘等此行,必不能如往年之得志。内外受敌,自陷危亡,徒与虏结隙,令四镇不安。以臣愚揣之,实为非计。"

楚客等不从,建议:"遣冯嘉宾持节安抚忠节,侍御史吕守素处置四镇,以将军牛师奖为安西副都护,发甘、凉以西兵,兼徵吐蕃,以讨娑葛。"娑葛遣使娑腊献马在京师,闻其谋,驰还报娑葛。于是娑葛发五千骑出安西,五千骑出拨换,五千骑出焉耆,五千骑出疏勒,入寇。元振在疏勒,栅于河口,不敢出。忠节逆嘉宾于计舒河口,娑葛遣兵袭之,生擒忠节,杀嘉宾,擒吕守素于僻城,缚于驿柱,剐而杀之。

12　上以安乐公主将适左卫中郎将武延秀,遣使召太子宾客武攸绪于嵩山。攸绪将至,上敕礼官于两仪殿设别位,欲行问道之礼,听以山服葛巾入见,不名不拜。仗入,通事舍人引攸绪就位。攸绪趋立辞见班中,再拜如常仪。上愕然,竟不成所拟之礼。上屡延之内殿,频烦宠锡,皆谢不受。亲贵谒候,寒温之外,不交一言。

初,武崇训之尚公主也,延秀数得侍宴。延秀美姿仪,善歌舞,公主悦之。及崇训死,遂以延秀尚焉。

外有突厥伺机阻截遏止的不利形势下，臣料定郭虔瓘等此次前往拔汗那调兵，必然无法像上一次那样志得意满，只能是内外交困，自陷危亡，白白地与各部落结仇，从而使安西四镇永无宁日。所以依臣愚见，这实在不是一条好计。"

宗楚客等人不同意郭元振的意见，建议："派遣御史中丞冯嘉宾带着符节前往安抚阙啜忠节，派侍御史吕守素去处理安西四镇的军政事务，任命将军牛师奖担任安西都护府副都护，调集甘、凉二州以西各处兵马，同时征调吐蕃军队，共同讨伐娑葛。"当时娑葛派来向朝廷贡献马匹的使者娑腊还在京师，得知这些消息后立即马不停蹄地回报娑葛。娑葛于是派遣五千骑兵出安西，五千骑兵出拨换，五千骑兵出焉者，五千骑兵出疏勒，分路入侵。当时郭元振正好驻节在疏勒镇，在河口扎下栅垒，不敢出城抗击娑葛。阙啜忠节到计舒河河口迎接冯嘉宾，娑葛派兵袭击了他们，生擒阙啜忠节，杀死了冯嘉宾，又在僻城捉住了吕守素，并把他绑在驿站的廊柱上一刀一刀地剐死。

12 唐中宗将安乐公主改嫁给左卫中郎将武延秀，派人到嵩山召回隐居在那里的太子宾客武攸绪。在武攸绪快到的时候，唐中宗颁布敕命，让礼官在两仪殿另外设一个座位，想依照帝王问道的礼节，让武攸绪穿着隐居在外时所穿的衣服入朝参见，既不用称呼自己的名字，也不需要行跪拜之礼。仪仗抵达两仪殿后，通事舍人带领着武攸绪就坐。武攸绪恭恭敬敬地小步快走到辞见班的行列中，按照通常的礼仪行一拜二拜之礼。唐中宗对此十分诧异，居然没有按事先拟定的帝王问道之礼接待武攸绪。唐中宗一次又一次地请武攸绪进入内殿，又屡次对他恩宠有加，赏赐大量财物，武攸绪都一一推辞没有接受。宗室至亲前来拜谒问候时，武攸绪也只是与他们寒暄冷暖，此外不发一言。

起初，武崇训娶了安乐公主，武延秀曾多次陪同参加宴会。武延秀长得英俊潇洒，又能歌善舞，安乐公主很是喜欢他。等到武崇训被太子李重俊杀死后，唐中宗便把安乐公主嫁给了武延秀。

己卯,成礼,假皇后仗,分禁兵以盛其仪卫,命安国相王障车。庚辰,赦天下,以延秀为太常卿,兼右卫将军。辛巳,宴群臣于两仪殿,命公主出拜公卿,公卿皆伏地稽首。

13　癸未,牛师奖与突骑施娑葛战于火烧城,师奖兵败没。娑葛遂陷安西,断四镇路,遣使上表,求宗楚客头。楚客又奏以周以悌代郭元振统众,征元振入朝。以阿史那献为十姓可汗,置军焉耆以讨娑葛。

娑葛遗元振书,称:"我与唐初无恶,但雠阙啜。宗尚书受阙啜金,欲枉破奴部落,冯中丞、牛都护相继而来,奴岂得坐而待死?又闻史献欲来,徒扰军州,恐未有宁日。乞大使商量处置。"元振奏娑葛书。楚客怒,奏言元振有异图,召,将罪之。元振使其子鸿间道具奏其状,乞留定西土,不敢归。周以悌竟坐流白州,复以元振代以悌,赦娑葛罪,册为十四姓可汗。

14　以婕妤上官氏为昭容。

15　十二月,御史中丞姚廷筠奏称:"比见诸司不遵律令格式,事无大小皆悉闻奏。臣闻为君者任臣,为臣者奉法。万机丛委,不可遍览,岂有修一水窦,伐一枯木,皆取断宸衷?自今若军国大事及条式无文者,听奏取进止,自馀各准法处分。

己卯(二十一日)，安乐公主与武延秀举行成婚大礼，安乐公主所使用的是只有皇后才能使用的仪仗，唐中宗又派禁兵参加大礼以壮大仪仗和卫士队伍的声势，还指派安国相王李旦迎候公主的车马。庚辰(二十二日)，唐中宗下诏赦免天下罪囚，并任命武延秀为太常卿兼右卫将军。辛巳(二十三日)，唐中宗在两仪殿设宴招待群臣，并让安乐公主出来拜见公卿大臣，群臣一个个都趴在地上叩头还礼。

13　癸未(二十五日)，牛师奖与突骑施娑葛在火烧城交战，牛师奖全军覆没。娑葛乘胜攻陷安西都护府所在地龟兹，切断了四镇之间的联系，并派遣使者入朝上表，向唐中宗索要宗楚客的首级。宗楚客又奏请任命周以悌取代郭元振统领安西各路兵马，征召郭元振入朝。同时册立阿史那献为十姓可汗，在焉耆部署军队以讨伐娑葛。

娑葛写信给郭元振，在信中声称："本来我与大唐朝廷之间没有任何矛盾，我的仇敌只有阙啜忠节一个人。但兵部尚书宗楚客接受了阙啜忠节的重金贿赂，就昧着良心想发兵攻破我的部落，并且御史中丞冯嘉宾和安西都护府副都护牛师奖将军相继领命而来，我又岂能坐以待毙？另外我又听说阿史那献也将来到此地，他的到来只会使安西四镇冲突增多，恐怕今后难以有安宁的日子好过。请大使商量解决吧。"郭元振将娑葛的信上奏给了唐中宗。宗楚客大怒，奏称郭元振有不臣之心，应将他征召入朝并严加治罪。郭元振派他的儿子郭鸿走小路将实际情况向唐中宗一一奏明，请求留在西域稳定局势，不敢回到朝中。周以悌最后因罪被流放到白州，唐中宗又任命郭元振代替他的职务，下诏赦免娑葛的罪行，并将娑葛册立为十四姓可汗。

14　唐中宗将婕妤上官氏任命为昭容。

15　十二月，御史中丞姚廷筠上奏道："近来各有关部门不是依据律令格式所规定的权限办理自己的公务，而是不论大事小事都一概奏请皇帝裁决。臣听说过君主任用臣下，臣下则应依法履行公务。陛下日理万机，纷繁的政务堆积如山，不可能把任何事情都看遍，臣下怎么能把诸如是否挖一条水道和是否砍伐一株枯树这样的小事都呈奏上来由皇帝决断呢？陛下应当明确规定从今以后，只有遇到军国大事或者是那些条令格式上没有明确规定的事，有关部门才可以上奏皇帝决断，其馀的一律依照规则的规定处理。

其有故生疑滞,致有稽失,望令御史纠弹。"从之。

16 丁巳晦,敕中书、门下与学士、诸王、驸马入阁守岁,设庭燎,置酒,奏乐。酒酣,上谓御史大夫窦从一曰:"闻卿久无伉俪,朕甚忧之。今夕岁除,为卿成礼。"从一但唯唯拜谢。俄而内侍引烛笼、步障、金缕罗扇自西廊而上,扇后有人衣礼衣,花钗,令与从一对坐。上命从一诵《却扇诗》数首。扇却,去花易服而出,徐视之,乃皇后老乳母王氏,本蛮婢也。上与侍臣大笑,诏封莒国夫人,嫁为从一妻。俗谓乳母之婿曰"阿奢",从一每谒见及进表状,自称"翊圣皇后阿奢",时人谓之"国奢",从一欣然有自负之色。

三年(己酉,709)

1 春,正月丁卯,制广东都圣善寺,居民失业者数十家。

2 长宁、安乐诸公主多纵僮奴掠百姓子女为奴婢,侍御史袁从之收系狱,治。公主诉于上,上手制释之。从之奏称:"陛下纵奴掠良人,何以理天下!"上竟释之。

3 二月己丑,上幸玄武门,与近臣观宫女拔河。又命宫女为市肆,公卿为商旅,与之交易,因为忿争,言辞亵慢。上与后临观为乐。

若再有故意阻滞不决从而导致稽留失时的现象出现,御史应当纠举弹劾有关责任人员。"唐中宗采纳了他的建议。

16　丁巳晦(二十九日),唐中宗下敕召中书、门下与学士、诸王、驸马入内殿守岁,在宫中摆好了用于照明的火炬,布置了酒宴,还安排乐队奏乐助兴。在酒兴正浓时,唐中宗对御史大夫窦从一说:"听说你已经打了很长时间的光棍,朕很是忧虑。今天晚上是除夕之夜,朕想为你完婚。"窦从一只是恭敬而顺从地连连答应,并向中宗行礼拜谢。不一会儿功夫,内侍们手持着灯笼、步障和金缕罗扇从西廊上殿,罗扇后面有一位身着礼服、头戴花钗的妇人。唐中宗让这位妇人与窦从一对面而坐,然后让窦从一吟诵了几首《却扇诗》。罗扇被拿走之后,这位妇人又摘下花钗,换去礼服,众人慢慢端详,才发现她原来是韦皇后的老乳母王氏,而王氏本是一个蛮族的婢女。唐中宗与侍臣们哄堂大笑,并下诏册封王氏为莒国夫人,嫁给窦从一为妻。当时民间俗称乳母的丈夫为"阿奢",窦从一每次谒见中宗或者呈进表状时,都自称为"翊圣皇后阿奢",因而人们也就称窦从一为"国奢",窦从一却反倒欣欣然,自以为自己很了不起。

唐中宗景龙三年(己酉,公元 709 年)

1　春季,正月丁卯(初九),唐中宗颁下制书,下令扩建东都圣善寺,当地百姓因这一工程而失去生计的有数十家。

2　长宁、安乐等公主多次放纵奴仆劫掠百姓子女为奴婢,侍御史袁从之将这些恶奴逮捕下狱治罪。公主们把这件事告诉了唐中宗,中宗便亲笔书写制书将恶奴们释放出狱。袁从之为此向唐中宗上奏道:"陛下放纵恶奴劫掠良家子女为奴婢,又怎么能依法治理天下呢!"但唐中宗还是将他们释放了。

3　二月己丑(初二),唐中宗来到玄武门,与亲近的臣子们一同观看宫女们拔河。中宗又让宫女们扮作市井中商店伙计,让公卿大臣们扮作行商,双方以物易物,又假装愤怒争执,彼此言辞不堪入耳,轻慢异常。唐中宗和韦皇后则在一旁观看,以此为乐。

4 丙申，监察御史崔琬对仗弹宗楚客、纪处讷潜通戎狄，受其货赂，致生边患。故事，大臣被弹，俯偻趋出，立于朝堂待罪。至是，楚客更愤怒作色，自陈忠鲠，为琬所诬。上竟不穷问，命琬与楚客结为兄弟以和解之，时人谓之"和事天子"。

5 壬寅，韦巨源为左仆射，杨再思为右仆射，并同中书门下三品。

6 上数与近臣学士宴集，令各效伎艺以为乐。工部尚书张锡舞《谈容娘》，将作大匠宗晋卿舞《浑脱》，左卫将军张洽舞《黄獐》，左金吾将军杜元谈诵《婆罗门咒》，中书舍人卢藏用效道士上章。国子司业河东郭山恽独曰："臣无所解，请歌古诗。"上许之。山恽乃歌《鹿鸣》、《蟋蟀》。明日，上赐山恽敕，嘉美其意，赐时服一袭。

上又尝宴侍臣，使各为《回波辞》，众皆为谄语，或自求荣禄，谏议大夫李景伯曰："回波尔时酒卮，微臣职在箴规。侍宴既过三爵，喧哗窃恐非仪！"上不悦。萧至忠曰："此真谏官也。"

7 三月戊午，以宗楚客为中书令，萧至忠为侍中，太府卿韦嗣立为中书侍郎、同中书门下三品。中书侍郎崔湜、赵彦昭并同平章事。崔湜通于上官昭容，故昭容引以为相。彦昭，张掖人也。

时政出多门，滥官充溢，人以为三无坐处，谓宰相、御史及员外官也。韦嗣立上疏，以为："比者造寺极多，务取崇丽，大则用钱百数十万，小则三五万，无虑所费千万以上，

4　丙申(初九),监察御史崔琬对着皇帝的仪仗上奏,弹劾宗楚客、纪处讷二人暗地里勾结戎狄,接受对方的贿赂,以至于边疆地区发生叛乱。依照惯例,大臣受到弹劾时,应当弯腰低头地快步走出,站在朝堂上听候治罪。这次宗楚客受到弹劾后,反而勃然大怒,脸上也变了颜色,自己向中宗陈述自己的忠诚鲠直,并且声称受到了崔琬的诬陷。唐中宗对此居然没有严加追究,只是让崔琬与宗楚客结为兄弟,以此来使两人和解,当时的人都因此而称中宗为"和事天子"。

5　壬寅(十五日),唐中宗任命韦巨源为尚书左仆射,任命杨再思为尚书右仆射,一并同中书门下三品。

6　唐中宗屡次与近臣学士宴饮相聚,并且让每个人都出节目来助兴。工部尚书张锡跳《谈容娘》舞,将作大匠宗晋卿跳《浑脱》舞,左卫将军张洽跳《黄獐》舞,左金吾将军杜元谈念诵《婆罗门咒》,中书舍人卢藏用则模仿道士替人给天神上表祈求消灾除难。唯独国子司业河东人郭山恽说道:"臣没有什么特长可以为陛下助兴,请允许我唱两首古诗吧。"中宗表示同意。郭山恽于是唱了《鹿鸣》和《蟋蟀》两首。第二天,唐中宗赐予郭山恽敕书一封以嘉奖他的好意,并赏赐了他一套时兴的衣服。

唐中宗还曾经在宴饮侍臣时,让大家各自创作《回波辞》,大家所写的都是阿谀奉承之言;有的人还向皇帝索要官职和俸禄,谏议大夫李景伯对中宗说:"大家在这时设宴饮酒,唱《回波辞》,跳《回波舞》,而微臣的职责在于规谏君主的过失。现在臣下为陛下侍宴已超过了三爵,恐怕再喧哗下去与礼仪不符!"唐中宗不高兴。萧至忠称赞他说:"这才是一个真正谏官呢。"

7　三月戊午(初一),唐中宗任命宗楚客为中书令,任命萧至忠为侍中,任命太府卿韦嗣立为中书侍郎、同中书门下三品。中书侍郎崔湜和赵彦昭也被任命为同平章事。崔湜与上官昭容私通,所以上官昭容引用他作了宰相。赵彦昭是张掖人。

当时朝政出自多门,朝廷没有节制地选任官员,造成了人浮于事的后果,以至于宰相、御史和员外官总数超过以往十倍之多,官厅也无处可坐,被当时人称为"三无坐处"。韦嗣立上疏认为"近年来修建的寺院太多了,而且刻意追求高大华丽,大的工程要耗资一百几十万钱,小的也要用去三五万钱,更不要说那些耗资一千万钱以上的特大工程了,

人力劳弊，怨嗟盈路。佛之为教，要在降伏身心，岂雕画土木，相夸壮丽？万一水旱为灾，戎狄构患，虽龙象如云，将何救哉？又，食封之家，其数甚众，昨问户部，云用六十馀万丁，一丁绢两匹，凡百二十馀万匹。臣顷在太府，每岁庸绢，多不过百万，少则六七十万匹，比之封家，所入殊少。夫有佐命之勋，始可分茅胙土。国初，功臣食封者不过三二十家，今以恩泽食封者乃逾百数。国家租赋，太半私门，私门有馀，徒益奢侈，公家不足，坐致忧危，制国之方，岂谓为得？封户之物，诸家自徵，僮仆依势，陵轹州县，多索裹头，转行贸易，烦扰驱迫，不胜其苦。不若悉计丁输之太府，使封家于左藏受之，于事为愈。又，员外置官，数倍正阙，曹署典吏，困于祗承，府库仓储，竭于资奉。又，刺史、县令，近年以来，不存简择，京官有犯及声望下者方遣刺州，吏部选人，衰耄无手笔者方补县令，以此理人，何望率化？望自今应除三省、两台及五品以上清望官，皆先于刺史、县令中选用，则天下理矣。"上弗听。

8　戊寅，以礼部尚书韦温为太子少保、同中书门下三品，太常卿郑愔为吏部尚书、同平章事。温，皇后之兄也。

所有这些都使得民不聊生,怨声载道。佛教教义的宗旨,关键在于使人们降伏自己的身心,哪里是致力于大兴土木、雕梁画栋以夸耀寺庙建筑的壮观华丽呢?万一日后出现水旱灾害,或者境外的夷狄部落挑起战争,即使是力大无比的龙象罗汉多得铺天盖地,对于陛下的赈灾救难又能有什么帮助呢?其次,食实封的王公贵族数量太多,臣昨天从户部得知,现在已有六十多万成丁为食实封贵族纳税交租,每个成丁一年纳绢两匹,一年就会有绢一百二十万匹。以前臣在太府任职时,每年入库的庸绢,多的时候不超过一百万匹,少的时候则只有六七十万匹,与食实封的贵族收入相比实在太少了。一般说来,只有为朝廷立下佐命之功的元勋,才有资格被分封土地。大唐开国初期,食封户不超过二三十家,而现在凭借陛下私恩食实封的就已超过了一百家。国家的地租赋税,大部分被食封贵族收取,这些人财货有余,只会更加骄奢淫逸,而官府储备不足,就会陷于忧虑戒惧的尴尬境地。陛下用这样的方法治理国家,怎么能说不是失策呢?封户应当享有的租赋,是由各家的管家奴仆负责征收的,这些人倚仗主人的权势,凌辱欺压州县官吏,额外勒索百姓财物,转运货物并进行买卖交易,到处烦劳搅扰,驱使逼迫,百姓根本就无力承受如此繁杂沉重的负担。臣认为陛下不如规定租赋由官府统一征收,再让食实封的王公到左藏去领取,这样反比由封户自行征收租赋要好些。第三,陛下任命员外官的数目是正阙数目的好几倍,使得曹署中的典吏日夜为敬承恭奉所困扰,官府仓库中蓄积的资财也被越来越庞大的官俸开支耗尽。最后,近几年来朝廷在任命州刺史、县令时,未能进行慎重选择,往往是把犯有过失的或者声望不高的京官派到各州去作刺史,吏部在选任地方官时,也大多是将老眊昏聩的补授为县令。陛下任用这样的人去治理百姓,天下教化流行还有什么指望呢?希望今后朝廷在任用三省、两台以及五品以上的地位显贵、有名望的官员时,都要先从各州刺史、县令中选拔,这样的话,国家就会趋于大治。"唐中宗没有采纳他的建议。

8 戊寅(二十一日),唐中宗任命礼部尚书韦温为太子少保、同中书门下三品,任命太常卿郑愔为吏部尚书、同平章事。韦温是韦皇后的哥哥。

9　太常博士唐绍以武氏昊陵、顺陵置守户五百，与昭陵数同，梁宣王、鲁忠王墓守户多于亲王五倍，韦氏褒德庙卫兵多于太庙，上疏请量裁减，不听。绍，临之孙也。

10　中书侍郎兼知吏部侍郎、同平章事崔湜、吏部侍郎同平章事郑愔俱掌铨衡，倾附势要，赃贿狼籍，数外留人，授拟不足，逆用三年阙，选法大坏。湜父挹为司业，受选人钱，湜不之知，长名放之。其人诉曰：“公所亲受某赂，奈何不与官？”湜怒曰：“所亲为谁，当擒取杖杀之！”其人曰：“公勿杖杀，将使公遭忧。”湜大惭。侍御史靳恒与监察御史李尚隐对仗弹之，下湜等狱，命监察御史裴漼按之。安乐公主讽漼宽其狱，漼复对仗弹之。夏，五月丙寅，愔免死，流吉州，湜贬江州司马。上官昭容密与安乐公主、武延秀曲为申理，明日，以湜为襄州刺史。愔为江州司马。

11　六月，右仆射、同中书门下三品杨再思薨。

12　秋，七月，突骑施娑葛遣使请降。庚辰，拜钦化可汗，赐名守忠。

13　八月己酉，以李峤同中书门下三品，韦安石为侍中，萧至忠为中书令。

至忠女适皇后舅子崔无诐，成昏日，上主萧氏，后主崔氏，时人谓之“天子嫁女，皇后娶妇”。

9　太常博士唐绍认为武氏的昊陵、顺陵拥有五百户守陵的人家，与太宗皇帝昭陵守户的数目相同，梁宣王武三思和鲁忠王武崇训坟墓的守户也比亲王墓守户多出五倍，而皇后韦氏褒德庙的卫兵竟然比太庙的卫兵还要多，所以他向唐中宗上疏，请求酌情裁撤，唐中宗没有同意。唐绍是唐临的孙子。

10　中书侍郎兼知吏部侍郎、同平章事崔湜与吏部侍郎同平章事郑愔一同执掌选任官吏的大权，他们偏袒和依附有权势的达官显宦，肆无忌惮地贪赃受贿，在名额以外用人，吏部注拟的名额不够，便占用以后三年的阙额。朝廷选任官吏之法受到很大破坏。崔湜的父亲崔挹任司业，接受了候选官员的贿赂，但崔湜不知道这件事，因而把这个人的名字也写上了落选的长名榜。这个人向崔湜问道："您的亲属已收下了我的钱，您为什么不给我官作呢？"崔湜勃然大怒道："这是我的哪一个亲属干的，我应当把他抓起来用杖活活打死！"这个人回答他说："您可不能把他用杖打死，那样会使您遭到丁忧的。"崔湜听了十分羞愧。侍御史靳恒与监察御史李尚隐在朝廷之上弹劾了崔湜，唐中宗乃将崔湜等人逮捕下狱，并且派监察御史裴漼审理这件案子。安乐公主暗示裴漼对崔湜等人从宽治罪，裴漼又向唐中宗弹劾了他。夏季，五月丙寅（十一日），唐中宗将郑愔免去死刑，流放到吉州，将崔湜贬为江州司马。上官昭容暗地里与安乐公主、武延秀一起为他们两人委婉说情，第二天，唐中宗又改任崔湜为襄州刺史。任命郑愔为江州司马。

11　六月，右仆射、同中书门下三品杨再思去世。

12　秋季，七月，突骑施娑葛派使者前来请求归降。庚辰（二十六日），唐中宗册立突骑施娑葛为钦化可汗，赐名守忠。

13　八月己酉（二十五日），唐中宗任命李峤为同中书门下三品，任命韦安石为侍中，任命萧至忠为中书令。

萧至忠的女儿嫁给了韦皇后舅舅的儿子崔无诐，结婚的那一天，唐中宗作萧氏的主婚人，韦皇后作崔氏的主婚人，当时的人都说这是"天子嫁闺女，皇后娶媳妇"。

14　上将祀南郊,丁酉,国子祭酒祝钦明、国子司业郭山
恽建言:"古者大祭祀,后裸献以瑶爵。皇后当助祭天地。"太
常博士唐绍、蒋钦绪驳之,以为:"郑玄注《周礼》《内司服》,惟
有助祭先王先公,无助祭天地之文。皇后不当助祭南郊。"国
子司业盐官褚无量议,以为:"祭天惟以始祖为主,不配以祖
妣,故皇后不应预祭。"韦巨源定仪注,请依钦明议。上从之,
以皇后为亚献,仍以宰相女为斋娘,助执豆笾。钦明又欲以
安乐公主为终献,绍、钦绪固争,乃止。以巨源摄太尉为终
献。钦绪,胶水人也。

15　己巳,上幸定昆池,命从官赋诗。黄门侍郎李日知
诗曰:"所愿暂思居者逸,勿使时称作者劳。"及睿宗即位,谓
日知曰:"当是时,朕亦不敢言之。"

16　九月戊辰,以苏瓌为右仆射、同中书门下三品。

17　太平、安乐公主各树朋党,更相谮毁,上患之。冬,
十一月癸亥,上谓修文馆直学士武平一曰:"比闻内外亲贵多
不辑睦,以何法和之?"平一以为:"此由谗谄之人阴为离间,
宜深加诲谕,斥逐奸险。若犹未已,伏愿舍近图远,抑慈存
严,示以知禁,无令积恶。"上赐平一帛而不能用其言。

14　唐中宗将要到南郊祭祀天地，丁酉（十三日），国子祭酒祝钦明、国子司业郭山恽向唐中宗建议道："古时帝王举行大祭祀时，王后应当用瑶爵盛酒献祭。皇后应当辅助陛下祭祀天地。"太常博士唐绍、蒋钦绪对此加以反驳，认为"郑玄在其所注的《周礼·内司服》中只提到王后辅助帝王祭祀先王先公，而没有说王后应当辅助帝王祭祀天地。所以皇后不应当到南郊辅助陛下祭祀天地。"国子司业盐官县人褚无量的论议认为："祭天时只是以始祖为主，并未以始祖母配享，因此皇后不应参与祭天。"韦巨源负责制定祭天的礼节，他请求中宗按照祝钦明的意见去办。唐中宗听从了他的意见，决定由韦皇后主持第二次献爵，并且仍然以宰相之女为斋娘来帮助端起盛放酒和食品的豆和笾。祝钦明还想让安乐公主来主持第三次献爵，由于唐绍和蒋钦绪的坚决反对才作罢。最后唐中宗决定由韦巨源代理太尉职务来主持第三次献爵仪式。蒋钦绪是胶水县人。

15　己巳，唐中宗来到定昆池游玩，让侍从官作诗助兴。黄门侍郎李日知所作的诗中有这样一句："所愿暂思居者逸，勿使时称作者劳。"后来唐睿宗即位后对他说："在那个时候，就连朕也不敢说这些话。"

16　九月戊辰（十五日），唐中宗任命苏瑰为尚书右仆射、同中书门下三品。

17　太平公主和安乐公主各自结成朋党，彼此之间互相诽谤诬陷，唐中宗对此十分忧虑。冬季，十一月癸亥（十一日），唐中宗向修文馆直学士武平一问道："近来听说朝廷内外的很多皇亲国戚彼此之间很不和睦，用什么办法能使他们彼此和解呢？"武平一认为："这是由于有专门讲别人坏话的阿谀奉承之徒从中挑拨离间的缘故，陛下应该严加训诫，并驱逐那些进谗的奸邪小人。如果这样还不能使亲贵们和解的话，臣希望陛下疏远亲贵，亲近贤臣，遏制慈爱宽仁之心，信守严格肃穆之意，让他们懂得应当遵守的规矩，不要使他们彼此之间的矛盾越来越尖锐。"唐中宗赏赐了武平一一些绢帛，却没有采纳他的建议。

18　上召前修文馆学士崔湜、郑愔入陪大礼。乙丑，上祀南郊，赦天下，并十恶咸赦除之；流人并放还；斋娘有婿者，皆改官。

19　甲戌，开府仪同三司、平章军国重事豆卢钦望薨。

20　乙亥，吐蕃赞普遣其大臣尚赞咄等千馀人逆金城公主。

21　河南道巡察使、监察御史宋务光，以"于时食实封者凡一百四十馀家，应出封户者凡五十四州，皆割上腴之田，或一封分食数州，而太平、安乐公主又取高赀多丁者，刻剥过苦，应充封户者甚于征役。滑州地出绫缣，人多趋射，尤受其弊，人多流亡。请稍分封户散配馀州。又，征封使者烦扰公私，请附租庸，每年送纳"。上弗听。

22　时流人皆放还，均州刺史谯王重福独不得归，乃上表自陈曰："陛下焚柴展礼，郊祀上玄，苍生并得赦除，赤子偏加摈弃，皇天平分之道，固若此乎？天下之人闻者为臣流涕。况陛下慈念，岂不愍臣栖遑？"表奏，不报。

23　前右仆射致仕唐休璟，年八十馀，进取弥锐，娶贺娄尚宫养女为其子妇。十二月壬辰，以休璟为太子少师、同中书门下三品。

18　唐中宗征召前修文馆学士崔湜、郑愔入京陪同参加祭天大礼。乙丑(十三日),唐中宗到南郊祭祀天地,下诏赦免天下囚徒,即使是犯有十恶重罪的罪犯也一律免罪;被处以流刑的人全部被放回原籍;已经成亲的斋娘,也都被任命新的官职。

19　甲戌(二十二日),开府仪同三司、平章军国重事豆卢钦望去世。

20　乙亥(二十三日),吐蕃赞普派遣他的大臣尚赞咄等一千多人前来迎娶金城公主。

21　河南道巡察使、监察御史宋务光认为:"现在食实封的王公贵族一共有一百四十多家,应当为这些贵族出封户的州共计五十四个,而且所割出来的全是最上等的膏腴之地,有的食封贵族甚至在好几个州内都有领地;尤其是太平公主和安乐公主所占有的往往是家境富裕、人丁众多的封户,盘剥得又过于苛刻,以至于应当作封户的人家比为朝廷纳赋服役的人家的负担还要沉重。由于滑州地区盛产绫缣,人们便纷纷来到这里追逐财利,因而滑州所受到的骚扰盘剥最为惨重,以至于百姓大量流离失所。希望陛下将食封贵族所占有的封户逐渐分散到其馀的州里去。另外,由于食封贵族派下去征收租税的人骚扰侵害地方州县政府和黎民百姓,希望陛下规定将应当归封家收取的租税并入租庸之中,由官府统一征收并发放给他们。"唐中宗没有采纳他的建议。

22　这时被流放在外的人都已因大赦而放回,惟独均州刺史谯王李重福没有获准回到京城,于是他向唐中宗上表为自己申辩道:"陛下为展示礼仪而焚烧木柴,进行郊祀以祷告上天,天下苍生都因此而得以赦罪免刑,唯独臣作为陛下的亲生儿子无缘仰沐皇恩,上天对子民一视同仁的恩德,本来就是这样的吗? 知道此事的朝野士庶,无不为臣流泪。再说陛下慈悲为怀,为什么不能怜悯一下您这个走投无路的儿子呢?"李重福的这份奏表呈上以后,并没有听到回音。

23　前任尚书右仆射、退休的唐休璟,年纪已经八十多岁了,进取心却越来越强烈,为他的儿子娶了贺娄尚宫的养女做妻子。十二月壬辰(初十),唐中宗又任命唐休璟为太子少师、同中书门下三品。

24　甲午,上幸骊山温汤。庚子,幸韦嗣立庄舍。以嗣立与周高士韦敻同族,赐爵逍遥公。嗣立,皇后之疏属也,由是顾赏尤重。乙巳,还宫。

25　是岁,关中饥,米斗百钱。运山东、江、淮谷输京师,牛死什八九。群臣多请车驾复幸东都,韦后家本杜陵,不乐东迁,乃使巫觋彭君卿等说上云:"今岁不利东行。"后复有言者,上怒曰:"岂有逐粮天子邪?"乃止。

睿宗玄真大圣大兴孝皇帝上
景云元年(庚戌,710)

1　春,正月丙寅夜,中宗与韦后微行观灯于市里,又纵宫女数千人出游,多不归者。

2　上命纪处讷送金城公主适吐蕃,处讷辞。又命赵彦昭,彦昭亦辞。丁丑,命左骁卫大将军杨矩送之。己卯,上自送公主至始平。二月癸未,还宫。公主至吐蕃,赞普为之别筑城以居之。

3　庚戌,上御梨园毬场,命文武三品以上抛毬及分朋拔河,韦巨源、唐休璟衰老,随绹蹋地,久之不能兴。上及皇后、妃、主临观,大笑。

4　夏,四月丙戌,上游芳林园,命公卿马上摘樱桃。

24 甲午(十二日),唐中宗来到骊山温泉。庚子(十八日),中宗来到韦嗣立的庄园。由于韦嗣立与被赐号逍遥公的北周名士韦夐同族,中宗便将他也赐爵为逍遥公。韦嗣立是韦皇后的远族亲属,因此他格外地受到中宗的关心和重赏。乙巳(二十三日),中宗一行回到宫中。

25 在这一年中,关中地区出现饥荒,每斗米价值一百钱。朝廷从山东、江、淮等地区调运谷物供给京师消费,运粮的牛有十分之八、九死于途中。群臣纷纷请求唐中宗再到东都洛阳听政以减少转运粮食的费用,韦后因自己家在杜陵的缘故,不愿意迁到东都去,便指使彭君卿等男巫女巫劝阻唐中宗道:"今年不利于东行。"此后还有一些大臣劝唐中宗到东都去,唐中宗大怒道:"朕怎能作到处找饭吃的天子呢?"于是再也没人敢劝说中宗东行了。

睿宗玄真大圣大兴孝皇帝上
唐睿宗景云元年(庚戌,公元710年)

1 春季,正月丙寅(十四日)夜晚,唐中宗与韦后身着便装到街市里观赏花灯,还放数千名宫女出宫游玩,其中有很多人没有回宫。

2 唐中宗指派纪处讷送金城公主到吐蕃去与赞普成婚,纪处讷推辞不去。中宗又改派赵彦昭担负这一使命,赵彦昭也推辞不去。丁丑(二十五日),唐中宗派左骁卫大将军杨矩送金城公主到吐蕃去。己卯(二十七日),唐中宗亲自将金城公主送到始平。二月癸未(初二),中宗一行回到宫中。金城公主抵达吐蕃后,赞普另外修筑了一座城来请她居住。

3 庚戌(二十九日),唐中宗来到梨园毬场,让三品以上文武官员抛毬以及分队拔河,韦巨源和唐休璟年事已高,随着拔河用的粗绳子摔倒在地,很长时间爬不起来。中宗和韦后及妃子、公主一行人在一旁见此情景,一个个笑得非常开心。

4 夏季,四月丙戌(初五),唐中宗到芳林园游玩,命随从的公卿大臣们骑在马上摘樱桃为乐。

5　初，则天之世，长安城东隅民王纯家井溢，浸成大池数十顷，号隆庆池。相王子五王列第于其北，望气者言："常郁郁有帝王气，比日尤盛。"乙未，上幸隆庆池，结彩为楼，宴侍臣，泛舟戏象以厌之。

6　定州人郎岌上言："韦后、宗楚客将为逆乱。"韦后白上杖杀之。

　　五月丁卯，许州司兵参军偃师燕钦融复上言，"皇后淫乱，干预国政，宗族强盛；安乐公主、武延秀、宗楚客图危宗社。"上召钦融面诘之。钦融顿首抗言，神色不桡，上默然。宗楚客矫制令飞骑扑杀之，投于殿庭石上，折颈而死，楚客大呼称快。上虽不穷问，意颇快快不悦，由是韦后及其党始忧惧。

7　己卯，上宴近臣，国子祭酒祝钦明自请作《八风舞》，摇头转目，备诸丑态，上笑。钦明素以儒学著名，吏部侍郎卢藏用私谓诸学士曰："祝公《五经》扫地尽矣！"

8　散骑常侍马秦客以医术，光禄少卿杨均以善烹调，皆出入宫掖，得幸于韦后，恐事泄被诛。安乐公主欲韦后临朝，自为皇太女，乃相与合谋，于饼馅中进毒。六月壬午，中宗崩于神龙殿。

　　韦后秘不发丧，自总庶政。癸未，召诸宰相入禁中，征诸府兵五万人屯京城，使驸马都尉韦捷、韦灌、卫尉卿韦璿、左千牛中郎将韦锜、长安令韦播、郎将高嵩分领之。璿，温之族弟；

5 先前,还是在武则天时期,长安城东边的居民王纯家的水井中往外溢水,溢出的水逐渐形成一个占地数十顷的大池塘,这个池塘被称为隆庆池。相王李旦的五个被封为王的儿子都把宅第并排建在隆庆池以北,善于望气的人说:"这里常常有盛大的帝王之气,近来这种帝王之气尤为强劲。"乙未(十四日),唐中宗来到隆庆池,在这里结成彩楼,大宴群臣,并在池中泛舟戏象,以此来抑制这里的帝王之气。

6 定州人郎岌上书说:"韦后、宗楚客将要谋逆作乱。"韦后告诉中宗之后让人用杖将郎岌打死。

五月丁卯(十七日),许州司兵参军偃师人燕钦融又进言道:"皇后淫乱过度,干预朝廷政事,并且其宗族势力过于强盛;安乐公主、武延秀、宗楚客阴谋危害大唐的宗庙社稷。"唐中宗召见燕钦融当面追问他。燕钦融以头叩地高声辩言,神色毫不屈服,唐中宗默然不语。宗楚客伪造中宗制命,派侍卫天子的飞骑扑杀燕钦融,将燕钦融摔在宫殿庭前石上,燕钦融折断了脖子死去,宗楚客见状大声叫好。唐中宗虽然对于此事没有深究,但心里却也是快快不乐,从此以后韦后和她的党羽们开始有些担忧害怕。

7 己卯(二十九日),唐中宗宴请近臣,国子祭酒祝钦明自告奋勇地请求表演《八风舞》,他摇头晃脑,眼珠乱转,丑态百出,唐中宗看得直发笑。祝钦明向来是以精研儒学著称于世的,吏部侍郎卢藏用私下里对修文馆各位学士说:"祝公所擅长的《五经》全部用来扫地了!"

8 散骑常侍马秦客精于医术,光禄少卿杨均善于烹调,两人借此得以随意出入后宫并与韦后勾搭成奸,他们担心此事泄露出去会被处死。安乐公主希望韦后能临朝称帝,自己从而成为皇太女;于是这些人共同策划杀掉唐中宗,他们在进给中宗吃的饼里投放了毒药。六月壬午(初二),唐中宗在神龙殿驾崩。

韦后秘不发丧,自己总揽了朝廷的大小事务。癸未(初三),韦后将诸位宰相召进朝中,又调集各府兵共五万人驻扎在长安城中,指派驸马都尉韦捷、韦灌、卫尉卿韦璿、左千牛中郎将韦锜、长安令韦播、郎将高嵩分头统领这些兵马。韦璿是韦温的族弟;

播，从子；嵩，其甥也。中书舍人韦元徼巡六街，又命左监门大将军兼内侍薛思简等将兵五百人驰驿戍均州，以备谯王重福。以刑部尚书裴谈、工部尚书张锡并同中书门下三品，仍充东都留守。吏部尚书张嘉福、中书侍郎岑羲、吏部侍郎崔湜并同平章事。羲，长倩之从子也。

太平公主与上官昭容谋草遗制，立温王重茂为皇太子，皇后知政事，相王旦参谋政事。宗楚客密谓韦温曰："相王辅政，于理非宜。且于皇后，嫂叔不通问，听朝之际，何以为礼？"遂帅诸宰相表请皇后临朝，罢相王政事。苏瑰曰："遗诏岂可改邪？"温、楚客怒，瑰惧而从之，乃以相王为太子太师。

甲申，梓宫迁御太极殿，集百官发丧，皇后临朝摄政，赦天下，改元唐隆。进相王旦太尉，雍王守礼为豳王，寿春王成器为宋王，以从人望。命韦温总知内外守捉兵马事。

丁亥，殇帝即位，时年十六。尊皇后为皇太后，立妃陆氏为皇后。

壬辰，命纪处讷持节巡抚关内道，岑羲河南道，张嘉福河北道。

宗楚客与太常卿武延秀、司农卿赵履温、国子祭酒叶静能及诸韦共劝韦后遵武后故事，南北卫军、台阁要司皆以韦氏子弟领之，广聚党众，中外连结。楚客又密上书称引图谶，谓韦氏宜革唐命。谋害殇帝，深忌相王及太平公主，密与韦温、安乐公主谋去之。

韦播是韦温的侄子；韦嵩是韦温的外甥。韦后又命令中书舍人韦元负责巡察城中六街，还命令左监门大将军兼内侍薛思简等人带领五百名士兵迅速前往均州戍守，以防范均州刺史谯王李重福。韦后任命刑部尚书裴谈、工部尚书张锡一并加同中书门下三品衔，让他们仍然担任东都留守。韦后又任命吏部尚书张嘉福、中书侍郎岑羲、吏部侍郎崔湜为同平章事。岑羲是岑长倩的侄子。

太平公主与上官昭容商议起草唐中宗遗诏，立温王李重茂为太子，由韦皇后主持政事，相王李旦参谋政事。宗楚客私下里对韦温说："由相王辅政在道理上有些讲不通。再说相王与韦后乃是叔嫂关系，不应互相问候，如果两人在一起处理朝廷政务，又如何恪守礼的规范呢？"于是宗楚客率领宰相们一同上表，请求韦皇后临朝主政，免去相王李旦参谋政事的职务。苏瓌质问道："先帝的遗诏怎么可以随意篡改呢？"韦温和宗楚客大怒，苏瓌非常害怕，便顺从了他们，最后任命相王李旦为太子太师。

甲申(初四)，韦后将唐中宗的灵枢迁到太极殿，召集文武百官为中宗发表，并宣布由她自己临朝摄政，大赦天下囚徒，改年号为唐隆。韦后还将相王李旦提升为太尉，改封雍王李守礼为豳王，改封寿春王李成器为宋王，以便顺从人们的愿望。此外，韦后又任命韦温全面主持内外守捉兵马事务。

丁亥(初七)，年仅十六岁的殇帝即位。殇帝将韦皇后尊为皇太后，将妃子陆氏立为皇后。

壬辰(十二日)，殇帝指派纪处讷带着皇帝的符节巡抚关内道，派岑羲巡抚河南道，派张嘉福巡抚河北道。

宗楚客伙同太常卿武延秀、司农卿赵履温、国子祭酒叶静能以及韦氏集团的其他成员一同劝说皇太后韦氏沿用武则天的惯例登基称帝，当时守卫宫城的南北亲军以及地位重要的尚书省诸司，都已经被韦氏弟子所控制，他们大量网罗党羽，在朝廷内外互相勾结。宗楚客又秘密地上书皇太后韦氏，引证图谶来说明韦氏理当取代大唐朝而君临天下。宗楚客还打算害死殇帝，只是十分担心相王李旦与太平公主会从中作梗，于是与韦温和安乐公主密谋除掉他们。

　　相王子临淄王隆基,先罢潞州别驾,在京师,阴聚才勇之士,谋匡复社稷。初,太宗选官户及蕃口骁勇者,著虎文衣,跨豹文韉,从游猎,于马前射禽兽,谓之百骑。则天时稍增为千骑,隶左右羽林。中宗谓之万骑,置使以领之。隆基皆厚结其豪杰。

　　兵部侍郎崔日用素附韦、武,与宗楚客善,知楚客谋,恐祸及己,遣宝昌寺僧普润密诣隆基告之,劝其速发。隆基乃与太平公主及公主子卫尉卿薛崇暕,苑总监赣人锺绍京,尚衣奉御王崇晔、前朝邑尉刘幽求、利仁府折冲麻嗣宗谋先事诛之。韦播、高嵩数榜捶万骑,欲以立威,万骑皆怨。果毅葛福顺、陈玄礼见隆基诉之,隆基讽以诛诸韦,皆踊跃请以死自效。万骑果毅李仙凫亦预其谋。或谓隆基当启相王,隆基曰:"我曹为此以徇社稷,事成福归于王,不成以身死之,不以累王也。今启而见从,则王预危事;不从,将败大计。"遂不启。

　　庚子,晡时,隆基微服与幽求等入苑中,会锺绍京廨舍。绍京悔,欲拒之,其妻许氏曰:"忘身徇国,神必助之。且同谋素定,今虽不行,庸得免乎?"绍京乃趋出拜谒,隆基执其手与坐。

相王李旦的儿子临淄王李隆基，在此之前已被免去潞州别驾的职务，他在京师私下招集智勇双全之士，一心想匡复大唐社稷。当初唐太宗选拔官户和蕃口中骁勇善战的人员，让他们身穿绘有虎皮花纹的衣服，骑在备有绘着豹皮花纹马鞍的骏马上，在太宗自己巡游狩猎时，他们就陪在鞍前马后一同射杀飞禽走兽，这些人被称为百骑。武则天时期逐渐增为千骑，隶属于左右羽林军。唐中宗把这支部队称为万骑，并设置官员统领。李隆基对万骑兵中的豪杰之士一概都深相结纳。

兵部侍郎崔日用平素一向依附韦后及武氏集团，与宗楚客交情也很好，他得知宗楚客的阴谋以后，担心自己会因此遇祸，便派宝昌寺僧人普润秘密地去向李隆基报告，并劝李隆基尽快发难。李隆基于是与太平公主及其子卫尉卿薛崇暕、西京苑总监赣县人钟绍京、尚衣奉御王崇晔、前任朝邑县尉刘幽求、利仁府折冲麻嗣宗等人策划先行举兵发难，铲除韦氏集团。韦播、高嵩二人为了树立自己的威严，多次对万骑兵使用杖刑，从而引起万骑兵对他们的普遍怨恨。果毅葛福顺和陈玄礼向李隆基诉说此事，李隆基暗示他们应当诛除韦后集团，两人听后都慷慨激昂地表示愿效死力。万骑果毅李仙凫也参与了具体策划的过程。有人建议李隆基应当把这件事告诉他的父亲相王李旦，李隆基回答说："我们这些人是为了大唐的江山社稷才干这种事的，事成之后是我父相王的福分，万一事情失败了我们为宗庙牺牲也就是了，不必因此而连累相王。如果告诉了他，若是他同意这样做，就等于让他也参与这种极为危险的事；若是他不同意这样做，那就只会坏了大事。"于是李隆基没有把这件事告诉其父相王李旦。

庚子(二十日)，申时，李隆基身穿便服与刘幽求进入禁苑之中，到钟绍京的住所去找他。此时钟绍京已有后悔之意，便想将李隆基拒之门外，他的妻子许氏对他说："为了国家大事而不计个人安危的人必得神助。再说你平常就一直与他们共同谋划这件事，现在即使你不去亲自参加，又哪里能够脱得了干系呢？"钟绍京听完后赶忙开门出来向李隆基行礼参拜，李隆基拉着他的手与他对面相坐。

时羽林将士皆屯玄武门，逮夜，葛福顺、李仙凫皆至隆基所，请号而行。向二鼓，天星散落如雪，刘幽求曰："天意如此，时不可失！"福顺拔剑直入羽林营，斩韦璿、韦播、高嵩以徇，曰："韦后鸩杀先帝，谋危社稷，今夕当共诛诸韦，马鞭以上皆斩之。立相王以安天下。敢有怀两端助逆党者，罪及三族。"羽林之士皆欣然听命。乃送璿等首于隆基，隆基取火视之，遂与幽求等出苑南门，绍京帅丁匠二百馀人，执斧锯以从。使福顺将左万骑攻玄德门，仙凫将右万骑攻白兽门，约会于凌烟阁前，即大噪。福顺等共杀守门将，斩关而入。隆基勒兵玄武门外，三鼓，闻噪声，帅总监及羽林兵而入，诸卫兵在太极殿宿卫梓宫者，闻噪声，皆被甲应之。韦后惶惑走入飞骑营，有飞骑斩其首献于隆基。安乐公主方照镜画眉，军士斩之。斩武延秀于肃章门外，斩内将军贺娄氏于太极殿西。

初，上官昭容引其从母之子王昱为左拾遗，昱说昭容母郑氏曰："武氏，天之所废，不可兴也。今婕妤附于三思，此灭族之道也，愿姨思之！"郑氏以戒昭容，昭容弗听。及太子重俊起兵讨三思，索昭容，昭容始惧，思昱言，自是心附帝室，与安乐公主各树朋党。及中宗崩，昭容草遗制立温王，以相王辅政，宗、韦改之。及隆基入宫，昭容执烛帅宫人迎之，以制草示刘幽求。幽求为之言，隆基不许，斩于旗下。

这时左右羽林军将士都驻扎在玄武门，等到夜色降临之际，葛福顺和李仙凫都来到李隆基处，请他颁发起事的标志并下达命令。将近二更时，夜空的流星散落如雪，刘幽求说道："天意如此，机不可失！"葛福顺拔剑直闯羽林营，将韦璿、韦播、高嵩三人斩首示众，高声喝道："韦后毒死先帝，谋危社稷，今晚大家要齐心协力，铲除韦后及其死党，凡是长得高过马鞭的人皆斩。拥立相王为帝以安天下人之心。倘若有人胆敢首鼠两端帮助逆党，一律处以夷三族之罪。"羽林军将士全都欣然从命。于是葛福顺将韦璿等人的首级送给李隆基，李隆基在灯下看过之后，便与刘幽求一同走出禁苑南门，钟绍京率领着工匠两百多人，手持斧子锯子跟在后面。李隆基派葛福顺率领左万骑攻打玄德门，派李仙凫率领右万骑攻打白兽门，双方约定在凌烟阁前会师后，即大声鼓噪。葛福顺等人分别杀掉守门的兵将，攻入宫中。李隆基率兵守在玄武门外，三更时分，听到宫中鼓噪声之后，乃率领总监及羽林兵进入宫中，在太极殿前负责守卫中宗灵柩的南牙卫兵们听到鼓噪之后，全都披挂整齐响应李隆基等人。韦后疑惧之下逃入飞骑营中，有一个飞骑兵将韦后斩首，并将其首级献给李隆基。安乐公主正在对着镜子画眉时被士兵斩杀。此外还将武延秀斩首于肃章门外，将内将军贺娄氏斩首于太极殿西。

当初，上官昭容引用她的姨母之子王昱为左拾遗，王昱劝上官昭容的母亲郑氏说："武氏已被上天废弃，是不可能再次复兴的，现在婕妤依附武三思，是自取灭族，希望姨母仔细考虑一下！"郑氏于是用这些道理来告诫上官昭容，但上官昭容根本不听劝告。太子李重俊起兵讨伐武三思的时候，曾四处搜捕上官昭容，上官昭容这才感到有所恐惧，想起了王昱曾经说过的话，此后上官昭容才倾心依附唐中宗，与安乐公主各自结成朋党。中宗驾崩后，上官昭容起草遗诏时将温王李重茂立为太子，由相王李旦辅政；宗楚客、韦后将这个内容改掉了。在李隆基军进入宫中时，上官昭容率领宫人手执灯笼迎接，并把她起草的中宗遗诏底稿拿给刘幽求看。刘幽求为她向李隆基求情，李隆基没有答应，下令将上官昭容在旗下斩首。

时少帝在太极殿,刘幽求曰:"众约今夕共立相王,何不早定?"隆基遽止之,捕索诸韦在宫中及守诸门,并素为韦后所亲信者皆斩之。比晓,内外皆定。辛巳,隆基出见相王,叩头谢不先启之罪。相王抱之泣曰:"社稷宗庙不坠于地,汝之力也。"遂迎相王入辅少帝。

闭宫门及京城门,分遣万骑收捕诸韦亲党。斩太子少保、同中书门下三品韦温于东市之北。中书令宗楚客衣斩衰,乘青驴逃出,至通化门,门者曰:"公,宗尚书也。"去布帽,执而斩之,并斩其弟晋卿。相王奉少帝御安福门,慰谕百姓。初,赵履温倾国资以奉安乐公主,为之起第舍,筑台穿池无休已,抚紫衫,以项挽公主犊车。公主死,履温驰诣安福楼下舞蹈称万岁,声未绝,相王令万骑斩之。百姓怨其劳役,争割其肉立尽。秘书监汴王邕娶韦后妹崇国夫人,与御史大夫窦从一各手斩其妻首以献。邕,凤之孙也。左仆射、同中书门下三品韦巨源闻乱,家人劝之逃匿,巨源曰:"吾位大臣,岂可闻难不赴?"出至都街,为乱兵所杀,时年八十。于是枭马秦客、杨均、叶静能等首,尸韦后于市。崔日用将兵诛诸韦于杜曲,襁褓儿无免者,诸杜滥死非一。

这时少帝还住在太极殿中，刘幽求对众人说道：“大家约好了今天晚上拥立相王为帝，现在为什么不早一点儿定下来呢？”李隆基急忙制止了他，下令将士们捕捉宫中和把守宫中各门的韦氏诸人，平常得到韦后信任重用的人也一起斩首。天将破晓，宫内外均已平定。辛巳（二十一日）李隆基出宫拜见其父相王李旦，为自己起事之前未能告诉相王而叩头谢罪。相王李旦流着眼泪抱住李隆基说：“大唐宗庙社稷得以保全，全是你的功劳！”李隆基随后率军迎接相王李旦入宫辅佐少帝。

李隆基下令将京城各门及所有宫门关闭，然后又派遣万骑兵分头搜捕韦后的亲党。将太子少保、同中书门下三品韦温斩首于东市之北。中书令宗楚客身穿丧服，骑着一头黑驴外逃，在他经过通化门时被守门的兵士认出。兵士对他说：“您就是宗尚书吧！”说完摘下他的布帽子并将其斩首，同他一起被杀的还有他的弟弟宗晋卿。相王李旦陪同少帝来到安福门安抚百姓。起初，赵履温不惜耗尽官府资财以讨安乐公主的欢心，没完没了地为安乐公主起宅第、修园林，甚至于用手按住自己的紫色官服，用脖子驾着公主坐的牛车。安乐公主被杀后，赵履温赶忙跑到安福楼下手舞足蹈地山呼万岁；声音未落，相王李旦便下令万骑兵将其斩首。老百姓早已因赵履温屡次增派劳役大兴土木而对他恨之入骨，此时见他被杀，便争相割下尸体上的肉，转眼就只剩下一副骷髅。秘书监汴王李邕的妻子是韦后的妹妹崇国夫人，他与御史大夫窦从一分别将各自妻子的首级进献给相王李旦。李邕是李凤的孙子。左仆射、同中书门下三品韦巨源听到李隆基起事的消息后，家人劝他外逃躲避，他回答说：“我身为朝廷大臣，怎么能有难不赴？”说完便走出家门，来到大街上，被乱兵所杀，时年八十岁。此刻李隆基已派人将马秦客、杨均、叶静能枭首示众，并将韦后暴尸街头。崔日用带兵到京城南部的杜曲诛杀韦氏家族的其他成员，连尚在襁褓中的婴儿也不放过，居住在这一带的杜氏家族也有很多人被冤杀。

是日，赦天下，云："逆贼魁首已诛，自馀支党一无所问。"以临淄王隆基为平王，兼知内外闲厩，押左右厢万骑。薛崇暕赐爵立节王。以锺绍京守中书侍郎，刘幽求守中书舍人，并参知机务。麻嗣宗行右金吾卫中郎将。武氏宗属，诛死流窜殆尽。侍中纪处讷行至华州，吏部尚书同平章事张嘉福行至怀州，皆收斩之。

壬寅，刘幽求在太极殿，有宫人与宦官令幽求作制书立太后，幽求曰："国有大难，人情不安，山陵未毕，遽立太后，不可！"平王隆基曰："此勿轻言。"

遣十道使赍玺书宣抚，及诣均州宣慰谯王重福。贬窦从一为濠州司马。罢诸公主府官。

癸卯，太平公主传少帝命，请让位于相王，相王固辞。以平王隆基为殿中监、同中书门下三品，以宋王成器为左卫大将军，衡阳王成义为右卫大将军，巴陵王隆范为左羽林大将军，彭城王隆业为右羽林大将军，光禄少卿嗣道王微检校右金吾卫大将军。微，元庆之孙也。以黄门侍郎李日知、中书侍郎锺绍京并同中书门下三品。太平公主之子薛崇训为右千牛卫将军。隆基有二奴，王毛仲、李守德，皆趫勇善骑射，常侍卫左右。隆基之入苑中也，毛仲避匿不从，事定数日方归，隆基不之责，仍超拜将军。毛仲，本高丽也。汴王邕贬沁州刺史，左散骑常侍、驸马都尉杨慎交贬巴州刺史，中书令萧至忠贬许州刺史，兵部尚书、同中书门下三品韦嗣立贬宋州刺史，中书侍郎、同平章事赵彦昭贬绛州刺史，吏部侍郎、同平章事崔湜贬华州刺史。

在这一天,少帝下诏赦免全国罪囚,诏书上说:"图谋反逆的罪魁祸首均已伏诛,其馀有牵连的人概不追究。"改封临淄王李隆基为平王,并且让他主持内外闲厩事务和掌管左右厢万骑兵。将薛崇暕赐爵为立节王。任命锺绍京署理中书侍郎职务,任命刘幽求署理中书舍人职务,二人均被授予参知机务的宰相职衔。还指派麻嗣宗署理右金吾卫中郎将的职务。至此武氏集团成员,几乎全被诛杀或者流放了。侍中纪处讷走到华州,吏部尚书、同平章事张嘉福走到怀州,也都被捕获斩首。

壬寅(二十二日),刘幽求在太极殿,有些宫女和宦官建议他起草册立皇太后的制书,他回答说:"国有大难,民心不稳,先帝灵柩还没有安葬,不能急急忙忙地册立太后!"平王李隆基说:"不要轻易谈论这件事。"

少帝派遣使者携带皇帝的诏命分赴十道安抚百姓,又派人到均州去安抚谯王李重福。将窦从一贬为濠州司马。同时下诏禁止公主开府设官。

癸卯(二十三日),太平公主传达了少帝的旨意,要求将皇位让给相王李旦,相王坚决推辞不受。少帝任命平王李隆基为殿中监、同中书门下三品,任命宋王李成器为左卫大将军,任命衡阳王李成义为右卫大将军,任命巴陵王李隆范为左羽林大将军,任命彭城王李隆业为右羽林大将军,任命光禄少卿嗣道王李微检校右金吾卫大将军。李微是李元庆的孙子。加黄门侍郎李日知、中书侍郎锺绍京二人同中书门下三品衔。任命太平公主之子薛崇训为右千牛将军。李隆基有两个武艺高强骁勇善战的奴仆,名叫王毛仲和李守德,平常都是这两人作他的随身侍卫。李隆基举事进入禁苑之际,王毛仲躲起来没有露面,在大局已定之后好几天才又回到李隆基身边,李隆基并没有责罚他,还是将他破格提拔为将军。王毛仲原本是高丽人。少帝又将汴王李邕贬为沁州刺史,将左散骑常侍、驸马都尉杨慎交贬为巴州刺史,将中书令萧至忠贬为许州刺史,将兵部尚书、同中书门下三品韦嗣立贬为宋州刺史,将中书侍郎、同平章事赵彦昭贬为绛州刺史,将吏部侍郎、同平章事崔湜贬为华州刺史。

刘幽求言于宋王成器、平王隆基曰:"相王畴昔已居宸极,群望所属。今人心未安,家国事重,相王岂得尚守小节,不早即位以镇天下乎?"隆基曰:"王性恬淡,不以代事婴怀。虽有天下,犹让于人,况亲兄之子,安肯代之乎?"幽求曰:"众心不可违,王虽欲高居独善,其如社稷何?"成器、隆基入见相王,极言其事,相王乃许之。甲辰,少帝在太极殿东隅西向,相王立于梓宫旁,太平公主曰:"皇帝欲以此位让叔父,可乎?"幽求跪曰:"国家多难,皇帝仁孝,追踪尧、舜,诚合至公。相王代之任重,慈爱尤厚矣。"乃以少帝制传位相王。时少帝犹在御座,太平公主进曰:"天下之心已归相王,此非儿座!"遂提下之。睿宗即位,御承天门,赦天下,复以少帝为温王。

以锺绍京为中书令。锺绍京少为司农录事,既典朝政,纵情赏罚,众皆恶之。太常少卿薛稷劝其上表礼让,绍京从之。稷入言于上曰:"绍京虽有勋劳,素无才德,出自胥徒,一旦超居元宰,恐失圣朝具瞻之美。"上以为然。丙午,改除户部尚书,寻出为蜀州刺史。

9　上将立太子,以宋王成器嫡长,而平王隆基有大功,疑不能决。成器辞曰:"国家安则先嫡长,国家危则先有功,

刘幽求对宋王李成器、平王李隆基说："相王在以前就曾当过皇帝,乃是万民属望的真命天子。现在民心尚未安定,家事国事都很繁重,相王怎么能拘于小节,还不早日登基称帝以安天下臣民之心呢?"李隆基回答说："相王生性淡泊,从来不把世间小事放在心上。即使他已经君临天下,还要把帝位让给别人,何况当今天子乃相王亲哥哥的儿子,他又怎么肯取代自己的侄儿呢?"刘幽求说:"民心不可违背,就算相王本人想高居于世事之外独善其身,那大唐的宗庙社稷又将依靠什么呢?"李成器和李隆基入内拜见相王李旦,向他反复讲明道理,相王才答应重登帝位。甲辰(二十四日),少帝在太极殿内东边面向西坐着,相王李旦站在唐中宗的灵柩旁边,太平公主说道:"皇帝想把帝位让给他的叔父,可以吗?"刘幽求跪在地上回答说:"在此国家多灾多难之际,皇帝仁义孝亲,效法尧舜禅位贤人的传统,实在是出于至公无私之心。相王代替皇帝挑起治理天下这一沉重的担子,乃是叔父对侄儿慈爱备至的表现。"于是便根据少帝制书的旨意将帝位传给相王李旦。这时少帝还坐在皇帝的宝座上,太平公主对他说道:"天下臣民之心已归附相王,这个宝座已经不再属于你这小子了!"说完便将他从宝座上提了下来。唐睿宗即皇帝位,并来到承天门,下诏赦免天下罪囚,同时又恢复了少帝李重茂的温王爵位。

唐睿宗任命锺绍京为中书令。锺绍京年轻时曾担过品级很低的司农录事一职,执掌朝政后,完全按照自己的好恶情感来行赏施罚,从而使得大臣们都很厌恶他。太常寺少卿薛稷劝他上表依礼辞让,锺绍京同意了他的意见。薛稷于是入朝对睿宗说:"锺绍京虽然为国立下了大功,但他毕竟是胥吏出身,又素无才德,现在一下子就被提拔到宰相的高位上,恐怕对万民景仰的圣朝美德有所妨碍。"唐睿宗认为他说的很有道理。丙午(二十六日),唐睿宗将锺绍京改任为户部尚书,不久又将他外放为蜀州刺史。

9　唐睿宗想要立太子,但由于宋王李成器为嫡长子,而平王李隆基又有大功勋,所以在太子人选上犹豫不决。李成器推辞道:"国泰民安则应当立嫡长子,国家多难则应当首先将有功的人立为太子;

苟违其宜，四海失望。臣死不敢居平王之上。"涕泣固请者累日。大臣亦多言平王功大宜立。刘幽求曰："臣闻除天下之祸者，当享天下之福。平王拯社稷之危，救君亲之难，论功莫大，语德最贤，无可疑者。"上从之。丁未，立平王隆基为太子。隆基复表让成器，不许。

10　则天大圣皇后复旧号为天后；追谥雍王贤曰章怀太子。

11　戊申，以宋王成器为雍州牧、扬州大都督、太子太师。

12　置温王重茂于内宅。

13　以太常少卿薛稷为黄门侍郎，参知机务。稷以工书，事上于藩邸，其子伯阳尚仙源公主，故为相。

14　追削武三思、武崇训爵谥，斫棺暴尸，平其坟墓。

15　以许州刺史姚元之为兵部尚书、同中书门下三品，宋州刺史韦嗣立、许州刺史萧至忠为中书令，绛州刺史赵彦昭为中书侍郎，华州刺史崔湜为吏部侍郎，并同平章事。

16　越州长史宋之问，饶州刺史冉祖雍，坐谄附韦、武，皆流岭表。

17　己酉，立衡阳王成义为申王，巴陵王隆范为岐王，鼓城王隆业为薛王；加太平公主实封满万户。

如果在这个问题上违背了当时的实际情况，就会让普下之下的人大失所望。臣宁可去死也不敢位居于平王之上。"为此他在几天内一直流着眼泪向睿宗坚决请求将太子之位让给平王李隆基。大臣们也大多认为平王李隆基有大功于社稷，应当被立为太子。刘幽求说："臣听说铲除天下祸患的人应当享有天下的福分。平王使大唐朝宗庙社稷免遭倾覆之祸，拯救君亲于危难之中，讲功劳没有谁比他更大的，论德行也没有比他更贤良的，立他为太子是没有什么可犹豫的。"唐睿宗听从了他的建议。丁未(二十七日)，唐睿宗将平王李隆基立为太子。李隆基屡次上表请求将太子之位让给李成器，唐睿宗都没有同意。

10　唐睿宗下诏恢复则天大圣皇后武则天的旧号天后；追谥雍王李贤为章怀太子。

11　戊申(二十八日)，唐睿宗任命宋王李成器为雍州牧、扬州大都督、太子太师。

12　唐睿宗将温王李重茂安置在内宅以防有人利用他的名义图谋不轨。

13　唐睿宗任命太常少卿薛稷为黄门侍郎，准许他参知机务，成为宰相。薛稷擅长书法，在相王府侍奉过睿宗，他的儿子薛伯阳又娶了睿宗的女儿仙源公主为妻，所以他就被任用为宰相。

14　唐睿宗下令削夺已经死去的武三思、武崇训父子的爵位和谥号，砍碎他们的棺材，暴露他们的尸体，并且铲平了他们的坟墓。

15　唐睿宗任命许州刺史姚元之为兵部尚书、同中书门下三品，任命宋州刺史韦嗣立和许州刺史萧至忠为中书令，任命绛州刺史赵彦昭为中书侍郎，任命华州刺史崔湜为吏部侍郎，并且一律加同平章事衔。

16　越州长史宋之问和饶州刺史冉祖雍因趋附韦、武集团获罪，被流放到岭南地区。

17　己酉(二十九日)，唐睿宗将衡阳王李成义立为申王，将巴陵王李隆范立为岐王，将彭城王李隆业立为薛王；还将太平公主实际所食的封户增加到一万户。

太平公主沉敏多权略，武后以为类己，故于诸子中独爱幸，颇得预密谋，然尚畏武后之严，未敢招权势。及诛张易之，公主有力焉。中宗之世，韦后、安乐公主皆畏之，又与太子共诛韦氏。既屡立大功，益尊重，上常与之图议大政，每入奏事，坐语移时。或时不朝谒，则宰相就第咨之。每宰相奏事，上辄问："尝与太平议否？"又问："与三郎议否？"然后可之。三郎，谓太子也。公主所欲，上无不听，自宰相以下，进退系其一言，其馀荐士骤历清显者不可胜数。权倾人主，趋附其门者如市。子薛崇行、崇敏、崇简皆封王。田园遍于近甸，收市营造诸器玩，远至岭、蜀，输送者相属于路。居处奉养，拟于宫掖。

18　追赠郎岌、燕钦融谏议大夫。

19　秋，七月庚戌朔，赠韦月将宣州刺史。

20　癸丑，以兵部侍郎崔日用为黄门侍郎，参知机务。

21　追复故太子重俊位号，雪敬晖、桓彦范、崔玄暐、张柬之、袁恕己、成王千里、李多祚等罪，复其官爵。

太平公主遇事沉着机敏，精通权变的谋略，武则天认为她很像自己，因而在众多的子女中对她格外偏爱，经常让她参与军国大事的谋画和决断，但她还是非常惧怕武则天的威严，没有胆量过多地树立自己的权势。张柬之等人诛杀张易之、张昌宗兄弟时，太平公主曾发挥了很大的作用。唐中宗时期，连专横跋扈的韦后和安乐公主都非常惧怕她，后来她又和太子李隆基一起铲除了韦氏集团。由于太平公主屡立大功，所以她的权势地位日益显赫重要，唐睿宗经常同她商量朝廷的大政方针，每次她入朝奏事，都要和睿宗坐在一起谈上一段时间。有时甚至在她没去上朝谒见时，睿宗会派宰相到她的家中征求她对某些问题的处理意见。每当宰相们奏事的时候，睿宗就要询问："关于这件事曾经与太平公主商量过吗？"接下来还要问道："与三郎商量过吗？"在得到宰相们肯定的答复之后，睿宗才会对宰相们的意见表示同意。三郎指的是皇太子李隆基。凡是太平公主想干的事，睿宗没有不同意的，朝中文武百官自宰相以下，或升迁或降免，全在她的一句话，其馀像那些经过她的举荐而平步青云担任要职的士人更是不可胜数。由于太平公主的权势甚至超过了睿宗皇帝，所以对她趋炎附势的人数不胜数。太平公主的儿子薛崇行、薛崇敏、薛崇简三人都受封为王。太平公主的田产园林遍布于长安城郊外各地，她家在收买或制造各种珍宝器物时，足迹甚至要远至岭表及巴蜀地区，沿途运送这些物品的人马车辆不绝于路。太平公主在日常衣食住行的各个方面，也处处模仿宫廷的排场。

18　唐睿宗将郎岌和燕钦融追赠为谏议大夫。

19　秋季，七月庚戌朔（初一），唐睿宗追赠处士韦月将为宣州刺史。

20　癸丑（初四），唐睿宗任命兵部侍郎崔日用为黄门侍郎，准许他参与军国大事的处理，成为宰相。

21　唐睿宗追复已故太子李重俊的爵位和名号；为敬晖、桓彦范、崔玄昳、张柬之、袁恕己、成王李千里及左羽林大将军李多祚等人平反昭雪，并且恢复他们各自生前所担任的职务。

22 丁巳，以洛州长史宋璟检校吏部尚书、同中书门下三品；岑羲罢为右散骑常侍，兼刑部尚书。璟与姚元之协心革中宗弊政，进忠良，退不肖，赏罚尽公，请托不行，纲纪修举，当时翕然以为复有贞观、永徽之风。

23 壬戌，崔湜罢为尚书左丞，张锡为绛州刺史，萧至忠为晋州刺史，韦嗣立为许州刺史，赵彦昭为宋州刺史。丙寅，姚元之兼中书令，兵部尚书、同中书门下三品李峤贬怀州刺史。

丁卯，太子少师、同中书门下三品唐休璟致仕，右武卫大将军、同中书门下三品张仁愿罢为左卫大将军。

24 黄门侍郎、参知机务崔日用与中书侍郎、参知机务薛稷争于上前，稷曰："日用倾侧，向附武三思，非忠臣；卖友邀功，非义士。"日用曰："臣往虽有过，今立大功。稷外托国姻，内附张易之、宗楚客，非倾侧而何？"上由是两罢之。戊辰，以日用为雍州长史，稷为左散骑常侍。

25 己巳，赦天下，改元。凡韦氏馀党未施行者，咸赦之。

26 乙亥，废武氏崇恩庙及昊陵、顺陵，追废韦后为庶人，安乐公主为悖逆庶人。

27 韦后之临朝也，吏部侍郎郑愔贬江州司马。潜过均州，与刺史谯王重福及洛阳人张灵均谋举兵诛韦氏，未发而韦氏败。重福迁集州刺史，未行，灵均说重福曰："大王地居嫡长，当为天子。相王虽有功，不当继统。东都士庶，皆愿王来。

22 丁巳(初八),唐睿宗任命洛州长史宋璟检校吏部尚书、同中书门下三品;岑羲被罢免为右散骑常侍兼刑部尚书。宋璟和姚元之齐心协力地革除唐中宗时期的各种弊端,提拔任用忠正贤良之士,贬黜斥退奸邪不肖之徒,行赏施罚完全依据公理,行贿说情的不良风气没有了市场,各项法度重新得到整饬,当时朝野上下一致认为国家又恢复了贞观、永徽时期的良好风尚。

23 壬戌(十三日),崔湜被罢免为尚书左丞;张锡被贬为绛州刺史,萧至忠被贬为晋州刺史,韦嗣立被贬为许州刺史,赵彦昭被贬为宋州刺史。丙寅(十七日),姚元之兼任中书令,兵部尚书、同中书门下三品李峤被贬为怀州刺史。

丁卯(十八日),太子少师、同中书门下三品唐休璟退休,右武卫大将军、同中书门下三品张仁愿被罢免为左卫大将军。

24 黄门侍郎、参知机务崔日用与中书侍郎、参知机务薛稷当着唐睿宗的面发生争执。薛稷说:"崔日用倚恃权贵,过去他依附武三思等人,说明其并非忠臣;这次又为了邀功请赏而出卖了朋友宗楚客,更表明他不是一位义士。"崔日用反驳道:"臣虽然以往确有过错,但此次为朝廷立下了大功。薛稷在表面上以陛下的亲家为借口,暗地里却投靠张易之、宗楚客之流,这不是倚恃权贵又是什么?"唐睿宗因此罢免了他们两人的职务,戊辰(十九日),任命崔日用为雍州长史,任命薛稷为左散骑常侍。

25 己巳(二十日),唐睿宗赦免天下罪囚,改年号为景云;尚未执行罪罚的韦氏残馀党羽,都被赦免。

26 乙亥(二十六日),唐睿宗废黜了武氏的崇恩庙及昊陵、顺陵的名号,又将已故的中宗皇后韦氏追废为庶人,将被杀的安乐公主追废为悖逆庶人。

27 韦后临朝的时候,吏部侍郎郑愔被贬为江州司马。郑愔曾秘密地前往均州,与均州刺史谯王李重福及洛阳人张灵均密谋诛除韦氏集团,只是未等他们发难,韦后集团就已被李隆基翦除。随后李重福被提升为集州刺史,在他上任之前,张灵均对他游说道:"大王您是先帝的嫡长子,理应继承皇位。相王虽然有功,但不应当继承大统。东都的全体士民百姓,都愿意您能到洛阳来。

若潜入洛阳，发左右屯营兵，袭杀留守，据东都，如从天而下也。然后西取陕州，东取河南北，天下指麾可定。"重福从之。

灵均乃密与憺结谋，聚徒数十人。时憺自秘书少监左迁沅州刺史，迟留洛阳以俟重福，草制，立重福为帝，改元为中元克复。尊上为皇季叔，以温王为皇太弟，憺为左丞相知内外文事，灵均为右丞相、天柱大将军知武事，右散骑常侍严善思为礼部尚书知吏部事。重福与灵均诈乘驿诣东都，憺先供张驸马都尉裴巽第以待重福。洛阳县官微闻其谋。

如果您潜入洛阳城,调集左、右屯营兵,出其不意地杀掉东都留守,进而占据东都洛阳,无异于神兵从天而降。然后再向西攻取陕州,向东攻取黄河南北两岸地区,则大军所向披靡,天下可传檄而定。"李重福采纳了他的建议。

于是张灵均秘密地与郑愔结谋,聚集了徒众数十人。这时郑愔已由秘书少监任上被降职为沅州刺史,他逗留在洛阳,等待李重福的到来,他还草拟了制书,立李重福为帝,改年号为中元克复。将唐睿宗尊为皇季叔,封温王李重茂为皇太弟,他自己担任左丞相职务,主持朝廷内外文官事务,任命张灵均为右丞相、天柱大将军,主持武官事务,任命右散骑常侍严善思为礼部尚书,主持吏部事务。李重福与张灵均假装乘驿马到东都去,郑愔则事先安排好驸马都尉裴巽的宅第以接待李重福。洛阳县吏对他们的阴谋略有察觉。

卷第二百一十 唐纪二十六

起庚戌(710)八月尽癸丑(713)凡三年有奇

睿宗玄真大圣大兴孝皇帝下
景云元年(庚戌,710)

1 八月庚寅,往巽第按问,重福奄至。县官驰出,白留守。群官皆逃匿,洛州长史崔日知独帅众讨之。

留台侍御史李邕遇重福于天津桥,从者已数百人,驰至屯营,告之曰:"谯王得罪先帝,今无故入都,此必为乱,君等宜立功取富贵。"又告皇城使闭诸门。重福先趣左、右屯营,营中射之,矢如雨下。乃还趣左掖门,欲取留守兵,见门闭,大怒,命焚之。火未及然,左屯营兵出逼之,重福窘迫,策马出上东,逃匿山谷。明日,留守大出兵搜捕,重福赴漕渠溺死。日知,日用之从父兄也,以功拜东都留守。

郑愔貌丑多须,既败,梳髻,著妇人服,匿车中。擒获,被鞫,股栗不能对。张灵均神气自若,顾愔曰:"吾与此人举事,宜其败也!"与愔皆斩于东都市。初,愔附来俊臣得进;俊臣诛,附张易之;易之诛,附韦氏;韦氏败,又附谯王重福,竟坐族诛。严善思免死,流静州。

睿宗玄真大圣大兴孝皇帝下
唐睿宗景云元年(庚戌,公元710年)

1　八月庚寅(十二日),洛阳县吏前往裴巽家中进行审查讯问,李重福等人突然来到。县吏急忙跑出裴宅,将其所见全部告诉了东都留守。东都大小衙门官员在听到这一消息后全都逃走或者躲藏起来,只有洛州长史崔日知率领部下讨伐李重福。

留台侍御史李邕与李重福在天津桥相遇,发现李重福手下已经有了数百名追随者,便快马加鞭地赶到东都左、右屯营兵马的驻地,告诉他们说:"谯王李重福获罪于先帝,现在突然无故进入东都,这一定是准备作乱,你们应当趁此机会为朝廷建功立业以博取荣华富贵。"说完又跑去告诉守城将官,让他们将所有城门全部关闭。李重福先赶赴左、右屯营,但营中将士向他放箭,箭如雨下。李重福回身走到左掖门,却又见城门紧闭,便气急败坏地命令手下人放火焚烧城门。但还没等火点燃,左屯营的士兵已经冲出营地向他逼过来。李重福走投无路,只好打马跑出上东门,逃进山谷中藏匿起来。第二天,东都留守派出大批军队进山搜捕,李重福投水自杀。崔日知是崔日用的堂兄,他因此次平定李重福叛乱之功而被任命为东都留守。

郑愔相貌丑陋,又长满了络腮胡须,起事失败后,他梳起了发髻,穿上妇女穿的衣服,藏在车中。被抓获受审时恐惧得两腿发抖,不能回答问题。张灵均则始终神态自若,他回头看着郑愔说:"我和你这样的胆小鬼一同举事,落得失败的结局是很正常的!"张灵均和郑愔一起在东都洛阳闹市被处以斩刑。当初,郑愔靠依附来俊臣而得以升迁;来俊臣被杀后,又依附张易之;张易之伏诛后,又依附韦后;韦后被杀后,又转而依附谯王李重福,最终还是因李重福起事失败而被灭族。严善思免于死刑,被流放到静州。

2　万骑恃讨诸韦之功,多暴横,长安中苦之,诏并除外官。又停以户奴为万骑,更置飞骑,隶左、右羽林。

3　姚元之、宋璟及御史大夫毕构上言:"先朝斜封官悉宜停废。"上从之。癸巳,罢斜封官凡数千人。

4　刑部尚书、同中书门下三品裴谈贬蒲州刺史。

5　赠苏安恒谏议大夫。

6　九月辛未,以太子少师致仕唐休璟为朔方道大总管。

7　冬,十月甲申,礼仪使姚元之、宋璟奏:"大行皇帝神主,应祔太庙,请迁义宗神主于东都,别立庙。"从之。

8　乙未,追复天后尊号为大圣天后。

9　丁酉,以幽州镇守经略节度大使薛讷为左武卫大将军兼幽州都督。节度使之名自讷始。

10　太平公主以太子年少,意颇易之;既而惮其英武,欲更择闇弱者立之以久其权,数为流言,云:"太子非长,不当立。"己亥,制戒谕中外,以息浮议。公主每觇伺太子所为,纤介必闻于上,太子左右,亦往往为公主耳目,太子深不自安。

11　谥故太子重俊曰节愍。太府少卿万年韦凑上书,以为:"赏罚所不加者,则考行立谥以褒贬之。故太子重俊,与李多祚等称兵入宫,中宗登玄武门以避之,太子据鞍督兵自若,

2 万骑兵倚仗着讨平韦氏集团的功劳,大多横行不法,从而成为长安百姓的一大祸害。唐睿宗下诏将万骑兵全部放到京外去做官,同时下令停止从官户奴隶中选拔万骑兵,并另外设置隶属于左、右羽林卫的飞骑军。

3 姚元之、宋璟及御史大夫毕构向唐睿宗建议:"先朝所任命的斜封官应当全部予以废黜。"唐睿宗表示同意。癸巳(十五日),唐睿宗免去了数千名斜封官的职务。

4 刑部尚书、同中书门下三品裴谈被贬为蒲州刺史。

5 唐睿宗追赠苏安恒为谏议大夫。

6 九月辛未(二十三日),唐睿宗任命已经退休的太子少师唐休璟为朔方道大总管。

7 冬季,十月甲申(初七),礼仪使姚元之、宋璟上奏道:"大行皇帝的神主应当在太庙祔祭,请陛下下诏将义宗皇帝的神主迁到东都另外立庙祭祀。"唐睿宗采纳了他们的建议。

8 乙未(十八日),唐睿宗下诏恢复天后武则天大圣天后的尊号。

9 丁酉(二十日),唐睿宗任命幽州镇守经略节度大使薛讷为左武卫大将军兼幽州都督。节度使之名即从薛讷开始。

10 太平公主认为太子李隆基还很年轻,因而起初并未把太子放在心上;不久之后又因惧怕太子的英俊威武,转而想要改立一位昏庸懦弱的人作太子,以便使她自己能长期保住现有的权势地位。太平公主屡次散布流言,声称:"太子并非皇帝的嫡长子,因此不应当被立为太子。"己亥(二十二日),唐睿宗颁下制书晓谕警告天下臣民以平息各种流言蜚语。太平公主还常常派人监视太子李隆基的所作所为,即使些须小事也要让唐睿宗得知,此外,太平公主还在太子身边安插了很多耳目,太子感到自己的地位很不稳定。

11 唐睿宗颁下制书,将故太子李重俊谥为节愍。太府少卿万年人韦凑上书认为:"对于那些没有施加赏赐或者处罚的人,为了评价他的是非功过,可以根据其生前的所作所为赠予谥号。故太子李重俊与李多祚等人举兵闯入宫中,致使中宗不得不登上玄武门以躲避他们,太子却还能够神态自若地骑在马上督率士兵,

及其徒倒戈，多祚等死，太子方逃窜。向使宿卫不守，其为祸也胡可忍言！明日，中宗雨泣，谓供奉官曰：'几不与卿等相见。'其危如此。今圣朝礼葬，谥为节愍，臣窃惑之。夫臣子之礼，过庙必下，过位必趋。汉成帝之为太子，不敢绝驰道，而重俊称兵宫内，跨马御前，无礼甚矣。若以其诛武三思父子而嘉之，则兴兵以诛奸臣而尊君父可也。今欲自取之，是与三思竞为逆也，又足嘉乎？若以其欲废韦氏而嘉之，则韦氏于时逆状未彰，大义未绝，苟无中宗之命而废之，是胁父废母也，庸可乎？汉戾太子困于江充之谗，发忿杀充，虽兴兵交战，非围逼君父也。兵败而死，及其孙为天子，始得改葬，犹谥曰戾。况重俊可谥之曰节愍乎？臣恐后之乱臣贼子，得引以为比，开悖逆之原，非所以彰善瘅恶也，请改其谥。多祚等从重俊兴兵，不为无罪。陛下今宥之可也，名之为雪，亦所未安。"上甚然其言，而执政以为制命已行，不为追改，但停多祚等赠官而已。

12　十一月戊申朔，以姚元之为中书令。

只是到了他的徒众临阵倒戈并且李多祚等人已经被杀之后，太子才不得不落荒而逃。假如当时把守宫门的侍卫抵挡不住的话，那么李重俊所造成的后果将不堪设想！第二天，中宗皇帝泪如雨下地对中书、门下两省的官员们说：'朕差一点就见不到诸位了。'当时的情形竟然危急到这种地步。现在朝廷对故太子李重俊以礼安葬，还要将他谥为节愍，臣内心深处的确感到迷惑不解。依据臣子侍奉君主的礼节，大臣经过太庙必须下马，经过君主的宝座必须恭恭敬敬地小步快走。汉成帝作太子时，虽然是奉了汉元帝的紧急召见，尚且不敢横穿驰道，而太子李重俊居然敢于在皇宫之内兴兵造反，在中宗皇帝的面前横刀立马，这实在是太无礼了。嘉奖他起兵诛杀武三思父子是可以的，但只有在他起兵铲除奸臣是为了尊崇皇帝的时候才可以这样做。现在他是为了自己当皇帝，那就只能说明他与武三思一样，都是犯上作乱图谋不轨的乱臣贼子，对这样的人还能立谥嘉奖吗？如果因为他起兵是为了废掉韦后而嘉奖他，在道理上也讲不通，因为当时韦后谋反的表现还不太明显，与太子之间母子君臣的大义尚未断绝，如果没有中宗的命令就擅自起兵废掉她，这就是逼迫父亲废弃母亲，这怎么可以呢？汉武帝时期戾太子因江充等人的诬陷而被逼无奈，起兵杀死江充，虽然也动用了兵马，但戾太子并没有围困逼迫他的父亲汉武帝。戾太子兵败自杀后，一直等到他的孙子汉宣帝即位时才得以改葬，但还是将他谥为戾。何况故太子李重俊如此悖逆无礼，陛下怎么能将他谥为节愍呢？臣担心后世的乱臣贼子会援引李重俊这一先例，为违乱忤逆行为大开方便之门，这恐怕不是用来彰善惩恶的有效方法。请陛下给故太子李重俊改赐一个别的谥号。李多祚等人追随李重俊起兵，也不能说没有罪过，陛下可以宽宥他们所犯的罪行，但口口声声地说为他们平反昭雪，恐怕还不太合适。"唐睿宗非常赞同他的意见，但具体主管的官员认为皇帝的制命已经颁行，因而拒绝改变谥号，只是不再向李多祚等人追赠官爵而已。

12　十一月戊申朔(初一)，唐睿宗任命姚元之为中书令。

13　己酉，葬孝和皇帝于定陵，庙号中宗。朝议以韦后有罪，不应祔葬。追谥故英王妃赵氏曰和思顺圣皇后，求其瘗，莫有知者，乃以祎衣招魂，覆以夷衾，祔葬定陵。

14　壬子，侍中韦安石罢为太子少保，左仆射、同中书门下三品苏瓌罢为少傅。

15　甲寅，追复裴炎官爵。

初，裴仙先自岭南逃归，复杖一百，徙北庭。至徙所，殖货任侠，常遣客诇都下事。武后之诛流人也，仙先先知之，逃奔胡中，北庭都护追获，囚之以闻。使者至，流人尽死，仙先以待报未杀。既而武后下制安抚流人，有未死者悉放还，仙先由是得归。至是求炎后，独仙先在，拜詹事丞。

16　壬戌，追复王同皎官爵。

17　庚午，许文贞公苏瓌薨。制起复其子颋为工部侍郎，颋固辞。上使李日知谕旨，日知终坐不言而还，奏曰：“臣见其哀毁，不忍发言，恐其陨绝。”上乃听其终制。

18　十二月癸未，上以二女西城、隆昌公主为女官，以资天皇太后之福，仍欲于城西造观。谏议大夫宁原悌上言，以为：“先朝悖逆庶人以爱女骄盈而及祸，新城、宜都以庶孽抑损而获全。

13 己酉(初二),唐睿宗将孝和皇帝在定陵安葬,庙号中宗。君臣在朝廷中经过仔细地商议,认为韦皇后犯有大罪,所以不应当将她的灵柩与唐中宗合葬。唐睿宗又将已故英王王妃赵氏追谥为和思顺圣皇后,派人四处寻找她的尸体及随葬物品,但没有人知道这些东西存放的确切地点,最后只得用皇后的祭服来为她招魂,然后在祭服上盖好夷衾,合葬于定陵。

14 壬子(初五),侍中韦安石被贬为太子少保;左仆射、同中书门下三品苏瓌被贬为少傅。

15 甲寅(初七),唐睿宗下诏追复裴炎的官职爵位。

当初,裴伷先从岭南地区逃回,又被杖打一百并流徙到北庭。裴伷先在流放地北庭广聚财富,又仗义疏财,他还常常派人到长安打听各种消息。他事先得知武则天即将派遣使者出京诛杀被处以流刑的罪犯的消息,便在使者到来之前逃到胡人的地盘躲避,被北庭都护派兵捉住,关进监狱并上报武则天。使者来到北庭后,流刑犯全部被杀,只有裴伷先因等待武则天的批示而没有立即被杀。过了一段时间武则天又下诏安抚流刑犯人,规定尚未处死的全部放还原籍,裴伷先因此得以回到长安。现在唐睿宗下令寻找裴炎的后人,只找到了裴伷先一人,所以将他任命为詹事丞。

16 壬戌(十五日),唐睿宗下令为王同皎恢复官爵。

17 庚午(二十三日),许文贞公苏瓌去世。唐睿宗颁发制命,任命正在为父服丧的苏颋为工部侍郎,苏颋坚决推辞不受。唐睿宗派李日知前去传达自己的旨意,李日知与苏颋相坐半晌,却只字未提自己的来意便回朝复命,他对唐睿宗回奏道:"臣见到苏颋悲痛欲绝的样子,实在不忍心把要说的话讲出来,担心他会发生意外。"于是唐睿宗便允许苏颋为其父服满三年丧期。

18 十二月癸未(初七),为了更好地依托天皇太后武则天的庇佑,唐睿宗让他的两个女儿西城公主和隆昌公主作女道士,并准备在城西建造道观。谏议大夫宁原悌向唐睿宗进言认为:"中宗朝悖逆庶人作为中宗和韦后的爱女而骄傲自满,终于难逃杀身之祸;新城公主和宜都公主作为中宗庶出之女而谦卑自制,终于得以保全。

又释、道二家皆以清净为本,不当广营寺观,劳人费财。梁武帝致败于前,先帝取灾于后,殷鉴不远。今二公主入道,将为之置观,不宜过为崇丽,取谤四方。又,先朝所亲狎诸僧,尚在左右,宜加屏斥。"上览而善之。

19 宦者闾兴贵以事属长安令李朝隐,朝隐系于狱。上闻之,召见朝隐,劳之曰:"卿为赤县令,能如此,朕复何忧?"因御承天门,集百官及诸州朝集使,宣示以朝隐所为,且下制称:"宦官遇宽柔之代,必弄威权。朕览前载,每所叹息。能副朕意,实在斯人,可加一阶为太中大夫,赐中上考及绢百匹。"

20 壬辰,奚、霫犯塞,掠渔阳、雍奴,出卢龙塞而去。幽州都督薛讷追击之,弗克。

21 旧制,三品以上官册授,五品以上制授,六品以下敕授,皆委尚书省奏拟,文属吏部,武属兵部,尚书曰中铨,侍郎曰东西铨。中宗之末,嬖幸用事,选举混淆,无复纲纪。至是,以宋璟为吏部尚书,李乂、卢从愿为侍郎,皆不畏强御,请谒路绝。集者万馀人,留者三铨不过二千,人服其公。以姚元之为兵部尚书,陆象先、卢怀慎为侍郎,武选亦治。从愿,承庆之族子;象先,元方之子也。

再说佛教和道教均以清净为本,不应耗费大量的人力物力营造佛寺道观。南朝梁武帝佞佛招致祸败于前,先帝中宗广营佛寺道观致使国家多难于后,这样的历史教训距今不远。现在西城公主和隆昌公主作了女道士,陛下为她们营建道观,不应当过分豪华壮观,以免招致朝野士民百姓的非议。此外,先朝中宗皇帝所宠幸的僧人们仍在陛下身边,也应当一律斥退。"唐睿宗看了他的奏章之后,认为他说的很对。

19　宦官闾兴贵托长安县令李朝隐为他办事,李朝隐将他逮捕入狱。唐睿宗听说这件事之后,特意召见了李朝隐,慰问他说:"您作为京师县令,能够如此不畏权幸,朕还有什么不放心的呢?"唐睿宗还在承天门召集文武百官和来自各州的朝集使,向他们公布李朝隐的所作所为,并且颁下制书表彰他说:"自古以来宦官每遇宽容柔弱的君主,必定会玩弄权势,专擅威福。朕每次读起前代历史时,都对此颇多感慨。真正能够符合朕的要求的,是像李朝隐这样的人,所以朕特为他加官一阶,为太中大夫,将他的考核成绩定为中上,并且赐给绢一百匹。"

20　壬辰(十六日),奚人和霫人进犯边塞,在渔阳、雍奴二县大肆掳掠之后,经卢龙塞撤走。唐幽州都督薛讷派兵追击,未能取胜。

21　唐朝旧制规定,对三品以上官员的任命,由皇帝当面册封,称为册授;三品以下、五品以上官由皇帝颁布制书任命,称为制授;六品以下官由皇帝颁布敕书任命,称为敕授,上述任命职官的文件都是由尚书省奏拟的,有关文官的任命由吏部拟定,有关武官的任命由兵部拟定,两部的尚书称为中铨、左右侍郎称为东西铨。唐中宗末期,得到皇帝宠幸的奸佞小人专擅选官大权;所选任的官吏成分十分庞杂,根本没有纲纪可言。现在,唐睿宗任命宋璟为吏部尚书,任命李乂、卢从愿为吏部左右侍郎,此三者均为不畏强暴之人,请托告求之路从此堵塞。在一万多名候补官员中,经过三铨之后留下的不超过两千人,并且每人都对他们的公正无私深为叹服。唐睿宗又任命姚元之为兵部尚书,任命陆象先、卢怀慎为兵部左右侍郎,对武官的选拔任用工作也走上了正轨。卢从愿是卢承庆的族子;陆象先是陆元方的儿子。

22 侍御史藁城倪若水,奏弹国子祭酒祝钦明、司业郭山恽乱常改作,希旨病君。于是左授钦明饶州刺史,山恽括州长史。

23 侍御史杨孚,弹纠不避权贵,权贵毁之,上曰:"鹰搏狡兔,须急救之,不尔必反为所噬。御史绳奸慝亦然。苟非人主保卫之,则亦为奸慝所噬矣。"孚,隋文帝之侄孙也。

24 置河西节度、支度、营田等使,领凉、甘、肃、伊、瓜、沙、西七州,治凉州。

25 姚州群蛮,先附吐蕃,摄监察御史李知古请发兵击之。既降,又请筑城,列置州县,重税之。黄门侍郎徐坚以为不可,不从。知古发剑南兵筑城,因欲诛其豪杰,掠子女为奴婢。群蛮怨怒,蛮酋傍名引吐蕃攻知古,杀之,以其尸祭天,由是姚、嶲路绝,连年不通。

安西都护张玄表侵掠吐蕃北境,吐蕃虽怨而未绝和亲,乃赂鄯州都督杨矩,请河西九曲之地以为公主汤沐邑。矩奏与之。

二年(辛亥,711)

1 春,正月癸丑,突厥可汗默啜遣使请和,许之。

2 己未,以太仆卿郭元振、中书侍郎张说并同平章事。

3 以温王重茂为襄王,充集州刺史,遣中郎将将兵五百就防之。

22　侍御史薰城人倪若水，上奏弹劾国子祭酒祝钦明、国子司业郭山恽扰乱常规、变更旧制，为迎合韦后的旨意而使得中宗圣德有亏。唐睿宗因此将祝钦明降职为饶州刺史，将郭山恽降职为括州长史。

23　侍御史杨孚在弹劾纠察违法之事时不畏权贵，因而受到权贵们的诬陷，唐睿宗说："在老鹰抓兔子时，必须赶紧帮助它，否则它也会被狡兔咬伤。御史纠举弹劾奸诈邪恶之事也是同样的道理。如果没有君主对他多方保护，他也会被奸诈邪恶之徒咬伤的。"杨孚是隋文帝杨坚的侄孙。

24　唐睿宗设置了河西节度使、支度使和营田使，统辖凉、甘、肃、伊、瓜、沙、西等七州，治所在凉州。

25　姚州各蛮族部落起初依附吐蕃，代理监察御史职务的李知古曾请求调集军队前往征伐。各蛮族部落归降唐朝之后，李知古又请求在姚州修筑城郭，设置州县官署，对他们征收重税。黄门侍郎徐坚认为不能这样做，但他的建议没有得到采纳。李知古调集剑南道兵马修筑城池，又想趁机铲除蛮族各部的豪杰之士，将他们的子女掠为奴婢。蛮族部众对李知古极为愤恨，部落酋长傍名召引吐蕃军队进攻李知古并将他杀死，然后用他的尸体祭祀上天，从此姚、嶲一带通往内地的道路被断绝，连续多年未能打通。

唐安西都护张玄表侵扰掠夺吐蕃北部边境地区，吐蕃虽然对此极为不满，但却没有中断与唐朝的姻亲关系，他们用钱财贿赂唐鄯州都督杨矩，请求唐睿宗将河西九曲之地送给吐蕃作为金城公主的汤沐邑。杨矩上奏唐睿宗，劝他将河西九曲之地送给吐蕃。

唐睿宗景云二年(辛亥，公元711年)

1　春季，正月癸丑(初七)，突厥可汗默啜派遣使者前来求和，唐睿宗答应了他们的请求。

2　己未(十三日)，唐睿宗任命太仆卿郭元振、中书侍郎张说二人为同平章事。

3　唐睿宗改封温王李重茂为襄王，让他充任集州刺史，并且派遣中郎将率领五百人马驻扎在那里以便对他严加防范。

4　乙丑，追立妃刘氏曰肃明皇后，陵曰惠陵；德妃窦氏曰昭成皇后，陵曰靖陵。皆招魂葬于东都城南，立庙京师，号仪坤庙。窦氏，太子之母也。

5　太平公主与益州长史窦怀贞等结为朋党，欲以危太子，使其婿唐晙邀韦安石至其第，安石固辞不往。上尝密召安石，谓曰："闻朝廷皆倾心东宫，卿宜察之。"对曰："陛下安得亡国之言？此必太平之谋耳。太子有功于社稷，仁明孝友，天下所知，愿陛下无惑谗言。"上瞿然曰："朕知之矣，卿勿言。"时公主在帘下窃听之，以飞语陷安石，欲收按之，赖郭元振救之，得免。

公主又尝乘辇邀宰相于光范门内，讽以易置东宫，众皆失色。宋璟抗言曰："东宫有大功于天下，真宗庙社稷之主，公主奈何忽有此议？"

璟与姚元之密言于上曰："宋王陛下之元子，豳王高宗之长孙，太平公主交构其间，将使东宫不安。请出宋王及豳王皆为刺史，罢岐、薛二王左、右羽林，使为左、右率以事太子。太平公主请与武攸暨皆于东都安置。"上曰："朕更无兄弟，惟太平一妹，岂可远置东都？诸王惟卿所处。"乃先下制云："诸王、驸马自今毋得典禁兵，见任者皆改他官。"

4 乙丑(十九日),唐睿宗下诏将妃子刘氏追立为肃明皇后,称她的坟墓为惠陵;将德妃窦氏追立为昭成皇后,称她的坟墓为靖陵。唐睿宗在为这两位妃子招魂之后,将她们安葬在东都洛阳城南,并在京师为她们立庙,称为仪坤庙。窦氏是太子李隆基的生母。

5 太平公主同益州长史窦怀贞等结成朋党,想加害太子李隆基,便指使她的女婿唐晙邀请韦安石到自己的家中来,韦安石坚决推辞,没有前往。唐睿宗曾经秘密地召见韦安石,对他说:"听说朝廷文武百官全都倾心归附太子,您应当对此多加留意。"韦安石回答说:"陛下从哪里听到这种亡国之言呢? 这一定是太平公主的主意。太子为宗庙社稷立下了大功,而且一向仁德明智,孝顺父母,友爱兄弟,这是普天之下人所共知的事实,希望陛下不要被谗言所迷惑。"唐睿宗听过这话之后十分惊异地说:"朕明白了,您不要再提这件事了。"当时太平公主正在帘子后面偷听他们君臣之间的谈话,事后便散布各种流言蜚语对韦安石横加陷害,想要把他逮捕下狱严加审讯,多亏了郭元振的救助才得以幸免。

太平公主还曾乘辇车将宰相们请到光范门内,暗示他们应当改立皇太子,在场的宰相们全都大惊失色。宋璟大声质问道:"太子为大唐社稷立下了莫大的功劳,是宗庙社稷的主宰,公主为什么突然提出这样的建议呢?"

宋璟与姚元之秘密地对唐睿宗进言道:"宋王李成器是陛下的嫡长子,豳王李守礼是高宗皇帝的长孙,太平公主在他俩与太子之间互相构陷,制造事端,将会使得东宫地位不稳。请陛下将宋王和豳王两人外放为刺史;免去岐王李隆范和薛王李隆业所担任的左、右羽林大将军职务,任命他们为左、右卫率以遵从太子的指挥。将太平公主与武攸暨安置到东都洛阳。"唐睿宗说:"朕现在已没有兄弟了,只有太平公主这一个妹妹,怎么可以将她远远地安置到东都去呢? 至于诸王则可以任凭你们安排。"于是先颁下制命说:"今后诸王、驸马一律不得统率禁兵,现在任职的都必须改任其他官职。"

　　顷之，上谓侍臣曰："术者言五日中当有急兵入宫，卿等为朕备之。"张说曰："此必谗人欲离间东宫。愿陛下使太子监国，则流言自息矣。"姚元之曰："张说所言，社稷之至计也。"上说。

　　二月丙子朔，以宋王成器为同州刺史，豳王守礼为豳州刺史，左羽林大将军岐王隆范为左卫率，右羽林大将军薛王隆业为右卫率，太平公主蒲州安置。

　　丁丑，命太子监国，六品以下除官及徒罪以下，并取太子处分。

　　6　殿中侍御史崔莅、太子中允薛昭素言于上曰："斜封官皆先帝所除，恩命已布，姚元之等建议，一朝尽夺之，彰先帝之过，为陛下招怨。今众口沸腾，遍于海内，恐生非常之变。"太平公主亦言之，上以为然。戊寅，制："诸缘斜封别敕授官，先停任者，并量材叙用。"

　　7　太平公主闻姚元之、宋璟之谋，大怒，以让太子。太子惧，奏元之、璟离间姑、兄，请从极法。甲申，贬元之为申州刺史，璟为楚州刺史。丙戌，宋王、豳王亦寝刺史之命。

　　8　中书舍人、参知机务刘幽求罢为户部尚书；以太子少保韦安石为侍中。安石与李日知代姚、宋为政，自是纲纪紊乱，复如景龙之世矣。前右率府铠曹参军柳泽上疏，以为：

过了一会儿，唐睿宗对身边的侍臣说："占卜的人说五天之内将会有起事发难的军队闯入宫中，你们要为朕严加防范。"张说紧接着说道："这一定又是奸邪小人用谗言离间陛下与太子的关系。希望陛下让太子代行处理政务，那么种种流言蜚语就会自然而然地销声匿迹。"姚元之说："张说所提出的办法，是使社稷宗庙长治久安的上上之策。"唐睿宗听完之后十分高兴。

二月丙子朔(初一)，唐睿宗任命宋王李成器为同州刺史，任命豳王李守礼为豳州刺史，任命左羽林大将军岐王李隆范为左卫率，任命右羽林大将军薛王李隆业为右卫率，又将太平公主安置在蒲州。

丁丑(初二)，唐睿宗下诏由太子李隆基代行处理政务，规定凡是六品以下官员的任命以及对犯徒罪以下罪犯的复核等事，均由太子全权处理。

6　殿中侍御史崔莅、太子中允薛昭素对唐睿宗说："所有斜封官都是先帝所任命的，这一降恩的制命早已颁布施行，现在却由于姚元之等人所提出的主张而一下子全部削夺，这就彰明了中宗皇帝的过错，并且给陛下招来了很多怨言。眼下全国各地怨声载道，恐怕会引发非同寻常的变故。"太平公主也这样劝说唐睿宗，睿宗认为他们所说的都有道理。戊寅(初三)，唐睿宗颁布制命："凡是因系斜封别敕任命之故而被停任的官员，一律可以量材叙用。"

7　太平公主得知姚元之与宋璟的计谋之后勃然大怒，并以此为理由责备太子李隆基。太子感到害怕，便向唐睿宗奏称姚元之和宋璟挑拨自己与姑母太平公主和兄长宋王李成器、豳王李守礼之间的关系，并请求对他们两人严加惩处。甲申(初九)，唐睿宗将姚元之贬为申州刺史，将宋璟贬为楚州刺史。丙戌(十一日)，宋王李成器和豳王李守礼也将他们所得到的刺史任命束之高阁。

8　唐睿宗将中书舍人、参知机务刘幽求贬为户部尚书；又任命太子少保韦安石为侍中。韦安石与李日知二人取代了姚元之、宋璟二人，开始主持朝廷政务，从此朝廷纲纪紊乱，又恢复到唐中宗景龙年间的老样子。前任右率府铠曹参军职务的柳泽上疏认为：

"斜封官皆因仆妾汲引,岂出孝和之意? 陛下一切黜之,天下莫不称明。一旦忽尽收叙,善恶不定,反覆相攻,何陛下政令之不一也? 议者咸称太平公主令胡僧慧范曲引此曹,诳误陛下。臣恐积小成大,为祸不细。"上弗听。泽,亨之孙也。

9　左、右万骑与左、右羽林为北门四军,使葛福顺等将之。

10　三月,以宋王成器女为金山公主,许嫁突厥默啜。

11　夏,四月甲申,宋王成器让司徒。许之,以为太子宾客。以韦安石为中书令。

12　上召群臣三品以上,谓曰:"朕素怀澹泊,不以万乘为贵,曩为皇嗣,又为皇太弟,皆辞不处。今欲传位太子,何如?"群臣莫对。太子使右庶子李景伯固辞,不许。殿中侍御史和逢尧附太平公主,言于上曰:"陛下春秋未高,方为四海所依仰,岂得遽尔?"上乃止。

戊子,制:"凡政事皆取太子处分。其军旅死刑及五品已上除授,皆先与太子议之,然后以闻。"

13　辛卯,以李日知守侍中。

14　壬寅,赦天下。

15　五月,太子请让位于宋王成器;不许。请召太平公主还京师;许之。

16　庚戌,制:"则天皇后父母坟仍旧为昊陵、顺陵,量置官属。"太平公主为武攸暨请之也。

"斜封官都是通过中宗皇帝身边那些邪恶小人的引进而得到任用的,哪里是出自中宗孝和皇帝的本意呢?陛下将他们全部废黜,天下士人对此举无不心悦诚服。现在却又反过来将他们全部收录叙用,善恶不定,朝令夕改,陛下的政令怎么能如此前后不一呢?人们都认为这是因为太平公主令胡僧慧范曲法任用这些人,所以他们才这样诳骗陛下。臣担心这样下去会积小恶而成大祸。"唐睿宗没有采纳他的建议。柳泽是柳亨的孙子。

9　左、右万骑军和左、右羽林军为北门四军,唐睿宗任命葛福顺等人统率这些禁卫军。

10　三月,唐睿宗封宋王李成器之女为金山公主,将她许配给突厥可汗默啜。

11　夏季,四月甲申(初九),宋王李成器请求辞去司徒一职。唐睿宗答应了他的要求,任命他为太子宾客。还任命韦安石为中书令。

12　唐睿宗将三品以上的官员召集在一起,对他们说:"朕一向恬静寡欲,并不把万乘之尊当作什么可贵的地位,当初任皇嗣以及中宗时作皇太弟,都曾坚决地推辞掉了。现在朕打算把皇位传给皇太子,你们认为怎么样?"在场的大臣们都没有回答。太子李隆基让右庶子李景伯出面坚决推辞,唐睿宗没有同意。殿中侍御史和逢尧向来依附太平公主,便对唐睿宗说道:"陛下年纪还不很老,正是被五湖四海所依附景仰的时候,怎么能急急忙忙地禅位于皇太子呢?"唐睿宗这才打消了这个念头。

戊子(十三日),唐睿宗发布制命:"所有朝廷政务,一律由皇太子全权负责处理。涉及军旅重事、死刑的复核以及对五品以上官的任命,也要先与皇太子商议,然后再上奏皇帝。"

13　辛卯(十六日),唐睿宗任命李日知署理门下省侍中一职。

14　壬寅(二十七日),唐睿宗下诏大赦天下。

15　五月,太子李隆基请求将太子之位让给宋王李成器,唐睿宗没有同意。太子又请求将太平公主召还京师,唐睿宗表示同意。

16　庚戌(初六),唐睿宗颁下制命:"将则天皇后父母的坟墓的名称恢复为昊陵、顺陵,并且酌情设置官署。"这是由于太平公主为武攸暨向唐睿宗做了请求的缘故。

17　辛酉,更以西城为金仙公主,隆昌为玉真公主,各为之造观,逼夺民居甚多,用功数百万。右散骑常侍魏知古、黄门侍郎李乂谏,不听。

18　壬戌,殿中监窦怀贞为御史大夫、同平章事。

19　僧慧范恃太平公主势,逼夺民产,御史大夫薛谦光与殿中侍御史慕容珣奏弹之。公主诉于上,出谦光为岐州刺史。

20　时遣使按察十道,议者以山南所部阔远,乃分为东西道,又分陇右为河西道。六月壬午,又分天下置汴、齐、兖、魏、冀、并、蒲、廓、泾、秦、益、绵、遂、荆、岐、通、梁、襄、扬、安、闽、越、洪、潭二十四都督,各纠察所部刺史以下善恶,惟洛及近畿州不隶都督府。太子右庶子李景伯、舍人卢俌等上言:“都督专杀生之柄,权任太重,或用非其人,为害不细。今御史秩卑望重,以时巡察,奸宄自禁。”其后竟罢都督,但置十道按察使而已。

21　秋,七月癸巳,追复上官昭容,谥曰惠文。

22　乙卯,以高祖故宅枯柿复生,赦天下。

23　己巳,以右御史大夫解琬为朔方大总管。琬考按三城戍兵,奏减十万人。

24　庚午,以中书令韦安石为左仆射兼太子宾客、同中书门下三品。太平公主以安石不附己,故崇以虚名,实去其权也。

17 辛酉(十七日),唐睿宗将西城公主改封为金仙公主,将隆昌公主改封为玉真公主,并且为她们分别建造了金仙观和玉真观,强占了很多居民的住宅用地,工程耗费达数百万钱之多。右散骑常侍魏知古和黄门侍郎李乂进谏阻止,但唐睿宗没有采纳。

18 壬戌(十八日),唐睿宗任命殿中监窦怀贞为御史大夫、同平章事。

19 胡僧慧范倚仗着太平公主的权势,巧取豪夺平民百姓的财产,御史大夫薛谦光和殿中侍御史慕容珣上奏弹劾他。太平公主向唐睿宗诉说了自己对他们的不满,唐睿宗便将薛谦光外放为岐州刺史。

20 这时唐睿宗分遣使者赴十道巡行考察,有人认为山南道所辖区域太广,于是将山南道分为东西两道;又从陇右道中分出河西道。六月壬午(初八),唐睿宗又下诏在全国分置汴、齐、兖、魏、冀、并、蒲、廓、泾、秦、益、绵、遂、荆、岐、通、梁、襄、扬、安、闽、越、洪、潭二十四都督,负责纠举查处所辖区域内州县官吏的善恶得失,只有洛阳以及京畿之地各州不隶属于都督府。太子右庶子李景伯、舍人卢俌等人进言说:"都督专擅生杀大权,权势太重,万一有些任职的人不是合适的人选,那么所造成的危害就太严重了。现在御史的品位俸禄都很卑微,但是声望都很高,陛下派他们按时巡察地方,为非作歹的邪恶之徒自然会得到应有惩处。"后来终于罢去所有新置的都督,只是设置了十道按察使而已。

21 秋季,七月癸巳(二十日),唐睿宗下诏追复上官昭容的官职,赠谥号为惠文。

22 乙卯,由于唐高祖李渊旧宅中早已枯死的柿子树又重新发芽的缘故,唐睿宗下诏大赦天下。

23 己巳,唐睿宗任命右御史大夫解琬为朔方道大总管。解琬在对三受降城的军事防务做了具体考查之后,上奏唐睿宗,请求将戍守该地的士卒减少十万人。

24 庚午,唐睿宗任命韦安石为左仆射兼太子宾客、同中书门下三品。由于太平公主认为韦安石拒绝趋附自己,所以用这样一个虚衔来敷衍他,实际上是借此削夺他的实权。

25　九月庚辰，以窦怀贞为侍中。怀贞每退朝，必诣太平公主第。时修金仙、玉真二观，群臣多谏，怀贞独劝成之，身自督役。时人谓怀贞前为皇后阿奢，今为公主邑司。

26　冬，十月甲辰，上御承天门，引韦安石、郭元振、窦怀贞、李日知、张说宣制，责以“政教多阙，水旱为灾，府库益竭，僚吏日滋，虽朕之薄德，亦辅佐非才。安石可左仆射、东都留守，元振可吏部尚书，怀贞可左御史大夫，日知可户部尚书，说可左丞，并罢政事”。以吏部尚书刘幽求为侍中，右散骑常侍魏知古为左散骑常侍，太子詹事崔湜为中书侍郎，并同中书门下三品，中书侍郎陆象先同平章事。皆太平公主之志也。

象先清净寡欲，言论高远，为时人所重。湜私侍太平公主，公主欲引以为相，湜请与象先同升，公主不可，湜曰：“然则湜亦不敢当。”公主乃为之并言于上。上不欲用湜，公主涕泣以请，乃从之。

27　右补阙辛替否上疏，以为：“自古失道破国亡家者，口说不如身逢，耳闻不如目睹。臣请以陛下所目睹者言之。太宗皇帝，陛下之祖也，拨乱返正，开基立极，官不虚授，财无枉费，不多造寺观而有福，不多度僧尼而无灾，天地垂祐，风雨时若，粟帛充溢，蛮夷率服，享国久长，名高万古。陛下

25 九月庚辰(初八),唐睿宗任命窦怀贞为侍中。窦怀贞平时每次退朝后,都要到太平公主家里去。当时正在修建金仙、玉真二观,群臣纷纷向唐睿宗进谏阻止,只有窦怀贞一个人对此表示坚决支持,并且亲自监督服劳役的民夫。所以当时的人们都说窦怀贞先是作韦皇后的阿奢,现在又作了公主的邑司。

26 冬季,十月甲辰(初三),唐睿宗来到承天门,对应召而来的韦安石、郭元振、窦怀贞、李日知、张说等大臣宣布制命,责备他们说:"当今朝廷的刑赏与教化存在着很多的缺陷,各地水旱成灾,国库储备日趋枯竭,官吏僚属日益增多,这些现象固然是朕德行浅薄所致,但也并非与诸位大臣才智不足无关。从现在起韦安石担任尚书左仆射、东都留守,郭元振担任吏部尚书,窦怀贞担任左御史大夫,李日知担任户部尚书,张说担任尚书左丞,一律免去宰相职务。"又任命吏部尚书刘幽求为侍中,任命右散骑常侍魏知古为左散骑常侍,任命太子詹事崔湜为中书侍郎,一律加同中书门下三品衔;此外,还为中书侍郎陆象先加同平章事衔。对上述官员的任免都是根据太平公主的意志而作出的。

陆象先一向清心寡欲,平日所发言辞议论无不高妙玄远,意味深长,因而深得当时士人的推崇。崔湜私下里依附太平公主,公主便打算将他引用为宰相,崔湜却请求与陆象先一起升为宰相,太平公主不同意这么做,崔湜说:"如果陆象先不能做宰相的话,我崔湜也不敢做这个宰相。"太平公主只得请求唐睿宗将两人一同任命为宰相。唐睿宗不同意用崔湜为相,由于太平公主流着眼泪为他求情,才不得已用其为相。

27 右补阙辛替否上疏认为:"自古以来,对于因君主无道而导致国破家亡的教训,实在是耳闻不如目睹,口说不如亲身经历。请允许臣根据陛下亲眼看见的事实来阐明这一道理。太宗皇帝是陛下的祖父,将乱世纳入正轨,开创了大唐基业所应遵循的中正准则;他既不白白地把官爵俸禄赠送给任何人,也从不浪费国家的资财;他并未广建寺观,却不乏神明的庇佑,他也没有更多地剃度僧尼,却没有灾祸,承蒙皇天后土的保佑,风调雨顺,五谷丰登;周边各蛮夷部落纷纷入朝进贡,在位的时间也很长久,受到千秋万代的景仰。陛下

何不取而法之？中宗皇帝，陛下之兄，弃祖宗之业，徇女子之意，无能而禄者数千人，无功而封者百馀家，造寺不止，费财货者数百亿，度人无穷，免租庸者数十万，所出日滋，所入日寡，夺百姓口中之食以养贪残，剥万人体上之衣以涂土木，于是人怨神怒，众叛亲离，水旱并臻，公私俱罄，享国不永，祸及其身。陛下何不惩而改之？自顷以来，水旱相继，兼以霜蝗，人无所食，未闻赈恤，而为二女造观，用钱百馀万缗。陛下岂可不计当今府库之蓄积有几，中外之经费有几，而轻用百馀万缗，以供无用之役乎？陛下族韦氏之家而不去韦氏之恶，忍弃太宗之法，不忍弃中宗之政乎？且陛下与太子当韦氏用事之时，日夕忧危，切齿于群凶，今幸而除之，乃不改其所为，臣恐复有切齿于陛下者也。然则陛下又何恶于群凶而诛之？昔先帝之怜悖逆也，宗晋卿为之造第，赵履温为之葺园。殚国财，竭人力，第成不暇居，园成不暇游，而身为戮没。今之造观崇侈者，必非陛下、公主之本意，殆有宗、赵之徒从而劝之，不可不察也。陛下不停斯役，臣恐人之愁怨，不减前朝之时。人人知其祸败而口不敢言，言则刑戮随之矣。韦月将、燕钦融之徒，先朝诛之，陛下赏之，岂非陛下知直言之有益于国乎？臣今所言，亦先朝之直也，惟陛下察之。"上虽不能从，而嘉其切直。

为什么不效法太宗皇帝呢?中宗皇帝是陛下的兄长,不以祖宗基业为重,一味顺从妇道人家的无理要求;没有才能却食取俸禄者达数千人,没有功劳却受封为王者达一百馀人;没有止境地营建寺庙,耗费钱财达数百亿之巨,剃度僧尼无数,不交纳租庸的人达数十万之多,府库支出日益增加,财政收入却一天天地减少;为供养贪得无厌的邪恶之徒不惜夺走百姓口中之食,为大兴土木雕梁画栋之用不惜剥掉黎民身上之衣,从而造成神人共怨、众叛亲离的严重后果,水旱天灾纷至沓来,公私财用同时告罄,不但自己在位时间无法长久,甚至连自己也难免被弑身死的惨痛结局。陛下为什么不能以此为戒,立即改正错误呢?自从陛下即位之后,近期内水旱灾害接连不断,再加上冰霜蝗虫的危害,百姓口中无食,却不曾听说陛下开仓放赈,抚恤灾民,但陛下为两个女儿营建道观,却不惜耗资一百多万缗。陛下怎么可以不考虑当今国库中资财到底所剩多少,朝廷中外所需经费又是多少,就轻而易举地拿出一百多万缗,来供给于国计民生没有任何用处的工程支出呢?陛下诛杀了韦氏的家族,但没有除去韦氏的恶行,难道忍心抛弃太宗的法度,却不忍心抛弃中宗的弊政吗?再说陛下与太子在韦氏集团专擅朝政之际,没日没夜地为大唐宗庙社稷和自己的身家性命担忧,对奸臣切齿痛恨,现在幸亏铲除了逆党,却不能改变他们当初的所作所为,臣担心会重新出现对陛下切齿痛恨的人。如果这样的话,陛下当初为什么还要痛恨群凶并将他们诛杀殆尽呢?当初中宗皇帝喜爱悖逆庶人,宗晋卿便为她建造私宅,赵履温便为她整治园林。在耗尽了国家资财,用光了百姓人力之后,新建的私宅还没有来得及居住,修好的园林也没能来得及游玩,悖逆庶人就被杀死。现在营建道观,如此追求奢侈豪华,一定不会是陛下和金仙、玉真二位公主的本意,大概是因为有像宗晋卿和赵履温这样的奸臣从中推波助澜,陛下对此不可不多加留意。如果陛下不能中止这项工程的营建,臣担心百姓的怨恨心理,不会比中宗时期减少。现在每个人都明白必将造成巨大的祸患,却没有一个人敢于直言规谏,是因为担心一旦说出来就会受到严厉的惩罚。像韦月将、燕钦融这样的忠臣义士,被先朝诛杀,陛下给他们很高的奖赏,难道不是因为陛下深知直言进谏有利于国家吗?臣今天所说的,也像先朝的直言一样,希望陛下能够体察到这一点。"唐睿宗虽然未能采纳他的建议,却也对他的恳切直率大加赞赏。

28　御史中丞和逢尧摄鸿胪卿,使于突厥,说默啜曰:"处密、坚昆闻可汗结婚于唐,皆当归附。可汗何不袭唐冠带,使诸胡知之,岂不美哉?"默啜许诺,明日,襆头、衣紫衫,南向再拜,称臣,遣其子杨我支及国相随逢尧入朝,十一月戊寅,至京师。逢尧以奉使功,迁户部侍郎。

29　壬辰,令天下百姓二十五入军,五十五免。

30　十二月癸卯,以兴昔亡可汗阿史那献为招慰十姓使。

31　上召天台山道士司马承祯,问以阴阳数术,对曰:"道者,损之又损,以至于无为,安肯劳心以学术数乎?"上曰:"理身无为则高矣,如理国何?"对曰:"国犹身也,顺物自然而心无所私,则天下理矣。"上叹曰:"广成之言,无以过也。"承祯固请还山,上许之。

尚书左丞卢藏用指终南山谓承祯曰:"此中大有佳处,何必天台?"承祯曰:"以愚观之,此乃仕宦之捷径耳!"藏用尝隐终南,则天时征为左拾遗,故承祯言之。

玄宗至道大圣大明孝皇帝上之上
先天元年(壬子,712)

1　春,正月辛巳,睿宗祀南郊,初因谏议大夫贾曾议合祭天地。曾,言忠之子也。

28　御史中丞和逢尧代理鸿胪卿职务,出使突厥,劝说默啜道:"处密、坚昆等部落在听说可汗与大唐公主结婚的消息后,都会率众归附的。可汗为什么不戴起大唐的帽子,系好大唐的腰带,让各部落的人都知道这件事,这样不是很好吗?"默啜表示同意这样做。第二天,默啜头戴襆头,身穿紫色朝服,面向南方拜了两拜,向大唐皇帝称臣,并派遣他的儿子杨我支及国相跟着和逢尧一道入朝,十一月戊寅(初八),一行人抵达京师。和逢尧因奉命出使有功,被唐睿宗任命为户部侍郎。

29　壬辰(二十二日),唐睿宗下令天下百姓自二十五岁起须服兵役,五十五岁以上者免除兵役。

30　十二月癸卯(初三),唐睿宗任命兴昔亡可汗阿史那献为招慰十姓使。

31　唐睿宗召见天台山道士司马承祯,向他请教关于阴阳数术方面的学问,司马承祯回答说:"所谓'道',应当是损之又损,以至于达到无为的境界,我怎么会肯于耗费心力去研究什么阴阳数术的学说呢?"唐睿宗又问道:"对于修身养性来说,无为是最高的境界,那么治理国家的最高境界又是什么呢?"司马承祯回答说:"治理国家与修身养性是同样的道理,只要能够做到顺乎世间万物发展的自然之理,内心之中没有任何私心杂念,那么国家自然就可以趋于大治。"唐睿宗感慨地说:"广成子所说的话,没有人可以超过。"司马承祯坚决请求回到天台山上去,唐睿宗同意了他的要求。

尚书左丞卢藏用手指着终南山对司马承祯说道:"这里面就有很多出家隐居的好地方,您何必一定要回到天台山去呢?"司马承祯回答说:"在我看来,这终南山不过是入世做官的捷径罢了!"由于卢藏用曾在终南山里面隐居,武则天时期被征辟为左拾遗,所以司马承祯这样回答他。

玄宗至道大圣大明孝皇帝上之上
唐玄宗先天元年(壬子,公元712年)

1　春季,正月辛巳(十一日),唐睿宗到南郊祭祀天地,这是谏议大夫贾曾最先提出的建议。贾曾是贾言忠的儿子。

2　戊子,幸浐东,耕藉田。

3　己丑,赦天下,改元太级。

4　乙未,上御安福门,宴突厥杨我支,以金山公主示之,既而会上传位,婚竟不成。

5　以左御史大夫窦怀贞、户部尚书岑羲并同中书门下三品。

6　二月辛酉,废右御史台。

7　蒲州刺史萧至忠自托于太平公主,公主引为刑部尚书。华州刺史蒋钦绪,其妹夫也,谓之曰:"如子之才,何忧不达? 勿为非分妄求。"至忠不应。钦绪退,叹曰:"九代卿族,一举灭之,可哀也哉!"至忠素有雅望,尝自公主第门出,遇宋璟,璟曰:"非所望于萧君也。"至忠笑曰:"善乎宋生之言!"遽策马而去。

8　幽州大都督薛讷镇幽州二十馀年,吏民安之,未尝举兵出塞,虏亦不敢犯。与燕州刺史李琎有隙,琎毁之于刘幽求,幽求荐左羽林将军孙佺代之。三月丁丑,以佺为幽州大都督,徙讷为并州长史。

9　夏,五月,益州獠反。

10　戊寅,上祭北郊。

11　辛巳,赦天下,改元延和。

12　六月丁未,右散骑常侍武攸暨卒,追封定王。

13　上以节愍太子之乱,岑羲有保护之功,癸丑,以羲为侍中。

14　庚申,幽州大都督孙佺与奚酋李大酺战于冷陉,全军覆没。

2　戊子(十八日)，唐睿宗一行来到沪水东面，亲耕藉田。

3　己丑(十九日)，唐睿宗下诏大赦天下，并改年号为太极。

4　乙未(二十五日)，唐睿宗在安福门设宴款待突厥可汗默啜之子杨我支，把金山公主叫出来让他看了看；不久就赶上唐睿宗将帝位传给太子李隆基，因而这桩婚事最终没成。

5　唐睿宗任命左御史大夫窦怀贞、户部尚书岑羲为同中书门下三品。

6　二月辛酉(二十二日)，唐睿宗下诏撤销右御史台。

7　蒲州刺史萧至忠主动投靠太平公主，太平公主引用他为刑部尚书。萧至忠的妹夫华州刺史蒋钦绪对他说："凭您的才学，何必担心日后不能飞黄腾达？最好不要作非分之想。"萧至忠听过之后没有作声。蒋钦绪回去之后感叹道："萧至忠九代望门，至此一朝族灭，实在是可悲呀！"萧至忠一向具有美好的声望，他曾经有一次从太平公主家里出来时与宋璟相遇，宋璟惊异说："这不是我对您所期望的。"萧至忠讪笑道："宋生说得很对！"说完就急急忙忙地催马离去。

8　幽州大都督薛讷戍守幽州二十多年，当地吏民安居乐业，薛讷从未发兵出塞寻衅，胡虏也不敢入关进犯。由于薛讷与燕州刺史李琎之间有矛盾，所以李琎向刘幽求诋毁薛讷，刘幽求便推荐左羽林将军孙佺取代了薛讷的职务。三月丁丑(初八)，唐睿宗任命孙佺为幽州大都督，改任薛讷为并州长史。

9　夏季，五月，益州獠部落起兵叛乱。

10　戊寅(初十)，唐睿宗到北郊祭天。

11　辛巳(十三日)，唐睿宗下诏大赦天下，改年号为延和。

12　六月丁未(初九)，右散骑常侍武攸暨去世，被追封为定王。

13　由于岑羲在节愍太子李重俊的作乱中保护唐睿宗有功，唐睿宗于癸丑(十五日)任命他为侍中。

14　庚申(二十二日)，幽州大都督孙佺在冷陉与奚人酋长李大酺交战，全军覆没。

是时，佺帅左骁卫将军李楷洛，左威卫将军周以悌发兵两万、骑八千，分为三军，以袭奚、契丹。将军乌可利谏曰："道险而天热，悬军远袭，往必败。"佺曰："薛讷在边积年，竟不能为国家复营州。今乘其无备，往必有功。"使楷洛将骑四千前驱，遇奚骑八千，楷洛战不利。佺怯懦，不敢救，引兵欲还，虏乘之，唐兵大败。佺阻山为方陈以自固，大酺使谓佺曰："朝廷既与我和亲，今大军何为而来？"佺曰："吾奉敕来招慰耳。楷洛不禀节度，辄与汝战，请斩以谢。"大酺曰："若然，国信安在？"佺悉敛军中帛，得万馀段，并紫袍、金带、鱼袋以赠之。大酺曰："请将军南还，勿相惊扰。"将士惧，无复部伍，虏追击之，士卒皆溃。佺、以悌为虏所擒，献于突厥，默啜皆杀之。楷洛、可利脱归。

15　秋，七月，彗星出西方，经轩辕入大微，至于大角。

16　有相者谓同中书门下三品窦怀贞曰："公有刑厄。"怀贞惧，请解官为安国寺奴。敕听解官。乙亥，复以怀贞为左仆射兼御史大夫、平章军国重事。

17　太平公主使术者言于上曰："彗所以除旧布新，又帝座及心前星皆有变，皇太子当为天子。"上曰："传德避灾，吾志决矣。"太平公主及其党皆力谏，以为不可，上曰："中宗之时，

当时,孙佺统帅左骁卫将军李楷洛和左威卫将军周以悌,调集步卒两万、骑兵八千,分为三军,袭击奚部落和契丹。将军乌可利劝阻他说:"道路险要,天气炎热,孤军深入敌境,进行长途奔袭,一定会打败仗的。"孙佺说:"薛讷任边镇守将达二十多年之久,竟然不能为国家收复营州。现在我们乘其不备,只要我们率兵前往,就一定能获得成功。"孙佺派李楷洛率领四千骑兵为前锋,李楷洛与奚部落的八千骑兵相遇并交战,唐军失利。孙佺畏敌如虎,竟不敢发兵相救,反而想率部回撤,奚军乘胜追击,唐军惨败。孙佺只能依山布成方阵力求自保。李大酺派遣使者前来向孙佺质问道:"朝廷既然与我们和亲,您为什么还要率领大军到这里来呢?"孙佺回答说:"我只不过是奉敕前来招抚慰问罢了。李楷洛不服从我的调遣,与你们交战,请允许我将他斩首,向你们谢罪。"李大酺又问:"如果是这样的话,大唐国的凭信在哪里?"孙佺把军中携带的所有绢帛搜集到一起,共计一万余段,连同大小将官的紫袍、金带、鱼袋,统统交给了李大酺。李大酺说:"请将军回到南边去,不要再到这里来骚扰了。"唐军将士十分惊惧,南撤的军队再也没有任何队形,奚军又趁机相攻,因而溃不成军。孙佺和周以悌被奚人俘获,奚人又将他们献给突厥,突厥可汗默啜将两人杀死。李楷洛和乌可利逃回唐朝境内。

15 秋季,七月,彗星出现在西方,经过轩辕星进入太微垣,一直到大角星。

16 有个看相的人对同中书门下三品窦怀贞说:"您将有刑狱之灾。"窦怀贞非常害怕,上表请求解除官职,去作安国寺的寺奴。唐睿宗降敕照准。乙亥(初八),唐睿宗又任命窦怀贞为尚书左仆射兼御史大夫、平章军国重事。

17 太平公主指使一个会法术的人向唐睿宗进言说:"彗星的出现标志着将要除旧布新,再说位于天市垣内的帝座以及心前星均有变化,所主之事乃是皇太子应当登基即位。"唐睿宗说:"将帝位传给有德之人,以避免灾祸,我的决心已定。"太平公主和她的同伙们都极力谏阻,认为这样做不行,唐睿宗说:"中宗皇帝在位时,

群奸用事,天变屡臻。朕时请中宗择贤子立之以应灾异,中宗不悦,朕忧恐数日不食。岂可在彼则能劝之,在己则不能邪?"太子闻之,驰入见,自投于地,叩头请曰:"臣以微功,不次为嗣,惧不克堪,未审陛下遽以大位传之,何也?"上曰:"社稷所以再安,吾之所以得天下,皆汝力也。今帝座有灾,故以授汝,转祸为福,汝何疑邪?"太子固辞。上曰:"汝为孝子,何必待柩前然后即位邪?"太子流涕而出。

壬辰,制传位于太子,太子上表固辞。太平公主劝上虽传位,犹宜自总大政。上乃谓太子曰:"汝以天下事重,欲朕兼理之邪?昔舜禅禹,犹亲巡狩,朕虽传位,岂忘家国?其军国大事,当兼省之。"

八月庚子,玄宗即位,尊睿宗为太上皇。上皇自称曰朕,命曰诰,五日一受朝于太极殿。皇帝自称曰予,命曰制、敕,日受朝于武德殿。三品以上除授及大刑政决于上皇,馀皆决于皇帝。

18　壬寅,上大圣天后尊号曰圣帝天后。

19　甲辰,赦天下,改元。

20　乙巳,于郑州北置渤海军,恒、定州境置恒阳军,妫、蔚州境置怀柔军,屯兵五万。

一群奸佞小人专擅朝政,上天屡次用灾异来表示警告。朕当时请求中宗选择贤明的儿子立为皇帝以避免灾祸,但中宗很不高兴,朕也因此而担忧恐惧以至于几天内吃不下饭。朕怎么能够对中宗可以劝他禅位,对自己却不能做到这一点呢?"太子李隆基知道这个消息后,赶忙入宫朝见,跪在地上边叩头边说:"臣因尺寸之功,就被破格立为皇嗣,即使是做太子还担心无法胜任,陛下又突然要将帝位禅让于臣,不清楚这究竟是为了什么?"唐睿宗对太子说:"大唐的宗庙社稷之所以再次得以安然无恙,我之所以能够君临天下,都是由于你所立下的大功。现在帝座星有灾异出现,所以我将帝位禅让给你,以便能转祸为福,你还有什么可犹豫的呢?"太子李隆基还是坚决推辞不受。唐睿宗说:"你是一个孝子,为什么非要等到站在我的灵柩前才能即皇帝之位呢?"太子只好流着眼泪走了出来。

壬辰(二十五日),唐睿宗颁发制命,决定将皇帝位传给太子李隆基,太子上表坚决推辞。太平公主劝说唐睿宗,最好在禅让之后,还要亲自执掌朝政大事。于是唐睿宗对太子说:"你是不是觉得国家事务十分烦重,所以要让朕帮你分担一些呢?想当初唐尧将帝位禅让给虞舜后,还要亲自到各地去巡狩查考,现在朕虽然将帝位传给了你,哪里就能对家国之事漠不关心呢?此后凡有军国大事,朕还是会参与处理的。"

八月庚子(初三),唐玄宗即皇帝位,将唐睿宗尊奉为太上皇。太上皇自称为"朕",所发布的命令称为"诰",每五天一次在太极殿接受群臣朝见。皇帝自称为"予",所发布的命令称为"制""敕",每天都在武德殿接受群臣朝见。凡涉及三品以上官员的任命以及重大的刑狱政务由太上皇决定,其馀政务均由皇帝决断。

18 壬寅(初五),朝廷为大圣天后武则天上尊号为圣帝天后。

19 甲辰(初七),唐玄宗大赦天下,改年号为先天。

20 乙巳(初八),唐玄宗决定在郑州以北设置渤海军,在恒州、定州一带设置恒阳军,在妫州、蔚州境内设置怀柔军,驻扎五万军队。

21　丙午，立妃王氏为皇后；以后父仁皎为太仆卿。仁皎，下邽人也。戊申，立皇子许昌王嗣直为郯王，真定王嗣谦为郢王。

22　以刘幽求为右仆射、同中书门下三品，魏知古为侍中，崔湜为检校中书令。

23　初，河内人王琚预于王同皎之谋，亡命，佣书于江都。上之为太子也，琚还长安，选补诸暨主簿，过谢太子。琚至廷中，故徐行高视，宦者曰："殿下在帘内。"琚曰："何谓殿下？当今独有太平公主耳！"太子遽召见，与语，琚曰："韦庶人弑逆，人心不服，诛之易耳。太平公主，武后之子，凶猾无比，大臣多为之用，琚窃忧之。"太子引与同榻坐，泣曰："主上同气，唯有太平，言之恐伤主上之意，不言为患日深，为之奈何？"琚曰："天子之孝，异于匹夫，当以安宗庙社稷为事。盖主，汉昭帝之姊，自幼供养，有罪犹诛之。为天下者，岂顾小节？"太子悦曰："君有何艺，可以与寡人游？"琚曰："能飞炼、诙嘲。"太子乃奏为詹事府司直，日与游处，累迁太子中舍人。及即位，以为中书侍郎。

是时，宰相多太平公主之党，刘幽求与右羽林将军张暐谋以羽林兵诛之，使暐密言于上曰："窦怀贞、崔湜、岑羲皆因公主得进，日夜为谋不轻。若不早图，一旦事起，太上皇何以得安？

21 丙午(初九),唐玄宗下诏将妃子王氏立为皇后;将皇后王氏之父王仁皎任命为太仆卿,王仁皎是下邽人。戊申(十一日),唐玄宗又下诏将皇子许昌王李嗣直封为郯王,将真定王李嗣谦封为郢王。

22 唐玄宗任命刘幽求为尚书右仆射、同中书门下三品,任命魏知古为侍中,任命崔湜为检校中书令。

23 当初河内人王琚参与了王同皎等人谋杀武三思的谋划,事发后亡命出逃,在江都以代他人抄书为生。唐玄宗被立为太子以后,王琚回到了长安,被选拔任命为诸暨县主簿,入朝去拜谢李隆基。王琚走上朝堂之后,故意走得很慢,视线也放得很高,宦官说:"殿下在帘子后面。"王琚说:"什么殿下不殿下的?当今只有一个太平公主!"太子听后马上召见他,并与他谈话,王琚说:"先前韦庶人弑帝为逆,人心不服,杀掉她是件容易事。太平公主是武后的女儿,再加上她无比的凶狠狡猾,大臣们大多秉承她的旨意办事,我对此十分担忧。"太子将他拉到坐榻上与自己坐在一起,流着眼泪对他说:"现在父皇的手足兄妹之中,就只有一位太平公主了,如果把这些事禀告父皇的话,恐怕会让他老人家伤心,可如果不去禀告,又担心她所造成的危害越来越严重,这可怎么办呢?"王琚回答说:"天子所讲究的孝道,与平民百姓不同,应当考虑的是宗庙社稷的安危。盖长公主是汉昭帝的姐姐,将昭帝从小养大,有了罪也还是一定要杀掉。治理天下的人,怎么能事事顾及小节呢?"太子很高兴地问他:"您有什么本事可以和寡人在一起相处呢?"王琚回答说:"我既擅长炼丹,又能诙谐嘲咏。"于是太子奏请唐睿宗将王琚任命为詹事府司直,每天与他相处交往,并逐渐将他提拔为中书舍人。等到太子即位之后,又任命他为中书侍郎。

这时,宰相之中大多数是太平公主的党羽,刘幽求与右羽林将军张暐商议计划调集羽林兵将他们一网打尽,并让张暐秘密地对唐玄宗说:"窦怀贞、崔湜、岑羲等人都是靠了太平公主的请托才爬上宰相职位的,他们时时刻刻都在策划如何作乱。如果陛下不早点下手除掉他们,万一事变突然发生,太上皇怎么安度晚年呢?

请速诛之。臣已与幽求定计,惟俟陛下之命。"上深以为然。昕泄其谋于侍御史邓光宾,上大惧,遽列上其状。丙辰,幽求下狱。有司奏:"幽求等离间骨肉,罪当死。"上为言幽求有大功,不可杀。癸亥,流幽求于封州,张昕于峰州,光宾于绣州。

初,崔湜为襄州刺史,密与谯王重福通书,重福遗之金带。重福败,湜当死,张说、刘幽求营护得免。既而湜附太平公主,与公主谋罢说政事,以左丞分司东都。及幽求流封州,湜讽广州都督周利贞,使杀之。桂州都督王晙知其谋,留幽求不遣。利贞屡移牒索之,晙不应,利贞以闻。湜屡逼晙,使遣幽求,幽求谓晙曰:"公拒执政而保流人,势不能全,徒仰累耳。"固请诣广州,晙曰:"公所坐非可绝于朋友者也。晙因公获罪,无所恨。"竟逗遛不遣。幽求由是得免。

24　九月丁卯朔,日有食之。

25　辛卯,立皇子嗣昇为陕王。嗣昇母杨氏,士达之曾孙也。王后无子,母养之。

26　冬,十月庚子,上谒太庙,赦天下。

27　癸卯,上幸新丰,猎于骊山之下。

请快些诛杀他们。臣已经与刘幽求定好了计策,现下就只等陛下下诏讨贼了。"唐玄宗认为他说得很对。但事后张暐将这一计谋泄露给了侍御史邓光宾,唐玄宗知道以后十分害怕,急忙将刘幽求等人的罪状开列出来上奏了太上皇。丙辰(十九日),刘幽求被逮捕下狱。负责审讯此案的官员上奏道:"刘幽求挑拨离间陛下骨肉,应当判处死刑。"唐玄宗又为刘幽求等人向太上皇求情,说刘幽求对大唐朝廷立下过大功,不能判处死刑。癸亥(二十六日),唐睿宗将刘幽求流放到封州,将张暐流放到峰州,将邓光宾流放到绣州。

起初,崔湜在作襄州刺史时,曾给谯王李重福秘密写信,李重福也曾将金带送给他。李重福起兵失败后,崔湜应该被判处死刑,由于张说和刘幽求的多方保护才得以免死。不久以后崔湜便投靠了太平公主,与太平公主商量好之后奏请唐睿宗罢免了张说的宰相职务,将他降为尚书左丞并派他主管东都洛阳事务。刘幽求被流放到封州以后,崔湜暗示广州都督周利贞杀掉刘幽求。桂州都督王晙得知这一阴谋以后,便将刘幽求扣留在自己手里,不往广州发遣。周利贞屡次发出索要刘幽求的公文,王晙都不予理睬,周利贞便将此事上奏给了朝廷。崔湜屡次催逼王晙,让他遣送刘幽求。刘幽求对王晙说:"您为了保护一个被判处流刑的人而不惜违抗当权宰相的命令,势必无法保全自己,只不过是白白地受到我的牵连。"于是坚决地请求王晙放他到广州去,王晙向他解释说:"您所犯的罪过还不至于让所有的朋友与你绝交。如果我王晙因稽留囚徒而犯法的话,也不会有什么可遗憾的。"最终还是一直将刘幽求留在桂州,没有发遣到广州。刘幽求因此而得以幸免于难。

24　九月丁卯朔(初一),出现日食。

25　辛卯(二十五日),唐玄宗将皇子李嗣昇立为陕王。李嗣昇的母亲杨氏,是隋朝纳言杨士达的曾孙女。由于王皇后没有亲生儿子,所以像母亲一样地抚养他。

26　冬季,十月庚子(初四),唐玄宗到太庙谒见列祖列宗的灵位,颁敕大赦天下。

27　癸卯(初七),唐玄宗一行来到新丰,在骊山脚下狩猎。

28 辛酉,沙陀金山遣使入贡。沙陀者,处月之别种也,姓朱邪氏。

29 十一月乙酉,奚、契丹二万骑寇渔阳,幽州都督宋璟闭城不出,虏大掠而去。

30 上皇诰遣皇帝巡边。西自河、陇,东及燕、蓟,选将练卒。甲午,以幽州都督宋璟为左军大总管,并州长史薛讷为中军大总管,朔方大总管、兵部尚书郭元振为右军大总管。

31 十二月,刑部尚书李日知请致仕。

日知在官,不行捶挞而事集。刑部有令史,受敕三日,忘不行。日知怒,索杖,集群吏欲捶之,既而谓曰:"我欲捶汝,天下人必谓汝能撩李日知嗔,受李日知仗,不得比于人,妻子亦将弃汝矣。"遂释之。吏皆感悦,无敢犯者,脱有稽失,众共谪之。

开元元年(癸丑,713)

1 春,正月乙亥,诰:"卫士自今二十五入军,五十免;羽林飞骑并以卫士简补。"

2 以吏部尚书萧至忠为中书令。

3 皇帝巡边改期,所募兵各散遣,约八月复集,竟不成行。

28 辛酉(二十五日),西域沙陀金山派遣使者入朝纳贡。沙陀是处月族的一个别支,姓朱邪氏。

29 十一月乙酉(二十日),奚与契丹合兵两万人进犯渔阳,幽州都督宋璟关闭城门,没有出城迎战,奚与契丹大肆掳掠之后撤军。

30 太上皇唐睿宗发布诰命,派唐玄宗出巡边境。玄宗在西自河、陇,东到燕、蓟的漫长边界地区选择将帅、训练士卒。甲午(二十九日),唐玄宗任命幽州都督宋璟为左军大总管,任命并州长史薛讷为中军大总管,任命朔方大总管、兵部尚书郭元振为右军大总管。

31 十二月,刑部尚书李日知请求退休。

李日知在担任刑部尚书职务时,从来不用刑杖责打误事的官吏,但是刑部的各项事务也都得到了圆满的完成。曾经有一位令史在接到皇帝敕令三天后,竟然忘记去贯彻执行。李日知十分生气,派人找出刑杖,然后又召集了所有的官吏,准备责打他,过了一会却又说道:"我如果下令责打你,人们一定要说只有你才能使得我李日知生气,再说因延误公务而受到我李日知的杖责,与受别人责罚不同,即使是你的老婆孩子也是要抛弃你的呀。"于是便放过了他这一次。所有的官吏都因此而非常感动,从此再也没有人敢于违犯规章,一旦有谁出现稽误失职行为,所有的人都会一起谴责他。

唐玄宗开元元年(癸丑,公元 713 年)

1 春季,正月乙亥(十一日),太上皇唐睿宗颁布诰命:"从现在起卫士二十五岁起入军籍,五十岁免除;羽林军和飞骑军的士兵都从卫士中选拔补充。"

2 太上皇唐睿宗任命吏部尚书萧至忠为中书令。

3 玄宗皇帝巡视边界的行期有所变动,各地所招募的士卒也各自遣散,约定好到八月份再次集结,但玄宗皇帝最终未能成行。

4 二月庚子夜，开门然灯，又追作去年大酺，大合伎乐。上皇与上御门楼临观，或以夜继昼，凡月馀。左拾遗华阴严挺之上疏谏，以为："酺者因人所利，合醵为欢。今乃损万人之力，营百戏之资，非所以光圣德美风化也。"乃止。

5 初，高丽既亡，其别种大祚荣徙居营州。及李尽忠反，祚荣与靺鞨乞四北羽聚众东走，阻险自固，尽忠死，武后使将军李楷固讨其馀党。楷固击乞四北羽，斩之，引兵逾天门岭，逼祚荣。祚荣逆战，楷固大败，仅以身免。祚荣遂帅其众东据东牟山，筑城居之。祚荣骁勇善战，高丽、靺鞨之人稍稍归之，地方二千里，户十馀万，胜兵数万人。自称振国王，附于突厥。时奚、契丹皆叛，道路阻绝，武后不能讨。中宗即位，遣侍御史张行岌招慰之，祚荣遣子入侍。至是，以祚荣为左骁卫大将军、勃海郡王；以其所部为忽汗州，令祚荣兼都督。

6 庚申，敕以严挺之忠直宣示百官，厚赏之。

7 三月辛巳，皇后亲蚕。

8 晋陵尉杨相如上疏言时政，其略曰："炀帝自恃其强，不忧时政，虽制敕交行，而声实舛谬，言同尧、舜，迹如桀、纣，举天下之大，一掷而弃之。"又曰："隋氏纵欲而亡，太宗抑欲而昌，愿陛下详择之！"又曰："人主莫不好忠正而恶佞邪，然忠正者常疏，佞邪者常亲，以至于覆国危身而不寤者，何哉？

4 二月庚子(初七)夜间，大开门户，点燃灯笼，重新补作赐酺仪式，并且安排了场面宏大的歌舞来助兴。太上皇与玄宗皇帝来到门楼上观赏，有时甚至不分白天黑夜地寻欢作乐，一共持续了一个多月。左拾遗华阴人严挺之上疏谏阻认为："酺乃是大家出钱聚会饮酒以寻求欢悦的一种形式。现在陛下耗费上万人的资财来供给皇家散乐百戏的支出，这不是用来光大圣德和美化风俗的好方法。"唐玄宗于是停止了这一活动。

5 当初，高丽灭亡以后，它的一个分支部落酋长大祚荣率领部众迁徙到营州。等到李尽忠反叛朝廷，大祚荣便与靺鞨酋长乞四北羽一起聚众东逃，凭借险要的地势谋求自保，李尽忠死后，武则天派将军李楷固讨平李尽忠的馀党。李楷固先是进攻乞四北羽并将其斩首，然后带兵越过天门岭进逼大祚荣。大祚荣率领部众迎击，李楷固大败，仅仅只身逃了出来。大祚荣于是率领部众东行，占据东牟山，筑城居守。由于大祚荣本人骁勇善战，因而高丽人和靺鞨人也逐渐地依附于他，他的势力渐渐扩展到方圆两千里的区域，辖区之内共有十多万户，拥兵达数万人。大祚荣自称为振国王，依附于突厥人。当时奚、契丹都背叛了唐朝，使得唐朝与这一区域的交通断绝，武则天也没有能力讨平他们。唐中宗即位后，派遣侍御史张行岌前来招抚，大祚荣于是派他的儿子入朝侍奉。现在，唐玄宗任命大祚荣为左骁卫大将军、勃海郡王，并在他的辖区内设置忽汗州，任命他兼任忽汗州都督。

6 庚申(二十七日)，唐玄宗颁布敕令，将左拾遗严挺之忠良正直的行为宣示百官，并重重地赏赐了他。

7 三月辛巳(初六)，王皇后亲自采桑养蚕。

8 晋陵尉杨相如上疏讨论时政，疏文的大意是："隋炀帝自恃其聪慧过人，不肯为时政多费脑筋，所以虽然他颁发的制敕数不胜数，但言行之间却相差甚远，口说尧、舜之言，身行桀、纣之事，最后终于丢掉了整个天下。"他还说："隋朝皇帝放纵自己的欲望以至于亡国灭家，本朝太宗皇帝抑损自己的欲望以至于繁荣昌盛，希望陛下能够从中慎重选择自己应走的道路。"他还说："历朝帝王没有哪一个不是喜欢忠良方正之士，憎恶奸佞邪恶之徒，但是事实上却是忠良方正之士常常被疏远，奸佞邪恶之徒常常被宠幸，以至于到了国亡身危的时候还不知原因所在，这是为什么呢？

诚由忠正者多忤意,佞邪者多顺指,积忤生憎,积顺生爱,此亲疏之所以分也。明主则不然,受其忤以收忠贤,恶其顺以去佞邪,则太宗太平之业,将何远哉?"又曰:"夫法贵简而能禁,罚贵轻而必行。陛下方兴崇至德,大布新政,请一切除去碎密,不察小过。小过不察则无烦苛,大罪不漏则止奸慝,使简而难犯,宽而能制,则善矣。"上览而善之。

9 先是,修大明宫未毕,夏,五月庚寅,敕以农务方勤,罢之以待闲月。

10 六月丙辰,以兵部尚书郭元振同中书门下三品。

11 太平公主依上皇之势,擅权用事,与上有隙,宰相七人,五出其门,文武之臣,太半附之。与窦怀贞、岑羲、萧至忠、崔湜及太子少保薛稷、雍州长史新兴王晋、左羽林大将军常元楷、知右羽林将军事李慈、左金吾将军李钦、中书舍人李猷、右散骑常侍贾膺福、鸿胪卿唐晙、及僧慧范等谋废立。又与宫人元氏谋于赤箭粉中置毒进于上。晋,德良之孙也。元楷、慈数往来主第,相与结谋。

真正的原因乃是在于忠良方正之士大多不惜触犯帝王的旨意,而奸佞邪恶之徒却大多愿意顺承帝王的邪念,长期触犯帝王旨意就会使帝王产生憎恶之心,长期顺承帝王邪念也会使帝王产生爱怜之意,这就是亲疏所以产生的缘故。圣明的帝王与此相反,他们宠爱敢于触犯自己旨意的臣子,为的是得到忠正贤良之士的辅佐;憎恶惯于阿谀奉承的小人,为的是除去身边的奸佞邪恶之徒,陛下如果能够这样做,那么成就太宗皇帝的太平功业,又有什么困难的呢?"他又说:"法律条文贵在简明扼要而能禁止奸邪,刑罚贵在轻缓而且行之有效。目前正是陛下彰明德行教化、除旧布新的时候,希望陛下能将所有细文苛法尽行革除,不要在臣下的细小过失上斤斤计较。只有对臣下的细小过失不去计较才能屏弃烦法苛政,也只有对重大奸恶犯罪没有疏漏才能根除邪恶,陛下如果能够使法律简明而难以违反,使刑罚宽缓而能制止犯罪,那么就可以称得上是善政了。"唐玄宗读完他的奏疏之后,认为他所提出的建议很好。

9 在这以前,修缮大明宫尚未竣工,夏季,五月庚寅(二十八日),唐玄宗以正值农忙时节的缘故,下令暂且停工,等到农闲时分再继续修建。

10 六月丙辰(二十四日),太上皇唐睿宗任命兵部尚书郭元振为同中书门下三品。

11 太平公主倚仗太上皇唐睿宗的势力专擅朝政,与唐玄宗发生尖锐的冲突,朝中七位宰相之中,有五位是出自她的门下,文臣武将之中也有一半以上的人依附她。太平公主与窦怀贞、岑羲、萧至忠、崔湜以及太子少保薛稷、雍州长史新兴王李晋、左羽林大将军常元楷、知右羽林将军事李慈、左金吾将军李钦、中书舍人李猷、右散骑常侍贾膺福、鸿胪寺卿唐晙和胡僧慧范等一起图谋废掉唐玄宗。此外,太平公主又与宫女元氏合谋,准备在进献给玄宗皇帝服用的天麻粉中投毒。李晋是李德良的孙子。常元楷和李慈也多次前往太平公主的私宅与她结谋作乱。

王琚言于上曰："事迫矣，不可不速发。"左丞张说自东都遣人遗上佩刀，意欲上断割。荆州长史崔日用入奏事，言于上曰："太平谋逆有日。陛下往在东宫，犹为臣子，若欲讨之，须用谋力。今既光临大宝，但下一制书，谁敢不从？万一奸凶得志，悔之何及！"上曰："诚如卿言；直恐惊动上皇。"日用曰："天子之孝在于安四海。若奸人得志，则社稷为墟，安在其为孝乎？请先定北军，后收逆党，则不惊动上皇矣。"上以为然。以日用为吏部侍郎。

秋，七月，魏知古告公主欲以是月四日作乱，令元楷、慈以羽林兵突入武德殿，怀贞、至忠、羲等于南牙举兵应之。上乃与岐王范、薛王业、郭元振及龙武将军王毛仲、殿中少监姜皎、太仆少卿李令问、尚乘奉御王守一、内给事高力士、果毅李守德等定计诛之。皎，谟之曾孙；令问，靖弟客师之孙；守一，仁皎之子；力士，潘州人也。

甲子，上因王毛仲取闲厩马及兵三百馀人，自武德殿入虔化门，召元楷、慈，先斩之，擒膺福、猷于内客省以出，执至忠、羲于朝堂，皆斩之。怀贞逃入沟中，自缢死，戮其尸，改姓曰毒。上皇闻变，登承天门楼。郭元振奏，皇帝前奉诰诛窦怀贞等，无他也。上寻至楼上，上皇乃下诰罪状怀贞等，因赦天下，惟逆人亲党不赦。薛稷赐死于万年狱。

王琚对唐玄宗进言道："形势十分紧迫，陛下不可不迅速行动了。"尚书左丞张说从东都洛阳派人给唐玄宗送来了一把佩刀，意思是请玄宗及早痛下决心，铲除太平公主的势力。荆州长史崔日用入朝奏事，对唐玄宗说："太平公主图谋反逆，是由来已久的事情。当初，陛下在东宫作太子时，在名分上还是臣子，如果那时想铲除太平公主，还需要多费一些周折。现在陛下为全国之主，只需颁下一道制书，有哪一个敢于抗命不从？如果犹豫不决，万一奸邪之徒的阴谋得逞，那时候再后悔可就来不及了！"唐玄宗说："您说得非常正确，只是朕担心会惊动太上皇。"崔日用又说道："天子的大孝在于使四海安宁。倘若奸党得志，则社稷宗庙化为废墟，陛下的孝行又怎么体现出来呢？请陛下首先控制住左右羽林军和左右万骑军，然后再将太平公主及其党羽一网打尽，这样就不会惊动太上皇了。"唐玄宗认为他说得很对，便任命他为吏部侍郎。

秋季，七月，魏知古告发太平公主计划在本月四日发动叛乱，指使常元楷、李慈率领羽林军突入武德殿劫持皇帝，另派窦怀贞、萧至忠、岑羲等人在南牙举兵响应。唐玄宗于是与岐王李范、薛王李业、郭元振以及龙武将军王毛仲、殿中少监姜皎、太仆少卿李令问、尚乘奉御王守一、内给事高力士、果毅李守德等人定计率先下手诛除太平公主集团。姜皎是姜谟的曾孙；李令问是李靖之弟李客师的孙子；王守一是王仁皎的儿子；高力士是潘州人。

甲子(初三)，唐玄宗通过王毛仲调动闲厩中的马匹以及禁兵三百多人，从武德殿进入虔化门，召见常元楷和李慈二人并将他们斩首，在内客省内活捉了贾膺福和李猷并将他们带出，又在朝堂之上逮捕了萧至忠和岑羲，下令将上述四人一起斩首。窦怀贞逃到城堑之中自缢而死，唐玄宗下令斩戮他的尸体，并将他的姓氏改为毒。太上皇唐睿宗听到事变发生的消息后，登上了承天门的门楼。郭元振上奏唐睿宗道："皇帝只是奉太上皇诰命诛杀窦怀贞等奸臣逆党，并没有发生什么其他的事。"玄宗皇帝也随后来到门楼之上，唐睿宗于是颁发诰命列举窦怀贞等人的罪状，并大赦天下，只有逆臣的亲党不在赦免之列。薛稷被赐死在万年县狱中。

乙丑,上皇诰:"自今军国政刑,一皆取皇帝处分。朕方无为养志,以遂素心。"是日,徙居百福殿。

太平公主逃入山寺,三日乃出,赐死于家,公主诸子及党与死者数十人。薛崇简以数谏其母被挞,特免死,赐姓李,官爵如故。籍公主家,财货山积,珍物侔于御府,厩牧羊马、田园息钱,收之数年不尽。慧范家亦数十万缗。改新兴王晋之姓曰厉。

初,上谋诛窦怀贞等,召崔湜,将托以心腹。湜弟涤谓湜曰:"主上有问,勿有所隐。"湜不从。怀贞等既诛,湜与右丞卢藏用俱坐私侍太平公主,湜流窦州,藏用流泷州。新兴王晋临刑叹曰:"本为此谋者崔湜,今吾死湜生,不亦冤乎?"会有司鞫宫人元氏,元氏引湜同谋进毒,乃追赐死于荆州。薛稷之子伯阳以尚主免死,流岭南,于道自杀。

初,太平公主与其党谋废立,窦怀贞、萧至忠、岑羲、崔湜皆以为然,陆象先独以为不可。公主曰:"废长立少,已为不顺,且又失德,若之何不去?"象先曰:"既以功立,当以罪废。今实无罪,象先终不敢从。"公主怒而去。上既诛怀贞等,召象先谓曰:"岁寒知松柏,信哉!"时穷治公主枝党,当坐者众,象先密为申理,所全甚多,然未尝自言,当时无知者。百官素为公主所善及恶之者,或黜或陟,终岁不尽。

乙丑(初四),太上皇唐睿宗发布诰命:"从现在起,所有军国政务与刑赏教化,均由皇帝处理。朕正好清静无为,颐养天年,以遂平生夙愿。"在这一天,太上皇移居到百福殿居住。

太平公主逃到山寺,直到事发三天以后才出来,被唐玄宗下诏赐死在她自己的家中,她的儿子以及党羽之中因此次事变而被处死的达数十人。薛崇简因为平日屡次进谏其母而受到责打的缘故,所以例外地被免于处死,唐玄宗将他赐姓为李氏,并准许他留任原职。唐玄宗还下令将太平公主的所有财产没收充公,在抄家时发现公主家中的财物堆积如山,珍宝器玩可以与皇家府库相媲美,厩中牧养的牛马和出租的田宅的利息,没收后几年内都用不尽。胡僧慧范也拥有家产达数十万缗。唐玄宗又下令将新兴王李晋的姓氏改为厉。

在此之前,唐玄宗在筹划诛杀窦怀贞等人时,曾召见崔湜,并且想将他当作心腹。崔湜的弟弟崔涤对他说:"无论皇帝问到你什么,你都不能有所隐瞒。"崔湜没有采纳。窦怀贞等人被杀后,崔湜与尚书右丞卢藏用两人都因私侍太平公主获罪,崔湜被流放到窦州,卢藏用被流放到泷州。新兴王李晋临刑之际叹道:"最初提出这个主意的人是崔湜,现在我被处死,崔湜反而能够保住性命,这不是天大的冤枉吗?"适逢有关部门审讯宫女元氏时,得到了崔湜与其同谋投毒谋杀玄宗皇帝的供词,唐玄宗便重新下诏将崔湜赐死在流放途中的荆州。薛稷的儿子薛伯阳由于娶公主为妻的缘故而被免于处死,流放岭南,他在流放途中自缢身死。

当初在太平公主与其党羽商议废掉玄宗皇帝之时,窦怀贞、萧至忠、岑羲、崔湜等人都表示赞成此举,只有陆象先认为这样做不行。太平公主说:"起初太上皇废长立少,已经是不顺天意之事,再加上皇帝失德,为什么不能将他废黜呢?"陆象先说:"既然皇帝当初是以立有大功而被立为太子的,那么就只能以获罪为由将其废黜。现在皇帝实际上没有罪,我终究不敢苟同。"太平公主十分生气地离去。唐玄宗诛杀窦怀贞等人以后,召见陆象先说:"岁寒知松柏之后凋。这句话真是至理名言!"当时正值严刑惩处太平公主党羽的时候,应当入狱受罚的人非常之多,陆象先悄悄地为这些人申明冤屈,很多人因而得以保全性命,但他从未自己说起过这些事,当时没有人知道此事内情。朝廷百官中平素受到太平公主的宠信或者憎恶的人,此时则分别受到降职贬黜或者提拔重用的不同待遇,这项工作总共持续了一年之久,仍未全部做完。

丁卯，上御承天門樓，赦天下。

己巳，賞功臣郭元振等官爵、第舍、金帛有差。以高力士為右監門將軍，知內侍省事。

初，太宗定制，內侍省不置三品官，黃衣廩食，守門傳命而已。天后雖女主，宦官亦不用事。中宗時，嬖幸猥多，宦官七品以上至千餘人，然衣緋者尚寡。上在藩邸，力士傾心奉之，及為太子，奏為內給事，至是以誅蕭、岑功賞之。是後宦官稍增至三千餘人，除三品將軍者浸多，衣緋、紫至千餘人，宦官之盛自此始。

12　壬申，遣益州長史畢構等六人宣撫十道。

13　乙亥，以左丞張說為中書令。

14　庚辰，中書侍郎、同平章事陸象先罷為益州長史、劍南按察使。八月癸巳，以封州流人劉幽求為左僕射、平章軍國大事。

15　丙辰，突厥可汗默啜遣其子楊我支來求婚，丁巳，許以蜀王女南和縣主妻之。

16　中宗之崩也，同中書門下三品李嶠密表韋后，請出相王諸子於外。上即位，於禁中得其表，以示侍臣。嶠時以特進致仕，或請誅之，張說曰："嶠雖不識逆順，然為當時之謀則忠矣。"上然之。九月壬戌，以嶠子率更令暢為虔州刺史，令嶠隨暢之官。

丁卯（初六），唐玄宗亲自来到承天门楼，发布诏命，大赦天下。

己巳（初八），唐玄宗赏赐有功之臣郭元振等人大小不等的官职爵位以及数量不同的田宅钱物。还任命高力士为右监门将军，让他主持内侍省事务。

当初唐太宗曾定下制度，内侍省不置三品官，内侍们也无非是身着黄色朝服，领取皇家发放的禄米，做一些把守宫门、传达诏命之类的事情。武则天虽然是女流作皇帝，宦官也始终未能专擅朝政。唐中宗时期，受到他亲信宠爱的近臣也很多，以至于级别在七品以上的宦官达一千馀人，但是身着绯色朝服的宦官尚不多见。还是在唐玄宗在自己的王府中的时候，高力士对玄宗倾心侍奉，玄宗被立为太子之后，便奏请唐睿宗任命高力士为内给事，此次因诛除萧至忠、岑羲等人有功，因而他又被唐玄宗任命为右监门将军。从此以后宫中的宦官逐渐增加到三千馀人，被任命为三品将军的人也越来越多，穿红、紫朝服的达到一千馀人，宦官势力从此膨胀起来。

12　壬申（十一日），唐玄宗派遣益州长史毕构等六人宣抚十道。

13　乙亥（十四日），唐玄宗任命尚书左丞张说为中书令。

14　庚辰（十九日），中书侍郎、同平章事陆象先被贬为益州长史、剑南按察使。八月癸巳（初二），唐玄宗任命被流放到封州去的刘幽求为尚书左仆射、平章军国大事。

15　丙辰（二十五日），突厥可汗默啜派遣他的儿子杨我支前来求婚；丁巳（二十六日），唐玄宗将蜀王之女南和县主许配给他为妻。

16　唐中宗驾崩之后，同中书门下三品李峤秘密地向韦皇后上表，请求将相王李旦的儿子们外放出京。唐玄宗即位之后，在宫中发现了李峤的奏表，并将它给侍臣们传看。李峤当时已经以特进之职退休，有人建议将李峤处死，张说说："李峤虽然没能分清善恶忠奸，但是他在当时为韦后出谋献策却也可以称得上是竭忠尽智了。"唐玄宗认为他说的对。九月壬戌（初二），唐玄宗任命李峤之子率更令李畅为虔州刺史，并下令李峤随同其子赴任。

17　庚午,以刘幽求同中书门下三品。

18　丙戌,复置右御史台,督察诸州,罢诸道按察使。

19　冬,十月辛卯,引见京畿县令,戒以岁饥惠养黎元之意。

20　己亥,上幸新丰。癸卯,讲武于骊山之下,徵兵二十万,旌旗连亘五十馀里。以军容不整,坐兵部尚书郭元振于纛下,将斩之。刘幽求、张说跪于马前谏曰:“元振有大功于社稷,不可杀。”乃流新州。斩给事中、知礼仪事唐绍,以其制军礼不肃故也。上始欲立威,亦无杀绍之意,金吾卫将军李邈遽宣敕斩之。上寻罢邈官,废弃终身。时二大臣得罪,诸军多震慑失次。惟左军节度薛讷、朔方道大总管解琬二军不动,上遣轻骑召之,皆不得入其陈。上深叹美,慰勉之。

甲辰,猎于渭川。上欲以同州刺史姚元之为相,张说疾之,使御史大夫赵彦昭弹之,上不纳。又使殿中监姜皎言于上曰:“陛下常欲择河东总管而难其人,臣今得之矣。”上问为谁,皎曰:“姚元之文武全才,真其人也。”上曰:“此张说之意也,汝何得面欺,罪当死!”皎叩头首服,上即遣中使召元之诣行在。既至,上方猎,引见,即拜兵部尚书、同中书门下三品。

17　庚午(初十),唐玄宗任命刘幽求为同中书门下三品。

18　丙戌(二十六日),唐玄宗下诏恢复右御史台,负责对各州的督察,同时废去诸道按察使。

19　冬季,十月辛卯(初一),唐玄宗召见京畿各县的县令,告诫他们在饥荒之年应当注意扶助黎民百姓。

20　己亥(初九),唐玄宗来到新丰。癸卯(十三日),唐玄宗与文武官员在骊山脚下讲习武事,共调集了兵士二十万,旌旗连绵达五十多里。由于军容不整的缘故,唐玄宗下令将兵部尚书郭元振逮至自己的乘舆之下,并且打算将其斩首。刘幽求、张说跪在玄宗的马前进谏说:"郭元振曾为大唐的江山社稷立下过汗马功劳,不能杀。"唐玄宗于是将郭元振流放到新州。唐玄宗还下令将给事中、知礼仪事唐绍斩首,因为他所制定的军礼不够整肃。其实唐玄宗原本只是打算树立自己的威势,并没有杀死唐绍的意思,只是由于金吾卫将军李邈急忙宣布了将其斩首的敕命,所以才弄假成真。事后不久唐玄宗便罢免了李邈的职务,将他废弃终身。当时由于郭元振、唐绍这两位大臣都受到惩处,各路军马大多因此而震惊失措,以至于搞乱了彼此的队形。只有左军节度薛讷和朔方道大总管解琬二人所部军兵岿然不动,唐玄宗派遣轻装的骑兵前去召见他们,但这些使者都无法进入他们的阵营。唐玄宗对他们二人十分赞赏,称赞他们治军有方。

甲辰(十四日),唐玄宗一行在渭川狩猎。唐玄宗想把同州刺史姚元之任用为宰相,张说一向忌恨姚元之,便指使御史大夫赵彦昭对他多方弹劾,但唐玄宗没有理会他们的阻挠。张说又指使殿中监姜皎向唐玄宗进言道:"陛下早就想任命一位称职的河东总管,却苦于找不到合适人选,臣现在发现了这样一位称职的人。"唐玄宗问他这个人是谁,姜皎回答说:"姚元之文武全才,是担任河东总管职务的合适人选。"唐玄宗说:"这是张说的主意,你竟敢当面欺君罔上,应当处以死刑!"姜皎赶忙叩头谢罪,将事情的原委和盘托出,唐玄宗当即派遣中使将姚元之征召到渭川行宫所在。姚元之抵达后,唐玄宗正在狩猎,马上召见了他,并任命他为兵部尚书、同中书门下三品。

　　元之吏事明敏，三为宰相，皆兼兵部尚书，缘边屯戍斥候，士马储械，无不默记。上初即位，励精为治，每事访于元之，元之应答如响，同僚唯诺而已，故上专委任之。元之请抑权幸，爱爵赏，纳谏诤，却贡献，不与群臣亵狎。上皆纳之。

　　乙巳，车驾还京师。

　　21　姚元之尝奏请序进郎吏，上仰视殿屋，元之再三言之，终不应。元之惧，趋出。罢朝，高力士谏曰："陛下新总万机，宰臣奏事，当面加可否，奈何一不省察？"上曰："朕任元之以庶政，大事当奏闻共议之。郎吏卑秩，乃一一以烦朕邪？"会力士宣事至省中，为元之道上语，元之乃喜。闻者皆服上识君人之体。

　　左拾遗曲江张九龄，以元之有重望，为上所信任，奏记劝其远诌躁，进纯厚，其略曰："任人当才，为政大体，与之共理，无出此途。而向之用才，非无知人之鉴，其所以失溺，在缘情之举。"又曰："自君侯职相国之重，持用人之权，而浅中弱植之徒，已延颈企踵而至，诌亲戚以求誉，媚宾客以取容。其间岂不有才，所失在于无耻。"元之嘉纳其言。

姚元之处理政务聪明练达,曾三次担任宰相,每次都兼任兵部尚书,他对于边境地区的戍兵驻屯营地和侦察瞭望哨所,以及这里的士卒马匹仓储器械的数量,无不默默地记在心里。唐玄宗刚刚即位时,励精图治,每当遇到疑难问题时,都要先听听姚元之的意见,姚元之也是每次都能对答如流,他的同僚则只能唯唯诺诺而已,所以玄宗也就专门对他委以重任。姚元之请求唐玄宗削夺亲幸的权贵之家的权势,珍惜手中的爵禄赏赐,采纳敢于犯颜直谏的臣子的好的建议,不接受进献的贡品,并且不要再与群臣开一些轻慢无礼的玩笑。唐玄宗对他的上述建议都一一采纳。

　　乙巳(十五日),唐玄宗返回京城。

　　21　姚元之曾经奏请依照顺序提拔任用郎吏,玄宗却只是盯着宫殿的屋顶不作声,姚元之几次重复,玄宗始终一言不发。姚元之感到十分恐惧,便急忙退出。当日罢朝以后,高力士向玄宗进谏道:"陛下刚刚总理天下大事,宰臣上奏言事,就应当面表明您自己的态度,为什么您对姚元之的建议不闻不问、一言不发呢?"唐玄宗回答说:"朕放手让姚元之总理朝廷庶政,遇有军国大事可以当面奏闻共同商议;怎么能够用郎吏任免这样的小事,来一一打搅朕呢?"适逢高力士奉旨到尚书省宣谕诏命,将玄宗的话转达给了姚元之,姚元之这才转忧为喜。知道这件事的人无不叹服玄宗深明治理国家之道。

　　左拾遗曲江县人张九龄,鉴于姚元之声望极高,又受到唐玄宗的信任和重用,所以写给了他一封信,在信中劝他疏远阿谀奉承之徒,提拔任用纯正忠厚之士,这封信的大意是:"重用有真才实学的人,是治理国家的基本原则,与有识之士齐心协力地处理政事,也并不例外。但以往在任用贤才的时候,掌权的并非不具备知人善任的见地,之所以存在很多弊端,是由于过多地考虑到情面的缘故。"信中还说:"自从您担任宰相职务以来,亲手掌握选任职官的大权,那些浅薄鄙陋、软弱无能的人,已经伸长了脖子,踮起了脚跟,向您围拢过来,他们或者谄媚您的亲戚以便使这些人为他们多进美言,或者拉拢您的宾客以便取悦他们。我相信他们中间也许有个别具有真才实学的人,只不过是认为他们实在是太无耻了。"姚元之十分赞赏他的建议,并予以采纳。

新兴王晋之诛也，僚吏皆奔散，惟司功李扱步从，不失在官之礼，仍哭其尸。姚元之闻之，曰："栾布之俦也。"及为相，擢为尚书郎。

22 己酉，以刑部尚书赵彦昭为朔方道大总管。

23 十一月乙丑，刘幽求兼侍中。

24 辛巳，群臣上表请加尊号为开元神武皇帝，从之。戊子，受册。

25 中书侍郎王琚为上所亲厚，群臣莫及。每进见，侍笑语，逮夜方出。或时休沐，往往遣中使召之。或言于上曰："王琚权谲纵横之才，可与之定祸乱，难与之守承平。"上由是浸疏之。是月，命琚兼御史大夫，按行北边诸军。

26 十二月庚寅，赦天下，改元。尚书左、右仆射为左、右丞相；中书省为紫微省；门下省为黄门省，侍中为监；雍州为京兆府，洛州为河南府，长史为尹，司马为少尹。

27 甲午，吐蕃遣其大臣来求和。

28 壬寅，以姚元之兼紫微令。元之避开元尊号，复名崇。

29 敕："都督、刺史、都护将之官，皆引面辞毕，侧门取进止。"

30 姚崇既为相，紫微令张说惧，乃潜诣岐王申款。他日，崇对于便殿，行微蹇。上问："有足疾乎？"对曰："臣有腹心之疾，非足疾也。"上问其故。对曰："岐王陛下爱弟，

在新兴王李晋被处斩的时候，他原来的部属们已纷纷逃散，只有司功李㧑一人徒步跟随在身边，没有违背居官的礼节，并且在执行完毕后对故主的尸体放声痛哭。姚元之听说这件事后赞道："这才是像栾布那样的忠义之士啊！"现在姚元之又担任了宰相职务，便将李㧑提升为尚书郎。

22　己酉(十九日)，唐玄宗任命刑部尚书赵彦昭为朔方道大总管。

23　十一月乙丑(初五)，刘幽求兼任侍中。

24　辛巳(二十一日)，群臣上表请求为皇帝加上开元神武皇帝的尊号，唐玄宗接受了这一尊号。戊子(二十八日)，唐玄宗正式接受了群臣所上的尊号。

25　中书侍郎王琚受到唐玄宗的亲近和厚爱，没有哪一个大臣能够与其相比。每次进见皇帝时，王琚都要与玄宗在一起谈笑，直到夜色深沉时分才退出。有时玄宗在休假时，也往往要派宦官去征召他来会面。有人对唐玄宗进言道："王琚精通权略，是一位机巧诡诈的纵横之士，陛下可以与他一起平定祸乱，却难以与他共同治理承平之世。"唐玄宗因此开始逐渐疏远王琚。在这个月里，玄宗任命他兼任御史大夫，派他到北部边境地区考察军务。

26　十二月庚寅(初一)，唐玄宗下诏大赦天下，改年号为开元。同时下诏改尚书左、右仆射为左、右丞相；改中书省为紫微省；改门下省为黄门省，改侍中为黄门监；改雍州为京兆府，改洛州为河南府，州的长史改称为尹，州的司马改称为少尹。

27　甲午(初五)，吐蕃派遣大臣前来求和。

28　壬寅(十三日)，唐玄宗任命姚元之兼任紫微令。姚元之为避讳开元神武皇帝尊号，便恢复其原名为姚崇。

29　唐玄宗发布敕命："都督、刺史、都护准备赴任时，都必须经过当面朝见、辞别以后，在左右侧门听候皇帝的旨意。"

30　姚崇担任宰相职务以后，紫微令张说感到担忧恐惧，便私下里到岐王那里，表明自己倾心依附的诚意。后来有一天，姚崇在便殿回答唐玄宗问讯时，脚略微有点瘸。唐玄宗问他："您的脚是不是有些毛病？"姚崇回答道："臣有心病，没有脚病。"玄宗问他到底是怎么回事。姚崇回答道："岐王是陛下心爱的弟弟，

张说为辅臣,而密乘车入王家,恐为所误,故忧之。"癸丑,说左迁相州刺史。右仆射、同中书门下三品刘幽求亦罢为太子少保。甲寅,以黄门侍郎卢怀慎同紫微黄门平章事。

张说是陛下的股肱之臣,他却敢于秘密地乘车到岐王的家里去,臣担心岐王会被张说所误,所以心中很是担忧。"癸丑(二十四日),唐玄宗将张说贬职为相州刺史。右仆射、同中书门下三品刘幽求也被免去宰相职务,降职为太子少保。甲寅(二十五日),唐玄宗任命黄门侍郎卢怀慎为同紫微黄门平章事。

卷第二百一十一　唐纪二十七

起甲寅(714)尽丁巳(717)凡四年

玄宗至道大圣大明孝皇帝上之中

开元二年(甲寅,714)

1　春,正月壬申,制:"选京官有才识者除都督、刺史,都督、刺史有政迹者除京官,使出入常均,永为恒式。"

2　己卯,以卢怀慎检校黄门监。

3　旧制,雅俗之乐,皆隶太常。上精晓音律,以太常礼乐之司,不应典倡优杂伎,乃更置左右教坊以教俗乐,命右骁卫将军范及为之使。又选乐工数百人,自教法曲于梨园,谓之"皇帝梨园弟子"。又教宫中使习之。又选伎女,置宜春院,给赐其家。礼部侍郎张廷珪、酸枣尉袁楚客皆上疏,以为:"上春秋鼎盛,宜崇经术,迩端士,尚朴素,深以悦郑声、好游猎为戒。"上虽不能用,咸嘉赏之。

4　中宗以来,贵戚争营佛寺,奏度人为僧,兼以伪妄,富户强丁多削发以避徭役,所在充满。姚崇上言:"佛图澄不能存赵,鸠摩罗什不能存秦,齐襄、梁武,未免祸殃。但使苍生安乐,即是福身,何用妄度奸人,使坏正法?"上从之。丙寅,命有司沙汰天下僧尼,以伪妄还俗者万二千馀人。

玄宗至道大圣大明孝皇帝上之中
唐玄宗开元二年(甲寅,公元714年)

1 春季,正月壬申(十三日),唐玄宗颁布制命:"要选拔任命那些有真才实学的人为都督、刺史,选择政绩显著的都督、刺史担任京官,以便使官员的外放和入朝经常保持均衡,并以此作为永久性的程式。"

2 己卯(二十日),唐玄宗任命卢怀慎为检校黄门监。

3 依旧制规定,凡属音乐,不论雅俗,统归太常寺管辖。唐玄宗精晓音律,他认为太常寺乃是负责郊庙社稷礼乐之乐的专门机构,不应当负责倡优杂伎之类的俗乐;于是他下诏另设左右教坊来专门教授俗乐,并任命右骁卫将军范及为主管官。此外,唐玄宗还挑选了数百名乐工,亲自在梨园教他们作曲演奏之法,这些人在当时被称为"皇帝梨园弟子"。唐玄宗还让宫中的宦官学习乐曲。唐玄宗又挑选了一些歌伎和舞女,为她们增置了宜春院,并由官府赐给她们各自家中财物。礼部侍郎张廷珪、酸枣尉袁楚客二人都为此上疏认为:"陛下年纪轻轻,应当尊崇经学儒术,亲近贤良方正之士,崇尚艰苦朴素,臣以为陛下应当摒弃靡靡之音,有节制地巡游狩猎。"唐玄宗虽然未能采纳他们的建议,却也对他们的意见十分赞赏。

4 自唐中宗即位以来,皇亲国戚竞相营建佛寺,将成丁奏请剃度为僧,其中还不乏诈伪欺妄之事;因而富裕人家的子弟以及身强力壮的男子纷纷削发为僧以逃避朝廷征发的徭役,这种人简直到处都有。姚崇向唐玄宗建议道:"佛图澄未能使后赵国运长久,鸠摩罗什也无法使后秦免于覆亡,齐襄帝、梁武帝同样难免国破家亡。所以,只要陛下能够使百姓安居乐业,就是最大程度的积德行善,哪里用得着大量剃度奸邪之徒为僧,破坏朝廷法度呢?"唐玄宗采纳了他的建议。丙寅,唐玄宗命令有关部门筛选淘汰全国的和尚尼姑,因虚伪诈妄而被迫还俗的僧尼共计一万两千多人。

5 初，營州都督治柳城以鎮撫奚、契丹，則天之世，都督趙文翽失政，奚、契丹攻陷之，是後寄治幽州東漁陽城。或言："靺鞨、奚、霫大欲降唐，正以唐不建營州，無所依投，為默啜所侵擾，故且附之。若唐復建營州，則相帥歸化矣。"并州長史、和戎大武等軍州節度大使薛訥信之，奏請擊契丹，復置營州。上亦以冷陘之役，欲討契丹。群臣姚崇等多諫。甲申，以訥同紫微黃門三品，將兵擊契丹，群臣乃不敢言。

6 薛王業之舅王仙童，侵暴百姓，御史彈奏。業為之請，敕紫微、黃門覆按。姚崇、盧懷慎等奏："仙童罪狀明白，御史所言無所枉，不可縱舍。"上從之。由是貴戚束手。

7 二月庚寅朔，太史奏太陽應虧不虧。姚崇表賀，請書之史冊。從之。

8 乙未，突厥可汗默啜遣其子同俄特勒及妹夫火拔頡利發、石阿失畢將兵圍北庭都護府，都護郭虔瓘擊破之。同俄單騎逼城下，虔瓘伏壯士於道側，突起斬之。突厥請悉軍中資糧以贖同俄，聞其已死，慟哭而去。

9 丁未，敕："自今所在毋得創建佛寺。舊寺頹壞應葺者，詣有司陳牒檢視，然後聽之。"

10 閏月，以鴻臚少卿、朔方軍副大總管王晙兼安北大都護、朔方道行軍大總管，令豐安、定遠、三受降城及旁側諸軍皆受晙節度，徙大都護府於中受降城，置兵屯田。

5　当初营州都督治理柳城以镇抚奚部落和契丹部落,武则天时期的营州都督赵文翙执行政策失当,致使营州城被奚部落和契丹部落攻陷,此后营州治所就被迫寄居在幽州东部的渔阳城。当地有人说:"靺鞨、奚、霫等部落很想归降大唐,只是由于大唐在此地未设官署,所以无所依附投靠,再加上被突厥可汗默啜所侵扰,故而只得暂时依附于突厥。假如大唐重建营州治所,那么这些部落就会一个一个地前来归附。"并州长史兼和戎、大武等军州节度大使薛讷听信了这种传闻之后,上奏请求进攻契丹,重新建置营州都督府。唐玄宗也因唐军在冷陉一役中大败的缘故而一直想出兵讨伐契丹。姚崇等大臣们纷纷谏阻发兵。甲申(二十五日),唐玄宗任命薛讷为同紫微黄门三品,率兵攻讨契丹,群臣从此便不敢再向玄宗谏阻这件事。

6　薛王李业的舅父王仙童侵夺欺凌百姓,被御史上奏弹劾。李业为他开脱求情,唐玄宗于是让紫微、黄门重新审理此案。姚崇、卢怀慎等人奏称道:"王仙童所犯之罪清楚明白,御史对他的弹劾也并无冤枉之处,不能对他放纵宽宥。"唐玄宗同意了他们的意见。从此皇亲国戚们收敛了一些。

7　二月庚寅朔,太史上奏说是太阳应当亏食却没有亏食。姚崇向玄宗上表致贺,并请求将这件事载入史册,玄宗对此表示同意。

8　乙未(初七),突厥可汗默啜派他的儿子同俄特勒、妹夫火拔颉利发、石阿失毕率兵围攻北庭都护府,都护郭虔瓘将突厥兵击败。同俄特勒单枪匹马地逼到城下,被郭虔瓘事先埋伏在路旁的勇士跃起斩首。突厥人请求用军中所有物资交换同俄特勒,听到他已被杀死的消息后,只得在全军的一片恸哭声中撤走。

9　丁未(十九日),唐玄宗发布敕命:"从今以后各地均不得新建佛寺。原有的佛寺中那些颓坏应修的,一律到有关部门申报,经有关部门检查属实,才允许开工修缮。"

10　闰二月,唐玄宗任命鸿胪寺少卿、朔方军副大总管王晙兼任安北大都护、朔方道行军大总管职务,下令丰安、定远、三受降城以及周围各军统归王晙调度节制,并且将大都护府官署迁到中受降城,添置兵员,实行屯田。

11 丁卯,复置十道按察使,以益州长史陆象先等为之。

12 上思徐有功用法平直,乙亥,以其子大理司直愉为恭陵令。窦孝谌之子光禄卿豳公希瑊等请以己官爵让愉以报其德,由是愉累迁申王府司马。

13 丙子,申王成义请以其府录事阎楚珪为其府参军,上许之。姚崇、卢怀慎上言:"先尝得旨,云王公、驸马有所奏请,非墨敕皆勿行。臣窃以量材授官,当归有司。若缘亲故之恩,得以官爵为惠,踵习近事,实紊纪纲。"事遂寝。由是请谒不行。

14 突厥石阿失毕既失同俄,不敢归。癸未,与其妻来奔,以为右卫大将军,封燕北郡王,命其妻曰金山公主。

15 或告太子少保刘幽求、太子詹事锺绍京有怨望语,下紫微省按问,幽求等不服。姚崇、卢怀慎、薛讷言于上曰:"幽求等皆功臣,乍就闲职,微有沮丧,人情或然。功业既大,荣宠亦深,一朝下狱,恐惊远听。"戊子,贬幽求为睦州刺史,绍京为果州刺史。紫微侍郎王琚行边军未还,亦坐幽求党贬泽州刺史。

16 敕:"涪州刺史周利贞等十三人,皆天后时酷吏,比周兴等情状差轻,宜放归草泽,终身勿齿。"

11 丁卯(初九),唐玄宗下诏恢复十道按察使的建置,派益州长史陆象先等人充任按察使。

12 唐玄宗考虑到徐有功执法公平正直,便于乙亥日(十七日)任命他的儿子、大理司直徐惰为恭陵令。窦孝谌之子、光禄卿、豳公窦希瑊等人也请将自己的官爵让给徐惰以报答徐有功的恩德,所以徐惰得以从大理司直任上几次被提升,擢为申王府司马。

13 丙子(十八日),申王李成义请求唐玄宗同意将自己的王府录事阎楚珪任命为王府参军,唐玄宗表示同意。姚崇和卢怀慎向玄宗进谏道:"臣等在此之前曾得到陛下的旨意,说的是凡王公、驸马有所奏请,如果没有陛下您亲笔书写的墨敕,均不能生效。臣认为根据才能授予官职,是有关部门职权范围之内的事。倘若由于有亲朋故旧的恩德,就可以把朝廷的官爵俸禄作为礼物相赠,那就与中宗皇帝的弊政没有区别了,这种行为的后果会破坏朝廷选官之法。"因此这件事便拖了下去。从这时起请托之风不再流行。

14 突厥大将石阿失毕因损折了可汗之子同俄特勒的缘故,不敢回到突厥。癸未(二十五日),石阿失毕携其妻子前来投奔,被唐玄宗任命为右卫大将军,受封为燕北郡王,其妻被册封为金山公主。

15 有人告发太子少保刘幽求、太子詹事钟绍京对玄宗皇帝有不满情绪,玄宗下令将此二人交由紫微省审讯,刘幽求等人表示不服。姚崇、卢怀慎、薛讷对玄宗进谏道:"刘幽求等人都是陛下的功臣,现在突然担任没有实权的闲职,心中稍微有点沮丧,这也是人之常情。这些人立下的功勋十分显赫,他们所受到陛下的亲近恩宠也极深,如果现在因一点小事就将他们逮捕下狱,恐怕对于陛下在外面的声望有所妨碍。"戊子,唐玄宗将刘幽求贬为睦州刺史,将钟绍京贬为果州刺史。奉旨按察边境地区军事防务尚未回朝的紫微侍郎王琚,也因牵连到刘幽求案而贬为泽州刺史。

16 唐玄宗颁下敕命:"涪州刺史周利贞等十三人,都是则天大圣皇后时期的酷吏,只不过是比起周兴等人罪状稍微轻一些,应当削夺这些人的官爵,将他们放归民间,终身不予录用。"

17　西突厥十姓酋长都担叛。三月己亥,碛西节度使阿史那献克碎叶等镇,擒斩都担,降其部落二万馀帐。

18　御史中丞姜晦以宗楚客等改中宗遗诏,青州刺史韦安石、太子宾客韦嗣立、刑部尚书赵彦昭、特进致仕李峤,于时同为宰相,不能匡正,令监察御史郭震弹之,且言彦昭拜巫赵氏为姑,蒙妇人服,与妻乘车诣其家。甲辰,贬安石为沔州别驾,嗣立为岳州别驾,彦昭为袁州别驾,峤为滁州别驾。安石至沔州,晦又奏安石尝检校定陵,盗隐官物,下州征赃。安石叹曰:“此祇应须我死耳。”愤恚而卒。晦,皎之弟也。

19　毁天枢,发匠熔其铁钱,历月不尽。先是,韦后亦于天街作石台,高数丈,以颂功德,至是并毁之。

20　夏,四月辛巳,突厥可汗默啜复遣使求婚,自称“乾和永清太驸马、天上得果报天男、突厥圣天骨咄禄可汗”。

21　五月己丑,以岁饥,悉罢员外、试、检校官,自今非有战功及别敕,毋得注拟。

22　己酉,吐蕃相坌达延遗宰相书,请先遣解琬至河源正二国封疆,然后结盟。琬尝为朔方大总管,故吐蕃请之。前此琬以金紫光禄大夫致仕,复召拜左散骑常侍而遣之。又命宰相复坌达延书,招怀之。琬上言,吐蕃必阴怀叛计,请预屯兵十万于秦、渭等州以备之。

17　西突厥十姓酋长都担反叛朝廷。三月己亥(十二日),碛西节度使阿史那献攻克碎叶等镇,活捉都担并将其斩首,招降了他的部众共两万多帐。

18　御史中丞姜晦认为宗楚客等人篡改中宗皇帝的遗诏,现任的青州刺史韦安石、太子宾客韦嗣立、刑部尚书赵彦昭、以特进之职退休的李峤四人当时都在朝为相,却不能对这种行为加以匡正,便指使监察御史郭震上疏弹劾他们;并且还提到了赵彦昭拜女巫赵氏为姑,身披妇人衣装,和自己的妻子一起乘车到赵氏家中去等事实。甲辰(十七日),唐玄宗将韦安石贬为沔州别驾,将韦嗣立贬为岳州别驾,将赵彦昭贬为袁州别驾,将李峤贬为滁州别驾。韦安石抵达沔州后,姜晦又向玄宗上奏说韦安石曾于检校定陵任上盗窃隐藏官府财物,并且亲自到各州去征收赃物。韦安石感叹道:"这不过是想要我死罢了。"终于愤愤而死。姜晦是姜皎的弟弟。

19　唐玄宗下令捣毁天枢,并调发铁匠熔化其铁铸钱,历时一月之久仍未铸完。此前韦后为歌颂自己的功德也在西京长安朱雀街上建造了一个高达数丈的石台,这次也被唐玄宗下令一起捣毁。

20　夏季,四月辛巳(二十五日),突厥可汗默啜又派遣使者入朝请求通婚,他自称为"乾和永清太驸马、天上得果报天男、突厥圣天骨咄禄可汗"。

21　五月己丑(初三),由于粮食歉收的缘故,唐玄宗下诏罢黜所有员外官、试官、检校官,并且规定以后除非是立有战功或者是由皇帝降下别敕特行录用的人,吏部和兵部一律不得擅自注拟。

22　己酉(二十三日),吐蕃宰相坌达延写给唐朝宰相一封信,信中要求朝廷先派解琬到河源划定两国的边界,然后两国再订立盟约。解琬曾经担任朔方道大总管,所以吐蕃特意要求朝廷派他前往。由于在这之前解琬已经以金紫光禄大夫之职退休,所以唐玄宗又将他召入朝中,任命他为左散骑常侍并派他前往河源。此外玄宗还让宰相给坌达延回信以便对他进行招抚怀柔。解琬对唐玄宗进言,认为吐蕃一定心怀鬼胎,准备反叛,请玄宗预先在秦、渭等州屯兵十万以防意外事变的发生。

23　黄门监魏知古,本起小吏,因姚崇引荐,以至同为相。崇意轻之,请知古摄吏部尚书、知东都选事,遣吏部尚书宋璟于门下过官。知古衔之。

崇二子分司东都,恃其父有德于知古,颇招权请托。知古归,悉以闻。他日,上从容问崇:"卿子才性何如?今何官也?"崇揣知上意,对曰:"臣有三子,两在东都,为人多欲而不谨,是必以事干魏知古,臣未及问之耳。"上始以崇必为其子隐,及闻崇奏,喜问:"卿安从知之?"对曰:"知古微时,臣卵而翼之。臣子愚,以为知古必德臣,容其为非,故敢干之耳。"上于是以崇为无私,而薄知古负崇,欲斥之。崇固请曰:"臣子无状,挠陛下法,陛下赦其罪,已幸矣。苟因臣逐知古,天下必以陛下为私于臣,累圣政矣。"上久乃许之。辛亥,知古罢为工部尚书。

24　宋王成器,申王成义,于上兄也;岐王范,薛王业,上之弟也;豳王守礼,上之从兄也。上素友爱,近世帝王莫能及。初即位,为长枕大被,与兄弟同寝。诸王每旦朝于侧门,退则相从宴饮,斗鸡,击毬,或猎于近郊,游赏别墅,中使存问相望于道。上听朝罢,多从诸王游,在禁中,拜跪如家人礼,饮食起居,相与同之。于殿中设五幄,与诸王更处其中。或讲论赋诗,

23 黄门监魏知古本是小吏出身，凭借着姚崇的引荐，才与姚崇同朝为相。姚崇内心里有些轻视他，所以让他代理吏部尚书职务，负责东都洛阳选任官吏事宜，另派吏部尚书宋璟在门下省负责审定吏部、兵部注拟的六品以下职事官。魏知古因此而对姚崇十分不满。

姚崇的两个儿子在东都洛阳任职，倚仗其父对魏知古有恩，大肆揽权，为他人请官求禄。魏知古回到长安朝见时，把这些事全都告诉了玄宗皇帝。过了几天，玄宗漫不经心地向姚崇问道："您的儿子才干品行都怎么样？现在他们分别担任什么官职啊？"姚崇揣摩到了玄宗的心思，便回答说："臣有三个儿子，其中有两个在东都任职，他们贪欲之心很大，行为上也很不检点；现在他们一定是给魏知古添了很多麻烦，只不过是臣没有来得及去讯问他们而已。"唐玄宗开始以为姚崇一定会为他的儿子多方隐瞒，在听了他的这番回答之后，高兴地问道："您怎么知道这件事的呢？"姚崇回答说："在魏知古地位卑微之际，臣曾经多方关照他。臣的儿子非常愚鲁，认为魏知古一定会因此而感激臣，从而会容忍他们为非作歹，所以才敢于向他请托干禄。"唐玄宗因此而认为姚崇忠正无私，而看不起魏知古的忘恩负义，想要罢黜他的职务。姚崇坚决地阻止玄宗这样做，他说："此事乃是因臣的两个不肖之子举措无礼，破坏了陛下的法度，陛下赦免了他们的罪过，臣已经是感激万分了。如果真的由于臣的缘故而斥逐魏知古，天下的人们一定会认为陛下是在偏袒臣，这样会累及圣朝的声誉。"唐玄宗沉吟了很久才答应了他的请求。辛亥(二十五日)，魏知古被贬为工部尚书。

24 宋王李成器和申王李成义是玄宗的兄长；岐王李范和薛王李业是玄宗的弟弟；豳王李守礼是玄宗的堂兄。唐玄宗一向对兄弟十分友爱，这一点是近世帝王所比不上的。玄宗刚刚即皇帝位时，特意让人做了一套长长的枕头和一床特别宽大的被子，以便他能够与兄弟们同床共寝。诸王每天早上在侧门朝见，退朝以后便聚在一起进膳饮酒、斗鸡、击毬或者是到京城近郊去狩猎，或者是到别墅里观赏游玩，以至于路上奉命问候的宦官络绎不绝。唐玄宗在结束临朝听政之后，大部分时间也是用来与诸王一同巡游，兄弟们在宫中相处时，彼此跪拜行礼完全与在家里一样，日常的饮食起居也是如此。玄宗还下令在宫中设置五座帐幕，用于他本人与诸王在里面轮流住宿。他们有时讲求策论赋诗，

间以饮酒、博弈、游猎，或自执丝竹。成器善笛，范善琵琶，与上更奏之。诸王或有疾，上为之终日不食，终夜不寝。业尝疾，上方临朝，须臾之间，使者十返。上亲为业煮药，回飙吹火，误爇上须，左右惊救之。上曰："但使王饮此药而愈，须何足惜？"成器尤恭慎，未尝议及时政，与人交结。上愈信重之，故谗间之言无自而入。然专以声色畜养娱乐之，不任以职事。群臣以成器等地逼，请循故事出刺外州。六月丁巳，以宋王成器兼岐州刺史，申王成义兼豳州刺史，豳王守礼兼虢州刺史，令到官但领大纲，自馀州务，皆委上佐主之。是后诸王为都护、都督、刺史者并准此。

25　丙寅，吐蕃使其宰相尚钦藏来献盟书。

26　上以风俗奢靡，秋，七月乙未，制："乘舆服御、金银器玩，宜令有司销毁，以供军国之用。其珠玉、锦绣，焚于殿前。后妃以下，皆毋得服珠玉锦绣。"戊戌，敕："百官所服带及酒器、马衔、镫，三品以上，听饰以玉，四品以金，五品以银，自馀皆禁之。妇人服饰从其夫、子。其旧成锦绣，听染为皂。自今天下更毋得采珠玉，织锦绣等物，违者杖一百，工人减一等。"罢两京织锦坊。

有时饮酒,有时考校技艺切磋棋艺,有时策马纵犬外出打猎,有时手持丝竹乐器吹拉弹唱。李成器擅长吹奏笛子,李范擅长弹奏琵琶,他们都曾和玄宗在一起轮流演奏。诸王中倘若有哪一位生了病,玄宗甚至急得终日吃不下饭、终夜睡不着觉。有一次薛王李业生了病,当时玄宗正在临朝听政,一会儿功夫就十次派使者前往问病。唐玄宗还亲手为李业熬制汤药,旋风吹来,燃着玄宗的胡须,左右侍从赶忙上前帮他扑灭。唐玄宗说道:"只要薛王服下这碗药以后病能痊愈,朕的胡须又有什么可惜呢?"宋王李成器平日尤其恭敬严谨,从不谈起有关朝政的事,也从不与他人相结交。玄宗也因此而越发信任他,所以想进谗言离间兄弟感情的话也无从进入。即使如此,玄宗也只是在声色犬马、珠宝器玩等方面尽量使他满意,而从不任命他们什么具体的职务。群臣认为宋王李成器等人住地逼近皇帝,便请玄宗按照历朝的惯例放他们到地方各州任刺史。六月丁巳(初二),唐玄宗任命宋王李成器兼任岐州刺史,申王李成义兼任豳州刺史,豳王李守礼兼任虢州刺史,要他们赴任之后只需负责重要事务,其他的一般行政事务可以全由长史司马负责处理。从此以后诸王任都护、都督、刺史的也都照此办理。

25 丙寅(十一日),吐蕃赞普派遣宰相尚钦藏入朝敬献两国的盟书。

26 唐玄宗认为社会风俗日益趋于奢侈腐化,秋季,七月乙未(初十),玄宗颁布制命:"乘舆服御、金银器玩,都应由有关部门负责销毁,以供军国财政支出的需要。凡属珠宝玉器、锦绣织物,均在殿前销毁。宫中自后妃以下,一律不得用珠玉锦绣装饰衣物。"戊戌(十三日),唐玄宗又发布敕命:"文武百官束腰的带子、饮酒的酒器、马嚼子、马镫,三品以上的,可以用玉来装饰;四品以上的,可以用金来装饰;五品以上,可以用银来装饰;六品以下职官一律禁止使用任何饰物。妇女服装饰物的标准与其丈夫、儿子的级别相同。至于原有的用锦绣丝织品制成的衣服,可以染成黑色继续穿用。从今以后全国各地均不得采集加工珠宝玉器、纺织锦绣织物,违犯这项禁令的处以杖刑一百,工匠违反禁令的减一等治罪。"玄宗还下令裁撤了设于东西两京的织锦坊。

臣光曰：明皇之始欲为治，能自刻厉节俭如此，晚节获以奢败。甚哉奢靡之易以溺人也！《诗》云："靡不有初，鲜克有终。"可不慎哉！

27　薛讷与左监门卫将军杜宾客、定州刺史崔宣道等将兵六万出檀州击契丹。宾客以为："士卒盛夏负戈甲，赍资粮，深入寇境，难以成功。"讷曰："盛夏草肥，羔犊孳息，因粮于敌，正得天时，一举灭虏，不可失也。"行至滦水山峡中，契丹伏兵遮其前后，从山上击之，唐兵大败，死者什八九。讷与数十骑突围，得免，虏中嗤之，谓之"薛婆"。崔宣道将后军，闻讷败，亦走。讷归罪于宣道及胡将李思敬等八人，制悉斩之于幽州。庚子，敕免讷死，削除其官爵，独赦杜宾客之罪。

28　壬寅，以北庭都护郭虔瓘为凉州刺史、河西诸军州节度使。

29　果州刺史锺绍京心怨望，数上疏妄陈休咎。乙巳，贬溱州刺史。

30　丁未，房州刺史襄王重茂薨，辍朝三日，追谥曰殇皇帝。

31　戊申，禁百官家毋得与僧、尼、道士往还。壬子，禁人间铸佛、写经。

32　宋王成器等请献兴庆坊宅为离宫。甲寅，制许之，始作兴庆宫，仍各赐成器等宅，环于宫侧。又于宫西南置楼，题其西曰"花萼相辉之楼"，南曰"勤政务本之楼"。上或登楼，闻王奏乐，则召升楼同宴，或幸其所居尽欢，赏赉优渥。

臣司马光说：唐明皇即位之初，励精图治，节俭自励以至于此，到晚年仍不免于因奢侈腐化导致朝政腐败。奢靡之风对于人的腐蚀实在是太厉害了！《诗经》上说："靡不有初，鲜克有终。"对此怎么可以不慎之又慎呢？

27　薛讷与左监门卫将军杜宾客、定州刺史崔宣道等人率领六万人马经由檀州出击契丹。杜宾客认为："在此盛夏时节，兵士身穿铠甲手执兵器，还要携带军需粮草，孤军深入敌境，恐怕难以取胜。"薛讷道："盛夏时节草木茂盛，正是牛羊大量繁殖生长的时机，就敌取粮，我们此时进兵，正得天时，荡平契丹在此一举，机不可失呀。"当大军走到滦河流经的峡谷时，遭到了契丹伏兵的前后堵截，契丹兵又从山上发动进攻，唐军因此而一败涂地，阵亡的将士几乎达到全军总数的十分之八九。薛讷仅带着几十名骑兵突出重围，幸免于难，契丹兵嘲笑他，称他为"薛婆"。崔宣道负责指挥后续部队，听说薛讷已经战败，便也掉头逃走。薛讷将此次失败的责任全部推到崔宣道和胡将李思敬等八人的身上，唐玄宗便亲自下令将这八个人全部斩首于幽州。庚子（十五日），唐玄宗发布敕命，免去薛讷的死罪，削除他的官爵，只有杜宾客一人得到赦免。

28　壬寅（十七日），唐玄宗任命北庭都护郭虔瓘为凉州刺史、河西诸军州节度使。

29　果州刺史锺绍京对朝廷心怀不满，屡次上疏玄宗妄言善恶吉凶。乙巳（二十日），唐玄宗将锺绍京贬为溱州刺史。

30　丁未（二十二日），房州刺史襄王李重茂去世，唐玄宗为此而中止朝见三天，并将他追谥为殇皇帝。

31　戊申（二十三日），玄宗下令禁止文武百官及其家属与和尚、尼姑、道士互相往来。壬子（二十七日），玄宗又下令禁止民间铸造佛像和抄写佛经。

32　宋王李成器等人请求将兴庆坊的宅第贡献出来作为供皇帝随时游玩居住用的离宫。甲寅（二十九日），唐玄宗发布制命，接受了他们的请求，同时开始了兴庆宫的修建工程，并将环绕兴庆宫的宅第分别赐予李成器等人。唐玄宗又下令在兴庆宫的西、南两处建造了两座楼，西楼题名为"花萼相辉之楼"，南楼题名为"勤政务本之楼"。有时玄宗在楼上听到诸王在自己的宅第里奏乐的声音，便将他们全都召到楼上与自己一起吃饭，有时玄宗则亲临诸王家中与大家同乐，对诸王的赏赐也十分优厚。

33 乙卯，以岐王范兼绛州刺史，薛王业兼同州刺史。仍敕宋王以下每季二人入朝，周而复始。

34 民间讹言，上采择女子以充掖庭，上闻之，八月乙丑，令有司具车牛于崇明门，自选后宫无用者载还其家，敕曰："燕寝之内，尚令罢遣，闾阎之间，足可知悉。"

35 乙亥，吐蕃将坌达延、乞力徐帅众十万寇临洮，军兰州，至于渭源，掠取牧马。命薛讷白衣摄左羽林将军，为陇右防御使，以右骁卫将军常乐郭知运为副使，与太仆少卿王晙帅兵击之。辛巳，大募勇士，诣河、陇就讷教习。

初，鄯州都督杨矩以九曲之地与吐蕃，其地肥饶，吐蕃就之畜牧，因以入寇。矩悔惧自杀。

36 乙酉，太子宾客薛谦光献武后所制《豫州鼎铭》，其末云："上玄降鉴，方建隆基。"以为上受命之符。姚崇表贺，且请宣示史官，颁告中外。

　　臣光曰：日食不验，太史之过也，而君臣相贺，是诬天也。采偶然之文以为符命，小臣之谄也；而宰相因而实之，是侮其君也。上诬于天，下侮其君。以明皇之明，姚崇之贤，犹不免于是，岂不惜哉！

33 乙卯(三十日),唐玄宗任命岐王李范兼任绛州刺史职务,薛王李业兼任同州刺史职务。仍然规定自宋王李成器以下各亲王每季度两人入朝面见,周而复始。

34 民间纷纷谣传唐玄宗挑选美女以充后宫,玄宗听到了这种传闻。八月乙丑(初十),下令有关部门在崇明门门口准备好车辆和牛马,然后亲自从后宫中选出多出的宫女,让她们坐车回家,并且发布敕命说:"朕对于后宫中多出的宫女,尚且要遣返回家,对于民间女子会怎么样,应当是可想而知的事情。"

35 乙亥(二十日),吐蕃将领坌达延、乞力徐率领十万人马进犯临洮,敌军大队人马驻扎在兰州,还派兵进入渭源地区掠取牧马。唐玄宗下令薛讷以布衣之身代理左羽林将军职务,出任陇右防御使,任命右骁卫将军、常乐县人郭知运为陇右防御副使,与太仆寺少卿王晙一起率部迎击吐蕃军队。辛巳(二十六日),唐玄宗下令大量招募忠勇之士,并派他们前往河西、陇右接受薛讷的训练。

起初,唐鄯州都督杨矩,怂恿唐睿宗同意将河西九曲之地给吐蕃作为金城公主的汤沐邑。此地土地肥沃,牧草鲜美,吐蕃在此地大量放养牛马,并且以此地为依托进犯大唐。杨矩对自己当初的行为追悔莫及,再加上担心朝廷降罪,自杀身死。

36 乙酉,太子宾客薛谦光向玄宗进献了武则天所制的《豫州鼎铭》,铭文的最后有这样的话:"上玄降鉴,方建隆基。"薛谦光认为这就是玄宗受命于天的符兆。姚崇为此上表玄宗表示祝贺,请求玄宗下诏将这段铭文向史官宣示,并将其颁告中外尽知。

臣司马光说:日食应该出现却没有出现,是太史工作的失误;君臣对这一现象彼此称贺,则是诬罔上天。搜求偶然出现的文辞作为帝王受命于天的符兆,是品行低下的臣子对君主的阿谀奉承;宰相趁机使这种下贱的行为变成值得赞赏的行为,则是亵渎了他的君主。以唐明皇的圣明,加上姚崇的贤德,仍然不免于出现这种欺罔上天、亵渎君王的现象,岂不是十分遗憾的事吗?

37　九月戊申,上幸骊山温汤。

38　敕以岁稔伤农,令诸州修常平仓法。江、岭、淮、浙、剑南地下湿,不堪贮积,不在此例。

39　突厥可汗默啜衰老,昏虐愈甚。壬子,葛逻禄等部落诣凉州降。

40　冬,十月,吐蕃复寇渭源。丙辰,上下诏欲亲征,发兵十馀万人,马四万匹。

41　戊午,上还宫。

42　甲子,薛讷与吐蕃战于武街,大破之。时太仆少卿陇右群牧使王晙帅所部二千人与讷会击吐蕃。坌达延将吐蕃兵十万屯大来谷。晙选勇士七百,衣胡服,夜袭之,多置鼓角于其后五里,前军遇敌大呼,后人鸣鼓角以应之。虏以为大军至,惊惧,自相杀伤,死者万计。讷时在武街,去大来谷二十里,虏军塞其中间。晙复夜出袭之,虏大溃,始得与讷军合。追奔至洮水,复战于长城堡,又败之,前后杀获数万人。丰安军使王海宾战死。

戊辰,姚崇、卢怀慎等奏:"顷者吐蕃以河为境,神龙中尚公主,遂逾河筑城,置独山、九曲两军,去积石三百里,又于河上造桥。今吐蕃既叛,宜毁桥拔城。"从之。

以王海宾之子忠嗣为朝散大夫、尚辇奉御,养之宫中。

37 九月戊申(二十四日)，唐玄宗来到骊山温泉。

38 鉴于这一年粮食丰收，为防止谷贱伤农，唐玄宗发布敕命，让地方各州重修常平仓法。惟独江、岭、淮、浙、剑南等地因地势低洼潮湿，不利于粮食的储藏，不在此例。

39 突厥可汗默啜老迈昏聩，对所属各部落也日益残暴。壬子(二十八日)，葛逻禄等部落来到凉州请求归降大唐。

40 冬季，十月，吐蕃军队再次进犯渭源。丙辰(初二)，唐玄宗下诏表示要亲自率兵前去征讨，并调集军士十多万人，战马四万匹。

41 戊午(初四)，唐玄宗一行回到宫中。

42 甲子(初十)，薛讷与吐蕃军队在武街作战，取得了巨大的胜利。当时太仆少卿、陇右群牧使王晙率领所部两千人马与薛讷合击吐蕃军队。坌达延率十万吐蕃兵驻扎在大来谷。王晙选拔了七百名勇士，身着胡人的服装，夜间袭击吐蕃军队，又在这七百人后面五里之遥安排了很多战鼓和号角。先锋部队与敌军相遇后即大声呼喊，后面的人击鼓吹角与之呼应，吐蕃兵误以为唐军大部队袭来，惊慌失措，以至于自相残杀，死者达一万人之多。薛讷所部这时还驻扎在距大来谷二十里的武街，在此两地之间挤满了溃败的吐蕃兵。王晙又一次率军乘夜出击，吐蕃兵一败涂地，王晙这才得与薛讷所部唐军会师。唐军乘胜追击溃败的吐蕃兵，一直追到洮水，两军又在长城堡展开激战，吐蕃军队再次大败，先后被杀被俘的达数万人之多。在这次战役中，丰安军使王海宾阵亡。

戊辰(十四日)，姚崇、卢怀慎等上奏道："以往吐蕃与我大唐一向是以黄河为界；中宗神龙年间，由于娶了大唐公主的缘故，才得以越过黄河到大唐境内修筑城池，设置了独山、九曲两军，距离积石山有三百里，又在黄河之上架起了桥梁。现在吐蕃已经背叛了朝廷，我们就应该折毁他们所修建的桥梁和城池。"唐玄宗对此表示同意。

唐玄宗任命王海宾之子王忠嗣为朝散大夫、尚辇奉御，并且下令将他接到宫中抚养。

43　己巳，突厥可汗默啜又遣使求婚，上许以来岁迎公主。

44　突厥十姓胡禄屋等诸部诣北庭请降，命都护郭虔瓘抚存之。

45　乙酉，命左骁卫郎将尉迟瓌使于吐蕃，宣慰金城公主。吐蕃遣其大臣宗俄因矛至洮水请和，用敌国礼，上不许。自是连岁犯边。

46　十一月辛卯，葬殇皇帝。

47　丙申，遣左散骑常侍解琬诣北庭宣慰突厥降者，随便宜区处。

48　十二月壬戌，沙陀金山入朝。

49　甲子，置陇右节度大使，须嗣鄯、奉、河、渭、兰、临、武、洮、岷、郭、叠、宕十二州，以陇右防御副使郭知运为之。

50　乙丑，立皇子嗣真为鄫王，嗣初为鄂王，嗣主为鄄王。辛巳，立鄄王嗣谦为皇太子。嗣真，上之长子，母曰刘华妃。嗣谦，次子也，母曰赵丽妃，丽妃以倡进，有宠于上，故立之。

51　是岁，置幽州节度、经略、镇守大使，领幽、易、平、檀、妫、燕六州。

52　突骑施可汗守忠之弟遮弩恨所分部落少于其兄，遂叛入突厥，请为向导，以伐守忠。默啜遣兵二万击守忠，虏之而还。谓遮弩曰："汝叛其兄，何有于我？"遂并杀之。

三年(乙卯，715)

1　春，正月癸卯，以卢怀慎检校吏部尚书兼黄门监。怀慎清谨俭素，不营资产。虽贵为卿相，所得俸赐，随散亲旧，妻子不免饥寒，所居不蔽风雨。

43 己巳(十五日),突厥可汗默啜又派遣使者入朝,请求与大唐通婚,唐玄宗答应他明年来迎娶公主。

44 突厥十姓胡禄屋等部落来到北庭都护府请求归降,玄宗命令北庭都护府都护郭虔瓘抚恤慰问他们。

45 乙酉,唐玄宗派遣左骁卫郎将尉迟瓌出使吐蕃,专程安抚金城公主。吐蕃派遣大臣宗俄因矛到洮水请求和解,并且要求两国用对等的礼节,唐玄宗不同意。从此吐蕃连年挑起边界争端。

46 十一月辛卯(初七),玄宗为殇皇帝李重茂下葬。

47 丙申(十二日),唐玄宗派左散骑常侍解琬前往北庭都护府安抚归降的突厥胡禄屋等部落,应办的事,因利乘便,分别处置。

48 十二月壬戌(初九),沙陀金山入朝谒见玄宗。

49 甲子(十一日),唐玄宗下令设置陇右节度大使,管辖鄯、奉、河、渭、兰、临、武、洮、岷、郭、叠、宕十二州,任命陇右防御副使郭知运为陇右节度大使。

50 乙丑(十二日),唐玄宗封皇子李嗣真为郯王,封李嗣初为鄂王、封李嗣玄为鄄王。辛巳(二十八日),唐玄宗将郢王李嗣谦立为皇太子。李嗣真是玄宗的长子,他的母亲是刘华妃。李嗣谦是玄宗的次子,他的母亲是赵丽妃;赵丽妃本是歌舞妓出身,受到唐玄宗的宠爱,所以她的儿子李嗣谦被立为皇太子。

51 唐玄宗在这一年设置了幽州节度大使、幽州经略大使和幽州镇守大使,管辖幽、易、平、檀、妫、燕六州事务。

52 突骑施可汗守忠的弟弟遮弩对于自己所分得的部落少于其兄极为不满,便率领自己的部众背叛守忠,逃入突厥,并请求作为突厥兵的先导,共同讨伐守忠。突厥可汗默啜派两万人马进攻守忠,将他俘获之后带到突厥。默啜对遮弩说:"你背叛了你的兄长,对我还有什么用处呢?"于是将这兄弟二人一起杀死。

唐玄宗开元三年(乙卯,公元715年)

1 春季,正月癸卯(二十日),唐玄宗任命卢怀慎为检校吏部尚书兼黄门监。卢怀慎为官清廉谨慎,生活节俭朴素,从不经营资财产业。虽然作到了卿相一类的高官,他还是将得到的俸禄和赏赐随手周济亲朋故旧,因而他自己的妻子儿女的生活不免于饥寒,他所住的房子也因长期失修而难以遮风挡雨。

　　姚崇尝有子丧,谒告十馀日,政事委积,怀慎不能决,惶恐,入谢于上。上曰:"朕以天下事委姚崇,以卿坐镇雅俗耳。"崇既出,须臾,裁决俱尽,颇有得色,顾谓紫微舍人齐澣曰:"余为相,可比何人?"澣未对。崇曰:"何如管、晏?"澣曰:"管、晏之法虽不能施于后,犹能没身。公所为法,随复更之,似不及也。"崇曰:"然则竟如何?"澣曰:"公可谓救时之相耳。"崇喜,投笔曰:"救时之相,岂易得乎!"

　　怀慎与崇同为相,自以才不及崇,每事推之,时人谓之"伴食宰相"。

　　臣光曰:昔鲍叔之于管仲,子皮之于子产,皆位居其上,能知其贤而下之,授以国政,孔子美之。曹参自谓不及萧何,一遵其法,无所变更,汉业以成。夫不肖用事,为其僚者,爱身保禄而从之,不顾国家之安危,是诚罪人也。贤智用事,为其僚者,愚惑以乱其治,专固以分其权,媢嫉以毁其功,愎戾以窃其名,是亦罪人也。崇,唐之贤相,怀慎与之同心戮力,以济明皇太平之政,夫何罪哉?《秦誓》曰:"如有一介臣,断断猗,无他技,其心休休焉,其如有容,人之有技,若己有之,人之彦圣,其心好之,不啻如自其口出。是能容之,以保我子孙黎民,亦职有利哉。"怀慎之谓矣。

姚崇曾有一次为儿子办丧事而请了十几天的假，从而使得应当处理的政务堆积成山，卢怀慎无法决断，感到十分惶恐，入朝向玄宗谢罪。唐玄宗对他说："朕把天下之事委托给姚崇处理，不过是想让您坐享宰相的清名雅望而已。"姚崇假满复出之后，只用了一会儿功夫便将未决之事处理完毕，不禁面有得意之色，回头对紫微舍人齐澣道："我作宰相，可以与历史上那些宰相相比？"齐澣没有回答。姚崇继续问道："我与管仲、晏婴相比，谁更好些？"齐澣回答说："管仲、晏婴所奉行的法度虽然未能传之后世，起码也做到终身实施。您所制定的法度则随时更改，似乎比不上他们。"姚崇又问道："那么到底我是什么样的宰相呢？"齐澣回答说："您可以说是一位救时之相。"姚崇听后十分高兴，将手中的笔扔在桌案上说："一位救时宰相，也是不容易找到的呀！"

卢怀慎与姚崇同时担任宰相，自认为才能不及姚崇，所以每遇到一件事，都要请姚崇拿主意，当时的人将他称为"伴食宰相"。

臣司马光说：春秋时期齐国的鲍叔牙对于管仲，郑国子皮对于子产，都是前者职位在后者之上，因为了解后者的贤能而甘居其下，将治理国家的大权交给他们；孔子对这种做法也表示赞赏。汉朝丞相曹参自认为才能不及萧何，因而完全奉行萧何所定法度，不加任何修改，汉家的功业即是由此而得以成就。那些不贤的人当权，作为僚属，为了保有禄位，无原则地秉承上司的旨意行事，不顾国家的安危得失，这种人真是国家的罪人。当贤明的宰相主持朝政时，那些作僚属的，则用欺诈蛊惑来扰乱他的部署，用专权固宠来削弱他的权力，用百般嫉妒来诋毁他的功绩，用执拗乖僻来窃据他的名望，这种人也是国家的罪人。姚崇是唐朝的贤相，卢怀慎与他齐心协力，共同成就了唐明皇太平盛世的基业，对他有什么可以责备的呢？《尚书·秦誓》上说："如果能有这样的一位忠臣，忠厚诚恳而没有什么其他的本领，但他心地宽厚，能够容人容物。别人有了本事，就好像是他自己的本事一样；别人才能出众，他能做到不仅口中对这个人常常加以称道，而且真正能从内心里喜欢上这个人。这种宽宏大量的忠臣，是能够保住我的子孙和臣民的幸福的，也是可以为我的子孙臣民造福的啊。"这段话所说的就是像卢怀慎这样的人。

2 御史大夫宋璟坐监朝堂杖人杖轻，贬睦州刺史。

3 突厥十姓降者前后万馀帐。高丽莫离支文简，十姓之婿也，二月，与跌跌都督思泰等亦自突厥帅众来降。制皆以河南地处之。

4 三月，胡禄屋酋长支匐忌等入朝。上以十姓降者浸多，夏，四月庚申，以右羽林大将军薛讷为凉州镇大总管，赤水等军并受节度，居凉州；左卫大将军郭虔瓘为朔州镇大总管，和戎等军并受节度，居并州，勒兵以备默啜。

默啜发兵击葛逻禄、胡禄屋、鼠尼施等，屡破之。救北庭都护汤嘉惠、左散骑常侍解琬等发兵救之。五月壬辰，救嘉惠等与葛逻禄、胡禄屋、鼠尼施及定边道大总管阿史那献互相应援。

5 山东大蝗，民或于田旁焚香膜拜设祭而不敢杀，姚崇奏遣御史督州县捕而瘗之。议者以为蝗众多，除不可尽，上亦疑之。崇曰："今蝗满山东，河南、北之人，流亡殆尽，岂可坐视食苗，曾不救乎？借使除之不尽，犹胜养以成灾。"上乃从之。卢怀慎以为杀蝗太多，恐伤和气。崇曰："昔楚庄吞蛭而愈疾，孙叔杀蛇而致福，奈何不忍于蝗而忍人之饥死乎？若使杀蝗有祸，崇请当之。"

6 秋，七月庚辰朔，日有食之。

2 御史大夫宋璟因在朝堂上监督杖刑时处刑稍轻于罪人应得之刑，被唐玄宗贬为睦州刺史。

3 突厥十姓中先后归降大唐的达一万多帐。高丽莫离支文简是突厥十姓的女婿，二月，也与跌跌都督思泰等人率众从突厥前来归降。唐玄宗下令划出黄河以南的区域来安置所有前来归降的突厥部众。

4 三月，突厥十姓胡禄屋酋长支匐忌等入朝谒见唐玄宗。夏季，四月庚申（初九），由于突厥十姓之中归降朝廷的越来越多，唐玄宗任命右羽林大将军薛讷为凉州镇大总管驻凉州，负责节制赤水等军；又任命左卫大将军郭虔瓘为朔州镇大总管驻并州，负责节制和戎等军，统辖这一地区的军队以防备突厥可汗默啜的进犯。

突厥可汗默啜发兵征讨葛逻禄、胡禄屋、鼠尼施等部落，连战皆捷。唐玄宗命令北庭都护汤嘉惠、左散骑常侍解琬等人出兵相救。五月壬辰（十二日），唐玄宗又下令汤嘉惠等人与葛逻禄、胡禄屋、鼠尼施以及定边道大总管阿史那献等部军兵互相策应。

5 崤山以东出现特大蝗虫灾害，有些灾民甚至在受灾田地的旁边焚香膜拜设祭，却不敢下手捕杀蝗虫，姚崇奏请派遣御史督促各州县捕杀掩埋蝗虫。有些人认为蝗虫数量太多，无法尽行铲除杀灭，玄宗也对此举能否奏效表示怀疑。姚崇说："现在崤山以东蝗虫漫山遍野，黄河南北两岸百姓流离失所，十室九空，岂可坐视蝗虫吞噬禾苗，却不动手灭蝗救灾呢？即使这样做真的没能将蝗虫全部杀灭，起码也要比养蝗成灾要好一些。"唐玄宗这才同意按他的意见去办。卢怀慎认为如果杀灭的蝗虫太多的话，恐怕会对天地阴阳的和谐之气造成妨害。姚崇道："当年楚庄王吞吃了水蛭，他的病痊愈了；孙叔敖杀死了两头蛇，后来却作了卿相。陛下今天怎么能因不忍心看到蝗虫被杀死却忍心看着百姓被饿死呢？倘若杀死蝗虫会使上天降罪，那么我姚崇请求一人承当罪罚！"

6 秋季，七月庚辰朔（初一），出现日食。

7　上谓宰相曰:"朕每读书有所疑滞,无从质问,可选儒学之士,日使入内侍读。"卢怀慎荐太常卿马怀素,九月戊寅,以怀素为左散骑常侍,使与右散骑常侍褚无量更日侍读。每至阁门,令乘肩舆以进。或在别馆道远,听于宫中乘马。亲送迎之,待以师傅之礼。以无量羸老,特为之造腰舆,在内殿令内侍舁之。

8　九姓思结都督磨散等来降,己未,悉除官遣还。

9　西南蛮寇边,遣右骁卫将军李玄道发戎、泸、夔、巴、梁、凤等州兵三万人并旧屯兵讨之。

10　壬戌,以凉州大总管薛讷为朔方道行军大总管,太仆卿吕延祚、灵州刺史杜宾客副之,以讨突厥。

11　甲子,上幸凤泉汤。十一月乙卯,还京师。

12　刘幽求自杭州刺史徙郴州刺史,愤恚,甲申,卒于道。

13　丁酉,以左羽林大将军郭虔瓘兼安西大都护、四镇经略大使。虔瓘请自募关中兵万人诣安西讨击,皆给递驮及熟食。敕许之。将作大匠韦凑上疏,以为:"今西域服从,虽或时有小盗窃,旧镇兵足以制之。关中常宜充实,以强干弱枝。自顷西北二虏寇边,凡在丁壮,征行略尽,岂宜更募骁勇,远资荒服?又,一万征人行六千馀里,咸给递驮熟食,

7 唐玄宗对宰相们说:"每当朕读书遇到疑难问题的时候,都找不到一个可以请教的人;你们可以挑选儒学之士,每天入宫侍读。"卢怀慎推荐了太常寺卿马怀素。九月戊寅,玄宗任命马怀素为左散骑常侍,让他与右散骑常侍褚无量每人一天地轮流入宫侍读。玄宗每次都是让人用肩舆将他们抬进宫内。有时因为在别馆道远,就允许他们在宫中骑马。玄宗还每次亲自迎送,用对待师傅的礼节侍奉他们。由于褚无量年老体衰,玄宗特意让人做了一只腰舆,褚无量在内殿侍读时,玄宗就让内侍们一起抬着腰舆。

8 九姓思结都督磨散等人前来归降,己未,唐玄宗全部委任以官职,将他们遣还。

9 西南诸蛮进犯边界,唐玄宗派右骁卫将军李玄道调集戎、泸、巂、巴、梁、凤等州兵马三万人,会同该地原有驻屯兵马前往征讨。

10 壬戌,唐玄宗任命凉州大总管薛讷为朔方道行军大总管,任命太仆寺卿吕延祚和灵州刺史杜宾客为朔方道行军副总管,率兵征讨突厥。

11 甲子,唐玄宗来到岐州郿县境内的凤泉汤。十一月乙卯,玄宗一行回到京师。

12 刘幽求自杭州刺史任上转为郴州刺史,心中愤愤不平,甲申(初六),刘幽求在赴任的路上去世。

13 丁酉(十九日),唐玄宗任命左羽林大将军郭虔瓘兼任安西大都护、安西四镇经略大使。郭虔瓘请求在关中自行招募士卒一万人到安西讨击胡人,并且要求由官府负责向这些人提供交通工具和做好的干粮。唐玄宗一一照准了他的要求。将作大匠韦凑上疏认为:"现在西域各部均已臣服朝廷,虽然有时也出现一些轻微的盗窃,但当地原有的官军就完全能够控制局势。相反,为了达到强干弱枝的目的,关中地区的军事防务倒是应该大大加强。自从西北边疆两次夷狄入侵之后,关中各地壮丁,几乎被征发殆尽,怎么能够再次招募骁勇之士派遣到那么边远的地方去呢?再说,一万名丁壮长途跋涉六千多里,而且全部由官府提供运输工具和饮食,

道次州县,将何以供?秦、陇之西,户口渐少,凉州已往,沙碛悠然,遣彼居人,如何取济?纵令必克,其获几何?傥稽天诛,无乃甚损!请计所用、所得,校其多少,则知利害。昔唐尧之代,兼爱夷、夏,中外乂安。汉武穷兵远征,虽多克获,而中国疲耗。今论帝王之盛德者,皆归唐尧,不归汉武。况邀功不成者,复何足比议乎?"时姚崇亦以虔瓘之策为不然。既而虔瓘卒无功。

14　初,监察御史张孝嵩奉使廓州,还,陈碛西利害,请往察其形势。上许之,听以便宜从事。

拔汗那者,古乌孙也,内附岁久。吐蕃与大食共立阿了达为王,发兵攻之,拔汗那王兵败,奔安西求救。孝嵩谓都护吕休璟曰:"不救则无以号令西域。"遂帅旁侧戎落兵万馀人,出龟兹西数千里,下数百城,长驱而进。是月,攻阿了达于连城。孝嵩自擐甲督士卒急攻,自巳至酉,屠其三城,俘斩千馀级,阿了达与数骑逃入山谷。孝嵩传檄诸国,威振西域,大食、康居、大宛、罽宾等八国皆遣使请降。会有言其赃污者,坐系凉州狱,贬灵州兵曹参军。

15　京兆尹崔日知贪暴不法,御史大夫李杰将纠之,日知反构杰罪。十二月,侍御史杨玚廷奏曰:"若纠弹之司,使奸人得而恐愒,则御史台可废矣。"上遽命杰视事如故,贬日知为歙县丞。

沿途经过的各州县又怎么支付的了这样庞大的开支？秦、陇以西，户口逐渐减少，过了凉州以后，到处都是戈壁沙漠，把这么多人派到那样的地方去驻守，又从哪里去筹措军需呢？纵然此次发兵有十足的取胜把握，真正能够到手的东西又能有多少呢？一旦征伐计划有所稽误，岂不是所失更大？陛下只要认真计算一下此行的所用与所得，就可以知道其中的利害与得失。上古唐尧之时，慈爱惠及华夏、夷狄，四海内外相安无事。汉武帝穷兵黩武，屡事征伐，虽然多有取胜，但中原却也因此民穷财尽。后世在论及有德之主时，都是赞美唐尧，却无人称颂汉武帝。至于那些邀功不成的，就更不足以比议了。"当时姚崇也对郭虔瓘的计划不以为然。事后郭虔瓘终于无功而返。

14　当初，监察御史张孝嵩奉命出使廓州，回朝之后力陈大漠以西地区的利害，请求再次前往该地考察各种形势。唐玄宗同意了他的请求，并授权他全权负责处理当地事务。

拔汗那部落是古代乌孙国的后裔，归附大唐朝廷的岁月很久了。吐蕃与大食共同拥立阿了达为主，调集军队进攻拔汗那，拔汗那王兵败之后，便向唐安西都护府求救。张孝嵩对都护吕休璟说："如果不发兵相救，今后我们就没有资格向西域诸国发号施令了。"于是率领附近各部落兵马一万多人，经由龟兹镇向西挺进数千里，攻占了数百座城池，长驱直入敌境。这个月中，张孝嵩率部在连城进攻阿了达。张孝嵩亲自披甲上阵，督率士卒攻城，不给阿了达一点喘息时间，从巳时开始直至酉时，连屠阿了达三座城堡，俘获、斩首共计一千多级，阿了达只带了几个骑兵逃入山谷之中。张孝嵩传檄诸国，唐军声威响震西域，大食、康居、大宛、罽宾等八国全都派遣使者请求归降。这时恰好有人控告张孝嵩贪污，张孝嵩被押在凉州狱中，后来，又被贬职为灵州兵曹参军。

15　京兆尹崔日知贪赃暴虐，不守法度，御史大夫李杰准备检举他的恶行，崔日知却反诬李杰有罪。十二月，侍御史杨玚在朝廷之上上奏玄宗说："假如负责检举弹劾恶行的官员，可以被奸邪之徒随意恐吓威胁，那么御史台也就应该撤销了"。唐玄宗马上下令李杰照常处理政务，并且将崔日知贬为歙县县丞。

16　或上言："按察使徒烦扰公私,请精简刺史、县令,停按察使。"上命召尚书省官议之。姚崇以为："今止择十使,犹患未尽得人,况天下三百馀州,县多数倍,安得刺史县令皆称其职乎?"乃止。

17　尚书左丞韦玢奏："郎官多不举职,请沙汰,改授他官。"玢寻出为刺史,宰相奏拟冀州,敕改小州。姚崇奏言:"台郎宽怠及不称职,玢请沙汰,乃是奉公。台郎甫尔改官,玢即贬黜于外,议者皆谓郎官谤伤。臣恐后来左右丞指以为戒,则省事何从而举矣!伏望圣慈详察,使当官者无所疑惧。"乃除冀州刺史。

18　突骑施守忠既死,默啜兵还,守忠部将苏禄鸠集馀众,为之酋长。苏禄颇善绥抚,十姓部落稍稍归之,有众二十万,遂据有西方,寻遣使入见。是岁,以苏禄为左羽林大将军、金方道经略大使。

19　皇后妹夫尚衣奉御长孙昕以细故与御史大夫李杰不协。

四年(丙辰,716)

1　春,正月,昕与其妹夫杨仙玉于里巷伺杰而殴之。杰上表自诉曰:"发肤见毁,虽则痛身,冠冕被陵,诚为辱国。"上大怒,命于朝堂杖杀,以谢百僚。仍以敕书慰杰曰:"昕等朕之密戚,不能训导,使陵犯衣冠。虽真以极刑,未足谢罪。卿宜以刚肠疾恶,勿以凶人介意。"

16　有人进言说:"各道按察使只会给官府和百姓添麻烦,请陛下精简各州县刺史、县令,停止向各道派遣按察使。"唐玄宗下令召集尚书省官员讨论这件事。姚崇认为:"现在只不过是选派了十道按察使,而且还不能不担心未必全都是合适的人选,何况全国共有三百多个州,至于县的数量则又超过好几倍,每一位刺史县令怎么能都称职呢?"玄宗于是没有停派按察使。

17　尚书左丞韦玢上奏道:"各部郎官大多无事可做,请陛下裁汰郎官,改任他职。"不久韦玢就被外放为州刺史,宰相打算任命他为冀州刺史,玄宗下令任命他到一个小州去作刺史。姚崇上奏道:"各部郎官宽纵懈怠,不胜职任,韦玢请求裁汰郎官,正是奉公的表现。现在郎官刚刚被改任他职,韦玢就被贬黜外放,人们都说这是因郎官攻讦所致。臣担心今后尚书左右丞以韦玢为戒,那么尚书省日常事务怎么能够振举呢?臣希望陛下对此全面考察,以便使为官者无所疑惧。"唐玄宗就将韦玢任命为冀州刺史。

18　突骑施酋长守忠被杀以后,突厥可汗默啜的兵马撤走,守忠的部将苏禄聚集馀众,自己作了酋长。苏禄很善于安抚部下,十姓部落便逐渐归附到他的麾下,使他的部众达到了二十万,苏禄也因此而控制了西域,不久,苏禄便派遣使者入朝谒见玄宗。在这一年,玄宗任命苏禄为左羽林大将军、金方道经略大使。

19　王皇后的妹夫、尚衣奉御长孙昕因些须小事与御史大夫李杰关系不睦。

唐玄宗开元四年(丙辰,公元716年)

1　春季,正月,长孙昕和他的妹夫杨仙玉在小巷里将李杰痛打了一顿。李杰上表控诉道:"臣的皮肤受伤,只不过是皮肉之苦,可臣的朝服衣冠受到凌辱,却无异于国家的尊严受到了侵犯。"唐玄宗听了勃然大怒,下令将长孙昕和杨仙玉当廷用杖活活打死,向文武臣僚谢罪。玄宗还专门降敕安慰李杰道:"长孙昕等人是朕的近亲,朕平日训导不力,致使他们竟敢冒犯朝廷大臣。现在虽已将他们处以极刑,恐怕仍不足以谢罪。还望您刚正无私,纠恶惩奸,千万不要把这样的坏人放在心上。"

2 丁亥，宋王成器更名宪，申王成义更名㧑。

3 乙酉，陇右节度使郭虔瓘奏，奴石良才等八人皆有战功，请除游击将军。敕下，卢怀慎等奏曰："郭虔瓘恃其微效，辄侮彝章，为奴请五品，实乱纲纪，不可许。"上从之。

4 丙午，以鄫王嗣真为安北大都护、安抚河东关内陇右诸蕃大使，以安北大都护张知运为之副。陕王嗣昇为安西大都护、安抚河西四镇诸蕃大使，以安西都护郭虔瓘为之副。二王皆不出阁。诸王遥领节度自此始。

5 二月丙辰，上幸骊山温汤。

6 吐蕃围松州。

7 丁卯，上还宫。

8 辛未，以尚书右丞倪若水为汴州刺史兼河南采访使。

上虽欲重都督、刺史，选京官才望者为之，然当时士大夫犹轻外任。扬州采访使班景倩入为大理少卿，过大梁，若水饯之行，立望其行尘，久之乃返，谓官属曰："班生此行，何异登仙！"

9 癸酉，松州都督孙仁献袭击吐蕃于城下，大破之。

10 上尝遣宦官诣江南取鸀鹕、鸂鶒等，欲置苑中，使者所至烦扰。道过汴州，倪若水上言："今农桑方急，而罗捕禽鸟以供园池之玩，远自江、岭，水陆传送，食以粱肉。道路观者，岂不以陛下贱人而贵鸟乎？陛下方当以凤凰为凡鸟，麒麟为凡兽，况鸀鹕、鸂鶒，曷足贵也？"上手敕谢若水，赐帛四十段，纵散其鸟。

2 丁亥（初十），宋王李成器改名为李宪，申王李成义改名为李㧑。

3 乙酉（初八），陇右节度使郭虔瓘上奏，以石良才等八个奴仆均立有战功为由，请玄宗任命他们为游击将军。卢怀慎等人奏道："郭虔瓘依仗着自己为朝廷立下了尺寸之功，动辄违反常法，居然要为奴仆请授五品之职，实际上是扰乱朝廷纲纪，陛下不能答应这种无理的要求。"唐玄宗采纳了卢怀慎等人的建议。

4 丙午（二十九日），唐玄宗任命鄫王李嗣真为安北大都护和安抚河东、关内、陇右诸蕃大使，任命安北大都护张知运作他的副职。又任命陕王李嗣昇为安西大都护、安抚河西四镇诸蕃大使，任命安西都护郭虔瓘作他的副职。鄫王和陕王均不必出朝赴任。诸王遥领节度之制即从这时开始。

5 二月丙辰（初九），唐玄宗来到骊山温泉。

6 吐蕃军队包围了松州。

7 丁卯（二十日），唐玄宗一行回到宫中。

8 辛未（二十四日），唐玄宗任命尚书右丞倪若水为汴州刺史兼河南采访使。

虽然唐玄宗极为重视都督、刺史，每次都要选拔德才兼备的京官担任这些职务，但当时的士大夫却还是看不起朝外官。扬州采访使班景倩入朝担任大理少卿，途中路过大梁，倪若水为他饯行，分手后站在原地遥望他的车队所扬起的尘土，许久之后才返回衙门，并对他属下的官员说："班生此次入朝为官，真是无异于登仙哪！"

9 癸酉（二十六日），松州都督孙仁献向包围该城的吐蕃军队发动了一次出其不意的进攻，取得了重大的胜利。

10 唐玄宗曾派遣宦官到江南采捉鸡鹭、鸂鶒等水鸟，准备在自己的范围之中放养，使者所至之处，地方鸡犬不宁。在他们路过汴州时，倪若水进言道："眼下正是农忙时节，陛下为满足园林赏玩的需要，竟然不惜派人四处网罗捕捉飞禽。从江南、岭表之地捉来，再由水陆两路传送到京，路上还要最好的食物饲养它们。道路上的人们看到，岂不认为陛下把人看得轻贱把鸟看得贵重吗？陛下应当把凤凰当作普通的飞禽，把麒麟当作普通的走兽，何况是鸡鹭、鸂鶒这样的水鸟，又有什么可珍贵的呢？"唐玄宗亲手书写敕书向倪若水致谢，赏赐了他绢帛四十段，并下令将捉来的鸟全部放掉。

11　山东蝗复大起,姚崇又命捕之。倪若水谓:"蝗乃天灾,非人力所及,宜修德以禳之。刘聪时,常捕埋之,为害益甚。"拒御史,不从其命。崇牒若水曰:"刘聪伪主,德不胜妖;今日圣朝,妖不胜德。古之良守,蝗不入境。若其修德可免,彼岂无德致然?"若水乃不敢违。夏,五月甲辰,敕委使者详察州县捕蝗勤惰者,各以名闻。由是连岁蝗灾,不至大饥。

12　或言于上曰:"今岁选叙大滥,县令非才。"及入谢,上悉召县令于宣政殿庭,试以理人策。惟鄄城令韦济词理第一,擢为醴泉令。馀二百馀人不入第,且令之官;四十五人放归学问。吏部侍郎卢从愿左迁豫州刺史,李朝隐左迁滑州刺史。从愿典选六年,与朝隐皆名称职。初,高宗之世,马载、裴行俭在吏部最有名,时人称吏部前有马、裴,后有卢、李。济,嗣立之子也。

13　有胡人上言海南多珠翠奇宝,可往营致,因言市舶之利;又欲往师子国求灵药及善医之妪,寘之宫掖。上命监察御史杨范臣与胡人偕往求之,范臣从容奏曰:"陛下前年焚珠玉、锦绣,示不复用。今所求者何以异于所焚者乎?彼市舶与商贾争利,殆非王者之体。胡药之性,中国多不能知,况于胡姬,岂宜寘之宫掖?夫御史,天子耳目之官,必有军国大事,臣虽触冒炎瘴,死不敢辞。此特胡人眩惑求媚,无益圣德,窃恐非陛下之意,愿熟思之。"上遽自引咎,慰谕而罢之。

11　山东的蝗灾又起，姚崇又下令各州组织人力捕杀蝗虫。倪若水说："蝗虫肆虐乃是天灾，并非人力可以扭转的，朝廷应当通过修德行善来免除蝗灾。十六国时期前赵的刘聪就曾常常捕杀埋掉蝗虫，但蝗虫所造成的灾害却反而更为严重。"倪若水还拒绝执行前来督察捕蝗工作的监察御史的命令。姚崇写信给他说："刘聪乃僭越称帝，因此德不胜妖；当今乃圣朝明君，所以妖不胜德。自古郡守贤良，蝗虫不入其境。倘若修德可以免除蝗灾，那么是否可以说汴州的蝗灾是因为您的无德所致呢？"倪若水这才不敢坚持违抗捕杀蝗虫的命令。夏季，五月甲辰（二十九日），唐玄宗颁布敕命，委派使者分赴山东受灾各州仔细考察地方官捕杀蝗虫的情况，并将勤勉者和懒惰者的姓名记录下来回奏。也正是因为这样，连年发生的蝗灾才没有引起严重的饥荒。

12　有人对唐玄宗说："今年选官太滥，所任命的县令大多数不称职。"所以等到新任命的官员入朝拜谢的时候，玄宗召集所有的县令到宣政殿殿庭上，以治理百姓方面的策略来考试。其中只有鄄城县令韦济词理最佳，玄宗特意将他提升为醴泉县令。其他有两百多人没有达到要求，暂且还是上任了；又有四五十个人被放回家中继续学习。吏部侍郎卢从愿被降职为豫州刺史，李朝隐被降职为滑州刺史。卢从愿共主持选官事务达六年之久，与李朝隐一样是公认的称职官员。当初在高宗朝，马载和裴行俭二人在吏部最为有名，人们都说吏部前有马、裴，后有卢、李。韦济是韦嗣立的儿子。

13　有个胡人进言，说海南盛产珠翠奇宝，可以派人前往采购贩卖，并且趁机大讲海上贸易的利益；还建议去师子国寻访灵丹妙药和精于医术的女子带回宫中。唐玄宗命令监察御史杨范臣跟着这位胡人一起前去访求。杨范臣不慌不忙地向玄宗奏道："陛下前年焚毁了珠宝玉器和锦绣织物，表示再也不用这些东西。现在陛下想要的东西与前年焚毁的东西有什么区别呢？海上贸易与商贾之人争利，恐怕与帝王的体统极为不符。再说胡药的药性，又是我们中国人所无法了解的；况且胡人的女子，又怎么能安排在皇宫之内呢？作为监察御史，乃是天子的耳目，如果真是军国大事所需，即使是赴汤蹈火，臣万死不辞。而这不过是胡人扰乱视听的阿谀奉承之言，对陛下的圣德没有丝毫益处，臣担心这并非出自陛下的本意，还望陛下仔细斟酌。"唐玄宗急忙承认了自己的错误，对杨范臣好言劝慰，并取消了这一命令。

14　六月癸亥，上皇崩于百福殿。己巳，以上女万安公主为女官，欲以追福。

15　癸酉，拔曳固斩突厥可汗默啜首来献。时默啜北击拔曳固，大破之于独乐水，恃胜轻归，不复设备，遇拔曳固进卒颉质略，自柳林突出，斩之。时大武军子将郝灵荃奉使在突厥，颉质略以其首归之，与偕诣阙，悬其首于广街。拔曳固、回纥、同罗、霫、仆固五部皆来降，置于大武军北。

默啜之子小可汗立，骨咄禄之子阙特勒击杀之，及默啜诸子、亲信略尽。立其兄左贤王默棘连，是为毗伽可汗，国人谓之“小杀”。毗伽以国固让阙特勒，阙特勒不受，乃以为左贤王，专典兵马。

16　秋，七月壬辰，太常博士陈贞节、苏献以太庙七室已满，请迁中宗神主于别庙，奉睿宗神主祔太庙，从之。又奏迁昭成皇后祔睿宗室，肃明皇后留祀于仪坤庙。八月乙巳，立中宗庙于太庙之西。

17　辛未，契丹李失活、奚李大酺帅所部来降。制以失活为松漠郡王、行左金吾大将军兼松漠都督，因其八部落酋长，拜为刺史，又以将军薛泰督军镇抚之。大酺为饶乐郡王、行右金吾大将军兼饶乐都督。失活，尽忠之从父弟也。

18　吐蕃复请和，上许之。

19　突厥默啜既死，奚、契丹、拔曳固等诸部皆内附，突骑施苏禄复自立为可汗。突厥部落多离散，毗伽可汗患之，乃召默啜时牙官暾欲谷，以为谋主。暾欲谷年七十馀，多智略，国人信服之。突厥降户处河曲者，闻毗伽立，多复叛归之。

14 六月癸亥(十九日),太上皇唐睿宗在百福殿驾崩。己巳(二十五日),唐玄宗将自己的女儿万安公主度为女道士,以便为太上皇祈求冥福。

15 癸酉(二十九日),拔曳固部落将突厥可汗默啜斩首,并入朝来献默啜的首级。当时默啜率兵攻打北部的拔曳固部落,在独乐水将拔曳固的部众击溃,恃胜撤军,途中未加防范,在柳林遇到突然出现的拔曳固溃兵颉质略,被颉质略斩首。这时大武军子将郝灵荃正好奉命出使突厥,颉质略便将默啜的首级交给他,两人一起到朝中,朝廷将默啜的首级悬挂在宽阔的街上。拔曳固、回纥、同罗、霫、仆固五个部族的人众也都来归降,玄宗将他们统统安置在大武军以北地区。

默啜的儿子小可汗继立,默啜之兄骨咄禄的儿子阙特勒将其击杀,默啜其他的儿子和亲信也被诛戮殆尽。阙特勒将其兄左贤王默棘连立为可汗,这就是毗伽可汗,国人都称他为"小杀"。毗伽可汗坚决要求阙特勒作可汗,阙特勒没有接受,毗伽可汗便任命阙特勒为左贤王,专门统领突厥的军队。

16 秋季,七月壬辰(十八日),太常博士陈贞节、苏献认为太庙里的七座神主之位已满,请求将唐中宗的神主迁到另外的宗庙里去,尊奉睿宗皇帝的神主入太庙附祭,唐玄宗表示同意。陈贞节和苏献又上奏请求将玄宗生母昭成皇后的神主迁入太庙睿宗神位中祔祭,而将睿宗原配妃子肃明皇后的神主仍然留在仪坤庙受祀。八月乙巳(初二),在太庙西面设立了中宗庙。

17 辛未(二十八日),契丹族李失活和奚族酋长李大酺各率所部前来归顺。唐玄宗颁布制命,封李失活为松漠郡王、代理左金吾大将军兼松漠都督,任命他手下的八个部落酋长为刺史,又派将军薛泰在这一地区督军镇抚。李大酺同时受封为饶乐郡王、代理右金吾大将军兼饶乐都督。李失活是李尽忠的堂弟。

18 吐蕃请求两国和解,唐玄宗表示同意。

19 突厥可汗默啜被杀之后,奚、契丹、拔曳固等部落纷纷内附唐朝,突骑施酋长苏禄又自立为可汗。由于突厥各部落已四分五裂,毗伽可汗很是忧虑,便将默啜可汗在位时的牙官暾欲谷引用为谋主。暾欲谷已年逾七旬,足智多谋,深得各部落人众的信服。被安置在河曲之地的突厥降户,听说毗伽可汗自立以后,很大一部分人又背叛朝廷,归入毗伽可汗麾下。

并州长史王晙上言:"此属徒以其国丧乱,故相帅来降,若彼安宁,必复叛去。今置之河曲,此属桀黠,实难制御,往往不受军州约束,兴兵剽掠。闻其逃者已多与虏声问往来,通传委曲。乃是畜养此属使为间谍,日月滋久,奸诈逾深,窥伺边隙,将成大患。虏骑南牧,必为内应,来逼军州,表里受敌,虽有韩、彭,不能取胜矣。愿以秋、冬之交,大集兵众,谕以利害,给其资粮,徙之内地。二十年外,渐变旧俗,皆成劲兵,虽一时暂劳,然永久安靖。比者守边将吏及出境使人,多为谀辞,皆非事实,或云北虏破灭,或云降户妥帖,皆欲自炫其功,非能尽忠徇国。愿察斯利口,勿忘远虑。议者必曰:'国家向时已尝实降户于河曲,皆获安宁,今何所疑!'此则事同时异,不可不察。向者,颉利既亡,降者无复异心,故得久安无变。今北虏尚存,此属或畏其威,或怀其惠,或其亲属,岂乐南来?较之彼时,固不侔矣。以臣愚虑,徙之内地,上也;多屯士马,大为之备,华、夷相参,人劳费广,次也;正如今日,下也。愿审兹三策,择利而行,纵使因徙逃亡,得者皆为唐有。若留至河冰,恐必有变。"

并州长史王晙进言道:"这些胡人只不过是由于他们自己国家丧乱频仍的缘故,才一个接一个地归降朝廷,一旦他们国内趋于安定,必将再次反叛逃离。由于这些人非常凶暴狡诈,所以如果将他们安置在河曲一带,必然难以控制,他们往往不服从当地军、州等地方官府的约束,动辄举兵杀掠百姓。现在听说很多逃亡过来的胡人与其本部的胡人频繁往来,通风报信。如此蓄养众多充当间谍的胡人,时间越久,奸邪狡诈的行为越多,万一边疆防务有所疏漏,必然会带来极大的祸患。等到突厥军队南犯之时,这些人就会成为内应,前来逼迫军州,使军州内外受敌,那时就算有韩信、彭越这样的名将戍守,也万难取胜。希望陛下能在秋冬之交,大规模集结军队,向这些人晓以利害,供给他们一些钱财和口粮,将他们迁往内地。这样的话,经过二十年以后,他们旧有的习俗时尚就会逐渐改变,并且可以变成战斗力很强的军队;虽然需要暂时付出一些辛劳,却可以换来长期的安宁。近来的一些戍边将吏以及奉命出使的官员所说的大多是阿谀奉承之辞,并无多少事实根据,他们有的说北部胡人部落破灭殆尽,有的声称归降的人户奉公守法,都不过是想要吹嘘自己的功劳,并非出于尽忠为国。希望陛下详察那些动听的言辞背后的实际情况,不要忘记长远的考虑。或许有些人一定会说:'朝廷在贞观年间就曾经将归降的胡人安置在河曲之地,并且所有这些人都相安无事,现在对这种作法又有什么可怀疑的呢?'这里的原因在于事情虽然相同,但具体的形势却早已发生了变化,陛下对此不可不多加考虑。贞观时期颉利可汗灭亡之后,归降的胡人便无由再生异心,因而当地的局势得以长期稳定,没有非常之变发生。现在北方毗伽可汗尚存,在这些归降的胡人中间,有人害怕他的威势,有人不忘他的恩惠,有人是他的亲属,他们怎么可能心甘情愿地归降朝廷呢?所以现在的形势与太宗贞观时期根本无法相提并论。依臣愚见,将他们迁徙到内地去,乃是上策;在此地多驻军队,严密监视防备他们,使汉人和胡人彼此杂居,虽然百姓疲敝、耗资巨大,却也仍不失为中策;象现在这样将他们安置在河曲之地,乃是下策。希望陛下审慎地比较这上中下三策,选择最为有利的计策去执行,纵使这些人中有人因不愿迁徙而逃亡,但服从迁徙命令的人毕竟可以成为我大唐的子民。倘若迁延不决,拖到黄河结冰的季节,臣担心会发生非常之变。"

疏奏,未报。降户跌跌思泰、阿悉烂等果叛。冬,十月甲辰,命朔方大总管薛讷发兵追讨之。王晙引并州兵西济河,昼夜兼行,追击叛者,破之,斩获三千级。

先是,单于副都护张知运悉收降户兵仗,令渡河而南,降户怨怒。御史中丞姜晦为巡边使,降户诉无弓矢,不得射猎,晦悉还之。降户得之,遂叛。张知运不设备,与之战于青刚岭,为虏所擒,欲送突厥。至绥州境,将军郭知运以朔方兵邀击之,大破其众于黑山呼延谷,虏释张知运而去。上以张知运丧师,斩之以徇。

毗伽可汗既得思泰等,欲南入为寇。暾欲谷曰:“唐主英武,民和年丰,未有间隙,不可动也。我众新集,力尚疲赢,且当息养数年,始可观变而举。”毗伽又欲筑城,并立寺观,暾欲谷曰:“不可。突厥人徒稀少,不及唐家百分之一,所以能与为敌者,正以逐水草,居处无常,射猎为业,人皆习武,强则进兵抄掠,弱则窜伏山林,唐兵虽多,无所施用。若筑城而居,变更旧俗,一朝失利,必为所灭。释、老之法,教人仁弱,非用武争胜之术,不可崇也。”毗伽乃止。

20　庚午,葬大圣皇帝于桥陵,庙号睿宗。御史大夫李杰护桥陵作,判官王旭犯赃,杰按之,反为所构,左迁衢州刺史。

这篇奏疏呈上之后,尚未等到玄宗作出答复,归降的胡人跌跌思泰、阿悉烂等人果然发动了叛乱。冬季,十月甲辰(初二),唐玄宗命令朔方道大总管薛讷调集军队追击征讨叛逃的胡人。王晙也率领并州的官军西渡黄河,昼夜兼程,追击叛逃的胡人并打败了他们,共斩敌首三千级。

在此之前,单于副都护张知运收缴了归降胡人的所有兵器,命令他们南渡黄河,胡人对此非常不满。御史中丞姜晦正好担任巡边使职务,胡人便向他诉说因没有弓箭而无法狩猎,姜晦便下令将所有收缴的武器尽数归还。胡人收回了武器之后便发动了叛乱。张知运事先没有防备,与叛军在青刚岭仓猝交战,兵败被俘,叛军打算将他交给突厥。胡人行至绥州境内时,将军郭知运所率朔方军截击胡人,在黑山呼延谷大破胡人,胡人丢下张知运,仓皇而逃。唐玄宗认为张知运损兵折将,便下令将他斩首以号令全军。

突厥毗伽可汗收编了跌跌思泰等人的部众之后,便打算南侵唐朝。暾欲谷谏阻道:"当今唐朝皇帝英明勇武,百姓和睦,粮食收成也很好,尚未出现任何破绽,我们不能轻举妄动。再说我们的部众兵马刚刚聚集到一起,国力还很衰弱,暂且需要用几年的时间休养生息,方可观看唐国的变化,伺机举兵南进。"毗伽可汗又想修筑城池,并且还要建造佛寺道观,暾欲谷又谏阻道:"不可如此行事。突厥人口稀少,比不上唐国的百分之一,我们之所以能够与他们抗衡,正是由于我们长年逐水草而居,没有固定的居住地点,部众均以射猎为职业,人人都谙习武艺,势力强了就发兵南下抢掠财物,势力弱了就逃窜到山林之中,所以唐兵虽然多于我们,却无用武之地。倘若我们变更固有的习俗,筑城而居,那么万一战场失利,整个国家就会被唐国所灭亡。况且佛道教义,都是主张让人仁德柔弱,并非教人以武力争胜于天下,因此不能推崇它们。"毗伽这才打消了这个念头。

20 庚午(二十八日),将大圣皇帝安葬在桥陵,庙号为睿宗。御史大夫李杰总领桥陵的修建工程,判官王旭贪污工程费用,李杰便着手调查此案,反被王旭所诬陷,被玄宗降职为衢州刺史。

21　十一月己卯，黄门监卢怀慎疾亟，上表荐宋璟、李杰、李朝隐、卢从愿并明时重器，所坐者小，所弃者大，望垂矜录。上深纳之。乙未，薨。家无馀蓄，惟一老苍头，请自鬻以办丧事。

22　丙申，以尚书左丞源乾曜为黄门侍郎、同平章事。

姚崇无居第，寓居罔极寺，以病痁谒告，上遣使问饮食起居状，日数十辈。源乾曜奏事或称旨，上辄曰："此必姚崇之谋也。"或不称旨，辄曰："何不与姚崇议之?"乾曜常谢实然。每有大事，上常令乾曜就寺问崇。癸卯，乾曜请迁崇于四方馆，仍听家人入侍疾，上许之。崇以四方馆有簿书，非病者所宜处，固辞。上曰："设四方馆，为官吏也。使卿居之，为社稷也。恨不可使卿居禁中耳，此何足辞?"

崇子光禄少卿彝、宗正少卿异，广通宾客，颇受馈遗，为时所讥。主书赵诲为崇所亲信，受胡人赂，事觉，上亲鞫问，下狱当死，崇复营救，上由是不悦。会曲赦京城，敕特标诲名，杖之一百，流岭南。崇由是忧惧，数请避相位，荐广州都督宋璟自代。

十二月，上将幸东都，以璟为刑部尚书、西京留守，令驰驿诣阙，遣内侍、将军杨思勖迎之。璟风度凝远，人莫测其际，在涂竟不与思勖交言。思勖素贵幸，归，诉于上，上嗟叹良久，益重璟。

21　十一月己卯(初七),黄门监卢怀慎突然生病,向玄宗上表推荐宋璟、李杰、李朝隐、卢从愿四人,称赞这四个人都是太平盛世不可多得的杰出人才,认为他们的过错很少,但玄宗贬黜他们,朝政所失去的却很多,恳求玄宗对他们宽恕重用。唐玄宗很同意这一建议并予以采纳。乙未(二十三日),卢怀慎去世,家中没有任何馀财,只有一位老仆,请求将自己卖掉换钱为他发丧。

22　丙申(二十四日),唐玄宗任命尚书左丞源乾曜为黄门侍郎、同平章事。

姚崇自己没有住宅,寓居在罔极寺中,因身患疟疾而向玄宗请假,唐玄宗屡次派使者前往询问他的日常饮食起居状况,每日竟达数十次之多。源乾曜在上奏言事时,每当他的回答符合玄宗旨意时,玄宗就会说:“这一定是姚崇的主意。”如果有时回答得不符合玄宗的旨意,玄宗就会说:“你为什么不事先与姚崇商量一下呢?”源乾曜也常常向玄宗道歉,承认确实是如此。朝中一有大事,玄宗就要让源乾曜到罔极寺询问姚崇该如何处理。癸卯,源乾曜请求将姚崇从罔极寺搬到四方馆,并且仍然恩准其家属入馆侍奉照料他的病情,玄宗答应了这个要求。姚崇认为四方馆内存有官署的文书,不是病人应当居住的地方,因此坚决不肯搬来住。唐玄宗对他说:“设置四方馆本来就是为官员服务的;朕安排您住进来,为的是江山社稷的长治久安。朕恨不得请您住到宫里,对此您还有什么可推辞的呢?”

姚崇的两个儿子光禄少卿姚彝和宗正少卿姚异,平日广交宾客,收受了许多贿赂,受到当时人们的非议。主书赵诲是姚崇的亲信,接受胡人的贿赂被人发觉,玄宗亲自审讯,应当处以死刑,姚崇又出面营救,唐玄宗从此对姚崇有所不满。恰巧赶上因特殊情况赦免京城在押罪犯,唐玄宗在赦免敕书中专门标出赵诲的名字,另处以杖刑一百,并流放岭南。姚崇因此而感到担心和恐惧,便屡次请求免去自己的宰相职位,推荐广州都督宋璟代替自己为相。

十二月,唐玄宗一行将要到东都洛阳,任命宋璟为刑部尚书、西京留守,命令他日夜兼程赶赴京城,并派内侍、将军杨思勖前去迎接。宋璟风度凝重深沉,令人难测,在赴京途中居然没有与杨思勖交谈。杨思勖一向深得玄宗宠幸,回京后便向玄宗诉说,唐玄宗慨叹了好长时间,越发敬重宋璟。

23 丙辰,上幸骊山温汤。乙丑,还宫。

24 闰月己亥,姚崇罢为开府仪同三司,源乾曜罢为京兆尹、西京留守。以刑部尚书宋璟守吏部尚书兼黄门监,紫微侍郎苏颋同平章事。

璟为相,务在择人,随材授任,使百官各称其职。刑赏无私,敢犯颜直谏。上甚敬惮之,虽不合意,亦曲从之。

突厥默啜自则天世为中国患,朝廷旰食,倾天下之力不能克。郝灵荃得其首,自谓不世之功。璟以天子好武功,恐好事者竞生心徼幸,痛抑其赏,逾年始授郎将。灵荃恸哭而死。

璟与苏颋相得甚厚,颋遇事多让于璟,璟每论事则颋为之助。璟尝谓人曰:"吾与苏氏父子皆同居相府,仆射宽厚,诚为国器,然献可替否,吏事精敏,则黄门过其父矣。"

姚、宋相继为相,崇善应变成务,璟善守法持正,二人志操不同,然协心辅佐,使赋役宽平,刑罚清省,百姓富庶。唐世贤相,前称房、杜,后称姚、宋,他人莫得比焉。二人每进见,上辄为之起,去则临轩送之。及李林甫为相,虽宠任过于姚、宋,然礼遇殊卑薄矣。紫微舍人高仲舒博通典籍,齐澣练习时务,姚、宋每坐二人以质所疑,既而叹曰:"欲知古,问高君,欲知今,问齐君,可以无阙政矣。"

23　丙辰(十四日),唐玄宗来到骊山温泉;乙丑(二十三日),唐玄宗一行回到宫中。

24　闰十二月己亥(二十八日),姚崇被罢免为开府仪同三司;源乾曜被罢免为京兆尹、西京留守。唐玄宗让刑部尚书宋璟暂时担任吏部尚书职务,同时兼任黄门监,还任命紫微侍郎苏颋为同平章事。

宋璟作宰相时,致力于选拔贤才,根据才能的不同授予相应的官职,使文武百官人人称职。宋璟行赏施罚不徇私情,对皇帝也敢于犯颜直谏。玄宗对他也十分敬畏,故而在奏对不合己意的时候,也往往宁肯自己委屈也要采纳他的意见。

突厥可汗默啜自武则天时期开始,始终对唐朝构成极大威胁,朝廷为此废寝忘食,动员了全国的人力物力来对付他,却始终不能高枕无忧。这次大武军小将郝灵荃侥幸得到了默啜的首级,便自认为立下了盖世奇功。宋璟担心天子看重立有战功的人会使得好事之徒存侥幸之心刻意邀功,便痛下决心,力阻对郝灵荃的封赏,事过一年才给了他一个郎将的资格。郝灵荃极度伤心,痛哭而死。

宋璟与苏颋合作得很好,朝廷每遇大事,苏颋多让宋璟拿主意,宋璟每提出什么意见,苏颋也尽力为他多方襄助。宋璟曾对人说:"我与苏颋父子都曾同殿任相,苏仆射为人宽厚,实在是不可多得的人才,但在具体意见的提出以及对朝廷日常事务的精敏程度方面,苏颋则明显超过了他的父亲。"

姚崇和宋璟相继为相,姚崇擅长于应付突然事变,圆满完成任务,宋璟则擅长于主持公道,不偏不倚地严格执法;两个人的志向操守有所不同,却都能竭忠尽智地辅佐玄宗,使得这一时期的赋役宽平,刑罚清省,百姓富庶,安居乐业。在唐一代的贤相中,前有贞观朝的房玄龄和杜如晦,后有开元朝的姚崇和宋璟,其他的人,则无法与此四人相提并论。姚崇与宋璟进见时,唐玄宗常常要站起来迎接,他们离开时,唐玄宗便要在殿前相送。等到李林甫作宰相时,虽然在官位和恩宠方面超过了姚崇和宋璟,但他所受到的礼遇就很卑薄了。这一时期的紫微舍人高仲舒博通典籍,齐澣则通达时务,姚崇和宋璟每有疑难问题,都要向高仲舒和齐澣征求意见,得到满意的答复之后感叹道:"想了解往古之制,可以向高君请教,想知道当今之事,可以向齐君请教。只要做到这两点,就不会作出错误的决策了!"

25 辛丑,罢十道按察使。

26 旧制,六品以下官皆委尚书省奏拟,是岁,始制员外郎、御史、起居、遗、补不拟。

五年(丁巳,717)

1 春,正月癸卯,太庙四室坏,上素服避正殿。时上将幸东都,以问宋璟、苏颋,对曰:"陛下三年之制未终,遽尔行幸,恐未契天心,灾异为戒,愿且停车驾。"又问姚崇,对曰:"太庙屋材,皆苻坚时物,岁久朽腐而坏,适与行期相会,何足异也?且王者以四海为家,陛下以关中不稔幸东都,百司供拟已备,不可失信,但应迁神主于太极殿,更修太庙,如期自行耳。"上大喜,从之,赐崇绢二百匹。己酉,上行享礼于太极殿,命姚崇五日一朝,仍入阁供奉,恩礼更厚,有大政辄访焉。右散骑常侍褚无量上言:"隋文帝富有天下,迁都之日,岂取苻氏旧材以立太庙乎?此特诱臣之言耳。愿陛下克谨天戒,讷忠谏,远谄谀。"上弗听。

辛亥,行幸东都。过崤谷,道隘不治。上欲免河南尹及知顿使官,宋璟谏曰:"陛下方事巡幸,今以此罪二臣,臣恐将来民受其弊。"上遽命释之。璟曰:"陛下罪之,以臣言而免之,是臣代陛下受德也,请令待罪朝堂而后赦之。"上从之。

25　辛丑(三十日),唐玄宗下诏废弃十道按察使。

26　朝廷旧制规定:六品以下职事官的任命,均由尚书省拟出具体意见上奏皇帝,从这一年开始,玄宗下令将从六品以下的员外郎、侍御史、起居郎、拾遗、补阙等品级低下、职任重要的官吏的任免权收归由皇帝负责,不再由尚书省奏拟。

唐玄宗开元五年(丁巳,公元717年)

1　春季,正月癸卯(初二),太庙中有四室倒塌,唐玄宗为此身着丧服,离开正殿,到别的殿堂上办公。当时玄宗正准备到东都洛阳去,便向宋璟和苏颋征求意见,两人回答说:"陛下的三年之丧尚未守完,就急忙前往东都,恐怕与天意不符,因此上天才用灾异来示警;希望陛下取消巡幸东都的计划。"玄宗听后又去征求姚崇的意见,姚崇回答道:"太庙的木材,还都是三百多年以前前秦皇帝苻坚时候的旧物,只不过是因年代久远而腐朽倒塌,碰巧与陛下的行期偶合罢了,这有什么好奇怪的呢?再说王者以四海为家,陛下因关中粮食歉收之故而到东都去,有关部门已经作好了一切准备,陛下不能失信;不过倒是应当将祖宗神主迁到太极殿中,并且重修太庙,车驾还是要如期东行。"玄宗听了十分高兴,便采纳了姚崇的意见,并赏赐了他绢帛二百匹。己酉(初八),唐玄宗在太极殿行祭祀大礼,并下令姚崇五日朝见一次,仍然像以往一样入内殿供奉,对姚崇礼遇也更加隆重,每遇朝廷大政便专门向他征询。右散骑常侍褚无量进言道:"隋文帝富有天下,当初迁都时难道要用几百年前苻坚的旧材修建太庙吗?这种说法不过是阿谀奉承之臣的托词罢了。希望陛下能够以上天的训诫为重,采纳忠臣的谏言,疏远谄谀之臣。"玄宗没有理会他的意见。

辛亥(初十),玄宗一行启程前往东都,车驾经过崤谷时,发现沿途道路关隘没有得到很好的维护,玄宗便要撤销河南尹和知顿使的职务。宋璟谏道:"陛下正在巡幸途中,如果只凭这点失误就罢免这两位官员,臣担心将来百姓会因此受到更严厉的盘剥。"玄宗听了马上下令将他们放掉。宋璟又说道:"陛下责备了他们,又因臣一句话而免除了对他们的处罚,这是让臣代替陛下领受他们的感激之情;臣希望陛下让他们在朝堂听候治罪,然后再行赦免。"玄宗对此表示同意。

二月甲戌,至东都,赦天下。

2 奚、契丹既内附,贝州刺史宋庆礼建议,请复营州。三月庚戌,制复置营州都督于柳城,兼平卢军使,管内州县镇戍皆如其旧。以太子詹事姜师度为营田、支度使,与庆礼等筑之,三旬而毕。庆礼清勤严肃,开屯田八十馀所,招安流散,数年之间,仓廪充实,市里浸繁。

3 夏,四月甲戌,赐奚王李大酺妃辛氏号固安公主。

4 己丑,皇子嗣一卒,追立为夏王,谥曰悼。嗣一母武惠妃,攸止之女也。

5 突骑施酋长左羽林大将军苏禄部众浸强,虽职贡不乏,阴有窥边之志。五月,十姓可汗阿史那献欲发葛逻禄兵击之,上不许。

6 初,上微时,与太常卿姜皎亲善,及诛窦怀贞等,皎预有功,由是宠遇群臣莫及,常出入卧内,与后妃连榻宴饮,赏赐不可胜纪。弟晦,亦以皎故累迁吏部侍郎。宋璟言皎兄弟权宠太盛,非所以安之,上亦以为然。秋,七月庚子,以晦为宗正卿,因下制曰:"西汉诸将,以权贵不全;南阳故人,以优闲自保。皎宜放归田园,散官、勋、封皆如故。"

7 壬寅,陇右节度使郭知运大破吐蕃于九曲。

8 安西副大都护汤嘉惠奏突骑施引大食、吐蕃,谋取四镇,围钵换及大石城,已发三姓葛逻禄兵与阿史那献击之。

二月甲戌(初三),玄宗一行抵达东都,下诏大赦天下。

2　奚、契丹二族内附朝廷之后,贝州刺史宋庆礼建议玄宗重设营州。三月庚戌(初十),唐玄宗颁布制命,重新在柳城设置营州都督,兼平卢军使,境内所辖州县镇戍均与过去相同。又指派太子詹事姜师度为营田、支度使,与宋庆礼等共同负责修筑营州城,经三旬竣工。宋庆礼为官严肃,清正勤勉,共开屯田八十多处,招抚安置境内流民,仅几年时间,就使府库储备充实,市镇里巷逐渐增多。

3　夏季,四月甲戌(初五),唐玄宗将奚王李大酺之妃辛氏赐号为固安公主。

4　己丑(二十日),玄宗之子李嗣一去世,玄宗下诏追立其为夏王,赠谥号为悼。李嗣一之母武惠妃是武攸止的女儿。

5　突骑施酋长左羽林大将军苏禄的部众日益强大,虽然对朝廷的职方贡物并无怠慢之处,但内心里已经萌发了犯边入侵的志向。五月,十姓可汗阿史那献请求调集葛逻禄部落的军队铲除苏禄,唐玄宗没有允许。

6　当初,唐玄宗地位尚低,就与太常卿姜皎过从甚密,等到诛杀窦怀贞等人时,姜皎也曾立有功勋,因此所受到的恩宠礼遇超过群臣,他可以常常出入玄宗的卧室,与后妃也可以同席聚会饮酒,所受到的赏赐数不胜数。姜皎的弟弟姜晦,也因姜皎的缘故而得以逐渐升为吏部侍郎。宋璟认为姜皎兄弟的权势太大,长此以往难以保全福寿,玄宗也认为这种说法很有道理。秋季,七月庚子(初三),唐玄宗任命姜晦为宗正卿,并颁布制命说:"西汉高祖时的开国将领,皆因权势太重而无法保全身家性命;东汉光武帝时的南阳故友,则因悠闲无事而长保福禄。姜皎也应放弃实权,回到自家的田园中去,他原有的散官、勋官和封号均保持不变。"

7　壬寅(初五),唐陇右节度使郭知运在九曲之地大败吐蕃军队。

8　唐安西都护府副大都护汤嘉惠上奏玄宗,声称突骑施勾结大食、吐蕃三国,策划袭取安西四镇,并包围了钵换和大石城,现已调集三姓葛逻禄的军队与十姓可汗阿史那献一同抗击来犯之敌。

9　并州长史张嘉贞上言:"突厥九姓新降者,散居太原以北,请宿重兵以镇之。"辛酉,置天兵军于并州,集兵八万,以嘉贞为天兵军大使。

10　太常少卿王仁惠奏则天立明堂不合古制。又,明堂尚质,而穷极奢侈,密迩宫掖,人神杂扰。甲子,制复以明堂为乾元殿,冬至、元日受朝贺,季秋大享,复就圜丘。

11　九月,中书、门下省及侍中皆复旧名。

12　贞观之制,中书、门下及三品官入奏事,必使谏官、史官随之,有失则匡正,美恶必记之。诸司皆于正牙奏事,御史弹百官,服豸冠,对仗读弹文,故大臣不得专君而小臣不得为谗慝。及许敬宗、李义府用事,政多私僻,奏事官多俟仗下,于御坐前屏左右密奏,监奏御史及待制官远立以俟其退,谏官、御史皆随仗出,仗下后事,不复预闻。武后以法制群下,谏官、御史得以风闻言事,自御史大夫至监察得互相弹劾,率以险诐相倾覆。及宋璟为相,欲复贞观之政,戊申,制:"自今事非的须秘密者,皆令对仗奏闻,史官自依故事。"

13　冬,十月癸酉,伊阙人孙平子上言:"《春秋》讥鲁跻僖公。今迁中宗于别庙而祀睿宗,正与鲁同。兄臣于弟,犹不可跻,况弟臣于兄,可跻之于兄上乎?若以兄弟同昭,则不应出兄置于别庙。愿下群臣博议,迁中宗入庙。"事下礼官,

9　并州长史张嘉贞进言道:"新近归降的突厥九姓部众,均散居在太原以北地区,请朝廷在这一带驻扎重兵以便震慑他们。"辛酉(二十四日),玄宗下令在并州增置天兵军,共集结了八万人马;任命张嘉贞为天兵军大使。

10　太常寺少卿王仁惠奏称武则天所立明堂不符合古制,还说明堂所崇尚的是古朴典雅,现在却穷奢极欲,而且靠近宫殿,神明与俗人互相叨扰。甲子(二十七日),玄宗颁布制命,又将明堂改为乾元殿,皇帝每年冬至和正月初一在此接受群臣朝贺,每年农历九月隆重的祭祀大典再到圜丘举行。

11　九月,玄宗决定重新恢复中书省、门下省及门下省侍中的名称。

12　贞观时期曾规定:中书省、门下省以及三品官入奏言事,须有谏官、史官随同,如有过失则及时匡正,无论善恶均记录在册。诸司奏事时均在正衙,御史弹劾百官时,必须头戴獬豸冠。对着皇帝的仪仗朗读弹劾的奏表;所以大臣无法蒙蔽君主,小臣也无从进谗行恶。到了许敬宗、李义府执政时期,朝廷大政多出自私门,官员奏事大多是在仪仗撤下后,屏退左右,在皇帝御坐之前秘密进行的,监察御史和待制官只是远远侍立以等候奏事的大臣退下;谏官和御史也是随皇帝仪仗一同退出的,至于仪仗撤下以后所发生的事,则无从得知。武则天以严法控制臣下,谏官和御史可以仅凭风闻之事弹劾大臣,自御史大夫至监察御史之间也可以互相弹劾,致使臣下大多以邪谄不正之辞彼此倾轧。宋璟作宰相以后,想恢复贞观时期所奉行的制度,戊申(十二日),唐玄宗发布制命:"从今以后,凡事如果不是必须密奏的,一律对仗奏闻,史官也要按贞观之制的规定加以记录。"

13　冬季,十月癸酉(初七),伊阙人孙平子进言道:"《春秋》曾指责鲁文公将其父鲁僖公之位升到闵公之上为非礼。现在陛下为了在太庙中供奉睿宗而将中宗神主迁入别庙,实际上与鲁国的情形完全相同。即使哥哥作弟弟的臣子尚且不能如此,何况睿宗曾作过中宗的臣子,又怎么可以位居中宗之上呢? 如果说这是因为中宗、睿宗兄弟二人均属昭位的缘故,那么也不应将兄长的神位迁到别庙里供奉。希望陛下能够将这个问题交由群臣广泛讨论,将中宗的神主迁回太庙。"玄宗将这个议题交给执掌礼仪的官员详议,

太常博士陈贞节、冯宗、苏献议，以为："七代之庙，不数兄弟。殷代或兄弟四人相继为君，若数以为代，则无祖祢之祭矣。今睿宗之室当亚高宗，故为中宗特立别庙。中宗既升新庙，睿宗乃祔高宗，何尝跻居中宗之上？而平子引跻僖公为证，诬罔圣朝，渐不可长。"时论多是平子，上亦以为然，故议久不决。苏献，颋之从祖兄也，故颋右之，卒从礼官议。平子论之不已，谪为康州都城尉。

14 新庙成。戊寅，神主祔庙。

15 上命宋璟、苏颋为诸皇子制名及国邑之号，又令别制一佳名及佳号进之。璟等上言："七子均养，著于《国风》。今臣等所制名号各三十馀，辄混同以进，以彰陛下覆焘无偏之德。"上甚善之。

16 十一月丙申，契丹王李失活入朝。十二月壬午，以东平王外孙杨氏为永乐公主，妻之。

17 秘书监马怀素奏："省中书散乱讹缺，请选学术之士二十人整比校补。"从之。于是搜访逸书，选吏缮写，命国子博士尹知章、桑泉尉韦述等二十人同刊正，以左散骑常侍褚无量为之使，于乾元殿前编校群书。

太常博士陈贞节、冯宗、苏献经过商议之后认为："在共有七个神位的太庙之中，不是以兄弟来计算的。商朝有时是兄弟四人相继为君，如果每个人的神主都在太庙里供奉，也就没有祖父之位和父亲之位的区别了。现在睿宗神位应当比高宗之位低一代，所以为中宗神位特立别庙供奉。睿宗神位是在中宗神位升入新庙之后才迁入太庙的，哪里是升为中宗之上呢？孙平子竟然以春秋时期鲁僖公之位居于闵公之上为借口，诬罔圣朝，此风不可不刹。"当时人们的意见大多倾向于孙平子，玄宗也是这样看的，所以与此有关的争论迁延不决。苏献是宰相苏颋的从祖兄，所以苏颋拥护苏献等人的意见，最终玄宗还是采纳了苏献等礼官的意见。孙平子老是提出这个问题，终于被贬为康州都城尉。

14　新的太庙落成。戊寅（十二日），将祖宗神位迁入太庙受享。

15　唐玄宗让宋璟和苏颋为各位皇子及其所受封的国邑创制名号，又让他们二人另外再取一个佳名和佳号进献。宋颋等人说："对所生七子平等供养，是见于《国风》的善行。现在臣等所创制的名号各有三十多个，一概混同进献，以彰明陛下对诸子不偏不倚，一视同仁的美德。"玄宗认为这样做很好。

16　十一月丙申，契丹王李失活入朝谒见玄宗。十二月壬午（十七日），玄宗封东平王李续的外孙女杨氏为永乐公主，并将她许配给李失活为妻。

17　秘书监马怀素向玄宗上奏道："三省所藏文献典籍散乱讹误的现象十分严重，希望陛下挑选二十位精于学术的士人加以整理、排比、校正、补遗。"玄宗表示同意。于是下令搜求寻访散佚的文献典籍，并挑选书吏一一缮写，然后由国子博士尹知章、桑泉尉韦述等二十人共同校正刊误，并任命了左散骑常侍褚无量主持此事。此次大规模编辑校订古书活动的办公地点位于乾元殿殿前。

卷第二百一十二　唐纪二十八

起戊午(718)尽乙丑(725)凡八年

玄宗至道大圣大明孝皇帝上之下

开元六年(戊午,718)

1　春,正月辛丑,突厥毗伽可汗来请和,许之。

2　广州吏民为宋璟立遗爱碑。璟上言:"臣在州无他异迹,今以臣光宠,成彼谄谀。欲革此风,望自臣始,请敕下禁止。"上从之。于是他州皆不敢立。

3　辛酉,敕禁恶钱,重二铢四分以上乃得行。敛人间恶钱熔之,更铸如式钱。于是京城纷然,卖买殆绝。宋璟、苏颋请出太府钱二万缗置南北市,以平价买百姓不售之物可充官用者,及听两京百官豫假俸钱,庶使良钱流布人间,从之。

4　二月戊子,移蔚州横野军于山北,屯兵三万,为九姓之援。以拔曳固都督颉质略、同罗都督毗伽末啜、霫都督比言、回纥都督夷健颉利发、仆固都督曳勒歌等各出骑兵为前、后、左、右军讨击大使,皆受天兵军节度。有所讨捕,量宜追集,无事各归部落营生,仍常加存抚。

5　三月乙巳,征嵩山处士卢鸿入见,拜谏议大夫,鸿固辞。

玄宗至道大圣大明孝皇帝上之下

唐玄宗开元六年(戊午,公元718年)

1 春季,正月辛丑(初六),突厥毗伽可汗前来请求和解;玄宗表示同意。

2 广州地区的吏民为宋璟修建遗爱碑。宋璟对玄宗说:"臣任广州都督期间并无优异的政绩,那些人不过是认为臣现在地位显耀,所以才如此献媚。要革除这种恶劣的风气,希望从臣这件事开始,请陛下降敕禁止。"玄宗采纳了他的建议。所以其他各州也不敢再为宰相树碑立传。

3 辛酉(二十六日),玄宗颁布敕命禁止质料低劣的私家铸钱的流通,规定只有重量在二铢四分以上的制钱才可以流通使用。又下令收缴民间的私钱,经熔炼之后重新铸成质地精良的制钱。这项措施引起京师人心浮动,致使各项交易几乎停止。宋璟、苏颋请求太府拿出两万缗钱来设南北两市,用于收购那些可充官府之用的滞销物品,同时允许东西两京文武百官预支官俸,以便使官府的制钱能够流通到民间去,唐玄宗采纳了他们的建议。

4 二月戊子(二十三日),玄宗下令将蔚州横野军移往山北驻扎,在此屯兵三万作为突厥九姓的后援。任命拔曳固都督颉质略、同罗都督毗伽末啜、霫都督比言、回纥都督蛮族勇士颉利发、仆固都督曳勒歌等各率所部为前、后、左、右军讨击大使,均隶属于天兵军。遇有征讨追捕之事时,则根据需要征调集结;平安无事时,则散回各部落从事生产。官府对他们也常加安抚。

5 三月乙巳(初十),唐玄宗征召嵩山处士卢鸿入朝并任命其为谏议大夫;卢鸿坚决推辞。

6　天兵军使张嘉贞入朝，有告其在军奢僭及赃贿者，按验无状。上欲反坐告者，嘉贞奏曰："今若罪之，恐塞言路，使天下之事无由上达，愿特赦之。"其人遂得减死。上由是以嘉贞为忠，有大用之意。

7　有荐山人范知璿文学者，并献其所为文。宋璟判之曰："观其《良宰论》，颇涉佞谀。山人当极言谠议，岂宜偷合苟容？文章若高，自宜从选举求试，不可别奏。"

8　夏，四月戊子，河南参军郑铣、朱阳丞郭仙舟投匦献诗，敕曰："观其文理，乃崇道法，至于时用，不切事情。宜各从所好。"并罢官，度为道士。

9　五月辛亥，以突骑施都督苏禄为左羽林大将军、顺国公，充金方道经略大使。

10　契丹王李失活卒，癸巳，以其弟娑固代之。

11　秋，八月，颁乡饮酒礼于州县，令每岁十二月行之。

12　唐初，州县官俸，皆令富户掌钱，出息以给之，息至倍称，多破产者。秘书少监崔沔上言，请计州县官所得俸，于百姓常赋之外，微有所加以给之。从之。

13　冬，十一月辛卯，车驾至西京。

14　戊辰，吐蕃奉表请和，乞舅甥亲署誓文，又令彼此宰相皆著名于其上。

15　宋璟奏："括州员外司马李邕、仪州司马郑勉，并有才略文词，但性多异端，好是非改变。若全引进，则咎悔必至，

6 天兵军大使张嘉贞入朝参见皇帝,有人告发他在军中有奢侈僭越以及贪污受贿的现象,但经过调查之后发现纯属捏造。玄宗打算将诬告者反坐治罪,张嘉贞向玄宗上奏道:"如果陛下现在将告发我的人治罪,恐怕会堵住向朝廷进言的渠道,使各地的下情无法上达,因此臣希望陛下对此人特予赦免。"这个人于是得以被免除死刑。玄宗也因此认为张嘉贞忠于王事,内心里打算重用他。

7 有人推荐隐士范知璿,说他精于文章之学,并且还进献了他所作的文章。宋璟对他的文章评论道:"从他所作的《良宰论》来看,此人颇有佞谀之嫌。隐士应当尽力说出公正无私的议论,怎么能苟且迎合以求容身呢?假如他的文章真是作的好,自然可以通过科举出仕,因此不可为他单独上奏。"

8 夏季,四月戊子(二十四日),河南府参军郑铣、朱阳丞郭仙舟投匦献诗,玄宗颁布敕命道:"从他们所献诗文的文理来看,可知其推崇道家的法度;但是却不切实际,没有可用之处。应当让他们各从所好。"于是将二人一起免官,度为道士。

9 五月辛亥(十八日),唐玄宗任命突骑施都督苏禄为左羽林大将军、封为顺国公,派他出任金方道经略大使之职。

10 契丹王李失活去世,癸巳,唐玄宗指定他的弟弟娑固继任为契丹王。

11 秋季,八月,玄宗下令在地方各州县颁布乡饮酒礼,决定在每年的十二月份举行。

12 唐初州县官的官俸,都是由当地富户掌握本金用利息支付,由于利息高出一倍,故而有很多人倾家荡产。秘书少监崔沔建议根据州县官吏应得俸禄的总数,在百姓正常赋税之外稍微多缴一些,以此来支付州县官的俸禄。玄宗采纳了他的建议。

13 冬季,十一月辛卯(初一),唐玄宗抵达西京长安。

14 戊辰,吐蕃赞普进表求和,希望两国君主亲自签署誓文,并且要求两国宰相也在誓文上签名。

15 宋璟上奏道:"括州员外司马李邕和仪州司马郑勉富于文采,均有才能和谋略,但两人思想中又多异端邪念,好对现存的观念评头品足。假如一概委以重任,就会使异端邪说接连而至,

若长弃捐,则才用可惜,请除渝、硖二州刺史。"又奏:"大理卿元行冲素称才行,初用之时,实允佥议,当事之后,颇非称职,请复以为左散骑常侍,以李朝隐代之。陆象先闲于政体,宽不容非,请以为河南尹。"从之。

七年(己未,719)

1 春,二月,俱密王那罗延、康王乌勒伽、安王笃萨波提皆上表言为大食所侵掠,乞兵救援。

2 敕太府及府县出粟十万石粜之,以敛人间恶钱,送少府销毁。

3 三月乙卯,以左武卫大将军、检校内外闲厩使、苑内营田使王毛仲行太仆卿。毛仲严察有干力,万骑功臣、闲厩官吏皆惮之,苑内所收常丰溢。上以为能,故有宠。虽有外第,常居闲厩侧内宅,上或时不见,则悄然若有所失。宦官杨思勖、高力士皆畏避之。

4 勃海王大祚荣卒。丙辰,命其子武艺袭位。

5 夏,四月壬午,开府仪同三司祁公王仁皎薨。其子驸马都尉守一请用窦孝谌例,筑坟高五丈二尺,上许之。宋璟、苏颋固争,以为:"准令,一品坟高一丈九尺,其陪陵者高出三丈而已。窦太尉坟,议者颇讥其高大,当时无人极言其失,岂可今日复踵而为之?昔太宗嫁女,资送过于长公主,魏徵进谏,太宗既用其言,文德皇后亦赏之,岂若韦庶人崇其父坟,号曰酆陵,

但若是对他们长期抛弃不用，又会埋没了人才。请陛下将他们分别任命为渝、硖二州刺史。"宋璟还上奏道："大理寺卿元行冲一向被认为才行俱佳，上任初期也确实深孚众望，但在具体处理了一些问题之后，却发现并非名实相副，请求陛下恢复其左散骑常侍之位，任命李朝隐代任大理寺卿之职。陆象先熟悉施政的要领，为政宽缓而嫉恶如仇，请陛下将他任命为河南尹。"唐玄宗对这些建议都一一采纳。

唐玄宗开元七年(己未,公元719年)

1 春季，二月，西域的俱密王那罗延、康王乌勒伽、安王笃萨波提均上表玄宗，告知受到大食军队的侵掠，请求唐朝派兵救援。

2 唐玄宗敕命太府拿出十万石粟出售，以便回笼民间私铸的铜钱，交少府监销毁。

3 三月乙卯(二十六日)，唐玄宗任命左武卫大将军、检校内外闲厩使、苑内营田使王毛仲担任太仆卿。王毛仲精明强干，连那些万骑军中的有功之臣和闲厩官吏也对他颇为惧惮，因而苑中的收入一般很丰盛。唐玄宗认为他很有才干，王毛仲也因此受到玄宗的宠爱。王毛仲虽然在外面有宅第，却常常住在闲厩侧内宅中，有时玄宗不见他，就会感到若有所失。宦官杨思勖和高力士也对他十分敬畏。

4 勃海王大祚荣去世；丙辰(二十七日)，玄宗敕命其子大武艺继位。

5 夏季，四月壬午(二十四日)，开府仪同三司祁公王仁皎去世。其子驸马都尉王守一请求援引窦孝谌的先例，修筑五丈二尺高的坟墓，玄宗答应了他的请求。宋璟、苏颋对此坚决反对，他们认为："根据令的规定，一品官坟墓的高度为一丈九尺，埋葬在皇帝陵墓附近的陪陵也不过高出三丈而已。窦太尉的坟修好后，就有人指责它过于高大，不过是当时无人追究而已，现在怎么能重新犯这样的错误呢？当初太宗皇帝送女儿长乐公主出嫁时，所送嫁妆超过了长公主，魏徵加以谏阻，太宗采用了他的主张，文德皇后也请求太宗赏赐魏徵，哪里象韦庶人加高其父的坟茔，号称为酆陵，

以自速其祸乎？夫以后父之尊，欲高大其坟，何足为难？而臣等再三进言者，盖欲成中宫之美耳。况今日所为，当传无穷，永以为法，可不慎乎？”上悦曰：“朕每欲正身率下，况于妻子，何敢私之？然此乃人所难言，卿能固守典礼，以成朕美，垂法将来，诚所望也。”赐璟、颋帛四百匹。

6　五月己丑朔，日有食之。上素服以俟变，彻乐减膳，命中书、门下察系囚，赈饥乏，劝农功。辛卯，宋璟等奏曰："陛下勤恤人隐，此诚苍生之福。然臣闻日食修德，月食修刑。亲君子，远小人，绝女谒，除谗慝，所谓修德也。君子耻言浮于行，苟推至诚而行之，不必数下制书也。"

7　六月戊辰，吐蕃复遣使请上亲署誓文。上不许，曰："昔岁誓约已定，苟信不由衷，亟誓何益？"

8　秋，闰七月，右补阙卢履冰上言："礼，父在为母服周年，则天皇后改服齐衰三年，请复其旧。"上下其议。左散骑常侍褚无量以履冰议为是。诸人争论，连年不决。八月辛卯，敕自今五服并依《丧服传》文，然士大夫议论犹不息，行之各从其意。无量叹曰："圣人岂不知母恩之厚乎？厌降之礼，所以明尊卑、异戎狄也。俗情肤浅，不知圣人之心，一紊其制，谁能正之？"

以至于自邀祸患呢？皇后之父，尊崇异常，如果想要将他的坟墓修得高大一些，又有什么困难呢？臣等对此之所以再三进谏阻止，不过是想成就皇后的美名罢了。况且陛下今日所行之事，即为子孙后世代代遵守的法度，怎么可以不谨慎从事呢？"玄宗听罢高兴地说："朕一直想要以自身的正确行动，为下面的人作表率，哪里敢对自己的妻子儿女有所偏爱呢？但这件事人们难以开口，您能够严格按照典法礼仪的规定办事，从而成就朕的美德并将其传与子孙，这正是朕所希望的。"分别赏赐宋璟、苏颋绢帛各四百匹。

6　五月己丑朔（初一），出现日食。唐玄宗身着素服，等待着意外之事的降临，并让人撤去悬挂着的乐器，降低膳食的规格，又责成中书、门下两省主持复核已决案件、开仓赈济饥民、勉励百姓勤于农事等项事宜。辛卯（初三），宋璟等人上奏道："陛下心存忧心怜惜之意，实在是天下苍生的福分。但是臣还听说天子在出现日食时应当修德，在出现月食时则应当整饬刑罚。亲近君子，疏远小人，堵塞后宫请托之途，斥退邪恶之人，就是我们所说的修德。君子以言行不符为耻，倘若陛下出于诚心修德，就不必屡次降制加以强调了。"

7　六月戊辰（十一日），吐蕃又派遣使者入朝，请求唐玄宗亲笔签署两国和解的誓文。玄宗没有同意，说："两国和解的盟誓在去年就已签订了，倘若双方言不由衷，多发几次誓言又能有什么用处呢？"

8　秋季，闰七月，右补阙卢履冰进言："依礼的规定，父在，子为亡母服一年丧，则天皇后却将此改为服丧期三年，希望陛下能恢复原有的规定。"玄宗将他的建议交给群臣讨论。左散骑常侍褚无量对此也表示赞同。但对这一问题的争议，持续了一年多也未有定论。八月辛卯（初六），玄宗颁布敕令，决定从此以后五服以内均以《丧服传》的规定为准，但士大夫之间仍然就此展开激烈争论，在执行时还是各行其是。褚无量深有感慨地说："圣人哪里是不清楚慈母恩情的深厚呢？之所以又定下厌降之礼，是为了明确尊卑地位的不同，并以此与戎狄区别开来。世俗的感情肤浅粗鄙，未能了解圣人制礼的用心，这种定制一经打破，谁还能加以匡正呢？"

9 九月甲寅，徙宋王宪为宁王。上尝从复道中见卫士食毕，弃馀食于窦中，怒，欲杖杀之，左右莫敢言。宪从容谏曰："陛下从复道中窥人过失而杀之，臣恐人人不自安。且陛下恶弃食于地者，为食可以养人也。今以馀食杀人，无乃失其本乎？"上大悟，蹶然起曰："微兄，几至滥刑。"遽释卫士。是日，上宴饮极欢，自解红玉带，并所乘马以赐宪。

10 冬，十月辛卯，上幸骊山温汤。癸卯，还宫。

11 壬子，册拜突骑施苏禄为忠顺可汗。

12 十一月壬申，上以岐山令王仁琛，藩邸故吏，墨敕令与五品官。宋璟奏："故旧恩私，则有大例，除官资历，非无公道。仁琛向缘旧恩，已获优改，今若再蒙超奖，遂于诸人不类，又是后族，须杜舆言。乞下吏部检勘，苟无负犯，于格应留，请依资稍优注拟。"从之。

选人宋元超于吏部自言侍中璟之叔父，冀得优假。璟闻之，牒吏部云："元超，璟之三从叔，常在洛城，不多参见。既不敢缘尊辄隐，又不愿以私害公。向者无言，自依大例，既有声听，事须矫枉，请放。"

9 九月甲寅,玄宗将宋王李宪改封为宁王。有一次玄宗在连接两座楼阁的天桥中发现卫士将吃剩的饭菜倒在坑穴中,感到非常生气,想要将这个卫士用刑杖活活打死,玄宗身边的人没有敢说话的。李宪不慌不忙地规劝道:"陛下从天桥上偷偷地发现他人的过失,就要将其处死,臣担心这样做会使得人人自危。再说陛下憎恶他人将饭菜倒在地上,是因为饭菜能够用来充饥。如果因为一点点剩饭剩菜就要杀人,恐怕与陛下的本心不符吧?"玄宗恍然大悟,急忙站起来回答说:"幸亏有了皇兄的规谏,否则几乎要滥用刑罚了。"说完赶忙将卫士释放。在这一天的宴席上,玄宗极为高兴,亲自解下自己的红玉带,连同自己所乘的坐骑一起赏赐给李宪。

10 冬季,十月辛卯(初七),唐玄宗来到骊山温泉;癸卯(十九日),玄宗一行返回宫中。

11 壬子(二十八日),唐玄宗册拜突骑施酋长苏禄为忠顺可汗。

12 十一月壬申(十八日),唐玄宗未与外廷朝臣商议,便直接用墨敕将岐山县县令王仁琛擢升为五品官,仅仅因为王仁琛曾经是玄宗作藩王时的王府故吏。宋璟向玄宗上奏道:"陛下对亲朋故旧所能给予的私情和恩惠,在大例上有明确的规定,对这些人任官的标准,也不是没有一定的限度。过去王仁琛已经由于陛下私恩的缘故得到了破格任命,现在如果再次得到破格提拔,就会和那些与他资历相当的人相差太远;况且王仁琛又是皇后的同族,陛下行事时尤其应当考虑到公众的看法。臣请求陛下将此事交由吏部核查勘验,如果王仁琛没有什么失误欠缺,并且按规定确实应予任命,再根据他的资历略加关照,授予职任。"唐玄宗对此表示同意。

候选的官员宋元超在吏部自称是侍中宋璟的叔父,希望因此能得到关照。宋璟得知此事后,给吏部写信说:"宋元超是我的三叔父,由于他定居在洛城,因而平日未能经常前去参见。我既不敢为这位长辈隐恶扬善,也不愿因私害公。以往他没有提出这层关系,吏部自然可以照章办事,现在既然他明确表示希望因此而得到关照,那么就必须矫枉过正了,我希望不要录用他。"

宁王宪奏选人薛嗣先请授微官,事下中书、门下。璟奏:"嗣先两选斋郎,虽非灼然应留,以懿亲之故,固应微假官资。在景龙中,常有墨敕处分,谓之斜封。自大明临御,兹事杜绝,行一赏,命一官,必是缘功与才,皆历中书、门下。至公之道,唯圣能行。嗣先幸预姻戚,不为屈法,许臣等商量,望付吏部知,不出正敕。"从之。

先是,朝集使往往赍货入京师,及春将还,多迁官。宋璟奏一切勒还以革其弊。

13　是岁,置剑南节度使,领益、彭等二十五州。

八年(庚申,720)

1　春,正月丙辰,左散骑常侍褚无量卒。辛酉,命右散骑常侍元行冲整比群书。

2　侍中宋璟疾负罪而妄诉不已者,悉付御史台治之。谓中丞李谨度曰:"服不更诉者出之,尚诉未已者且系。"由是人多怨者。会天旱有魃,优人作魃状戏于上前,问魃:"何为出?"对曰:"奉相公处分。"又问:"何故?"魃曰:"负冤者三百馀人,相公悉以系狱抑之,故魃不得不出。"上心以为然。

宁王李宪奏请任命候补官薛嗣先一个小官,玄宗将此事交给中书省和门下省处理。宋璟上奏道:"薛嗣先曾两次被任命为斋郎,虽说他并非明显应当留任,但考虑到至亲的缘故,的确应当大小任命一个职位。景龙年间,皇帝经常用墨敕直接除授官职,这些人被称为斜封官。自从陛下登基以来,所有这些弊端均已革除,朝廷每颁行一次封赏,每任命一位职官,全都是由于这些人立下了功劳,或者是由于才能出众,而且必须经过中书、门下二省的注拟和过官。像这样的至公之道,唯有圣明君主才能真正实施。薛嗣先是陛下的姻亲,陛下并未法外施恩,而是将这个问题交由臣等商量,臣请求将此事交由吏部具体处理,不要直接正式降敕任命。"唐玄宗对此表示同意。

在此之前,来自各州的朝集使们往往携带很多礼物进京打点,等到来年开春即将返回时,大多得到升迁。宋璟奏请玄宗将这些人一律原职遣还以便革除这一弊端。

13 在这一年,朝廷设置了剑南节度使,统辖益州、彭州等二十五州。

唐玄宗开元八年(庚申,公元720年)

1 春季,正月丙辰(初三),左散骑常侍褚无量去世。辛酉(初八),唐玄宗委派右散骑常侍元行冲负责整理文献典籍工作。

2 侍中宋璟很是厌恶那些明明有罪却没完没了地四处告状的人,便将这些人全都交付御史台治罪。他对御史中丞李谨度说:"你应当将那些认罪服法不再上诉的人释放,把那些一直申诉的人先关起来。"所以很多人怨恨他。正赶上旱神作怪,天下大旱,宫中演滑稽戏的俳优在玄宗面前扮作旱神模样演戏,宋璟向"旱神"问道:"你为什么到人间来降灾呢?""旱神"回答说:"我是奉了相公您的命令降临人间的。"宋璟又问:"这是为什么?""旱神"接着回答:"蒙冤者达三百多人,您将他们全都关进监狱处以非刑,所以我不得不到人间示警。"唐玄宗心中对此也有同感。

时璟与中书侍郎、同平章事苏颋建议严禁恶钱,江、淮间恶钱尤甚,璟以监察御史萧隐之充使括恶钱。隐之严急烦扰,怨嗟盈路,上于是贬隐之官。辛巳,罢璟为开府仪同三司,颋为礼部尚书。以京兆尹源乾曜为黄门侍郎,并州长史张嘉贞为中书侍郎,并同平章事。于是弛钱禁,恶钱复行矣。

3　二月戊戌,皇子敏卒,追立为怀王,谥曰哀。

4　壬子,敕以役莫重于军府,一为卫士,六十乃免,宜促其岁限,使百姓更迭为之。

5　夏,四月丙午,遣使赐乌长王、骨咄王、俱位王册命。三国皆在大食之西。大食欲诱之叛唐,三国不从,故褒之。

6　五月辛酉,复置十道按察使。
7　丁卯,以源乾曜为侍中,张嘉贞为中书令。

乾曜上言:"形要之家多任京官,使俊乂之士沉废于外。臣三子皆在京,请出其二人。"上从之,因下制称乾曜之公,命文武官效之,于是出者百馀人。

张嘉贞吏事强敏,而刚躁自用。中书舍人苗延嗣、吕太一、考功员外郎员嘉静、殿中侍御史崔训皆嘉贞所引进,常与之议政事。四人颇招权,时人语曰:"令公四俊,苗、吕、崔、员。"

这时宋璟又和中书侍郎、同平章事苏颋一起建议严厉禁止私铸的恶钱流通,鉴于江、淮之间恶钱尤其泛滥,宋璟派监察御史萧隐之作为使者前往该地查禁恶钱。萧隐之执法严酷,所到之处鸡犬不宁,百姓怨声载道,玄宗因此将萧隐之贬官。辛巳(二十八日),玄宗将宋璟罢免为开府仪同三司,罢免苏颋为礼部尚书;任命京兆尹源乾曜为黄门侍郎,任命并州长史张嘉贞为中书侍郎,二人均加同平章事衔。从此朝廷对恶钱的查禁措施大为放宽,恶钱再次泛滥。

3 二月戊戌(十五日),皇子李敏去世,玄宗将他追立为怀王,赠谥号为"哀"。

4 壬子(二十九日),唐玄宗发布敕令,认为在百姓所负担的各种劳役之中,没有哪一种比兵役更为繁重,一旦被征为卫士,就只有到六十岁才能解脱,因此规定缩短兵役年限,让百姓轮流当兵。

5 夏季,四月丙午(二十四日),唐玄宗派使者向乌长王、骨咄王、俱位王颁发册命。上述三国均在大食以西之地。大食曾引诱他们背叛唐朝,三国均未同意,所以玄宗特加褒赏。

6 五月辛酉(初九),朝廷又一次设置十道按察使。

7 丁卯(十五日),唐玄宗任命源乾曜为侍中,任命张嘉贞为中书令。

源乾曜进言:"现在出身于权贵之家的人大多在京师任官,德高望重之士反在京外任职。臣有三个儿子,均在京城任官,请陛下将其中两个外放任职。"玄宗答应了他的请求,并颁下制命称赞源乾曜公正无私,号召文武百官向他学习,于是到京外任职的达一百多人。

张嘉贞处理公务精明强干,只是性情急躁刚愎自用。中书舍人苗延嗣、吕太一、考功员外郎员嘉静和殿中侍御史崔训都是张嘉贞所引荐任用的,张嘉贞也常与这四个人商议朝政大事。由于这四个人处处揽权,所以当时的人这样评价说:"中书令张公的四位俊才,是苗延嗣、吕太一、崔训和员嘉静。"

8 六月,瀍、谷涨溢,漂溺几二千人。

9 突厥降户仆固都督勺磨及跌跌部落散居受降城侧,朔方大使王晙言其阴引突厥,谋陷军城,密奏请诛之。诱勺磨等宴于受降城,伏兵悉杀之,河曲降户殆尽。拔曳固、同罗诸部在大同、横野军之侧者,闻之皆惧。秋,并州长史、天兵节度大使张说引二十骑,持节即其部落慰抚之,因宿其帐下。副使李宪以虏情难信,驰书止之。说复书曰:"吾肉非黄羊,必不畏食;血非野马,必不畏刺。士见危致命,此吾效死之秋也。"拔曳固、同罗由是遂安。

10 冬,十月辛巳,上行幸长春宫,壬午,畋于下邽。

11 上禁约诸王,不使与群臣交结。光禄少卿驸马都尉裴虚己与岐王范游宴,仍私挟谶纬。戊子,流虚己于新州,离其公主。万年尉刘庭琦、太祝张谔数与范饮酒赋诗,贬庭琦雅州司户,谔山茌丞。然待范如故,谓左右曰:"吾兄弟自无间,但趋竞之徒强相托附耳。吾终不以此责兄弟也。"上尝不豫,薛王业妃弟内直郎韦宾与殿中监皇甫恂私议休咎。事觉,宾杖死,恂贬锦州刺史。业与妃惶惧待罪,上降阶执业手曰:"吾若有心猜兄弟者,天地实殛之。"即与之宴饮,仍慰谕妃,令复位。

12 十一月乙卯,上还京师。

13 辛未,突厥寇甘、凉等州,败河西节度使杨敬述,掠契苾部落而去。

8 六月,瀍河和谷河发大水,淹死了将近二千人。

9 归降的突厥仆固都督勺磨以及跌跌部落人众散居在受降城周围,朔方大使王晙说他们暗地里勾结突厥,阴谋夺占唐军驻守的受降城,便密奏玄宗,请求将这些人诛杀。王晙诱使勺磨等人来到受降城内赴宴,下令预先埋伏好的士兵将这些人全部杀死,河曲之地的突厥降户也被诛戮殆尽。散居在大同、横野军附近的突厥拔曳固、同罗等部落得知此讯,非常恐惧。秋季,并州长史、天兵节度大使张说仅带二十名骑兵,手执皇帝的符节到拔曳固等部落慰问安抚,并在其牙帐之中过夜。天兵节度副使李宪认为胡虏不可轻信,并派飞骑前往阻止。张说在给李宪的回信中说:"我身上所长的并非黄羊之肉,不怕他们会吃了我;我身上流的也不是野马的血,也不必担心会被他们刺伤。士大夫临危受命,知难而进,此刻正是我为陛下尽忠的时候。"拔曳固、同罗等部落因此才安下心来。

10 冬季,十月辛巳(初二),唐玄宗到长春宫行幸;壬午(初三),唐玄宗在下邽围猎。

11 唐玄宗禁止诸王与群臣交结。光禄少卿驸马都尉裴虚己与岐王李范游玩宴饮,并且私自挟带谶纬之书。戊子(初九),唐玄宗将裴虚己流放到新州,并让霍国公主与他离婚。万年县尉刘庭琦和太常寺太祝张谔也因屡次与李范在一起饮酒赋诗而分别被贬为雅州司户和山荏县丞。但玄宗仍然像以往那样善待李范,他对左右侍臣说:"朕兄弟之间本来就是亲密无间的,不过是那些趋炎附势的小人极力巴结而已。朕决不会因此而责怪自己的兄弟。"有一次玄宗生了病,薛王李业之妃的弟弟、内直郎韦宾与殿中监皇甫恂私议善恶吉凶之事。事发后,韦宾被用刑杖打死,皇甫恂被贬为锦州刺史。李业与其妃子十分惶恐,只等玄宗加罪,唐玄宗走下台阶拉着李业的手说:"我如果有猜忌兄弟之心,天地不容。"并且与他一同入席饮酒,此外还好言劝慰李业之妃,让她仍当王妃。

12 十一月乙卯(初七),玄宗回到京师。

13 辛未(二十三日),突厥进犯甘、凉等州,击败了唐河西节度使杨敬述,大肆掳掠了契苾部落之后撤走。

先是,朔方大总管王㕙奏请西发拔悉密,东发奚、契丹,期以今秋掩毗伽牙帐于稽落水上;毗伽闻之,大惧。暾欲谷曰:"不足畏也。拔悉密在北庭,与奚、契丹相去绝远,势不相及,朔方兵计亦不能来此。若必能来,俟其垂至,徙牙帐北行三日,唐兵食尽自去矣。且拔悉密轻而好利,得王㕙之约,必喜而先至。㕙与张嘉贞不相悦,奏请多不相应,必不敢出兵。㕙兵不出,拔悉密独至,击而取之,势甚易耳。"

既而拔悉密果发兵逼突厥牙帐,而朔方及奚、契丹兵不至,拔悉密惧,引退。毗伽欲击之,暾欲谷曰:"此属去家千里,将死战,未可击也。不如以兵蹑之。"去北庭二百里,暾欲谷分兵间道先围北庭,因纵兵击拔悉密,大破之。拔悉密众溃走,趋北庭,不得入,尽为突厥所虏。

暾欲谷引兵还,出赤亭,掠凉州羊马,杨敬述遣裨将卢公利、判官元澄将兵邀击之。暾欲谷谓其众曰:"吾乘胜而来,敬述出兵,破之必矣。"公利等至删丹,与暾欲谷遇,唐兵大败,公利、澄脱身走。毗伽由是大振,尽有默啜之众。

14　契丹牙官可突干骁勇得众心,李娑固猜畏,欲去之。是岁,可突干举兵击娑固,娑固败奔营州。营州都督许钦澹遣安东都护薛泰帅骁勇五百与奚王李大酺奉娑固以讨之,战败,娑固、李大酺皆为可突干所杀,生擒薛泰,营州震恐。许钦澹移军入渝关,可突干立娑固从父弟郁干为主,遣使请罪。上赦可突干之罪,以郁干为松漠都督,以李大酺之弟鲁苏为饶乐都督。

在此之前，唐朔方道大总管王晙奏请西调拔悉密部落兵马，东发奚、契丹兵马，约定在这一年的秋季掩袭突厥毗伽可汗设在稽落水一带的牙帐；毗伽可汗得知此讯后非常害怕。暾欲谷道："这没什么可怕的。拔悉密尚在北庭，与奚、契丹相距太远，双方无法合兵相应；估计大唐朔方兵也无法抵达此地。即使唐军真的能来，在他们快要到时，只要我们迁徙牙帐向北退却三天，他们就不得不粮尽退兵。再说拔悉密向来因小利而轻举妄动，这次又得到了王晙的允诺，一定会得意忘形，先行抵达此地。王晙与张嘉贞关系不好，他的很多建议多数得不到响应，所以这次他也不敢出兵。既然王晙的唐军不来，只有拔悉密所部军马前来寻衅，只要我们针锋相对地迎击来敌，取胜也就易如反掌了。"

不久拔悉密果然发兵前来进逼突厥毗伽的牙帐，而且朔方以及奚、契丹兵马并未如约抵达，拔悉密心中惊惧，赶忙撤军。毗伽可汗打算出兵迎击，暾欲谷道："这些人离家千里，一定会拼死战斗的，我们不能在这时就进攻他们。我们不如派兵紧随其后。"在拔悉密部众撤至离北庭二百里左右的时候，暾欲谷才分兵抄小路包围了北庭，并纵兵相攻，打败了拔悉密的军队。拔悉密部众被击溃，馀部逃往北庭，又因无法入城而全部被突厥俘获。

暾欲谷率军回撤，由赤亭出兵，抢掠凉州的羊群马匹，杨敬述派副将卢公利和判官元澄率兵拦击突厥。暾欲谷对他的部队说："我们乘胜来到这里，倘若杨敬述出兵挑战，就一定能够击败他们。"卢公利等人在删丹县与暾欲谷相遇，交战后唐军一败涂地，只有卢公利和元澄脱身逃回。毗伽的势力因此而得以重振，并且最终全部收编了默啜可汗的所有人马。

14 契丹牙官可突干骁勇善战，深得属下信赖，李娑固很是猜忌，试图将他铲除。在这一年，可突干率兵进攻李娑固，李娑固作战失利，撤到营州。营州都督许钦澹派安东都护薛泰率五百精兵与奚王李大酺一起辅助李娑固回兵征讨可突干，又被可突干击败，李娑固、李大酺二人均被可突干杀死，薛泰被俘，整个营州军民对此大为震惊。许钦澹被迫率部撤入渝关，可突干拥立李娑固的堂弟李郁干为主，并派遣使者入朝请罪。唐玄宗将可突干所犯罪行赦免，任命李郁干为松漠都督，任命李大酺的弟弟李鲁苏为饶乐都督。

九年(辛酉,721)

1 春,正月,制削杨敬述官爵,以白衣检校凉州都督,仍充诸使。

2 丙辰,改蒲州为河中府,置中都官僚,一准京兆、河南。

3 丙寅,上幸骊山温汤;乙亥,还宫。

4 监察御史宇文融上言,天下户口逃移,巧伪甚众,请加检括。融,敬之玄孙也,源乾曜素爱其才,赞成之。二月乙酉,敕有司议招集流移、按诘巧伪之法以闻。

5 丙戌,突厥毗伽复使来求和。上赐书,谕以"曩昔国家与突厥和亲,华、夷安逸,甲兵休息。国家买突厥羊马,突厥受国家缯帛,彼此丰给。自数十年来,不复如旧,正由默啜无信,口和心叛,数出盗兵,寇抄边鄙,人怨神怒,陨身丧元。吉凶之验,皆可汗所见。今复蹈前迹,掩袭甘、凉,随遣使人,更来求好。国家如天之覆,如海之容,但取来情,不追往咎。可汗果有诚心,则共保遐福,不然,无烦使者徒尔往来。若其侵边,亦有以待。可汗其审图之"!

6 丁亥,制:"州县逃亡户口听百日自首,或于所在附籍,或牒归故乡,各从所欲。过期不首,即加检括,谪徙边州,公私敢容庇者抵罪。"以宇文融充使,括逃移户口及籍外田,所获巧伪甚众。迁兵部员外郎兼侍御史。融奏置劝农判官十人,并摄御史,

唐玄宗开元九年(辛酉,公元721年)

1 春季,正月,唐玄宗发布制命,削夺了杨敬述的官爵,让他以布衣之身检校凉州都督,并且依旧让他充任节度使、支度使和营田使。

2 丙辰(初七),唐玄宗下诏将蒲州改为河中府,设置中都官僚,规格与京兆府和河南府相同。

3 丙寅(十七日),唐玄宗来到骊山温泉;乙亥(二十六日),玄宗一行回到宫中。

4 监察御史宇文融进言,认为全国各地民户丁口脱漏逃移,奸诈虚伪现象十分普遍,希望加以核查。宇文融是宇文敬的玄孙,源乾曜向来喜欢他的才学,故而极为赞成他的建议。二月乙酉(初八),玄宗敕令有关部门研究一下招集流散人口以及惩治奸诈虚伪之策,并将研究结果上奏。

5 丙戌(初九),突厥毗伽可汗又派遣使者入朝请求和解。唐玄宗写给毗伽一封信,信中说:"过去大唐与突厥和亲,华夏人和突厥人安居乐业,两国军队也相安无事。大唐买进突厥的牛羊马匹,突厥则购买大唐的各种丝织品,双方都从中得到很大好处。最近几十年来,两国关系之所以不比往常,完全是由于默啜可汗言而无信,嘴里讲的是和亲睦邻,心里无时不想叛离,屡次派兵入侵,掠夺边疆地区百姓财产,终遭人怨天谴,自己也被人杀死。善恶吉凶的报应,均为可汗您亲眼所见。现在可汗又走上默啜的老路,先是入侵甘、凉二州,随后又派使者前来求和修好。我大唐对待夷狄万邦,一向无比宽容,只要真心修好讲和,一概不咎既往。可汗您如果真有和亲的诚意,我们两国就能保持久远之福;否则就不必麻烦使者白白地往来走动。倘若突厥兵再次入侵,我大唐也早已做好了准备。何去何从,请可汗仔仔细考虑!"

6 丁亥(初十),唐玄宗颁下制命:"各州县的脱漏户籍的丁户,必须到所在州县官府主动申报,既可以在当地落户,也可以发回原籍所在州县,都可按自己的心愿办理。凡过期不报者,一经官府查出,一律迁徙到边远州县安置。官民人等如有隐藏包庇者,也一并照此办理。"并任命宇文融充任朝廷使者,主持搜求逃户和清查隐瞒田地等项事务,取得了十分显著的成效。宇文融也因此被擢升为兵部员外兼侍御史。宇文融还奏请唐玄宗批准设置了十位代行御史职务的劝农判官,

分行天下。其新附客户，免六年赋调。使者竞为刻急，州县承风劳扰，百姓苦之。阳翟尉皇甫憬上疏言其状。上方任融，贬憬盈川尉。州县希旨，务于获多，虚张其数，或以实户为客。凡得户八十馀万，田亦称是。

7　兰池州胡康待宾诱诸降户同反。夏，四月，攻陷六胡州，有众七万，进逼夏州。命朔方大总管王晙、陇右节度使郭知运共讨之。

8　戊戌，敕："京官五品以上，外官刺史、四府上佐，各举县令一人，视其政善恶，为举者赏罚。"

9　以太仆卿王毛仲为朔方道防御讨击大使，与王晙及天兵军节度大使张说相知讨康待宾。

10　六月己卯，罢中都，复为蒲州。

蒲州刺史陆象先政尚宽简，吏民有罪，多晓谕遣之。州录事言于象先曰："明公不施箠挞，何以示威？"象先曰："人情不远，此属岂不解吾言邪？必欲箠挞以示威，当从汝始！"录事惭而退。象先尝谓人曰："天下本无事，但庸人扰之耳。苟清其源，何忧不治？"

11　秋，七月己酉，王晙大破康待宾，生擒之，杀叛胡万五千人。辛酉，集四夷酋长，腰斩康待宾于西市。

先是，叛胡潜与党项通谋，攻银城、连谷，据其仓庾，张说将步骑万人出合河关掩击，大破之。追至骆驼堰，党项乃更与胡战，胡众溃，西走入铁建山。说安集党项，使复其居业。

分头巡行全国各地。凡属新近落户附籍的客户,均免除六年的赋调。各路使者在执法上竞相严苛峻急,所在州县地方官吏又一味迎合使者,变本加厉地刻薄百姓,致使百姓苦不堪言。阳翟县尉皇甫憬上疏反映这一情况。由于是在玄宗正要重用宇文融的时候,所以皇甫憬反被贬职为盈川县尉。地方州县官吏更加迎合上司的旨意,刻意追求所获甚多这一结果,为此不惜虚报数量,甚至有的把实户也当作客户呈报上去。此次共查出脱漏的户口八十多万,所查出的隐瞒的土地数目也与此基本相当。

7 兰池州的胡人康待宾诱使当地所有归降的人一同叛唐。夏季,四月,康待宾率部攻陷了六胡州,麾下已聚集了七万之众,并乘胜进逼夏州。唐玄宗派朔方道大总管王晙和陇右节度使郭知运出兵讨伐康待宾。

8 戊戌(二十日),唐玄宗发布敕命:"五品以上的京官,各州刺史及京兆、河南、河中、太原四府的属官,每人向朝廷推荐一位县令,朝廷将根据其政绩的好坏对举荐者进行赏罚。"

9 唐玄宗任命太仆寺卿王毛仲为朔方道防御讨击大使,与王晙及天兵军节度大使张说一同征讨康待宾。

10 六月己卯(初三),唐玄宗废去中都,重建蒲州治所。

蒲州刺史陆象先为政素尚宽缓简约,对属下有罪的官吏和百姓,大多数情况下是好言劝诫,然后遣还。蒲州录事对陆象先说:"明公不用刑杖,那要靠什么来树立威望呢?"陆象先回答说:"人心都是相通的,难道这些人是不理解我的话吗? 如果你一定要我用刑杖来树立威望,那就应当从你开始!"录事十分惭愧,赶忙退出。陆象先曾对人说:"天下本无事,庸人自扰之。为政若能正本清源,何忧天下不治?"

11 秋季,七月己酉(初四),王晙大败康待宾所部叛军,生擒了康待宾本人,毙杀叛乱的胡众一万五千人。辛酉(十六日),唐玄宗召集了四夷各部首长,在西市将康待宾腰斩。

在这以前,叛军暗地与党项族合谋,准备攻打银城、连谷并进而占据该地的粮仓,张说率领一万名步兵和骑兵自合河关出其不意地向叛军发起攻击,叛军大败。张说又乘胜追击,一直追到骆驼堰。这时党项人反而向叛军进攻,叛军溃不成军,向西逃入了铁建山。张说将党项人安顿下来,让他们像过去一样地生产和生活。

讨击使阿史那献以党项翻覆,请并诛之,说曰:"王者之师,当伐叛柔服,岂可杀已降邪?"因奏置麟州,以镇抚党项馀众。

12 九月乙巳朔,日有食之。

13 康待宾之反也,诏郭知运与王晙相知讨之。晙上言,朔方兵自有馀力,请敕知运还本军。未报,知运已至,由是与晙不协。晙所招降者,知运复纵兵击之。虏以晙为卖己,由是复叛。上以晙不能遂定群胡,丙午,贬晙为梓州刺史。

14 丁未,梁文献公姚崇薨,遗令:"佛以清净慈悲为本,而愚者写经造像,冀以求福。昔周、齐分据天下,周则毁经像而修甲兵,齐则崇塔庙而弛刑政,一朝合战,齐灭周兴。近者诸武、诸韦,造寺度人,不可胜纪,无救族诛。汝曹勿效儿女子终身不寤,追荐冥福! 道士见僧获利,效其所为,尤不可延之于家。当永为后法!"

15 癸亥,以张说为兵部尚书、同中书门下三品。

16 冬,十月,河西、陇右节度大使郭知运卒。知运与同县右卫副率王君㚟,皆以骁勇善骑射著名西陲,为虏所惮。时人谓之王、郭。㚟遂自知运麾下代为河西、陇右节度使,判凉州都督。

17 十一月丙辰,国子祭酒元行冲上《群书四录》,凡书四万八千一百六十九卷。

18 庚午,赦天下。

19 十二月乙酉,上幸骊山温汤;壬辰,还宫。

讨击使阿史那献认为党项人反复无常,请求将他们全部杀死,张说说:"圣王的仁义之师,应当讨伐叛逆,怀柔归服之众,怎么能杀死已归降的人呢?"并上奏玄宗设置麟州,以便镇抚党项族馀众。

12 九月乙巳朔(初一),出现日食。

13 康待宾发动叛乱的时候,唐玄宗命令郭知运与王晙一同出兵征讨。王晙告诉玄宗,自己的朔方兵足够平叛之用,请玄宗命令郭知运率军撤回陇右本部。尚未等到回音,郭知运已率部抵达,因此两人关系出现裂痕。对那些已被王晙招降的胡人,郭知运也纵兵袭击。胡人认为王晙出卖了自己,便纷纷重新叛唐。唐玄宗认为王晙未能平定胡人的叛乱,丙午(初二),将其贬为梓州刺史。

14 丁未(初三),梁文献公姚崇去世,临死留下这样的遗嘱:"佛教以清静慈悲为本,愚昧的人却希望通过抄写经文、建造佛像来求得来世之福。过去的北齐与北周两国对峙,北周毁弃经书佛像用来装备军队,训练士卒,北齐却放松刑罚与政令,大量建造佛寺,一场大战之后,北齐灭亡,北周勃兴。近代的武氏成员和韦氏党羽,所建之寺与所度之僧数不胜数,却并未避免其宗族夷灭的后果。在我死后,你们不要像凡夫俗子那样愚昧无知,为我诵经超度以求死后之福!道士们见僧尼因此而获利,也早已效法僧尼,更不能将他们请进家门。这条家训,子孙后代必须永远遵守!"

15 癸亥(十九日),唐玄宗任命张说为兵部尚书、同中书门下三品。

16 冬季,十月,河西、陇右节度大使郭知运去世。郭知运与担任右卫副率职务的同县老乡王君㚟两人都因骁勇善战精于骑射而闻名于西部边陲,向来为西域胡虏所忌惮,被当时人称为王、郭。郭知运死后,他的部下王君㚟便代之为河西、陇右节度使,并兼任凉州都督。

17 十一月丙辰(十三日),国子祭酒元行冲向玄宗进上《群书四录》,其中共收书达四万八千一百六十九卷。

18 庚午(二十七日),唐玄宗大赦天下。

19 十二月乙酉(十三日),唐玄宗来到骊山温泉;壬辰(二十日),又回到宫中。

20　是岁，诸王为都督、刺史者，悉召还京师。

21　新作蒲津桥，熔铁为牛以系䌫。

22　安州别驾刘子玄卒。子玄即知几也，避上嫌名，以字行。

著作郎吴兢撰《则天实录》，言宋璟激张说使证魏元忠事。说修史见之，知兢所为，谬曰："刘五殊不相借！"兢起对曰："此乃兢所为，史草具在，不可使明公枉怨死者。"同僚皆失色。其后说阴祈兢改数字，兢终不许，曰："若徇公请，则此史不为直笔，何以取信于后？"

23　太史上言，《麟德历》浸疏，日食屡不效。上命僧一行更造新历，率府兵曹梁令瓒造黄道游仪以测候七政。

24　置朔方节度使，领单于都护府，夏、盐等六州，定远、丰安二军，三受降城。

十年(壬戌，722)

1　春，正月丁巳，上行幸东都，以刑部尚书王志愔为西京留守。

2　癸亥，命有司收公廨钱，以税钱充百官俸。

3　乙丑，收职田。亩率给仓粟二斗。

4　二月戊寅，上至东都。

20　在这一年,唐玄宗将外放为都督、刺史的李唐诸王全部召回京师。

21　官府新修建了蒲津桥,并在两岸桥头熔铸了八头铁牛用来拴系绳索。

22　安州别驾刘子玄去世。刘子玄即刘知几,为避玄宗皇帝李隆基之讳而以字行于世。

著作郎吴兢撰修了《则天实录》,其中记载了宋璟激励张说为魏元忠作证的真实经过。张说在修史时见到了这段记载,心里知道是吴兢所写,嘴里却故意说道:"刘五(即刘知几)在修史时对我一点都不帮忙!"吴兢马上站起来回答说:"这一段是我吴兢写的,所有的草稿都还在,我不能让明公您错怪了已经死去的刘子玄。"在座的同僚听了此言全都大惊失色。后来张说私下里乞求吴兢将这段记载略改几字,吴兢始终没有答应,他说:"我要是按您的要求去做,《则天实录》就不再是秉笔直书的信史,将何以取信于后人呢?"

23　太史向唐玄宗进言,告知《麟德历》越来越不准确,对日食的预测屡次有误。唐玄宗指派僧人一行重修新的历法,又让率府兵曹梁令瓒设计制造黄道游仪来测量日、月、金、木、水、火、土七星的位置和运行状况。

24　唐玄宗设置了朔方节度使,用以统辖单于都护府和夏、盐等六州以及定远、丰安二军和三受降城。

唐玄宗开元十年(壬戌,公元 722 年)

1　春季,正月丁巳(十五日),唐玄宗行幸东都洛阳,任命刑部尚书王志愔为西京留守。

2　癸亥(二十一日),唐玄宗下令有关部门征收公廨钱,用这笔税收支付文武百官俸禄。

3　乙丑(二十三日),唐玄宗下令收回文武百官的职分田,每亩大致给予粟米二斗。

4　二月戊寅(初七),唐玄宗抵达东都。

5 夏,四月己亥,以张说兼知朔方军节度使。

6 五月,伊、汝水溢,漂溺数千家。

7 闰月壬申,张说如朔方巡边。

8 己丑,以馀姚县主女慕容氏为燕郡公主,妻契丹王郁干。

9 六月丁巳,博州河决,命按察使萧嵩等治之。嵩,梁明帝之孙也。

10 己巳,制增太庙为九室,迁中宗主还太庙。

11 秋,八月癸卯,武强令裴景仙,坐赃五千匹,事觉,亡命。上怒,命集众斩之。大理卿李朝隐奏景仙赃皆乞取,罪不至死,又,其曾祖寂有建义大功,载初中以非罪破家,惟景仙独存,今为承嫡,宜宥其死,投之荒远。其辞略曰:“十代宥贤,功实宜录;一门绝祀,情或可哀。”制令杖杀。朝隐又奏曰:“生杀之柄,人主得专;轻重有条,臣下当守。今若乞取得罪,便处斩刑,后有枉法当科,欲加何辟?所以为国惜法,期守律文,非敢以法随人,曲矜仙命。”又曰:“若寂勋都弃,仙罪特加,则叔向之贤,何足称者;若敖之鬼,不其馁而!”上乃许之,杖景仙一百,流岭南恶处。

12 安南贼帅梅叔焉等攻围州县,遣骠骑将军兼内侍杨思勖讨之。思勖募群蛮子弟,得兵十馀万,袭击,大破之,斩叔焉,积尸为京观而还。

5 夏季,四月己亥(二十九日),唐玄宗任命张说兼任朔方军节度使。

6 五月伊水和汝水暴涨,溢出河岸,淹没居民数千家。

7 闰五月壬申(初二),张说前往朔方巡察边境。

8 己丑(十九日),唐玄宗封馀姚县主之女慕容氏为燕郡公主,将她嫁给契丹王郁干。

9 六月丁巳(十八日),博州境内黄河决口,唐玄宗派按察使萧嵩等人前往救灾治河。萧嵩是南朝后梁明帝萧岿的孙子。

10 己巳(三十日),唐玄宗发布制命,将太庙内供奉的祖宗神位增至九室,将中宗皇帝的神主迁回太庙。

11 秋季,八月癸卯(初四),武强县令裴景仙贪赃五千四事发,弃官逃走。唐玄宗大怒,下令召集人众,当面将其斩杀。大理寺卿李朝隐向玄宗上奏,认为裴景仙所有赃物均为乞取,依律罪不至死;此外,裴景仙的曾祖裴寂反隋,有建义大功,武后载初年间裴氏无端家破人亡,至今只剩裴景仙一人,现在为了使裴氏延续香火,也应宽宥他所犯下的死罪,将他流放到荒凉边远之地。李朝隐奏疏的大意是:"贤者十世子孙所犯死罪均应宽宥,因为贤者的功劳实在应当记取;因诛杀罪犯而使得一个家族断子绝孙,在情理上亦有可矜之处。"唐玄宗还是下令将裴景仙用杖打死。李朝隐又向玄宗奏道:"生杀大权应操在君主的手中,但量刑轻重的法度则由臣下遵守。现在如果因乞取赃物犯罪便处斩刑,那么日后如有贪赃枉法者需要论罪科刑,又当加重到哪一种刑罚呢?臣屡次谏阻,是顾惜国家的法度,希望律令条文得到遵守,并非因人施法,曲法以求饶恕景仙一命。"他还说:"倘若裴寂所建功勋可一概不论,裴景仙所犯之罪也可特别加重处刑,那么叔向因贤明得以不受其弟株连,也就不值得称道了;若教氏家族的祖先也就会因断子绝孙而陷于饥饿了。"唐玄宗这才同意了他的请求,改为将裴景仙处杖刑一百,流放到岭南烟瘴之地。

12 安南反贼首领梅叔焉等人率众围攻所在州县,唐玄宗派遣骠骑将军兼内侍杨思勖前往讨伐。杨思勖在当地招募了十多万蛮族子弟从军,率领这支军队向梅叔焉等人大举进攻并大获全胜,将梅叔焉斩首,又将敌人的死尸收集在一起,加土筑成一座高大的坟茔,然后返回京城。

13　初，上之誅韋氏也，王皇后頗預密謀，及即位數年，色衰愛弛。武惠妃有寵，陰懷傾奪之志，后心不平，時對上有不遜語。上愈不悅，密與秘書監姜皎謀以后無子廢之，皎泄其言。嗣滕王嶠，后之妹夫也，奏之。上怒，張嘉貞希旨構成其罪，云：“皎妄談休咎。”甲戌，杖皎六十，流欽州，弟吏部侍郎晦貶春州司馬。親黨坐流、死者數人，皎卒于道。

己亥，敕：“宗室、外戚、駙馬，非至親毋得往還。其卜相占候之人，皆不得出入百官之家。”

14　己卯夜，左領軍兵曹權楚璧與其黨李齊損等作亂，立楚璧兄子梁山為光帝，詐稱襄王之子，擁左屯營兵數百人入宮城，求留守王志愔，不獲。比曉，屯營兵自潰，斬楚璧等，傳首東都。志愔驚怖而薨。楚璧，懷恩之姪；齊損，迥秀之子也。壬午，遣河南尹王怡如京師，按問宣慰。

15　癸未，吐蕃圍小勃律王沒謹忙，謹忙求救于北庭節度使張嵩曰：“勃律，唐之西門，勃律亡則西域皆為吐蕃矣。”嵩乃遣疏勒副使張思禮將蕃、漢步騎四千救之。晝夜倍道，與謹忙合擊吐蕃，大破之，斬獲數萬。自是累歲，吐蕃不敢犯邊。

16　王怡治權楚璧獄，連逮甚眾，久之不決。上乃以開府儀同三司宋璟為西京留守。璟至，止誅同謀數人，馀皆奏原之。

13 起初,在唐玄宗定诛除韦后之计的时候,王皇后参与了很多秘密的策划,玄宗即位几年以后,皇后姿色渐衰,玄宗对她的宠幸也大不如前。此时武惠妃颇受玄宗宠爱,内心里便萌生了夺取皇后之位的企图,王皇后对此心中不平,常常对玄宗出言不逊。玄宗对皇后越发不满,暗地里与秘书监姜皎商议,打算以皇后无子为借口将其废黜,姜皎却将玄宗这番话泄露了出去。继任滕王的李峤是王皇后的妹夫,便将此事上奏给玄宗。唐玄宗很生气,宰相张嘉贞迎合玄宗的旨意,便罗织而成姜皎的罪名,声称:"姜皎妄谈善恶吉凶之事。"甲戌,姜皎被处以杖六十,流放钦州,姜皎之弟吏部侍郎姜晦也被贬为春州司马。姜氏家族的亲属党羽之中还有几个被处以流刑或死刑,姜皎在赴钦州的途中死去。

己亥,唐玄宗发布敕命:"宗室、外戚、驸马若非骨肉至亲,一律不得往来走动交结。所有问卜看相占候的术士,一律不得出入文武百官之家。"

14 己卯(十一日)夜间,左领军兵曹权楚璧伙同其党羽李齐损等人发动叛乱,拥立权楚璧兄长之子权梁山为光帝,诡称其为襄王李重茂之子,裹挟左屯营兵数百人闯入宫城,寻找西京留守王志愔,但没有找到。天快亮时,闯入宫城的屯营兵却不攻自溃,将权楚璧等人斩首,并将这些人的首级送到东都洛阳的玄宗皇帝跟前。西京留守王志愔在极度惊慌恐惧中去世。权楚璧是权怀恩的侄儿,李齐损是李迥秀的儿子。壬午(十四日),唐玄宗派河南尹王怡前往京师调查此事的起因经过并表示皇帝的慰问。

15 癸未(十五日),吐蕃军队围攻小勃律王没谨忙,没谨忙向唐北庭节度使张嵩求救说:"勃律是大唐西域的门户,勃律如果灭亡,整个西域之地也就全部落入吐蕃之手了。"张嵩于是派疏勒副使张思礼率领汉、胡步骑兵四千人前去救援。张思礼昼夜兼程,与没谨忙夹击吐蕃军队,大获全胜,斩敌首及俘敌数万。从此以后几年内,吐蕃一直未敢进犯大唐边境。

16 在王怡主持追查权楚璧等人作乱的案子时,很多人牵连入狱,案子久拖不决。唐玄宗又将开府仪同三司宋璟任命为西京留守。宋璟上任后,只将权楚璧的几个同谋者处死,其他人均在经由玄宗批准后赦宥放免。

17　康待宾馀党康愿子反，自称可汗。张说发兵追讨擒之，其党悉平。徙河曲六州残胡五万馀口于许、汝、唐、邓、仙、豫等州，空河南、朔方千里之地。

先是，缘边戍兵常六十馀万，说以时无强寇，奏罢二十馀万使还农。上以为疑，说曰："臣久在疆场，具知其情，将帅苟以自卫及役使营私而已。若御敌制胜，不必多拥冗卒以妨农务。陛下若以为疑，臣请以阖门百口保之。"上乃从之。

初，诸卫府兵，自成丁从军，六十而免，其家又不免杂徭，浸以贫弱，逃亡略尽，百姓苦之。张说建议，请召募壮士充宿卫，不问色役，优为之制，逋逃者必争出应募。上从之。旬日，得精兵十三万，分隶诸卫，更番上下。兵农之分，从此始矣。

18　冬，十月癸丑，复以乾元殿为明堂。

19　甲寅，上幸寿安兴泰宫，猎于上宜川。庚申，还宫。

20　上欲耀兵北边，丁卯，以秦州都督张守洁等为诸卫将军。

21　十一月乙未，初令宰相共食实封三百户。

22　前广州都督裴伷先下狱，上与宰相议其罪。张嘉贞请杖之，张说曰："臣闻刑不上大夫，为其近于君，且所以养廉耻也。故士可杀不可辱。臣向巡北边，闻杖姜皎于朝堂。皎官登三品，亦有微功，有罪应死则死，应流则流，奈何轻加笞辱，以皂隶待之？

17　康待宾的馀党康愿子又发动了叛乱,自称为可汗。张说派出军队追击讨伐,生擒康愿子,叛乱遂被平定。然后又将河曲六州残馀的五万多口胡人迁徙到许、汝、唐、邓、仙、豫等州安置,黄河以南及朔方道各州千里之地遂无人居住。

在这之前,沿边境镇守戍卫的士卒常达六十多万之众,张说认为当时没有强寇入侵,上奏请求削减二十多万戍兵,让这些人回乡务农。唐玄宗对此表示怀疑,张说说:"臣久在边界驱驰,对这里边的情形全都了如指掌,这不过是将帅试图拥兵自保以及役使兵众谋取私利而已。如果说是为了御敌制胜的话,完全不必布置如此众多的冗兵,同时还耽误了农时。陛下如果对臣所言尚有怀疑,臣请求用臣全家百口的性命来担保。"唐玄宗这才同意照他说的去做。

唐初兵制规定,各卫的府兵,自成丁之年开始从军,至六十岁时方可免役,府兵家中又须负担各种杂役,长此以往便逐渐趋于贫弱,所以各卫的府兵逃亡殆尽,百姓也深以从军为苦。张说向玄宗提出一个建议,请求召募壮丁充实各军卫,应募入伍的壮丁不须负担任何名目的劳役,再给丰厚的薪饷,这样逃避兵役的人就会争相应募从军。唐玄宗采纳了他的建议。十天之内,即募得精兵十三万,轮流隶属于上下军卫。唐代兵、农的分离,就是从此开始的。

18　冬季,十月癸丑(十五日),唐玄宗又将乾元殿改为明堂。

19　甲寅(十六日),唐玄宗来到寿安县境内的兴泰宫,在上宜川打猎;庚申(二十二日),唐玄宗返回宫中。

20　唐玄宗想要在北部边境地区显示军威,丁卯(二十九日),任命秦州都督张守洁等人为各卫将军。

21　十一月乙未(二十八日),唐玄宗下令今后宰相食实封的总数为三百户。

22　前任广州都督裴伷先被捕下狱,唐玄宗与宰相们一起商量对他如何处罚的问题。张嘉贞提出对他处以杖刑,张说说:"臣听说刑不上大夫,就是由于卿大夫是君主的近臣,此外还可以培养他们的廉耻观。所以说士可杀不可辱。以前臣在北部边境出巡时,听说陛下在朝堂上对姜皎使用了杖刑。姜皎的官阶已达三品,也曾为朝廷立下些许功勋,若有死罪,可以将他处死,若应流放可以将他流放,为什么随便用笞杖之刑来羞辱他,拿他当皂隶来对待呢?

姜皎事往,不可复追,佃先据状当流,岂可复蹈前失?"上深然之。嘉贞不悦,退谓说曰:"何论事之深也?"说曰:"宰相,时来则为之。若国之大臣皆可笞辱,但恐行及吾辈。吾此言非为佃先,乃为天下士君子也。"嘉贞无以应。

23 十二月庚子,以十姓可汗阿史那怀道女为交河公主,嫁突骑施可汗苏禄。

24 上将幸晋阳,因还长安。张说言于上曰:"汾阴脽上有汉家后土祠,其礼久废,陛下宜因巡幸修之,为农祈谷。"上从之。

25 上女永穆公主将下嫁,敕资送如太平公主故事。僧一行谏曰:"武后惟太平一女,故资送特厚,卒以骄败,奈何为法?"上遽止之。

十一年(癸亥,723)

1 春,正月己巳,车驾自东都北巡。庚辰,至潞州,给复五年。辛卯,至并州,置北都,以并州为太原府,刺史为尹。二月戊申,还至晋州。

2 张说与张嘉贞不平,会嘉贞弟金吾将军嘉祐赃发,说劝嘉贞素服待罪于外。己酉,左迁嘉贞幽州刺史。

3 壬子,祭后土于汾阴。乙卯,贬平遥令王同庆为赣尉,坐广为储偫,烦扰百姓也。

现在姜皎的事已成为过去，无法再行改正，但裴伷先所犯之罪应处流刑，陛下哪能重犯在姜皎一案上所犯的错误呢？"唐玄宗认为他说得很对。张嘉贞对张说这番话很是不满，退朝之后对他说："您何必把事情说得这么严重呢？"张说回答说："宰相之位，是运气一来就可以作的。倘若对朝廷大臣都能随意施加笞杖之辱，只恐怕我们这些人也会有受辱的那一天。我今天的话并非只为裴伷先，而是为天下所有的士君子所说的。"张嘉贞无言以对。

23 十二月庚子（初三），唐玄宗将十姓可汗阿史那怀道的女儿封为交河公主，并将她嫁给了突骑施可汗苏禄。

24 唐玄宗即将起程赴晋阳，便先回到长安。张说向玄宗进言道："汾阴脽地有汉朝所立的后土祠，这里的祭祀大礼长期废弛；陛下应当趁巡幸之机重修此礼，以便为农事祈求丰年。"唐玄宗表示同意。

25 唐玄宗之女永穆公主即将出嫁，玄宗下令依照太平公主出嫁时的规格为她置办嫁妆。僧人一行谏阻道："武后只生了太平公主一个女儿，因而所送嫁妆十分丰厚，但她最终因骄横无度而家败身亡，这样的先例怎么可以效法呢？"玄宗听罢急忙停止这种做法。

唐玄宗开元十一年（癸亥，公元 723 年）

1 春季，正月己巳（初三），唐玄宗一行自东都洛阳启程北上。庚辰（十四日），玄宗抵达潞州，下令免除当地百姓五年徭役。辛卯（二十五日），玄宗来到并州，下令将并州改为太原府，州刺史改称府尹。二月戊申（十二日），玄宗又回到晋州。

2 张说与张嘉贞相互不满，恰好张嘉贞之弟张嘉祐犯贪赃罪事发，张说便劝张嘉贞身穿素服听候皇帝处理。己酉（十三日），玄宗将张嘉贞降职为幽州刺史。

3 壬子（十六日），唐玄宗在汾阴祭祀后土神。乙卯（十九日），玄宗将平遥县令王同庆贬职为赣县尉，原因是他为迎接天子巡幸而储备太多，影响了百姓的正常生活。

4　癸亥,以张说兼中书令。

5　己巳,罢天兵、大武等军,以大同军为太原以北节度使,领太原、辽、石、岚、汾、代、忻、朔、蔚、云十州。

6　三月庚午,车驾至京师。

7　夏,四月甲子,以吏部尚书王晙为兵部尚书、同中书门下三品。

8　五月己丑,以王晙兼朔方军节度大使,巡河西、陇右、河东、河北诸军。

9　上置丽正书院,聚文学之士秘书监徐坚、太常博士会稽贺知章、监察御史鼓城赵冬曦等,或修书,或侍讲。以张说为修书使以总之。有司供给优厚。中书舍人洛阳陆坚以为此属无益于国,徒为縻费,欲悉奏罢之。张说曰:"自古帝王于国家无事之时,莫不崇宫室,广声色,今天子独延礼文儒,发挥典籍,所益者大,所损者微。陆子之言,何不达也?"上闻之,重说而薄坚。

10　秋,八月癸卯,敕:"前令检括逃人,虑成烦扰,天下大同,宜各从所乐,令所在州县安集,遂其生业。"

11　戊申,追尊宣皇帝庙号献祖,光皇帝庙号懿祖,祔于太庙九室。

12　先是,吐谷浑畏吐蕃之强,附之者数年;九月壬申,帅众诣沙州降,河西节度使张敬忠抚纳之。

13　冬,十月丁酉,上幸骊山,作温泉宫。甲寅,还宫。

4　癸亥(二十七日),唐玄宗任命张说兼任中书令。

5　己巳,唐玄宗下令撤销天兵、大武等军,将大同军改为太原以北节度使,统辖太原、辽、石、岚、汾、代、忻、朔、蔚、云十州。

6　三月庚午(初五),唐玄宗一行抵达京师。

7　夏季,四月甲子(三十日),唐玄宗任命吏部尚书王晙为兵部尚书、同中书门下三品。

8　五月己丑(二十五日),唐玄宗指派王晙兼任朔方军节度大使,巡察河西、陇右、河东、河北诸军。

9　唐玄宗开设了丽正书院,招纳了秘书监徐坚、太常博士会稽人贺知章、监察御史鼓城人赵冬曦等文学之士,这些人有的著书立说,有的给皇帝讲论文史。玄宗还任命张说为修书使主持其事。有关部门奉命给予这些人十分优厚的待遇。中书舍人洛阳人陆坚认为这些人所干的事对国家没有任何好处,白白地靡费钱财,打算奏请皇帝将这些人尽行革除。张说道:"有史以来历朝帝王在国家安定时期,无不大建宫室,满足耳目声色之好,当今天子只是虚心尊崇精通文学儒术之士,整理和弘扬先圣所遗留下来的文献典籍,这样做对国家大有好处,并且耗费的钱财也极为有限。陆子所说的话,怎么如此不明事理?"玄宗得知此事后,愈发推重张说而鄙视陆坚。

10　秋季,八月癸卯(初十),唐玄宗发布敕命:"以前朝廷曾下令清查脱漏户籍的丁口,朕担心此举会影响到百姓的生计,当今天下大同,百姓应当随心所欲,怡然自乐,今后所在州县应当对这些人妥为安置,使他们得以安居乐业。"

11　戊申(十五日),唐玄宗下诏将宣皇帝的庙号追尊为献祖,将光皇帝的庙号追尊为懿祖,将两人的神主迁入太庙九室中祔祭。

12　在此以前,吐谷浑鉴于吐蕃势力的强大,被迫依附它达数年之久;九月壬申(初十),吐谷浑首长率领部众来到沙州请求归降唐朝,唐河西节度使张敬忠主持受降,并深加抚慰。

13　冬季,十月丁酉(初五),唐玄宗来到骊山温泉,下令营建温泉宫。甲寅(二十二日),玄宗返回宫中。

14　十一月,礼仪使张说等奏,以高祖配昊天上帝,罢三祖并配之礼。戊寅,上祀南郊,赦天下。

15　戊子,命尚书左丞萧嵩与京兆、蒲、同、岐、华州长官选府兵及白丁一十二万,谓之"长从宿卫",一年两番,州县毋得杂役使。

16　十二月甲午,上幸凤泉汤;戊申,还宫。

17　庚申,兵部尚书、同中书门下三品王晙坐党引疏族,贬蕲州刺史。

18　是岁,张说奏改政事堂曰中书门下,列五房于其后,分掌庶政。

19　初,监察御史濮阳杜暹因按事至突骑施,突骑施馈之金,暹固辞。左右曰:"君寄身异域,不宜逆其情。"乃受之,埋于幕下,出境,移牒令取之。虏大惊,度碛追之,不及。及安西都护阙,或荐暹往使安西,人服其清慎。时暹自给事中居母忧。

十二年(甲子,724)

1　春,三月甲子,起暹为安西副大都护、碛西节度等使。

2　神龙初,追复泽王上金官爵,求得庶子义珣于岭南,绍其故封。许王素节之子瓘,利其爵邑,与弟璆谋,使人告义珣非上金子,妄冒袭封,复流岭南,以璆继上金后为嗣泽王。

14 十一月,礼仪使张说等人向玄宗上奏,请求以唐高祖配享昊天上帝,停止实行高祖、太宗、高宗三祖同时配享的礼节。戊寅(十六日),唐玄宗到南郊祭天,下诏大赦天下。

15 戊子(二十六日),唐玄宗命令尚书左丞萧嵩与京兆、蒲、同、岐、华州长官负责选拔府兵以及白丁共一十二万人,称为"长从宿卫",每年两次服役,并且明令地方州县不得再向这些人征发任何其他徭役。

16 十二月甲午(初三),唐玄宗到了凤泉汤;戊申(十七日),玄宗返回宫中。

17 庚申(二十九日),兵部尚书、同中书门下三品王晙被指控交结提拔远亲,唐玄宗将其贬为蕲州刺史。

18 在这一年,张说奏请玄宗批准将政事堂改名为中书门下,在中书门下之后分设吏房、枢机房、兵房、户房、刑礼房等五房处理日常事务。

19 当初,监察御史濮阳人杜暹曾奉命赴突骑施的领地去处理事务,突骑施人向他馈赠黄金,他坚决推辞不受。他左右的随从对他说:"您现在身在异域,不应拂了他们的盛情。"这样他才接受下来,让人将黄金埋在自己所住的帐篷下面,等到完成使命离开突骑施辖区之后,才写信告诉他们,并且让他们取出来。突骑施人见信后十分惊异,立即穿越沙漠前来追赶,只是未能追上。后来安西都护一职出缺,有人推荐杜暹前去安西担任这一职务,当地百姓无不叹服他的清正谨严。这时杜暹已出任给事中,因其母亲去世而辞官回家守制。

唐玄宗开元十二年(甲子,公元 724 年)

1 春季,三月甲子(初五),唐玄宗征辟正在为母亲服丧的杜暹出任安西副大都护和碛西节度、支度、营田使。

2 神龙初年,曾下令恢复泽王李上金的官爵,并在岭南找到了他的庶子李义珣来承袭其爵位。许王李素节之子李瓘觊觎李义珣所得到的爵位和封邑,便与自己的弟弟李璆策划,指使他人控告李义珣不是李上金的儿子,他是妄冒袭封,于是唐中宗又将李义珣流放到岭南,转而将李璆当李上金之子并封其为嗣泽王。

至是，玉真公主表义珣实上金子，为璥兄弟所摈。夏，四月庚子，复立义珣为嗣泽王，削璥爵，贬璥鄂州别驾。壬寅，敕宗室旁继为嗣王者并令归宗。

3　壬子，命太史监南宫说等于河南、北平地测日晷及极星，夏至日中立八尺之表，同时候之。阳城晷长一尺四寸八分弱，夜视北极出地高三十四度十分度之四；浚仪岳台晷长一尺五寸微强，极高三十四度八分；南至朗州晷长七寸七分，极高二十九度半；北至蔚州，晷长二尺二寸九分，极高四十度。南北相距三千六百八十八里九十步，晷差一尺五寸二分，极差十度半。又南至交州，晷出表南三寸三分。八月，海中南望老人星下，众星粲然，皆古所未名，大率去南极二十度以上星皆见。

4　五月丁亥，停诸道按察使。

5　六月壬辰，制听逃户自首，辟所在闲田，随宜收税，毋得差科征役，租庸一皆蠲免。仍以兵部员外郎兼侍御史宇文融为劝农使，巡行州县，与吏民议定赋役。

6　上以山东旱，命台阁名臣以补刺史。壬午，以黄门侍郎王丘、中书侍郎长安崔沔、礼部侍郎知制诰韩休等五人出为刺史。丘，同皎之从父兄子；休，大敏之孙也。

初，张说引崔沔为中书侍郎，故事，承宣制皆出宰相，侍郎署位而已。沔曰："设官分职，上下相维，各申所见，事乃无失。侍郎，令之贰也，岂得拱默而已？"由是遇事多所异同，说不悦，故因是出之。

至此，玉真公主向玄宗皇帝上表证明李义珣的确是李上金的儿子，只不过是受到了李瓘兄弟的诬告和排挤。夏季，四月庚子(十一日)，唐玄宗又将李义珣立为嗣泽王，削去李琄所冒袭的爵位，将李瓘贬为鄂州别驾。壬寅(十三日)，唐玄宗颁下敕令，让所有继立为王的宗室旁系子孙一律归回本籍。

3 壬子(二十三日)，唐玄宗命令太史南宫说等人在黄河南、北两岸的平地上观测太阳的影子和北极星的位置，于夏至日的这一天在不同地方竖起一支支八尺长的标杆，在同一时间测量不同标杆影子的长度。阳城县日影的长度为一尺四寸八分弱，晚上所看到的北极星高出地面三十四度十分度之四；在汴州浚仪台日影的长度为一尺五寸微强，晚上北极星高出地面三十四度八分；最南部的朗州日影长度为七寸七分，晚上北极星高出地面二十九度半；最北部的蔚州的日影长度为二尺二寸九分，晚上北极星高出地面四十度。位于最南部的朗州和最北部的蔚州两地之间相距三千六百八十八里九十步，两地日影长度相差一尺五寸二分，晚上北极星高出地面的角度相差十度半。再往南一直到交州，日影伸至标杆南面三寸三分处。八月，在海中向南极星望去，四周群星清晰明亮，全都是以往未曾命名的，大约离南极星二十度角范围内的所有星星均可看到。

4 五月丁亥(二十九日)，唐玄宗下令停置各道按察使。

5 六月壬辰(初五)，唐玄宗发布制命，允许户籍脱漏的民户自动申报，开辟出各地闲置的土地，由官府根据具体情况征收赋税，但不得征发徭役，租庸也一律蠲免。玄宗又让兵部员外郎兼侍御史宇文融继续留任劝农使，到各州县巡察，与当地吏民商定应出赋税徭役的具体数量。

6 由于山东各州旱情严重，唐玄宗命令台阁重臣外任刺史之职。壬午，玄宗任命黄门侍郎王丘、中书侍郎长安人崔沔和礼部侍郎、知制诰韩休等五人外任刺史。王丘是王同皎堂兄的儿子，韩休是韩大敏的孙子。

当初张说举荐崔沔出任中书侍郎，依照惯例，接受皇帝制书以及传达皇帝旨意均由宰相负责，中书侍郎形同虚设。崔沔认为："朝廷设官分职，是为了使上下之间得以沟通，只有在位者各抒己见，朝廷大政才能减少失误。中书侍郎是中书令的副职，怎么可以拱手沉默无所事事呢？"因此遇事经常表示不同意见，张说对此心中不满，便趁此机会将他外放为刺史。

7　秋,七月,突厥可汗遣其臣哥解颉利发来求婚。

8　溪州蛮覃行璋反。以监门卫大将军杨思勖为黔中道招讨使,将兵击之。癸亥,思勖生擒行璋,斩首三万级而归。加思勖辅国大将军,俸禄、防阁皆依品给。赦行璋以为洄水府别驾。

9　姜皎既得罪,王皇后愈忧畏不安,然待下有恩,故无随而谮之者,上犹豫不决者累岁。后兄太子少保守一,以后无子,使僧明悟为后祭南北斗,剖霹雳木,书天地字及上名,合而佩之,祝曰:"佩此有子,当如则天皇后。"事觉,己卯,废为庶人,移别室安置。贬守一潭州别驾,中路赐死。户部尚书张嘉贞坐与守一交通,贬台州刺史。

10　八月丙申,突厥哥解颉利发还其国,以其使者轻,礼数不备,未许婚。

11　己亥,以宇文融为御史中丞。

融乘驿周流天下,事无大小,诸州先牒上劝农使,后申中书。省司亦待融指抐,然后处决。时上将大攘四夷,急于用度,州县畏融,多张虚数,凡得客户八十馀万,田亦称是。岁终,增缗钱数百万,悉进入宫,由是有宠。议者多言烦扰,不利百姓,上亦令集百寮于尚书省议之。公卿已下,畏融恩势,不敢立异。惟户部侍郎杨玚独抗议,以为:"括客免税,不利居人。征籍外田税,使百姓困弊,所得不补所失。"未几,玚出为华州刺史。

7　秋季，七月，突厥可汗派其大臣哥解颉利发前来求婚。

8　溪州蛮族人覃行璋反叛唐朝。唐玄宗任命监门卫大将军杨思勖为黔中道招讨使率军进剿。癸亥（初六），杨思勖生擒了覃行璋，斩敌首级三万，得胜回师。唐玄宗为杨思勖加辅国大将军衔，并规定他的俸禄和卫兵数目均按规定增加。玄宗又下诏赦免了覃行璋之罪，将其任命为洵水府别驾。

9　姜皎被流放之后，王皇后心中越发忧惧不安，但由于平日对手下人多有恩惠，因而并没有人到玄宗那里去诬陷她，唐玄宗在几年之间也一直对是否废掉皇后一事犹豫不决。由于王皇后没有生儿子，所以他的哥哥太子少保王守一指使僧人明悟为皇后向北斗七星和南斗六星设祭，剖开霹雳木，在上面写下天地二字和玄宗的姓名，然后将两个半片合在一起，佩戴在身上，对天祈祷道："我佩戴上这个东西，就会生儿子，就像则天皇后那样。"此事被发觉了，己卯（二十二日），玄宗将王皇后废为庶人，把她迁到别的房间中安置。又将王守一贬为潭州别驾，并在赴任途中将他赐死。户部尚书张嘉贞被指控与王守一互相勾结，玄宗将他贬为台州刺史。

10　八月丙申（初九），唐玄宗打发突厥使者哥解颉利发回国，由于这次对方使者规格太低，礼数又不完备，所以没有答应与其通婚。

11　己亥（十二日），唐玄宗任命宇文融为御史中丞。

宇文融乘着驿车周游天下，地方上无论发生什么事，州县官都要先向他这个劝农使汇报，然后再呈报给中书省。尚书诸省左右司主使官也都是在看到宇文融在公文中所表述的处理意见之后，才对具体问题作出决定。当时唐玄宗正准备对周边各部落大事征伐，急需钱用，地方州县官惧怕宇文融，便虚报括田及括户的成绩，所以总共查出脱漏的民户八十多万，所查出的隐匿的土地数量也与此不相上下。到年终决算时，共增加财政收入达数百万缗，宇文融将这些收入全部上缴宫中，因而深得唐玄宗的宠爱。群臣大多认为他这样做影响了民间的正常生活，对安定百姓不利，唐玄宗也曾将文武百官召集到尚书省共同讨论他的做法。但由于公卿以下大多忌惮宇文融在天子心目中的地位，所以不敢当面提出反对意见。只有户部侍郎杨玚例外，他认为："清查脱漏的丁口，允许自首的人免除徭役，对在籍的百姓不利。加征正籍之外民田的租税，会使得百姓生计困苦，所失大于所得。"过了不久，杨玚便被外放为华州刺史。

12　壬寅,以开府仪同三司宋璟为西京留守。

13　冬,十月丁酉,谢飓王特勒遣使入奏,称:"去年五月,金城公主遣使诣箇失密国,云欲走归汝。箇失密王从臣国王借兵,共拒吐蕃。王遣臣入取进止。"上以为然,赐帛遣之。

14　废后王氏卒,后宫思慕后不已,上亦悔之。

15　十一月庚午,上幸东都;戊寅,至东都。

16　辛巳,司徒申王㧑薨,赠谥惠庄太子。

17　群臣屡上表请封禅,闰月丁卯,制以明年十一月十日有事于泰山。时张说首建封禅之议,而源乾曜不欲为之,由是与说不平。

18　是岁,契丹王李郁干卒,弟吐干袭位。

十三年(乙丑,725)

1　春,二月庚申,以御史中丞宇文融兼户部侍郎。制以所得客户税钱均充所在常平仓本,又委使司与州县议作劝农社,使贫富相恤,耕耘以时。

2　乙亥,更命长从宿卫之士曰"矿骑",分隶十二卫,总十二万人为六番。

3　上自选诸司长官有声望者大理卿源光裕、尚书左丞杨承令、兵部侍郎寇沘等十一人为刺史,命宰相、诸王及诸司长官、台郎、御史饯于洛滨,供张甚盛。赐以御膳,太常具乐,内坊歌妓,上自书十韵诗赐之。光裕,乾曜之从孙也。

12　壬寅(十五日),唐玄宗任命开府仪同三司宋璟为西京留守。

13　冬季,十月丁酉(十一日),谢䫻国国王特勒派使者入朝上奏,称:"去年五月,金城公主派使者到箇失密国,说是要逃归大唐。箇失密国王向我们的国王借兵,要合两国之力抗击吐蕃。国王派臣前来听候陛下的旨意。"玄宗认为他们这样做很对,便赏赐了绢帛之后送使者回国。

14　被废黜的前皇后王氏去世,宫中的人非常悲哀,唐玄宗对自己当初的做法也感到后悔。

15　十一月庚午(十四日),玄宗启程前往东都;戊寅(二十二日),玄宗抵达东都。

16　辛巳(二十五日),司徒申王李㧑去世,玄宗追谥其为惠庄太子。

17　群臣屡次向玄宗上表请求到泰山祭祀天地,闰十二月丁卯(十二日),唐玄宗颁布制命,决定在下一年的十一月十日到泰山举行封禅大典。当时张说首先提出封禅之议,而源乾曜不愿意玄宗这么做,因此两人关系不睦。

18　在这一年,契丹王李郁干去世,其弟弟李吐干继位。

唐玄宗开元十三年(乙丑,公元725年)

1　春季,二月庚申(初六),唐玄宗任命御史中丞宇文融兼任户部侍郎。唐玄宗又颁下敕命,要求将所征得的客户税金一律充作所在州县的常平仓本金;又下令有关部门与各州县协商筹建劝农社,以便使百姓之间贫富相济,按时耕种田地。

2　乙亥(二十一日),玄宗将长从宿卫亲军改名为"彍骑",分别隶属于十二卫,总兵员为十二万人,共分六番入值宿卫。

3　唐玄宗亲自选拔了大理寺卿源光裕、尚书省左丞杨承令、兵部侍郎寇泚等十一位素有声望的诸司长官外任刺史,又命令宰相、诸王及诸司长官、台郎、御史们在洛水之滨为他们饯行,场面大大超过了常规。席间由皇帝赐给御膳,由太常安排乐队,又叫来了宜春院内教坊中的歌妓助兴,唐玄宗还亲笔书写了自己所作的十韵诗相赠。源光裕是源乾曜兄弟的孙子。

4　三月甲午,太子嗣谦更名鸿;徙郯王嗣真为庆王,更名潭;陕王嗣昇为忠王,更名浚;鄫王嗣真为棣王,更为泣;鄂王嗣初更名涓;郢王嗣玄为荣王,更名滉。又立子琚为光王,潍为仪王,沄为颍王,泽为永王,清为寿王,泂为延王,沐为盛王,溢为济王。

5　丙申,御史大夫程行湛奏:"周朝酷吏来俊臣等二十三人,情状尤重,子孙请皆禁锢。傅游艺等四人差轻,子孙不听近任。"从之。

6　汾州刺史杨承令不欲外补,意怏怏,自言:"吾出守有由。"上闻之,怒,壬寅,贬睦州别驾。

7　张说草封禅仪献之。夏,四月丙辰,上与中书门下及礼官、学士宴于集仙殿。上曰:"仙者凭虚之论,朕所不取。贤者济理之具,朕今与卿曹合宴,宜更名曰集贤殿。"其书院官五品以上为学士,六品以下为直学士;以张说知院事,右散骑常侍徐坚副之。上欲以说为大学士,说固辞而止。

8　说以大驾东巡,恐突厥乘间入寇,议加兵守边,召兵部郎中裴光庭谋之。光庭曰:"封禅者,告成功也。今将升中于天,而戎狄是惧,非所以昭盛德也。"说曰:"然则若之何?"光庭曰:"四夷之中,突厥为大,比屡求和亲,而朝廷羁縻,未决许也。今遣一使,征其大臣从封泰山,彼必欣然承命。突厥来,则戎狄君长无不皆来。可以偃旗卧鼓,高枕有馀矣。"说曰:"善,说所不及。"即奏行之。光庭,行俭之子也。

4　三月甲午(初十)，玄宗将太子李嗣谦改名为李鸿；将郯王李嗣真改封为庆王，并将其改名为李潭；将陕王李嗣昇改封为忠王，并将其名改为李浚；将鄫王李嗣真改封为棣王，并将其名改为李洽；将鄂王李嗣初改名为李涓；将鄄王李嗣玄改封为荣王，并将其名改为李滉。唐玄宗又封其子李琚为光王，封李潍为仪王，封李沄为颍王，封李泽为永王，封李清为寿王，封李泂为延王，封李沐为盛王，封李溢为济王。

5　丙申(十二日)，御史大夫程行谌上奏道："在武周满朝酷吏之中，来俊臣等二十三人最为刻毒，请陛下明令禁止这些人的子孙出仕为官。相比之下傅游艺等四人罪状略显轻微，其子孙也不得在京畿之地任官。"唐玄宗对此表示同意。

6　汾州刺史杨承令不愿就任外职，心中不快，声称："我被外放，事出有因。"玄宗得知此事后，勃然大怒，壬寅(十八日)，又将他贬为睦州别驾。

7　张说草拟了封禅仪并将其进献给玄宗。夏季，四月丙辰(初三)，唐玄宗与中书门下及礼官、学士们一起在集仙殿聚宴。玄宗说："神仙是向壁虚构之物，对此朕并不予以重视。贤良之士则是治理国家的工具，朕今天与诸位一起用餐，可以将集仙殿改名为集贤殿。"规定凡在书院中供职的官员，五品以上均为学士，六品以下均为直学士；又任命张说为知院事，任命右散骑常侍徐坚作他的副职。唐玄宗还打算请张说就任大学士，只是因张说极力推辞才作罢。

8　张说因为皇帝大驾东至泰山封禅，担心突厥乘机入侵，故而提议加强边疆守军的实力，并且召来兵部郎中裴光庭商议此事。裴光庭说："封禅大典，乃是皇帝向天地报答其博大的功德。现在皇帝正要借泰山向上天表达衷情，却突然惧怕起戎狄来了，这不是彰明圣朝至德的办法。"张说问道："那么我们该怎么办呢？"裴光庭回答说："在四夷之中，要数突厥最为强大，近年来他们屡次请求和亲通婚，只是朝廷出于羁縻之策的考虑，一直没有答应。现在如果朝廷派出一位使节，到突厥征召其大臣陪同皇帝前往泰山封禅，他们一定会欣然从命。突厥一来，则戎狄君长无不来。这样就可以偃旗息鼓，高枕无忧了。"张说称赞他道："太好了，我张说比不上你。"便立即将这一计策上奏玄宗批准并付诸施行。裴光庭是裴行俭的儿子。

上遣中书直省袁振摄鸿胪卿,谕旨于突厥,小杀与阙特勒、暾欲谷环坐帐中,置酒,谓振曰:"吐蕃,狗种;奚、契丹,本突厥奴也,皆得尚主。突厥前后求婚独不许,何也?且吾亦知入蕃公主皆非天子女,今岂问真伪?但屡请不获,愧见诸蕃耳。"振许为之奏请。小杀乃使其大臣阿史德颉利发入贡,因扈从东巡。

9　五月庚寅,妖贼刘定高帅众夜犯通洛门。悉捕斩之。

10　秋,八月,张说议封禅仪,请以睿宗配皇地祇;从之。

11　九月丙戌,上谓宰臣曰:"《春秋》不书祥瑞,惟记有年。"敕自今州县毋得更奏祥瑞。

12　冬,十月癸丑,作水运浑天成。上具列宿,注水激轮,令其自转,昼夜一周。别置二轮,络在天外,缀以日月,逆天而行,淹速合度。置木匮为地平,令仪半在地下,又立二木人,每刻击鼓,每辰击钟,机械皆藏匮中。

13　辛酉,车驾发东都,百官、贵戚、四夷酋长从行。每置顿,数十里中人畜被野,有司辇载供具之物,数百里不绝。

十一月丙戌,至泰山下,御马登山。留从官于谷口,独与宰相及祠官俱登,仪卫环列于山下百馀里。上问礼部侍郎贺知章曰:"前代玉牒之文,何故秘之?"对曰:"或密求神仙,故不欲人见。"

唐玄宗派中书直省袁振代理鸿胪寺卿职务出使突厥,传达自己的旨意,突厥可汗小杀(毗伽)与阙特勒、暾欲谷环坐在牙帐之中,设宴款待袁振,在席间向袁振问道:"吐蕃乃是狗种,奚、契丹本来就是突厥的奴隶,他们却都能娶大唐公主为妻。只有我们突厥前后多次向大唐求婚未能获准,这究竟是为什么?况且我们也知道远嫁吐蕃的公主们都不是皇帝的亲生女儿,但现在谁还关心这一点呢?只不过是因为屡次求婚未能获准的缘故,才在吐蕃面前感到脸上无光罢了。"袁振答应替他们向玄宗皇帝上奏求婚。小杀可汗便派其大臣阿史德颉利发入朝纳贡,并趁机扈从玄宗东行封禅。

9 五月庚寅(初八),妖贼刘定高率众乘夜进犯通洛门。有关部门将这些人全部抓获处斩。

10 秋季,八月,张说在讨论封禅仪时,请求用睿宗的灵位配享皇地祇神,唐玄宗表示同意。

11 九月丙戌(初六),唐玄宗对宰臣说:"《春秋》上不记载祥瑞,只是载年景。"同时发布敕命,规定从此各州县不得将祥瑞上奏。

12 冬季,十月癸丑(初三),僧一行与梁令瓒制成了水运浑天铜仪。该铜仪上置有各星宿,加满水后发动起轮子,能使它自转,每昼夜转完一圈。铜仪之外另有两个轮子在"天"外逆天而行,上面分别镶嵌着太阳和月亮,运转时间的长短也与铜仪本身的时间相同。另置一个木柜子作为地面,将铜仪的一半安到"地"面以下,再安装了两个木人,其中一个每一刻时间一击鼓,另一个每一个时辰一撞钟,所有的机械都藏在木柜之内。

13 辛酉(十一日),玄宗一行从东都出发,文武百官、皇亲国戚和各族酋长均扈从东行。车队每次休息时,数十里长的大路上人畜蔽野,有关部门所安排的满载供给用具的车辆,更是数百里络绎不绝。

十一月丙戌(初六),唐玄宗一行抵达泰山脚下,玄宗骑马登上泰山。将随从官员留在谷口,只带了宰相以及祠官一同上山,环列在山下的仪仗侍卫绵延达百馀里。唐玄宗向礼部侍郎贺知章问道:"前代帝王封禅所用的文书,为什么总是秘而不宣?"贺知章回答说:"有时帝王秘密地向神仙求福,所以不希望别人得见。"

上曰："吾为苍生祈福耳。"乃出玉牒，宣示群臣。庚寅，上祀
昊天上帝于山上，群臣祀五帝百神于山下之坛，其馀仿乾封
故事。辛卯，祭皇地祇于社首。壬辰，上御帐殿，受朝觐，赦
天下，封泰山神为天齐王，礼秩加三公一等。

张说多引两省吏及以所亲摄官登山。礼毕推恩，往往加
阶超入五品而不及百官。中书舍人张九龄谏，不听。又，扈
从士卒，但加勋而无赐物，由是中外怨之。

14　初，隋末国马皆为盗贼及戎狄所掠，唐初才得牝牡
三千匹于赤岸泽，徙之陇右，命太仆张万岁掌之。万岁善于
其职，自贞观至麟德，马蕃息及七十万匹，分为八坊、四十八
监，各置使以领之。是时天下以一缣易一马。垂拱以后，马
潜耗太半。上初即位，牧马有二十四万匹，以太仆卿王毛仲
为内外闲厩使，少卿张景顺副之。至是有马四十三万匹，牛
羊称是。上之东封，以牧马数万匹从，色别为群，望之如云
锦。上嘉毛仲之功，癸巳，加毛仲开府仪同三司。

甲午，车驾发泰山。庚申，幸孔子宅致祭。

上还，至宋州，宴从官于楼上，刺史寇泚预焉。酒酣，上谓张
说曰："向者屡遣使臣分巡诸道，察吏善恶，今因封禅历诸州，乃
知使臣负我多矣。怀州刺史王丘，饩牵之外，一无他献。魏州刺
史崔沔，供张无锦绣，示我以俭。济州刺史裴耀卿，表数百言，

玄宗说:"我这可是为天下苍生祈福啊!"于是拿出封禅文书向群臣宣示。庚寅(初十),玄宗在泰山之上祭祀了昊天上帝,群臣则在山下的祭坛上祭祀了五帝百神,其他则一律仿效乾封年间封禅的先例。辛卯(十一日),唐玄宗在社首山祭祀了皇地祇。壬辰(十二日),玄宗在帐殿接受群臣朝觐,下诏大赦天下,并封泰山神为天齐王,所享用的礼秩加三公一等。

张说让很多中书省、门下省官吏和自己所提拔的官员随从玄宗登山。封禅大典结束后玄宗推恩颁赏时,这些人往往可以被破格提拔为五品以上,但这种皇恩却与其他文武百官无缘。中书舍人张九龄向张说谏阻这种做法,但张说拒绝采纳。还有,扈从车驾的士卒,均只加勋而不赐物,因此朝廷内外均对张说极为不满。

14　当初,隋朝末年国有马匹均为盗贼以及戎狄掠走,唐朝开国之初,也只是在赤岸泽得到雌雄马匹共三千匹,然后将这些马匹迁徙到陇右放养,任命太仆张万岁主持养马之事。张万岁非常称职,自贞观至麟德年间,官马不断繁殖,数目达到七十多万匹,共分设八坊、四十八监,朝廷分别委任坊、监使具体负责养马事宜。这时在市场上用一匹细绢就可以买到一匹马。垂拱年间以后,官马数量逐渐减少了一半以上。唐玄宗即位的初期,官马总数只有二十四万匹了,所以他任命太仆寺卿王毛仲为内外闲厩使,任命太仆寺少卿张景顺为他的副职。至此官马数量又增加到四十三万匹,官府饲养的牛羊的数量也大致有这么多。唐玄宗东至泰山封禅时,带去了数万匹牧马,根据马的毛色分为不同的马群,看上去就像是天上的彩云在移动。唐玄宗为了嘉奖王毛仲的功劳,癸巳(十三日),特意加王毛仲开府仪同三司衔。

甲午(十四日),玄宗一行从泰山起身。丙申(十六日),来到孔子旧宅举行了祭祀。

唐玄宗在返京途中来到宋州,在楼上赐宴款待随行官员,宋州刺史寇泚也出席了宴会。酒酣之际,玄宗对张说说:"朕以往曾多次派使臣分巡各道考察地方官的善恶,这次由于封禅而得以亲自到各州走一走,才发现使臣欺罔朕的地方太多了。怀州刺史王丘,除了牛羊猪等活的牲畜之外,没有任何其他的贡献之物。魏州刺史崔沔,所供给的帷帐之中没有一件是锦绣织物做成的,这是告诉我应当一切从俭。济州刺史裴耀卿,向朕上了一篇数百字的表章,

莫非规谏。且曰:'人或重扰,则不足以告成。'朕常置之坐隅,且以戒左右。如三人者,不劳人以市恩,真良吏矣。"顾谓寇泚曰:"比亦屡有以酒馔不丰诉于朕者,知卿不借誉于左右也。"自举酒赐之。宰臣帅群臣起贺,楼上皆称万岁。由是以丘为尚书左丞,沔为散骑侍郎,耀卿为定州刺史。耀卿,叔业之七世孙也。

十二月乙巳,还东都。

15　突厥颉利发辞归,上厚赐而遣之,竟不许婚。

16　王毛仲有宠于上,百官附之者辐凑。毛仲嫁女,上问何须。毛仲顿首对曰:"臣万事已备,但未得客。"上曰:"张说、源乾曜辈岂不可呼邪?"对曰:"此则得之。"上曰:"知汝所不能致者一人耳,必宋璟也。"对曰:"然。"上笑曰:"朕明日为汝召客。"明日,上谓宰相:"朕奴毛仲有婚事,卿等宜与诸达官悉诣其第。"既而日中,众客未敢举箸,待璟,久之,方至,先执酒西向拜谢,饮不尽卮,遽称腹痛而归。璟之刚直,老而弥笃。

17　先是,契丹王李吐干与可突干复相猜忌,携公主来奔,不敢复还,更封辽阳王,留宿卫。可突干立李尽忠之弟邵固为主。车驾东巡,邵固诣行在,因从至泰山,拜左羽林大将军、静折军经略大使。

其中没有一句不含有规谏之意。甚至说道:'如果因此严重搅扰百姓,那么陛下封禅就无从告成于上天。'朕常以此言为座右铭,并且用它来告诫左右侍臣。像这三位官员这样绝不侵扰百姓以邀恩求幸,真是朝廷的良吏呀。"说到这里,玄宗又回头对寇泚说:"近来有很多人向朕诉说你所供给的酒席太不丰盛,朕由此明白这是因为你没有买通朕左右的人为你说好话的缘故。"说完亲自举杯向寇泚赐酒。宰相率群臣起立称贺,楼上所有人都山呼万岁。唐玄宗又因此任命王丘为尚书左丞,任命崔沔为散骑侍郎,任命裴耀卿为定州刺史。裴耀卿是裴叔业的七世孙。

十二月乙巳,唐玄宗返回东都。

15 突厥使者阿史德颉利发请求回国,唐玄宗给了他丰厚的赏赐之后送他回国,但终于还是没有答应与突厥通婚。

16 王毛仲深得唐玄宗的宠幸,想方设法巴结他的文武官员数不胜数。王毛仲的女儿将要出嫁,玄宗问他还缺什么东西。王毛仲叩头回答道:"臣万事均已齐备,只是没有请到客人。"玄宗问道:"难道像张说、源乾曜这样的宰相还不行吗?"王毛仲回答说:"这些是能请的。"唐玄宗说:"朕知道你请不动的只有一个人,那就是宋璟。"王毛仲说:"正是。"玄宗笑着说:"朕明天亲自替你请客。"第二天,玄宗对宰相说:"朕的奴才王毛仲要办喜事了,你们应当与各位朝廷要员一起去他家贺喜。"直到正午时分,所有的来宾还都不敢动筷子,只等宋璟一个人了,过了很久,宋璟才来了,他先端起酒杯向西行礼拜谢君命,然后未等喝完这一杯酒,便推说腹中疼痛难忍而退席回家。宋璟为人方正刚直,随着他年寿的增高而日益严格。

17 在此以前,契丹王李吐干因与可突干相互猜忌,便带着公主逃入唐朝,不敢再回契丹,玄宗将他改封为辽阳王,留在京师宿卫。可突干则立李尽忠之弟李邵固为契丹主。玄宗东行封禅时,李邵固也赶来觐见并随从玄宗去了泰山,玄宗将他任命为左羽林大将军、静析军经略大使。

18　上疑吏部选试不公，时选期已迫，御史中丞宇文融密奏，请分吏部为十铨。甲戌，以礼部尚书苏颋等十人掌吏部选，试判将毕，遽召入禁中决定，吏部尚书、侍郎皆不得预。左庶子吴兢上表，以为："陛下曲受谗言，不信有司，非居上临人推诚感物之道。昔陈平、邴吉，汉之宰相，尚不对钱谷之数，不问斗死之人，况大唐万乘之君，岂得下行铨选之事乎？凡选人书判，并请委之有司，停此十铨。"上虽不即从，明年复故。

19　是岁，东都斗米十五钱，青、齐五钱，粟三钱。

20　于阗王尉迟眺阴结突厥及诸胡谋叛，安西副大都护杜暹发兵捕斩之，更为立王。

18　唐玄宗怀疑吏部主持的选官考试有失公允,当时选官考试的日期已经迫近,御史中丞宇文融向玄宗秘密地上奏,请求将吏部选官考试分为十铨。甲戌(二十五日),唐玄宗派礼部尚书苏颋等十人主持吏部铨选,在试判将要结束时,突然将应试者召进宫中亲自测试并作出决定,即使是吏部尚书和侍郎也不得过问。左庶子吴兢向玄宗上表,认为:"陛下屈法听信谗言,却不相信主管铨选工作的吏部,这并非是居上位者君临天下、推诚感人之道。想当初陈平、邴吉是汉朝的宰相,尚且不去具体过问钱谷赋税的数目,不去问讯斗殴致死人命的案子,何况陛下乃大唐皇帝,怎么可以躬行铨选之事呢?凡属选任官吏及书写委任状之类的小事,陛下都应交付吏部处理,停止实施所谓十铨之法。"唐玄宗虽然没有立即采纳,但在第二年时就停用此法,一概如前。

19　在这一年,东都每斗米价值十五钱,青州、齐州每斗米五钱,每斗粟仅值三钱。

20　于阗王尉迟眺暗中勾结突厥以及胡人各部阴谋反叛,安西副大都护杜暹发兵将其擒获并斩杀,又重新立了一位于阗王。

卷第二百一十三　唐纪二十九

起丙寅(726)尽癸酉(733)凡八年

玄宗至道大圣大明孝皇帝中之上

开元十四年(丙寅,726)

1　春,正月癸未,更立契丹松漠王李邵固为广化王,奚饶乐王李鲁苏为奉诚王。以上从甥陈氏为东华公主,妻邵固;以成安公主之女韦氏为东光公主,妻鲁苏。

2　张说奏:"今之五礼,贞观、显庆两曾修纂,前后颇有不同,其中或未折衷。望与学士等讨论古今,删改施行。"制从之。

3　邕州封陵獠梁大海等据宾、横州反。二月己酉,遣内侍杨思勖发兵讨之。

4　上召河南尹崔隐甫,欲用之。中书令张说薄其无文,奏拟金吾大将军;前殿中监崔日知素与说善,说荐为御史大夫。上不从。丙辰,以日知为左羽林大将军,丁巳,以隐甫为御史大夫。隐甫由是与说有隙。

说有才智而好贿,百官白事有不合者,好面折之,至于叱骂。恶御史中丞宇文融之为人,且患其权重,融所建白,多抑之。中书舍人张九龄言于说曰:"宇文融承恩用事,辩给多权数,不可不备。"说曰:"鼠辈何能为?"夏,四月壬子,

玄宗至道大圣大明孝皇帝中之上
唐玄宗开元十四年(丙寅,公元726年)

1 春季,正月癸未(初四),唐玄宗将契丹松漠王李邵固改立为广化王,将奚人饶乐王李鲁苏改立为奉诚王。封自己的堂外甥女陈氏为东华公主,嫁给李邵固为妻,封成安公主的女儿韦氏为东光公主,嫁给李鲁苏为妻。

2 张说奏道:"如今的五礼,经过贞观、显庆年间两次的编撰修改,前后有很多不同之处,其中有些不很适度。希望允许我和学士等人对古今这方面的情况进行讨论研究,酌情对五礼作适当的增删修改,然后颁布施行。"唐玄宗采纳了张说的建议。

3 邕州封陵县獠人梁大海等人占据宾州和横州造反。二月己酉,唐玄宗派内侍杨思勖带领军队去讨伐。

4 唐玄宗召见河南尹崔隐甫,准备重用他。中书令张说因崔隐甫言谈没有文采,很看不起他,就向唐玄宗提议让他当金吾大将军;前殿中监崔日知一向与张说关系较好,张说就举荐他当御史大夫。但唐玄宗没有听从张说的建议。丙辰(初七),唐玄宗任命崔日知为左羽林大将军;丁巳(初八),任命崔隐甫为御史大夫。崔隐甫从此与张说有了矛盾。

张说很有才学智谋,但贪图财物,百官陈述事情有不符合他心意的地方,他喜欢当面驳斥,甚至大声呵斥谩骂。他厌恶御史中丞宇文融的为人,而且还担心宇文融的权力上升,因此对宇文融的建议陈述,多数压住不上报。中书舍人张九龄对张说说:"宇文融顺承皇上的旨意办事,能言善辩,又很会玩弄权术,您对他不能不有所防备。"张说轻蔑地说:"鼠辈能有什么作为?"夏季,四月壬子(初四),

隐甫、融及御史中丞李林甫共奏弹说:"引术士占星,徇私僭侈,受纳贿赂。"敕源乾曜及刑部尚书韦抗、大理少卿明珪与隐甫等同于御史台鞫之。林甫,叔良之曾孙;抗,安石之从父兄子也。

丁巳,以户部侍郎李元纮为中书侍郎、同平章事。元纮以清俭著,故上用为相。

5　源乾曜等鞫张说,事颇有状,上使高力士视说,力士还奏:"说蓬首垢面,席藁,食以瓦器,惶惧待罪。"上意怜之。力士因言说有功于国,上以为然。庚申,但罢说中书令,馀如故。

6　丁卯,太子太傅岐王范薨,赠谥惠文太子。上为之撤膳累旬,百官上表固请,然后复常。

7　丁亥,太原尹张孝嵩奏:"有李子峤者,自称皇子,云生于潞州,母曰赵妃。"上命杖杀之。

8　辛丑,于定、恒、莫、易、沧五州置军以备突厥。

9　上欲以武惠妃为皇后,或上言:"武氏乃不戴天之仇,岂可以为国母? 人间盛言张说欲取立后之功,更图入相之计。且太子非惠妃所生,惠妃复自有子,若登宸极,太子必危。"上乃止,然宫中礼秩,一如皇后。

10　五月癸卯,户部奏今岁户七百六万九千五百六十五,口四千一百四十一万九千七百一十二。

崔隐甫、宇文融和御史中丞李林甫一起向唐玄宗上书，弹劾张说：
"引用江湖术士占卜星相，还徇私舞弊，收受贿赂，过分奢侈。"唐玄
宗命令源乾曜和刑部尚书韦抗、大理少卿明珪与崔隐甫等人一起
在御史台审讯张说。李林甫是李叔良的曾孙，韦抗是韦安石堂兄
的儿子。

丁巳(初九)，唐玄宗任命户部侍郎李元纮为中书侍郎、同平章
事。李元纮一向以清廉俭朴而著称，因此唐玄宗任用他当宰相。

5　源乾曜等人审问张说，事情颇有眉目。唐玄宗派高力士探
看张说的情况，高力士回来对唐玄宗说："张说头发散乱，污垢满
脸，用稻草当席子，用瓦盆吃饭，惊慌恐惧地等候处分。"唐玄宗心
里很怜悯张说。高力士趁机说张说对国家有过很大功劳，唐玄宗
认为他讲得很对。庚申(十二日)，唐玄宗只罢免了张说的中书令
职务，其馀的官职还照旧。

6　丁卯(十九日)，太子太傅岐王李范去世，唐玄宗追谥他为
惠文太子。由于李范的死，唐玄宗连续撤膳几十天，百官上书再三
恳求，才恢复如常。

7　丁亥(初十)，太原尹张孝嵩向唐玄宗上书说："有个叫李子
峤的人，自称是皇子，生在潞州，母亲叫赵妃。"唐玄宗命令张孝嵩
用杖刑将此人打死。

8　辛丑(二十四日)，朝廷在定州、恒州、莫州、易州、沧州分别
建置北平军、恒阳军、唐兴军、高阳军、横海军，以防备突厥国的
侵犯。

9　唐玄宗想立武惠妃为皇后，有人上书说："您与武氏有不共
戴天之仇，怎么能立她为国母？民间很多人传言张说想借册立皇
后立功，进而再作担任宰相的打算。况且太子不是武惠妃所生，她
自己又有儿子，如果她登上皇后之位，太子必然很危险。"唐玄宗听
后才打消了这个念头，但武惠妃在宫中的礼仪级别，一切都如同
皇后。

10　五月癸卯(二十六日)，户部向唐玄宗报告，今年全国共有
七百零六万九千五百六十五户，共四千一百四十一万九千七百一
十二人。

11 秋,七月,河南、北大水,溺死者以千计。

12 八月丙午朔,魏州言河溢。

13 九月己丑,以安西副大都护、碛西节度使杜暹同平章事。

自王孝杰克复四镇,复于龟兹置安西都护府,以唐兵三万戍之,百姓苦其役。为都护者,惟田杨名、郭元振、张嵩及暹皆有善政,为人所称。

14 冬,十月庚申,上幸汝州广成汤;己酉,还宫。

15 十二月丁巳,上幸寿安,猎于方秀川;壬戌,还宫。

16 杨思勖讨反獠,生擒梁大海等三千馀人,斩首二万级而还。

17 是岁,黑水靺鞨遣使入见。上以其国为黑水州,仍为置长史以镇之。

勃海靺鞨王武艺曰:"黑水入唐,道由我境。往者请吐屯于突厥,先告我与我偕行。今不告我而请吏于唐,是必与唐合谋,欲腹背攻我也。"遣其母弟门艺与其舅任雅将兵击黑水。门艺尝为质子于唐,谏曰:"黑水请吏于唐,而我以其故击之,是叛唐也。唐,大国也。昔高丽全盛之时,强兵三十馀万,不遵唐命,扫地无遗。况我兵不及高丽什之一二,一旦与唐为怨,此亡国之势也。"武艺不从,强遣之。门艺至境上,复以书力谏。武艺怒,遣其从兄大壹夏代之将兵,召,欲杀之。门艺弃众,间道来奔,制以为左骁卫将军。武艺遣使上表罪状门艺,请杀之。上密遣门艺诣安西,留其使者,别遣报云,已流门艺于岭南。武艺知之,上表称:"大国当示人以信,岂得为此欺诳?"

11　秋季,七月,黄河南北地区发大水,数以千计的人被淹死。

12　八月丙午朔(初一),魏州报告黄河泛滥。

13　九月己丑(十五日),唐玄宗任命安西副大都护、碛西节度使杜暹同平章事。

自从王孝杰收复龟兹、疏勒、于阗、焉耆四镇,朝廷又在龟兹设置安西都护府,派遣三万军队驻守这个地区,老百姓深受军队劳役之苦。在历任安西都护中,只有田杨名、郭元振、张嵩和杜暹都有一些好的政绩,因而被人们所称颂。

14　冬季,十月庚申(十六日),唐玄宗来到汝州广成汤;十二月己酉(初六),回皇宫。

15　十二月丁巳(十四日),唐玄宗到寿安,在方秀川狩猎;壬戌(十九日),回皇宫。

16　杨思勖讨伐反叛的獠人,活捉梁大海等三千多人,斩首两万级,得胜还师。

17　这一年,黑水靺鞨派使节到长安求见唐玄宗。唐玄宗将黑水靺鞨国设置为黑水州,仍派长史镇守这个地区。

勃海靺鞨王大武艺认为:"由黑水靺鞨前往唐朝,它的道路要经过我的境内。过去他们向突厥请求派驻吐屯时,都事先告诉我并且和我一起行动。如今他们不告诉我就请求唐朝派官员,这必定是想与唐朝一起谋划,从腹背两面来夹攻我。"于是,大武艺派他的弟弟大门艺和舅父任雅率军进攻黑水靺鞨。大门艺曾经在唐朝当过质子,他规劝大武艺说:"黑水靺鞨向唐朝请求派官员,而我们因为这个原因进攻它,这分明是反叛唐朝。唐朝是个强大的国家。过去高丽国在全盛时期,有三十多万精兵,不遵守唐朝的命令,最后落得个亡国的下场。何况我们的军队还不到高丽国的十分之一二,一旦与唐朝结下怨仇,那面临的就是亡国的局势了。"大武艺没有听从他的话,强行派大门艺去进攻黑水靺鞨国。大门艺到了边境,又送书信竭力劝谏大武艺。大武艺大怒,派他的堂兄大壹夏代替大门艺率领军队,并召大门艺回去,想杀死他。大门艺抛下军队,从偏僻小路投奔唐朝,唐玄宗下令任命他为左骁卫将军。大武艺派使节上表,列数大门艺的罪状,请唐玄宗杀了大门艺。唐玄宗秘密地派大门艺到安西去,同时设法留住了大武艺的使节,另外又派人对大武艺说已将大门艺流放到岭南。大武艺知道这情况,又上表声称:"大国理当向人显示信用,怎么能做这种欺诈骗人的事?"

固请杀门艺。上以鸿胪少卿李道邃、源复不能督察官属,致有漏泄,皆坐左迁。暂遣门艺诣岭南以报之。

> 臣光曰:王者所以服四夷,威信而已。门艺以忠获罪,自归天子,天子当察其枉直,赏门艺而罚武艺,为政之体也。纵不能讨,犹当正以门艺之无罪告之。今明皇威不能服武艺,恩不能庇门艺,顾效小人为欺诳之语以取困于小国,乃罪鸿胪之漏泄,不亦可羞哉!

18　杜暹为安西都护,突骑施交河公主遣牙官以马千匹诣安西互市。使者宣公主教,暹怒曰:"阿史那女何得宣教于我!"杖其使者,留不遣,马经雪死尽。突骑施可汗苏禄大怒,发兵寇四镇。会暹入朝,赵颐贞代为安西都护,婴城自守。四镇人畜储积,皆为苏禄所掠,安西仅存。既而苏禄闻暹入相,稍引退,寻遣使入贡。

十五年(丁卯,727)
1　春,正月辛丑,凉州都督王君㚟破吐蕃于青海之西。

初,吐蕃自恃其强,致书用敌国礼,辞指悖慢,上意常怒之。返自东封,张说言于上曰:"吐蕃无礼,诚宜诛夷,但连兵十馀年,甘、凉、河、鄯,不胜其弊,虽师屡捷,所得不偿所亡。闻其悔过求和,愿听其款服,以纾边人。"上曰:"俟吾与王君㚟议之。"说退,谓源乾曜曰:"君㚟勇而无谋,常思侥幸,若二国和亲,何以为功?吾言必不用矣。"及君㚟入朝,果请深入讨之。

坚持请求唐玄宗杀掉大门艺。唐玄宗认为鸿胪少卿李道邃和源复没能监督好所属官员，导致有关大门艺的情况泄漏出去，把他们都降了职。又派大门艺暂时到岭南去，以便敷衍大武艺。

臣司马光说："帝王之所以能使四方小国敬服，靠的是威望和信誉。大门艺因为忠诚而被治罪，只好独自归附唐天子；唐天子理应明察事情的曲直，奖赏大门艺，惩罚大武艺，这是治理政事的根本。对大武艺纵然不能讨伐，也应当严正地告诉他大门艺无罪。如今，唐玄宗的威望不能使大武艺降服，恩泽又不能庇护大门艺，却效法小人说出这种欺诈骗人的话，以至在小国面前如此窘困，还以泄露秘密的理由给鸿胪寺的官员治罪，这不是太羞耻了吗？

18　杜暹任安西都护时，突骑施交河公主派牙官赶着一千多匹马到安西去做交易。又派使者向杜暹宣读交河公主的文告，杜暹恼怒地说："阿史那怀道的女儿，有什么资格向我宣读文告！"他命令杖打使者，将他扣留，不让遣还，马匹经过一场大雪全部被冻死。突骑施可汗苏禄勃然大怒，就派军队进犯安西四镇。这时杜暹恰好到长安去了，由赵颐贞代理安西都护，据城防守。四镇的老百姓、牲畜和储存的东西，全部被苏禄抢劫一空，只剩下一座安西城。不久，苏禄听说杜暹当了宰相，才逐渐地将军队撤走，随即又派使节向唐朝进贡。

唐玄宗开元十五年(丁卯，公元 727 年)

1　春季，正月辛丑，(二十八日)，凉州都督王君㚟在青海西边打败吐蕃。

当初，吐蕃自恃强大，向唐朝致书采用两国对等的礼节，言词十分荒谬傲慢，唐玄宗常常为此而愤怒。唐玄宗从泰山封禅返回后，张说对他说："吐蕃对我国无礼，确实应该讨伐平定它，但十多年接连打仗，甘、凉、河、鄯等地再也承受不住战争的破坏了，虽然出师屡屡获胜，但是得不偿失。听说吐蕃想要悔过求和，希望您能接受他们的诚心归服，以解除边境人民的困苦。"唐玄宗说："等我和王君㚟商量后再说。"张说退朝后，对源乾曜说："王君㚟有勇无谋，常想着侥幸取胜。如果两国和亲，他拿什么作为自己的功劳呢？我的话一定不会被皇上采纳。"等到王君㚟进朝，果然请求唐玄宗让他率领军队深入吐蕃国境内讨伐。

去冬,吐蕃大将悉诺逻寇大斗谷,进攻甘州,焚掠而去。君㚟度其兵疲,勒兵蹑其后。会大雪,虏冻死者甚众,自积石军西归。君㚟先遣人间道入虏境,烧道旁草。悉诺逻至大非川,欲休士马,而野草皆尽,马死过半。君㚟与秦州都督张景顺追之,及于青海之西,乘冰而度。悉诺逻已去,破其后军,获其辎重羊马万计而还。君㚟以功迁左羽林大将军,拜其父寿为少府监致仕。上由是益事边功。

2　初,洛阳人刘宗器上言,请塞汜水旧汴口,更于荥泽引河入汴。擢宗器为左卫率府胄曹。至是,新渠填塞不通,贬宗器为循州安怀戍主;命将作大匠范安及发河南、怀、郑、汴、滑、卫三万人疏旧渠,旬日而毕。

3　御史大夫崔隐甫、中丞宇文融,恐右丞相张说复用。数奏毁之,各为朋党。上恶之,二月乙巳,制说致仕,隐甫免官侍母,融出为魏州刺史。

4　乙卯,制:"诸州逃户,先经劝农使括定按比后复有逃来者,随到准白丁例输当年租庸,有征役者先差。"

5　夏,五月癸酉,上悉以诸子庆王潭等领州牧、刺史、都督、节度大使、大都护、经略使,实不出外。

初,太宗爱晋王,不使出阁,豫王亦以武后少子不出阁,及自皇嗣为相王,始出阁。中宗之世,谯王失爱,谪居外州,温王年十七,犹居禁中。上即位,附苑城为十王宅,

去年冬天,吐蕃大将悉诺逻进犯大斗谷,进攻甘州,烧杀抢劫后退走。王君㚟推测悉诺逻的军队一定很疲乏,就带兵偷偷地追随在他们后边。适逢天降大雪,吐蕃军队很多人被冻死,只好从积石军的西边返回。王君㚟抢先派人从偏僻小道进入敌方境内,烧掉路边的野草。悉诺逻到了大非川,打算让士兵战马休息一下,但这里的野草已全部被烧光了,结果战马死了一半多。王君㚟和秦州都督张景顺率领军队追击,在青海的西边追上了悉诺逻,趁湖水结冰过湖到了对岸。这时悉诺逻已逃走,他们打败了悉诺逻的后军,缴获数以万计的辎重羊马后返回。王君㚟由于立了大功,被擢升为左羽林大将军,唐玄宗授予王君㚟的父亲王寿以少府监退休。从此,唐玄宗更加频繁地进行边界战事。

2 当初,洛阳人刘宗器上书,请求堵塞汜水旧汴口,改从荥泽引黄河的水流入汴水。唐玄宗提拔刘宗器任左卫率府胄曹。到这时,新渠填塞不通,唐玄宗将刘宗器降为循州安怀戍主;又命令将作大匠范安及征调河南、怀州、郑州、汴州、滑州、卫州三万民工疏通旧渠,用十天时间就完成了。

3 御史大夫崔隐甫、御史中丞宇文融害怕右丞相张说被重新起用,多次上奏诋毁他。他们各自结成朋党,明争暗斗。唐玄宗很厌恶他们的做法,二月乙巳(初二),命令张说退休,崔隐甫免职侍奉他母亲,宇文融离京任魏州刺史。

4 乙卯(十二日),唐玄宗下令:"各州逃亡外地无户籍的人,在先前经过劝农使检查核定以后,再有逃亡来的人,到后便按白丁例缴纳当年的租庸,如有征役先派他们。"

5 夏季,五月癸酉(初一),唐玄宗让他的儿子庆王李潭等兼任州牧、刺史、都督、节度大使、大都护、经略使等职务,实际上他们并不离京到外地去任职。

当初,唐太宗疼爱晋王李治,不派他出任藩封,豫王也因为是武后的小儿子不出任藩封,直到由皇嗣改封为相王,才开始出任藩封。唐玄宗的时候,谯王李重福失宠,降职后才居住在外地;温王李重茂年已十七岁,还住在皇宫里。唐玄宗登上皇位,在靠近苑城的地方建造十王的府宅,

以居皇子,宦官押之,就夹城参起居,自是不复出阁,虽开府置官属及领藩镇,惟侍读时入授书,自馀王府官属,但岁时通名起居,其藩镇官属,亦不通名。及诸孙浸多,又置百孙院。太子亦不居东宫,常在乘舆所幸之别院。

6　上命妃嫔以下宫中育蚕,欲使之知女功。丁酉,夏至,赐贵近丝,人一缋。

7　秋,七月戊寅,冀州河溢。

8　己卯,礼部尚书许文宪公苏颋薨。

9　九月丙子,吐蕃大将悉诺逻恭禄及烛龙莽布支攻陷瓜州,执刺史田元献及河西节度使王君㚟之父,进攻玉门军,纵所虏僧使归凉州,谓君㚟曰:"将军常以忠勇许国,何不一战?"君㚟登城西望而泣,竟不敢出兵。

莽布支别攻常乐县,县令贾师顺帅众拒守。及瓜州陷,悉诺逻悉兵会攻之。旬馀日,吐蕃力尽,不能克,使人说降之;不从。吐蕃曰:"明府既不降,宜敛城中财相赠,吾当退。"师顺请脱士卒衣。悉诺逻知无财,乃引去,毁瓜州城。师顺遽开门,收器械,修守备。虏果复遣精骑还,视城中,知有备,乃去。师顺,岐州人也。

10　初,突厥默啜之强也,迫夺铁勒之地,故回纥、契苾、思结、浑四部度碛徙居甘、凉之间以避之。王君㚟微时,往来四部,为其所轻。及为河西节度使,以法绳之。四部耻怨,密遣使诣东都自诉。君㚟遽发驿奏:"四部难制,潜有叛计。"上遣中使往察之,诸部竟不得直。于是瀚海大都督回纥承宗流瀼州,

以便让皇子居住,派宦官监督他们,在夹城里参见请安,各皇子从此不再出任藩封;虽然他们名义上设立府署,安置官员并兼任节度使,但只有侍读才能时常进府教书,王府其他的官员,也只是每年的一定时间来通报姓名、请安,至于他们的藩镇所属官员,也不用通报姓名。后来皇孙逐渐增加,又建造了百孙院。太子一般不居住在东宫,而是常常住在皇帝所到宫院的别院。

6 唐玄宗命令妃嫔以下的宫女在宫中养蚕,想借此让他们懂得一些妇女应做的事。丁酉(二十五日),夏至,唐玄宗赐给贵人近侍每人一缕丝。

7 秋季,七月戊寅(初八),冀州黄河泛滥。

8 己卯(初九),礼部尚书许文宪公苏颋去世。

9 九月丙子(初七),吐蕃大将悉诺逻恭禄和烛龙莽布支攻破瓜州,捉获瓜州刺史田元献和河西节度使王君㚟的父亲,接着又进攻玉门军;还放回所俘虏的僧人,让他们返回凉州,对王君㚟说:"将军您常说要忠勇报国,现在为什么不出城决一死战?"王君㚟登上城楼,向西边远望而哭泣,竟然不敢出兵。

烛龙莽布支另外又攻打常乐县,常乐县令贾师顺带领众人坚守抵御。等到瓜州陷落,悉诺逻恭禄集中全部兵力攻打常乐城。打了十多天,吐蕃军队精疲力尽,仍然不能攻下常乐城,悉诺逻恭禄派人去劝降,贾师顺断然拒绝。吐蕃去的人说:"既然您不愿投降,就应收集城中的财物送给我们,那样我们就会退走。"贾师顺请他们来脱士兵的衣服。悉诺逻知道城中没有多少财物,就带领军队退走,同时毁坏了瓜州城。贾师顺急速打开城门,收集军事器具,做好了防守的准备,敌军果然又派精锐的骑兵返回,看见城中的情况,知道对方已有防备,只好又退走了。贾师顺是岐州人。

10 当初,突厥默啜十分强盛,逼迫强夺铁勒地区,因此回纥、契苾、思结、浑四个部落穿越沙漠,移居到甘州和凉州之间的地方,以躲避突厥的欺凌。王君㚟在地位还较低的时候,常与这四个部落来往,被他们所轻视,等当了河西节度使,就想方设法地惩罚他们。这四个部落感到耻辱怨恨,偷偷地派使节到东都洛阳直接告状。王君㚟急速通过驿站上奏道:"这四个部落难以制服,他们暗地里在策划叛乱的计谋。"唐玄宗派宦官去那里调查,这几个部落竟然不能当面向来使反映实情。结果,瀚海大都督回纥承宗被流放到瀼州,

浑大德流吉州,贺兰都督契苾承明流藤州,卢山都督思结归国流琼州,以回纥伏帝难为瀚海大都督。己卯,贬右散骑常侍李令问为抚州别驾,坐其子与承宗交游故也。

11　丙戌,突厥毗伽可汗遣其大臣梅录啜入贡。吐蕃之寇瓜州也,遗毗伽书,欲与之俱入寇,毗伽并献其书。上嘉之,听于西受降城为互市,每岁赍缣帛数十万匹就市戎马,以助军旅,且为监牧之种,由是国马益壮焉。

12　闰月庚子,吐蕃赞普与突骑施苏禄围安西城,安西副大都护赵颐贞击破之。

13　回纥承宗族子瀚海司马护输,纠合党众为承宗报仇。会吐蕃遣使间道诣突厥,王君㚟帅精骑邀之于肃州。还,至甘州南巩笔驿,护输伏兵突起,夺君㚟旌节,先杀其判官宋贞,剖其心曰:"始谋者汝也。"君㚟帅左右数十人力战,自朝至晡,左右尽死。护输杀君㚟,载其尸奔吐蕃。凉州兵追及之,护输弃尸而走。

14　庚申,车驾发东都。冬,己卯,至西京。

15　辛巳,以左金吾卫大将军信安王祎为朔方节度等副大使。祎,恪之孙也。以朔方节度使萧嵩为河西节度等副大使。时王君㚟新败,河、陇震骇。嵩引刑部员外郎裴宽为判官,与君㚟判官牛仙客俱掌军政,人心浸安。宽,漼之从弟也。仙客本鹑觚小吏,以才干军功累迁至河西节度判官,为君㚟腹心。

浑大德被流放到吉州,贺兰都督契苾承明被流放到藤州,卢山都督思结归国被流放到琼州;唐玄宗任命回纥伏帝难当瀚海大都督。己卯(初十),将右散骑常侍李令问降职任抚州别驾,其原因是他儿子与回纥承宗有交往。

11 丙戌(十七日),突厥毗伽可汗派大臣梅录啜入朝进贡。吐蕃侵犯瓜州,给毗伽送信,想与突厥一起侵犯唐朝,毗伽将这封信献给了唐玄宗。唐玄宗嘉奖了他,并允许突厥在西受降城做买卖,每年还派人携带几十万匹丝绸到那里和他们交换战马,以增加唐军的战斗力,并且作为监牧的种马,从此以后中国马越来越强壮了。

12 闰九月庚子(初二),吐蕃赞普和突骑施苏禄率领军队围攻安西城,安西副大都护赵颐贞打败了他们的进攻。

13 回纥承宗的族子瀚海司马护输,纠集亲族朋友要为承宗报仇。适逢吐蕃派使节经小道到突厥去,王君㚟带领精锐的骑兵在肃州半路拦截。返回途中,来到甘州南巩笔驿时,护输的伏兵突然冲出来,抢走了王君㚟的节度使旌节,先杀死了王君㚟的判官宋贞,挖出他的心脏说:"最早搞阴谋的就是你。"王君㚟带领几十个部下奋力拼杀,从早晨一直战到下午,手下的人全部战死。护输杀死了王君㚟,用马车载着他的尸体投奔吐蕃。凉州的唐军闻讯追上了他,护输丢下王君㚟的的尸体逃走了。

14 庚申(二十二日),唐玄宗到东都洛阳。冬季,十月己卯(十一日),回到西京长安。

15 辛巳(十三日),唐玄宗任命左金吾卫大将军信安王李祎为朔方节度等副大使。李祎是李恪的孙子。任命朔方节度使萧嵩为河西节度等副大使。此时王君㚟刚刚败死,整个河西、陇右地区十分震惊。萧嵩举荐刑部员外郎裴宽任判官,与王君㚟的判官牛仙客一起掌管军政,人心才渐渐安定下来。裴宽是裴漼的堂弟。牛仙客原是泾州鹑觚县的小官,依靠才干军功,经过多次升迁才当上河西节度判官,成为王君㚟的亲信。

嵩又奏以建康军使河北张守珪为瓜州刺史,帅馀众筑故城。板干裁立,吐蕃猝至,城中相顾失色,莫有斗志。守珪曰:"彼众我寡,又疮痍之馀,不可以矢刃相持,当以奇计取胜。"乃于城上置酒作乐。虏疑其有备,不敢攻而退。守珪纵兵击之,虏败走。守珪乃修复城市,收合流散,皆复旧业。朝廷嘉其功,以瓜州为都督府,以守珪为都督。

悉诺逻威名甚盛,萧嵩纵反间于吐蕃,云与中国通谋,赞普召而诛之。吐蕃由是少衰。

16　十二月戊寅,制以吐蕃为边患,令陇右道及诸军团兵五万六千人,河西道及诸军团兵四万人,又征关中兵万人集临洮,朔方兵万人集会州防秋。至冬初,无寇而罢。伺虏入寇,互出兵腹背击之。

17　乙亥,上幸骊山温泉。丙戌,还宫。

十六年(戊辰,728)

1　春,正月壬寅,安西副大都护赵颐贞败吐蕃于曲子城。

2　甲寅,以魏州刺史宇文融为户部侍郎兼魏州刺史,充河北道宣抚使。

3　乙卯,春、泷等州獠陈行范、广州獠冯璘、何游鲁反,陷四十馀城。行范称帝,游鲁称定国大将军,璘称南越王,欲据岭表。命内侍杨思勖发桂州及岭北近道兵讨之。

4　丙寅,以魏州刺史宇文融检校汴州刺史,充河南、北沟渠堤堰决九河使。融请用《禹贡》九河故道开稻田,并回易陆运钱,官收其利。兴役不息,事多不就。

萧嵩又请唐玄宗任命建康军使河北县人张守珪为瓜州刺史，带领剩下的士兵百姓修筑旧城。修筑城墙的木板刚刚立起来，吐蕃军队突然来到，瓜州城中的人都相顾失色，没有一个人还有战斗的勇气。张守珪说："敌军人多，我们人少，又在战乱创伤之后，决不能用刀箭和他们对峙，而应当用奇计取胜。"他就在城楼上安然地饮酒作乐。敌人怀疑他早已做好准备，不敢贸然进攻而退走。张守珪带兵追击，敌人败退而逃。张守珪于是修筑城墙，恢复集市，收容聚集流散的百姓，使他们都恢复了旧业。唐玄宗嘉奖了他的功劳，并将瓜州设置为都督府，任命张守珪为都督。

悉诺逻的威名很盛，萧嵩就对吐蕃使用了反间计，说悉诺逻与唐朝勾结搞阴谋；吐蕃赞普召回了悉诺逻并杀死了他。从此，吐蕃逐渐衰落。

16 十二月戊寅（十一日），唐玄宗下令，由于吐蕃成了边境祸害，特派陇右道以及各军团兵五万六千人，河西道以及各军团兵四万人；又征集关中兵一万人集中在临洮，朔方兵士一万人集中到会州以充当防秋兵。到了初冬，没有敌人侵犯就撤兵。如侦探到敌人入侵，就交替出兵，从腹背两面进行夹击。

17 乙亥（初八），唐玄宗到骊山温泉；丙戌（十九日），回到皇宫。

唐玄宗开元十六年（戊辰，公元728年）

1 春季，正月壬寅（初五），安西副大都护赵颐贞在曲子城打败了吐蕃军队。

2 甲寅（十五日），唐玄宗任命魏州刺史宇文融为户部侍郎兼魏州刺史，充任河北道宣抚使。

3 乙卯（十六日），春州、泷州等地獠人陈行范和广州獠人冯璘、何游鲁造反，攻破了四十多座城池。陈行范自称皇帝，何游鲁自称定国大将军，冯璘自称南越王，想占据岭南地区。唐玄宗命令内侍杨思勖率领桂州和岭北附近几道的军队去讨伐他们。

4 丙寅（二十九日），唐玄宗任命魏州刺史宇文融检校汴州刺史，充任黄河南北沟渠堤堰决九河使。宇文融请求将《禹贡》所载九条河流的故道开垦成稻田，并且改为从陆路运钱，这样官府可以坐收利益。虽然宇文融不停地征发劳役，但事情大多数没有达到目的。

5 二月壬申，以尚书右丞相致仕张说兼集贤殿学士。说虽罢政事，专文史之任，朝廷每有大事，上常遣中使访之。

6 壬辰，改彍骑为左右羽林军飞骑。

7 秋，七月，吐蕃大将悉末朗寇瓜州，都督张守珪击走之。乙巳，河西节度使萧嵩、陇右节度使张忠亮大破吐蕃于渴波谷。忠亮追之，拔其大莫门城，擒获甚众，焚其骆驼桥而还。

8 八月乙巳，特进张说上《开元大衍历》，行之。

9 辛卯，左金吾将军杜宾客破吐蕃于祁连城下。时吐蕃复入寇，萧嵩遣宾客将强弩四千击之。战自辰至暮，吐蕃大溃，获其大将一人，虏散走投山，哭声四合。

10 冬，十月己卯，上幸骊山温泉。己丑，还宫。

11 十一月癸巳，以河西节度副大使萧嵩为兵部尚书、同平章事。

12 十二月丙寅，敕："长征兵无有还期，人情难堪。宜分五番，岁遣一番还家洗沐，五年酬勋五转。"

13 是岁，制户籍三岁一定，分为九等。

14 杨思勖讨陈行范，至泷州，破之，擒何游鲁、冯璘。行范逃于云际、盘辽二洞，思勖追捕，竟生擒，斩之，凡斩首六万。思勖为人严，偏裨白事者不敢仰视，故用兵所向有功。然性忍酷，所得俘虏，或生剥面皮，或以刀劈发际，挈去头皮，蛮夷惮之。

十七年(己巳，729)

1 春，二月丁卯，嶲州都督张守素破西南蛮，拔昆明及盐城，杀获万人。

5 二月壬申(初六)，唐玄宗任命以尚书右丞相退休的张说兼集贤殿学士。张说虽然被免去宰相职务，专门负责文史的研究，但每当朝廷遇上重大事情，唐玄宗常常派中使去询问他的意见。

6 壬辰(二十六日)，唐玄宗将圹骑改为左右羽林军飞骑。

7 秋季，七月，吐蕃大将悉末郎进犯瓜州，都督张守珪打退了他们。乙巳(十一日)，河西节度使萧嵩和陇右节度使张忠亮在渴波谷把吐蕃军队打得大败。张忠亮乘胜追击，攻取了大莫门城，抓获很多俘虏，烧毁该地的骆驼桥后退回。

8 八月乙巳，特进张说献上了《开元大衍历》，唐玄宗命令推行该历。

9 辛卯(二十八日)，左金吾将军杜宾客在祁连城下打败了吐蕃军队。当时，吐蕃再次入侵，萧嵩派杜宾客带领四千名强弩手去迎击。战斗从早晨一直打到傍晚，吐蕃军队大败，唐军俘获其一名大将，敌人散乱地逃进山中，哭喊声四处回荡。

10 冬季，十月己卯(十七日)，唐玄宗来到骊山温泉。己丑(二十七日)，返回皇宫。

11 十一月癸巳(初一)，唐玄宗任命河西节度副大使萧嵩为兵部尚书、同平章事。

12 十二月丙寅(初五)，唐玄宗下令："长征兵没有回乡的日期，这是人的感情所难忍受的。应当将兵士分为五批，每年派一批回家洗理休息，五年间提高勋级五等。"

13 这一年，唐玄宗下令，规定户籍三年定一次，共分为九等。

14 杨思勖讨伐陈行范，到泷州，将他打得大败，抓获何游鲁、冯璘。陈行范逃到了云际、盘辽二洞，杨思勖追击搜捕，最后活捉陈行范，将他斩首，这次战斗共杀了六万人。杨思勖为人严厉，手下的偏将报告事情不敢抬头看他，因此每次出征都有功绩。然而，杨思勖性情十分残忍，他抓到的俘虏，有的活生生地被剥去脸皮，有的被刀割开头发的边际，剥去头皮，蛮族人都非常惧怕他。

唐玄宗开元十七年(己巳，公元729年)

1 春季，二月丁卯(初六)，嶲州都督张守素打败西南蛮，攻下昆明和盐城，杀死抓获敌人共达一万人。

2　三月，瓜州都督张守珪、沙州刺史贾师顺击吐蕃大同军，大破之。

3　甲寅，朔方节度使信安王祎攻吐蕃石堡城，拔之。初，吐蕃陷石堡城，留兵据之，侵扰河右，上命祎与河西、陇右同议攻取。诸将咸以为石堡据险而道远，攻之不克，将无以自还，且宜按兵观衅。祎不听，引兵深入，急攻拔之，乃分兵据守要害，令虏不得前。自是河陇诸军游弈，拓境千馀里。上闻，大悦，更命石堡城曰振武军。

4　丙辰，国子祭酒杨玚上言，以为："省司奏限天下明经、进士及第，每年不过百人。窃见流外出身，每岁二千馀人，而明经、进士不能居其什一，则是服勤道业之士不如胥史之得仕也。臣恐儒风浸坠，廉耻日衰。若以出身人太多，则应诸色裁损，不应独抑明经、进士也。"又奏："诸司帖试明经，不务求述作大指，专取难知，问以孤经绝句或年月日。请自今并帖平文。"上甚然之。

5　夏，四月庚午，禘于太庙。唐初，祫则序昭穆，禘则各祀于其室。至是，太常少卿韦绍等奏："如此，禘与常飨不异。请禘祫皆序昭穆。"从之。绍，安石之兄子也。

6　五月壬辰，复置十道及京、都两畿按察使。

2 三月,瓜州都督张守珪和沙州刺史贾师顺进攻吐蕃大同军,将他们打得大败。

3 甲寅(二十四日),朔方节度使信安王李祎进攻吐蕃占据的石堡城,攻下了该城。当初,吐蕃攻下石堡城,留下军队据守,并不断侵犯骚扰黄河以西地区,唐玄宗命令李祎和河西、陇右的官员一起商议如何攻取该城。众将领都认为石堡城地势险要,而且路途又远,如果攻打不下来,将没有办法平安返回,暂且还是应当按兵不动,再寻找战机。李祎没有听从他们的意见,率领军队深入敌境,急速攻城,打下了石堡城,又派兵据守要害的地方,使敌人不能前进。从此,河西、陇右各路唐军可以四处巡逻,并且拓宽疆域一千多里。唐玄宗听到这消息,十分高兴,下令将石堡城改名叫振武军。

4 丙辰(二十六日),国子祭酒杨玚上书认为:"有关省司上奏,要将全国考取明经、进士科的人数每年限制在一百人之内。我看到九品以外出身的,每年有两千多人,而考上明经、进士的人还不到十分之一。这样下去,则勤勉研究儒家经典的人反不如办理文书的小官吏能做官。我担心儒家之风会因此而慢慢失掉,廉耻之心会日渐衰败。如果因为这种出身的人太多,就应当各类官员都酌情裁减,而不能单独压缩明经、进士科的名额。"他又奏道:"各司通过帖经考试经义,不是尽量寻求阐述创作的主要意图,却专门取出难以知晓的内容,用孤经绝句或年月日来提问。请您批准从今起帖经要连同普通经文一并测试。"唐玄宗认为他说得很有道理。

5 夏季,四月庚午(初十),唐玄宗在太庙祫祭祖先。唐朝初期,皇帝在太庙进行三年一次集合祖先神主的祫祭是按左昭右穆的次序,禘祭是分别在列位祖先的神主所居的殿室里进行。至此,太常少卿韦绦等人奏称:"这样做,禘祭与平常的祭祀没有两样,请批准这两种祭祀都按左昭右穆的次序进行。"唐玄宗依从了他们建议。韦绦是韦安石哥哥的儿子。

6 五月壬辰(初三),唐玄宗新设置十道按察使及京、都两畿按察使。

7 初，张说、张嘉贞、李元纮、杜暹相继为相用事，源乾曜以清谨自守，常让事于说等，唯诺署名而已。元纮、暹议事多异同，遂有隙，更相奏列。上不悦。六月甲戌，贬黄门侍郎、同平章事杜暹荆州长史，中书侍郎、同平章事李元纮曹州刺史，罢乾曜兼侍中，止为左丞相；以户部侍郎宇文融为黄门侍郎，兵部侍郎裴光庭为中书侍郎，并同平章事，萧嵩兼中书令，遥领河西。

8 开府仪同三司王毛仲与龙武将军葛福顺为婚。毛仲为上所信任，言无不从，故北门诸将多附之，进退唯其指使。吏部侍郎齐澣乘间言于上曰："福顺典禁兵，不宜与毛仲为婚。毛仲小人，宠过则生奸，不早为之所，恐成后患。"上悦曰："知卿忠诚，朕徐思其宜。"澣曰："君不密则失臣，愿陛下密之。"会大理丞麻察坐事左迁兴州别驾，澣素与察善，出城饯之，因道禁中谏语。察性轻险，遽奏之。上怒，召澣责之曰："卿疑朕不密，而以语麻察，讵为密邪？且察素无行，卿岂不知邪？"澣顿首谢。秋，七月丁巳，下制："澣、察交构将相，离间君臣，澣可高州良德丞，察可浔州皇化尉。"

9 八月癸亥，上以生日宴百官于花萼楼下。左丞相乾曜、右丞相说帅百官上表，请以每岁八月五日为千秋节，布于天下，咸令宴乐。寻又移社就千秋节。

7　当初,张说、张嘉贞、李元纮、杜暹相继担任宰相,源乾曜行事清廉谨慎,常常把事情让给张说等人决定,他只是唯唯诺诺地署个名罢了。李元纮、杜暹商议事情意见经常不同,于是就有了矛盾。他们轮流在唐玄宗面前攻击对方,唐玄宗对此很不高兴,六月甲戌(十五日),将黄门侍郎、同平章事杜暹降职任荆州长史,中书侍郎、同平章事李元纮降职任曹州刺史,罢免了源乾曜兼任的侍中,让他只担任左丞相;任命户部侍郎宇文融为黄门侍郎,兵部侍郎裴光庭为中书侍郎,一并同平章事;任命萧嵩为中书令,让他遥领兼任河西节度使。

8　开府王毛仲与龙武将军葛福顺成了亲家。王毛仲很受唐玄宗的信任,唐玄宗对他的话没有不听从的,因此羽林军各将领大多数都依附于他,行动只听他的指使。吏部侍郎齐澣找机会向唐玄宗说:"葛福顺主管禁军,不适宜与王毛仲结为亲家。王毛仲是小人之辈,您过于宠爱他,他就会心生邪恶;如不及早为他安排一个去处,恐怕会成为后患。"唐玄宗高兴地说:"我知道你这是一片忠诚,我会慢慢地考虑个妥善的处理办法。"齐澣说:"君主如不保守秘密就会失去臣子,希望您把我讲的事当作秘密。"适逢大理丞麻察因犯了错误,被降职任兴州别驾;齐澣一向与麻察很要好,出城为他饯行,顺便说起在宫中向唐玄宗劝谏的话。麻察生性轻薄险恶,很快就把这事报告了唐玄宗。唐玄宗勃然大怒,立即召见齐澣,斥责他说:"你怀疑我不能保密,却又把事情告诉麻察,你这样做难道是保密吗?况且麻察素来没有德行,你难道不知道吗?"齐澣拼命磕头请罪。秋季,七月丁巳(二十九日),唐玄宗下令:"齐澣、麻察两人互相勾结,陷害大将和丞相,离间君臣;因此齐澣降为高州良德县丞,麻察降为浔州皇化县尉。"

9　八月癸亥(初五),唐玄宗为庆贺自己的生日,在花萼相辉楼下宴请百官。左丞相源乾曜、右丞相张说率领百官送上表章,请唐玄宗将每年八月五日定为千秋节,公布于全国,让老百姓都摆宴同乐。不久,唐玄宗又下令将祭祀土地神的日子移到千秋节。

10　庚辰，工部尚书张嘉贞薨。嘉贞不营家产，有劝其市田宅者，嘉贞曰："吾贵为将相，何忧寒馁？若其获罪，虽有田宅，亦无所用。比见朝士广占良田，身没之日，适足为无赖子弟酒色之资，吾不取也。"闻者是之。

11　辛巳，敕以人间多盗铸钱，始禁私卖铜铅锡及以铜为器皿，其采铜铅锡者，官为市取。

12　宇文融性精敏，应对辩给，以治财赋得幸于上，始广置诸使，竞为聚敛，由是百官浸失其职而上心益侈，百姓皆怨苦之。为人疏躁多言，好自矜伐，在相位，谓人曰："使吾居此数月，则海内无事矣。"

信安王祎，以军功有宠于上，融疾之。祎入朝，融使御史李寅弹之，泄于所亲。祎闻之，先以白上。明日，寅奏果入，上怒。九月壬子，融坐贬汝州刺史，凡为相百日而罢。是后言财利以取贵仕者，皆祖于融。

13　冬，十月戊午朔，日有食之，不尽如钩。

14　宇文融既得罪，国用不足，上复思之，谓裴光庭曰："卿等皆言融之恶，朕既黜之矣，今国用不足，将若之何？卿等何以佐朕？"光庭等惧不能对。会有飞状告融赃贿事，又贬平乐尉。至岭外岁徐，司农少卿蒋岑奏融在汴州隐没官钱巨万计，制穷治其事，融坐流岩州，道卒。

10　庚辰(二十二日)，工部尚书张嘉贞去世。张嘉贞没有经营过家产，有人劝他买些田地府宅，他说："我位居显贵的将相官职，何必为饥寒担忧？如果犯了法即使有田地府宅，也没有什么用。近来我见到士大夫在朝时大占良田，人死之后，这些正好成了无赖子弟贪恋酒色的本钱，我不做这样的事。"听了他的话的人，都认为他讲得对。

11　辛巳(二十三日)，唐玄宗下令，由于民间有很多不法铸造的钱币，从今开始禁止私自倒卖铜铅锡以及用铜制成的器皿；开采的铜铅锡，由官方收购。

12　宇文融性情精明机智，应对敏捷，因善于治理财务赋税而受到唐玄宗的宠信后，就开始大力设置众使，竞相为朝廷聚集征收财富，因此百官渐渐荒废了自己的职守，而唐玄宗的心思却越来越奢侈，百姓都怨恨宇文融带来的痛苦。宇文融为人疏忽浮躁，爱多说话，喜欢自夸功劳，他在宰相职位上时，对人说："假如我这宰相能当上几个月，那全国就太平无事了。"

信安王李祎因为军功显赫而受到唐玄宗的宠爱，宇文融很嫉妒他。李祎进京做官，宇文融指使御史李寅弹劾李祎，这事被他亲近的人泄漏出去。李祎听到这消息，抢先把这事报告了唐玄宗。第二天，李寅的奏章果然递上来，唐玄宗见此大怒。九月壬子(二十五日)，宇文融因罪降职为汝州刺史，当宰相仅仅一百天就被罢了官。此后，向皇帝谈论财赋利益以取得显贵官位的人，都是效法宇文融的。

13　冬季，十月戊午朔(初一)，出现日食，没有全食，好像一个弯钩。

14　宇文融遭到罪罚以后，国家用度不够，唐玄宗又想起他来，就对裴光庭说："你们都说宇文融做了坏事，我已经降了他的职；如今国家开支不足，这将如何是好？你们用什么办法帮助我？"裴光庭等人畏惧不能回答。恰好有匿名文状告发宇文融收受贿赂的事，唐玄宗又将宇文融降职任昭州平乐县尉。到岭外一年多，司农少卿蒋岑上奏，告发宇文融在汴州隐藏吞没了数以万计的官钱，唐玄宗下令彻底查处这事，宇文融因此罪被流放岩州，在半路上死去。

15　十一月辛卯,上行谒桥、定、献、昭、乾五陵。戊申,还宫,赦天下,百姓今年地税悉蠲其半。

16　十二月辛酉,上幸新丰温泉。壬申,还宫。

十八年(庚午,730)

1　春,正月辛卯,以裴光庭为侍中。

2　二月癸酉,初令百官于春月旬休,选胜行乐,自宰相至员外郎,凡十二筵,各赐钱五千缗。上或御花萼楼邀其归骑留饮,迭使起舞,尽欢而去。

3　三月丁酉,复给京官职田。

4　夏,四月丁卯,筑西京外郭,九旬而毕。

5　乙丑,以裴光庭兼吏部尚书。先是,选司注官,惟视其人之能否,或不次超迁,或老于下位,有出身二十余年不得禄者。又,州县亦无等级,或自大入小,或初近后远,皆无定制。光庭始奏用循资格,各以罢官若干选而集,官高者选少,卑者选多,无问能否,选满即注,限年蹉级,毋得逾越,非负谴者,皆有升无降。其庸愚沉滞者皆喜,谓之"圣书",而才俊之士无不怨叹。宋璟争之不能得。光庭又令流外行署亦过门下省审。

6　五月,吐蕃遣使致书于境上求和。

15　十一月辛卯(初五),唐玄宗先后拜谒了桥陵、定陵、献陵、昭陵、乾陵。戊申(二十二日),回到皇宫,大赦天下,规定百姓今年地税都免去一半。

16　十二月辛酉(初五),唐玄宗到骊山温泉。壬申(十六日),回到皇宫。

唐玄宗开元十八年(庚午,公元730年)

1　春季,正月辛卯(初六),唐玄宗任命裴光庭为侍中。

2　二月癸酉(十八日),唐玄宗下令百官可以在春月休息十天,还选找风景胜地游玩并设宴行乐,从宰相到员外郎,总共十二桌筵席,还赐给每人五千缗钱。唐玄宗有时到花萼相辉楼邀请想回去的人留下来饮酒,让他们翩翩起舞,大家尽情欢乐一番才回去。

3　三月丁酉(十三日),唐玄宗重新把职分田发给京官。

4　夏季,四月丁卯(十三日),朝廷修筑西京长安的外城,花了九十天时间工程才完成。

5　乙丑(十一日),唐玄宗任命裴光庭兼吏部尚书。在这之前,选举部门注拟官员,只看这个人能不能胜任,这样有的人可以不按顺序就越级提拔,有的人却一直处在下级职位上,甚至有开始当官到现在二十年了,还得不到俸给的现象。另外,州县也设有等级,有的人从大的地方调到小的地方,有的最初在近处当官,后来却调任远方,全没有固定的制度。裴光庭开始奏请采用依照资历进行升迁调动,分别将罢官后经过铨选的次数集中到吏部,官职高的少选,官职低的多选,不管能力如何,选够了就予以注拟官职,限定一年晋级,不能越级提升,只要不是受到处分的,都可以升级,没有降级的。那些平庸愚笨、停滞未升的官员对此都很高兴,称这办法是"圣书";但那些才智出众的人没有一个不怨怒哀叹的。宋璟对这事作了争辩,但没能达到目的。裴光庭又命令流外官代理官职也要经过门下省审定。

6　五月,吐蕃派使节到边境上送信,要求和解。

7　初，契丹王李邵固遣可突干入贡，同平章事李元纮不礼焉。左丞相张说谓人曰："奚、契丹必叛。可突干狡而很，专其国政久矣，人心附之。今失其心，必不来矣。"己酉，可突干弑邵固，帅其国人并胁奚众叛降突厥。奚王李鲁苏及其妻韦氏、邵固妻陈氏皆来奔。制幽州长史赵含章讨之，又命中书舍人裴宽、给事中薛侃等于关内、河东、河南、北分道募勇士。六月丙子，以单于大都护忠王浚领河北道行军元帅，以御史大夫李朝隐、京兆尹裴伷先副之，帅十八总管以讨奚、契丹。命浚与百官相见于光顺门。张说退，谓学士孙逖、韦述曰："吾尝观太宗画像，雅类忠王，此社稷之福也。"

可突干寇平卢，先锋使张掖乌承玼破之于捺禄山。

8　壬午，洛水溢，溺东都千馀家。

9　秋，九月丁巳，以忠王浚兼河东道元帅，然竟不行。

10　吐蕃兵数败而惧，乃求和亲。忠王友皇甫惟明因奏事从容言和亲之利。上曰："赞普尝遗吾书悖慢，此何可舍？"对曰："赞普当开元之初，年尚幼稚，安能为此书？殆边将诈为之，欲以激怒陛下耳。夫边境有事，则将吏得以因缘盗匿官物，妄述功状以取勋爵，此皆奸臣之利，非国家之福也。兵连不解，日费千金，河西、陇右由兹困敝。陛下诚命一使往视公主，因与赞普面相约结，使之稽颡称臣，永息边患，岂非御夷狄之长策乎？"上悦，命惟明与内侍张元方使于吐蕃。

7　当初,契丹王李邵固派可突干入朝进贡,同平章事李元纮对他没有以礼相待。左丞相张说对人说:"奚人和契丹一定会反叛。可突干狡诈而凶恶,独揽契丹的大权已经很久了,人心都依附他。这次让他伤了心,他一定不会再来了。"己酉(二十六日),可突干杀死了李邵固,率领契丹人胁迫奚人一起反叛,并投降了突厥。奚王李鲁苏和他的妻子韦氏、李邵固的妻子陈氏都逃回唐朝。唐玄宗命令幽州长史赵含章去讨伐,又命令中书舍人裴宽、给事中薛侃等人到关内道、河东道、河南道、河北道分别招募勇士。六月丙子(二十三日),唐玄宗任命单于大都护忠王李浚兼任河北道行军元帅,任命御史大夫李朝隐、京兆尹裴伷先为行军副元帅,率领十八个总管的军队去讨伐奚和契丹。唐玄宗让李浚在光顺门和百官见面。张说回来对学士孙逖、韦述说:"我曾经观察过太宗的画像,忠王很像他,这是国家的福气。"

可突干进犯平卢,唐军先锋使张掖人乌承玭在捺禄山将其击败。

8　壬午(二十九日),洛水泛滥,淹没东都洛阳一千多户人家。

9　秋季,九月丁巳(初六),唐玄宗任命忠王李浚兼河东道元帅,但他最后没有赴任。

10　吐蕃国几次战败,有点惧怕,于是请求和亲。忠王友皇甫惟明借奏事机会向唐玄宗从容讲述和亲的有利之处。唐玄宗说:"吐蕃赞普曾经在给我的书信中表现得十分荒谬傲慢,这次怎么可以放弃对他的打击呢?"皇甫惟明回答说:"赞普在开元初年,年龄还小,哪里能写这样的书信? 恐怕是边关将领伪造的,想用它来激怒您。一般说,边境有战事,那么武将就可以借这个理由偷盗隐藏官家的东西,还可以胡乱地上报立功情形来获取功勋和爵位,打仗成了奸臣的利益所在,但它不是国家的福气。战事连年不停,每天要花费千金,河西、陇右两地因此贫困凋敝。假如您派一位使臣去看望金城公主,借这机会与赞普当面互相约定结交,使他俯首称臣,从此永远平息边境战乱,这难道不是驾驭小国的长久之策吗?"唐玄宗听了十分高兴,就命令皇甫惟明和内侍张元方出使吐蕃。

赞普大喜，悉出贞观以来所得敕书以示惟明。冬，十月，遣其大臣论名悉猎随惟明入贡，表称："甥世尚公主，义同一家。中间张玄表等先兴兵寇钞，遂使二境交恶。甥深识尊卑，安敢失礼？正为边将交构，致获罪于舅。屡遣使者入朝，皆为边将所遏。今蒙远降使臣，来视公主，甥不胜喜荷。傥使复修旧好，死无所恨！"自是吐蕃复款附。

11　庚寅，上幸凤泉汤；癸卯，还京师。

12　甲寅，护密王罗真檀入朝，留宿卫。

13　十一月丁卯，上幸骊山温泉。丁丑，还宫。

14　是岁，天下奏死罪止二十四人。

15　突骑施遣使入贡，上宴之于丹凤楼，突厥使者预焉。二使争长，突厥曰："突骑施小国，本突厥之臣，不可居我上。"突骑施曰："今日之宴，为我设也，我不可以居其下。"上乃命设东、西幕，突厥在东，突骑施在西。

16　开府仪同三司、内外闲厩监牧都使霍国公王毛仲恃宠，骄恣日甚，上每优容之。毛仲与左领军大将军葛福顺、左监门将军唐地文、左武卫将军李守德、右威卫将军王景耀、高广济亲善，福顺等倚其势，多为不法。毛仲求兵部尚书不得，怏怏形于辞色，上由是不悦。

吐蕃赞普大喜,把贞观以来所接到的唐朝皇帝的敕书都拿出来给皇甫惟明看。冬季,十月,赞普派大臣论名悉猎随皇甫惟明一起入朝上贡,并向唐玄宗上书说:"当初我父子都娶天朝的公主为妻,我们两国的情义如同一家人。这中间,由于张玄表等人首先带兵侵犯掠夺,才使双方关系恶化。我深深懂得什么是尊贵卑微,怎么会做出那种失礼的事呢?由于边境将领挑拨离间,才使我得罪了您。我屡次派使者入朝想说明真情,都被他们阻挡住了。如今承蒙您派使臣来探望公主,我不胜喜悦。假如能够重新恢复我们以往那样的亲密关系,我死而无憾!"从此,吐蕃国又诚恳地归附唐朝。

11　庚寅(初九),唐玄宗到凤泉汤;癸卯(二十二日),回到长安。

12　甲寅(初四),护密王罗真檀入朝,唐玄宗将他留下充当宿卫。

13　十一月丁卯(十七日),唐玄宗到骊山温泉;丁丑(二十七日),回到皇宫。

14　这一年,全国上报判死刑的只有二十四人。

15　突骑施派使节给唐朝进贡,唐玄宗在丹凤楼设宴招待使节,突厥使节也出席了宴会。两位使节竟争夺起座次来,突厥国使节说:"突骑施只是个小国,原本是突厥国的臣民,不能位居我之上。"突骑施国的使节说:"今天的宴席是为我而摆设的,我不能位居他之下。"唐玄宗就命令摆东西两个帐幕,突厥国使节坐东面,突骑施国使节坐西面。

16　开府仪同三司、内外闲厩监牧都使霍国公王毛仲依恃唐玄宗的宠爱,一天比一天骄傲放纵,唐玄宗常常容忍他。王毛仲和左领军大将军葛福顺、左监门将军唐地文、左武卫将军李守德、右威卫将军王景耀、高广济很亲近,葛福顺等人依靠他的权势,做了很多不法的事。王毛仲向唐玄宗要求当兵部尚书没有得到同意,常常在言语表情中流露出不满,唐玄宗因此很不高兴。

是时，上颇宠任宦官，往往为三品将军，门施棨戟。奉使过诸州，官吏奉之惟恐不及，所得赂遗，少者不减千缗，由是京城郊畿田园，参半皆在官矣。杨思勖、高力士尤贵幸，思勖屡将兵征讨，力士常居中侍卫。而毛仲视宦官贵近者若无人，甚卑品者，小忤意，辄詈辱如僮仆。力士等皆害其宠而未敢言。

会毛仲妻产子，三日，上命力士赐之酒馔、金帛甚厚，且授其儿五品官。力士还，上问："毛仲喜乎？"对曰："毛仲抱其襁中儿示臣曰：'此儿岂不堪作三品邪？'"上大怒曰："昔诛韦氏，此贼心持两端，朕不欲言之。今日乃敢以赤子怨我！"力士因言："北门奴，官太盛，相与一心，不早除之，必生大患。"上恐其党惊惧为变。

十九年（辛未，731）

1 春，正月壬戌，下制，但述毛仲不忠怨望，贬瀼州别驾，福顺、地文、守德、景耀、广济皆贬远州别驾，毛仲四子皆贬远州参军，连坐者数十人。毛仲行至永州，追赐死。

自是宦官势益盛。高力士尤为上所宠信，尝曰："力士上直，吾寝则安。"故力士多留禁中，稀至外第。四方表奏，皆先呈力士，然后奏御。小者力士即决之，势倾内外。金吾大将军程伯献、少府监冯绍正与力士约为兄弟。力士母麦氏卒，伯献等被发受吊，擗踊哭泣，过于己亲。力士娶瀛州吕玄晤女为妻，擢玄晤为少卿，子弟皆王傅。吕氏卒，朝野争致祭，自第至墓，车马不绝。然力士小心恭恪，故上终亲任之。

这时,唐玄宗十分宠信宦官,往往让他们当三品将军,府门上配置荣载的仪仗。他们奉命出使经过各州,官员们都竭力奉承,只怕达不到他们的要求,每次他们得到的财物都不少于一千缗;因此京城郊区的田园,有一半都在宦官手中了。杨思勖、高力士尤其受宠。杨思勖多次率兵出征讨伐,高力士常常在宫中侍卫。但王毛仲对得到推崇亲近的宦官视若无人;那些官职卑微的宦官稍有违反他的心意,他就像对仆人一样地辱骂他们。高力士等人对王毛仲受到唐玄宗的宠爱都很嫉妒,但又不敢说话。

恰好王毛仲的妻子生了孩子,第三天,唐玄宗派高力士送给他很多好酒美食、金银丝绸并且授予他儿子五品官职。高力士回来,唐玄宗问:"王毛仲高兴吗?"高力士回答说:"王毛仲抱着他襁褓中的儿子给我看并且说:'我这儿子怎么做不了三品官呢?'"唐玄宗勃然大怒说:"以前铲除韦氏,此贼心里就怀有二心,朕不想说他。今天竟敢用刚出世的儿子来埋怨我。"高力士趁机说:"禁卫军的奴才,给他们官职太大了,他们互相勾结,如不早日除去,必定会发生大乱。"唐玄宗担心王毛仲的党羽因惊惧而发生变故。

唐玄宗开元十九年(辛未,公元731年)

1 春季,正月壬戌(十三日),唐玄宗下命令,只指出王毛仲对他不忠而且还有怨恨,因此降职为瀼州别驾,葛福顺、唐地文、李守德、王景耀、高广济都降职任边远各州的别驾,王毛仲四个儿子都降职为边远各州的参军,受他们牵连的有几十人。王毛仲走到永州时,唐玄宗又派人在路上将他赐死。

从此,宦官的势力越来越大。高力士尤其被唐玄宗所宠信,唐玄宗曾经说:"高力士值班,我睡觉才安心。"所以高力士多数时间留在宫中,很少到宫外的府宅居住。各地上报的奏表,都要先呈高力士,再上奏唐玄宗。小一点的事,高力士就自己决定了,他的权势超越了所有内侍外臣。金吾大将军程伯献、少府监冯绍正与高力士结为兄弟。高力士的母亲麦氏去世,程伯献等人也去接受百官的吊唁,他们披头散发,捶胸顿足,悲声哭泣,比自己母亲死了还要悲切。高力士娶瀼州吕玄晤的女儿为妻,就提拔吕玄晤当少卿,吕家子弟都成为诸王傅。吕氏去世,朝野上下的人都争先恐后去吊唁,从他家府门一直到墓前,车马络绎不绝。但高力士仍然小心谨慎,恭敬有礼,因此,唐玄宗始终信任重用他。

2　辛未,遣鸿胪卿崔琳使于吐蕃。琳,神庆之子也。吐蕃使者称公主求《毛诗》、《春秋》、《礼记》。正字于休烈上疏,以为:"东平王汉之懿亲,求《史记》、《诸子》,汉犹不与。况吐蕃,国之寇仇,今资之以书,使知用兵权略,愈生变诈,非中国之利也。"事下中书门下议之。裴光庭等奏:"吐蕃聋昧顽嚚,久叛新服,因其有请,赐以《诗》《书》,庶使之渐陶声教,化流无外。休烈徒知书有权略变诈之语,不知忠、信、礼、义皆从书出也。"上曰:"善!"遂与之。休烈,志宁之玄孙也。

3　丙子,上躬耕于兴庆宫侧,尽三百步。

4　三月,突厥左贤王阙特勒卒,赐书吊之。

5　丙申,初令两京诸州各置太公庙,以张良配享,选古名将,以备十哲,以二、八月上戊致祭,如孔子礼。

　　臣光曰:经纬天地之谓文,戡定祸乱之谓武,自古不兼斯二者而称圣人,未之有也。故黄帝、尧、舜、禹、汤、文、武、伊尹、周公莫不有征伐之功,孔子虽不试,犹能兵莱夷,却费人,曰"我战则克",岂孔子专文而太公专武乎?孔子所以祀于学者,礼有先圣先师故也。自生民以来,未有如孔子者,岂太公得与之抗衡哉?古者有发,则命大司徒教士以车甲,裸股肱,决射御,受成献馘,莫不在学。所以然者,欲其先礼义而后勇力也。君子有勇而无义为乱,小人有勇而无义为盗,若专训之以勇力而不使之知礼义,奚所不为矣!自孙、吴以降,皆以勇力相胜,

2 辛未(二十二日),唐玄宗派鸿胪卿崔琳出使到吐蕃。崔琳是崔神庆的儿子。吐蕃使节说金城公主想要《毛诗》《春秋》《礼记》。正字于休烈上书认为:"东平王刘宇是汉成帝的亲弟弟,他请求得到《史记》《诸子》,汉成帝都不给。何况吐蕃,是我国的仇敌,如果现在把这些书送给他们,使他们知道了用兵的韬略,就会更加多变欺诈,这不符合我国的利益。"唐玄宗把此事交给中书门下商议。裴光庭等人奏道:"吐蕃愚昧、顽固而放肆,长期叛乱,新近才降服;应该借这次他们请求的机会,把《毛诗》《尚书》送给他们,可能会使他们逐渐受到教化的陶冶,使教化流布,无远不至。于休烈只知道书籍中有权术谋略、变化欺诈的话语,却不知道忠、信、礼、义也可以从书籍里表达出来。"唐玄宗说:"你们说得好。"就命人把《毛诗》等书送给吐蕃的使节。于休烈是于志宁的玄孙。

3 丙子(二十七日),唐玄宗亲自在兴庆宫旁耕田,耕了方圆三百步。

4 三月,突厥左贤王阙特勒去世,唐玄宗送书信吊唁他。

5 丙申(四月十八日),唐玄宗第一次命令两京各州分别建造太公庙,以汉张良配享;还挑选了一些古代名将,以配齐十位先哲,每年二月、八月的第一个戊日进行祭祀,如同祭祀孔子的礼仪一样。

臣司马光说:经天纬地,叫做文才;戡乱定祸,叫做武略。自古以来,不兼有这两者而被称为圣人的,从来没有过。所以黄帝、唐尧、虞舜、夏禹、商汤、周文王、周武王、伊尹、周公没有一个是没有征伐之功的。孔子虽然没有亲自尝试过率兵打仗,但他能够依法所斩杀齐国莱夷,还派兵击退费人,并且说:"我如果打仗,定能取得胜利。"怎么能说孔子的专长只是文才,而姜太公的专长只是武略呢?孔子之所以被学者祭祀,是因为礼仪中有先圣先师的缘故。有史以来,还没有过像孔子那样的人,姜尚怎么能跟他相提并论呢?古时候,军师派兵,就命令大司徒教会士兵如何乘兵车、穿衣甲的仪式;裸露大腿、手臂,比赛射箭和驾驭战车,接受已定的计谋,杀敌立功,没有一件不靠学习。之所以这样做,就是想让他们先懂得礼义,然后再增强勇气和力量。君子有勇无义会犯上作乱,小人有勇无义会当强盗;如果只专门训练他们增强勇力,却不使他们知晓礼义,那他们什么事做不出来呀!从孙武、吴起以来,都是凭借勇力取胜,

狙诈相高,岂足以数于圣贤之门而谓之武哉?乃复诬引以偶十哲之目,为后世学者之师,使太公有神,必羞与之同食矣。

6　五月壬戌,初立五岳真君祠。

7　秋,九月辛未,吐蕃遣其相论尚它硉入见,请于赤岭为互市,许之。

8　冬,十月丙申,上幸东都。

9　或告嶲州都督解人张审素赃污,制遣监察御史杨汪按之。总管董元礼将兵七百围汪,杀告者,谓汪曰:"善奏审素则生,不然则死。"会救兵至,击斩之。汪奏审素谋反,十二月审素坐斩,籍没其家。

10　浚苑中洛水,六旬而罢。

二十年(壬申,732)

1　春,正月乙卯,以朔方节度副大使信安王祎为河东、河北行军副大总管,将兵击奚、契丹。壬申,以户部侍郎裴耀卿为副总管。

2　二月癸酉朔,日有食之。

3　上思右骁卫将军安金藏忠烈,三月,赐爵代国公,仍于东、西岳立碑,以铭其功。金藏竟以寿终。

4　信安王祎帅裴耀卿及幽州节度使赵含章分道击契丹,含章与虏遇,虏望风遁去。平卢先锋将乌承玼言于含章曰:"二虏,剧贼也。前日遁去,非畏我,乃诱我也,宜按兵以观其变。"含章不从,与虏战于白山,果大败。承玼别引兵出其右,击虏,破之。己巳,祎等大破奚、契丹,俘斩甚众,可突干帅麾下远遁,馀党潜窜山谷。奚酋李诗琐高帅五千馀帐来降。

以狡猾奸诈之术为高明,这怎么足以算在圣贤之门,而且说成是武略呢?像这样无中生有地用这些人凑成十位先哲的数目,作为后世学者的先师;假如太公有在天之灵,一定会以和这些人一起受祭祀而感到羞耻。

6 五月壬戌(十五日),唐玄宗下令开始建造五岳真君祠。

7 秋季,九月辛未(二十五日),吐蕃派丞相论尚它硉入朝拜见唐玄宗,请求在赤岭设立集市进行贸易往来,唐玄宗同意了他的要求。

8 冬季,十月丙申(二十一日),唐玄宗来到东都洛阳。

9 有人上告嶲州都督、河中府解县人张审素贪赃枉法,唐玄宗下令派监察御史杨汪去考察。张审素的总管董元礼带领七百人包围了杨汪,杀死了上告的人,并对杨汪说:“如果在皇帝面前为张审素多多美言,你可以活命;不然的话,你就要死。”恰好救兵赶到,杀了这些人。杨汪奏称张审素阴谋造反,十二月,张审素被斩首,全部家产被没收。

10 疏通流经禁苑中的洛水,六十天完工。

唐玄宗开元二十年(壬申,公元 732 年)

1 春季,正月乙卯(十一日),唐玄宗任命朔方节度副大使、信安王李祎为河东、河北行军副大总管,率领军队攻击奚和契丹。壬申(二十八日),任命户部侍郎裴耀卿为副总管。

2 二月癸酉朔(初一),出现日食。

3 唐玄宗想起右骁卫将军安金藏的忠烈事迹,三月,赐给他代国公爵位,还在东岳泰山、西岳华山建碑,铭记他的功勋。安金藏最后年老安然去世。

4 信安王李祎带领裴耀卿以及幽州节度使赵含章分几路进攻契丹,赵含章与敌人遭遇,敌人望风而逃。平卢先锋将领乌承玭对赵含章说:“奚和契丹都是勇猛强悍的叛贼。前日逃走,并不是惧怕我们,而是想引我们上当,我们还是按兵不动,静观他的变化为好。”赵含章没有听从他的意见,追到白山与敌人交战,果然中计大败。乌承玭另外率兵从赵含章右侧杀出来,攻击敌人,打败了契丹的军队。己巳(二十六日),李祎等大将奚、契丹打得大败,抓获并杀死了很多人,可突干带领部下远远逃走,其他党羽偷偷地逃窜到山谷之中。奚人首领李诗琐高带领本部五千多帐前来投降。

祎引兵还。赐李诗爵归义王,充归义州都督,徙其部落置幽州境内。

5 夏,四月乙亥,宴百官于上阳东洲,醉者赐以衾褥,肩舆以归,相属于路。

6 六月丁丑,加信安王祎开府仪同三司。上命裴耀卿赍绢二十万匹分赐立功奚官,耀卿谓其徒曰:"戎狄贪婪,今赍重货深入其境,不可不备。"乃命先期而往,分道并进,一日,给之俱毕。突厥、室韦果发兵邀隘道,欲掠之。比至,耀卿已还。

赵含章坐赃巨万,杖于朝堂,流瀼州,道死。

7 秋,七月,萧嵩奏:"自祠后土以来,屡获丰年,宜因还京赛祠。"上从之。

8 敕裴光庭、萧嵩分押左、右厢兵。

9 八月辛未朔,日有食之。

10 初,上命张说与诸学士刊定五礼。说薨,萧嵩继之。起居舍人王仲丘请依《明庆礼》,祈谷、大雩、明堂,皆祀昊天上帝。嵩又请依上元敕,父在为母齐衰三年,皆从之。以高祖配圜丘、方丘,太宗配雩祀及神州地祇,睿宗配明堂。九月乙巳,新礼成,上之,号曰《开元礼》。

11 勃海靺鞨王武艺遣其将张文休帅海贼寇登州,杀刺史韦俊,上命右领军将军葛福顺发兵讨之。

12 壬子,河西节度使牛仙客加六阶。初,萧嵩在河西,委军政于仙客,仙客廉勤,善于其职。嵩屡荐之,竟代嵩为节度使。

李祎率领军队返回。唐玄宗赐给李诗琐高归义王的爵位,充当归义州都督,还将他的部落迁徙到幽州境内安置。

5　夏季,四月乙亥(初三),唐玄宗在上阳宫东的中洲设宴款待百官,还赐给喝醉的人被褥,用轿子抬回去,一路上接连不断。

6　六月丁丑(初六),唐玄宗加封信安王李祎为开府仪同三司。命令裴耀卿运送丝绸二十万匹,分别赐给有功的奚人官员。裴耀卿对手下人说:“戎狄十分贪婪,如今我们运送重要的货物深入他们的地方,不能不有所准备。”他命令部下提前出发,分道同时前进,只用了一天时间,就把全部货物发送完毕。突厥、室韦果然派兵在山口和路上拦截,准备把货物抢走。等到他们赶到,裴耀卿早已返回了。

赵含章因贪赃数额巨大,在朝廷大堂上被杖打,并流放到瀼州,死于途中。

7　秋季,七月,萧嵩上奏道:“自从祭祀后土祠以来,这几年农业都获丰收,应该在回京城后祭祀后土以示酬谢。”唐玄宗听从了他的意见。

8　唐玄宗命裴光庭、萧嵩分别主管左、右厢兵。

9　八月辛未朔(初一),出现日食。

10　当初,唐玄宗命令张说与众学士修改制定五礼。张说死后,由萧嵩继续进行。起居舍人王仲丘请依照《明庆礼》,在举行祈谷、祭雨、明堂典礼时,都祭祀昊天上帝。萧嵩又请求依照上元年间的敕命,凡父亲在世而母死,子要为母亲服三年齐衰丧,唐玄宗都依从了他们的建议。唐玄宗以唐高祖配享圜丘、方丘,以唐太宗配享祭雨及神州土地神,以唐睿宗配享明堂。九月乙巳(初五),新的礼制完成,呈送给唐玄宗,号称《开元礼》。

11　勃海靺鞨王大武艺派他的大将张文休率领海贼进犯登州,杀死刺史韦俊,唐玄宗命令右领军将军葛福顺带领军队去讨伐。

12　壬子(十二日),唐玄宗给河西节度使牛仙客加官六阶。当初,萧嵩在河西道时,把军政大事委托给牛仙客。牛仙客廉洁勤勉,非常称职,萧嵩多次向唐玄宗举荐他,他终于代替萧嵩担任了河西节度使。

13　冬,十月壬午,上发东都。辛卯,幸潞州。辛丑,至北都。十一月庚申,祀后土于汾阴,赦天下。十二月辛未,还西京。

14　是岁,以幽州节度使兼河北采访处置使增领卫、相、洛、贝、冀、魏、深、赵、恒、定、邢、德、博、棣、营、郑十六州及安东都护府。

15　天下户七百八十六万一千二百三十六,口四千五百四十三万一千二百六十五。

二十一年(癸酉,733)

1　春,正月乙巳,祔肃明皇后于太庙,毁仪坤庙。

2　丁巳,上幸骊山温泉。

3　上遣大门艺诣幽州发兵,以讨勃海王武艺。庚申,命太仆员外卿金思兰使于新罗,发兵击其南鄙。会大雪丈馀,山路阻隘,士卒死者过半,无功而还。武艺怨门艺不已,密遣客刺门艺于天津桥南,不死。上命河南搜捕贼党,尽杀之。

4　二月丁酉,金城公主请立碑于赤岭以分唐与吐蕃之境,许之。

5　三月乙巳,侍中裴光庭薨。太常博士孙琬议:"光庭用循资格,失劝奖之道,请谥曰克。"其子稹讼之,上赐谥忠献。

上问萧嵩可以代光庭者,嵩与右散骑常侍王丘善,将荐之;固让于右丞韩休。嵩言休于上。甲寅,以休为黄门侍郎、同平章事。

13　冬季,十月壬午(十二日),唐玄宗从东都洛阳出发。辛卯(二十一日),到达潞州。辛丑,到达北都太原。十一月庚申(二十一日),在汾阴祭祀后土神,大赦天下。十二月辛未(初二),回到西京长安。

14　这一年,唐玄宗让幽州节度使兼任河北采访处置使,并将卫州、相州、洛州、贝州、冀州、魏州、深州、赵州、恒州、定州、邢州、德州、博州、棣州、营州、郑州等十六个州及安东都护府增拨给他统辖。

15　全国共有七百八十六万一千二百三十六户,总共四千五百四十三万一千二百六十五人。

唐玄宗开元二十一年(癸酉,公元733年)

1　春季,正月乙巳(初六),唐玄宗在太庙附祭肃明皇后,拆毁了仪坤庙。

2　丁巳(十八日),唐玄宗来到骊山温泉。

3　唐玄宗派大门艺到幽州去调集军队,讨伐勃海王大武艺。庚申(二十一日),命令太仆员外卿金思兰到新罗出使,请新罗派兵进攻勃海靺鞨的南部边境。正碰上大雪下了一丈多深,使山路阻塞,半数以上的士兵冻死,此行无功而返。大武艺十分怨恨大门艺,秘密派刺客在洛阳天津桥南暗杀大门艺,但大门艺没有死。唐玄宗命令河南府搜捕大武艺派来的党羽,把他们全部杀死。

4　二月丁酉(二十九日),金城公主请求在赤岭建碑,作为唐帝国与吐蕃国边境的分界线,唐玄宗同意了她的要求。

5　三月乙巳(初七),侍中裴光庭去世。太常博士孙琬建议:"裴光庭按照资格用人,失掉了勉励人才上进的道路,请您将他谥为'克'。"经裴光庭的儿子裴稹力辩,唐玄宗将裴光庭谥为"忠献"。

唐玄宗向萧嵩询问可以代替裴光庭的人,萧嵩和右散骑常侍王丘很要好,想举荐他;王丘坚持要让给尚书右丞韩休。于是,萧嵩向唐玄宗推举韩休。甲寅(十六日),唐玄宗任命韩休为黄门侍郎、同平章事。

休为人峭直,不干荣利;及为相,甚允时望。始,嵩以休恬和,谓其易制,故引之。及与共事,休守正不阿,嵩渐恶之。宋璟叹曰:"不意韩休乃能如是!"上或宫中宴乐及后苑游猎,小有过差,辄谓左右曰:"韩休知否?"言终,谏疏已至。上尝临镜默然不乐,左右曰:"韩休为相,陛下殊瘦于旧,何不逐之?"上叹曰:"吾貌虽瘦,天下必肥。萧嵩奏事常顺指,既退,吾寝不安。韩休常力争,既退,吾寝乃安。吾用韩休,为社稷耳,非为身也。"

有供奉侜儒名黄𤢖,性警黠,上常冯之以行,谓之"肉几",宠赐甚厚。一日晚入,上怪之,对曰:"臣向入宫,道逢捕盗官与臣争道,臣掀之坠马,故晚。"因下阶叩头。上曰:"但使外无章奏,汝亦无忧。"有顷,京兆奏其状。上即叱出,付有司杖杀之。

6　闰月癸酉,幽州道副总管郭英杰与契丹战于都山,败死。时节度薛楚玉遣英杰将精骑一万及降奚击契丹,屯于榆关之外。可突干引突厥之众来合战,奚持两端,散走保险,唐兵不利,英杰战死。馀众六千馀人犹力战不已。虏以英杰首示之,竟不降,尽为虏所杀。楚玉,讷之弟也。

7　夏,六月癸亥,制:"自今选人有才业操行,委吏部临时擢用。流外奏用不复引过门下。"虽有此制,而有司以循资格便于己,犹踵行之。是时,官自三师以下一万七千六百八十六员,吏自佐史以上五万七千四百一十六员,而入仕之涂甚多,不可胜纪。

韩休为人严峻正直,不追求荣誉利益;他担任宰相,很符合当时朝廷上下的期望。开始,萧嵩因为韩休恬淡平和,认为控制他比较容易,所以引荐了他。等到与他共同任相时,才发现韩休刚正不阿,于是渐渐就厌恶他了。宋璟叹道:"没想到韩休当了宰相,还能严守刚直的节操!"唐玄宗有时在宫中设宴行乐并到后苑游玩打猎,稍有过失和差错,就问左右的人:"这事韩休知道不知道?"话音刚落,韩休的劝谏书已经送到。唐玄宗曾经对着镜子默默不乐,旁边的人说:"韩休当宰相以来,您比以前瘦多了,为什么不将他斥退?"唐玄宗叹道:"我虽然消瘦,天下一定富足。萧嵩上奏事情常常依顺我的旨意,可我退朝后,就连睡觉都不安心。韩休虽然常常和我争辩,可退朝后,我睡觉就安心了。我任用韩休,是为了国家,不是为了我自己。"

有个侍奉玄宗的侏儒名叫黄𪒠,性格机警狡黠;唐玄宗常常挂着他走路,叫他为"肉几",很宠爱他并送给他很多贵重的物品。有一天,黄𪒠进宫晚了,唐玄宗觉得奇怪,他回答说:"我正准备进宫,在路上碰到捕盗官与我争道,我把他掀下马,因此来晚了。"并走下台阶叩头谢罪。唐玄宗说:"只要外边没有奏章,你也就不用担心。"过了一会儿,京兆尹上奏黄𪒠刚才的情况。唐玄宗立即把他呵斥出去,交给主管部门用杖刑打死。

6 闰三月癸酉(初六),幽州道副总管郭英杰与契丹在都山打仗,战败身亡。当时,节度使薛楚玉派郭英杰带领一万名精锐骑兵以及投降过来的奚人军队进攻契丹,驻扎在榆关之外。可突干带领突厥军队来配合契丹作战,奚人采取骑墙观望的态度,分兵把守险要之处,唐军失利,郭英杰阵亡。剩下的六千多名唐军还不停地奋力拼杀。敌人将郭英杰的首级挂出来给他们看,但唐兵仍然不投降,最后全部被敌人杀死。薛楚玉是薛讷的弟弟。

7 夏季,六月癸亥(二十八日),唐玄宗下命令:"从现在起,候补官中有才能、学业和品行的人,委托吏部临时提拔使用;九品以外的官员经奏准后任用,不用再经过门下省。"虽然有了这个命令,但有些官吏因为按资格有利于自己,还沿袭实行老办法。此时,自太师、太傅、太保以下的官员共一万七千六百八十六名,从佐史以上的胥吏共五万七千四百一十六名,做官的途径多得数不胜数。

8 秋，七月乙丑朔，日有食之。

9 九月壬午，立皇子沔为信王，泚为义王，灌为陈王，澄为丰王，漼为恒王，漎为梁王，滔为汴王。

10 关中久雨谷贵，上将幸东都，召京兆尹裴耀卿谋之，对曰："关中帝业所兴，当百代不易，但以地狭谷少，故乘舆时幸东都以宽之。臣闻贞观、永徽之际，禄廪不多，岁漕关东一二十万石，足以周赡，乘舆得以安居。今用度浸广，运数倍于前，犹不能给，故使陛下数冒寒暑以恤西人。今若使司农租米悉输东都，自都转漕，稍实关中，苟关中有数年之储，则不忧水旱矣。且吴人不习河漕，所在停留，日月既久，遂生隐盗。臣请于河口置仓，使吴船至彼即输米而去，官自雇载分入河、洛。又于三门东西各置一仓，至者贮纳。水险则止，水通则下，或开山路，车运而过，则无复留滞，省费巨万矣。河、渭之滨，皆有汉、隋旧仓，葺之非难也。"上深然其言。

11 冬，十月庚戌，上幸骊山温泉。己未，还宫。

12 戊子，左丞相宋璟致仕，归东都。

13 韩休数与萧嵩争论于上前，面折嵩短，上颇不悦。嵩因乞骸骨，上曰："朕未厌卿，卿何为遽去？"对曰："臣蒙厚恩，待罪宰相，富贵已极，及陛下未厌臣，故臣得从容引去；若已厌臣，臣首领且不保，安能自遂？"因泣下。上为之动容，

8 秋季,七月乙丑朔(初一),出现日食。

9 九月壬午(十八日),唐玄宗封皇子李沄为信王,李泚为义王,李滙为陈王,李澄为丰王,李潓为恒王,李漼为梁王,李滔为汴王。

10 关中久雨成灾,谷价昂贵,唐玄宗将要到东都洛阳,就召见京兆尹裴耀卿商量这事。裴耀卿回答说:"关中是帝业兴起的地方,应当百代不变,但由于这里土地狭窄,五谷缺少,因此您经常到东都洛阳,以便缓解这里的困难。我听说贞观、永徽年间,用于百官俸禄的支出还不太多,每年通过水路从关东运来一二十万石粮食,就足够普遍供给,皇帝就可以安居了。如今朝廷费用越来越大,运送比以前多几倍的粮食,还不够供应,因此才使您几次冒着严寒酷暑东赴洛阳以抚恤关中之人。如今如果将司农的租米全部运到东都,从东都再转水路运输到关中,就可以使关中稍微充实一点,假如关中有几年的储备粮,那么就不用为旱涝灾害担忧了。况且吴地人不习惯黄河的水运,经常在路上停留,时间长了,实际上的耗损如隐藏、盗用等等就多。请您允许我在河口设置粮仓,让吴地的来船到那里卸下大米就离开,官府再雇船分别从黄河、洛水运进来。另外可以在三门峡的东西两侧各建造一座粮仓,把运到的粮食收进并贮藏起来。如果水路有危险就停止运送,如果水路通畅就开始运送。或者开凿山路,用车运粮。那样就不会滞留了,还可以节省数以万计的费用。黄河、渭水岸上,都还有汉代、隋代的旧粮仓,修复一下并不难。"唐玄宗认为他的话非常对。

11 冬季,十月庚戌(十七日),唐玄宗到骊山温泉。己未(二十六日),返回皇宫。

12 十一月戊子(二十五日),左丞相宋璟退休,回到东都洛阳。

13 韩休屡次在唐玄宗面前与萧嵩发生争执,当面揭萧嵩的短处,唐玄宗对此很不高兴。萧嵩因而请求告老退休,唐玄宗说:"我没厌恶你,你为什么要急于离去?"萧嵩回答说:"我承蒙陛下的厚爱,担任宰相,富贵已达到了顶点。趁着您还没厌恶我,我可以平平安安地离开;如果您已经厌恶我,我的头尚且保不住,哪里还能自己辞职离开?"说着眼泪就流下来了。唐玄宗被他的言辞打动了,

曰："卿且归，朕徐思之。"丁巳，嵩罢为左丞相，休罢为工部尚书。以京兆尹裴耀卿为黄门侍郎，前中书侍郎张九龄时居母丧，起复中书侍郎，并同平章事。

14　是岁，分天下为京畿、都畿、关内、河南、河东、河北、陇右、山南东道、山南西道、剑南、淮南、江南东道、江南西道、黔中、岭南，凡十五道，各置采访使，以六条检察非法；两畿以中丞领之，馀皆择贤刺史领之。非官有迁免，则使无废更。惟变革旧章，乃须报可，自馀听便宜从事，先行后闻。

15　太府卿杨崇礼，政道之子也，在太府二十馀年，前后为太府者莫能及。时承平日久，财货山积，尝经杨卿者，无不精美。每岁句驳省便，出钱数百万缗。是岁，以户部尚书致仕，年九十馀矣。上问宰相："崇礼诸子，谁能继其父者？"对曰："崇礼三子，慎馀、慎矜、慎名，皆廉勤有才，而慎矜为优。"上乃擢慎矜自汝阳令为监察御史，知太府出纳，慎名摄监察御史，知含嘉仓出给，亦皆称职；上甚悦之。慎矜奏诸州所输布帛有渍污穿破者，皆下本州征折估钱，转市轻货。征调始繁矣。

说:"你先回去,我慢慢地考虑这事。"十二月丁巳(二十四日),唐玄宗将萧嵩罢免为右丞相,将韩休罢免为工部尚书。任命京兆尹裴耀卿为黄门侍郎;前任中书侍郎张九龄当时正在为他母亲服丧,唐玄宗起用他重新担任中书侍郎,二人均加同平章事衔。

14 这一年,唐玄宗将全国分为京畿道、都畿道、关内道、河南道、河东道、河北道、陇右道、山南东道、山南西道、剑南道、淮南道、江南东道、江南西道、黔中道、岭南道,共十五个道,分别设置采访使,用六条规定检察官员的非法行为;两畿采访使由御史中丞兼任,其他都选择比较贤明的刺史来兼任。如果不是官职迁升罢免,供职采访使的人就不会去职。只有变革旧的规章,仍然必须报给朝廷许可,其馀的可以根据情况自行处理,先执行后报告。

15 太府卿杨崇礼,是杨政道的儿子,在太府二十多年,前后担任太府卿的没有一个能比得上他。当时天下太平的日子长久了,财物货品,堆积如山,曾经过杨崇礼之手的东西,没有一件不精美异常。每年他光是制止随便开支,就节省出数以百万缗的钱财。这一年,杨崇礼以户部尚书的职位退休,年纪已九十多岁了。唐玄宗问宰相:"杨崇礼的几个儿子,谁能够继承他父亲的职务?"宰相回答说:"杨崇礼有三个儿子,名叫杨慎馀、杨慎矜和杨慎名,都廉洁勤恳而有才学,杨慎矜表现得尤为突出。"唐玄宗就将杨慎矜从汝阳县令提拔为监察御史,主管太府出纳事宜;杨慎名代理监察御史,主管含嘉仓出仓供给,也都很称职;唐玄宗对此很高兴。杨慎矜奏准各州所运送的布匹丝绸,有污渍破损的都发回原地验证,折算作钱,转买些轻货。从此赋税征调开始频繁了。

资治通鉴 8978

卷第二百一十四　唐纪三十

起甲戌(734)尽辛巳(741)凡八年

玄宗至道大圣大明孝皇帝中之中

开元二十二年(甲戌,734)

1　春,正月己巳,上发西京;己丑,至东都。张九龄自韶州入见,求终丧,不许。

2　二月壬寅,秦州地连震,坏公私屋殆尽,吏民压死者四千馀人;命左丞相萧嵩赈恤。

3　方士张果自言有神仙术,诳人云尧时为侍中,于今数千岁。多往来恒山中,则天以来,屡征不至。恒州刺史韦济荐之,上遣中书舍人徐峤赍玺书迎之。庚寅,至东都,肩舆入宫,恩礼甚厚。

4　张九龄请不禁铸钱,三月庚辰,敕百官议之。裴耀卿等皆曰:"一启此门,恐小人弃农逐利,而滥恶更甚。"秘书监崔沔曰:"若税铜折役,则官冶可成,计估度庸,则私铸无利。易而可久,简而难诬。且夫钱之为物,贵以通货,利不在多,何待私铸然后足用也?"右监门录事参军刘秩曰:"夫人富则不可以赏劝,贫则不可以威禁。若许其私铸,贫者必不能为之;臣恐贫者益贫而役于富,富者益富而逞其欲。汉文帝时,吴王濞富埒天子,铸钱所致也。"上乃止。秩,子玄之子也。

玄宗至道大圣大明孝皇帝中之中
唐玄宗开元二十二年(甲戌,公元734年)

1 春季,正月己巳(初六),玄宗从西京出发;己丑(二十六日),到达东都。张九龄从韶州来入见,请求守丧结束后再回到朝廷,玄宗不准许。

2 二月壬寅(初十),秦州接连发生地震,公私房屋大多都被毁坏,压死官吏和民众四千馀人,玄宗命左丞相萧嵩前去赈济慰问灾民。

3 方士张果自称懂神仙道术,并骗人说自己在尧帝时代就做过侍中,至今已有数千岁。张果常常来往于恒山之中,从武则天当朝以来,朝廷多次征召而他不至。现在恒州刺史韦济又向朝廷推荐,玄宗就派中书舍人徐峤持玺书去迎接。庚寅,张果来到东都,被人用轿子抬入宫中,受到玄宗的隆重接待。

4 张九龄请求不要禁止私人铸钱。三月庚辰(十九日),玄宗敕令百官商议此事。裴耀卿等人都说:"一旦取消这样的禁令,恐怕那些小人都会弃农逐利,钱的泛滥危害就会更加严重。"秘书监崔沔说:"如果折劳役为税铜钱,官方就可以用来铸钱,计算估价物品的价格,加上雇工的费用,私人铸钱就无利可图了。这样的办法既简易可行,还可以杜绝欺诈行为。再说钱的用处,贵在通商,不在于谋利,为什么说要允许私人铸钱才能国用充足呢?"右监门录事参军刘秩说:"人富有了,就难以用奖赏来劝诱他,人贫穷了,就难以用威权来禁止他。如果允许民间私人铸钱,贫穷的人必定不能冶铸;我担心贫穷的人会更加穷困而被富人役使,富有的人会更加富有而为所欲为。汉文帝时代,吴王刘濞之所以富有与天子相等,就是私人铸钱所招致的结果。"于是玄宗才打消了这一念头。刘秩是刘子玄的儿子。

5　夏,四月壬辰,以朔方节度使信安王祎兼关内道采访处置使,增领泾、原等十二州。

6　吏部侍郎李林甫,柔佞多狡数,深结宦官及妃嫔家,伺候上动静,无不知之,由是每奏对,常称旨,上悦之。时武惠妃宠幸倾后宫,生寿王瑁,诸子莫得为比,太子浸疏薄。林甫乃因宦官言于惠妃,愿尽力保护寿王。惠妃德之,阴为内助,由是擢黄门侍郎。五月戊子,以裴耀卿为侍中,张九龄为中书令,林甫为礼部尚书、同中书门下三品。

7　上种麦于苑中,帅太子以下亲往芟之,谓曰:"此所以荐宗庙,故不敢不亲,且欲使汝曹知稼穑艰难耳。"又遍以赐侍臣曰:"比遣人视田中稼,多不得实,故自种以观之。"

8　六月壬辰,幽州节度使张守珪大破契丹,遣使献捷。

9　薛王业疾病,上忧之,容发为变。七月己巳,薨,赠谥惠宣太子。

10　上以裴耀卿为江淮、河南转运使,于河口置输场。八月壬寅,于输场东置河阴仓,西置柏崖仓,三门东置集津仓,西置盐仓。凿漕渠十八里以避三门之险。先是,舟运江、淮之米至东都含嘉仓,傤车陆运,三百里至陕,率两斛用十钱。耀卿令江、淮舟运悉输河阴仓,更用河舟运至含嘉仓及太原仓,自太原仓入渭输关中。凡三岁,运米七百万斛,省傤车钱三十万缗。或说耀卿献所省钱,耀卿曰:"此公家赢缩之利耳,奈何以之市宠乎?"悉奏以为市籴钱。

5　夏季,四月壬辰(初一),任命朔方节度使信安王李祎兼关内道采访处置使,并增加管领泾、原等十二州。

6　吏部侍郎李林甫奸猾狡诈,与宦官以及后宫中的嫔妃深相交结,让他们暗中伺察玄宗的行动,掌握了他的一举一动,因此每次上朝奏事,经常符合玄宗的意图,深受玄宗的喜爱。当时武惠妃在后宫的嫔妃中最受玄宗的宠爱,生子为寿王李瑁,也深得玄宗的喜欢,诸皇子难以为比,因此太子渐渐被疏远了。李林甫于是托宦官告诉武惠妃说,自己愿意尽力保护寿王。武惠妃听后十分感激,就暗中为助,因此李林甫被升为黄门侍郎。五月戊子(二十八日),玄宗任命裴耀卿为侍中,张九龄为中书令,李林甫为礼部尚书、同中书门下三品。

7　玄宗在宫苑中种小麦,率领太子以下等皇子亲自去收割,并借此对太子说:"这些麦子将来是要用来祭祀祖先宗庙的,所以不敢不亲自去收割,并想借此使你们知道耕种庄稼的艰辛。"然后玄宗又把这些小麦遍赐侍臣,并对他们说:"近年来我常派人去观察百姓田中庄稼的好坏,但难以得到实情,所以我就亲自耕种来观察收成好坏。"

8　六月壬辰(初三),幽州节度使张守珪大败契丹军,并派使者前来报捷。

9　薛王李业病重,玄宗十分担忧,以致面容憔悴,头发变白。七月己巳(初十),薛王李业去世,赠谥号为惠宣太子。

10　玄宗任命裴耀卿为江淮、河南转运使,并在河口建了运输场。八月壬寅(十四日),又于运输场东设置了河阴仓,于运输场西设置了柏崖仓,于三门东设置集津仓,于三门西设置盐仓。又开凿漕渠十八里以避开三门之险。先前,用船运江淮地区的米至东都含嘉仓,再雇车陆运三百里至陕郡,大约两斛米运费十钱。裴耀卿命令江淮地区的运米船都把米运到河阴仓,再用船通过黄河运到含嘉仓及太原仓,然后由太原仓通过渭水运到关中。三年中共运米七百万斛,节省雇佣车费三十万缗。有人劝裴耀卿把所节省的钱献给皇上,裴耀卿说:"这是公家的赢利钱,我怎么能借此来讨好皇上呢?"于是就全部上奏作为调节市场粮价的经费。

11　张果固请归恒山,制以为银青光禄大夫,号通玄先生,厚赐而遣之。后卒,好异者奏以为尸解,上由是颇信神仙。

12　冬,十二月戊子朔,日有食之。

13　乙巳,幽州节度使张守珪斩契丹王屈烈及可突干,传首。

时可突干连年为边患,赵含章、薛楚玉皆不能讨,守珪到官,屡击破之。可突干困迫,遣使诈降,守珪使管记王悔就抚之。悔至其牙帐,察契丹上下殊无降意,但稍徙营帐近西北,密遣人引突厥,谋杀悔以叛。悔知之。牙官李过折与可突干分典兵马,争权不叶,悔说过折使图之。过折夜勒兵斩屈烈及可突干,尽诛其党,帅馀众来降。守珪出师紫蒙州,大阅以镇抚之。枭屈烈、可突干首于天津桥之南。

14　突厥毗伽可汗为其大臣梅录啜所毒,未死,讨诛梅录啜及其族党。既卒,子伊然可汗立,寻卒,弟登利可汗立,庚戌,来告丧。

15　禁京城丐者,置病坊以廪之。

二十三年(乙亥,735)

1　春,正月,契丹知兵马中郎李过折来献捷,制以过折为北平王,检校松漠州都督。

乙亥,上耕藉田,九推乃止;公卿以下皆终亩。赦天下,都城酺三日。

上御五凤楼酺宴,观者喧隘,乐不得奏,金吾白梃如雨,不能遏,上患之。高力士奏河南丞严安之为理严,为人所畏,

11 张果坚决请求返回恒山,玄宗下制任命他为银青光禄大夫,赐号为通玄先生,然后重加赏赐而放归。后来张果死后,一些好奇的人上奏说他尸体虽在,而灵魂已飞升成仙,因此玄宗更加相信神仙。

12 冬季,十二月戊子朔(初一),出现日食。

13 乙巳(十八日),幽州节度使张守珪杀了契丹王屈烈及可突干,并传他们的头颅到京城。

当时可突干连年侵扰唐朝的边疆,赵含章和薛楚玉都无法讨平,张守珪任节度使后,多次击败了可突干。可突干势困计穷,派使者假装说要降附,张守珪就派管记王悔前去安抚。王悔到了可突干的牙帐,觉察到契丹上下并没有真心降附的意思,只不过是把军营稍往西北移了一些,并秘密地派人去联兵突厥,阴谋杀掉自己而反叛。于是王悔知道可突干是诈降。契丹牙官李过折与可突干分掌兵马,因争权不和,于是王悔劝李过折谋取可突干。李过折就在夜间领兵杀了屈烈及可突干,并杀掉了他们的党羽,然后率领其他部众来降附唐朝。张守珪率兵来到紫蒙州,大显兵威以镇抚契丹。并割下屈烈与可突干的头颅在天津桥南面示众。

14 突厥毗伽可汗曾经被他的大臣梅录啜投毒谋害,但没有毒死,于是毗伽就杀了梅录啜的家族和党羽。毗伽死后,他的儿子伊然可汗继位,不久伊然又去世,他的弟弟登利可汗继位,庚戌(二十三日),派人前来报丧。

15 禁止乞丐在京城行乞,并设置病坊接济。

唐玄宗开元二十三年(乙亥,公元735年)

1 春季,正月,契丹知兵马中郎李过折入朝报捷,玄宗下制任命李过折为北平王、检校松漠州都督。

乙亥(十八日),玄宗行藉田礼,亲自春耕,以示重农,推耒耜九次之后才停止;公卿及以下官员都耕种到终亩。又大赦天下,东都城内聚会饮酒三天。

玄宗登临五凤楼设宴,观看的人十分拥挤喧闹,以至宴乐也无法演奏,金吾卫兵像下雨般挥动白棍,但也无法遏制人群,玄宗十分忧虑。这时宦官高力士上奏说河南县丞严安之为政严厉,人们都害怕他,

请使止之；上从之。安之至，以手板绕场画地曰："犯此者死！"于是尽三日，人指其画以相戒，无敢犯者。

时命三百里内刺史、县令各帅所部音乐集于楼下，各较胜负。怀州刺史以车载乐工数百，皆衣文绣，服箱之牛皆为虎豹犀象之状。鲁山令元德秀惟遣乐工数人，连袂歌《于蒍》。上曰："怀州之人，其涂炭乎！"立以刺史为散官。德秀性介洁质朴，士大夫皆服其高。

2　上美张守珪之功，欲以为相，张九龄谏曰："宰相者，代天理物，非赏功之官也。"上曰："假以其名而不使任其职，可乎？"对曰："不可。惟名与器不可以假人，君之所司也。且守珪才破契丹，陛下即以为宰相；若尽灭奚、厥，将以何官赏之？"上乃止。二月，守珪诣东都献捷，拜右羽林大将军，兼御史大夫，赐二子官，赏赉甚厚。

3　初，殿中侍御史杨汪既杀张审素，更名万顷。审素二子瑝、琇皆幼，坐流岭表；寻逃归，谋伺便复仇。三月丁卯，手杀万顷于都城，系表于斧，言父冤状；欲之江外杀与万顷同谋陷其父者，至氾水，为有司所得。议者多言二子父死非罪，稚年孝烈能复父仇，宜加矜宥；张九龄亦欲活之。裴耀卿、李林甫以为如此，坏国法，上亦以为然，谓九龄曰："孝子之情，义不顾死，然杀人而赦之，此涂不可启也。"乃下敕曰："国家设法，期于止杀。各伸为子之志，谁非徇孝之人？展转相仇，何有限极？咎繇作士，法在必行。曾参杀人，亦不可恕。宜付河南府杖杀。"士民皆怜之，为作哀诔，榜于衢路。市人敛钱葬之于北邙，恐万顷家发之，仍为疑冢数处。

请让他来管制，玄宗同意。严安之到后，用手笏板绕着场地画了一圈说："违犯禁令越过此线的人问死罪!"于是三天之中，人们都指点告诫这条线，没有敢于违犯的人。

当时命令三百里以内的刺史和县令都带领乐队汇集于五凤楼下，进行比赛。怀州刺史用车运来数百名乐工，都穿着绣花衣服，驾车的牛都被打扮成虎豹犀象的形状。而鲁山县令元德秀只派了数名乐工，手拉着手唱《于蒍》歌。玄宗说："怀州的人民可要遭受苦难了!"于是马上贬怀州刺史为散官。元德秀性情耿介质朴，士大夫都非常钦佩他。

2 玄宗赞美张守珪的功劳，想要任命他为宰相，张九龄进谏说："宰相是代表天子治理天下的，不是为了赏功而封的官。"玄宗说："只让他挂宰相的虚名，而不让他任实职，不知是否可以?"张九龄回答说："就是这样也不可以。权柄官位是天子所掌管的，不能随便授予人。再说张守珪刚打败契丹，陛下就要任命他为宰相；如果以后消灭了奚与突厥，再加给他什么官呢?"玄宗于是中止了拜相的打算。二月，张守珪至东都报捷，拜官为右羽林大将军，兼御史大夫，又赠两个儿子官位，赏赐的东西很多。

3 起初，殿中侍御史杨汪杀了张审素，就改名为万顷。张审素的两个儿子张瑝和张琇年纪都小，因受牵连被流放到岭表；不久逃回，商议伺机报仇。三月丁卯（十一日），他们亲手于都城杀死了杨万顷，并把表状挂在斧头之上，说自己的父亲死得冤枉；然后又想去江外杀掉与杨万顷共同陷害父亲的人，到了汜水，被官方抓获。议论的人都说他们的父亲无罪而死，两个儿子忠孝刚烈，能为父亲报仇，应该赦免其罪；张九龄也想救他们的命。而裴耀卿与李林甫则认为，如果那样，就会违背国法，玄宗也认为如此，并对张九龄说："孝子的这种感情，是为义而不顾死，但杀了人而不问罪，这样的风气不能开。"于是就下敕说："国家之所以制定法律，就是为了禁止杀人。如果各自都从为人儿子的方面去申明大志，谁不是遵守孝道的人呢? 这样辗转复仇，哪里会有个完? 咎繇在虞舜时做掌管刑法的官，有法必依。就是曾参杀了人，罪也不可赦。应该交付河南府杖杀他们。"百姓都觉得十分惋惜，为他们作了哀祭的悼文，张贴在大路旁。市民又捐钱把他们埋葬在北邙山，恐怕杨万顷的家人挖他们的坟墓，所以还作了数处假墓。

4　唐初,公主实封止三百户,中宗时,太平公主至五千户,率以七丁为限。开元以来,皇妹止千户,皇女又半之,皆以三丁为限。驸马皆除三品员外官,而不任以职事。公主邑入至少,至不能具车服,左右或言其太薄,上曰:"百姓租赋,非我所有。战士出死力,赏不过束帛;女子何功,而享多户邪?且欲使之知俭啬耳。"秋,七月,咸宜公主将下嫁,始加实封至千户。公主,武惠妃之女也。于是诸公主皆加至千户。

5　冬,十月戊申,突骑施寇北庭及安西拨换城。

6　闰月壬午朔,日有食之。

7　十二月乙亥,册故蜀州司户杨玄琰女为寿王妃。玄琰,汪之曾孙也。

8　是岁,契丹王过折为其臣涅礼所杀,并其诸子,一子剌乾奔安东得免。涅礼上言,过折用刑残虐,众情不安,故杀之。上赦其罪,因以涅礼为松漠都督,且赐书责之曰:"卿之蕃法多无义于君长,自昔如此,朕亦知之。然过折是卿之王,有恶辄杀之,为此王者,不亦难乎?但恐卿为王,后人亦尔。常不自保,谁愿作王?亦应防虑后事,岂得取快目前?"突厥寻引兵东侵奚、契丹,涅礼与奚王李归国击破之。

二十四年(丙子,736)

1　春,正月庚寅,敕:"天下逃户,听尽今年内自首,有旧产者令还本贯,无者别俟进止。逾限不首,当命专使搜求,散配诸军。"

2　北庭都护盖嘉运击突骑施,大破之。

4　唐朝初年，公主的食邑实封只有三百户，到了中宗时，太平公主多达五千户，每户最多不超过七个成人。开元年间以来，皇妹最多只有一千户，皇女又减半，每户最多不超过三个成人。驸马都被命以三品员外官，而不实际任事。这些公主的食邑收入很少，以致不能满足车马服装费用的需要，左右有的人说这些公主的食邑太少，玄宗说："百姓的租赋，不是我私人的财产。前方的战士出生入死，也只不过赏赐一些布帛；这些女子有什么功劳，而应该享受那么多的食邑封户呢？再说这样也可以使她们知道节俭生活。"秋季，七月，咸宜公主将要出嫁，才加食邑实封至一千户。咸宜公主是武惠妃的女儿。于是其他的公主都加到一千户。

5　冬季，十月戊申（二十六日），突骑施侵扰北庭及安西拔换城。

6　闰月壬午朔（初一），出现日食。

7　十二月乙亥（二十四日），册封前蜀州司户杨玄琰的女儿为寿王李清的妃子。杨玄琰是杨汪的曾孙。

8　这一年，契丹王李过折被臣下涅礼杀死，儿子也都被杀，只有一个儿子刺乾逃到安东都护府，才幸免于难。涅礼上言说李过折用刑严酷，群情激愤，所以才杀了他。玄宗赦免了涅礼的罪，并任命他为松漠都督，然后赐信责备说："你们蕃人的习惯是多不忠于君长，从来就是如此，朕也知道。但李过折是你们的国王，如果因为有罪就轻易杀掉他，那么做你们的国王，不是非常危险的事吗？只是恐怕你做了国王，将来有人也会把你杀掉。这样生命都常常难保，谁还愿意再为王呢？也应该为后事着想，怎么能只图目前的痛快？"不久，突厥兵向东侵扰奚与契丹，涅礼与奚王李归国合兵打破了突厥。

唐玄宗开元二十四年(丙子，公元 736 年)

1　春季，正月庚寅（初十），玄宗下敕说："天下的逃亡户，准许在今年内向官府自首，如果还有产业，令返回原籍，如果没有家产，待另行安置。过期不自首者，就要派专使搜寻，分配到各地军队中服役。"

2　北庭都护盖嘉运率兵大败突骑施。

3 二月甲寅,宴新除县令于朝堂,上作《令长新戒》一篇,赐天下县令。

4 庚午,更皇子名:鸿曰瑛,潭曰琮,浚曰玙,洽曰琰,涓曰瑶,滉曰琬,浛曰琚,潍曰璲,沄曰璬,泽曰璘,清曰琄,泂曰玢,沐曰琦,溢曰环,沔曰理,泚曰玼,灌曰珪,澄曰珙,潓曰瑱,漎曰璹,滔曰璬。

5 旧制,考功员外郎掌试贡举人。有进士李权,陵侮员外李昂,议者以员外郎位卑,不能服众。三月壬辰,敕自今委礼部侍郎试贡举人。

6 张守珪使平卢讨击使、左骁卫将军安禄山讨奚、契丹叛者,禄山恃勇轻进,为虏所败。夏,四月辛亥,守珪奏请斩之。禄山临刑呼曰:"大夫不欲灭奚、契丹邪,奈何杀禄山?"守珪亦惜其骁勇,乃更执送京师。张九龄批曰:"昔穰苴诛庄贾,孙武斩宫嫔,守珪军令若行,禄山不宜免死。"上惜其才,敕令免官,以白衣将领。九龄固争曰:"禄山失律丧师,于法不可不诛。且臣观其貌有反相,不杀必为后患。"上曰:"卿勿以王夷甫识石勒,枉害忠良。"竟赦之。

安禄山者,本营州杂胡,初名阿荦山。其母,巫也;父死,母携之再适突厥安延偃。会其部落破散,与延偃兄子思顺俱逃来,故冒姓安氏,名禄山。又有史窣干者,与禄山同里闬,先后一日生。及长,相亲爱,皆为互市牙郎,以骁勇闻。张守珪以禄山为捉生将,禄山每与数骑出,辄擒契丹数十人而返。狡猾,善揣人情,守珪爱之,养以为子。

3 二月甲寅(初四),玄宗于朝堂宴请新任命的县令,玄宗作了一篇文章名《令长新戒》,赏赐给各地的县令。

4 庚午(二十日),更改皇子的名字:李鸿改名为李瑛,李潭改名为李琮,李浚改名为李玙,李洽改名为李琰,李涓改名为李瑶,李漒改名为李琬,李泜改名为李琚,李潍改名为李璲,李沄改名为李璬,李泽改名为李璘,李清改名为李瑁,李泂改名为李玢,李沭改名为李琦,李溢改名为李环,李沔改名为李珵,李沘改名为李玭,李潅改名为李珪,李澄改名为李珙,李潓改名为李瑱,李淤改名为李璠,李滔改名为李璬。

5 按过去的制度,由考功员外郎主管科举考试。有一个名叫李权的进士,侮辱考功员外郎李昂,议论者都认为员外郎职位太低,难以服众。三月壬辰(十二日),玄宗下敕,从今以后,由礼部侍郎主管科举考试。

6 幽州节度使张守珪派遣平卢讨击使、左骁卫将军安禄山讨伐反叛的奚与契丹,安禄山逞勇恃强,冒险轻敌,打了败仗。夏季,四月辛亥(初二),张守珪上奏请求杀了安禄山。安禄山在临刑前大声高呼说:"张大夫你难道不想消灭奚与契丹吗?为何要杀掉我安禄山?"张守珪也觉得安禄山骁勇善战,爱其才,于是就送往京师。张九龄在奏文中批道:"春秋时代齐国的大将穰苴杀了骄横的监军庄贾,吴国的孙武杀了不听命令的宫女。如果张守珪已下了军令,安禄山不应该免死。"玄宗因为爱惜安禄山的才能,下敕令免去其官,成为无官职的将领。张九龄坚持说:"安禄山违令败军,按照法律,不可不杀。再说我观其面貌有反相,不杀必为后患。"玄宗说:"你不要像晋朝王夷甫看石勒那样看安禄山,枉害了忠良之士。"最后竟赦免了安禄山。

安禄山本是营州地方的杂种胡人,原名阿荦山。他的母亲是一个女巫;父亲死后,带着安禄山嫁给了突厥人安延偃。适逢突厥部落败散,就与安延偃哥哥的儿子安思顺达到幽州,于是冒姓安氏,名叫禄山。还有一个杂种胡人名叫史窣干,与安禄山原是街坊邻居,两人生日相差一天。长大后,成为朋友,都做了互市牙郎,以勇敢而闻名。张守珪以安禄山为捉生将,安禄山每次带领数名骑兵出去,都要擒获数十名契丹人而回。又加上安禄山狡猾,善于揣摩人的心意,所以深受张守珪的喜爱,把他收为养子。

窣干尝负官债亡入奚中，为奚游弈所得，欲杀之。窣干绐曰："我，唐之和亲使也，汝杀我，祸且及汝国。"游弈信之，送诣牙帐。窣干见奚王，长揖不拜，奚王虽怒，而畏唐，不敢杀，以客礼馆之，使百人随窣干入朝。窣干谓奚王曰："王遣人虽多，观其才皆不足以见天子。闻王有良将琐高者，何不使之入朝？"奚王即命琐高与牙下三百人随窣干入朝。窣干将至平卢，先使人谓军使裴休子曰："奚使琐高与精锐俱来，声云入朝，实欲袭军城，宜谨为之备，先事图之。"休子乃具军容出迎，至馆，悉坑杀其从兵，执琐高送幽州。张守珪以窣干为有功，奏为果毅，累迁将军。后入奏事，上与语，悦之，赐名思明。

7　故连州司马武攸望之子温眘，坐交通权贵，杖死。乙丑，朔方、河东节度使信安王祎贬衢州刺史，广武王承宏贬房州别驾，泾州刺史薛自劝贬澧州别驾，皆坐与温眘交游故也。承宏，守礼之子也。辛未，蒲州刺史王琚贬通州刺史，坐与祎交书也。

8　五月，醴泉妖人刘志诚作乱，驱掠路人，将趣咸阳。村民走告县官，焚桥断路以拒之，其众遂溃，数日，悉擒斩之。

9　六月，初分月给百官俸钱。

10　初，上因藉田赦，命有司议增宗庙笾豆之荐及服纪未通者。太常卿韦绍奏请宗庙每坐笾豆十二。

兵部侍郎张均、职方郎中韦述议曰："圣人知孝子之情深而物类之无限，故为之节制。人之嗜好本无凭准，宴私之馔与时迁移，故圣人一切同归于古。屈到嗜芰，屈建不以荐，以为不以私欲干国之典。今欲取甘旨肥浓，皆充祭用，

史窣干曾经因欠了官债,逃入奚族地区,被奚族巡逻兵抓获,要杀掉他。史窣干就欺骗他们说:"我是唐朝的和亲使,你如果杀了我,你们的国家就要遭殃。"巡逻兵相信了他的话,就把他送到奚王的牙帐。史窣干见到奚王,只作揖而不拜,奚王虽然愤怒,但因为害怕唐朝,也不敢杀他,还把他当作宾客,让他住到馆舍里,又让一百人随史窣干入朝。史窣干对奚王说:"大王你虽然派了这么多的人入朝,但看他们的才能都不可以见我们的天子。听说大王有一名良将名叫琐高,为何不让他一起入朝?"于是奚王就命令琐高与部下的三百人随史窣干一起入朝。快到平卢,史窣干先派人对军使裴休子说:"奚王派琐高带领精兵来了,声言入朝,实际上是想袭击军城,应该早为防备,先下手为强。"于是裴休子就整好军队来出迎,到了馆舍,把随从的奚兵全部活埋,然后抓住琐高送往幽州。张守珪认为史窣干立了大功,就奏请任命他为果毅,后又升为将军。后来史窣干入朝奏事,玄宗与他谈话,十分喜欢他,就赐名为思明。

　　7　前连州司马武攸望的儿子武温眘因与权贵交结,被杖死。乙丑(十六日),朔方、河东节度使信安王李祎被贬为衢州刺史,广武王李承宏被贬为房州别驾,泾州刺史薛自劝被贬为澧州别驾,都是因与温眘交游的缘故。李承宏是豳王李守礼的儿子。辛未(二十二日),蒲州刺史王琚被贬为通州刺史,原因是与李祎通过书信。

　　8　五月,醴泉县妖人刘志诚作乱,驱赶抢掠过路的行人,将要前往咸阳。村民们报告了县官,并切断道路,焚烧桥梁来阻拦他们,于是刘志诚的部众溃散,数天后,都被抓住杀了。

　　9　六月,开始按月发给百官俸禄钱。

　　10　起初,玄宗因行藉田礼而大赦天下,命令有关部门商议增加祭祀宗庙的物品与服制标准不合理的问题。太常卿韦绦上奏请求祭祀宗庙时为每一神主祭献笾豆十二。

　　兵部侍郎张均与职方郎中韦述上议说:"圣人不但知道孝子对自己祖先的深情,而且也深知天下物品的众多,所以设立制度予以节制。人们的爱好本来就没有标准,宴会时所用的酒菜也随着时代的不同而变化,所以圣人对一切事情都按照古代的制度办事。战国时代楚国的屈到喜欢吃芰,而他死后,屈建并不让人们用芰祭祀他,这是为了表明不以个人的爱好而违犯国家的典章制度。现在想要用丰富精美的食物来祭祀祖先,

苟逾旧制，其何限焉？《书》曰：'黍稷非馨，明德惟馨。'若以今之珍馔，平生所习，求神无方，何必泥古，则簠簋可去而盘盂杯案当在御矣，《韶》、《濩》可息而箜篌筝笛当在奏矣。既非正物，后嗣何观？夫神，以精明临人者也，不求丰大；苟失于礼，虽多何为？岂可废弃礼经以从流俗？且君子爱人以礼，不求苟合，况在宗庙，敢忘旧章？"

太子宾客崔沔议曰："祭祀之兴，肇于太古，茹毛饮血，则有毛血之荐；未有曲糵，则有玄酒之奠。施及后王，礼物渐备。然以神道至敬，不敢废也。笾豆簠簋樽罍之实，皆周人之时馔也，其用通于宴飨宾客，而周公制礼，与毛血玄酒同荐鬼神。国家由礼立训，因时制范。清庙时飨，礼馔毕陈，用周制也。园陵上食，时膳具设，遵汉法也。职贡来祭，致远物也。有新必荐，顺时令也。苑囿之内，躬稼所收，搜狩之时，亲发所中，莫不荐而后食，尽诚敬也。若此至矣，复何加焉？但当申敕有司，无或简怠，则鲜美肥浓，尽在是矣，不必加笾豆之数也。"

上固欲量加品味。绍又奏每室加笾豆各六，四时各实以新果珍羞；从之。

绍又奏："《丧服》'舅，缌麻三月，从母、外祖父母皆小功五月。'外祖至尊，同于从母之服；姨、舅一等，服则轻重有殊。

随便超越旧时规定下来的制度,那还有什么限度呢?《尚书》说:'祭祀时用的黍稷并没有香气,只有贤明的德行才能香气悠远。'如果认为现在祭祀用的食物是平常所吃的,求神无定例,可以不必按照古代的制度办事,那么簠簋都要去掉而代之以盘盂杯案等,《韶》《濩》等音乐都要止息而演奏箜篌筝笛了。如果所使用的东西不合制度,让后代的子孙们怎么看呢?再说神是以精神灵明监视于人的,并不要求对他祭祀时铺张丰盛;如果违背了礼法,再多又有什么用呢?怎么能够废弃礼仪而随从流俗呢?再说君子对人都要有礼节,不要求随便凑合。何况是祭祀宗庙,怎么敢忘旧有的章程呢?"

太子宾客崔沔上议说:"祭祀这种制度,起源于远古时代,当人们还茹毛饮血时,就用毛血祭祀;没有曲糵的时候,就用玄酒祭奠。到了后代的帝王,祭祀用的礼物才逐渐丰盛起来。但为了崇敬神道,不敢废弃过去的旧制度。用笾豆簠簋樽罍这些器物所盛放的祭祀礼品,都是周朝时代人们平常吃的东西,与设宴招待宾客时所用的食物没有两样。周公制定礼仪时,把这些东西与毛血玄酒一同用来作为祭祀鬼神的食物。国家应该按照礼法来建立准则,根据不同时代情况的变化来制定规范。经常用食物祭祀宗庙,按照礼法来确定祭祀所用的食物,这是按照周朝的制度办事。对祖先的陵园祭献食物,把平常所吃的物品都陈设上,这是按照汉代的制度办事。用四方进贡来的物品来祭祀,是为了让祖先享受远方的食物。用新出产的物品来祭祀,是为了顺应时令的变化。苑囿之内,皇上亲自耕种所收获的庄稼。狩猎之时,皇上亲自射中的猎物,都要先用来祭祀祖先,然后才可食用,这是表示心诚孝敬的意思。如果能够按照上边所说的去做,就足够了,何必还要增加祭品呢?只要下敕有关官吏,对祭祀不要稍有简慢,这样就等于把美味佳肴全部献上去了,何必再增加笾豆的数目呢?"

玄宗坚持要增加祭祀的物品。韦绦就又奏请在宗庙中每个祖先的房中各增加笾豆六个,并按季节替换新鲜的果品和美味的食物,玄宗同意。

韦绦又上奏说:"《仪礼·丧服篇》说:'为舅父守丧三个月,为姨母和外祖父母守丧都是五个月。'外祖父母最尊贵,但却与姨母的丧服相同;姨母和舅父虽然同属一个等级,但丧服的轻重有差别。

堂姨、舅亲即未疏,恩绝不相为服;舅母来承外族,不如同爨之礼。窃以古意犹有所未畅者也,请加外祖父母为大功九月,姨、舅皆小功五月,堂舅、堂姨、舅母并加至祖免。”

崔沔议曰:“正家之道,不可以贰;总一定义,理归本宗。是以内有齐、斩,外皆缌麻,尊名所加,不过一等,此先王不易之道也。愿守八年明旨,一依古礼,以为万代成法。”

韦述议曰:“《丧服传》曰:‘禽兽知母而不知父。野人曰,父母何等焉!都邑之士则知尊祢矣,大夫及学士则知尊祖矣。’圣人究天道而厚于祖祢,系族姓而亲其子孙,母党比于本族,不可同贯,明矣。今若外祖与舅加服一等,堂舅及姨列于服纪,则中外之制,相去几何?废礼徇情,所务者末。古之制作者,知人情之易摇,恐失礼之将渐,别其同异,轻重相悬,欲使后来之人永不相杂。微旨斯在,岂徒然哉?苟可加也,亦可减也。往圣可得而非,则《礼经》可得而隳矣。先王之制,谓之彝伦,奉以周旋,犹恐失坠;一紊其叙,庸可止乎!请依《仪礼》丧服为定。”

礼部员外郎杨仲昌议曰:“郑文贞公魏徵始加舅服至小功五月。虽文贞贤也,而周、孔圣也,以贤改圣,后学何从?窃恐内外乖序,亲疏夺伦,情之所沿,何所不至?昔子路有姊之丧而不除,孔子曰:‘先王制礼,行道之人,皆不忍也。’子路除之。

堂姨与舅母虽然关系不疏远,但恩情不深不为他们守丧;舅母来自外族,不能像同居同吃的亲属那样服丧礼。我认为古时规定的礼节还有不合理的地方,请为外祖父母守丧九个月,姨母和舅父都守丧五个月,堂舅、堂姨和舅母加到袒免服。"

崔沔上议说:"治家之道,对待一家人不能够有两样;要有一个总的原则,使道理有所本。所以内亲服齐衰、斩衰丧,外亲都服缌麻丧,如果因是尊亲要加服丧礼,也不能超过一级,这是先王定下的不可随意改变的礼仪。希望能够遵守过去八年所定的礼仪,一切都像古人的礼仪一样,作为千秋万代不变的法则。"

韦述上议说:"《仪礼·丧服传》说:'禽兽知道母亲而不知道父亲。那些住在偏僻乡村中的人说父亲与母亲并不等同。住在城里的人则知道尊重自己死去的父亲,士大夫和有知识的人则知道尊重自己的祖先。'圣人研求天人之道而深深地敬重祖先,维系族姓之间的关系而亲爱自己的子孙,母亲一族与自己家族相比不能等同,这是十分明白的道理。现在如果外祖父母与舅父加丧服一等,堂舅与姨母也列入守丧,那么内亲与外亲的制度还有什么差别呢?这样因情而废弃礼法的作法是不可取的。古代制定礼仪的人知道人们容易感情用事,恐怕逐渐违背了礼仪,所以规定不同的亲属关系服丧不同。其中有很大的差别,就是让后代人永远不要把它们相混。制定礼仪人的用心就在于此,难道是白费心机吗?如果丧礼的等级可以随便加,也就可以随便减。过去的圣贤就可以随便非难,《礼经》所规定的制度也可以不遵守。先王规定下来的制度被称为伦理道德,我们严格地遵守,还怕有违背的地方;如果再随意乱改,就更没有限制了!还是应该按照《仪礼》所定的丧服制度办事。"

礼部员外郎杨仲昌上议说:"郑文贞公魏徵首先为舅父增加服丧期到五个月。郑文贞公虽然贤明,但周公与孔子是圣人,贤人随便改变圣人定下来的制度,让后来的人该怎么办呢?我生怕这样下去,使内亲与外亲的制度混乱,亲与疏之间的伦理纲常不能遵守,都以感情用事,那什么事做不出来呢?春秋时代的子路为他的姐姐服丧,到期还不除去丧服,孔子说:'这是先王制定的礼仪,必须遵守,作为仁孝的人都是不忍心这样做的。'子路听后就除去了丧服。

此则圣人援事抑情之明例也。《记》曰:'毋轻议礼。'明其蟠于天地,并彼日月,贤者由之,安敢损益也?"

敕:"姨舅既服小功,舅母不得全降,宜服缌麻,堂姨舅宜服袒免。"

均,说之子也。

11　秋,八月壬子,千秋节,群臣皆献宝镜。张九龄以为以镜自照见形容,以人自照见吉凶。乃述前世兴废之源,为书五卷,谓之《千秋金镜录》,上之,上赐书褒美。

12　甲寅,突骑施遣其大臣胡禄达干来请降,许之。

13　御史大夫李适之,承乾之孙也,以才干得幸于上,数为承乾论辩。甲戌,追赠承乾恒山愍王。

14　乙亥,汴哀王璥薨。

15　冬,十月戊申,车驾发东都。先是,敕以来年二月二日行幸西京,会宫中有怪,明日,上召宰相,即议西还。裴耀卿、张九龄曰:"今农收未毕,请俟仲冬。"李林甫潜知上指,二相退,林甫独留,言于上曰:"长安、洛阳,陛下东西宫耳,往来行幸,何更择时?借使妨于农收,但应蠲所过租税而已。臣请宣示百司,即日西行。"上悦,从之。过陕州,以刺史卢奂有善政,题赞于其听事而去。奂,怀慎之子也。丁卯,至西京。

16　朔方节度使牛仙客,前在河西,能节用度,勤职业,仓库充实,器械精利,上闻而嘉之,欲加尚书。张九龄曰:"不可。尚书,古之纳言,唐兴以来,惟旧相及扬历中外有德望者乃为之。仙客本河湟使典,今骤居清要,恐羞朝廷。"上曰:

这件事情是圣人遵守礼法而不徇私情的典型例子。《礼记》说：'不要轻易地议论礼仪。'这说明礼仪充满于天地之间，可以与日月相争辉，所以贤明之人都得遵守礼仪，怎么敢随便增减呢？"

玄宗下敕："姨母与舅父既然服丧五个月，舅母也不能全不服，应服丧三个月，堂姨和堂舅则应服袒免丧服。"

张均是张说的儿子。

11　秋季，八月壬子（初五），是玄宗生日，称为千秋节，群臣都奉献宝镜。张九龄认为用镜子自照可以见自己的形貌，将自己与别人相对照可以知道吉凶祸福。于是撰写了一部关于过去朝代兴盛衰败原因的书，共为五卷，名为《千秋金镜录》，献给玄宗，玄宗赐信赞扬他。

12　甲寅（初七），突骑施国派遣大臣胡禄达干来朝请求降附，玄宗准许。

13　御史大夫李适之是李承乾的孙子，因为有才能而受到玄宗的器重，曾多次在玄宗面前为李承乾鸣冤。甲戌（二十七日），玄宗追赠李承乾为恒山愍王。

14　乙亥（二十八日），汧哀王李璬去世。

15　冬季，十月戊申（初二），玄宗从东都出发。先前，玄宗下敕书说第二年二月二日返回西京，适逢宫中出现鬼怪，第二天，就召来宰相，商议返回西京。裴耀卿与张九龄都说："现在粮食还没有收获完，请等到冬季中期。"而李林甫暗中觉察到了玄宗的心意，等到他们两个退下去后，自己单独留下来对玄宗说："长安和洛阳就好像是陛下的东西两座宫殿，可以自由地行动往来，哪里用得着选择时间？假如说返回西京妨碍农作物收获，可以免除所经过地方的租税。我请求宣告朝廷各部门，立刻回西京。"玄宗十分高兴，听从了李林甫的话。经过陕州时，因为陕州刺史卢奂善于治理地方，玄宗就在卢奂办公的厅中题写了一篇赞扬他的文章，然后离去。卢奂是卢怀慎的儿子。丁卯（二十一日），玄宗到达西京。

16　朔方节度使牛仙客以前在河西镇时，能够节约用费，勤于职守，所以河西镇仓库中的物资充实，军用器械精利。玄宗听说此事后，想要嘉奖他，任命他为尚书。张九龄说："不能这样做。尚书就是古代的纳言，唐朝建立以后，只有曾经做过宰相和朝野内外有名望有德行的人才能担任。而牛仙客原本是河湟地区节度使判官，现在骤然被任命为这么显要的官职，恐怕有辱于朝廷。"玄宗说：

"然则但加实封可乎?"对曰:"不可。封爵所以劝有功也。边将实仓库,修器械,乃常务耳,不足为功。陛下赏其勤,赐之金帛可也,裂土封之,恐非其宜。"上默然。李林甫言于上曰:"仙客,宰相才也,何有于尚书?九龄书生,不达大体。"上悦,明日,复以仙客实封为言,九龄固执如初。上怒,变色曰:"事皆由卿邪?"九龄顿首谢曰:"陛下不知臣愚,使待罪宰相,事有未允,臣不敢不尽言。"上曰:"卿嫌仙客寒微,如卿有何阀阅?"九龄曰:"臣岭海孤贱,不如仙客生于中华。然臣出入台阁,典司诰命有年矣。仙客边隅小吏,目不知书,若大任之,恐不惬众望。"林甫退而言曰:"苟有才识,何必辞学?天子用人,有何不可?"十一月戊戌,赐仙客爵陇西县公,食实封三百户。

初,上欲以李林甫为相,问于中书令张九龄,九龄对曰:"宰相系国安危,陛下相林甫,臣恐异日为庙社之忧。"上不从。时九龄方以文学为上所重,林甫虽恨,犹曲意事之。侍中裴耀卿与九龄善,林甫并疾之。是时,上在位岁久,渐肆奢欲,怠于政事。而九龄遇事无细大皆力争;林甫巧伺上意,日思所以中伤之。

上之为临淄王也,赵丽妃、皇甫德仪、刘才人皆有宠,丽妃生太子瑛,德仪生鄂王瑶,才人生光王琚。及即位,幸武惠妃,丽妃等爱皆弛。惠妃生寿王瑁,宠冠诸子。太子与瑶、琚会于内第,各以母失职有怨望语。驸马都尉杨洄尚咸宜公主,

"那么只封给他有实封户数的食邑可以吗?"张九龄回答说:"这也不可以。封爵本是为了奖赏有战功的人。牛仙客作为边将,充实仓库,修理军器,都是他应该做的事,谈不上有什么功劳。陛下如果要奖赏他勤于政事的功劳,赐给他金帛就可以了,而分土封爵,恐怕不合适。"玄宗沉默不语。李林甫对玄宗说:"牛仙客具有宰相的才能,当不当尚书又有何妨? 张九龄是一介书生,不懂得大道理。"玄宗听后十分高兴,第二天,又说要封给牛仙客食邑,张九龄仍然坚持说不可以。玄宗极为愤怒,脸色大变说:"朝廷大事都要由你来做主吗?"张九龄叩头谢罪说:"陛下不认为我无能,使我为宰相,所以朝中大事有不对的地方,我不敢不直言。"玄宗说:"你嫌牛仙客出身贫寒,那么你的出身有什么高贵呢?"张九龄说:"我不过是岭南地区一个十分贫贱的人,不像牛仙客出生于中原。但是我在台阁之中,掌管诰书诏命已有许多年了。牛仙客原本是边疆地区的一个小官吏,目不识丁,如果委以大任,恐怕难服众望。"李林甫退朝后说:"只要有才能,何必一定要会写诗歌文章? 天子要重用一个人,又有什么不可以呢?"十一月戊戌(二十三日),玄宗赐牛仙客陇西县公爵位,并给食邑实封三百户。

先前,玄宗想要任命李林甫为宰相,征求中书令张九龄的意见,张九龄回答说:"宰相一身系国家之安危,陛下如果任命李林甫为宰相,恐怕以后要成为国家的祸患。"玄宗不听。当时张九龄因为有文学才能,正受到玄宗的器重,李林甫虽然怨恨他,但表面上还不得不奉承他。侍中裴耀卿与张九龄关系密切,所以也受到李林甫的嫉恨。这时玄宗做皇帝已有多年,生活逐渐奢侈腐化,懒于处理政事。而张九龄遇到事情,不论大小,觉得有不对之处,都要与玄宗争论;李林甫却善于窥伺玄宗的意图,日夜想着如何陷害中伤张九龄。

玄宗在当临淄王的时候,赵丽妃、皇甫德仪和刘才人都受到宠爱,赵丽妃生了太子李瑛、皇甫德仪生了鄂王李瑶,刘才人生了光王李琚。玄宗即帝位后,又爱上武惠妃,赵丽妃等人都被冷落。武惠妃生了寿王李瑁,李瑁受到的宠爱超过了其他皇子。太子曾与李瑶、李琚在禁中的宅第中聚会,都因为自己的母亲失宠而心中怨恨,大发牢骚。驸马都尉杨洄娶的是武惠妃的女儿咸宜公主,

常伺三子过失以告惠妃。惠妃泣诉于上曰:"太子阴结党与,将害妾母子,亦指斥至尊。"上大怒,以语宰相,欲皆废之。九龄曰:"陛下践阼垂三十年,太子诸王不离深宫,日受圣训,天下之人皆庆陛下享国久长,子孙蕃昌。今三子皆已成人,不闻大过,陛下奈何一旦以无根之语,喜怒之际,尽废之乎?且太子天下本,不可轻摇。昔晋献公听骊姬之谗杀申生,三世大乱。汉武帝信江充之诬罪戾太子,京城流血。晋惠帝用贾后之谮废愍怀太子,中原涂炭。隋文帝纳独孤后之言黜太子勇,立炀帝,遂失天下。由此观之,不可不慎。陛下必欲为此,臣不敢奉诏。"上不悦。林甫初无所言,退而私谓宦官之贵幸者曰:"此主上家事,何必问外人?"上犹豫未决。惠妃密使官奴牛贵儿谓九龄曰:"有废必有兴,公为之援,宰相可长处。"九龄叱之,以其语白上,上为之动色,故讫九龄罢相,太子得无动。林甫日夜短九龄于上,上浸疏之。

林甫引萧炅为户部侍郎。炅素不学,尝对中书侍郎严挺之读"伏腊"为"伏猎"。挺之言于九龄曰:"省中岂容有'伏猎侍郎'?"由是出炅为岐州刺史,故林甫怨挺之。九龄与挺之善,欲引以为相,尝谓之曰:"李尚书方承恩,足下宜一造门,与之款昵。"挺之素负气,薄林甫为人,竟不之诣。林甫恨之益深。挺之先娶妻,出之,更嫁蔚州刺史王元琰。元琰坐赃罪下三司按鞫,挺之为之营解。林甫因左右使于禁中白上。上谓宰相曰:"挺之为罪人请属所由。"九龄曰:"此乃挺之出妻,不宜有情。"上曰:"虽离乃复有私。"

常常暗中打听三个皇子的过失,然后去告诉武惠妃。武惠妃哭泣着告诉玄宗说:"太子阴谋网罗党羽,想要谋害我们母子,而且斥责皇上。"玄宗听后大怒,把此事告诉了宰相,想要废掉太子和鄂王、光王。张九龄说:"陛下登上皇位将近三十年了,太子和诸王都没有离开过深宫,每天都受到皇上的训诫,天下的人都庆幸陛下治理有方,在位长久,子孙繁盛。现在三个皇子都已年长成人,没听说有什么大的过失,陛下为何要听信那些无稽之谈,以一时的喜怒,把他们全部废掉呢? 再说太子是天下的根本,不可轻易动摇他的地位。春秋时代晋献公因为听信骊姬的谗言杀了太子申生,引起晋国三世大乱。汉武帝因为相信江充的诬告,治了戾太子的罪,使京城发生了流血事件。晋惠帝因为相信贾后的诬陷,废掉了愍怀太子,使五胡乱华,中原涂炭。隋文帝听信了独孤皇后的话,废掉了太子杨勇而立隋炀帝,以致失掉了天下。由此来看,对废止太子的事不可不谨慎对待。陛下如果一定要那样做,我难以遵命。"玄宗听后不高兴。李林甫起初没有说什么,退朝后私下却对受玄宗器重的宦官说:"这种事情是皇上的家事,何必要与外人商量?"玄宗仍然犹豫不决。武惠妃又暗中让官奴牛贵儿对张九龄说:"有废必有立,你如果能够从中助一臂之力,就可以长做宰相。"张九龄斥责了牛贵儿,并把这些话告诉了玄宗,玄宗因此有所感悟,所以一直到张九龄罢相,太子的地位没有动摇。李林甫一有机会就在玄宗面前说张九龄的坏话,所以玄宗逐渐疏远张九龄。

李林甫引荐萧炅为户部侍郎。萧炅不学无术,有一次在中书侍郎严挺之面前把"伏腊"读为"伏猎"。严挺之对张九龄说:"尚书省怎么能有'伏猎侍郎'呢?"于是萧炅被调出京城,为岐州刺史,从此李林甫怨恨严挺之。张九龄与严挺之关系亲密,想要推荐严挺之为宰相,曾经对他说:"李尚书正受到皇上的器重,你应该去登门拜访,与他搞好关系。"而严挺之素来傲气,看不起李林甫的为人,竟不去拜访。李林甫就更加恨他。严挺之先前娶的妻子,被休掉后改嫁给蔚州刺史王元琰。王元琰因为贪污钱财罪被御史大夫、中书省和门下省三司逮捕审问,严挺之为他说情。李林甫就乘机让左右的人到宫中告诉了玄宗。玄宗对宰相说:"严挺之在有关官吏面前为罪人说情。"张九龄说:"王元琰娶的是严挺之休掉的妻子,不可能有私情。"玄宗说:"虽然已离婚,但还有私情。"

于是上积前事，以耀卿、九龄为阿党；壬寅，以耀卿为左丞相，九龄为右丞相，并罢政事。以林甫兼中书令，仙客为工部尚书、同中书门下三品，领朔方节度如故。严挺之贬洺州刺史，王元琰流岭南。

上即位以来，所用之相，姚崇尚通，宋璟尚法，张嘉贞尚吏，张说尚文，李元纮、杜暹尚俭，韩休、张九龄尚直，各其所长也。九龄既得罪，自是朝廷之士，皆容身保位，无复直言。

李林甫欲蔽塞人主视听，自专大权，明召诸谏官谓曰："今明主在上，群臣将顺之不暇，乌用多言？诸君不见立仗马乎？食三品料，一鸣辄斥去。悔之何及！"补阙杜琎尝上书言事，明日，黜为下邽令。自是谏争路绝矣。

牛仙客既为林甫所引，专给唯诺而已。然二人皆谨守格式，百官迁除，各有常度，虽奇才异行，不免终老常调；其以巧谄邪险自进者，则超腾不次，自有他蹊矣。林甫城府深密，人莫窥其际。好以甘言啖人，而阴中伤之，不露辞色。凡为上所厚者，始则亲结之，及位势稍逼，辄以计去之。虽老奸巨猾，无能逃于其术者。

二十五年(丁丑，737)

1　春，正月，初置玄学博士，每岁依明经举。

2　二月，敕曰："进士以声韵为学，多昧古今；明经以帖诵为功，罕穷旨趣。自今明经问大义十条，对时务策三首；进士试大经十帖。"

玄宗又联想到以前的事情,认为裴耀卿与张九龄庇护自己的党羽;壬寅(二十七日),任命裴耀卿为左丞相,张九龄为右丞相,二人一并罢免了宰相职务。任命李林甫兼中书令,牛仙客为工部尚书、同中书门下三品,仍兼领朔方节度使。把严挺之贬为洺州刺史,王元琰流放到岭南。

玄宗即皇帝位以来,所任用的宰相中,姚崇善于调解各方面的关系,宋璟执法严厉,张嘉贞重视吏治,张说善于写文章,李元纮与杜暹能够节俭治国,韩休与张九龄个性直率,这些人都有所长。张九龄因罪被罢相后,朝廷中的百官从此都明哲保身,没有人再敢于直言。

李林甫想要堵塞住玄宗的视听,自己大权独揽,就把谏官们召来明确地告诉他们说:"现在有贤明的君主在上,群臣顺从皇帝都顾不过来,那里还用得着再多说什么?你们难道没有看见那些立在正殿下面作为仪仗用的马匹吗?虽然吃的是三品等级的粮料,但如果要嘶鸣叫唤,都要立刻被拉下去,到那时后悔也来不及了。"补阙杜琎曾经向玄宗上书谈论政事,第二天就被贬为下邽县令。从此玄宗的谏诤之路断绝了。

牛仙客既然是靠李林甫的引荐当上宰相,遇事只是做应声虫而已,不敢有任何异议。但这两个人都严格地遵守规定,对于百官的升迁,都按照常规办事,虽然有的人有特殊的才能,也不免老死于难以发挥才智的职位上;而那些善于阿谀奉承搞歪门邪道的人,却能够从其他门路上得到重用提拔。李林甫的城府极深,人们难以摸透他的心思。他善于当面奉承,而暗中陷害,从来不露声色。凡与玄宗关系亲密的人,开始时他总是相接近拉关系,等到地位权势稍微接近他时,就千方百计地除掉。就是那些老奸巨猾的官吏,也逃不脱他的圈套。

唐玄宗开元二十五年(丁丑,公元 737 年)

1 春季,正月,首次设置玄学博士,每年都像科举中的明经科一样考试。

2 二月,玄宗下敕书说:"科学考试中的进士科主要以考声韵辞学为主,不能够通古今之变;明经科主要以考帖经和诵经为主,很少有人知道其意义。从今以后,明经科考大义十条,回答对时事的看法三道;进士科考试帖大经十道。"

3　戊辰,新罗王兴光卒,子承庆袭位。

4　乙酉,幽州节度使张守珪破契丹于捺禄山。

5　己亥,河西节度使崔希逸袭吐蕃,破之于青海西。

　　初,希逸遣使谓吐蕃乞力徐曰:"两国通好,今为一家,何必更置兵守捉,妨人耕牧? 请皆罢之。"乞力徐曰:"常侍忠厚,言必不欺。然朝廷未必专以边事相委,万一有奸人交斗其间,掩吾不备,悔之何及!"希逸固请,乃刑白狗为盟,各去守备,于是吐蕃畜牧被野。时吐蕃西击勃律,勃律来告急,上命吐蕃罢兵,吐蕃不奉诏,遂破勃律;上甚怒。会希逸傔人孙诲入奏事,自欲求功,奏称吐蕃无备,请掩击,必大获。上命内给事赵惠琮与诲偕往,审察事宜。惠琮等至,则矫诏令希逸袭之。希逸不得已,发兵自凉州南入吐蕃二千馀里,至青海西,与吐蕃战,大破之,斩首二千馀级,乞力徐脱身走。惠琮、诲皆受厚赏,自是吐蕃复绝朝贡。

　　6　夏,四月辛酉,监察御史周子谅弹牛仙客非才,引谶书为证。上怒,命左右�()于殿庭,绝而复苏;仍杖之朝堂,流瀼州,至蓝田而死。李林甫言,"子谅,张九龄所荐也。"甲子,贬九龄荆州长史。

　　7　杨洄又奏太子瑛、鄂王瑶、光王琚,云与太子妃兄驸马薛锈潜构异谋,上召宰相谋之。李林甫对曰:"此陛下家事,非臣等所宜豫。"上意乃决。乙丑,使宦者宣制于宫中,废瑛、瑶、琚为庶人;流锈于瀼州。瑛、瑶、琚寻赐死城东驿,锈赐死于蓝田。瑶、琚皆好学有才识,死不以罪,人皆惜之。

3 戊辰(二十四日),新罗国王金兴光去世,他的儿子金承庆继位。

4 乙酉,幽州节度使张守珪于捺禄山打败契丹军队。

5 己亥,河西节度使崔希逸率兵袭击吐蕃军队,败吐蕃于青海西面。

起初,崔希逸派遣使者对吐蕃将领乞力徐说:"我们两国已经和好,就像一家人一样,何必在边疆再设置兵力防守捉人,而妨碍边民耕田放牧?希望撤销这些兵力。"乞力徐说:"崔常侍忠厚老实,必定不会欺骗我。但是你们朝廷未必把边防大权都交给边将,万一有奸诈小人从中捣鬼离间,乘我们不备而袭击,到那时后悔也来不及了!"崔希逸坚持请求罢兵,于是就杀白狗歃血结盟,各自撤去守卫的军队,从此吐蕃边民畜牧业繁盛,牛羊遍野。这时吐蕃向西攻打勃律国,勃律派遣使者来求援,玄宗命令吐蕃罢兵,吐蕃不听,并打败了勃律;玄宗十分愤怒。正好崔希逸的侍从孙诲入朝上奏边事,自己想要立功,就上奏说吐蕃军队毫无防备,如果出兵袭击,必能大获全胜。玄宗就命令内给事赵惠琮与孙诲一起回河西镇,研究部署袭击吐蕃的军事行动。赵惠琮到后,就假传诏旨令崔希逸向吐蕃进攻。崔希逸没有办法,只好率兵从凉州出发,向南深入吐蕃内两千馀里,到了青海西面,与吐蕃军队交战,打败了吐蕃,杀死两千馀人,乞力徐逃走。赵惠琮和孙诲都因此受到朝廷的重赏,于是吐蕃再次断绝了对唐朝的朝贡。

6 夏季,四月辛酉(十七日),监察御史周子谅弹劾说牛仙客非宰相之才,并引谶书中的谶语为证。玄宗大怒,命令左右的人在朝堂猛打周子谅,周子谅被打昏了又苏醒过来,然后又在朝堂用棍棒毒打,并流放瀼州,周子谅走到蓝田就死了。李林甫说:"周子谅是张九龄荐的人。"甲子(二十日),贬张九龄为荆州长史。

7 杨洄又上奏说太子李瑛、鄂王李瑶与光王李琚联结太子妃子的哥哥驸马薛锈图谋不轨,玄宗就召宰相商议。李林甫回答说:"这是陛下的家事,我们做臣下的不应该参与。"玄宗听后才下了决心。乙丑(二十一日),让宦官于宫中宣布制书,废李瑛、李瑶与李琚为平民,流放薛锈于瀼州。不久,李瑛、李瑶与李琚被赐死于京城东面的驿站,薛锈被赐死于蓝田县。李瑶与李琚都很有才学,无罪而死,人们都十分惋惜。

丙寅,瑛舅家赵氏、妃家薛氏、瑶舅家皇甫氏,坐流贬者数十人,惟瑶妃家韦氏以妃贤得免。

8　五月,夷州刺史杨濬坐赃当死,上命杖之六十,流古州。左丞相裴耀卿上疏,以为“决杖赎死,恩则甚优,解体受笞,事颇为辱,止可施之徒隶,不当及于士人”。上从之。

9　癸未,敕以方隅底定,令中书门下与诸道节度使量军镇闲剧利害,审计兵防定额,于诸色征人及客户中召募丁壮,长充边军,增给田宅,务加优恤。

10　辛丑,上命有司选宗子有才者,授以台省及法官、京县官,敕曰:“违道慢常,义无私于王法;修身效节,恩岂薄于他人?期于帅先,励我风俗。”

11　秋,七月己卯,大理少卿徐峤奏:“今岁天下断死刑五十八,大理狱院,由来相传杀气太盛,鸟雀不栖,今有鹊巢其树。”于是百官以几致刑措,上表称贺。上归功宰辅,庚辰,赐李林甫爵晋国公,牛仙客豳国公。

上命李林甫、牛仙客与法官删修《律令格式》成,九月壬申,颁行之。

12　先是,西北边数十州多宿重兵,地租营田皆不能赡,始用和籴之法。有彭果者,因牛仙客献策,请行籴法于关中。戊子,敕以岁稔谷贱伤农,命增时价什二三,和籴东、西畿粟各数百万斛,停今年江、淮所运租。自是关中蓄积羡溢,车驾不复幸东都矣。癸巳,敕河南、北租应输含嘉、太原仓者,皆留输本州。

丙寅(二十二日),李瑛的舅家赵氏、妃子家薛氏以及李瑶的舅家皇甫氏因此案被流放贬官的达数十人,只有李瑶的妃子家韦氏因为韦妃贤惠而免受惩罚。

8 五月,夷州刺史杨濬因为贪污钱财应该处死,玄宗命令杖打六十棍棒,流放到古州。左丞相裴耀卿上疏说:"以杖刑代替死罪,陛下的处理确是宽厚的,但是这样被打得肢体损伤,却是一件耻辱的事情。这种刑罚只能用于平民百姓,不应该用在读书人身上。"玄宗听从了他的建议。

9 癸未(初十),玄宗下敕书说,因国家边疆安定,命令中书省、门下省与诸道节度使根据各军镇事务多少与地位轻重,确定边兵的定额,在各种应服兵役的人和客户中招募成年壮士,长期为边军,增加他们的田宅地,条件一定要优厚。

10 辛丑(二十八日),玄宗命令有关部门选拔皇室子弟中有才能的人,授给他们台省和法官、京县官,并下敕书说:"如果你们违背道义不顾常伦,我是不会因私情而徇王法的;如果你们能够培养自己的美德忠于职守,皇恩怎么能够对你们比别人薄呢?希望你们能够兢兢业业地为国效力,作为表率,以影响社会,激励他人。"

11 秋季,七月己卯(初七),大理少卿徐峤上奏说:"今年全国被判处死刑的只有五十八个人,大理寺的狱院中,过去一直传说杀气太盛,以至鸟雀都不栖息,而现在却有喜鹊在那里的树上做巢。"因此朝中百官认为国家安宁,很少用刑法,上表祝贺。玄宗把此事归功于宰相,庚辰(初八),赐李林甫晋国公爵位,牛仙客豳国公爵位。

玄宗命令李林甫、牛仙客与法官修改的《律令格式》完成,九月壬申(初一),颁布实施。

12 先前,唐朝的西北边疆数十州驻扎着重兵,当地的地租和军队屯田所收的粮食都不够吃,开始实行用钱买粮的办法。有一个名叫彭果的人,通过牛仙客向朝廷献计,请求在关中地区实行这一办法。戊子(十七日),玄宗下敕书说,因今年粮食丰收,谷贱伤农,命令按市场上的粮价再增加十分之二三,买东、西畿的粮食各数百万斛,停止今年从江、淮地区所运的地租。从此,关中地区的粮食积蓄充足,玄宗不再去东都。癸巳(二十二日),玄宗下敕,命河南和河北地区应该运送给含嘉仓和太原仓的地租,都留在本州。

13　太常博士王玙上疏请立青帝坛以迎春,从之。冬,十月辛丑,制自今立春亲迎春于东郊。

时上颇好祀神鬼,故玙专习祠祭之礼以干时。上悦之,以为侍御史,领祠祭使。玙祈祷或焚纸钱,类巫觋。习礼者羞之。

14　壬申,上幸骊山温泉。乙酉,还宫。

15　己丑,开府仪同三司广平文贞公宋璟薨。

16　十二月丙午,惠妃武氏薨,赠谥贞顺皇后。

17　是岁,命将作大匠康𫘬素之东都毁明堂。𫘬素上言:"毁之劳人,请去上层,卑于旧九十五尺,仍旧为乾元殿。"从之。

18　初令租庸调、租资课,皆以土物输京都。

二十六年(戊寅,738)

1　春,正月,乙亥,以牛仙客为侍中。

2　丁丑,上迎气于浐水之东。

3　制边地长征兵,召募向足,自今镇兵勿复遣,在彼者纵还。

4　令天下州、县、里别置学。

5　壬辰,以李林甫领陇右节度副大使,以鄯州都督杜希望知留后。

二月乙卯,以牛仙客兼河东节度副大使。

6　己未,葬贞顺皇后于敬陵。

7　壬戌,敕河曲六州胡坐康待宾散隶诸州者,听还故土,于盐、夏之间,置宥州以处之。

8　三月,吐蕃寇河西,节度使崔希逸击破之。鄯州都督、知陇右留后杜希望攻吐蕃新城,拔之,以其地为威戎军,置兵一千戍之。

13 大常博士王玙上疏请求建立青帝坛祭祀春神以迎接春天,玄宗准许。冬季,十月辛丑(初一),玄宗下制书说从今以后在立春时节,亲自于东郊祭祀春神以迎接春天。

当时玄宗十分喜欢祭祀神鬼,所以王玙专门研究祭祀的礼节以迎合时尚。玄宗很喜欢他,就任命他为侍御史,并兼祠祭使。王玙在祈祷时常常焚烧纸钱,很像巫师。懂得礼仪的人都对他的这种做法感到羞耻。

14 壬申,玄宗去骊山温泉。乙酉,返回宫中。

15 己丑,开府仪同三司广平文贞公宋璟去世。

16 十二月丙午(初七),惠妃武氏去世,玄宗赠谥号为贞顺皇后。

17 这一年,玄宗命令将作大匠康礜素到东都毁掉明堂。康礜素上言说:"要毁掉它劳费人工,请拆掉上层,低于过去的九十五尺,仍为乾元殿。"玄宗同意。

18 朝廷第一次让各地所征收的租庸调和租资课全部以土产运送到京都。

唐玄宗开元二十六年(戊寅,公元738年)

1 春季,正月乙亥(初六),玄宗任命牛仙客为侍中。

2 丁丑(初八),玄宗于浐水东面祭祀五帝,祈求丰年。

3 玄宗下制书说,在边疆的长征兵,过去招募已经充足,从今以后不要再派镇兵,在边疆的可以放还。

4 玄宗下令在各地的州、县和里设置学校。

5 壬辰(二十三日),玄宗让李林甫兼领陇右节度副大使,让鄯州都督杜希望知留后。

二月乙卯(十七日),玄宗让牛仙客兼任河东节度副大使。

6 己未(二十一日),埋葬贞顺皇后于敬陵。

7 壬戌(二十四日),玄宗下敕书说,河曲地区的六州胡人因为康待宾反叛被分散安置在各州的,允许回到原来居住的地方,并于盐州与夏州之间设置宥州安置他们。

8 三月,吐蕃侵略河西,被节度使崔希逸打败。鄯州都督、知陇右留后杜希望攻克吐蕃新城,并在原地设置了威戎军,派遣一千兵力守卫。

9　夏,五月乙酉,李林甫兼河西节度使。

丙申,以崔希逸为河南尹。希逸自念失信于吐蕃,内怀愧恨,未几而卒。

10　太子瑛既死,李林甫数劝上立寿王瑁。上以忠王玙年长,且仁孝恭谨,又好学,意欲立之,犹豫岁馀不决。自念春秋浸高,三子同日诛死,继嗣未定,常忽忽不乐,寝膳为之减。高力士乘间请其故,上曰:"汝,我家老奴,岂不能揣我意?"力士曰:"得非以郎君未定邪?"上曰:"然。"对曰:"大家何必如此虚劳圣心,但推长而立,谁敢复争?"上曰:"汝言是也! 汝言是也!"由是遂定。六月,庚子,立玙为太子。

11　辛丑,以岐州刺史萧炅为河西节度使总留后事,鄯州都督杜希望为陇右节度使,太仆卿王昱为剑南节度使,分道经略吐蕃,仍毁所立赤岭碑。

12　突骑施可汗苏禄,素廉俭,每攻战所得,辄与诸部分之,不留私蓄,由是众乐为用。既尚唐公主,又潜通突厥及吐蕃,突厥、吐蕃各以女妻之。苏禄以三国女为可敦,又立数子为叶护,用度浸广,由是攻战所得,不复更分。晚年病风,一手挛缩,诸部离心。酋长莫贺达干、都摩度两部最强,其部落又分为黄姓、黑姓,互相乖阻,于是莫贺达干勒兵夜袭苏禄,杀之。都摩度初与莫贺达干连谋,既而复与之异,立苏禄之子骨啜为吐火仙可汗以收其馀众,与莫贺达干相攻。莫贺达干遣使告碛西节度使盖嘉运,上命嘉运招集突骑施、拔汗那以西诸国。吐火仙与都摩度据碎叶城,黑姓可汗尔微特勒据怛逻斯城,相与连兵以拒唐。

9 夏季,五月乙酉(十八日),玄宗任命李林甫兼任河西节度使。

丙申(二十日),玄宗任命崔希逸为河南尹。崔希逸自认为背弃盟约失信于吐蕃,十分惭愧悔恨,不久就死了。

10 太子李瑛死后,李林甫多次劝玄宗立寿王李瑁为太子。但玄宗认为忠王李玙年岁大,为人仁孝谨慎,并且勤于学习,想要立他为太子,犹豫了一年多还没有决定。玄宗想到自己年纪已大,三个儿子同日被杀掉,太子还没有确定,心中闷闷不乐,经常睡不好觉,饭量也因此减少。高力士乘机问其中的原因,玄宗说:"你是我家的一个老奴仆,难道还不知道我的心意吗?"高力士说:"是不是关于确立太子的事?"玄宗说:"是。"高力士说:"这件事您何必要如此劳神费心,只要推年长者而立,谁还敢来再争夺呢?"玄宗说:"你说的好!你说的好!"因此立太子的事就确定了下来。六月庚子(初三),玄宗立李玙为太子。

11 辛丑(初四),玄宗任命岐州刺史萧炅为河西节度使,并总管留后事务,鄯州都督杜希望为陇右节度使,太仆卿王昱为剑南节度使,让他们分别在三道抵御吐蕃,并毁掉所立的赤岭碑。

12 突骑施可汗苏禄素来生活廉洁勤俭,每次打仗所掠得的财物,都与各部落分享,自己不留下私蓄,因此部众都乐于为他效命。苏禄已娶了唐朝的公主,又暗中与吐蕃及突厥往来,突厥与吐蕃也都把自己的女儿嫁给他。苏禄把三国的女人都立为可敦,又立了几个儿子为叶护,用度越来越多,因此打仗后所得的财物不再分给其他部落。他晚年中风,一只手萎缩,因此所统的各部落离心。其中酋长莫贺达干和都摩度两部落最为强大,部落中又分为黄姓和黑姓,相互之间摩擦不断,于是莫贺达干率兵夜间袭击苏禄,并杀了他。都摩度起初与莫贺达干同谋,不久又闹分裂,立苏禄的儿子骨啜为吐火仙可汗,借以收罗苏禄的部众,与莫贺达干互相攻战。莫贺达干派遣使者向碛西节度使盖嘉运求援,玄宗命令盖嘉运招集突骑施、拔汗那以西的诸国军队。吐火仙与都摩度占据着碎叶城,黑姓可汗尔微特勒占据着怛逻斯城,相互联兵以抗拒唐军。

13 太子将受册命,仪注有中严、外办及绛纱袍,太子嫌与至尊同称,表请易之。左丞相裴耀卿奏停中严,改外办曰外备,改绛纱袍为朱明服。秋,七月己巳,上御宣政殿,册太子。故事,太子乘辂至殿门。至是,太子不就辂,自其宫步入。是日,赦天下。己卯,册忠王妃韦氏为太子妃。

14 杜希望将鄯州之众夺吐蕃河桥,筑盐泉城于河左,吐蕃发兵三万逆战。希望众少不敌,将卒皆惧。左威卫郎将王忠嗣帅所部先犯其陈,所向辟易,杀数百人,虏陈乱。希望纵兵乘之,虏遂大败。置镇西军于盐泉。忠嗣以功迁左金吾将军。

15 八月辛巳,勃海王武艺卒,子钦茂立。

16 九月丙申朔,日有食之。

17 初,仪凤中,吐蕃陷安戎城而据之,其地险要,唐屡攻之不克。剑南节度使王昱筑两城于其侧,顿军蒲婆岭下,运资粮以逼之。吐蕃大发兵救安戎城,昱众大败,死者数千人。昱脱身走,粮仗军资皆弃之。贬昱栝州刺史,再贬高要尉而死。

18 戊午,册南诏蒙归义为云南王。
归义之先本哀牢夷,地居姚州之西,东南接交趾,西北接吐蕃。蛮语谓王曰诏,先有六诏:曰蒙舍,曰蒙越,曰越析,曰浪穹,曰样备,曰越澹,兵力相埒,莫能相壹,历代因之以分其势。蒙舍最在南,故谓之南诏。高宗时,蒙舍细奴逻初入朝。细奴逻生逻盛,逻盛生盛逻皮,盛逻皮生皮逻阁。皮逻阁浸强大,而五诏微弱;会有破洱河蛮之功,乃赂王昱,求合六诏为一。昱为之奏请,朝廷许之,仍赐名归义。于是以兵威胁服群蛮,不从者灭之,遂击破吐蕃,徙居大和城。其后卒为边患。

13　太子将要受册封,仪式中有中严和外办的警备礼仪及穿绛纱袍的礼仪,太子认为这些礼仪不应该与皇帝的礼仪名称相同,上表请求改换。左丞相裴耀卿奏请停中严礼,改外办为外备,改服绛纱袍为朱明服。秋季,七月己巳(初二),玄宗登临宣政殿,册封太子。按照过去的制度,太子要乘车到殿门口。这时,太子不乘车,从东宫步行入殿。这一天,又大赦天下。己卯(十二日),册封忠王妃韦氏为太子妃。

14　杜希望率领鄯州的军队夺取了吐蕃的黄河桥,并在黄河的左边筑起了盐泉城,吐蕃发兵三万来迎战。杜希望兵少而难敌吐蕃,将卒都十分害怕。左威卫郎将王忠嗣率领所部军队首先冲进吐蕃的阵地,所向披靡,杀死敌人数百,吐蕃阵地崩溃。杜希望乘机率大军进攻,吐蕃大败。然后于盐泉城设置镇西军。王忠嗣因立战功升为左金吾将军。

15　八月辛巳,勃海王大武艺去世,他的儿子大钦茂继位。

16　九月丙申朔(初一),出现日食。

17　先前在高宗仪凤年间,吐蕃攻陷了唐朝的安戎城,并派军队据守此城。安戎城地势险要,唐军多次攻而不克。剑南节度使王昱在安戎城的旁边筑了两座城,并驻军于蒲婆岭下,运送粮食和军用物资充实城中,以进逼吐蕃。吐蕃发大兵救安戎城,王昱的军队大败,数千人战死。王昱脱身逃命,把粮食和军用物资全都丢弃给吐蕃。朝廷贬王昱为梧州刺史,以后又贬为高要县尉,王昱故去。

18　戊午(二十三日),唐册封南诏蒙归义为云南王。

蒙归义的祖先本是哀牢夷,居住地在姚州的西面,东南与交趾相连,西北与吐蕃接壤。蛮语称王为诏,原先共有六诏:蒙舍、蒙越、越析、浪穹、样备、越澹,各自兵力相当,不能统一,历代王朝都借此分化他们的势力。因为蒙舍在最南面,所以称为南诏。高宗在位时,蒙舍细奴逻首次入朝。细奴逻生逻盛,逻盛生盛逻皮,盛逻皮生皮逻阁。皮逻阁时代,蒙舍逐渐强大,而其他五诏势力衰弱。适逢蒙舍因为有打败洱河蛮的功劳,就借机贿赂王昱,请求合并六诏为一国。王昱上奏朝廷,朝廷答应,就赐名归义。于是蒙归义就借着自己强大的兵力威胁群蛮,不服从就灭掉,并打败了吐蕃,移居到大和城。后来南诏竟日益强大,成为唐朝的边患。

19 冬,十月戊寅,上幸骊山温泉。壬辰,上还宫。

20 是岁,于西京、东都往来之路,作行宫千馀间。

21 分左右羽林置龙武军,以万骑营隶焉。

22 润州刺史齐澣奏:"自瓜步济江迂六十里。请自京口埭下直济江,穿伊娄河二十五里即达扬子县,立伊娄埭。"从之。

二十七年(己卯,739)

1 春,正月壬寅,命陇右节度大使荣王琬自至本道巡按处置诸军,选募关内、河东壮士三五万人,诣陇右防遏,至秋末无寇,听还。

2 群臣请加尊号曰圣文;二月己巳,许之,因赦天下,免百姓今年田租。

3 夏,四月癸酉,敕:"诸阴阳术数,自非婚丧卜择,皆禁之。"

4 己丑,以牛仙客为兵部尚书兼侍中,李林甫为吏部尚书兼中书令,总文武选事。

5 六月癸酉,以御史大夫李适之兼幽州节度使。

幽州将赵堪、白真陁罗矫节度使张守珪之命,使平卢军使乌知义击叛奚馀党于横水之北,知义不从,白真陁罗矫称制指以迫之。知义不得已出师,与虏遇,先胜后败;守珪隐其败状,以克获闻。

事颇泄,上令内谒者监牛仙童往察之。守珪重赂仙童,归罪于白真陁罗,逼令自缢死。仙童有宠于上,众宦官疾之,共发其事。

19 冬季,十月戊寅(十四日),玄宗往骊山温泉。壬辰(二十八日),返回宫中。

20 这一年,在西京与东都之间往来的道路上建立行宫一千馀座。

21 玄宗命令从左右羽林军中分出一部分军队设置龙武军,并把万骑营隶属于龙武军。

22 润州刺史齐澣上奏说:"从瓜步渡长江要绕道六十里。请从京口埭下面直接过江,穿过伊娄河二十五里即到达扬子县,共筑伊娄埭。"玄宗同意。

唐玄宗开元二十七年(己卯,公元739年)

1 春季,正月壬寅(初九),玄宗命令陇右节度大使荣王李琬从本道出发巡行考察各地军事,并有权处理军事事务;又招募关内、河东地区的壮士三五万人,到陇右地区防备吐蕃,如果到了秋季末吐蕃不来侵扰,允许回家。

2 群臣请求为玄宗加尊号"圣文";二月己巳(初七),玄宗同意,并因此大赦天下,免除百姓今年的田租。

3 夏季,四月癸酉(十二日),玄宗下敕书说:"各种阴阳占卜方术活动,除了因婚丧大事的需要,其他全部禁止。"

4 己丑(二十八日),玄宗任命牛仙客为兵部尚书兼侍中,李林甫为吏部尚书兼中书令,并总管文武科选事务。

5 六月癸酉(十二日),玄宗任命御史大夫李适之兼任幽州节度使。

幽州镇将赵堪与白真陁罗假借节度使张守珪的命令,让平卢军使乌知义率兵在横水北面攻打反叛的奚族馀党,乌知义不愿意出战,白真陁罗就假称是皇上下的制书迫使他出战。乌知义不得已只好出兵,与奚军交战,先胜后败,而张守珪却隐瞒了败状,上奏说获胜。

事情泄露以后,玄宗命令内谒者监牛仙童去调查。张守珪重赂牛仙童,把败军之罪归咎于白真陁罗,逼令他上吊而死。其他宦官因牛仙童受到玄宗的宠信而妒嫉,就共同揭发了此事。

上怒,甲戌,命杨思勖杖杀之。思勖缚格,杖之数百,刳取其心,割其肉啖之。守珪坐贬括州刺史。太子太师萧嵩尝赂仙童以城南良田数顷,李林甫发之,嵩坐贬青州刺史。

6　秋,八月乙亥,碛西节度使盖嘉运擒突骑施可汗吐火仙。嘉运攻碎叶城,吐火仙出战,败走,擒之于贺逻岭。分遣疏勒镇守使夫蒙灵詧与拔汗那王阿悉烂达干潜引兵突入怛逻斯城,擒黑姓可汗尔微,遂入曳建城,取交河公主,悉收散发之民数万以与拔汗那王,威震西陲。

7　壬午,吐蕃寇白草、安人等军,陇右节度使萧炅击破之。

8　甲申,追谥孔子为文宣王。先是,祀先圣先师,周公南向,孔子东向坐。制:"自今孔子南向坐,被王者之服,释奠用宫悬。"追赠弟子皆为公、侯、伯。

9　九月戊午,处木昆、鼠尼施、弓月等诸部先隶突骑施者,皆帅众内附,仍请徙居安西管内。

10　太子更名绍。

11　冬,十月辛巳,改修东都明堂。

12　丙戌,上幸骊山温泉;十一月辛丑,还宫。

13　甲辰,明堂成。

14　剑南节度使张宥文吏不习军旅,悉以军政委团练副使章仇兼琼。兼琼入奏事,盛言安戎城可取,上悦之。丁巳,以宥为光禄卿。十二月,以兼琼为剑南节度使。

15　初,睿宗丧既除,祫于太庙,自是三年一祫,五年一禘。是岁,夏既禘,冬又当祫。太常议以为祭数则渎,请停今年祫祭,自是通计五年一祫、一禘;从之。

玄宗大怒,甲戌(十三日),命令杨思勖用棍子打死牛仙童。杨思勖把牛仙童捆在架子上,打了数百棍,然后挖掉了他的心肝,割下他的肉,一同吃了。张守珪因此事被贬为括州刺史。太子太师萧嵩曾经用城南良田数顷向牛仙童行贿,李林甫揭发了这件事,萧嵩因此被贬为青州刺史。

6 秋季,八月乙亥(十五日),碛西节度使盖嘉运擒获突骑施可汗吐火仙。盖嘉运进攻碎叶城,吐火仙出城迎战,被打败后逃走,在贺逻岭被抓获。盖嘉运又分别派疏勒镇守使夫蒙灵詧与拔汗那王阿悉烂达干悄悄地率兵突袭怛逻斯城,抓住了黑姓可汗尔微,又率兵入曳建城,接回交河公主,还收罗了数万披散着头发的部落民众交给拔汗那王,唐军威震西部边疆。

7 壬午(二十二日),吐蕃侵略白草军与安人军,被陇右节度使萧炅打败。

8 甲申(二十四日),唐朝追赠孔子谥号为文宣王。以前祭祀先代的圣贤时,周公向南而坐,孔子向东而坐。玄宗下制书说:"从今以后孔子向南而坐,身着帝王服装,释奠用宫悬礼仪。"又分别追赠孔子的七十二个弟子以公、侯、伯爵位。

9 九月戊午(二十九日),先前归附于突骑施的处木昆、鼠尼施和弓月等部落都降附于唐朝,他们请求仍然移居于安西节度使管辖的地区内。

10 太子改名为李绍。

11 冬季,十月辛巳(二十二日),改建东都明堂。

12 丙戌(二十七日),玄宗前往骊山温泉;十一月辛丑(十三日),返回宫中。

13 甲辰(十六日),明堂竣工。

14 剑南节度使张宥本是文官,不懂军务,所以就把军政大事都委托给团练副使章仇兼琼处理。章仇兼琼入朝奏事,极力声称安戎城能够攻取,玄宗听后很高兴。丁巳(二十九日),玄宗任命张宥为光禄卿。十二月,任命章仇兼琼为剑南节度使。

15 起初,为睿宗服完丧后,用祫礼祭祀于太庙,从此以后,每三年举行一次祫礼祭祀,每五年举行一次禘礼祭祀。这一年夏季禘祭完后,冬季又应当祫祭。太常寺认为,祭祀太滥就会显得不敬重,请今年不要举行祫祭,以后总计五年一祫祭、一禘祭,玄宗同意。

二十八年(庚寅,740)

1 春,正月癸巳,上幸骊山温泉;庚子,还宫。

2 二月,荆州长史张九龄卒。上虽以九龄忤旨,逐之,然终爱重其人,每宰相荐士,辄问曰:"风度得如九龄不?"

3 三月丁亥朔,日有食之。

4 章仇兼琼潜与安戎城中吐蕃翟都局及维州别驾董承晏结谋,使局开门引内唐兵,尽杀吐蕃将卒,使监察御史许远将兵守之。远,敬宗之曾孙也。

5 甲寅,盖嘉运入献捷。上赦吐火仙罪,以为左金吾大将军。嘉运请立阿史那怀道之子昕为十姓可汗,从之。夏,四月辛未,以昕妻李氏为交河公主。

6 六月,吐蕃围安戎城。

7 上嘉盖嘉运之功,以为河西、陇右节度使,使之经略吐蕃。嘉运恃恩流连,不时发。左丞相裴耀卿上疏,以为:"臣近与嘉运同班,观其举措,诚勇烈有馀,然言气矜夸,恐难成事。昔莫敖衄于蒲骚之役,卒丧楚师;今嘉运有骄敌之色,臣窃忧之。况防秋非远,未言发日,若临事始去,则士卒尚未相识,何以制敌?且将军受命,凿凶门而出;今乃酣饮朝夕,殆非忧国爱人之心。若不可改易,宜速遣进途,仍乞圣恩严加训励。"上乃趣嘉运行。已而嘉运竟无功。

8 秋,八月甲戌,幽州奏破奚、契丹。

9 冬,十月甲子,上幸骊山温泉;辛巳,还宫。

10 吐蕃寇安戎城及维州,发关中矿骑救之,吐蕃引去。更命安戎城曰平戎。

唐玄宗开元二十八年(庚寅,公元740年)

1　春季,正月癸巳(初六),玄宗往骊山温泉;庚子(十三日),返回宫中。

2　二月,荆州长史张九龄去世。玄宗虽然因为张九龄不听话,把他赶出了朝廷,但还是喜爱张九龄的为人,每当宰相向他推荐官员的时候,玄宗总是问道:"风度能比得上张九龄吗?"

3　三月丁亥朔(初一),出现日食。

4　章仇兼琼暗中与安戎城中的吐蕃将领翟都局及维州别驾董承晏合谋,让翟都局打开城门领唐兵入城,杀死了全部吐蕃将士,派监察御史许远率兵守卫。许远是许敬宗的曾孙。

5　甲寅(二十八日),碛西节度使盖嘉运入朝献俘。玄宗赦免了吐火仙的罪,任命他为左金吾大将军。盖嘉运请求立阿史那怀道的儿子阿史那昕为十姓可汗,玄宗同意。夏季,四月辛未(十五日),以阿史那昕的妻子李氏为交河公主。

6　六月,吐蕃包围安戎城。

7　玄宗为了奖赏盖嘉运的战功,就任命他为河西、陇右节度使,让他抵御吐蕃。盖嘉运自认为受到玄宗的宠信,留恋京师,没有按时赴镇。左丞相裴耀卿上疏说:"我近来与盖嘉运同班朝见,观察他的举动,确实是勇烈有馀,但语气自大夸耀,恐怕难成大事。春秋时楚国的莫敖因为蒲骚之战得胜而高傲自大,最后使楚国的军队大败;现在盖嘉运有轻敌之意,我十分担忧。何况现在离防备吐蕃秋天侵扰的时间不远,盖嘉运尚未说何日要出朝赴任,如果遇到战事才去,士卒还不认识他,这怎么能够打败敌人呢?再说古代的将军受命出征,都要凿一面向北的门,从那里出去,以示战死的决心,而盖嘉运现在却朝夕饮酒作乐,没有忧国忧民之心。如不能另行任命,就应该立刻让他上路赴任,望陛下严加教导。"于是玄宗才催促盖嘉远赴镇。后来盖嘉运果然没有什么战功。

8　秋季,八月甲戌(二十日),幽州上奏说打败了奚与契丹。

9　冬季,十月甲子(十一日),玄宗前往骊山温泉;辛巳(二十七日),返回宫中。

10　吐蕃入侵安戎城及维州,朝廷征发关中地区的𫓧骑兵去救援,吐蕃才退兵。改安戎城为平戎城。

11 十一月,罢牛仙客朔方、河东节度使。

12 突骑施莫贺达干闻阿史那昕为可汗,怒曰:"首诛苏禄,我之谋也,今立史昕,何以赏我?"遂帅诸部叛。上乃立莫贺达干为可汗,使统突骑施之众;命盖嘉运招谕之。十二月乙卯,莫贺达干降。

13 金城公主薨,吐蕃告丧,且请和,上不许。

14 是岁,天下县千五百七十三,户八百四十一万二千八百七十一,口四千八百一十四万三千六百九。西京、东都米斛直钱不满二百,绢匹亦如之。海内富安,行者虽万里不持寸兵。

二十九年(辛巳,741)

1 春,正月癸巳,上幸骊山温泉。

2 丁酉,制:"承前诸州饥馑,皆待奏报,然始开仓赈给。道路悠远,何救悬绝! 自今委州县长官与采访使量事给讫奏闻。"

3 庚子,上还宫。

4 上梦玄元皇帝告云:"吾有像在京城西南百馀里,汝遣人求之,吾当与汝兴庆宫相见。"上遣使求得之于盩厔楼观山间。夏,闰四月,迎置兴庆宫。五月,命画玄元真容,分置诸州开元观。

5 六月,吐蕃四十万众入寇,至安仁军,浑崖峰骑将臧希液帅众五千击破之。

6 秋,七月丙寅,突厥遣使来告登利可汗之丧。初,登利从叔二人,分典兵马,号左、右杀。登利患两杀之专,与其母谋,诱右杀,斩之,自将其众。左杀判阙特勒勒兵攻登利,杀之,立毗伽可汗之子为可汗;俄为骨咄叶护所杀,更立其弟;寻又杀之,

11　十一月,玄宗罢免了牛仙客所兼任的朔方、河东节度使职。

12　突骑施酋长莫贺达干得知唐朝任命阿史那昕为十姓可汗,十分恼怒地说:"首先诛杀苏禄可汗是出于我的谋划,而今反立阿史那昕为可汗,用什么奖赏我呢?"于是就率诸部落反叛。玄宗这才立莫贺达干为可汗,使他统领突骑施部众;并命令盖嘉运招降他。十二月乙卯(初三),莫贺达干降唐。

13　金城公主去世,吐蕃派使者来报丧,并请求和好,玄宗不答应。

14　这一年,唐朝有一千五百七十三个县,八百四十一万二千八百七十一户,四千八百一十四万三千六百零九人。西京与东都每斛米的价格不到两百钱,每匹绢价格也如此。境内生活富有,秩序安定,出行的人远行万里也不必拿任何武器。

唐玄宗开元二十九年(辛巳,公元741年)

1　春季,正月癸巳(十一日),玄宗前往骊山温泉。

2　丁酉(十五日),玄宗下制书说:"以前各州发生了饥荒,都要等到上奏报告后,才能开仓赈济。然而道路遥远,难救灾民。从今以后州县长官和采访使可以根据情况先行赈济,然后再上奏报告。"

3　庚子(十八日),玄宗返回宫中。

4　玄宗梦见玄元皇帝老子告诉他说:"我有像在京城西南一百多里的地方,你如果派人去找到,我将与你在兴庆宫相见。"玄宗派人去寻找,在盩厔县的楼观山中找到。夏季,闰四月,迎接老子像放置在兴庆宫中。五月,玄宗命令画老子真容,分别放置于各州的开元观。

5　六月,吐蕃四十万大军入侵,至安仁军,被浑崖峰骑将臧希液率兵五千打败。

6　秋季,七月丙寅(十八日),突厥派使者来报登利可汗丧。起初,登利的两个堂叔分别统领军队,号为左、右杀。登利忧虑两杀专权,就与他的母亲合谋诱杀了右杀,自己亲自率领右杀军队。左杀判阙特勒率兵进攻并杀了登利,立毗伽可汗的儿子为可汗;不久被骨咄叶护杀害,改立他的弟弟为可汗;不久骨咄叶护又杀死新可汗,

骨咄叶护自立为可汗。上以突厥内乱,癸酉,命左羽林将军孙老奴招谕回纥、葛逻禄、拔悉密等部落。

7 乙亥,东都洛水溢,溺死者千馀人。

8 平卢兵马使安禄山,倾巧,善事人,人多誉之。上左右至平卢者,禄山皆厚赂之,由是上益以为贤。御史中丞张利贞为河北采访使,至平卢,禄山曲事利贞,乃至左右皆有赂。利贞入奏,盛称禄山之美。八月乙未,以禄山为营州都督,充平卢军使,两蕃、勃海、黑水四府经略使。

9 冬,十月丙申,上幸骊山温泉。

10 壬寅,分北庭、安西为二节度。

11 十一月庚戌,司空邠王守礼薨。守礼庸鄙无才识,每天将雨及霁,守礼必先言之,已而皆验。岐、薛诸王言于上曰:“邠兄有术。”上问其故,对曰:“臣无术。则天时以章怀之故,幽闭宫中十馀年,岁赐敕杖者数四,背瘢甚厚,将雨则沉闷,将霁则轻爽,臣以此知之耳。”因流涕沾襟。上亦为之惨然。

12 辛酉,上还宫。

13 辛未,太尉宁王宪薨。上哀恸特甚,曰:“天下,兄之天下也;兄固让于我,为唐太伯,常名不足以处之。”乃谥曰让皇帝。其子汝阳王琎,上表追述先志,谦冲不敢当帝号,上不许。敛日,内出服,以手书致于灵座,书称“隆基白”;又名其墓曰惠陵,追谥其妃元氏曰恭皇后,祔葬焉。

14 十二月乙巳,吐蕃屠达化县,陷石堡城;盖嘉运不能御。

自立为可汗。玄宗因为突厥内乱,癸酉(二十五日),命令左羽林将军孙老奴招降回纥、葛逻禄和拔悉密等部落。

7 乙亥(二十七日),东都洛河水大涨,淹死一千馀人。

8 平卢兵马使安禄山性格巧诈,善于讨人喜欢,所以人们都称赞他。玄宗左右的人到了平卢,安禄山就用重金收买他们,因此唐玄宗更加认为他是贤能之士。御史中丞张利贞为河北采访使,到了平卢,安禄山刻意逢迎,以致利贞左右的人都受到禄山的贿赂。利贞入朝上奏,尽力说安禄山的好话。八月乙未(十七日),玄宗任命安禄山为营州都督,兼平卢军使,两蕃、勃海、黑水四府经略使。

9 冬季,十月丙申(十九日),玄宗前往骊山温泉。

10 壬寅(二十五日),唐朝分北庭、安西为二节度镇。

11 十一月,庚戌(初三),司空邠王李守礼去世。李守礼才学平庸,每当天要下雨或放晴时,他一定要先预言,而且必定应验。岐王李范和薛王李业等诸王告诉玄宗说:"邠王哥哥会法术。"玄宗问邠王是何缘故,邠王说:"我没有什么法术。武则天统治时期,因为章怀太子的事件,我被关在宫中十多年,每年武后都下敕令用棍子打我多次,背上的疤痕很厚,将要下雨时就觉得沉闷,天要放晴时就感到爽快,我就是这样预言天气的。"说着泪水沾襟。玄宗也因此心情惨然。

12 辛酉(十四日),玄宗返回宫中。

13 辛未(二十四日),太尉宁王李宪去世。玄宗心情十分沉痛,说:"皇位本来是哥哥宁王的;而他却坚决让给了我,他是唐朝的太伯,普通的名号难以表现他的德行。"于是就赠谥号为"让皇帝"。他的儿子汝阳王李琎上表追述父亲的愿望,谦让说不敢接受帝号,玄宗不答应。入殓时,玄宗拿出皇帝的服装给宁王穿上,并亲手于灵座写了挽词,词称"李隆基表白",又命名宁王的墓为惠陵,并追赠他的妃子元氏谥号为"恭皇后",合葬在一起。

14 十二月乙巳(二十八日),吐蕃军队屠杀达化县民,攻陷石堡城;盖嘉运不能抵挡。

卷第二百一十五　唐纪三十一

起壬午(742)尽丁亥(747)十一月凡五年有奇

玄宗至道大圣大明孝皇帝中之下
天宝元年(壬午,742)

1　春,正月丁未朔,上御勤政楼受朝贺,赦天下,改元。

2　壬子,分平卢别为节度,以安禄山为节度使。

是时,天下声教所被之州三百三十一,羁縻之州八百,置十节度、经略使以备边。安西节度抚宁西域,统龟兹、焉耆、于阗、疏勒四镇,治龟兹城,兵二万四千。北庭节度防制突骑施、坚昆,统瀚海、天山、伊吾三军,屯伊、西二州之境,治北庭都护府,兵二万人。河西节度断隔吐蕃、突厥,统赤水、大斗、建康、宁寇、玉门、墨离、豆卢、新泉八军,张掖、交城、白亭三守捉,屯凉、肃、瓜、沙、会五州之境,治凉州,兵七万三千人。朔方节度捍御突厥,统经略、丰安、定远三军,三受降城,安北、单于二都护府,屯灵、夏、丰三州之境,治灵州,兵六万四千七百人。河东节度与朔方掎角以御突厥,统天兵、大同、横野、岢岚四军,云中守捉,屯太原府忻、代、岚三州之境,治太原府,兵五万五千人。范阳节度临制奚、契丹,统经略、威武、清夷、静塞、恒阳、北平、高阳、唐兴、横海九军,屯幽、蓟、妫、檀、易、恒、定、漠、沧九州之境,治幽州,兵九万一千四百人。平卢节度镇抚室韦、靺鞨,统平卢、卢龙二军,榆关守捉,安东都护府,屯营、平二州之境,治营州,兵三万七千五百人。陇右节度备御吐蕃,统临洮、河源、白水、安人、振威、威戎、漠门、宁塞、积石、镇西十军,

玄宗至道大圣大明孝皇帝中之下
唐玄宗天宝元年(壬午,公元742年)

1　春季,正月丁未朔(初一),玄宗亲临勤政务本楼,接受文武百官的朝贺,于是大赦天下,改年号为天宝。

2　壬子(初六),分平卢另为节度,任命安禄山为节度使。

此时,唐王朝所统辖的州有三百三十一个,羁縻州八百个,设置了十个节度使、经略使守卫边疆。其中安西节度使镇抚西域,统辖龟兹、焉耆、于阗、疏勒四镇,治所在龟兹城,共有兵两万四千人。北庭节度使防备突骑施、坚昆,统辖瀚海、天山、伊吾三军,屯兵于伊州、西州境内,治所在北庭都护府,共有兵两万人。河西节度使阻断吐蕃与突厥的来往,统辖赤水、大斗、建康、宁寇、玉门、墨离、豆卢、新泉八军,张掖、交城、白亭三守捉,屯兵于凉、肃、瓜、沙、会等五州境内,治所在凉州城,共有兵七万三千人。朔方节度使抵御突厥,统辖经略、丰安、定远三军,三个受降城,安北、单于两都护府,屯兵于灵、夏、丰三州境内,治所在灵州城,共有兵六万四千七百人。河东节度使与朔方节度使成犄角之势共同防御突厥,统辖天兵、大同、横野、岢岚四军,云中守捉,屯兵于太原府的忻、代、岚三州境内,治所在太原府城,共有兵五万五千人。范阳节度使控制奚、契丹,统辖经略、威武、清夷、静塞、恒阳、北平、高阳、唐兴、横海九军,屯兵于幽、蓟、妫、檀、易、恒、定、漠、沧九州境内,治所在幽州城,共有兵九万一千四百人。平卢节度使镇抚室韦、靺鞨,统辖平卢、卢龙二军,榆关守捉,安东都护府,屯兵于营、平两州境内,治所在营州城,共有兵三万七千五百人。陇右节度使抵御吐蕃,统辖临洮、河源、白水、安人、振威、威戎、漠门、宁塞、积石、镇西十军,

绥和、合川、平夷三守捉，屯鄯、廓、洮、河之境，治鄯州，兵七万五千人。剑南节度西抗吐蕃，南抚蛮獠，统天宝、平戎、昆明、宁远、澄川、南江六军，屯益、翼、茂、当、嶲、柘、松、维、恭、雅、黎、姚、悉十三州之境，治益州，兵三万九百人。岭南五府经略绥静夷、獠，统经略、清海二军，桂、容、邕、交四管，治广州，兵万五千四百人。此外又有长乐经略，福州领之，兵千五百人。东莱守捉，莱州领之；东牟守捉，登州领之；兵各千人。凡镇兵四十九万人，马八万馀匹。开元之前，每岁供边兵衣粮，费不过二百万；天宝之后，边将奏益兵浸多，每岁用衣千二十万匹，粮百九十万斛，公私劳费，民始困苦矣。

　　3　甲寅，陈王府参军田同秀上言："见玄元皇帝于丹凤门之空中，告以'我藏灵符，在尹喜故宅。'"上遣使于故函谷关尹喜台旁求得之。

　　4　陕州刺史李齐物穿三门运渠，辛未，渠成。齐物，神通之曾孙也。

　　5　壬辰，群臣上表，以"函谷灵符，潜应年号；先天不违，请于尊号加'天宝'字。"从之。

　　二月辛卯，上享玄元皇帝于新庙。甲午，享太庙。丙申，合祀天地于南郊，赦天下。改侍中为左相，中书令为右相，尚书左、右丞相复为仆射；东都、北都皆为京，州为郡，刺史为太守；改桃林县曰灵宝。田同秀除朝散大夫。

　　时人皆疑宝符同秀所为。间一岁，清河人崔以清复言："见玄元皇帝于天津桥北，云藏符在武城紫微山"，敕使往求，亦得之。东都留守王倕知其诈，按问，果首服。奏之，上亦不深罪，流之而已。

绥和、合川、平夷三守捉,屯兵于鄯、廓、洮、河四州境内,治所在鄯
州城,共有兵七万五千人。剑南节度使西抗吐蕃,南镇蛮獠,统辖
天宝、平戎、昆明、宁远、澄川、南江六军,屯兵于益、翼、茂、当、嶲、
柘、松、维、恭、雅、黎、姚、悉十三州境内,治所在益州城,共有兵三
万零九百人。岭南五府经略使镇抚夷、獠,统辖经略、清海两军,桂
府、容府、邕府、交府四府,治所广州城,共有兵一万五千四百人。
此外还有长乐经略使,由福州刺史兼任,共有兵一千五百人。东莱
守捉,由莱州刺史兼任;东牟守捉,由登州刺史兼任;各有兵一千
人。以上边镇共有兵四十九万人,战马八万馀匹。开元以前,每年
朝廷供给边镇兵的衣粮,费用不超过两百万;天宝以后,边将都上
奏增兵,于是镇兵越来越多,每年衣服用布帛一千零二十万匹,粮
一百九十万斛,公私烦劳,费用浩大,老百姓从此生活困苦了。

3　甲寅(初八),陈王李珪府中的参军田同秀上言说:"我在丹
凤门的上空看见了玄元皇帝老子,他告诉我说:'我在尹喜旧宅第
藏有灵符。'"于是玄宗派人于旧函谷关尹喜台旁搜寻并获得了
灵符。

4　陕州刺史李齐物开凿三门峡运渠,辛未(二十五日),运渠
开通。李齐物是淮安王李神通的曾孙。

5　壬辰,朝中群臣上表说:"在函谷关得到玄元皇帝灵符,暗
中与年号相应,这是先于天时而行事,不可违背,请于尊号上加'天
宝'二字。"玄宗同意。

二月辛卯(十五日),玄宗于新玄元庙祭献玄元皇帝老子。甲
午(十八日),祭献太庙。丙申(二十日),于南郊祭祀天地,并大赦
天下。又改名侍中为左相,中书令为右相,尚书左、右丞相仍为左、
右仆射;东都、北都分别改名为东京、北京,改州为郡,刺史为太守;
改桃林县为灵宝县。任命田同秀为朝散大夫。

当时人们怀疑灵符是田同秀假造的。约过了一年,清河县人
崔以清又上言道:"我于天津桥北看见了玄元皇帝,他说在武城县
紫微山藏有灵符。"于是玄宗又下敕派使者前去搜寻,果然得到了
灵符。东都留守王倕知道其中有诈,于是拷问崔以清,崔果然承认
是假造的。王倕奏上此事,但玄宗并没有深加问罪,只是流放了崔
以清。

6　三月，以长安令韦坚为陕郡太守，领江、淮租庸转运使。

初，宇文融既败，言利者稍息。及杨慎矜得幸，于是韦坚、王铁之徒竞以利进，百司有利权者，稍稍别置使以领之，旧官充位而已。坚，太子之妃兄也，为吏以干敏称。上使之督江、淮租运，岁增巨万；上以为能，故擢任之。王铁，方翼之曾孙也，亦以善治租赋为户部员外郎兼侍御史。

7　李林甫为相，凡才望功业出己右及为上所厚、势位将逼己者，必百计去之；尤忌文学之士，或阳与之善，啖以甘言而阴陷之。世谓李林甫"口有蜜，腹有剑"。

上尝陈乐于勤政楼，垂帘观之。兵部侍郎卢绚谓上已起，垂鞭按辔，横过楼下。绚风标清粹，上目送之，深叹其蕴藉。林甫常厚以金帛赂上左右，上举动必知之，乃召绚子弟谓曰："尊君素望清崇，今交、广藉才，圣上欲以尊君为之，可乎？若惮远行，则当左迁；不然，则以宾、詹分务东洛，亦优贤之命也，何如？"绚惧，以宾、詹为请。林甫恐乖众望，乃除华州刺史。到官未几，诬其有疾，州事不理，除詹事、员外同正。

上又尝问林甫以"严挺之今安在？是人亦可用"。挺之时为绛州刺史。林甫退，召挺之弟损之，谕以"上待尊兄意甚厚，盍为见上之策，奏称风疾，求还京师就医。"挺之从之。林甫以其奏白上云："挺之衰老得风疾，宜且授以散秩，使便医药。"上叹吒久之。夏，四月壬寅，以为詹事，又以汴州刺史、河南采访使齐澣为少詹事，皆员外同正，于东京养疾。澣亦朝廷宿望，故并忌之。

6　三月，任命长安县令韦坚为陕郡太守，并兼任江、淮租庸转运使。

起初，宇文融败亡后，争相献钱财言利的人稍微有些收敛。及至杨慎矜受宠，于是韦坚、王铁之类言利的人都受到重用，有财权的各司也逐渐另置使职，掌管财利，原有的官员只是充数而已。韦坚是太子韦妃的兄长，以办事干练而著称。玄宗让其督办江淮租运，每年增加数目极大的钱财，玄宗认为韦坚能干，所以升官重用。王铁是王方翼的曾孙，也是因为善于管理赋税而被任命为户部员外郎兼侍御史。

7　李林甫为宰相后，对于朝中百官凡是才能和功业在自己之上而受到玄宗宠信或官位快要超过自己的人，一定要想方设法除去；尤其忌恨由文学才能而进官的士人；有时表面上装出友好的样子，说些动听的话，而暗中却阴谋陷害。所以世人都称李林甫"口有蜜，腹有剑"。

有一次玄宗在勤政务本楼垂帘观看乐舞。兵部侍郎卢绚以为玄宗已离开，于是就提鞭按辔，从楼下穿过。卢绚风度清雅，玄宗目送其远去，感叹卢绚含蓄不露的风度。李林甫常常用金钱贿赂玄宗左右的人，玄宗的一举一动，李林甫都了如指掌。于是李林甫就召来卢绚的儿子说："你父亲素来有名望，现今交州、广州需要有才能的人去治理，皇上想令你父亲去，不知是否可行？如果害怕远行，就应该降官；否则，只有以太子宾客或詹事的身份在东都任官。这也算是优待贤者的任命，不知如何？"卢绚听后，十分害怕，于是就主动奏请担任太子宾客或詹事。李林甫又恐怕违背众望，就任命卢绚为华州刺史。到官时间不久，又诬陷说卢绚有病，不理州事，任命他为詹事、员外同正。

有一次玄宗问李林甫："严挺之现在在哪里任官？此人可以重用。"严挺之当时为绛州刺史。李林甫退朝后，即召严挺之的弟弟严损之，告诉他说："皇上十分器重你哥哥，为何不乘此机会，上奏说得了风疾，请求回京师治病。"严挺之就听从了李林甫的话。李林甫又因严挺之的奏言对玄宗说："严挺之衰老中风，应该授以散官，便于治病养身。"玄宗听后，感叹不已。夏季，四月壬寅（二十八日），任命严挺之为詹事。又任命汴州刺史、河南采访使齐澣为少詹事，两人都是员外同正，一道在东京养病。齐澣也是因为在朝中素有名望，所以遭到李林甫的猜忌。

8　上发兵纳十姓可汗阿史那昕于突骑施,至俱兰城,为莫贺达干所杀。突骑施大臠官都摩度来降,六月乙未,册都摩度为三姓叶护。

9　秋,七月癸卯朔,日有食之。

10　辛未,左相牛仙客薨。八月丁丑,以刑部尚书李适之为左相。

11　突厥拔悉密、回纥、葛逻禄三部共攻骨咄叶护,杀之,推拔悉密酋长为颉跌伊施可汗,回纥、葛逻禄自为左、右叶护。突厥馀众共立判阙特勒之子为乌苏米施可汗,以其子葛腊哆为西杀。

上遣使谕乌苏令内附,乌苏不从。朔方节度使王忠嗣盛兵碛口以威之,乌苏惧,请降,而迁延不至。忠嗣知其诈,乃遣使说拔悉密、回纥、葛逻禄使攻之,乌苏遁去。忠嗣因出兵击之,取其右厢以归。

丁亥,突厥西叶护阿布思及西杀葛腊哆、默啜之孙勃德支、伊然小妻、毗伽登利之女帅部众千馀帐,相次来降,突厥遂微。九月辛亥,上御花萼楼宴突厥降者,赏赐甚厚。

12　护密先附吐蕃,戊午,其王颉吉里匐遣使请降。

13　冬,十月丁酉,上幸骊山温泉;己巳,还宫。

14　十二月,陇右节度使皇甫惟明奏破吐蕃大岭等军;戊戌,又奏破青海道莽布支营三万馀众,斩获五千馀级。庚子,河西节度使王倕奏破吐蕃渔海及游弈等军。

15　是岁,天下县一千五百二十八,乡一万六千八百二十九,户八百五十二万五千七百六十三,口四千八百九十万九千八百。

8 玄宗发兵送十姓可汗阿史那昕于突骑施,到了俱兰城,被莫贺达干杀死。突骑施大鑫官都摩度来投降唐朝,六月乙未(二十二日),唐册封都摩度为三姓叶护。

9 秋季,七月癸卯朔(初一),出现日食。

10 辛未(二十九日),左相牛仙客去世。八月丁丑(初五),任命刑部尚书李适之为左相。

11 突厥统辖的拔悉密、回纥、葛逻禄三部联兵攻杀了骨咄叶护,推举拔悉密酋长为颉跌伊施可汗,回纥、葛逻禄自封为左右叶护。于是突厥残众共同立判阙特勒的儿子为乌苏米施可汗,以乌苏的儿子葛腊哆为西杀。

玄宗派遣使者劝说乌苏归附唐朝,乌苏不听。于是朔方节度使王忠嗣盛陈重兵于碛口以威胁乌苏,乌苏惧怕,请求降附,但又迁延不至。王忠嗣知道乌苏是诈降,于是就派人劝说拔悉密、回纥、葛逻禄联兵攻打乌苏,乌苏逃走。王忠嗣乘机出兵攻击,消灭了其右厢返回。

丁亥(十五日),突厥西叶护阿布思及西杀葛腊哆、默啜的孙子勃德支、伊然可汗的侧室、毗伽登利可汗的女儿等率领部落一千余帐,陆续来降附唐朝,突厥的势力从此衰落。九月辛亥(初九),玄宗亲临花萼相辉楼宴请突厥归降者,赏赐优厚。

12 护密先依附于吐蕃,戊午(十六日),其王颉吉里匐派遣使者请求降附唐朝。

13 冬季,十月丁酉(二十六日),玄宗往骊山温泉;己巳,返回宫中。

14 十二月,陇右节度使皇甫惟明上奏说攻破了吐蕃大岭等军;戊戌(二十七日),又上奏说打败了青海道莽布支营三万余人,杀死俘获五千余人。庚子(二十九日),河西节度使王倕上奏说攻破了吐蕃渔海及游弈等军。

15 这一年,唐朝统治下的县共有一千五百二十八个,乡一万六千八百二十九个,民户八百五十二万五千七百六十三户,人口四千八百九十万九千八百人。

16 回纥叶护骨力裴罗遣使入贡,赐爵奉义王。

二年(癸未,743)

1 春,正月,安禄山入朝,上宠待甚厚,谒见无时。禄山奏言:"去年营州虫食苗,臣焚香祝天云:'臣若操心不正,事君不忠,愿使虫食臣心;若不负神祇,愿使虫散。'即有群鸟从北来,食虫立尽。请宣付史官。"从之。

2 李林甫领吏部尚书,日在政府,选事悉委侍郎宋遥、苗晋卿。御史中丞张倚新得幸于上,遥、晋卿欲附之。时选人集者以万计,入等者六十四人,倚子奭为之首,群议沸腾。前蓟令苏孝韫以告安禄山,禄山入言于上,上悉召入等人面试之,奭手持试纸,终日不成一字,时人谓之"曳白"。癸亥,遥贬武当太守,晋卿贬安康太守,倚贬淮阳太守,同考判官礼部郎中裴朏等皆贬岭南官。晋卿,壶关人也。

3 三月壬子,追尊玄元皇帝父周上御大夫为先天太皇;又尊皋繇为德明皇帝,凉武昭王为兴圣皇帝。

4 江、淮南租庸等使韦坚引浐水抵苑东望春楼下为潭,以聚江、淮运船,役夫匠通漕渠,发人丘垄,自江、淮至京城,民间萧然愁怨。二年而成。丙寅,上幸望春楼观新潭。坚以新船数百艘,扁榜郡名,各陈郡中珍货于船背;陕尉崔成甫著锦半臂,缺胯绿衫以褂之,红袙首,居前船唱《得宝歌》,使美妇百人盛饰而和之,连樯数里。坚跪进诸郡轻货,仍上百牙盘食。上置宴,竟日而罢,观者山积。夏,四月,加坚左散骑常侍,其僚属吏卒褒赏有差;名其潭曰广运。时京兆尹韩朝宗亦引渭水置潭于西街,以贮材木。

16 回纥叶护骨力裴罗派遣使者入朝贡献,唐赐爵为奉义王。

唐玄宗天宝二年(癸未,公元743年)

1 春季,正月,安禄山入朝。玄宗对他十分宠幸,随时可以进见。安禄山上奏说:"去年营州蝗虫吃禾苗,我焚香祝告上天说:'我如果心术不正,对君王不忠,愿让蝗虫吃我的心;如果未负神灵,愿使蝗虫自动散去。'于是有一群鸟从北面飞来,立刻吃尽了蝗虫。希望能把此事交付史官记录。"玄宗答应。

2 李林甫兼任吏部尚书,每天都在政事堂,把科举选士的事全委托给侍郎宋遥、苗晋卿。此时,御史中丞张倚新得玄宗的宠信,宋遥、苗晋卿想依附于张倚。当时应考的选人有一万多人,及第者仅有六十四人,而张倚的儿子张奭名列榜首,所以朝野议论纷纷。前蓟县令苏孝韫把此事告诉了安禄山,安禄山入朝后又告诉了玄宗,于是玄宗将及第者全部召来面试,张奭手持试卷,一整天未写一字,被当时的人戏称为"曳白"。癸亥(二十三日),玄宗贬宋遥为武当太守,苗晋卿为安康太守,张倚为淮阳太守。同考判官礼部郎中裴朏等人都被贬官岭南。苗晋卿是壶关县人。

3 三月壬子(十二日),追尊玄元皇帝老子的父亲周朝上御大夫为先天太皇;又追尊皋繇为德明皇帝,凉武昭王李暠为兴圣皇帝。

4 江、淮南租庸等使韦坚引沪河水抵达禁苑东面望春楼下为深潭,用来聚集江、淮地区的运粮船只,役使民夫工匠开通漕渠,挖掉许多民众的坟墓,从江、淮地区一直到京城,怨声载道。两年才完工。丙寅(二十六日),玄宗上望春楼观看新潭。韦坚组成数百只新船,每只船上都写着各郡的名称,并陈列着本郡所产的珍宝名物。陕县尉崔成甫身穿半臂锦衣与袒胸露身的铁胯绿衫,头上绕着红布,在最前面的一只船上高唱《得宝歌》,又让一百名漂亮的妇人身穿艳丽的服装齐声和唱,船连数里。韦坚跪着进上诸郡所献的珍宝,并献上百牙盘盛陈的美食。玄宗设宴款待,闹腾了一整天才完,观看的人数以万计。夏季,四月,加官韦坚为左散骑常侍,其部属官吏都得到奖赏。新开挖的潭被命名为广运潭。当时,京兆尹韩朝宗也引来渭河水到西街成潭,用来贮存木材。

5　丁亥,皇甫惟明引军出西平,击吐蕃,行千余里,攻洪济城,破之。

6　上以右赞善大夫杨慎矜知御史中丞事。时李林甫专权,公卿之进,有不出其门者,必以罪去之;慎矜由是固辞,不敢受。五月辛丑,以慎矜为谏议大夫。

7　冬,十月戊寅,上幸骊山温泉;乙卯,还宫。

三载(甲申,744)

1　春,正月丙申朔,改年曰载。

2　辛丑,上幸骊山温泉;二月庚午,还宫。

3　辛卯,太子更名亨。

4　海贼吴令光等抄掠台、明,命河南尹裴敦复将兵讨之。

5　三月己巳,以平卢节度使安禄山兼范阳节度使,以范阳节度使裴宽为户部尚书。礼部尚书席建侯为河北黜陟使,称禄山公直;李林甫、裴宽皆顺旨称其美。三人皆上所信任,由是禄山之宠益固不摇矣。

6　夏,四月,裴敦复破吴令光,擒之。

7　五月,河西节度使夫蒙灵詧讨突骑施莫贺达干,斩之,更请立黑姓伊里底蜜施骨咄禄毗伽;六月甲辰,册拜骨咄禄毗伽为十姓可汗。

8　秋,八月,拔悉蜜攻斩突厥乌苏可汗,传首京师。国人立其弟鹘陇匐白眉特勒,是为白眉可汗。于是突厥大乱,敕朔方节度使王忠嗣出兵乘之。至萨河内山,破其左厢阿波达干等十一部,右厢未下。会回纥、葛逻禄共攻拔悉蜜颉跌伊施可汗,杀之。回纥骨力裴罗自立为骨咄禄毗伽阙可汗,遣使言状,上册拜裴罗为怀仁可汗。于是怀仁南据突厥故地,立牙帐于乌德犍山,旧统药逻葛等九姓,

5　丁亥（十八日），陇右节度使皇甫惟明率军从西平郡出发，攻打吐蕃，行军一千余里，攻克吐蕃的洪济城。

6　玄宗任命右赞善大夫杨慎矜主持御史中丞事务。当时朝中李林甫专权，官吏进官如果不通过他的门路，必定要设法加罪而除去；所以杨慎矜坚辞不敢接受。五月辛丑（初三），又任命杨镇矜为谏议大夫。

7　冬季，十月戊寅（十三日），玄宗前往骊山温泉。乙卯，返回宫中。

唐玄宗天宝三载（甲申，公元 744 年）

1　春季，正月丙申朔（初一），改年为载。

2　辛丑（初六），玄宗前往骊山温泉；二月庚午（初六），返回宫中。

3　辛卯（二十七日），太子改名为李亨。

4　海盗吴令光等人掠夺台州、明州等地，朝廷命令河南尹裴敦复领兵讨伐。

5　三月己巳（初五），任命平卢节度使安禄山兼任范阳节度使，任命范阳节度使裴宽为户部尚书。礼部尚书席建侯为河北黜陟使，称赞安禄山公正无私；李林甫、裴宽也都顺旨意称颂安禄山。这三个人都是玄宗所信任的臣子，于是安禄山愈加受到玄宗的宠信，其地位稳固不可动摇。

6　夏季，四月，裴敦复击败了海盗吴令光，并活捉了他。

7　五月，河西节度使夫蒙灵詧讨杀了突骑施酋长莫贺达干，并请立黑姓伊里底蜜施骨咄禄毗伽；六月甲辰（十二日），朝廷册拜骨咄禄毗伽为十姓可汗。

8　秋季，八月，拔悉蜜进攻并斩杀了突厥乌苏可汗，传其首级到达京师。突厥国人又立乌苏的弟弟鹘陇匐白眉特勒为白眉可汗。于是突厥内部大乱，玄宗下敕命令朔方节度使王忠嗣乘机出击攻打突厥。王忠嗣率军到萨河内山，打败了突厥左厢阿波达干等十一部，但未攻下右厢。又与回纥、葛逻禄联兵进攻并斩杀了拔悉蜜颉跌伊施可汗。回纥骨力裴罗自立为骨咄禄毗伽阙可汗，并派遣使者向朝廷说明情况，玄宗册拜裴罗为怀仁可汗。于是怀仁向南占领了突厥的旧地，把牙帐建立在乌德犍山，原先统治药逻葛等九姓，

其后又并拔悉蜜、葛逻禄,凡十一部,各置都督,每战则以二客部为先。

9　李林甫以杨慎矜屈附于己,九月甲戌,复以慎矜为御史中丞,充诸道铸钱使。

10　冬,十月癸巳,上幸骊山温泉;十一月丁卯,还宫。

11　术士苏嘉庆上言:遁甲术有九宫贵神,典司水旱,请立坛于东郊,祀以四孟月,从之。礼在昊天上帝下,太清宫、太庙上,所用牲玉,皆侔天地。

12　十二月癸巳,置会昌县于温泉宫下。

13　户部尚书裴宽素为上所重,李林甫恐其入相,忌之。刑部尚书裴敦复击海贼还,受请托,广序军功,宽微奏其事。林甫以告敦复,敦复言宽亦尝以亲故属敦复。林甫曰:"君速奏之,勿后于人。"敦复乃以五百金赂女官杨太真之姊,使言于上。甲午,宽坐贬睢阳太守。

初,武惠妃薨,上悼念不已,后宫数千,无当意者。或言寿王妃杨氏之美,绝世无双。上见而悦之,乃令妃自以其意乞为女官,号太真;更为寿王娶左卫郎将韦昭训女。潜内太真宫中。太真肌态丰艳,晓音律,性警颖,善承迎上意。不期岁,宠遇如惠妃,宫中号曰"娘子",凡仪体皆如皇后。

14　癸卯,以宗女为和义公主,嫁宁远奉化王阿悉烂达干。

15　癸丑,上祀九宫贵神,赦天下。

16　初令百姓十八为中,二十三成丁。

17　初,上自东都还,李林甫知上厌巡幸,乃与牛仙客谋增近道粟赋及和籴以实关中;数年,蓄积稍丰。上从容谓高力士曰:"朕不出长安近十年,天下无事,朕欲高居无为,

后来又兼并了拔悉蜜、葛逻禄,总共十一部,每部都设置都督,每当作战时,就让两个客部为先锋。

9　李林甫认为杨慎矜依附于自己,九月甲戌(十四日),重又任命慎矜为御史中丞,并兼诸道铸钱使。

10　冬季,十月癸巳(初四),玄宗前往骊山温泉;十一月丁卯(初八),返回宫中。

11　方术士人苏嘉庆上言说:推算吉凶祸福的遁甲术中有九宫贵神,专门掌握人间的水旱之事,请求立祭坛于东郊,在四月祭祀,玄宗应允。祭祀的礼节在昊天上帝之下,太清宫、太庙之上,所用的牲畜及玉器,与祭祀天地所用相同。

12　十二月癸巳(初四),于温泉宫下设置会昌县。

13　户部尚书裴宽素来受玄宗器重,李林甫恐怕裴宽被任命为宰相,所以忌恨他。这时刑部尚书裴敦复讨伐海盗吴令光回朝,他接受请托,为人夸大军功,裴宽暗中向玄宗奏报此事。李林甫知道后,告诉了裴敦复,裴敦复就告诉李林甫说裴宽也曾把他的亲故托嘱过自己。于是李林甫说:“你赶快上奏皇上,不要让别人抢先。”裴敦复就用黄金五百两贿赂女道士杨太真的姐姐,让她告诉玄宗。甲午(初五),裴宽因为这件事被贬为睢阳太守。

起初,武惠妃死后,玄宗怀念不已,虽然后宫中有宫女数千,但没有称心如意的。这时有人告诉说,寿王李瑁的妃子杨氏美貌绝世。玄宗见后十分喜欢,于是命杨妃自己请求为女道士,号为太真;又另外为寿王李瑁娶了左卫郎将韦昭训的女儿为妃子。然后暗中把太真接入宫中。太真肌体丰满,容貌艳丽,通晓音乐,天资聪慧,善于奉迎玄宗的心意。进宫不满一年,受到的宠爱就如武惠妃一样,宫中都称她为“娘子”,一切礼仪与皇后相同。

14　癸卯(十四日),玄宗封宗室女为和义公主,嫁给宁远奉化王阿悉烂达干。

15　癸丑(二十四日),玄宗祭祀九宫贵神,并大赦天下。

16　首次规定百姓十八岁为中男,二十三岁为成丁。

17　起初,玄宗从东都回来后,李林甫知道玄宗已厌烦巡行,于是就与牛仙客谋划增加西京附近各道的租赋,并用钱买粮以充实关中;数年之中,粮食蓄积丰实。玄宗从容地对高力士说:“朕不出长安城已将近十年,天下没有让人忧愁的大事,朕想高居在上,不管大事,

悉以政事委林甫,何如?"对曰:"天子巡狩,古之制也。且天下大柄,不可假人;彼威势既成,谁敢复议之者?"上不悦。力士顿首自陈:"臣狂疾,发妄言,罪当死。"上乃为力士置酒,左右皆呼万岁。力士自是不敢深言天下事矣。

四载(乙酉,745)

1 春,正月庚午,上谓宰相曰:"朕比以甲子日,于宫中为坛,为百姓祈福,朕自草黄素置案上,俄飞升天,闻空中语云:'圣寿延长。'又朕于嵩山炼药成,亦置坛上,及夜,左右欲收之,又闻空中语云:'药未须收,此自守护。'达曙乃收之。"太子、诸王、宰相,皆上表贺。

2 回纥怀仁可汗击突厥白眉可汗,杀之,传首京师。突厥毗伽可敦帅众来降。于是北边晏然,烽燧无警矣。

回纥斥地愈广,东际室韦,西抵金山,南跨大漠,尽有突厥故地。怀仁卒,子磨延啜立,号葛勒可汗。

3 二月己酉,以朔方节度使王忠嗣兼河东节度使。忠嗣少以勇敢自负,及镇方面,专以持重安边为务,常曰:"太平之将,但当抚循训练士卒而已,不可疲中国之力以邀功名。"有漆弓百五十斤,常贮之囊中,以示不用。军中日夜思战,忠嗣多遣谍人伺其间隙,见可胜,然后兴师,故出必有功。既兼两道节制,自朔方至云中,边陲数千里,要害之地,悉列置城堡,斥地各数百里。边人以为自张仁亶之后,将帅皆不及。

4 三月壬申,上以外孙独孤氏为静乐公主,嫁契丹王李怀节;甥杨氏为宜芳公主,嫁奚王李延宠。

把政事都委托给李林甫处理,你以为如何?"高力士回答说:"天子出外巡行是古人留下来的制度。再说国家的大权,不能随便托给他人。如果托给他人,其威势形成以后,谁还敢议论他?"玄宗听后心中不高兴。高力士赶忙磕头自白说:"我发疯了,说胡话,罪该死。"玄宗就为高力士设置酒宴安慰,左右人都高呼万岁。从此高力士再也不敢深论天下的大事。

唐玄宗天宝四载(乙酉,公元745年)

1 春季,正月庚午(十二日),玄宗对宰相说:"朕近来于甲子日在宫中设置祭坛,为天下百姓祈求幸福,朕亲自在黄素绢上写了字放置在香案上,不一会儿飞入天空,听见空中说道:'圣寿延长。'朕又于嵩山炼成了仙药,也放置在坛上,到了晚上,左右的人想把药收起来,又听见空中说道:'药不必收,就放在这里好好守护。'到了天亮才把药收起。"太子、诸王和宰相听玄宗说后,都上表恭贺。

2 回纥怀仁可汗进攻并斩杀了突厥白眉可汗,传其首级到京师。突厥毗伽可敦率部众来投降。从此唐朝的北方边疆安然,没有战事。

回纥开拓占领的地方越来越广大,东达室韦,西至金山,南跨有大漠,尽占了突厥的旧地。怀仁可汗死后,儿子磨延啜继位,号为葛勒可汗。

3 二月己酉(二十一日),玄宗任命朔方节度使王忠嗣兼任河东节度使。王忠嗣少年时代就以勇敢而自负,镇守一方,专以稳定安静边疆为首要任务,常常说:"太平时代的将帅,应该安抚训练士卒,不能疲劳国力而求功名。"他有漆弓重一百五十斤,常常藏在口袋之中,向军士表示不可轻易用兵。军中士卒日夜想要出战,王忠嗣就派遣暗探侦察敌人的动静,见有机可乘,战而能胜,然后才出兵,所以出兵必有战功。兼任两镇节度使后,从朔方至云中,数千里长的边疆,在要害地方,都设置城堡,开拓地方各达数百里。边疆人们都认为从张仁亶以后,将帅都不如他。

4 三月壬申(十四日),玄宗封外孙女独孤氏为静乐公主,嫁给契丹王李怀节;封外甥女杨氏为宜芳公主,嫁给奚王李延宠。

5 乙巳,以刑部尚书裴敦复充岭南五府经略等使。五月壬申,敦复坐逗留不之官,贬淄川太守,以光禄少卿彭果代之。上嘉敦复平海贼之功,故李林甫陷之。

6 李适之与李林甫争权有隙。适之领兵部尚书,驸马张垍为侍郎,林甫亦恶之,使人发兵部铨曹奸利事,收吏六十馀人付京兆与御史对鞫之,数日,竟不得其情。京兆尹萧炅使法曹吉温鞫之。温入院,置兵部吏于外,先于后厅取二重囚讯之,或杖或压,号呼之声,所不忍闻;皆曰:"苟存馀生,乞纸尽答。"兵部吏素闻温之惨酷,引入,皆自诬服,无敢违温意者。顷刻而狱成,验囚无榜掠之迹。六月辛亥,敕诮责前后知铨侍郎及判南曹郎官而宥之。垍,均之兄;温,顼之弟子也。

温始为新丰丞,太子文学薛嶷荐温才,上召见,顾嶷曰:"是一不良人,朕不用也。"

萧炅为河南尹,尝坐事,西台遣温往按之,温治炅甚急。及温为万年丞,未几,炅为京兆尹。温素与高力士相结,力士自禁中归,温度炅必往谢官,乃先诣力士,与之谈谑,握手甚欢。炅后至,温阳为惊避,力士呼曰:"吉七不须避。"谓炅曰:"此亦吾故人也。"召还,与炅坐。炅接之甚恭,不敢以前事为怨。他日,温谒炅曰:"曩者温不敢隳国家法,自今请洗心事公。"炅遂与尽欢,引为法曹。

及林甫欲除不附己者,求治狱吏,炅荐温于林甫;林甫得之,大喜。温常曰:"若遇知己,南山白额虎不足缚也。"时又有杭州人罗希奭,为吏深刻,林甫引之,自御史台主簿再迁殿中侍御史。二人皆随林甫所欲深浅,锻炼成狱,无能自脱者,时人谓之"罗钳吉网"。

5　乙巳,玄宗任命刑部尚书裴敦复为岭南五府经略等使。五月壬申(十五日),裴敦复因为逗留不去任职,被贬为淄川太守,任命光禄少卿彭果代替。玄宗嘉奖裴敦复讨平海盗吴令光的战功,所以李林甫就陷害他。

6　李适之与李林甫因争权产生矛盾。李适之兼任兵部尚书,驸马张垍为兵部侍郎,也受到李林甫的忌恨,于是就指使人说兵部掌管铨选的官吏有收受贿赂的事,逮捕了六十多人,交付给京兆府与御史台对审,审了数天,还没有审出结果。京兆尹萧炅就让法曹吉温审问。吉温进入院子后,让兵部的官吏呆在外面,先从后厅押来两个重刑犯人审讯,或打或压,用尽酷刑,犯人号呼的声音,惨不忍闻,都说:"只要让我活命,拿纸来,我什么都承认。"兵部的官吏早就听说过吉温残酷无情,被引入院后,都违心地认了罪,无人敢违背吉温的意图。很快,这件冤案就被铸成,而检验犯人,还没有被打过的痕迹。六月辛亥(二十五日),玄宗下敕书责备前后主持铨选的侍郎与南曹郎官,然后赦免了他们。张垍是张均的哥哥,吉温是吉顼的侄子。

先前吉温为新丰县丞,太子文学薛嶷推荐说吉温有才能,玄宗召见吉温时,对薛嶷说:"这不是一个好人,朕不用他。"

萧炅为河南尹时,曾经遭到指控,西京御史台派吉温去调查,吉温对待萧炅十分严厉。到吉温任万年县丞不久,萧炅便任京兆尹。吉温素来与高力士关系密切,高力士从宫中回来,吉温想到萧炅一定会去高力士家中表示感谢,于是就先来到高力士的住所,与高力士戏笑谈谑,握手言欢。萧炅来后,吉温假装惊恐而躲避,高力士喊道:"吉七不必躲避。"然后又对萧炅说:"他是我的老朋友。"并让吉温过来,与萧炅一起坐。萧炅的态度十分谦恭,不敢因为以前的事而怨恨吉温。有一天,吉温去拜访萧炅,并对萧炅说:"过去的事是我按国家的法律办事,从今以后一定要忠诚地为您效劳。"于是萧炅就与吉温和好,并引荐他为法曹。

及至李林甫想要除掉不依附自己的人,寻求治狱的官吏,萧炅就把吉温推荐给李林甫;李林甫得到吉温后,十分高兴。吉温常常说:"若是遇到知己让我来治狱事,就是南山中的白额虎,也不怕缚不住。"当时还有杭州人罗希奭,也是著名的酷吏,被李林甫引荐,从御史台主簿升为殿中侍御史。这两个人都按照李林甫的意图,制造冤狱,被害的人都不能逃脱,当时人称他们为"罗钳吉网"。

7 秋,七月壬午,册韦昭训女为寿王妃。

八月壬寅,册杨太真为贵妃;赠其父玄琰兵部尚书,以其叔父玄珪为光禄卿,从兄铦为殿中少监,锜为驸马都尉。癸卯,册武惠妃女为太华公主,命锜尚之。及贵妃三姊,皆赐第京师,宠贵赫然。

杨钊,贵妃之从祖兄也,不学无行,为宗党所鄙。从军于蜀,得新都尉,考满,家贫不能自归,新政富民鲜于仲通常资给之。杨玄琰卒于蜀,钊往来其家,遂与其中女通。

鲜于仲通名向,以字行,颇读书,有材智,剑南节度使章仇兼琼引为采访支使,委以心腹。尝从容谓仲通曰:"今吾独为上所厚,苟无内援,必为李林甫所危。闻杨妃新得幸,人未敢附之。子能为我至长安与其家相结,吾无患矣。"仲通曰:"仲通蜀人,未尝游上国,恐败公事。今为公更求得一人。"因言钊本末。兼琼引见钊,仪观丰伟,言辞敏给,兼琼大喜,即辟为推官,往来浸亲密。乃使之献春绨于京师,将别,谓曰:"有少物在郫,以具一日之粮,子过,可取之。"钊至郫,兼琼使亲信大赍蜀货精美者遗之,可直万缗。钊大喜过望,昼夜兼行,至长安,历抵诸妹,以蜀货遗之,曰:"此章仇公所赠也。"时中女新寡,钊遂馆于其室,中分蜀货以与之。于是诸杨日夜誉兼琼,且言钊善樗蒲,引之见上,得随供奉官出入禁中,改金吾兵曹参军。

8 九月癸未,以陕郡太守、江淮租庸转运使韦坚为刑部尚书,罢其诸使,以御史中丞杨慎矜代之。坚妻姜氏,皎之女,林甫之舅子也,故林甫昵之。及坚以通漕有宠于上,遂有入相之志,

7　秋季，七月壬午(二十六日)，玄宗册封韦昭训的女儿为寿王李瑁的妃子。

八月壬寅(十七日)，玄宗册封杨太真为贵妃，追赠其父亲杨玄琰为兵部尚书，任命其叔父杨玄珪为光禄卿，堂兄杨铦为殿中少监，杨锜为驸马都尉。癸卯(十八日)，册封武惠妃的女儿为太华公主，并命杨锜娶其为妻。杨贵妃的三个姐姐，都在京师赐给宅第，宠贵无比。

杨钊是杨贵妃的从祖兄弟，不学无术，品行不正，被宗族人瞧不起。曾经从军于蜀中，被任命为新都县尉。考课满后，因家里贫穷而不能返回，新政县富人鲜于仲通常常接济他。杨玄琰死在蜀地，杨钊常去他家，于是就与他的二女儿私通。

鲜于仲通名叫向，字仲通，以字行世，爱好读书，颇具才华，剑南节度使章仇兼琼引荐他为采访支使，并将他作为心腹。章仇兼琼曾对鲜于仲通说："现在我只是受到皇上的器重，假如在朝中再没有别的内援，一定会被李林甫所害。听说杨贵妃新得皇上宠爱，但无人敢于攀附。你如果能够到长安与杨家拉上关系，我就可以无忧了。"鲜于仲通说："我是蜀人，没有去过都城，恐怕坏了你的大事。我现在为你推荐一个人。"于是就说了杨钊的情况。章仇兼琼接见了杨钊，见他仪表堂堂，善于言辞，心中十分高兴，立刻任命为推官，同他往来频繁，关系密切。于是就让杨钊往京师奉献春天所产的丝绸，离别的时候，章仇兼琼对杨钊说："还准备了一点东西在郫县，只是作为一日的口粮，你经过郫县时，可以顺便取走。"杨钊到了郫县，章仇兼琼派亲信拿着大量蜀地所产的精美货物送给他，价值达一万缗钱。杨钊没有想到，十分高兴，于是昼夜兼行，来到长安，遍访杨家诸妹，赠送所带的蜀货，并说："这是章仇兼琼先生赠送给你们的。"当时杨家二女儿刚死了丈夫，于是杨钊就住在她家中，并把所带的蜀货的一半分给她。因此杨家的人到处说章仇兼琼的好话，又说杨钊善于玩樗蒲这种赌博游戏，并引杨钊去见玄宗，于是杨钊得以随供奉官出入宫禁，被任命为金吾兵曹参军。

8　九月癸未(二十九日)，任命陕郡太守、江淮租庸转运使韦坚为刑部尚书，免去其诸使的职务，以御史中丞杨慎矜替代。韦坚的妻子姜氏是姜皎的女儿，姜皎是李林甫的舅父，所以李林甫亲善韦坚。后来韦坚因为开通漕运，受到唐玄宗的宠爱，有当宰相的野心，

又与李适之善。林甫由是恶之,故迁以美官,实夺之权也。

9　安禄山欲以边功市宠,数侵掠奚、契丹;奚、契丹各杀公主以叛,禄山讨破之。

10　陇右节度使皇甫惟明与吐蕃战于石堡城,为虏所败,副将褚诩战死。

11　冬,十月甲午,安禄山奏:“臣讨契丹至北平郡,梦先朝名将李靖、李勣从臣求食。”遂命立庙。又奏荐奠之日,庙梁产芝。

12　丁酉,上幸骊山温泉。

13　上以户部郎中王鉷为户口色役使,敕赐百姓复除。鉷奏征其辇运之费,广张钱数,又使市本郡轻货,百姓所输乃甚于不复除。旧制,戍边者免其租庸,六岁而更。时边将耻败,士卒死者皆不申牒,贯籍不除。王鉷志在聚敛,以有籍无人者皆为避课,按籍戍边六岁之外,悉征其租庸,有并征三十年者,民无所诉。上在位久,用度日侈,后宫赏赐无节,不欲数于左、右藏取之。鉷探知上指,岁贡额外钱百亿万,贮于内库,以供宫中宴赐,曰:“此皆不出于租庸调,无预经费。”上以鉷为能富国,益厚遇之。鉷务为割剥以求媚,中外嗟怨。丙子,以鉷为御史中丞、京畿采访使。

杨钊侍宴禁中,专掌樗蒲文簿,钩校精密。上赏其强明,曰:“好度支郎。”诸杨数征此言于上,又以属王鉷,鉷因奏充判官。

又与李适之来往密切。因而遭到李林甫的忌恨,所以名义上升了他的官,而实际上夺取了他的实权。

9　安禄山想以立战功而求得玄宗宠爱,所以多次侵掠奚与契丹;奚与契丹就杀掉了所娶的唐朝公主而反叛,安禄山又出兵讨叛而击败了他们。

10　陇右节度使皇甫惟明与吐蕃战于石堡城,被吐蕃打败,副将褚诩战死。

11　冬季,十月甲午(初十),安禄山上奏说:"我讨伐契丹来到北平郡,梦见先朝名将李靖与李勣向我求讨食物。"于是玄宗下令为他们建庙。安禄山又上奏说祭奠的那天,庙梁上长出了灵芝草。

12　丁酉(十三日),玄宗往骊山温泉。

13　玄宗任命户部郎中王鉷为户口色役使,并下敕免除百姓今年的租庸调。王鉷奏请征收百姓的运费,夸大钱数,又让用钱购买本地所产的贵重物品,这样百姓所交纳的比不免除租庸调时还多。按照过去所定的制度,戍守边疆的士卒应该免除租庸,六年替换一次。当时守卫边疆的将领都以战败为耻,对战死的士卒,都不向官府申报,所以这些士卒在家乡的户籍没有注销。王鉷一心聚敛财物,将有户籍而没有人的都当作逃避赋税,按照户籍登记,戍守边疆六年以上者全部征收租庸,有人被一次征收三十年租庸,而民众无处申诉。玄宗在位日久,用度日益奢侈,后宫赏赐没有节制,不能随心所欲就到左藏库和右藏库中去取。王鉷探听到玄宗的心意,所以每年都上贡额外钱一百亿万缗,贮于内库,以供玄宗在宫中宴赐挥霍,并说:"这些钱都是租庸调以外的,与国家的经费无关。"玄宗认为王鉷善于理财,能够富国,更加喜欢他了。王鉷想方设法苛剥民众以取悦玄宗,以致朝野内外,怨声载道。丙子,又任命王鉷为御史中丞、京畿采访使。

杨钊在宫中侍候宴会,专门掌管樗蒲文书,管理得有条有理。玄宗很欣赏他的精明能干,就说:"真是个好度支郎!"杨家的人又多次在玄宗面前夸赞杨钊的这些才能,并托付给王鉷,于是王鉷就奏请任命杨钊为判官。

14　十二月戊戌，上还宫。

五载（丙戌，746）

1　春，正月乙丑，以陇右节度使皇甫惟明兼河西节度使。

李适之性疏率，李林甫尝谓适之曰："华山有金矿，采之可以富国，主上未之知也。"他日，适之因奏事言之。上以问林甫，对曰："臣久知之，但华山陛下本命，王气所在，凿之非宜，故不敢言。"上以林甫为爱己，薄适之虑事不熟，谓曰："自今奏事，宜先与林甫议之，无得轻脱。"适之由是束手矣。适之既失恩，韦坚失权，益相亲密，林甫愈恶之。

初，太子之立，非林甫意。林甫恐异日为己祸，常有动摇东宫之志，而坚，又太子之妃兄也。皇甫惟明尝为忠王友，时破吐蕃，入献捷，见林甫专权，意颇不平。时因见上，乘间微劝上去林甫，林甫知之，使杨慎矜密伺其所为。会正月望夜，太子出游，与坚相见，坚又与惟明会于景龙观道士之室。慎矜发其事，以为坚戚里，不应与边将狎昵。林甫因奏坚与惟明结谋，欲共立太子。坚、惟明下狱，林甫使慎矜与御史中丞王铁、京兆府法曹吉温共鞫之。上亦疑坚与惟明有谋而不显其罪，癸酉，下制，责坚以干进不已，贬缙云太守，惟明以离间君臣，贬播川太守。仍别下制戒百官。

2　以王忠嗣为河西、陇右节度使，兼知朔方、河东节度事。忠嗣始在朔方、河东，每互市，高估马价，诸胡闻之，争卖马于唐，忠嗣皆买之。由是胡马少，唐兵益壮。及徙陇右、河西，

14　十二月戊戌(十五日),玄宗从骊山温泉返回宫中。

唐玄宗天宝五载(丙戌,公元746年)

1　春季,正月乙丑(十三日),玄宗任命陇右节度使皇甫惟明兼任河西节度使。

李适之性情粗疏,李林甫曾经对他说:"华山有金矿,如果加以开采,可以富国,皇上还不知道这件事。"过后有一天,李适之借奏事之机向玄宗说了这件事。玄宗又问李林甫,李林甫回答说:"这事我早已知道,但华山是陛下的本命,王气所在之地,不应该开凿,所以我不敢说。"这样玄宗就以为李林甫对自己尽心,而怪李适之考虑事情不周全,所以就对李适之说:"以后奏事,应该先与李林甫商量,不要轻易建议。"从此李适之不敢多论政事。李适之失去恩宠,韦坚失去权力,两人同病相怜,来往亲密,所以李林甫更加怀恨。

当初,李亨被立为太子,李林甫就不同意。他害怕以后对自己不利,所以常常想动摇太子的地位,而韦坚又是太子韦妃的哥哥。皇甫惟明在太子为忠王时,曾经是太子的朋友,这时因打败了吐蕃,入朝奏捷献俘,看到李林甫专权,心中愤愤不平。见到玄宗时,就劝玄宗不要任用李林甫,李林甫知道这件事后,就让杨慎矜暗中伺察皇甫惟明的行为。逢正月十五日夜,太子出游,与韦坚相见,韦坚又与皇甫惟明在景龙观道士房中相会。杨慎矜就揭发此事,认为韦坚是皇戚,不应该与边将的关系过于亲密。李林甫乘机上奏说韦坚与皇甫惟明阴谋立太子为皇帝。韦坚与皇甫惟明因此被逮捕入狱,李林甫就让杨慎矜与御史中丞王鉷、京兆府法曹吉温共同审问。玄宗也怀疑韦坚与皇甫惟明结谋,但没有确凿的证据,癸酉(二十一日),下制书责备说韦坚因谋求官职地位,存有野心,贬为缙云太守;皇甫惟明因为挑拨离间君臣之间的关系,贬为播川太守。又另下制书,以诚百官。

2　玄宗任命王忠嗣为河西、陇右节度使,仍兼任原来的朔方、河东节度使。王忠嗣在朔方、河东镇时,每当与胡人贸易时,都高估马价,各地胡人听说后,都争着把马卖给唐朝,王忠嗣把马全数买下。因此胡人马少,而唐朝的兵马却更加强壮。王忠嗣到陇右、河西镇后,

复请分朔方、河东马九千匹以实之,其军亦壮。忠嗣杖四节,控制万里,天下劲兵重镇,皆在掌握,与吐蕃战于青海、积石,皆大捷。又讨吐谷浑于墨离军,虏其全部而归。

3 夏,四月癸未,立奚酋娑固为昭信王,契丹酋楷洛为恭仁王。

4 己亥,制:"自今四孟月,皆择吉日祀天地、九宫。"

5 韦坚等既贬,左相李适之惧,自求散地。庚寅,以适之为太子少保,罢政事。其子卫尉少卿霅尝盛馔召客,客畏李林甫,竟日无一人敢往者。

6 以门下侍郎、崇玄馆大学士陈希烈同平章事。希烈,宋州人,以讲《老》《庄》得进,专用神仙符瑞取媚于上。李林甫以希烈为上所爱,且柔佞易制,故引以为相。凡政事一决于林甫,希烈但给唯诺。故事,宰相午后六刻乃出,林甫奏,今太平无事,已时即还第,军国机务皆决于私家,主书抱成案诣希烈书名而已。

7 五月壬子朔,日有食之。

8 乙亥,以剑南节度使章仇兼琼为户部尚书,诸杨引之也。

9 秋,七月丙辰,敕:"流贬人多在道逗留。自今左降官日驰十驿以上。"是后流贬者多不全矣。

10 杨贵妃方有宠,每乘马则高力士执辔授鞭,织绣之工专供贵妃院者七百人,中外争献器服珍玩。岭南经略使张九章,广陵长史王翼,以所献精美,九章加三品,翼入为户部侍郎,天下从风而靡。民间歌之曰:"生男勿喜女勿悲,君今看女作门楣。"妃欲得生荔支,岁命岭南驰驿致之,比至长安,色味不变。

又奏请分朔方、河东镇的马九千匹以充实河西、陇右,此二镇的兵马也强大起来。王忠嗣一身兼任四镇节度使,控制着万里边疆,唐朝的强兵重镇,都在他的掌握之中,与吐蕃战于青海、积石,都获得大胜。又出兵讨伐吐谷浑于墨离军,俘虏其全部人马而回。

3 夏季,四月癸未(初一),唐朝立奚族酋长娑固为昭信王,立契丹族酋长楷洛为恭仁王。

4 己亥(十七日),玄宗下制说:"从今以后,每年四月,都要选择吉利的日子祭祀天地和九宫贵神。"

5 韦坚等人被贬后,左相李适之惧怕,请求改任散官。庚寅,任命李适之为太子少保,免去宰相职务。他的儿子卫尉少卿李霅曾摆设盛宴招待客人,但客人因害怕李林甫的权势,整天竟没有一人敢于赴宴。

6 玄宗任命门下侍郎、崇玄馆大学士陈希烈同平章事。陈希烈是宋州人,因为善于讲《老子》、《庄子》而受到重用,又专门用神仙符瑞等道法求得玄宗的欢心。李林甫看到陈希烈受到玄宗的宠爱,而且柔顺奸佞,容易控制,所以就引荐为宰相。从此一切政事都由李林甫决定,陈希烈只是点头而已。按照惯例,宰相在午后六刻退朝回家,李林甫上奏说现在天下太平,没有大事,宰相巳时就可回家,军国大事都可以在自己家里决定。于是管理文书的官吏只是把办成的方案拿去让陈希烈署名而已。

7 五月壬子朔(初一),出现日食。

8 乙亥(二十四日),因为杨家诸人的引荐,玄宗任命剑南节度使章仇兼琼为户部尚书。

9 秋季,七月丙辰(初六),玄宗下敕说:"被流放或贬官的人大多都在路上逗留。从今以后,被贬官的人每天要行进十驿以上的路程。"从此被流贬的人大多生命不得保全。

10 杨贵妃正受到玄宗的宠爱,每次骑马时,高力士都为她执鞭牵马,专门为杨贵妃织绣衣服的工匠多达七百人,朝野内外都争着奉献器物、衣服、珍宝。岭南经略使张九章与广陵长史王翼因为所进献的物品精美而被加官,张九章为三品官,王翼入朝为户部侍郎,天下的官吏都纷纷效法。因此民间歌唱道:"生男勿喜女勿悲,君今看女作门楣。"杨贵妃喜欢吃新鲜荔枝,玄宗就命令岭南每年都用驿马飞驰送来,到了长安,色味仍然不变。

至是,妃以妒悍不逊,上怒,命送归兄铦之第。是日,上不怿,比日中,犹未食,左右动不称旨,横被棰挞。高力士欲尝上意,请悉载院中储偫送贵妃,凡百馀车,上自分御膳以赐之。及夜,力士伏奏请迎贵妃归院,遂开禁门而入。自是恩遇愈隆,后宫莫得进矣。

11　将作少匠韦兰、兵部员外郎韦芝为其兄坚讼冤,且引太子为言,上益怒。太子惧,表请与妃离婚,乞不以亲废法。丙子,再贬坚江夏别驾,兰、芝皆贬岭南。然上素知太子孝谨,故谴怒不及。李林甫因言坚与李适之等为朋党,后数日,坚长流临封,适之贬宜春太守,太常少卿韦斌贬巴陵太守,嗣薛王珸贬夷陵别驾,睢阳太守裴宽贬安陆别驾,河南尹李齐物贬竟陵太守,凡坚亲党坐流贬者数十人。斌,安石之子。珸,业之子,坚之甥也。珸母亦令随珸之官。

12　冬,十月戊戌,上幸骊山温泉;十一月乙巳,还宫。

13　赞善大夫杜有邻,女为太子良娣,良娣之姊为左骁卫兵曹柳勣妻。勣性狂疏,好功名,喜交结豪俊。淄川太守裴敦复荐于北海太守李邕,邕与之定交。勣至京师,与著作郎王曾等为友,皆当时名士也。

勣与妻族不协,欲陷之,为飞语,告有邻妄称图谶,交构东宫,指斥乘舆。林甫令京兆士曹吉温与御史鞫之,乃勣首谋也。温令勣连引曾等入台。十二月甲戌,有邻、勣及曾等皆杖死,积尸大理,妻子流远方,中外震栗。嗣虢王巨贬义阳司马,巨,邕之子也。别遣监察御史罗希奭往按李邕,太子亦出良娣为庶人。

这时,杨贵妃因为嫉妒、泼悍、无礼,激怒了玄宗,所以就下令把贵妃送回她哥哥杨铦的家里。这一天,玄宗闷闷不乐,到了中午,还没有吃饭,左右人的行动都不称他的意,常被鞭打。高力士想要试玄宗的心意,就请把贵妃院中储备待用的器物送给贵妃,总共装了一百多车,玄宗又把自己吃的食物分赐给贵妃。到了晚上,高力士又跪下奏请接回贵妃,于是打开宫门让贵妃入宫。从此杨贵妃愈发受到宠爱,后宫其他人都受到冷落。

11　将作少匠韦兰和兵部员外郎韦芝为他们的哥哥韦坚诉冤,并让太子作证,玄宗更加愤怒。太子恐惧,上表请求与韦妃离婚,并说不愿意以亲而毁法。丙子(二十六日),再贬韦坚为江夏别驾,韦兰和韦芝都被贬往岭南。但玄宗知道太子孝顺谨慎,所以没有责怪他。李林甫乘机进谗言说韦坚与李适之等人结为朋党,过了数天,韦坚被流放到临封,贬李适之为宜春太守,太常少卿韦斌为巴陵太守,嗣薛王李珍为夷陵别驾,睢阳太守裴宽为安陆别驾,河南尹李齐物为竟陵太守,韦坚的亲戚党羽因此事被流放、贬官的达数十人。韦斌是韦安石的儿子。李珍是李业的儿子、韦坚的外甥。李珍的母亲也被勒令随李珍一起往夷陵。

12　冬季,十月戊戌(二十日),玄宗往骊山温泉;十一月乙巳(二十八日),返回宫中。

13　赞善大夫杜有邻的女儿是太子的良娣,她的姐姐是左骁卫兵曹柳勣的妻子。柳勣性格狂傲粗疏,爱好功名,喜欢交结豪俊之士。淄川太守裴敦复把柳勣推荐给北海太守李邕,于是两人结为至交。柳勣回到京师,与著作郎王曾等结为朋友,他们都是当时的名士。

柳勣与他妻子家里的人关系不和,想陷害他们,于是就散布谣言说杜有邻妄称有谶书,并与太子交接,批评皇上。李林甫命令京兆士曹吉温与御史共同审问,知道是柳勣搞的阴谋。吉温又令柳勣牵连王曾等人到御史台。十二月甲戌(二十七日),杜有邻、柳勣与王曾等人都被杖死,尸体放在大理寺,妻子儿子被流放到远方,因此朝野震恐。嗣虢王李巨被贬为义阳司马,李巨是李邕的儿子。另外派监察御史罗希奭去审问处置李邕,太子也废杜良娣为庶人。

乙亥,邺郡太守王琚坐赃贬江华司马。琚性豪侈,与李
邕皆自谓耆旧,久在外,意怏怏。李林甫恶其负材使气,故因
事除之。

六载(丁亥,747)

1　春,正月辛巳,李邕、裴敦复皆杖死。邕才艺出众,卢
藏用常语之曰:"君如干将、莫邪,难与争锋,然终虞缺折耳。"
邕不能用。

林甫又奏分遣御史即贬所赐皇甫惟明、韦坚兄弟等死。
罗希奭自青州如岭南,所过杀迁谪者,郡县惶骇。排马牒至
宜春,李适之忧惧,仰药自杀。至江华,王琚仰药不死,闻希
奭已至,即自缢。希奭又迁路过安陆,欲怖杀裴宽,宽向希奭
叩头祈生,希奭不宿而过,乃得免。李适之子霅迎父丧至东
京,李林甫令人诬告霅,杖死于河南府。给事中房琯坐与适
之善,贬宜春太守。琯,融之子也。

林甫恨韦坚不已,遣使于循河及江、淮州县求坚罪,收系
纲典船夫,溢于牢狱。征剥逋负,延及邻伍,皆裸露死于公
府,至林甫薨乃止。

2　丁亥,上享太庙;戊子,合祭天地于南郊,赦天下。制
免百姓今载田租。又令削绞、斩条。上慕好生之名,故令应
绞斩者皆重杖流岭南,其实有司率杖杀之。又令天下为嫁母
服三载。

上欲广求天下之士,命通一艺以上皆诣京师。李林甫恐草野
之士对策斥言其奸恶,建言:"举人多卑贱愚聩,恐有俚言污浊圣听。"

乙亥(二十八日),邺郡太守王琚因为贪污被贬为江华司马。王琚性情豪爽,生活奢侈,与北海太守李邕都认为自己资格老,却长久在地方做官,心中抑郁不满。李林甫恨他自负有才,意气用事,所以借机将他除去。

唐玄宗天宝六载(丁亥,公元 747 年)

1 春季,正月辛巳(初五),李邕与裴敦复都被杖杀而死。李邕才华出众,卢藏用常常对他说:"你就好像是春秋时代吴王所铸的宝剑干将与莫邪一样,难与争锋,但最终恐怕要被折坏。"但李邕不听他的话。

李林甫又奏请分别派遣御史往贬所把皇甫惟明与韦坚兄弟等赐死。罗希奭从青州往岭南,所经过的地方,把被贬降的官员都杀死,以致地方郡县的官员十分惊骇恐慌。安排驿马的文书到了宜春,李适之忧伤恐惧,服毒自杀。到了江华,王琚服毒未死,听说罗希奭已到,就又上吊而死。罗希奭又绕道来到安陆,想让裴宽恐怖而死,裴宽向罗希奭叩头求生,罗希奭没有住宿就走了,裴宽才免于一死。李适之的儿子李霅迎接父亲的尸体到了东京,李林甫又令人诬告李霅,于是李霅也被杖死于河南府。给事中房琯因为与李适之关系亲密,被贬为宜春太守。房琯是房融的儿子。

李林甫对韦坚还不解恨,于是就派遣使者沿着黄河及江淮地区的州县搜求韦坚的罪行,逮捕管理漕运的官吏及船夫无数,装满了监狱。又严厉地追究拖欠赋税的人,并且牵连到街坊邻里,这些人都被剥掉衣服打死于公府中。这一恐怖政策一直到李林甫死后才停止。

2 丁亥(十一日),玄宗祭祀太庙;戊子(十二日),又合祭天地于南郊,并大赦天下。下制书免掉百姓今年的田租。又下令取消绞刑和斩刑。玄宗因为羡慕爱惜生命的声名,所以下令对原来处以绞刑和斩刑的犯人都用重杖责打以后流放岭南,而其实那些专管此事的官吏并不执行,而是把人杖打致死。玄宗又下令天下人为改嫁的母亲服丧三年。

玄宗想要广求天下的贤能之士,就命令凡精通一项技艺的人到京师考试。李林甫恐怕朝外的贤士在对策中斥责他的奸恶,就建议说:"被推荐的人大多都卑贱愚蠢,恐怕有伤大雅的言语玷污圣上的听觉。"

乃令郡县长官精加试练，灼然超绝者，具名送省，委尚书覆试，御史中丞监之，取名实相副者闻奏。既而至者皆试以诗、赋、论，遂无一人及第者。林甫乃上表贺野无遗贤。

3　戊寅，以范阳、平卢节度使安禄山兼御史大夫。

禄山体充肥，腹垂过膝，尝自称腹重三百斤。外若痴直，内实狡黠。常令其将刘骆谷留京师伺朝廷指趣，动静皆报之；或应有笺表者，骆谷即为代作通之。岁献俘虏、杂畜、奇禽、异兽、珍玩之物，不绝于路，郡县疲于递运。

禄山在上前，应对敏给，杂以诙谐，上尝戏指其腹曰："此胡腹中何所有？其大乃尔！"对曰："更无馀物，正有赤心耳！"上悦。又尝命见太子，禄山不拜。左右趣之拜，禄山拱立曰："臣胡人，不习朝仪，不知太子者何官？"上曰："此储君也，朕千秋万岁后，代朕君汝者也。"禄山曰："臣愚，向者惟知有陛下一人，不知乃更有储君。"不得已，然后拜。上以为信然，益爱之。上尝宴勤政楼，百官列坐楼下，独为禄山于御座东间设金鸡障，置榻使坐其前，仍命卷帘以示荣宠。命杨铦、杨锜、贵妃三姊皆与禄山叙兄弟。禄山得出入禁中，因请为贵妃儿。上与贵妃共坐，禄山先拜贵妃。上问何故，对曰："胡人先母而后父。"上悦。

4　李林甫以王忠嗣功名日盛，恐其入相，忌之。安禄山潜蓄异志，托以御寇，筑雄武城，大贮兵器，请忠嗣助役，因欲留其兵。忠嗣先期而往，不见禄山而还，数上言禄山必反，林甫益恶之。夏，四月，忠嗣固辞兼河东、朔方节度，许之。

于是就命令郡县长官严加考试，特别出众的，才把姓名报到尚书省，再委托尚书省复试，并命令御史中丞监试，取那些名实相副的上奏。接着对来应试的人进行诗、赋、论考试，最后竟没有一个及第的。于是李林甫就上表祝贺说朝外已没有被遗留的贤人。

3　戊寅，玄宗任命范阳、平卢节度使安禄山兼御史大夫。

安禄山身体肥胖，大腹便便，垂过膝盖，曾自称腹重三百斤。他外表看似老实，实际上内心狡猾。常令部将刘骆谷留在京师刺探朝廷的动向，一举一动都向他报告，如有事要向皇上奏表，刘骆谷就替他代写上奏。安禄山每年都向朝廷奉献俘虏、杂畜、奇禽、异兽和珍宝玩物，一路不绝，以致沿途郡县都因转运这些东西而疲乏。

安禄山在玄宗面前应对敏捷，常常还夹杂着一些诙谐幽默的言语。玄宗曾经开玩笑指着安禄山的肚子说："你这个胡人肚子中有什么东西？竟然这么大！"安禄山回答说："没有什么东西，只有对陛下的一片赤心！"玄宗听后十分高兴。玄宗又曾让安禄山去见太子，安禄山见后不礼拜。左右的人催促他礼拜，安禄山却站立着说："我是胡人，不懂得朝廷中的礼仪，不知道太子是什么官？"玄宗说："太子就是将来的皇上，朕去世之后，代朕做君王统治你的就是他。"安禄山说："我愚蠢浅陋，过去只知有陛下一人，不知还有太子。"不得已，然后才拜见。玄宗相信安禄山的这些话而更加宠爱他。玄宗曾在勤政务本楼设宴，百官都坐在楼下，却单独为安禄山于自己的座位东边设置了画金鸡的障子，设了床榻，使安禄山坐在前面，并命令卷起帘子以示宠爱。又命杨铦、杨锜、贵妃等都与安禄山叙兄弟之情。安禄山可以出入宫中，便乘机奏请做杨贵妃的儿子。玄宗与贵妃一起坐，安禄山却先拜贵妃。唐玄宗问他为什么先拜贵妃，安禄山回答说："我们胡人的习惯是先母而后父。"玄宗听后十分高兴。

4　李林甫因为王忠嗣功名日盛，恐怕他入朝为相，就忌恨他。安禄山暗中阴谋反叛，假称要抵御外族入寇，筑雄武城，大量地贮藏武器；又请王忠嗣率部下来帮助筑城，打算趁机将他的兵马留下。王忠嗣先期前往，没有见到安禄山就返回，然后多次上言说安禄山要反叛，李林甫更加忌恨王忠嗣。夏季，四月，王忠嗣坚持要辞去所兼任的河东、朔方节度使职，玄宗同意。

5　冬,十月己酉,上幸骊山温泉,改温泉宫曰华清宫。

6　河西、陇右节度使王忠嗣以部将哥舒翰为大斗军副使,李光弼为河西兵马使、充赤水军使。翰父祖本突骑施别部酋长,光弼,契丹王楷洛之子也,皆以勇略为忠嗣所重。忠嗣使翰击吐蕃,有同列为之副,倨慢不为用,翰棰杀之,军中股栗,累功至陇右节度副使。每岁积石军麦熟,吐蕃辄来获之,无能御者,边人谓之"吐蕃麦庄"。翰先伏兵于其侧,虏至,断其后,夹击之,无一人得返者,自是不敢复来。

上欲使王忠嗣攻吐蕃石堡城,忠嗣上言:"石堡险固,吐蕃举国守之,今顿兵其下,非杀数万人不能克。臣恐所得不如所亡,不如且厉兵秣马,俟其有衅,然后取之。"上意不快。将军董延光自请将兵取石堡城,上命忠嗣分兵助之。忠嗣不得已奉诏,而不尽副延光所欲,延光怨之。

李光弼言于忠嗣曰:"大夫以爱士卒之故,不欲成延光之功,虽迫于制书,实夺其谋也。何以知之? 今以数万众授之而不立重赏,士卒安肯为之尽力乎? 然此天子意也,彼无功,必归罪于大夫。大夫军府充牣,何爱数万段帛不以杜其谗口乎?"忠嗣曰:"今以数万之众争一城,得之未足以制敌,不得亦无害于国,故忠嗣不欲为之。忠嗣今受责天子,不过以金吾、羽林一将军归宿卫,其次不过黔中上佐;忠嗣岂以数万人之命易一官乎? 李将军,子诚爱我矣,然吾志决矣,子勿复言。"光弼曰:"向者恐为大夫之累,故不敢不言。今大夫能行古人之事,非光弼所及也。"遂趋出。

5　冬季,十月己酉(初七),玄宗前往骊山温泉,并改温泉宫为华清宫。

6　河西、陇右节度使王忠嗣任命部将哥舒翰为大斗军副使,李光弼为河西兵马使,并兼任赤水军使。哥舒翰的父亲、祖父原本都是突骑施别部的酋长,李光弼是契丹王李楷洛的儿子,二人都因有智有勇而受到王忠嗣的重用。王忠嗣曾经派哥舒翰率兵攻打吐蕃,有一位级别相同的副将,傲慢而不听话,哥舒翰就用马鞭子抽死了这位副将,因此军中的将士都十分害怕,不敢不听从命令。哥舒翰因累有战功被任命为陇右节度副使。每年积石军的麦子熟后,吐蕃军队总是来抢收,没有人能够阻挡,边疆的人称之为"吐蕃麦庄"。哥舒翰预先率兵埋伏在一旁,等吐蕃兵到后,就切断他们的退路,然后两面夹击,吐蕃全军覆没,无一逃生,从此不敢再来。

玄宗想让王忠嗣率兵攻打吐蕃所占领的石堡城,王忠嗣上言说:"石堡城坚固,据险要之地,易守难攻,吐蕃全力守卫,如今陈兵城下,不死数万人不能攻克。我恐怕所得不如所失,不如暂且秣马厉兵,积蓄力量,等有机可乘时,然后再攻取。"玄宗听后十分不高兴。而将军董延光却主动请求率兵攻打石堡城,玄宗就命令王忠嗣分所部兵助战。王忠嗣不得已只好奉诏命,而实际上却不完全按董延光的想法办事,所以董延光怨恨他。

李光弼对王忠嗣说:"你因为爱护士卒生命的缘故,不想成全董延光的功劳,虽然为皇上的制书所迫而出兵助战,实际上却在破坏他的计谋。我从何得知的呢?因为你虽然把数万名军队交给董延光统领作战,却没有制定重赏的制度,这样士卒怎么肯为他出力作战呢?但是攻打石堡城是皇上的主意,董延光无功,必然要归罪于你。你军府中物资充实,为何因为爱惜这数万段绸帛而不肯堵住董延光进谗言的口呢?"王忠嗣说:"现在牺牲数万士卒的生命来争得一城,就是得到此城也难以制敌,不得此城也无害于国家,所以我不想干这种劳而无功的事情。我现在受到皇上的责难,不过罢掉我的职务,让我做一个金吾或羽林将军归朝宿卫,至多不过把我贬官到黔中做长史或司马,我怎么能够用数万名士兵的生命来保全这一官半职呢?李将军,你是真心为我好,但是我的主意已定,你不要再多说了。"李光弼说:"以前我是恐怕因你而受到连累,所以不敢不说。现在看到你能够像古代的贤人那样做事,真是我这种人所不及的。"于是恭敬地迈着小步快速退出。

延光过期不克,言忠嗣沮挠军计,上怒。李林甫因使济阳别驾魏林告"忠嗣尝自言我幼养宫中,与忠王相爱狎",欲拥兵以尊奉太子。敕征忠嗣入朝,委三司鞫之。

上闻哥舒翰名,召见华清宫,与语,悦之。十一月辛卯,以翰判西平太守,充陇右节度使;以朔方节度使安思顺判武威郡事,充河西节度使。

7　户部侍郎兼御史中丞杨慎矜为上所厚,李林甫浸忌之。慎矜与王鉷父晋,中表兄弟也,少与鉷狎,鉷之入台,颇因慎矜推引。及鉷迁中丞,慎矜与语,犹名之;鉷自恃与林甫善,意稍不平。慎矜夺鉷职田,鉷母本贱,慎矜尝以语人;鉷深衔之。慎矜犹以故意待之,尝与之私语谶书。

慎矜与术士史敬忠善,敬忠言天下将乱,劝慎矜于临汝山中买庄为避乱之所。会慎矜父墓田中草木皆流血,慎矜恶之,以问敬忠。敬忠请禳之,设道场于后园,慎矜退朝,辄裸贯桎梏坐其中。旬日血止,慎矜德之。慎矜有侍婢明珠,色美,敬忠屡目之,慎矜即以遗敬忠。车载过贵妃姊柳氏楼下,姊邀敬忠上楼,求车中美人,敬忠不敢拒。明日,姊入宫,以明珠自随。上见而异之,问所从来,明珠具以实对。上以慎矜与术士为妖法,恶之,含怒未发。

杨钊以告鉷,鉷心喜,因侮慢慎矜;慎矜怒。林甫知鉷与慎矜有隙,密诱使图之。鉷乃遣人以飞语告"慎矜隋炀帝孙,与凶人往来,家有谶书,谋复祖业"。上大怒,收慎矜系狱,命刑部、

董延光过期还没有攻下石堡城,就上言说王忠嗣阻挠军计,玄宗大怒。李林甫又乘机让济阳别驾魏林上告说:"王忠嗣曾经说过他从小在宫中长大,与太子关系十分密切,他是想拥兵尊奉太子为皇帝。"于是玄宗就下敕征王忠嗣入朝,交付御史台、中书省与门下省三司共同审问。

玄宗听说过哥舒翰的名声,就在华清宫召见了他,与他谈话,十分赏识。十一月辛卯(十九日),任命哥舒翰为陇右节度使,兼任西平太守;又任命朔方节度使安思顺兼任河西节度使、武威郡事。

7 户部侍郎兼御史中丞杨慎矜因为受到玄宗的赏识,就遭到李林甫的猜忌。杨慎矜与王鉷的父亲王晋是表兄弟,所以少年时代与王鉷十分友好,王鉷能入御史台,主要是靠杨慎矜的引荐。及至王鉷为御史中丞,杨慎矜与他说话,仍然直呼他的姓名。王鉷自恃与李林甫关系密切,心中略感不快。后来杨慎矜又夺了王鉷的职田,王鉷的母亲出身低贱,杨慎矜曾经把这件事告诉过别人,所以王鉷对杨慎矜怀恨在心。而杨慎矜还像过去那样对待王鉷,曾与王鉷私下谈论预卜吉凶的谶书。

杨慎矜与方术之士史敬忠关系密切,史敬忠说天下要大乱,劝杨慎矜于临汝山中买庄田作为避乱之地。适逢杨慎矜父亲墓地中的草木流血,杨慎矜十分厌恶,就问史敬忠怎么办。史敬忠请他祈祷以免除灾祸,于是杨慎矜就在家里的后园中设立了道场,退朝以后,总是戴着脚镣手铐裸体坐在道场中。十天以后,墓地中的草木停止了流血,所以杨慎矜十分感激史敬忠。杨慎矜有个奴婢名叫明珠,美貌漂亮,史敬忠多次用眼睛看她,杨慎矜就把明珠赠给了史敬忠。史敬忠坐着车子与明珠路过杨贵妃姐姐柳氏的楼下,柳氏邀请史敬忠上楼,并提出要明珠,史敬忠不敢拒绝。第二天,柳氏让明珠跟着她一起入宫。玄宗见后十分惊异,就问明珠是从哪里来的,明珠把实情告诉了玄宗。玄宗认为杨慎矜作为朝官不应该与方术之士使用妖法,心中十分厌恶,但含怒未发。

杨钊把这件事告诉了王鉷,王鉷听后心中大喜,就借机侮辱杨慎矜,杨慎矜十分愤怒。李林甫知道王鉷与杨慎矜有矛盾,就暗中引诱王鉷陷害杨慎矜。于是王鉷就让手下人散布流言说:"杨慎矜是隋炀帝的玄孙,经常与坏人来往,家中还藏有预卜吉凶的谶书,阴谋复辟祖先的帝业。"玄宗听后大怒,命令逮捕了杨慎矜,并命刑部、

大理与侍御史杨钊、殿中侍御史卢铉同鞫之。太府少卿张瑄，慎矜所荐也，卢铉诬瑄尝与慎矜论谶，拷掠百端，瑄不肯答辩。乃以木缀其足，使人引其枷柄，向前挽之，身加长数尺，腰细欲绝，眼鼻出血，瑄竟不答。

又使吉温捕史敬忠于汝州。敬忠与温父素善，温之幼也，敬忠常抱抚之。及捕获，温不与交言，锁其颈，以布蒙首，驱之马前。至戏水，温使吏诱之曰："杨慎矜已款服，惟须子一辩，若解人意则生，不然必死，前至温汤，则求首不获矣。"敬忠顾谓温曰："七郎，求一纸。"温阳不应。去温汤十馀里，敬忠祈请哀切，乃于桑下令答三纸，辩皆如温意。温徐谓曰："丈人且勿怪！"因起拜之。

至会昌，始鞫慎矜，以敬忠为证。慎矜皆引服，惟搜谶书不获。林甫危之，使卢铉入长安搜慎矜家，铉袖谶书入暗中，诟而出曰："逆贼深藏秘记。"至会昌，以示慎矜。慎矜叹曰："吾不蓄谶书，此何从在吾家哉？吾应死而已。"丁酉，赐慎矜及兄少府少监慎馀、洛阳令慎名自尽；敬忠杖百，妻子皆流岭南；瑄杖六十，流临封，死于会昌。嗣虢王巨虽不预谋，坐与敬忠相识，解官，南宾安置。自馀连坐者数十人。慎名闻敕，神色不变，为书别姊；慎馀合掌指天而缢。

8 三司按王忠嗣，上曰："吾儿居深宫，安得与外人通谋，此必妄也。但劾忠嗣沮挠军功。"哥舒翰之入朝也，或劝多赍金帛以救忠嗣。翰曰："若直道尚存，王公必不冤死；

大理寺与侍御史杨钊、殿中侍御史卢铉共同审问。太府少卿张瑄原来是杨慎矜引荐的，于是卢铉就诬陷说张瑄曾经与杨慎矜议论过谶书，并严刑拷打张瑄，张瑄不肯承认。卢铉又把张瑄的双脚捆绑在木头上，让人抓住他所戴的枷柄，向前猛拉，身体被拉长数尺，腰都快要被拉断了，眼鼻流血，但张瑄还是不肯回答。

朝廷又派吉温往汝州抓史敬忠。史敬忠与吉温的父亲很友善，吉温年幼时，史敬忠常常抱着他玩耍。及至捕获了史敬忠，吉温不肯与他说话，只是让人用枷锁住他的脖子，用布蒙住头，走在马前。等到了戏水驿，吉温才让官吏劝诱史敬忠说："杨慎矜已经认罪，只需要你作证，如果你能够按我们的要求去做，就可以保全生命，否则只有死路一条，前面已快到了温汤，到了那里你就是想自首也不行了。"敬忠看着吉温说："吉七郎，请给我一张纸。"吉温不答应。等离温汤十馀里时，敬忠苦苦哀求，吉温才让他在一棵桑树下写下了三张纸的证词，内容完全如吉温要求的一样。吉温这才对史敬忠说："请大人不要怪罪我！"然后起身行礼。

吉温到了会昌县，官吏才审问杨慎矜，并引史敬忠的证词为证。杨慎矜只得全部认罪，只是没有搜到预卜吉凶的谶书。李林甫十分焦急，就派卢铉去长安搜查杨慎矜的家，卢铉事先把谶书放置在衣袖中，故意走进黑暗的地方，然后骂骂咧咧地出来说："这个叛贼，把谶书藏得真隐秘。"到了会昌县，把谶书拿出来让杨慎矜看。杨慎矜哀叹说："我从来没有藏过谶书，怎么能从我家里搜到呢？我只是应死而已。"丁酉（二十五日），玄宗赐杨慎矜与他的哥哥少府少监杨慎馀、洛阳令杨慎名自杀；史敬忠被杖打一百，与妻子、儿子都流放到岭南；张瑄被杖打六十，流放到临封，死在了会昌县。嗣虢王李巨虽然不是同谋，但因为与史敬忠认识，被免去官职，安置南宾郡。其他被牵连的还有数十人。杨慎名知道了皇帝赐他自杀的敕书，神色不变，写信与姐姐诀别；杨慎馀则合掌指天上吊而死。

8　御史台与中书省、门下省审问王忠嗣的罪行，玄宗说："我儿子居于深宫之中，怎么能与外人通谋呢？这一定是假的，只能说王忠嗣有阻挠军计的罪。"哥舒翰入朝时，有人劝他多拿一些金帛去救王忠嗣。哥舒翰说："如果天下还有公道，王公必不会冤枉而死；

如其将丧,多赂何为?"遂单囊而行。三司奏忠嗣罪当死。翰始遇知于上,力陈忠嗣之冤,且请以己官爵赎忠嗣罪。上起,入禁中,翰叩头随之,言与泪俱。上感寤,己亥,贬忠嗣汉阳太守。

9 李林甫屡起大狱,别置推事院于长安。以杨钊有掖庭之亲,出入禁闼,所言多听,乃引以为援,擢为御史。事有微涉东宫者,皆指擿使之奏劾,付罗希奭、吉温鞫之。钊因得逞其私志,所挤陷诛夷者数百家,皆钊发之。幸太子仁孝谨静,张垍、高力士常保护于上前,故林甫终不能间也。

10 十二月壬戌,发冯翊、华阴民夫筑会昌城,置百司。王公各置第舍,土亩直千金。癸亥,上还宫。

11 丙寅,命百官阅天下岁贡物于尚书省,既而悉以车载赐李林甫家。上或时不视朝,百司悉集林甫第门,台省为空。陈希烈虽坐府,无一人入谒者。

林甫子岫为将作监,颇以满盈为惧,尝从林甫游后园,指役夫言于林甫曰:"大人久处钧轴,怨仇满天下,一朝祸至,欲为此得乎!"林甫不乐曰:"势已如此,将若之何?"

先是,宰相皆以德度自处,不事威势,驺从不过数人,士民或不之避。林甫自以多结怨,常虞刺客,出则步骑百馀人为左右翼,金吾静街,前驱在数百步外,公卿走避。居则重关复壁,以石甃地,墙中置板,如防大敌,一夕屡徙床,虽家人莫知其处。宰相驺从之盛,自林甫始。

如果公道快要丧尽,拿金帛行贿又有什么用呢?"于是就只身背了一个包裹入朝。御史台与中书省、门下省上奏说王忠嗣的罪该死。哥舒翰正受到玄宗的器重,就坚持说王忠嗣冤枉,并请求用自己的官爵来赎王忠嗣的罪。玄宗走入宫中,哥舒翰随后叩头,声泪俱下,为王忠嗣申冤。玄宗也感到王忠嗣冤枉,己亥(二十七日),贬王忠嗣为汉阳太守。

9　李林甫屡次制造冤案,另于长安设置了推事院。因为杨钊与杨贵妃的关系,能够随便出入宫禁,玄宗又相信他的话,李林甫就网罗杨钊为自己的党羽,并升任他为御史。案件如果与太子有一点关系,就授命杨钊上奏揭发,又指使罗希奭与吉温审问。因此杨钊得以施展他的野心,被陷害和杀掉的达数百家人,都是杨钊揭发的。幸运的是太子仁孝谨慎,张垍与高力士又常常在玄宗面前保护他,所以李林甫的阴谋总不能得逞。

10　十二月壬戌(二十一日),朝廷征发冯翊、华阴两郡的民夫筑会昌城,并设立了百官衙门。王公贵人争相建筑第宅,以致土地每亩值千金。癸亥(二十二日),玄宗返回宫中。

11　丙寅(二十五日),玄宗命朝中百官于尚书省观看天下每年进贡给朝廷的物品,然后全部用车载着赐给李林甫。玄宗有时不上朝,各个部门就都集中到李林甫家中办公,朝中为之而空。陈希烈虽然坐在府中,但是没有一个人去谒见他。

李林甫的儿子李岫为将作监,对父亲的权势过大十分畏惧,有一次与李林甫游览后园,指着那些做工的民夫对李林甫说:"你久为宰相,树敌太多,仇家满天下,如果一朝祸至,想要像这些民夫一样,恐怕也不能!"李林甫听后不高兴地说:"大势已经这样了,有什么办法呢?"

先前,宰相都以德行处世,不炫耀威权,随从不过几个人,所经过的地方,民众也不用回避。李林甫认为自己结怨太多,常常怕有刺客来杀他,所以出门时有步骑百馀人在左右两边保护,并让金吾卫的士卒赶走街上的人,并走在前面数百步保护,王公卿士都要回避。所居住的地方不但重门复壁,而且用石头砌地,墙中置木板,如临大敌,一天晚上竟多次转移住处,就是他的家人也不知道他住在什么地方。唐朝的宰相随从人数增多,从李林甫开始。

12　初,将军高仙芝,本高丽人,从军安西。仙芝骁勇,善骑射,节度使夫蒙灵詧屡荐至安西副都护、都知兵马使,充四镇节度副使。

吐蕃以女妻小勃律王,及其旁二十馀国,皆附吐蕃,贡献不入,前后节度使讨之,皆不能克。制以仙芝为行营节度使,将万骑讨之。自安西行百馀日,乃至特勒满川,分军为三道,期以七月十三日会吐蕃连云堡下。有兵近万人,不意唐兵猝至,大惊,依山拒战,炮檑如雨。仙芝以郎将高陵李嗣业为陌刀将,令之曰:"不及日中,决须破虏。"嗣业执一旗,引陌刀缘险先登力战,自辰至巳,大破之,斩首五千级,捕虏千馀人,馀皆逃溃。中使边令诚以入虏境已深,惧不敢进;仙芝乃使令诚以羸弱三千守其城,复进。

三日,至坦驹岭,下峻阪四十馀里,前有阿弩越城。仙芝恐士卒惮险,不肯下,先令人胡服诈为阿弩越城守者迎降,云:"阿弩越赤心归唐,娑夷水藤桥已斫断矣。"娑夷水,即弱水也,其水不能胜草芥。藤桥者,通吐蕃之路也。仙芝阳喜,士卒乃下。又三日,阿弩越城迎者果至。

明日,仙芝入阿弩越城,遣将军席元庆将千骑前行,谓曰:"小勃律闻大军至,其君臣百姓必走山谷,第呼出,取缯帛称敕赐之,大臣至,尽缚之以待我。"元庆如其言,悉缚诸大臣。王及吐蕃公主逃入石窟,取不可得。仙芝至,斩其附吐蕃者大臣数人。

藤桥去城犹六十里,仙芝急遣元庆往斫之,甫毕,呈蕃兵大至,已无及矣。藤桥阔尽一矢,力修之,期年乃成。

八月,仙芝虏小勃律王及吐蕃公主而还。九月,至连云堡,与边令诚俱。月末,至播密川,遣使奏状。

12　将军高仙芝原本是高丽人，在安西服军役。高仙芝骁勇善战，精于骑马射箭，节度使夫蒙灵詧多次推荐他，后官至安西副都护、都知兵马使，并兼安西四镇节度副使。

吐蕃把女儿嫁给小勃律王，于是周围的二十余国都归附了吐蕃，不向唐朝贡献物品，安西四镇数任节度使率兵征讨，都没有征服。玄宗下制书任命高仙芝为行营节度使，率领一万骑兵去征讨。高仙芝从安西行军一百多天，到了特勒满川，把部队分为三队，约好七月十三日于吐蕃连云堡相会。吐蕃在连云堡有将近一万士兵守卫，没有料到唐朝的军队来袭击，见唐军到来，大为惊骇，依山抵御，炮石滚木齐发如雨。高仙芝任命郎将高陵人李嗣业为陌刀将，并命令他说："中午以前一定要打败敌人。"于是李嗣业执着一面大旗，率领陌刀手从险处攀上城头，拼命奋战，从辰时战到巳时，大败了吐蕃军，杀死五千余人，俘虏一千余人，其余的都逃走了。中使边令诚认为深入敌境太远，惧怕而不敢进军；高仙芝就让边令诚率领病弱士卒三千守连云堡城，自己则率大军继续前进。

三天以后，到了坦驹岭，下峻岭四十余里，前面是阿弩越城。高仙芝恐怕士卒惧怕艰险，不肯下去，就先派人穿着胡服扮成守卫阿弩越城的投降者说："守卫阿弩越城的士卒都愿意投降唐朝，娑夷河水上的藤桥已经被砍断了。"娑夷河就是弱水，河中的水不能够漂浮草木，河上的藤桥是通向吐蕃的道路。高仙芝假装很高兴，士卒才下去。又过了三天，阿弩越城的投降者果然来迎接唐军。

第二天，高仙芝进入阿弩越城，派遣将军席元庆率领一千余名骑兵先行，并说："小勃律听说大军来到，他们的君臣和百姓一定逃入山谷，可以把他们喊出来，拿出绢帛就说是唐朝皇帝赐给他们的。如果大臣来，把他们都捆住等待我去处理。"席元庆按照高仙芝的指示，把小勃律的大臣都抓了起来。只有国王与吐蕃公主逃入石窟中，没有抓到。高仙芝到后，杀了依附吐蕃的大臣数人。

藤桥离阿弩越城还有六十里，高仙芝急忙派席元庆去砍断藤桥。桥刚被砍断，吐蕃的大兵赶到，但已来不及了。藤桥长有一箭之远，吐蕃全力修造，一年才完成。

八月，高仙芝俘虏了小勃律王和吐蕃公主而回军。九月，到了连云堡，与边令诚一起返回。九月底，到了播密川，派使者往京师报捷。

　　至河西，夫蒙灵詧怒仙芝不先言己而遽发奏，一不迎劳，骂仙芝曰："啖狗粪高丽奴！汝官皆因谁得，而不待我处分，擅奏捷书！高丽奴！汝罪当斩，但以汝新有功不忍耳！"仙芝但谢罪。边令诚奏仙芝深入万里，立奇功，今旦夕忧死。

高仙芝到了白马河西，安西节度使夫蒙灵詧因为他不事先告诉自己就急忙向皇上报捷大为愤怒，不但不出来迎接慰劳，还大骂高仙芝说："你这个吃狗粪的高丽奴！你的官是谁给你的，竟敢不等候我来处理，擅自向皇上报捷！高丽奴！你的罪该杀，只是因为你新立了战功，所以不忍心罢了！"高仙芝只是谢罪。边令诚上奏说高仙芝深入敌后万里，立了大功，而现在旦夕都惧怕被杀害。

卷第二百一十六　唐纪三十二

起丁亥(747)十二月尽癸巳(753)凡六年有奇

玄宗至道大圣大明孝皇帝下之上

天宝六载(丁亥,747)

1　十二月己巳,上以仙芝为安西四镇节度使,征灵督入朝,灵督大惧。仙芝见灵督,趋走如故,灵督益惧。副都护京兆程千里、押牙毕思琛及行官王滔等,皆平日构仙芝于灵督者也,仙芝面责千里、思琛曰:"公面如男子,心如妇人,何也?"又捽滔等,欲笞之,既而皆释之,谓曰:"吾素所恨于汝者,欲不言,恐汝怀忧;今既言之,则无事矣。"军中乃安。

初,仙芝为都知兵马使,猗氏人封常清,少孤贫,细瘦颣目,一足偏短,求为仙芝傔,不纳。常清日候仙芝出入,不离其门,凡数十日,仙芝不得已留之。会达奚部叛,夫蒙灵督使仙芝追之,斩获略尽。常清私作捷书以示仙芝,皆仙芝心所欲言者,由是一府奇之。仙芝为节度使,即署常清判官;仙芝出征,常为留后。仙芝乳母子郑德诠为郎将,仙芝遇之如兄弟,使典家事,威行军中。常清尝出,德诠自后走马突之而过。常清至使院,使召德诠,每过一门,辄阖之,既至,常清离席谓曰:"常清本出寒微,郎将所知。今日中丞命为留后,郎将何得于众中相陵突?"因叱之曰:"郎将须暂死以肃军政。"遂杖之六十,

玄宗至道大圣大明孝皇帝下之上
唐玄宗天宝六载(丁亥,公元747年)

1 十二月己巳(二十八日),玄宗任命高仙芝为安西四镇节度使,征夫蒙灵詧入朝,夫蒙灵詧十分害怕。而高仙芝见到夫蒙灵詧时,还像过去那样用小步疾走表示恭敬,夫蒙灵詧愈发恐惧。副都护京兆人程千里、押牙毕思琛与行官王滔等人平常都在夫蒙灵詧前面进高仙芝的谗言,这时高仙芝当面责骂程千里与毕思琛说:"你们面貌如男人,而心胸狭窄如妇人,这是什么原因呢?"又揪住王滔等人想要鞭打他们,但不久就把他们都放了,并说:"我平常就恨你们,本来不想说出来,那是怕你们恐惧忧愁,现在我已经说出来了,你们就不要再放在心上了。"于是军府才得以安定。

起初,高仙芝任都知兵马使时,猗氏人封常清出身贫穷,年幼时就成为孤儿,身体瘦小,眼睛有毛病,而且跛足。他请求做高仙芝的侍从,高仙芝不要。封常清就每天在高仙芝的军府门口等候他出入,数十天都不离开,高仙芝没有办法,只好把他留下。适逢达奚部落反叛,夫蒙灵詧派高仙芝率兵追击,几乎全部杀获。封常清就私下作了报捷的文书让高仙芝看,文书中所写的正是高仙芝所要说的,从此军府中的人都对封常清另眼相看。高仙芝被任命为节度使后,即任命封常清为节度判官,每逢高仙芝出战征讨,总是命封常清为留后。高仙芝奶妈的儿子郑德诠为郎将,高仙芝待他如亲兄弟,使他掌管自己的家事,而且在军中颇有威权。封常清有一次出门,郑德诠从后面跑马冲过封常清的身边。封常清到了使院,派人把郑德诠召来,每经过一道门,就让人把门关住,见面后,封常清起来对郑德诠说道:"我本出身低微,这是你所知道的。现在高中丞任命我为留后,你怎么能够在大庭广众之下凌辱我呢?"并呵斥他说:"我要立刻把你打死以严肃军纪。"于是就杖打了郑德诠六十下,

面仆地,曳出。仙芝妻及乳母于门外号哭救之,不及,因以状白仙芝,仙芝览之,惊曰:"已死邪?"及见常清,遂不复言,常清亦不之谢。军中畏之惕息。

自唐兴以来,边帅皆用忠厚名臣,不久任,不遥领,不兼统,功名著者往往入为宰相。其四夷之将,虽才略如阿史那社尔、契苾何力犹不专大将之任,皆以大臣为使以制之。及开元中,天子有吞四夷之志,为边将者十馀年不易,始久任矣;皇子则庆、忠诸王,宰相则萧嵩、牛仙客,始遥领矣;盖嘉运、王忠嗣专制数道,始兼统矣。李林甫欲杜边帅入相之路,以胡人不知书,乃奏言:"文臣为将,怯当矢石,不若用寒畯胡人。胡人则勇决习战,寒族则孤立无党,陛下诚以恩洽其心,彼必能为朝廷尽死。"上悦其言,始用安禄山。至是,诸道节度尽用胡人,精兵咸戍北边,天下之势偏重,卒使禄山倾覆天下,皆出于林甫专宠固位之谋也。

七载(戊子,748)

1　夏,四月辛丑,左监门大将军、知内侍省事高力士加骠骑大将军。力士承恩岁久,中外畏之,太子亦呼之为兄,诸王公呼之为翁,驸马辈直谓之爷。自李林甫、安禄山辈皆因之以取将相。其家富厚不赀。于西京作宝寿寺,寺钟成,力士作斋以庆之,举朝毕集。击钟一杵,施钱百缗,有求媚者至二十杵,少者不减十杵。然性和谨少过,善观时俯仰,不敢骄横,故天子终亲任之,士大夫亦不疾恶也。

郑德诠面朝下倒在地上，然后被拉了出去。高仙芝的妻子和奶妈在门外号啕大哭，想要救郑德诠，但已来不及了，他们又把情况告诉了高仙芝，高仙芝看过郑德诠，吃惊地说："已经死了吗？"等见到封常清时，便不再提起这件事，封常清也不谢罪。因此军中士卒都十分畏惧封常清。

从唐朝建立以来，边防将帅用的都是忠厚名臣，不让久任，不让在朝中遥领，不让同时任数职，功名显著的常常入朝为宰相。四方夷族的将领，虽然才略像阿史那社尔、契苾何力那样的名将，也不让他们为一方大将，都任命朝中大臣为使职来节制他们。到了开元年间，天子有并吞周边夷族的志向，为边将的人十多年都不替换，边将开始久任；皇子中有庆王、忠王等人，宰相中有萧嵩、牛仙客等人，开始遥领边将之职；盖嘉运、王忠嗣等一人节制数道之兵，开始兼职统领军队。李林甫想要杜绝边将入朝为宰相的路，因胡人没有文化，就上奏说："文臣为将帅，怯懦不敢作战，不如用出身低贱从事过农耕的胡人。胡人都勇敢好战，出身低贱而孤立没有党援，陛下如果真能够用恩惠笼络他们，他们一定能够为朝廷尽力死战。"玄宗觉得李林甫的话很有道理，就重用了安禄山。这时，各镇节度使便都是用胡人，精兵强将都戍守在北方边疆，形成里轻外重的局面，最后安禄山得以发动叛乱，几乎推翻唐朝的天下，这都是李林甫追求专宠和巩固自己地位的阴谋所致。

唐玄宗天宝七载(戊子,公元 748 年)

1 夏季,四月辛丑(初二),左监门大将军、知内侍省事高力士加官为骠骑大将军。高力士侍候玄宗已有许多年了，深受玄宗赏识，朝野内外都敬畏他，就连太子也称他为兄，诸王公主则称他为翁，驸马辈的称他为爷。李林甫、安禄山都是靠他而被任命为将帅宰相。他家中十分富有，财产难以计算。他在西京建宝寿寺，寺钟铸成后，高力士举行斋会庆祝，朝中百官都来与会。击钟一次，施钱一百缗，有故意献媚的一连撞击二十下，少的也不下于十下。但是高力士性情温和谨慎，少有过错，善于观察时势行事，不敢骄横，所以玄宗始终信任他，士大夫们也不嫉恨他。

2　五月壬午，群臣上尊号曰开元天宝圣文神武应道皇帝。赦天下，免百姓来载租庸，择后魏子孙一人为三恪。

3　六月庚子，赐安禄山铁券。

4　度支郎中兼侍御史杨钊善窥上意所爱恶而迎之，以聚敛骤迁，岁中领十五馀使。甲辰，迁给事中，兼御史中丞，专判度支事，恩幸日隆。

> 苏冕论曰：设官分职，各有司存。政有恒而易守，事归本而难失，经远之理，舍此奚据？洎奸臣广言利以邀恩，多立使以示宠，刻下民以厚敛，张虚数以献状；上心荡而益奢，人望怨而成祸；使天子有司守其位而无其事，受厚禄而虚其用。宇文融首唱其端，杨慎矜、王铦继遵其轨，杨国忠终成其乱。仲尼云：宁有盗臣而无聚敛之臣。诚哉是言！前车既覆，后辙未改，求达化本，不亦难乎？

5　冬，十月庚戌，上幸华清宫。

6　十一月癸未，以贵妃姊适崔氏者为韩国夫人，适裴氏者为虢国夫人，适柳氏者为秦国夫人。三人皆有才色，上呼之为姨，出入宫掖，并承恩泽，势倾天下。每命妇入见，玉真公主等皆让不敢就位。三姊与铦、锜五家，凡有请托，府县承迎，峻于制敕。四方赂遗，辐凑其门，惟恐居后，朝夕如市。十宅诸王及百孙院婚嫁，皆以钱千缗赂韩、虢使请，无不如志。上所赐与及四方献遗，五家如一。竞开第舍，极其壮丽，一堂之费，动逾千万。既成，见他人有胜己者，辄毁而改为。虢国尤为豪荡，一旦，帅工徒突入韦嗣立宅，即撤去旧屋，自为新第，但授韦氏以隙地十亩而已。中堂既成，

2　五月壬午(十三日),群臣上唐玄宗尊号为开元天宝圣文神武应道皇帝,大赦天下,免去百姓明年的租庸,选择后魏子孙一人为三恪。

3　六月庚子(初一),赐给安禄山享有特权的铁券。

4　度支郎中兼侍御史杨钊善于窥伺玄宗的好恶而奉迎他的心意,因为能聚财敛钱而得到破格提拔,一年之中,就一身兼领超过十五个使职。甲辰(初五),又被任命为给事中,兼御史中丞,专门掌管度支事,恩宠日盛。

　　苏冕评论说:设立官吏,分别职责,各有自己的责任。行政制度有常规就容易管理,事情归于根本就难有过失,从经邦治国的长远利益考虑,除此之外,还有什么可以依据的呢?自从奸臣虚夸财利以求恩宠,皇帝也多立使职以示宠爱,刻剥平民百姓厚敛聚财,广张虚数以奉献于上。从此皇帝心意放荡而生活更加奢侈,人民心怀怨恨而成祸患。以至皇帝和各级官吏尸位素餐,享受厚禄而不负其责。宇文融首开此端,杨慎矜与王鉷紧随其后,至杨国忠而终成祸乱。孔子曾经说过:宁可有盗臣而不可有聚敛之臣。此话真是至理名言! 前车已覆,后人不鉴,要想达到教化流行这一根本,不是太难了吗?

5　冬季,十月庚戌(十三日),玄宗前往华清宫。

6　十一月癸未(十七日),玄宗封杨贵妃嫁给崔氏的姐姐为韩国夫人,嫁给裴氏的姐姐为虢国夫人,嫁给柳氏的姐姐为秦国夫人。三夫人都生得貌美色绝,唐玄宗称她们为姨,能够随便出入宫禁,受到玄宗的恩宠,权势无比。每当受有封号的命妇入宫中觐见玄宗时,就是玉真公主等人也要给他们让位。三夫人与杨铦、杨锜五家,凡是有所要求,府县的官吏立刻承办,执行起来,比皇帝所下的制敕还要严厉。全国各地贿赠的东西,充满屋室,人人都争先恐后地巴结贿赂他们,从早到晚门庭若市。十王宅中的诸王与百孙院中的皇孙有了婚嫁大事,都要用钱一千缗贿赂韩国夫人和虢国夫人,让她们向玄宗求情,结果无不如意。玄宗赏赐及四方奉献给杨氏五家的物品全都一样。他们竞相建造宅第,极为壮丽豪华,一间厅堂的耗费常常超过一千万钱。建成以后,如果看见别人所建的超过自己,就毁掉重建。虢国夫人尤其奢侈,有一天早晨,她亲自带领一帮工匠阑入韦嗣立的家中,当即拆掉了他的旧房,在原地为自己建了新的宅第,只将一块十亩大的空地给了韦氏。中堂建成后,

召工圬墁,约钱二百万,复求赏技,虢国以绛罗五百段赏之,嗤而不顾,曰:"请取蝼蚁、蜥蜴,记其数置堂中,苟失一物,不敢受直。"

7 十二月戊戌,或言玄元皇帝降于朝元阁,制改会昌县曰昭应,废新丰入昭应。辛酉,上还宫。

8 哥舒翰筑神威军于青海上,吐蕃至,翰击破之。又筑城于青海中龙驹岛,谓之应龙城,吐蕃屏迹不敢近青海。

9 是岁,云南王归义卒,子阁罗凤嗣,以其子凤迦异为阳瓜州刺史。

八载(己丑,749)

1 春,二月戊申,引百官观左藏,赐帛有差。是时州县殷富,仓库积粟帛,动以万计。杨钊奏请所在粜变为轻货,及征丁租地税皆变布帛输京师;屡奏帑藏充牣,古今罕俦,故上帅群臣观之,赐钊紫衣金鱼以赏之。上以国用丰衍,故视金帛如粪壤,赏赐贵宠之家,无有限极。

2 三月,朔方节度等使张齐丘于中受降城西北五百馀里木剌山筑横塞军,以振远军使郑人郭子仪为横塞军使。

3 夏,四月,咸宁太守赵奉璋告李林甫罪二十馀条。状未达,林甫知之,讽御史逮捕,以为妖言,杖杀之。

4 先是,折冲府皆有木契、铜鱼,朝廷征发,下敕书、契、鱼,都督、郡府参验皆合,然后遣之。自募置彍骑,府兵日益堕坏,死及逃亡者,有司不复点补;其六驮马牛、器械、糗粮,耗散略尽。府兵入宿卫者,谓之侍官,言其为天子侍卫也。

召工匠抹灰铺地,仅此一项就大概花费了二百万缗钱。工匠又要求赏赐技艺钱,虢国夫人就赏了五百段绛红色的绫罗,工匠对此嗤之以鼻,轻蔑地说:"请拿来一些蝼蚁和蜥蜴,记住他们的只数,然后放置在堂中,如果丢失掉一只,我都不敢接受赏物。"

7 十二月戊戌(初二),有人说玄元皇帝老子降身于华清宫朝元阁,玄宗就下制改会昌县为昭应县,又废新丰县而并入昭应县。辛酉(二十五日),玄宗返回宫中。

8 陇右节度使哥舒翰于青海筑神威军城,吐蕃军队来攻,被哥舒翰打败。又在青海中的龙驹岛上筑了应龙城,从此吐蕃军队再也不敢来青海附近侵扰。

9 这一年,云南王蒙归义去世,他的儿子阁罗凤继位,玄宗就任命他的儿子凤迦异为阳瓜州刺史。

唐玄宗天宝八载(己丑,公元749年)

1 春季,二月戊申(十三日),玄宗带领百官参观左藏库,并赏赐给他们数量不同的布帛。当时唐朝的州县殷实富有,仓库中所积蓄的粮食布帛数以万计。杨钊又奏请把各地征收的粮食卖出变成钱帛,并把所征收的丁租和地税改变为征收布帛运到京师。杨钊又多次上奏说国库中钱帛充实,古今罕见,所以玄宗带领群臣来观看,并赐杨钊紫衣和金鱼袋以嘉赏他。玄宗认为国家富有,钱物丰富,所以视金帛如粪土,毫不吝惜,赏赐王公贵族时,常常没有限度。

2 三月,朔方节度等使张齐丘在中受降城西北五百多里的木刺山筑横塞军,并任命振远军使郑县人郭子仪为横塞军使。

3 夏季,四月,咸宁太守赵奉璋上告李林甫罪行二十多条。状子还未到达京师,李林甫已经得知,就暗中让御史逮捕了赵奉璋,声称所上的是妖言,并杖杀了他。

4 先前,府兵制下的折冲府都有木契、铜鱼,朝廷如果要征发府兵,就颁下敕书、木契和铜鱼,经都督府和郡府检验,木契、铜鱼都对合,然后才能发兵。自从招募了彍骑以后,府兵日益衰落,其中有死的,有逃跑的,官吏不再清点补充;府兵装备的六驮马牛、武器和干粮也都消耗散尽。原来府兵入朝宿卫者被称为侍官,意思是去保卫天子。

其后本卫多以假人,役使如奴隶,长安人羞之,至以相诟病。其戍边者,又多为边将苦使,利其死而没其财。由是应为府兵者皆逃匿,至是无兵可交。五月癸酉,李林甫奏停折冲府上下鱼书;是后府兵徒有官吏而已。其折冲、果毅,又历年不迁,士大夫亦耻为之。其彍骑之法,天宝以后,稍亦变废,应募者皆市井负贩、无赖子弟,未尝习兵。时承平日久,议者多谓中国兵可销,于是民间挟兵器者有禁;子弟为武官,父兄摈不齿。猛将精兵,皆聚于西北,中国无武备矣。

5　太白山人李浑等上言见神人,言金星洞有玉板石记圣主福寿之符,命御史中丞王鉷入仙游谷求而获之。上以符瑞相继,皆祖宗休烈,六月,戊申,上圣祖号曰大道玄元皇帝,上高祖谥曰神尧大圣皇帝,太宗谥曰文武大圣皇帝,高宗谥曰天皇大圣皇帝,中宗谥曰孝和大圣皇帝,睿宗谥曰玄真大圣皇帝,窦太后以下皆加谥曰顺圣皇后。

6　辛亥,刑部尚书、京兆尹萧炅坐赃左迁汝阴太守。

7　上命陇右节度使哥舒翰帅陇右、河西及突厥阿布思兵,益以朔方、河东兵,凡六万三千,攻吐蕃石堡城。其城三面险绝,惟一径可上,吐蕃但以数百人守之,多贮粮食,积檑木及石,唐兵前后屡攻之,不能克。翰进攻数日不拔,召裨将高秀岩、张守瑜,欲斩之,二人请三日期可克。如期拔之,获吐蕃铁刃悉诺罗等四百人,唐士卒死者数万,果如王忠嗣之言。顷之,翰又遣兵于赤岭西开屯田,以谪卒二千戍龙驹岛。冬冰合,吐蕃大集,戍者尽没。

后来宿卫的府兵多雇人顶替，军官也像奴隶一样役使士兵，以至长安城中的人以做侍官为耻辱，把他们作为嬉骂的对象。而被派往边疆戍边的府兵也多被边将当做苦力役使，为的是这些府兵死后边将可以吞掉他们的财产。所以那些应该当府兵的人纷纷逃亡，这时各折冲府已没有兵员可交。五月癸酉（初十），李林甫奏请停止折冲府上下的铜鱼和敕书，从此府兵只保留原来的官吏。又因为府兵的折冲都尉和果毅都尉多年得不到升迁，士大夫们都以做这类官为耻辱。招募矿骑的办法，从天宝年间以后，也逐渐变化并被荒废，应募的人都是一些市中商贩和刁滑之辈，未经过严格的训练。当时天下太平日久，大多数人都认为中国可以裁掉军队，因此在民间禁止私人携带兵器，子弟做武官的，父母兄弟都瞧不起他们。唐朝的猛将精兵都聚集在西北方，而国内空虚，没有任何武备。

5　太白山人李浑等人上言说看见了神人，神人说金星洞中有玉板石记载圣主福寿的符命，玄宗就派御史中丞王铗往仙游谷去搜寻，果然找到了。玄宗认为不断出现的这些吉祥的征兆，都是因为祖先的福禄和威烈，六月戊申（十五日），上圣祖老子号为大道玄元皇帝，上高祖李渊谥号为神尧大圣皇帝，太宗李世民谥号为文武大圣皇帝，高宗李治谥号为天皇大圣皇帝，中宗李显谥号为孝和大圣皇帝，睿宗李旦谥号为玄真大圣皇帝，高祖窦太后以下的皇后都加谥号为顺圣皇后。

6　辛亥（十八日），刑部尚书、京兆尹萧炅因为贪污钱财，被贬为汝阴太守。

7　玄宗命令陇右节度使哥舒翰率领陇右、河西及突厥阿布思兵，再加上朔方、河东兵，共计六万三千人，去攻打吐蕃石堡城。石堡城三面临险，只有一条道路可上，吐蕃只有数百人守卫，贮藏了大量粮食，又堆积檑木和石块，唐朝军队多次攻击都遭到失败。哥舒翰率军进攻了数天，仍然不能攻克，于是就召来副将高秀岩和张守瑜，要杀掉他们，二人请求宽限三天，声称一定攻克。三天后果然攻下了石堡城，停虏了吐蕃将领铁刃悉诺罗等四百人，而唐朝的士卒死了数万，果然像王忠嗣所说的那样。不久，哥舒翰又派人于赤岭西部开垦屯田，并派遣了两千犯罪充军的士卒去守卫龙驹岛。冬天结冰封冻以后，吐蕃大军来攻，将守卫的士卒全部消灭。

8 闰月乙丑,以石堡城为神武军,又于剑南西山索磨川置保宁都护府。

9 丙寅,上谒太清宫。丁卯,群臣上尊号曰开元天地大宝圣文神武应道皇帝,赦天下。禘、祫自今于太清宫圣祖前设位序正。

10 秋,七月,册突骑施移拨为十姓可汗。

11 八月乙亥,护密王罗真檀入朝,请留宿卫,许之,拜左武卫将军。

12 冬,十月乙丑,上幸华清宫。

13 十一月乙未,吐火罗叶护失里怛伽罗遣使表称:"揭师王亲附吐蕃,困苦小勃律镇军,阻其粮道。臣思破凶徒,望发安西兵,以来岁正月至小勃律,六月至大勃律。"上许之。

九载(庚寅,750)

1 春,正月己亥,上还宫。

2 群臣屡表请封西岳,许之。

3 二月,杨贵妃复忤旨,送归私第。户部郎中吉温因宦官言于上曰:"妇人识虑不远,违忤圣心,陛下何爱宫中一席之地,不使之就死,岂忍辱之于外舍邪?"上亦悔之,遣中使赐以御膳。妃对使者涕泣曰:"妾罪当死,陛下幸不杀而归之。今当永离掖庭,金玉珍玩,皆陛下所赐,不足为献,惟发者父母所与,敢以荐诚。"乃翦发一缭而献之。上遽使高力士召还,宠待益深。

时诸贵戚竞以进食相尚,上命宦官姚思艺为检校进食使,水陆珍羞数千盘,一盘费中人十家之产。中书舍人窦华尝退朝,值公主进食,列于中衢,传呼按辔出其间宫苑小儿数百奋梃于前,华仅以身免。

8　闰月乙丑(初三),唐朝在石堡城设置神武军,又于剑南西山索磨川设置保宁都护府。

9　丙寅(初四),玄宗朝谒太清宫。丁卯(初五),群臣上玄宗尊号为开元天地大宝圣文神武应道皇帝,大赦天下。从今以后,进行禘、祫两种祭祀时,在太清宫圣祖老子前按顺序设置神位。

10　秋季,七月,唐朝册封突骑施移拨为十姓可汗。

11　八月乙亥(十四日),护密王罗真檀入朝,并请求留下来为朝廷宿卫,玄宗答应他的要求,并拜他为左武卫将军。

12　冬季,十月乙丑(初四),玄宗前往华清宫。

13　十一月乙未(初五),吐火罗叶护失里怛伽罗派遣使者上表说:"揭师王依附于吐蕃,故意困扰小勃律镇兵,断绝了他们的粮道。我想要打败揭师军队,希望能够发安西镇兵来助战,明年正月到小勃律,六月到大勃律。"玄宗同意。

唐玄宗天宝九载(庚寅,公元750年)

1　春季,正月己亥(初十),玄宗返回宫中。

2　群臣多次上表请玄宗到西岳华山筑坛祭天,玄宗同意。

3　二月,杨贵妃又因为触怒了玄宗,被送回杨家。这时户部郎中吉温让宦官对玄宗说:"杨贵妃作为妇道人家,见识短浅,违背了圣上的心意,但陛下为何要爱惜宫中一席之地,不让她死在宫中,而要让她在宫外丢陛下的人呢?"玄宗听后,十分后悔,就派宦官把自己吃的饭赐给贵妃。杨贵妃十分感动,痛哭流涕地对宦官说:"我得罪了陛下,罪该万死,而陛下宽宏大量不杀我,还让我回家。现在要永远离开宫中,不得与陛下相见,金玉等珍宝玩物,都是陛下赐给我的,难以献给陛下,只有头发是父母所给予我的,把它献给陛下以表示我的诚心。"于是就剪下一撮自己的头发让人献给玄宗。玄宗见后立刻派高力士把杨贵妃召回宫中,从此更加宠爱。

当时王公贵族、皇亲国戚都竞相向玄宗进献食物,玄宗就任命宦官姚思艺为检校进食使,所进献的水中和陆地上所产的美味佳肴有数千盘,一盘的费用就等于中等人家十户的财产。中书舍人窦华有一次退朝,正遇上公主进献食物,列队于街中央,传呼骑马的人,出入其间,数百名宫苑小儿举着棍棒走在前面,窦华差一点挨了他们的打。

4　安西节度使高仙芝破揭师,虏其王勃特没。三月庚子,立勃特没之兄素迦为揭师王。

5　上命御史大夫王鉷凿华山路,设坛场于其上。是春,关中旱;辛亥,岳祠灾;制罢封西岳。

6　夏,四月己巳,御史大夫宋浑坐赃巨万,流潮阳。初,吉温因李林甫得进;及兵部侍郎兼御史中丞杨钊恩遇浸深,温遂去林甫而附之,为钊画代林甫执政之策。萧炅及浑,皆林甫所厚也,求得其罪,使钊奏而逐之,以翦其心腹,林甫不能救也。

7　五月乙卯,赐安禄山爵东平郡王。唐将帅封王自此始。

8　秋,七月乙亥,置广文馆于国子监,以教诸生习进士者。

9　八月丁巳,以安禄山兼河北道采访处置使。

10　朔方节度使张齐丘给粮失宜,军士怒,殴其判官,兵马使郭子仪以身捍齐丘,乃得免。癸亥,齐丘左迁济阴太守,以河西节度使安思顺权知朔方节度事。

11　辛卯,处士崔昌上言:"国家宜承周、汉,以土代火;周、隋皆闰位,不当以其子孙为二王后。"事下公卿集议。集贤殿学士卫包上言:"集议之夜,四星聚于尾,天意昭然。"上乃命求殷、周、汉后为三恪,废韩、介、酅公;以昌为左赞善大夫,包为虞部员外郎。

12　冬,十月庚申,上幸华清宫。

13　太白山人王玄翼上言见玄元皇帝,言宝仙洞有妙宝真符。命刑部尚书张均等往求,得之。时上尊道教,慕长生,故所在争言符瑞,群臣表贺无虚月。李林甫等皆请舍宅为观以祝圣寿,上悦。

4 安西节度使高仙芝打败了朅师军队,俘虏了朅师王勃特没。三月庚子(十二日),唐朝立勃特没的哥哥素迦为朅师王。

5 玄宗命令御史大夫王鉷开凿上华山的道路,于山顶上设置祭坛场。这年春天,关中大旱;辛亥(二十三日),华山上的西岳祠遭受火灾,玄宗下制书取消在西岳祭天的打算。

6 夏季,四月己巳(十一日),御史大夫宋浑因为贪污巨额钱财,被流放到潮阳。先前,吉温因为李林甫的提拔而受到重用,后来兵部侍郎兼御史中丞杨钊逐渐受到唐玄宗的器重,吉温就背叛李林甫而投向杨钊,又为杨钊谋划取代李林甫的计策。萧炅与宋浑都是李林甫的亲信,所以吉温就专门寻求他们的罪证,让杨钊上奏玄宗赶走他们,以翦除李林甫的心腹,李林甫也无法相救。

7 五月乙卯(二十八日),玄宗赐安禄山东平郡王爵位。这是唐朝的将帅首次封王。

8 秋季,七月乙亥,于国子监中设置广文馆,教授国子监考进士的学生。

9 八月丁巳(初一),玄宗任命安禄山兼河北道采访处置使。

10 因朔方节度使张齐丘给军士发放军粮不公平,军士大怒,殴打了他的判官,兵马使郭子仪用身体挡在张齐丘的前面,张齐丘才没有挨打。癸亥(初七),张齐丘被降官为济阴太守,朝廷任命河西节度使安思顺暂时代理朔方节度使。

11 辛卯,隐士崔昌上言说:"我们唐朝应该继承周朝与汉朝,用土德代替火德,而北周与隋朝都不是正统的王朝,不应该用他们的子孙后代为二王后。"玄宗让公卿们讨论此事。集贤殿学士卫包上言说:"公卿们讨论此事的那天夜里,四象星聚集于二十八宿之一的尾宿,天意已经很清楚了。"于是唐玄宗命令寻求商朝、周朝和汉朝的后代为三恪,废掉了北魏的后代韩公、后周的后代介公和隋朝的后代酅公;又任命崔昌为左赞善大夫,卫包为虞部员外郎。

12 冬季,十月庚申(初五),唐玄宗前往华清宫。

13 太白山人王玄翼上言说看见了玄元皇帝老子,并对他说宝仙洞中有妙宝真符。于是唐玄宗就命令刑部尚书张均等去搜寻,果然搜得。当时玄宗尊奉道教,羡慕长生不死之术,所以各地的人竞相奉献吉祥的符命,群臣也不断地上表恭贺。李林甫等人都请求捐舍宅第为道观,借以祝福玄宗万寿无疆,玄宗十分喜悦。

14 安禄山屡诱奚、契丹,为设会,饮以莨菪酒,醉而坑之,动数千人,函其酋长之首以献,前后数四。至是请入朝,上命有司先为起第于昭应。禄山至戏水,杨钊兄弟姊妹皆往迎之,冠盖蔽野。上自幸望春宫以待之。辛未,禄山献奚俘八千人,上命考课之日书上上考。前此听禄山于上谷铸钱五垆,禄山乃献钱样千缗。

15 杨钊,张易之之甥也,奏乞昭雪易之兄弟。庚辰,制引易之兄弟迎中宗于房陵之功,复其官爵,仍赐一子官。

钊以图谶有"金刀",请更名,上赐名国忠。

16 十二月乙亥,上还宫。

17 关西游弈使王难得击吐蕃,克五桥,拔树敦城;以难得为白水军使。

18 安西四镇节度使高仙芝伪与石国约和,引兵袭之,虏其王及部众以归,悉杀其老弱。仙芝性贪,掠得瑟瑟十馀斛,黄金五六橐驼,其馀口马杂货称是,皆入其家。

19 杨国忠德鲜于仲通,荐为剑南节度使。仲通性褊急,失蛮夷心。

故事,南诏常与妻子俱谒都督,过云南,云南太守张虔陀皆私之。又多所征求,南诏王阁罗凤不应,虔陀遣人詈辱之,仍密奏其罪。阁罗凤忿怨,是岁,发兵反,攻陷云南,杀虔陀,取夷州三十二。

十载(辛卯,751)

1 春,正月壬辰,上朝献太清宫;癸巳,朝享太庙;甲子,合祭天地于南郊,赦天下,免天下今载地税。

14 安禄山多次引诱奚人和契丹人,假装设宴招待他们,让他们饮用毒草莨菪浸泡过的酒,等醉倒后,就把他们活埋,一次常常达数千人,然后把他们首领的头颅装进盒中,献给朝廷,前后有许多次。这时安禄山请求入朝,玄宗命令有关官员先在昭应县为安禄山建起宅第。安禄山到了戏水,杨钊兄弟姐妹都去迎接,迎接的队伍浩浩荡荡,以至车盖似乎遮满了原野。玄宗也来到望春宫等待安禄山。辛未(十六日),安禄山献上奚族俘虏八千人,玄宗命令考察官吏政绩时为安禄山记最高一级的上上考。以前玄宗允许安禄山于上谷起五炉铸造钱币,这时安禄山献上所铸钱的样品一千缗。

15 杨钊是张易之的外甥,上奏玄宗为张易之兄弟平反昭雪。庚辰(二十一日),玄宗下制书援引张易之兄弟曾经在房陵迎接中宗为帝的功劳,恢复他们的官爵,并赐一个儿子为官。

杨钊认为预卜吉凶的图谶中有"金刀"二字,不吉利,请改自己的名,玄宗赐名为国忠。

16 十二月乙亥(二十日),玄宗返回宫中。

17 关西游弈使王难得率兵攻打吐蕃,攻克了五桥和树敦城,朝廷任命他为白水军使。

18 安西四镇节度使高仙芝假意与石国约和,率兵袭击了石国,俘虏了石国的国王和民众返回,然后把其中的老弱病残者全部杀掉。高仙芝本性贪婪,掠取了碧珠十余斛,黄金五六骆驼,其他的马匹杂货等不计其数,全部拿回家中,据为己有。

19 杨国忠因为感激鲜于仲通,就推荐他为剑南节度使。而鲜于仲通性情急躁,不会安抚,失掉了蛮夷人心。

按照过去的惯例,南诏王要经常带着妻子一起晋见都督,经过云南,云南太守张虔陀每次都要奸污他们的妻子。又要求征送财物,南诏王阁罗凤不答应,张虔陀就派人辱骂他,还暗中向朝廷奏报他的罪行。阁罗凤十分愤恨,这一年,发兵反叛,攻陷了云南郡,杀死了张虔陀,并攻占了原来归附于唐朝的西南夷的三十二个州。

唐玄宗天宝十载(辛卯,公元751年)

1 春季,正月壬辰(初八),玄宗向太清宫进献祭品;癸巳(初九),向太庙献食;甲子,合祭天地于南郊,并大赦天下,免除天下百姓今年的地税。

2　丁酉，命李林甫遥领朔方节度使，以户部侍郎李晫知留后事。

3　庚子，杨氏五宅夜游，与广平公主从者争西市门，杨氏奴挥鞭及公主衣，公主坠马，驸马程昌裔下扶之，亦被数鞭。公主泣诉于上，上为之杖杀杨氏奴。明日，免昌裔官，不听朝谒。

4　上命有司为安禄山治第于亲仁坊，敕令但穷壮丽，不限财力。既成，具幄帘器皿，充牣其中。有帖白檀床二，皆长丈，阔六尺；银平脱屏风，帐方丈六尺。于厨厩之物皆饰以金银，金饭罂二，银淘盆二，皆受五斗，织银丝筐及笊篱各一。他物称是。虽禁中服御之物，殆不及也。上每令中使为禄山护役，筑第及造储偫赐物，常戒之曰："胡眼大，勿令笑我。"

禄山入新第，置酒，乞降墨敕请宰相至第。是日，上欲于楼下击毬，遽为罢戏，命宰相赴之。日遣诸杨与之选胜游宴，侑以梨园教坊乐。上每食一物稍美，或后苑校猎获鲜禽，辄遣中使走马赐之，络绎于路。

甲辰，禄山生日，上及贵妃赐衣服、宝器、酒馔甚厚。后三日，召禄山入禁中，贵妃以锦绣为大襁褓，裹禄山，使宫人以彩舆舁之。上闻后宫欢笑，问其故，左右以贵妃三日洗禄儿对。上自往观之，喜，赐贵妃洗儿金银钱，复厚赐禄山，尽欢而罢。自是禄山出入宫掖不禁，或与贵妃对食，或通宵不出，颇有丑声闻于外，上亦不疑也。

2 丁酉(十三日),玄宗任命李林甫兼任朔方节度使,而让户部侍郎李昕知留后事。

3 庚子(十六日),杨氏五家因为夜里游览,与广平公主的侍从争过西市门,杨氏的家奴挥鞭打中公主的衣服,公主从马上坠落下来,驸马程昌裔下马扶广平公主,也被鞭打了几下。广平公主向玄宗哭诉此事,玄宗命令杖杀杨氏的家奴。第二天,又免掉了驸马程昌裔的官职,不允许他再来朝见。

4 玄宗命令有关官吏为安禄山在亲仁坊建造宅第,并下敕书说不管耗费多少钱财,越壮丽越好。宅第建成以后,又装饰了各种幄帐,放置了许多日用器物,以至都放满了宅屋。其中有帖白檀香木床两个,都是长一丈,宽六尺;用银平脱工艺制成的屏风,帐一丈宽六尺。厨房和马厩中所用的物品也都用金银装饰,其中有金饭罂两个,银淘盆两个,都能装五斗粮,还有织银丝筐和笊篱各一个。其他器物还有许多。就是宫禁中皇上所使用的器物,大概都比不上。玄宗命令宦官监工,在建造宅第和制作屋中所用的器物时,玄宗常常告诫监工的宦官说:"胡人大方,不要让他笑我小气。"

安禄山住进新建的宅第后,设置酒宴,并请求玄宗下敕书让宰相至宅第赴宴。这一天,玄宗原来准备在楼下打马毯,却立刻取消了游戏,命令宰相去赴会。又每天让杨家的人与安禄山选择风景优美的地方游玩宴会,并让梨园弟子和教坊乐队陪伴。玄宗每吃到一种鲜美的食物,或者在后苑中猎获了鲜禽,都要派宦官骑马赐给安禄山,以至走马络绎,不绝于路。

甲辰(二十日),安禄山生日,玄宗和杨贵妃赏赐给安禄山许多衣服、珍宝器物以及丰盛的酒菜食物。过了三天,又把安禄山召进宫中,杨贵妃用锦绣做成的大襁褓裹住安禄山,让宫女用彩轿抬起。唐玄宗听见后宫中的欢声笑语,就问是在干什么,左右的人说是贵妃为儿子安禄山三天洗身。玄宗亲自去观看,十分高兴,赏赐给杨贵妃洗儿金银钱,又重赏安禄山,尽兴而散。从此安禄山可以自由出入宫中,不加禁止,有时与杨贵妃同桌而食,有时一夜不出宫,宫外的许多人都知道这件丑事,而玄宗却不怀疑。

5　安西节度使高仙芝入朝,献所擒突骑施可汗、吐蕃酋长、石国王、朅师王。加仙芝开府仪同三司。寻以仙芝为河西节度使,代安思顺;思顺讽群胡割耳剺面请留己,制复留思顺于河西。

6　安禄山求兼河东节度。二月丙辰,以河东节度使韩休珉为左羽林将军,以禄山代之。

户部郎中吉温见禄山有宠,又附之,约为兄弟。说禄山曰:"李右丞相虽以时事亲三兄,不必肯以兄为相。温虽蒙驱使,终不得超擢。兄若荐温于上,温即奏兄堪大任,共排林甫出之,为相必矣。"禄山悦其言,数称温才于上,上亦忘曩日之言。会禄山领河东,因奏温为节度副使、知留后,以大理司直张通儒为留后判官,河东事悉以委之。

是时,杨国忠为御史中丞,方承恩用事。禄山登降殿阶,国忠常扶掖之。禄山与王铁俱为大夫,铁权任亚于李林甫。禄山见林甫,礼貌颇倨。林甫阳以他事召王大夫,铁至,趋拜甚谨。禄山不觉自失,容貌益恭。林甫与禄山语,每揣知其情,先言之,禄山惊服。禄山于公卿皆慢侮之,独惮林甫,每见,虽盛冬,常汗沾衣。林甫乃引与坐于中书厅,抚以温言,自解披袍以覆之。禄山忻荷,言无不尽,谓林甫为十郎。既归范阳,刘骆谷每自长安来,必问:"十郎何言?"得美言则喜;或但云"语安大夫,须好检校!"辄反手据床曰:"噫嘻,我死矣!"

5　安西节度使高仙芝入朝,献上所俘获的突骑施可汗、吐蕃酋长、石国王和揭师王。玄宗命加封高仙芝开府仪同三司。不久,玄宗又任命高仙芝为河西节度使,以代替安思顺;安思顺暗中让一群胡人用刀割掉耳朵划破脸皮的方式请求留下自己,玄宗又下制书仍让安思顺为河西节度使。

6　安禄山请求兼任河东节度使。二月丙辰(初二),唐玄宗任命河东节度使韩休珉为左羽林将军,由安禄山代任河东节度使。

户部郎中吉温见安禄山受到玄宗的宠信,就又依附于安禄山,与他结拜为兄弟。并对安禄山说:"李右丞相现在尽然与你亲善,但是一定不会推荐你为宰相。我虽然为他效力受他驱使,但终久得不到提拔。你如果能够向皇上推荐我,我就向皇上上奏说你能够担当大任,我们联合起来排斥李林甫出朝,你就一定能够当宰相。"安禄山觉得吉温的话很有道理,所以多次在玄宗面前说吉温有才能,玄宗也忘记了过去所说的话。这时安禄山兼任河东节度使,就上奏吉温为节度副使、知留后事,并任命大理司直张通儒为留后判官,把河东镇的政事全权委托给他们。

这时杨国忠为御史中丞,正受到玄宗的重用。安禄山上下殿前的台阶时,杨国忠常扶着他。安禄山与王鉷都为御史大夫,王鉷的权位仅次于李林甫。安禄山看见李林甫时,态度十分傲慢。李林甫就假装有事召来王鉷,王鉷见到李林甫时,态度十分谦恭。安禄山不自觉地有所失态,态度也恭敬起来。李林甫与安禄山谈话时,总是揣摩他的心意,先说了出来,使安禄山惊讶叹服。安禄山对于其他公卿朝士都十分傲慢,有时还侮辱他们,但独独害怕李林甫,每当见到李林甫时,虽然是寒冬季节,也汗流沾衣。而李林甫却把安禄引进中书省办事的厅中坐下,用好言相慰问,并解下自己的披袍给安禄山穿上。安禄山十分感激,对李林甫无话不谈,并称李林甫为十郎。安禄山回到范阳后,刘骆谷每次从长安回来,安禄山一定要问:"十郎说什么了吗?"如果听到李林甫赞扬他,就十分高兴;如果听到李林甫说:"告诉安大夫,要检点一些!"安禄山就反手握着床说:"噫嘻,我活不成了!"

禄山既兼领三镇,赏刑己出,日益骄恣。自以曩时不拜太子,见上春秋高,颇内惧。又见武备堕弛,有轻中国之心。孔目官严庄、掌书记高尚因为之解图谶,劝之作乱。

禄山养同罗、奚、契丹降者八千馀人,谓之"曳落河"。曳落河者,胡言壮士也。及家僮百馀人,皆骁勇善战,一可当百。又畜战马数万匹,多聚兵仗,分遣商胡诣诸道贩鬻,岁输珍货数百万。私作绯紫袍、鱼袋,以百万计。以高尚、严庄、张通儒及将军孙孝哲为腹心,史思明、安守忠、李归仁、蔡希德、牛廷玠、向润容、李庭望、崔乾祐、尹子奇、何千年、武令珣、能元皓、田承嗣、田乾真、阿史那承庆为爪牙。尚,雍奴人,本名不危,颇有辞学,薄游河朔,贫困不得志,常叹曰:"高不危当举大事而死,岂能啮草根求活邪?"禄山引置幕府,出入卧内。尚典笺奏,庄治簿书。通儒,万岁之子;孝哲,契丹也。承嗣世为卢龙小校,禄山以为前锋兵马使。尝大雪,禄山按行诸营,至承嗣营,寂若无人,入阅士卒,无一人不在者,禄山以是重之。

7　夏,四月壬午,剑南节度使鲜于仲通讨南诏蛮,大败于泸南。时仲通将兵八万分二道出戎、巂州,至曲州、靖州。南诏王阁罗凤谢罪,请还所俘掠,城云南而去,且曰:"今吐蕃大兵压境,若不许我,我将归命吐蕃,云南非唐有也。"仲通不许,囚其使。进军至西洱河,与阁罗凤战,军大败,士卒死者六万人,仲通仅以身免。杨国忠掩其败状,仍叙其战功。阁罗凤敛战尸,筑为京观,遂北臣于吐蕃。蛮语谓弟为"钟",吐蕃命阁罗凤为"赞普钟",号曰东帝,给以金印。阁罗凤刻碑于国门,

安禄山一身兼任范阳、平卢、河东三镇节度使,手握大权,赏罚由己,日益骄横。自认为过去见太子没有下拜,而如今玄宗年事已高,十分惧怕。又看到唐朝的武备松弛,有轻视朝廷之心。孔目官严庄和掌书记高尚又借机为他讲解预卜吉凶祸福的图谶,劝他起兵叛乱。

安禄山豢养了投降的同罗、奚和契丹士兵八千多人,称为"曳落河"。曳落河,胡语就是壮士的意思。还有家奴一百多人。这些人个个都骁勇善战,一可当百。又畜养战马数万匹,大量地聚集武器,分派胡商到各地去做买卖,每年输送珍宝货物价值数百万缗钱。暗中制作绯色、紫色袍子和金鱼袋等,数以百万计。以高尚、严庄、张通儒及将军孙孝哲等人作为自己的心腹,史思明、安守忠、李归仁、蔡希德、牛廷玠、向润容、李庭望、崔乾祐、尹子奇、何千年、武令珣、能元皓、田承嗣、田乾真、阿史那承庆等将领作为爪牙。高尚是雍奴县人,原来名叫不危,很有才学,青年时漫游河朔地区,贫困不得志,常常感叹说:"我高不危宁可干惊天动地的大事而死,也不愿贫穷一生吃草根而生活下去!"后来被安禄山引为幕僚,可以出入安禄山的寝室。高尚专掌草写笺表奏疏,严庄专掌文书。张通儒是张万岁的儿子;孙孝哲是契丹族人。田承嗣世世代代做卢龙地方小校一类的军官,安禄山任命他为前锋兵马使。有一次下大雪,安禄山去检查军营,来到田承嗣的营中,寂静无声,好似无人,而在营中检阅士卒,没有一人不在,所以受到安禄山的器重。

7　夏季,四月壬午,剑南节度使鲜于仲通率兵讨伐南诏蛮,在泸水南面被南诏打得大败。当时鲜于仲通把八万大军分成两路,分别从戎州和巂州出发,到了曲州和靖州。南诏王阁罗凤派使者来谢罪,请求归还所掠夺俘获的物品人众,筑好云南城而撤退,并说:"现在吐蕃大兵压境,如果不允许我求和,我将归附于吐蕃,这样云南就不会是唐朝的了。"鲜于仲通不答应,并囚禁所派来的使者。然后进兵到了西洱河,与阁罗凤的军队交战,唐兵大败,士卒死了六万多人,鲜于仲通也差一点战死。杨国忠却掩盖鲜于仲通的败军之事,仍然为他记叙战功。阁罗凤把唐军士卒的尸体收敛起来,筑成一座高大的山丘,供人观看,于是向北臣服于吐蕃。蛮语称弟弟为"钟",吐蕃就称阁罗凤为"赞普钟",号为东帝,并授给他金印。阁罗凤于国城门口镌刻石碑,

言己不得已而叛唐，且曰："我世世事唐，受其封爵，后世容复归唐，当指碑以示唐使者，知吾之叛非本心也。"

制大募两京及河南、北兵以击南诏；人闻云南多瘴疠，未战士卒死者什八九，莫肯应募。杨国忠遣御史分道捕人，连枷送诣军所。旧制，百姓有勋者免征役，时调兵既多，国忠奏先取高勋。于是行者愁怨，父母妻子送之，所在哭声振野。

8　高仙芝之虏石国王也，石国王子逃诣诸胡，具告仙芝欺诱贪暴之状。诸胡皆怒，潜引大食欲共攻四镇。仙芝闻之，将蕃、汉三万众击大食，深入七百多里，至怛罗斯城，与大食遇。相持五日，葛罗禄部众叛，与大食夹攻唐军，仙芝大败，士卒死亡略尽，所馀才数千人。右威卫将军李嗣业劝仙芝宵遁。道路阻隘，拔汗那部众在前，人畜塞路，嗣业前驱，奋大梃击之，人马俱毙，仙芝乃得过。

将士相失，别将汧阳段秀实闻嗣业之声，诟曰："避敌先奔，无勇也，全己弃众，不仁也。幸而得达，独无愧乎？"嗣业执其手谢之，留拒追兵，收散卒，得俱免。还至安西，言于仙芝，以秀实兼都知兵马使，为己判官。

9　八月丙辰，武库火，烧兵器三十七万。

10　安禄山将三道兵六万以讨契丹，以奚骑二千为向导。过平卢千馀里，至土护真水，遇雨。禄山引兵昼夜兼行三百馀里，至契丹牙帐，契丹大骇。时久雨，弓弩筋胶皆弛，

说自己叛唐是出于无奈,并说:"我们南诏世世代代臣服于唐朝,受唐朝的封爵,后世还要归附唐朝,到那时可向唐朝的使者指示此碑,知道我背叛唐朝并不是出于本心的愿望。"

玄宗下制书在两京和河南、河北地区招募军队去讨击南诏。人们听说云南地方流行瘴疠这种传染病,不及交战,士卒就要死掉十之八九,没有人肯去应募。杨国忠就派遣御史到各道去捉人,用枷连锁起来送往军营。按照过去的制度,有功的百姓可以免除兵役,而此时因征兵量多,杨国忠就上奏请求只许功劳大的百姓免除兵役。被征发的人忧愁怨恨,父母妻子都来送别,嚎哭之声连天。

8 高仙芝俘虏了石国王后,石国王的儿子逃到了胡人部落,将高仙芝欺压和贪暴的情况告诉了胡人。诸胡部落大怒,就暗中联合大食国军队想一起进攻安西四镇。高仙芝听说后,亲自率领蕃兵和汉兵三万去攻打大食,深入大食国境内七百多里,到了怛罗斯城,与大食军队相遇。两军对峙了五天,这时葛罗禄部落的军队叛唐,与大食军前后夹击,高仙芝的军队被打得大败,士卒几乎全部战死,留下来的仅有几千人。右威卫将军李嗣业劝高仙芝乘深夜逃跑。因为道路狭窄,拔汗那部落兵在前面,人畜塞路,前进不得,李嗣业就奋勇上前,挥起一根大棍子乱打,人马都被打死,高仙芝才得以通过。

将领与士卒都失去联系,别将汧阳人段秀实听见李嗣业的喊叫声,就大骂道:"躲避敌人而自己先逃命,是胆小缺乏勇气;保全自己而丢掉士卒,是不仁义。就是有幸能够逃回,难道自己不感到羞愧吗?"李嗣业听见后,握着段秀实的手表示谢意,并主动留在后面抗拒追兵,收罗散卒,没有战死的士卒才得以逃脱。回到安西,李嗣业把此事告诉了高仙芝,高仙芝就任命段秀实兼任都知兵马使,做自己的判官。

9 八月丙辰(初六),武库失火,烧毁兵器三十七万件。

10 安禄山亲自率领范阳、河东、平卢三镇兵六万去讨伐契丹,用奚族骑兵两千作为向导。过了平卢一千多里,到了土护真水,遇到大雨。安禄山率兵昼夜兼程行军三百多里,来到契丹大本营,契丹十分惊骇。当时因为大雨连绵,弓箭和弩机的筋胶都因霖雨而松弛,

大将何思德言于禄山曰:"吾兵虽多,远来疲弊,实不可用,不如按甲息兵以临之,不过三日,虏必降。"禄山怒,欲斩之,思德请前驱效死。思德貌类禄山,虏争击,杀之,以为已得禄山,勇气增倍。奚复叛,与契丹合,夹击唐兵,杀伤殆尽。射禄山,中鞍,折冠簪,失履,独与麾下二十骑走。会夜,追骑解,得入师州。归罪于左贤王哥解、河东兵马使鱼承仙而斩之。

平卢兵马使史思明惧,逃入山谷近二旬,收散卒,得七百人。平卢守将史定方将精兵二千救禄山,契丹引去,禄山乃得免。至平卢,麾下皆亡,不知所出。史思明出见禄山,禄山喜,起,执其手曰:"吾得汝,复何忧?"思明退,谓人曰:"向使早出,已与哥解并斩矣。"契丹围师州,禄山使思明击却之。

11　冬,十月壬子,上幸华清宫。

12　杨国忠使鲜于仲通表请己遥领剑南;十一月丙午,以国忠领剑南节度使。

十一载(壬辰,752)

1　春,正月丁亥,上还宫。

2　二月庚午,命有司出粟帛及库钱数十万缗于两市易恶钱。先是,江、淮多恶钱,贵戚大商往往以良钱一易恶钱五,载入长安,市井不胜其弊,故李林甫奏请禁之,官为易取,期一月,不输官者罪之。于是商贾嚣然,不以为便。众共遮杨国忠马自言,国忠为之言于上,乃更命非铅锡所铸及穿穴者,皆听用之如故。

大将何思德对安禄山说:"我们虽然兵多,但长途奔袭,士卒疲劳,战斗力不强,不如暂时休兵不要交战,只与敌人对阵,这样不过三天,敌人必定投降。"安禄山听后大怒,要杀掉何思德,何思德请求愿为先锋以效死力。何思德长相与安禄山相似,契丹争着攻打,杀了他,以为已经杀了安禄山,所以士气大盛。这时奚族也背叛了唐军,与契丹合兵,前后夹击,唐军死伤殆尽。安禄山的马鞍也被射中,还折断了帽簪,丢掉了鞋子,仅与部下二十个骑兵逃走。因为天黑,追击的骑兵松懈下来,安禄山才得以逃入师州城。安禄山把战败的罪过归咎于左贤王哥解和河东兵马使鱼承仙,并杀了他们。

平卢兵马使史思明惧怕,逃入山谷将近二十天,收罗散兵七百人。平卢守将史定方率领精兵二千救安禄山,契丹退兵,安禄山才得以逃脱。到了平卢城,部下的士卒都已战死,不知如何办才好。这时史思明从山谷中来见安禄山,安禄山大喜,站起来握着史思明的手说:"我有了你,还有什么发愁的呢?"史思明退出后对其他人说:"如果我早一点出来,就会与哥解一起被杀死。"契丹兵包围了师州城,安禄山派史思明打退了契丹。

11 冬季,十月壬子(初三),玄宗前往华清宫。

12 杨国忠让鲜于仲通上表请求让自己兼领剑南节度使;十一月丙午(二十七日),玄宗命杨国忠兼领剑南节度使。

唐玄宗天宝十一载(壬辰,公元752年)

1 春季,正月丁亥(初九),玄宗返回宫中。

2 二月庚午(二十二日),玄宗命令有关部门拿出粮食、布帛及国库中的钱数十万缗,把东西两市中流行的劣钱换回来。先前,江淮地区质地恶劣的钱币流行,王公贵戚和一些大商人常常用一个好钱换五个劣钱,然后带进长安,市场难以承受这种弊端,造成混乱,所以李林甫上奏请求禁止,让官方兑换,限期一个月,不交官者问罪。这一禁令使商人恐慌,不利于商业交换。许多人拦住杨国忠的马诉苦,杨国忠因此告诉了玄宗,于是玄宗又下令,准许那些不是由铅锡铸成的钱币和有孔的钱币,继续使用流通。

3　三月，安禄山发蕃、汉步骑二十万击契丹，欲以雪去秋之耻。初，突厥阿布思来降，上厚礼之，赐姓名李献忠，累迁朔方节度副使，赐爵奉信王。献忠有才略，不为安禄山下，禄山恨之。至是，奏请献忠帅同罗数万骑，与俱击契丹。献忠恐为禄山所害，白留后张暐，请奏留不行，暐不许。献忠乃帅所部大掠仓库，叛归漠北，禄山遂顿兵不进。

4　乙巳，改吏部为文部，兵部为武部，刑部为宪部。

5　户部侍郎、御史大夫、京兆尹王铁，权宠日盛，领二十馀使。宅旁为使院，文案盈积，吏求署一字，累日不得前。中使赐赍不绝于门，虽李林甫亦畏避之。林甫子岫为将作监，铁子准为卫尉少卿，俱供奉禁中。准陵侮岫，岫常下之。然铁事林甫谨，林甫虽忌其宠，不忍害也。

准尝帅其徒过驸马都尉王繇，繇望尘拜伏。准挟弹命中于繇冠，折其玉簪，以为戏笑。既而繇延准置酒，繇所尚永穆公主，上之爱女也，为准亲执刀匕。准去，或谓繇曰："鼠虽挟其父势，君乃使公主为之具食，有如上闻，无乃非宜？"繇曰："上虽怒无害，至于七郎，死生所系，不敢不尔。"

铁弟户部郎中锝，凶险不法，召术士任海川问："我有王者之相否？"海川惧，亡匿。铁恐事泄，捕得，托以他事杖杀之。王府司马韦会，定安公主之子，王繇之同产也，话之私庭。铁使长安尉贾季邻收会系狱，缢杀之。繇不敢言。

3 三月，安禄山发蕃人和汉人步骑兵二十万进攻契丹，想要报去年秋天的兵败之仇。当初突厥阿布思来降唐，玄宗很重视他，赐姓名为李献忠，连续升任朔方节度副使，赐奉信王爵位。李献忠十分有才干，不服安禄山，所以安禄山嫉恨他。这时，安禄山就上奏请李献忠率领同罗数万骑兵与他一起进攻契丹。李献忠怕安禄山陷害他，就告诉留后张暐，请他上奏不与安禄山一同去作战，张暐不答应。于是李献忠就率领部下大肆掠夺仓库中的物资，叛逃回漠北，于是安禄山停兵不进。

4 乙巳(二十八日)，改吏部名为文部，兵部名为武部，刑部名为宪部。

5 户部侍郎、御史大夫、京兆尹王鉷受到玄宗的宠信，威权日盛，一身兼任二十多个使职。自己的宅第旁边就是使院，案头积满了文书，官吏想要他签署一下，等几天都排不到。皇上让宦官不断地给他赏赐物品，络绎不绝于门，就是李林甫也畏惧他的权势。李林甫的儿子李岫任将作监，王鉷的儿子王准任卫尉少卿，都在宫中做供奉官。而王准常常侮辱李岫，李岫总是让着他。但王鉷对李林甫还是十分恭敬，李林甫虽然妒嫉他受到皇上的宠信，但不忍加害于他。

王准曾经领着自己的一帮党羽经过驸马都尉王繇的身旁，王繇望着他伏身下拜。王准拿起弹弓射中了王繇的帽子，折断了玉制发夹，作为戏笑。不久，王繇又设置酒宴招待王准，王繇的妻子永穆公主是玄宗的女儿，为王准亲自下厨做饭。王准离去后，有人对王繇说："像王准这样的鼠辈小人，虽然有他父亲的权势，但你让公主为他亲自做饭，如果皇上知道了，岂不是不合适？"王繇说："皇上就是知道了发怒也没有什么，而王七郎，对于我来说是生命所系，所以不敢不那样巴结他。"

王鉷的弟弟户部郎中王銲是个凶险不法之徒，召方术之士任海川问道："你看我有没有当王的面相？"任海川惧怕，就逃走藏了起来。王銲恐怕此事被泄露出去，就搜捕到任海川，假托其他的事用棍棒打死了他。王府司马韦会，是安定公主的儿子，王繇的同母异父兄弟，私下对人说了这件事。王鉷知道后，就让长安县尉贾季邻把韦会抓进监狱中，然后勒死了他。王繇不敢说话。

　　锝所善邢縡,与龙武万骑谋杀龙武将军,以其兵作乱,杀李林甫、陈希烈、杨国忠;前期二日,有告之者。夏,四月乙酉,上临朝,以告状面授锳,使捕之。锳意锝在縡所,先使人召之,日晏,乃命贾季邻等捕縡。縡居金城坊,季邻等至门,縡帅其党数十人持弓刀格斗突出。锳与杨国忠引兵继至,縡党曰:"勿伤大夫人。"国忠之傔密谓国忠曰:"贼有号,不可战也。"縡斗且走,至皇城西南隅。会高力士引飞龙禁军四百至,击斩縡,捕其党,皆擒之。

　　国忠以状白上,曰:"锝必预谋。"上以锝任遇深,不应同逆;李林甫亦为之辩解。上乃特命原锝不问,然意欲锝表请罪之;使国忠讽之,锝不忍,上怒。会陈希烈极言锝大逆当诛,戊子,敕希烈与国忠鞫之,仍以国忠兼京兆尹。于是任海川、韦会等事皆发,狱具,锝赐自尽,锝杖死于朝堂,锝子准、俿流岭南,寻杀之。有司籍其第舍,数日不能遍。锝宾佐莫敢窥其门,独采访判官裴冕收其尸葬之。

　　6　初,李林甫以陈希烈易制,引为相,政事常随林甫左右,晚节遂与林甫为敌,林甫惧。会李献忠叛,林甫乃请解朔方节制,且荐河西节度使安思顺自代;庚子,以思顺为朔方节度使。

　　7　五月戊申,庆王琮薨,赠靖德太子。

　　8　丙辰,京兆尹杨国忠加御史大夫、京畿关内采访等使,凡王锳所绾使务,悉归国忠。

与王鉷关系密切的邢縡,与龙武军万骑营准备谋杀龙武将军,率兵作乱,杀李林甫、陈希烈与杨国忠。事发前两天,有人告发了这件事。夏季,四月乙酉(初九),玄宗上朝,把状子当面交给王鉷,让他去捉人。王鉷想到弟弟王銲可能在邢縡家里,就先让人把他叫了回来,到了天快黑的时候,才命令贾季邻等逮捕邢縡。邢縡居住在金城坊,贾季邻等到了他门口,邢縡领着他的党羽数十人手持弓箭刀剑边走边战闯了出来。王鉷与杨国忠率兵从后面赶到,邢縡的党羽说:"不要伤了王大夫的人马。"杨国忠的侍从暗中对杨国忠说:"叛贼有暗号,不能与他们交战。"邢縡边战边走,到了皇城西南角。这时高力士率领飞龙禁军四百来到,攻杀了邢縡,并逮捕了他的党羽。

杨国忠把情况告诉了玄宗,并说:"王鉷一定参与了这一阴谋。"而玄宗认为王鉷深受他的信任,不应该有叛逆行为,李林甫也为他辩解。于是玄宗特下令赦免王銲不问他的罪,但想要王鉷自己主动上表请治兄弟的罪,并让杨国忠暗示他,但王鉷觉得不忍心这样做,玄宗大怒。适逢陈希烈极力说王鉷犯了大逆罪,应该杀掉他,戊子(十二日),玄宗下敕命陈希烈与杨国忠审讯王鉷,并任命杨国忠兼京兆尹。因此任海川和韦会的案件都暴露了出来,证据确凿,王鉷被玄宗赐自杀,王銲被棍棒打死于朝堂,王鉷的儿子王准与王偁流放岭南,不久也被杀死。有关部门去查抄他的家,几天都抄不完。王鉷的部下都躲开怕受到牵连,只有采访判官裴冕收葬了他的尸体。

6　起初,李林甫认为陈希烈容易控制,所以推荐为宰相。陈希烈对朝中大事,常常听李林甫的,但到了后来,却与李林甫为敌作对,李林甫惧怕。适逢李献忠叛逃,李林甫就请求辞掉所兼任的朔方节度使职,并且推荐河西节度使安思顺代替自己;庚子(二十四日),玄宗任命安思顺为朔方节度使。

7　五月戊申(初三),庆王李琮去世,赠谥号为靖德太子。

8　丙辰(十一日),玄宗任命京兆尹杨国忠为御史大夫、京畿及关内采访等使,凡是王鉷原来所兼领的使职,都归杨国忠。

初，李林甫以国忠微才，且贵妃之族，故善遇之。国忠与王鉷俱为中丞，鉷用林甫荐为大夫，故国忠不悦，遂深探邢绰狱，令引林甫交私鉷兄弟及阿布思事状，陈希烈、哥舒翰从而证之，上由是疏林甫。国忠贵震天下，始与林甫为仇敌矣。

9　六月甲子，杨国忠奏吐蕃兵六十万救南诏，剑南兵击破之于云南，克故隰州等三城，捕虏六千三百，以道远，简壮者千馀人及酋长降者献之。

10　秋，八月乙丑，上复幸左藏，赐群臣帛。癸巳，杨国忠奏有凤皇见左藏库屋，出纳判官魏仲犀言凤集库西通训门。

11　九月，阿布思入寇，围永清栅，栅使张元轨拒却之。

12　冬，十月戊寅，上幸华清宫。

13　己亥，改通训门曰凤集门。魏仲犀迁殿中侍御史，杨国忠属吏率以凤皇优得调。

14　南诏数寇边，蜀人请杨国忠赴镇，左仆射兼右相李林甫奏遣之。国忠将行，泣辞，上言必为林甫所害，贵妃亦为之请。上谓国忠曰："卿暂到蜀区处军事，朕屈指待卿，还当入相。"林甫时已有疾，忧懑不知所为，巫言一见上可小愈。上欲就视之，左右固谏。上乃令林甫出庭中，上登降圣阁遥望，以红巾招之。林甫不能拜，使人代拜。国忠比至蜀，上遣中使召还，至昭应，谒林甫，拜于床下。林甫流涕谓曰："林甫死矣，公必为相，以后事累公！"国忠谢不敢当，汗出覆面。十一月丁卯，林甫薨。

起初,李林甫认为杨国忠才能不大,并且是杨贵妃的同族,所以重用了他。杨国忠与王鉷都是御史中丞,后来王鉷靠李林甫的推荐任御史大夫,所以引起杨国忠的不满。于是杨国忠深究邢縡的案件,并令案犯说李林甫与王鉷兄弟有私交以及阿布思叛逃的事情与李林甫有牵连,陈希烈与哥舒翰也从中间证明此事,玄宗因此疏远李林甫。杨国忠的权力威震天下,开始与李林甫为仇敌。

　　9　六月甲子,杨国忠上奏说吐蕃发兵六十万增援南诏,被剑南兵打败于云南,并攻下了巂州等三城,俘虏敌人六千三百名,因为道路遥远,挑选其中年轻力壮的一千多人及他们投降的首长献给朝廷。

　　10　秋季,八月乙丑,玄宗又去观看左藏库,赏赐群臣布帛。癸巳(十九日),杨国忠上奏说在左藏库的屋顶上看见了凤凰,出纳判官魏仲犀说看见一群凤凰聚集在左藏库西的通训门上。

　　11　九月,阿布思率领部下入侵,包围了永清栅,被栅使张元轨击退。

　　12　冬季,十月戊寅(初五),玄宗前往华清宫。

　　13　己亥(二十六日),玄宗命令改通训门为凤集门。将魏仲犀升为殿中侍御史,杨国忠的部下都因为说看见了凤凰而得到优先升迁。

　　14　南诏多次入侵唐朝的边疆,蜀人请求派杨国忠前往剑南镇,左仆射兼右相李林甫上奏玄宗,请派杨国忠往蜀地。杨国忠临行前哭泣着与玄宗辞别,并说此行一定会被李林甫害死,杨贵妃也为他说情。玄宗对杨国忠说:“你暂时到蜀中处理一下军政大事,我屈指计日等着你回来,然后任命你为宰相。”这时李林甫已重病在身,心中忧伤烦闷,不知道怎么办才好,巫人告诉他说,看见皇上病情就可以好转。玄宗想去看望李林甫,左右的人坚持劝阻。于是玄宗就命令李林甫从屋里出来到庭院中,玄宗登上降圣阁远远地看他,挥起红色的巾帕向他招手。李林甫已不能下拜,就让人代他向玄宗下拜。杨国忠刚到蜀中,玄宗就派宦官把他召了回来。杨国忠到昭应县,去见李林甫,拜倒在床下。李林甫流着眼泪对杨国忠说:“我活不长了,我死后您必定要当宰相,后事就拜托您了。”杨国忠表示感谢,并说不敢当,汗流满面。十一月丁卯(二十四日),李林甫去世。

上晚年自恃承平,以为天下无复可忧,遂深居禁中,专以声色自娱,悉委政事于林甫。林甫媚事左右,迎合上意,以固其宠;杜绝言路,掩蔽聪明,以成其奸;妒贤疾能,排抑胜己,以保其位;屡起大狱,诛逐贵臣,以张其势。自皇太子以下,畏之侧足。凡在相位十九年,养成天下之乱,而上不之寤也。

15　庚申,以杨国忠为右相,兼文部尚书,其判使并如故。

国忠为人强辩而轻躁,无威仪。既为相,以天下为己任,裁决机务,果敢不疑。居朝廷,攘袂扼腕,公卿以下,颐指气使,莫不震慑。自侍御史至为相,凡领四十馀使。台省官有才行时名,不为己用者,皆出之。

或劝陕郡进士张彖谒国忠,曰:"见之,富贵立可图。"彖曰:"君辈倚杨右相如泰山,吾以为冰山耳!若皎日既出,君辈得无失所恃乎?"遂隐居嵩山。

国忠以司勋员外郎崔圆为剑南留后,征魏郡太守吉温为御史中丞,充京畿、关内采访等使。温诣范阳辞安禄山,禄山令其子庆绪送至境,为温控马出驿数十步。温至长安,凡朝廷动静,辄报禄山,信宿而达。

16　十二月,杨国忠欲收人望,建议:"文部选人,无问贤不肖,选深者留之,依资据阙注官。"滞淹者翕然称之。国忠凡所施置,皆曲徇人所欲,故颇得众誉。

17　甲申,以平卢兵马使史思明兼北平太守,充卢龙军使。

18　丁亥,上还宫。

玄宗晚年自认为天下太平,没有可以忧愁的事了,于是居于深宫之中,沉湎于声色犬马,寻求欢娱,把政事都委托给李林甫。李林甫巴结讨好玄宗左右的人,故意迎合玄宗的心意,以巩固自己受宠信的地位;杜绝堵塞向玄宗进谏的门路,蒙蔽玄宗,以施展自己的奸猾的权术;嫉妒贤能之士,排斥压抑才能胜过自己的人,以保持自己的地位;多次制造冤假错案,杀戮驱逐朝中大臣,以扩大自己的权势。皇太子以下的人,都畏之如虎。李林甫当宰相共十九年,造成了天下大乱的局势,而玄宗还不省悟。

15 庚申,玄宗任命杨国忠为右相,兼文部尚书,仍兼任以前的使职。

杨国忠为人争强好胜,但性情浮躁,没有威严的仪表。既为宰相,自认为大权在握,以天下为己任,处理国家军政大事,刚愎自用,草率从事。在朝廷上常常捋起袖子,对王公大臣颐指气使,以致人人惊恐。杨国忠从兼侍御史到任宰相,总共兼领四十多个使职。台省中有才能和名声的人,如果不听他的话,就都想方设法将其贬为地方官。

有人劝陕郡进士张彖去晋见杨国忠,并说:"如果去拜见他,马上就可以富贵。"张彖说:"你们认为依靠杨右相就像泰山那样稳固,但我却认为是一座冰山!如果烈日高照,你们难道不怕冰山消融而失去依靠吗?"于是就隐居于嵩山中。

杨国忠任命司勋员外郎崔圆为剑南留后,征魏郡太守吉温为御史中丞,兼京畿、关内采访等使。吉温临行前到范阳向安禄山告别,安禄山让他的儿子安庆绪一直把吉温送出境,并为吉温牵着马送出驿站大门数十步。吉温到了长安后,对朝廷中的一举一动,都向安禄山报告,消息两天两夜就可以到达。

16 十二月,杨国忠为了收买人心,建议说:"文部选拔官吏,不管贤明与否,选择有资历的留下,依照声望和功绩任命一定的职位。"那些长期得不到升迁的官吏都赞成这一建议。凡杨国忠所施行的政策,都曲意迎合人们的愿望,所以受到一些人的称颂。

17 甲申(十二日),玄宗命平卢兵马使史思明兼任北平太守,并为卢龙军使。

18 丁亥(十五日),玄宗返回宫中。

19　丁酉，以安西行军司马封常清为安西四镇节度使。

20　哥舒翰素与安禄山、安思顺不协，上常和解之，使为兄弟。是冬，三人俱入朝，上使高力士宴之于城东。禄山谓翰曰："我父胡，母突厥，公父突厥，母胡，族类颇同，何得不相亲？"翰曰："古人云，狐向窟嗥不祥，为其忘本故也。兄苟见亲，翰敢不尽心？"禄山以为讥其胡也，大怒，骂翰曰："突厥敢尔！"翰欲应之，力士目翰，翰乃止，阳醉而散，自是为怨愈深。

21　棣王琰有二孺人，争宠，其一使巫书符置琰履中以求媚。琰与监院宦者有隙，宦者知之，密奏琰祝诅上；上使人掩其履而获之，大怒。琰顿首谢："臣实不知有符。"上使鞫之，果孺人所为。上犹疑琰知之，因于鹰狗坊，绝朝请，忧愤而薨。

22　故事，兵、吏部尚书知政事者，选事悉委侍郎以下，三注三唱，仍过门下省审，自春及夏，其事乃毕。及杨国忠以宰相领文部尚书，欲自示精敏，乃遣令史先于私第密定名阙。

十二载（癸巳，753）

1　春，正月壬戌，国忠召左相陈希烈及给事中、诸司长官皆集尚书都堂，唱注选人，一日而毕，曰："今左相、给事中俱在座，已过门下矣。"其间资格差缪甚众，无敢言者。于是门下不复过官，侍郎但掌试判而已。侍郎韦见素、张倚趋走门庭，与主事无异。见素，凑之子也。

19　丁酉（二十五日），玄宗任命安西行军司马封常清为安西四镇节度使。

20　哥舒翰素来与安禄山、安思顺有矛盾，玄宗常常为他们调解，使他们结拜为兄弟。这年冬天，三人同入朝，玄宗让高力士在城东设宴招待他们。席间安禄山对哥舒翰说："我的父亲是胡人，母亲是突厥人，您的父亲是突厥人，母亲是胡人，我们的族类十分相近，为什么不互相亲善呢？"哥舒翰说："古人说狐狸向着自己的洞窟嚎叫不吉祥，是因为忘本的缘故。老兄如果能够与我亲善，我怎么敢不尽心呢？"安禄山认为哥舒翰讥讽他是胡人，极为愤怒，骂哥舒翰道："你这个突厥竟敢这样无礼！"哥舒翰正想要回骂，看见高力士用眼睛示意他，就没有回嘴，假装喝醉了酒而散席，从此积怨愈深。

21　棣王李琰有两个小妾，争风吃醋，其中一个暗中让巫师写了一道符箓放在李琰的鞋子里，借以讨好。李琰与监视他们的宦官有矛盾，宦官知道了这件事，就秘密地向玄宗上奏说李琰诅咒皇上，于是玄宗就派人突然搜查了李琰的鞋子，果然搜到了符箓，心中大怒。李琰叩头谢罪说："我实在不知道这件事。"玄宗派人审问，原来是小妾干的。但玄宗还是怀疑李琰知道此事，就把他囚禁在鹰狗坊中，不再让他上朝请安，李琰忧愤而死。

22　按照过去的制度，兵部和吏部尚书如果兼任宰相，就把科举考试的事委托给侍郎以下的官吏去主持，经过三项考试而通过的，才送给门下省审查，从春天一直到夏天，才能完毕。到杨国忠以宰相兼领文部尚书时，想要显示自己精明能干，就让有关官吏先在自己的家里暗中把名字确定下来。

唐玄宗天宝十二载（癸巳，公元 753 年）

1　春季，正月壬戌（二十日），杨国忠召左相陈希烈及给事中、各部门的长官都聚集于尚书都堂，决定入选的人，只用了一天就结束了，他说："现在左相和给事中都在这里，就等于通过了门下省的审查。"所选的官员水平差距很大，但没有人敢于提意见。因此门下省不再审查被选为官的人，侍郎只主考判文而已。侍郎韦见素和张倚跑腿办事，与吏部主事没有两样。韦见素是韦凑的儿子。

京兆尹鲜于仲通讽选人请为国忠刻颂,立于省门,制仲通撰其辞,上为改定数字,仲通以金填之。

2　杨国忠使人说安禄山诬李林甫与阿布思谋反,禄山使阿布思部落降者诣阙,诬告林甫与阿布思约为父子。上信之,下吏按问;林甫婿谏议大夫杨齐宣惧为所累,附国忠意证成之。时林甫尚未葬,二月癸未,制削林甫官爵,子孙有官者除名,流岭南及黔中,给随身衣及粮食,自馀赀产并没官。近亲及党与坐贬者五十馀人。剖林甫棺,抉取含珠,褫金紫,更以小棺如庶人礼葬之。己亥,赐陈希烈爵许国公,杨国忠爵魏国公,赏其成林甫之狱也。

3　夏,五月己酉,复以魏、周、隋后为三恪,杨国忠欲攻李林甫之短也。卫包以助邪贬夜郎尉,崔昌贬乌雷尉。

4　阿布思为回纥所破,安禄山诱其部落而降之,由是禄山精兵,天下莫及。

5　壬辰,以左武卫大将军何复光将岭南五府兵击南诏。

6　安禄山以李林甫狡猾逾己,故畏服之。及杨国忠为相,禄山视之蔑如也,由是有隙。国忠屡言禄山有反状,上不听。

陇右节度使哥舒翰击吐蕃,拔洪济、大漠门等城,悉收九曲部落。

初,高丽人王思礼与翰俱为押牙,事王忠嗣。翰为节度使,思礼为兵马使兼河源军使。翰击九曲,思礼后期,翰将斩之,既而复召释之。思礼徐曰:"斩则遂斩,复召何为?"

京兆尹鲜于仲通暗示入选的人请求为杨国忠刻颂辞,立于尚书省门口,玄宗下制让鲜于仲通撰写颂辞,亲自改定了几个字,鲜于仲通用黄金填写。

2 杨国忠派人劝安禄山,让他诬告李林甫与阿布思谋反,安禄山就让阿布思部落投降的人到朝廷,诬告说李林甫与阿布思曾经结为父子关系。玄宗相信了,就派官吏去调查。李林甫的女婿谏议大夫杨齐宣恐怕自己受到牵连,就按照杨国忠的意图证明说有此事。当时李林甫还没有埋葬,二月癸未(十一日),玄宗下制书削去李林甫的官爵,子孙中有官职者被罢免,流放到岭南和黔中,只给随身穿的衣服和所吃的粮食,其馀的财产全部没收。李林甫的亲戚和党羽因这一案件被贬官的达五十多人。又剖开李林甫的棺材,取出了口中所含的珍珠,脱掉金紫衣服,换上了一个小棺材,按照一般平民的礼仪埋葬了他。己亥(二十七日),玄宗赐陈希烈许国公爵位,杨国忠魏国公爵位,以奖赏他们揭发和处置李林甫案件一事。

3 夏季,五月己酉(初九),重新确定以北魏、北周和隋朝的后代为三恪,这是杨国忠故意要揭李林甫的短。卫包因为助长邪恶被贬为夜郎县尉,崔昌被贬为乌雷县尉。

4 阿布思被回纥打败,安禄山乘机诱降了他的部落,从此安禄山的军队兵强马壮,天下无敌。

5 壬辰,玄宗命令左武卫大将军何复光率领岭南五府的军队攻打南诏。

6 安禄山因为李林甫的狡猾超过自己,所以对他十分畏服。到杨国忠为宰相,安禄山十分看不起他,因此二人有矛盾。杨国忠多次说安禄山要谋反,但玄宗不听。

陇右节度使哥舒翰率军攻打吐蕃,攻克了吐蕃的洪济、大漠门等城,降服了九曲的全部部落。

起初,高丽人王思礼与哥舒翰都在王忠嗣的部下作押牙。哥舒翰为节度使,王思礼为兵马使兼河源军使。哥舒翰率军攻打九曲部落,王思礼延误了军期,哥舒翰先想要杀他,不久又把他叫来释放了。王思礼镇静地说:"要杀就杀,又把我叫来干什么?"

杨国忠欲厚结翰共排安禄山，奏以翰兼河西节度使。秋，八月戊戌，赐翰爵西平郡王。翰表侍御史裴冕为河西行军司马。

是时中国盛强，自安远门西尽唐境万二千里，闾阎相望，桑麻翳野，天下称富庶者无如陇右。翰每遣使入奏，常乘白橐驼，日驰五百里。

7　九月甲辰，以突骑施黑姓可汗登里伊罗蜜施为突骑施可汗。

8　北庭都护程千里追阿布思至碛西，以书谕葛逻禄，使相应。阿布思穷迫，归葛逻禄，葛逻禄叶护执之，并其妻子、麾下数千人送之。甲寅，加葛逻禄叶护顿毗伽开府仪同三司，赐爵金山王。

9　冬，十月戊寅，上幸华清宫。

杨国忠与虢国夫人居第相邻，昼夜往来，无复期度，或并辔走马入朝，不施障幕，道路为之掩目。

三夫人将从车驾幸华清宫，会于国忠第。车马仆从，充溢数坊，锦绣珠玉，鲜华夺目。国忠谓客曰："吾本寒家，一旦缘椒房至此，未知税驾之所，然念终不能致令名，不若且极乐耳。"杨氏五家，队各为一色衣以相别，五家合队，粲若云锦。国忠仍以剑南旌节引于其前。

国忠子暄举明经，学业荒陋，不及格。礼部侍郎达奚珣畏国忠权势，遣其子昭应尉抚先白之。抚伺国忠入朝上马，趋至马下，国忠意其子必中选，有喜色。抚曰："大人白相公，郎君所试，不中程式，然亦未敢落也。"国忠怒曰："我子何患不富贵，乃令鼠辈相卖！"策马不顾而去。抚惶遽，书白其父曰："彼恃挟贵势，

杨国忠想联结哥舒翰共同对付安禄山,就奏请玄宗任命哥舒兼任河西节度使。秋季,八月戊戌(三十日),玄宗赐哥舒翰西平郡王爵位。哥舒翰上表奏请任命侍御史裴冕为河西行军司马。

这时唐朝强盛,从长安城西的安远门向西一万二千里都是唐朝的领土,村落相望,桑麻遍野,天下最富饶的地区都不如陇右。哥舒翰每次派使者入朝奏事,总是乘白骆驼,一天行五百里。

7 九月甲辰(初六),朝廷封突骑施黑姓可汗登里伊罗蜜施为突骑施可汗。

8 北庭都护程千里追击阿布思到了碛西,写信告诉葛逻禄,让他接应。这时阿布思无路可走,就投向葛逻禄,葛逻禄把他抓了起来,连同他的妻子、儿子及部下数千人送交程千里。甲寅(十六日),朝廷加封葛逻禄叶护顿毗伽开府仪同三司,赐爵位金山王。

9 冬季,十月戊寅(十一日),玄宗前往华清宫。

杨国忠的宅第与虢国夫人相邻,因此二人昼夜往来,不用相约,有时竟并马一起入朝,也不用障幕遮蔽,路边的人都觉得羞耻而无法看下去。

韩国、虢国和秦国三夫人将要跟随玄宗前往华清宫,在杨国忠的家中相会。所跟从的车马仆从,浩浩荡荡,占满了城中数坊之地,所穿的锦衣绣服和佩带的珍珠宝玉,鲜艳夺目。杨国忠曾经对客人说:"我本出身贫苦人家庭,只是因为贵妃的关系才有了今天的地位,不知道以后会有什么结果,但想到终究留不下好的声誉,还不如及时行乐。"杨氏五家,每家为一队,每队都穿着一种颜色的衣服相区别,然后五家合为一队,远远望去,灿烂如云锦。杨国忠还让剑南节度使的仪仗在队伍前面领路。

杨国忠的儿子杨暄考明经科,因为学业浅陋,没有及格。礼部侍郎达奚珣因为畏惧杨国忠的权势,就让他的儿子昭应县尉达奚抚先去告诉杨国忠。达奚抚趁杨国忠正要上马入朝时,来到马旁。杨国忠想他的儿子一定能够中选,面露喜色。达奚抚告诉杨国忠说:"我家大人让我告诉相公,您家郎君的答卷不符合程式,没有考中,但是也不敢让他落选。"杨国忠愤怒地说:"我的儿子何愁不能富贵,而让你们这些鼠辈人物来卖弄!"说完催马头也不回地走了。达奚抚十分惊慌,就写信告诉他的父亲说:"杨国忠依恃权势,口出狂言,

令人惨嗟,安可复与论曲直?"遂置暄上第。及暄为户部侍郎,珣始自礼部迁吏部,暄与所亲言,犹叹己之淹回,珣之迅疾。

国忠既居要地,中外饷遗辐凑,积缣至三千万匹。

10　上在华清宫,欲夜出游,龙武大将军陈玄礼谏曰:"宫外即旷野,安可不备不虞?陛下必欲夜游,请归城阙。"上为之引还。

11　是岁,安西节度使封常清击大勃律,至菩萨劳城,前锋屡捷,常清乘胜逐之。斥候府果毅段秀实谏曰:"虏兵赢而屡北,诱我也,请搜左右山林。"常清从之。果获伏兵,遂大破之,受降而还。

12　中书舍人宋昱知选事,前进士广平刘迺以选法未善,上书于昱,以为:"禹、稷、皋陶同居舜朝,犹曰载采有九德,考绩以九载。近代主司,察言于一幅之判,观行于一揖之间,何古今迟速不侔之甚哉?借使周公、孔子今处铨廷,考其辞华,则不及徐、庾,观其利口,则不若啬夫,何暇论圣贤之事业乎?"

实在使人叹息,怎么能够与他论是非曲直呢?"于是达奚珣就把杨暄列入优等。等到杨暄做了户部侍郎,达奚珣才从礼部侍郎升为吏部侍郎,而杨暄与关系亲密的人交谈时,还叹恨自己晋升太慢,达奚珣晋升快。

　　杨国忠因为身居要职,朝野内外向他送礼的人不绝其门,仅家中堆积的丝织品就有三千万匹。

　　10　玄宗在华清宫想要夜晚出游,龙武大将军陈玄礼进谏说:"华清宫外就是野地,怎么能够不考虑安全呢? 陛下如果一定想要出游,请回城去。"玄宗因此回宫。

　　11　这一年,安西节度使封常清率兵进攻大勃律,到了菩萨劳城,先头部队多次获胜,封常清就乘胜追击。这时斥候府果毅段秀实进谏说:"敌人兵力弱而多次败逃,这是引诱我们,请派兵搜查两边的山林。"封常清听从了段秀实的劝告,派兵搜寻,果然有伏兵,于是大败大勃律,受降而回。

　　12　中书舍人宋昱主持科举考试,前进士广平人刘迺认为科举选人的方法并不合理,就上书宋昱说:"大禹、后稷和皋陶三位圣贤都在虞舜一朝做官,他们还说日日都要吸取人们九种美善的德行,用九年的时间考察一个人的能力。而现在掌管选人的官吏却根据一篇判文就决定一个人的文字水平,根据一个作揖就判断一个人的行为是否合乎礼仪,古今选官的快慢差距竟会这么大吗? 假如让周公、孔子站在今天的考堂上,考他们的文章,则比不过南朝的徐陵和庾信,看他们的口才,则比不过汉代的啬夫,哪有机会论说圣贤的事业呢?"

卷第二百一十七　唐纪三十三

起甲午(754)尽丙申(756)四月凡二年有奇

玄宗至道大圣大明孝皇帝下之下

十三载(甲午,754)

1　春,正月己亥,安禄山入朝。是时杨国忠言禄山必反,且曰:"陛下试召之,必不来。"上使召之,禄山闻命即至。庚子,见上于华清宫,泣曰:"臣本胡人,陛下宠擢至此,为国忠所疾,臣死无日矣!"上怜之,赏赐巨万,由是益亲信禄山,国忠之言不能入矣。太子亦知禄山必反,言于上,上不听。

2　甲辰,太清宫奏:"学士李琪见玄元皇帝乘紫云,告以国祚延昌。"

3　唐初,诏敕皆中书、门下官有文者为之。乾封以后,始召文士元万顷、范履冰等草诸文辞,常于北门候进止,时人谓之"北门学士"。中宗之世,上官昭容专其事。上即位,始置翰林院,密迩禁廷,延文章之士,下至僧、道、书、画、琴、棋、数术之工皆处之,谓之"待诏"。刑部尚书张均及弟太常卿垍皆翰林院供奉。上欲加安禄山同平章事,已令张垍草制。杨国忠谏曰:"禄山虽有军功,目不知书,岂可为宰相?制书若下,恐四夷轻唐。"上乃止。乙巳,加禄山左仆射,赐一子三品、一子四品官。

4　丙午,上还宫。

玄宗至道大圣大明孝皇帝下之下

唐玄宗天宝十三载(甲午,公元754年)

1 春季,正月己亥(初三),安禄山入朝。当时杨国忠进言说安禄山必反,并说:"陛下试召他入朝,他一定不来。"于是玄宗就派人召见安禄山,安禄山听见命令立刻来朝。庚子(初四),安禄山觐见玄宗于华清宫,哭诉说:"我本是一名胡人,只是受到陛下的信任才有今天的地位,但却不为杨国忠所容,恐怕难以活命了!"玄宗听后十分怜爱,重加赏赐,因此更加信任安禄山,杨国忠的话一点也听不进去。太子李亨也知道安禄山要谋反,告诉玄宗,玄宗不听。

2 甲辰(初八),太清宫上奏说:"崇玄馆学士李琪看见玄元皇帝老子乘紫云,告诉他说大唐王朝昌盛长久。"

3 唐朝初年,皇上所下的诏书制敕都由中书省和门下省官吏中善于做文章的人撰写。乾封年以后,开始召文士元万顷、范履冰等人草写文告,这些人常常在北门值班等候命令,所以当时的人把他们称为"北门学士"。中宗在位时,由上官昭容专门干这些事。玄宗即位以后,开始设置翰林院,靠近宫廷,延揽天下能文之士,下至佛僧、道士以及精通书、画、琴、棋、卜、祝的人,都召进去,这些人被称为"翰林待诏"。刑部尚书张均和他的弟弟太常卿张垍都在翰林院供奉皇上。玄宗想要加封安禄山同平章事,已经令张垍草写了制书。这时,杨国忠进谏说:"安禄山虽然有战功,但是目不识丁,怎么能够做宰相呢?如果制书颁布,恐怕周边的夷人会轻视我们大唐王朝。"玄宗只好取消了这一任命。乙巳(初九),玄宗加封安禄山左仆射,赐给他的一个儿子三品官,另一个儿子四品官。

4 丙午(初十),玄宗返回宫中。

5 安禄山求兼领闲厩、群牧。庚申,以禄山为闲厩、陇右群牧等使。禄山又求兼总监,壬戌,兼知总监事。禄山奏以御史中丞吉温为武部侍郎,充闲厩副使,杨国忠由是恶温。禄山密遣亲信选健马堪战者数千匹,别饲之。

6 二月壬申,上朝献太清宫,上圣祖尊号曰大圣祖高上大道金阙玄元大皇太帝。癸酉,享太庙,上高祖谥曰神尧大圣光孝皇帝,太宗谥曰文武大圣大广孝皇帝,高宗谥曰天皇大圣大弘孝皇帝,中宗谥曰孝和大圣大昭孝皇帝,睿宗谥曰玄真大圣大兴孝皇帝,以汉家诸帝皆谥孝故也。甲戌,群臣上尊号曰开元天地大宝圣文神武证道孝德皇帝。赦天下。

7 丁丑,杨国忠进位司空;甲申,临轩册命。

8 己丑,安禄山奏:“臣所部将士讨奚、契丹、九姓、同罗等,勋效甚多,乞不拘常格,超资加赏,仍好写告身付臣军授之。”于是除将军者五百馀人,中郎将者二千馀人。禄山欲反,故先以此收众心也。

三月丁酉朔,禄山辞归范阳。上解御衣以赐之,禄山受之惊喜。恐杨国忠奏留之,疾驱出关。乘船沿河而下,令船夫执绳板立于岸侧,十五里一更,昼夜兼行,日数百里,过郡县不下船。自是有言禄山反者,上皆缚送,由是人皆知其将反,无敢言者。

禄山之发长安也,上令高力士饯之长乐坡,及还,上问:“禄山慰意乎?”对曰:“观其意怏怏,必知欲命为相而中止故也。”

5　安禄山请求兼任闲厩使、群牧使等职。庚申(二十四日)，玄宗任命安禄山为闲厩、陇右群牧等使。安禄山又请求兼任群牧总监，壬戌(二十六日)，玄宗又任命安禄山兼任总监。安禄山又上奏请求任命御史中丞吉温为武部侍郎，充任闲厩副使。杨国忠因此恨吉温。安禄山暗中派亲信挑选能征善战的健壮军马数千匹，另选地方饲养。

6　二月壬申(初六)，玄宗向太清宫献食，上圣祖老子尊号为大圣祖高上大道金阙玄元大皇太帝。癸酉(初七)，玄宗祭祀太庙，上高祖李渊谥号为神尧大圣光孝皇帝，太宗李世民谥号为文武大圣大广孝皇帝，高宗李治谥号为天皇大圣大弘孝皇帝，中宗李显谥号为孝和大圣大昭孝皇帝，睿宗李旦谥号为玄真大圣大兴孝皇帝，因为汉朝皇帝的谥号都有"孝"字，所以都加谥号为"孝"。甲戌(初八)，群臣上玄宗尊号为开元天地大宝圣文神武证道孝德皇帝。大赦天下。

7　丁丑(十一日)，玄宗晋升杨国忠为司空；甲申(十八日)，杨国忠在殿前的平台上接受玄宗的册命。

8　己丑(二十三日)，安禄山上奏说："我所率领的部下将士讨伐奚、契丹、九姓胡、同罗等，功勋卓著，乞望陛下能够打破常规，封官赏赐，并希望写好委任状，让我在军中授予他们。"因此安禄山部将被任命为将军的有五百多人，中郎将的有两千多人。安禄山要谋反，所以借此收买人心。

三月丁酉朔(初一)，安禄山向玄宗告辞，要回范阳。玄宗脱下自己的衣服赐给他，安禄山十分惊喜。安禄山恐怕杨国忠向玄宗上奏把他留在朝中，所以急忙出潼关。然后乘船沿黄河而下，命令船夫手执挽船用的绳板立在岸边，十五里一换，昼夜兼程，日行数百里，经过郡县也不下船。从此有说安禄山谋反的人，玄宗都把他们捆绑起来送给安禄山，因此人们都知道安禄山要谋反，但没有人敢说。

安禄山从长安离去时，玄宗命令高力士在长乐坡为安禄山饯行，高力士回来后，玄宗问道："安禄山满意吗?"高力士回答说："我看到他心中不愉快，一定是知道了想要任他为宰相，后来又改变的缘故。"

上以告国忠,曰:"此议他人不知,必张垍兄弟告之也。"上怒,贬张均为建安太守,垍为卢溪司马,垍弟给事中埱为宜春司马。

哥舒翰亦为其部将论功,敕以陇右十将、特进、火拔州都督、燕山郡王火拔归仁为骠骑大将军,河源军使王思礼加特进,临洮太守成如璆、讨击副使范阳鲁炅、皋兰府都督浑惟明并加云麾将军,陇右讨击副使郭英乂为左羽林将军。英乂,知运之子也。翰又奏严挺之之子武为节度判官,河东吕谭为支度判官,前封丘尉高适为掌书记,安邑曲环为别将。

9 程千里执阿布思,献于阙下,斩之。甲子,以千里为金吾大将军,以封常清权北庭都护、伊西节度使。

10 夏,四月癸巳,安禄山奏击奚破之,虏其王李日越。

11 六月乙丑朔,日有食之,不尽如钩。

12 侍御史、剑南留后李宓将兵七万击南诏。阁罗凤诱之深入,至大和城,闭壁不战。宓粮尽,士卒罹瘴疫及饥死什七八,乃引还,蛮追击之,宓被擒,全军皆没。杨国忠隐其败,更以捷闻,益发中国兵讨之,前后死者几二十万人;无敢言者。上尝谓高力士曰:"朕今老矣,朝事付之宰相,边事付之诸将,夫复何忧?"力士对曰:"臣闻云南数丧师,又边将拥兵太盛,陛下将何以制之?臣恐一旦祸发,不可复救,何得谓无忧也?"上曰:"卿勿言,朕徐思之。"

13 秋,七月癸丑,哥舒翰奏:于所开九曲之地置洮阳、浇河二郡及神策军,以临洮太守成如璆兼洮阳太守,充神策军使。

14 杨国忠忌陈希烈,希烈累表辞位。上欲以武部侍郎吉温代之,国忠以温附安禄山,奏言不可,以文部侍郎韦见素和雅易制,荐之。八月丙戌,以希烈为太子太师,罢政事,以见素为武部尚书、同平章事。

玄宗把此事告诉了杨国忠，杨国忠说："这件事别人都不知道，一定是张垍兄弟告诉安禄山的。"玄宗大为愤怒，就贬张均为建安郡太守，张垍为卢溪郡司马，张垍的弟弟给事中张埱为宜春郡司马。

哥舒翰也为他的部将请功，玄宗就下敕任命陇右十将、特进、火拔州都督、燕山郡王火拔归仁为骠骑大将军，河源军使王思礼为特进，临洮太守成如璆、讨击副使范阳人鲁炅、皋兰府都督浑惟明等为云麾将军，陇右讨击副使郭英乂为左羽林将军。郭英乂是郭知运的儿子。哥舒翰又上奏任命严挺之的儿子严武为节度判官，河东人吕𬤇为支度判官，前封丘县尉高适为掌书记，安邑人曲环为别将。

9　程千里俘获了阿布思，献于朝廷，阿布思被斩首。甲子（二十八日），玄宗任命程千里为金吾大将军，封常清暂时代理北庭都护、伊西节度使。

10　夏季，四月癸巳（二十八日），安禄山上奏说了打败了奚族，俘虏了奚王李日越。

11　六月乙丑朔（初一），出现日食，是形状如钩的日环食。

12　侍御史、剑南留后李宓率兵七万攻打南诏。南诏王阁罗凤采用诱敌深入的战术，把唐军引到大和城下，坚壁不战。李宓粮尽，所率领的士卒因为瘴疫和饥饿死了十分之七八，遂领兵撤退，这时南诏才出兵追击，李宓被俘，全军覆没。而杨国忠不但隐瞒败状，还假报获胜，并增兵去讨伐，前后战死的达二十万人，没有人敢说这件事。玄宗曾经对高力士说："朕已经老了，把朝中政事委托给宰相处理，边防军事委托给诸位边将，还有什么可忧愁的呢？"高力士回答说："我听说唐军在云南多次战败，还有边将拥兵自重，不知道陛下如何处置？我生怕一朝祸发，难以挽救，怎么能说可以高枕无忧呢？"玄宗说："你不要说了，让我仔细考虑一下。"

13　秋季，七月癸丑（二十日），哥舒翰奏请在所开拓的九曲地方设置洮阳、浇河两郡及神策军，任命临洮太守成如璆兼洮阳太守，充任神策军使。

14　杨国忠忌恨陈希烈，所以陈希烈多次上表请求辞职。玄宗想任命武部侍郎吉温代陈希烈，而杨国忠因为吉温依附于安禄山，就上奏说不可，他认为文部侍郎韦见素性情温和易于控制，就推荐他代替陈希烈。八月丙戌（二十三日），玄宗任命陈希烈为太子太师，罢免宰相职务，同时任命韦见素为武部尚书、同平章事。

15　自去岁水旱相继,关中大饥。杨国忠恶京兆尹李岘不附己,以灾沴归咎于岘,九月,贬长沙太守。岘,祎之子也。上忧雨伤稼,国忠取禾之善者献之,曰:"雨虽多,不害稼也。"上以为然。扶风太守房琯言所部水灾,国忠使御史推之。是岁,天下无敢言灾者。高力士侍侧,上曰:"淫雨不已,卿可尽言。"对曰:"自陛下以权假宰相,赏罚无章,阴阳失度,臣何敢言?"上默然。

16　冬,十月乙酉,上幸华清宫。

17　十一月己未,置内侍监二员,正三品。

18　河东太守兼本道采访使韦陟,斌之兄也,文雅有盛名,杨国忠恐其入相,使人告陟赃污事,下御史按问。陟赂中丞吉温,使求救于安禄山,复为国忠所发。闰月壬寅,贬陟桂岭尉,温澧阳长史。安禄山为温讼冤,且言国忠谗疾。上两无所问。

19　戊午,上还宫。

20　是岁,户部奏天下郡三百二十一,县千五百三十八,乡万六千八百二十九,户九百六万九千一百五十四,口五千二百八十八万四百八十八。

十四载(乙未,755)

1　春,正月,苏毗王子悉诺逻去吐蕃来降。

2　二月辛亥,安禄山使副将何千年入奏,请以蕃将三十二人代汉将,上命立进画,给告身。韦见素谓杨国忠曰:"禄山久有异志,今又有此请,其反明矣。明日见素当极言,上未允,公其继之。"国忠许诺。壬子,国忠、见素入见,上迎谓曰:

15　从去年以来,水灾与旱灾不断,关中地区闹饥荒。杨国忠因为憎恨京兆尹李岘不听自己的话,就把这些天灾归咎于李岘,九月,贬李岘为长沙太守。李岘是信安王李祎的儿子。玄宗担忧雨多损害庄稼,杨国忠就拿一些长势良好的禾苗献给玄宗说:"虽然雨多,但没有损害庄稼。"玄宗信以为真。扶风太守房琯说本郡遭受水灾,杨国忠就派御史去调查。这一年,天下没有人再敢于说遭受天灾。高力士侍候玄宗,玄宗说:"大雨连绵不断,你可以把所知道的都告诉我。"高力士回答说:"自陛下把大权委托给宰相以来,赏罚不当,以致上天阴阳失调,我怎么敢说什么呢?"玄宗沉默不语。

16　冬季,十月乙酉(二十三日),玄宗前往华清宫。

17　十一月己未(二十八日),设置宦官内侍监二名,正三品级。

18　河东太守兼本道采访使韦陟是韦斌的哥哥,风度文雅,负有盛名,杨国忠恐怕他入朝为宰相,就让人告他有贪污行为,并下到御史台去调查。韦陟贿赂御史中丞吉温,让吉温向安禄山求援,又被杨国忠揭发。闰月壬寅,贬韦陟为桂岭县尉,吉温为澧阳郡长史。安禄山又为吉温诉冤,并说这是杨国忠故意陷害。玄宗都不问罪。

19　戊午,玄宗返回宫中。

20　这一年,户部上奏唐朝统辖的郡有三百二十一个,县一千五百三十八个,乡一万六千八百二十九个,户数九百零六万九千一百五十四户,人口五千二百八十八万零四百八十八人。

唐玄宗天宝十四载(乙未,公元755年)

1　春季,正月,苏毗王子悉诺逻脱离吐蕃来归附唐朝。

2　二月辛亥(二十二日),安禄山派副将何千年入朝奏事,请求用蕃人将领三十二人代替汉人将领,玄宗命令中书省立刻下敕书,由自己签署实行,并发给委任状。韦见素对杨国忠说:"安禄山早就怀有反心,现在又请求以蕃将代替汉将,谋反的迹象已经很明确了。明天我一定尽力向皇上说这件事,如果皇上不听,请您继后劝说。"杨国忠答应。壬子(二十三日),杨国忠与韦见素入宫觐见玄宗,玄宗迎接他们,并说:

"卿等有疑禄山之意邪?"见素因极言禄山反已有迹,所请不可许,上不悦。国忠逡巡不敢言,上竟从禄山之请。他日,国忠、见素言于上曰:"臣有策可坐消禄山之谋。今若除禄山平章事,召诣阙,以贾循为范阳节度使,吕知诲为平卢节度使,杨光翙为河东节度使,则势自分矣。"上从之。已草制,上留不发,更遣中使辅璆琳以珍果赐禄山,潜察其变。璆琳受禄山厚赂,还,盛言禄山竭忠奉国,无有二心。上谓国忠等曰:"禄山,朕推心待之,必无异志。东北二虏,藉其镇遏。朕自保之,卿等勿忧也!"事遂寝。循,华原人也,时为节度副使。

3 陇右、河西节度使哥舒翰入朝,道得风疾,遂留京师,家居不出。

4 三月辛巳,命给事中裴士淹宣慰河北。

5 夏,四月,安禄山奏破奚、契丹。

6 癸巳,以苏毗王子悉诺逻为怀义王,赐姓名李忠信。

7 安禄山归至范阳,朝廷每遣使者至,皆称疾不出迎,盛陈武备,然后见之。裴士淹至范阳,二十馀日乃得见,无复人臣礼。杨国忠日夜求禄山反状,使京兆尹围其第,捕禄山客李超等,送御史台狱,潜杀之。禄山子庆宗尚宗女荣义郡主,供奉在京师,密报禄山,禄山愈惧。六月,上以其子成婚,手诏禄山观礼,禄山辞疾不至。秋,七月,禄山表献马三千匹,每匹执控夫二人,遣蕃将二十二人部送。河南尹达奚珣疑有变,奏请"谕禄山以进车马宜俟至冬,官自给夫,无烦本军。"于是上稍寤,

"你们是怀疑安禄山要谋反吗?"韦见素因此极力说安禄山反迹已露,对于他的请求千万不能答应,玄宗不高兴。这时杨国忠竟因有顾虑而不敢说话,玄宗便答应了安禄山的请求。有一天,杨国忠和韦见素对玄宗说:"我们有计策可以消除安禄山的阴谋。现在如果任命安禄山为平章事,召他入朝,然后任命贾循为范阳节度使,吕知诲为平卢节度使,杨光翙为河东节度使,这样安禄山的势力就会分化瓦解。"玄宗同意。制书已经写好,但玄宗却留在朝中不发,而又派宦官辅璆琳拿着珍果去赐给安禄山,并让他暗中观察形势的变化。辅璆琳受了安禄山的重赂,还朝后极力说安禄山忠诚奉国,没有二心。唐玄宗对杨国忠等人说:"我推心置腹地对待安禄山,他必不会有异心。再说东北地区的奚与契丹还要靠他镇抚。朕可以保证不会谋反,你们不要担忧!"这件事就这样平息了。贾循是华原人,当时是范阳节度副使。

3 陇右、河西节度使哥舒翰入朝,在路上中风,于是就留在了京师,住在家里,不出来活动。

4 三月辛巳(二十二日),玄宗命令给事中裴士淹代表朝廷去河北安慰军民。

5 夏季,四月,安禄山上奏说打败了奚与契丹。

6 癸巳(初四),玄宗封苏毗王子悉诺逻为怀义王,赐姓名为李忠信。

7 安禄山回到范阳后,每当朝廷有使者来,总是假装有病不出来迎接,有时布置好兵力,然后才出来接见。裴士淹到范阳后二十多天才见到安禄山,安禄山一点臣下的礼节都不讲。杨国忠日夜搜集安禄山谋反的证据,派京兆尹包围了安禄山在京城的住宅,逮捕了安禄山的门客李超等,送到御史台狱中,然后秘密地杀了他们。安禄山的儿子安庆宗娶四皇室女荣义郡主,在京师为太仆卿,他把这件事密报给了安禄山,安禄山更加恐惧。六月,玄宗以安庆宗成婚为由,下手诏让安禄山来京城参加婚礼,安禄山称病不来。秋季,七月,安禄山上表请求献给朝廷马三千匹,每匹马马夫一人,并派蕃人将领二十二人护送。河南尹达奚珣怀疑其中有诈,就上奏说:"请告谕安禄山应等到冬天再献车马,由朝廷供给马夫,不用烦劳他部下的军士。"于是玄宗才有所省悟,

始有疑禄山之意。会辅璆琳受赂事亦泄,上托以他事扑杀之。上遣中使冯神威赍手诏谕禄山,如珣策,且曰:"朕新为卿作一汤,十月于华清宫待卿。"神威至范阳宣旨,禄山踞床微起,亦不拜,曰:"圣人安稳。"又曰:"马不献亦可,十月灼然诣京师。"即令左右引神威置馆舍,不复见。数日,遣还,亦无表。神威还,见上泣曰:"臣几不得见大家!"

8 八月辛卯,免今载百姓租庸。

9 冬,十月庚寅,上幸华清宫。

10 安禄山专制三道,阴蓄异志,殆将十年,以上待之厚,欲俟上晏驾然后作乱。会杨国忠与禄山不相悦,屡言禄山且反,上不听。国忠数以事激之,欲其速反以取信于上。禄山由是决意遽反,独与孔目官太仆丞严庄、掌书记、屯田员外郎高尚、将军阿史那承庆密谋,自余将佐皆莫之知,但怪其自八月以来,屡飨士卒,秣马厉兵而已。会有奏事官自京师还,禄山诈为敕书,悉召诸将示之曰:"有密旨,令禄山将兵入朝讨伐杨国忠,诸君宜即从军。"众愕然相顾,莫敢异言。十一月甲子,禄山发所部兵及同罗、奚、契丹、室韦凡十五万众,号二十万,反于范阳。命范阳节度副使贾循守范阳,平卢节度副使吕知诲守平卢,别将高秀岩守大同。诸将皆引兵夜发。

诘朝,禄山出蓟城南,大阅誓众,以讨杨国忠为名,榜军中曰:"有异议扇动军人者,斩及三族!"于是引兵而南。禄山乘铁舆,步骑精锐,烟尘千里,鼓噪震地。时海内久承平,百姓累世不识兵革,猝闻范阳兵起,远近震骇。河北皆禄山统内,所过州县,望风瓦解,守令或开门出迎,或弃城窜匿,或为所擒戮,

开始怀疑安禄山有反心。这时辅璆琳接受安禄山贿赂的事被揭发，玄宗就假托其他罪用扑刑处死了辅璆琳。玄宗又派宦官冯神威拿着自己的手诏，按照达奚珣的计策，去告谕安禄山，并且说："朕刚为你在华清宫造了一座温汤池，十月在那里等待你。"神威到范阳宣读了玄宗的诏书，安禄山坐在床上略微起了一下身子，也不伏拜，只是说："皇上可好。"又说："不让献马也行，我到十月份一定去京师。"然后就命令左右的人把冯神威安置在馆舍，不再接见。过了数天，才让神威回朝，也没有奏表。神威回朝后，见到玄宗哭泣着说："我差一点见不到陛下！"

8　八月辛卯(初四)，玄宗下令免去百姓今年的租庸。

9　冬季，十月庚寅(初四)，玄宗前往华清宫。

10　安禄山一身兼任三道节度使，阴谋作乱已将近十年，只是因为玄宗待他很好，所以想等到玄宗死后再反叛。这时杨国忠因为与安禄山不和，多次上言说他要谋反，玄宗不信。杨国忠又多次以事激怒安禄山，想让他立刻反叛以取信于玄宗。安禄山于是决意举兵反叛，只与孔目官、太仆丞严庄和掌书记、屯田员外郎高尚以及将军阿史那承庆等人密谋，其他将领都不让知道。其他将领只是觉得奇怪，不知道安禄山为什么从八月份以来多次招待士卒，秣马厉兵，准备打仗。这时有入朝奏事官从京师回来，安禄山就假造敕书，把将领都召来告诉他们说："皇上有密诏给我，让我率兵入朝讨杨国忠，你们应该听我指挥随军行动。"众将领听完后都十分惊愕，相看而不敢反对。十一月甲子(初九)，安禄山率领所统辖的三镇军队及同罗、奚、契丹、室韦兵共十五万人，号称二十万，在范阳起兵反叛。安禄山又命令范阳节度副使贾循留守范阳，平卢节度副使吕知诲留守平卢，别将高秀岩守卫大同。其馀的将领都率兵深夜出发。

第二天早晨，安禄山出蓟城南门，召集全军检阅誓师，以讨伐杨国忠为名，在军中发文告说："谁要是煽动军人反对这一行动，灭杀他的三族！"然后率兵向南进军。安禄山坐着铁车，精锐步骑兵浩浩荡荡，战尘千里，鼓角震地。当时唐朝国内长治久安，老百姓几代没有经过战争，猛然得知范阳兵起，远近惊骇。河北地区都在安禄山统辖之内，所以叛军经过的州县望风瓦解，郡守与县令有的大开城门迎接敌人，有的弃城逃命，有的被叛军俘虏或杀害，

无敢拒之者。禄山先遣将军何千年、高邈将奚骑二十,声言献射生手,乘驿诣太原。乙丑,北京副留守杨光翙出迎,因劫之以去。太原具言其状。东受降城亦奏禄山反。上犹以为恶禄山者诈为之,未之信也。

庚午,上闻禄山定反,乃召宰相谋之。杨国忠扬扬有德色,曰:"今反者独禄山耳,将士皆不欲也。不过旬日,必传首诣行在。"上以为然,大臣相顾失色。上遣特进毕思琛诣东京,金吾将军程千里诣河东,各简募数万人,随便团结以拒之。辛未,安西节度使封常清入朝,上问以讨贼方略,常清大言曰:"今太平积久,故人望风惮贼。然事有逆顺,势有奇变,臣请走马诣东京,开府库,募骁勇,挑马棰渡河,计日取逆胡之首献阙下!"上悦。壬申,以常清为范阳、平卢节度使。常清即日乘驿诣东京募兵,旬日,得六万人;乃断河阳桥,为守御之备。

甲戌,禄山至博陵南,何千年等执杨光翙见禄山,责光翙以附杨国忠,斩之以徇。禄山使其将安忠志将精兵军土门,忠志,奚人,禄山养为假子;又以张献诚摄博陵太守,献诚,守珪之子也。

禄山至藁城,常山太守颜杲卿力不能拒,与长史袁履谦往迎之。禄山辄赐杲卿金紫,质其子弟,使仍守常山;又使其将李钦凑将兵数千人守井陉口,以备西来诸军。杲卿归,途中指其衣谓履谦曰:"何为著此?"履谦悟其意,乃阴与杲卿谋起兵讨禄山。杲卿,思鲁之玄孙也。

丙子,上还宫。斩太仆卿安庆宗,赐荣义郡主自尽。以朔方节度使安思顺为户部尚书,思顺弟元贞为太仆卿。以朔方右厢兵马使、

没有人敢于抵抗。安禄山先派将军何千年与高邈率领奚族骑兵二十名，声称是向朝廷献射生手，乘驿马到太原。乙丑（初十），北京副留守杨光翙出城迎接，被劫持而去。太原向朝廷报告了这一情况。东受降城也上奏说安禄山反叛。玄宗还认为这是恨安禄山的人故意捏造事实，不相信真有其事。

庚午（十五日），玄宗得知安禄山确实率兵造反，才召来宰相商议应变之策。杨国忠得意洋洋地说："现在要反叛的只有安禄山一个人，所部将士都不想反叛。不过十天，一定会把安禄山的首级割下来送到行在。"玄宗信以为然，大臣们听后则大惊失色。玄宗派特进毕思琛往东京，金吾将军程千里往河东，各招募数万人，各随便利，编组教练，以便抗拒叛军。辛未（十六日），安西节度使封常清入朝，玄宗向他问平叛之计，常清夸大其辞地说："现在因为天下太平已久，所以人人看见叛军都十分害怕。但事情有逆顺，形势会突变。我请求立刻到东京，打开府库，招募勇士，然后跃马挥师渡过黄河，用不了几天就会把逆贼安禄山的头颅取下献给陛下！"玄宗大喜。壬申（十七日），任命封常清为范阳、平卢节度使。封常清当天即乘驿马到东京募兵，十天募得六万人；然后毁坏河阳桥，准备抵御叛军的进攻。

甲戌（十九日），安禄山来到博陵郡南，何千年等人带着杨光翙来见，安禄山责备杨光翙依附杨国忠，然后杀了他示众。安禄山让部将安忠志率领精兵驻扎在土门，安忠志是奚族人，安禄山的养子；又委任张献诚代理博陵太守，张献诚是张守珪的儿子。

安禄山到了藁城，常山太守颜杲卿兵少不能拒敌，就与长史袁履谦去迎接安禄山。安禄山当即赐颜杲卿金紫衣服，把他的子弟带去作为人质，仍让他守常山；又派部将李钦凑率兵数千守卫井陉关，防备从西面来进攻的唐军。颜杲卿在回来的路上指着安禄山所赐的金紫衣服对袁履谦说："我为什么要穿这样的衣服呢？"袁履谦领悟了他的意思，于是就暗中与颜杲卿谋划起兵讨伐安禄山。颜杲卿是颜思鲁的玄孙。

丙子（二十一日），玄宗返回宫中。先杀了安禄山的儿子太仆卿安庆宗，赐荣义郡主自杀。任命朔方节度使安思顺为户部尚书，安忠顺的弟弟安元贞为太仆卿。任命朔方右厢兵马使、

九原太守郭子仪为朔方节度使,右羽林大将军王承业为太原尹。置河南节度使,领陈留等十三郡,以卫尉卿猗氏张介然为之。以程千里为潞州长史。诸郡当贼冲者,始置防御使。

丁丑,以荣王琬为元帅,右金吾大将军高仙芝副之,统诸军东征。出内府钱帛,于京师募兵十一万,号曰天武军,旬日而集,皆市井子弟也。

十二月丙戌,高仙芝将飞骑、彍骑及新募兵、边兵在京师者合五万人,发长安。上遣宦者监门将军边令诚监其军,屯于陕。

11 丁亥,安禄山自灵昌渡河,以絙约败船及草木横绝河流,一夕,冰合如浮梁,遂陷灵昌郡。禄山步骑散漫,人莫知其数,所过残灭。张介然至陈留才数日,禄山至,授兵登城,众恟惧,不能守。庚寅,太守郭纳以城降。禄山入北郭,闻安庆宗死,恸哭曰:“我何罪,而杀我子?”时陈留将士降者夹道近万人,禄山皆杀之以快其忿,斩张介然于军门。以其将李庭望为节度使,守陈留。

12 壬辰,上下制欲亲征,其朔方、河西、陇右兵留守城堡之外,皆赴行营,令节度使自将之,期二十日毕集。

13 初,平原太守颜真卿知禄山且反,因霖雨,完城浚壕,料丁壮,实仓廪。禄山以其书生,易之。及禄山反,牒真卿以平原、博平兵七千人防河津,真卿遣平原司兵李平间道奏之。上始闻禄山反,河北郡县皆风靡,叹曰:“二十四郡,曾无一人义士邪?”及平至,大喜曰:“朕不识颜真卿作何状,乃能如是!”真卿遣亲客密怀购贼牒诣诸郡,由是诸郡多应者。真卿,杲卿之从弟也。

九原太守郭子仪为朔方节度使,右羽林大将军王承业为太原尹。设置河南节度使,统一指挥陈留等十三郡的军队,任命卫尉卿猗氏人张介然为节度使。又任命程千里为潞州长史。开始在各郡的战略要地设置防御使。

丁丑(二十二日),玄宗任命荣王李琬为元帅,右金吾大将军高仙芝为副元帅,统率各路军队东征。又拿出内府中的金钱布帛,在京师招募军队十一万,号为天武军,十天便集合起来,成员都是市民子弟。

十二月丙戌(初一),副元帅高仙芝率领飞骑、旷骑及新招募的兵,再加上留在京师的边镇兵共五万人,从长安出发。玄宗又派监门将军宦官边令诚去监军,屯于陕郡。

11　丁亥(初二),安禄山从灵昌渡过黄河,用绳子捆系破船和杂草树木,横断河流,一个晚上即结冰如浮桥,于是大军过河攻陷了灵昌郡。安禄山所率领的步骑叛军散漫不成队伍,人们难以计其数,所经过的地方被烧杀抢掠,一片残败。河南节度使张介然到陈留才几天,安禄山即率叛军来到,张介然命令士兵登城守卫,士兵惊恐,不能作战。庚寅(初五),陈留太守郭纳献城投降。安禄山从城北进入,得知安庆宗已死,痛哭说:"我有什么罪,而把我的儿子杀死?"当时投降的陈留将士在路两旁将近一万人,安禄山把他们全部杀死以泄其愤,又在军门杀了张介然。任命他的部将李庭望为节度使,守卫陈留。

12　壬辰(初七),玄宗颁下制书说要亲自率兵去征讨安禄山,命令朔方、河西、陇右的镇兵除留守城堡以外,全部开赴行营,并命令各镇节度使亲自率领,限二十天内全部到齐。

13　起初,平原太守颜真卿知道安禄山要举兵反叛,就借下大雨之机,修筑城壕,统计能作战的成年人,并充实仓库。安禄山认为颜真卿不过是一介书生,没有注意他。等到安禄山起兵谋反,就发公文让颜真卿率领平原和博平两郡的七千兵守卫黄河渡口,颜真卿即派平原司兵李平从小路去报告朝廷。玄宗最初得知安禄山举兵反叛,河北地区的郡县都纷纷投降的消息时,感叹说:"河北地区的二十四郡中难道就没有一位仁义之士吗?"李平到后,玄宗高兴地说:"朕不认识颜真卿是什么样子,竟如此忠义!"颜真卿又派亲信暗藏悬赏叛军的文告到其他州郡联络,因此有许多州郡纷纷响应。颜真卿是颜杲卿的堂弟。

安禄山引兵向荥阳，太守崔无诐拒之；士卒乘城者，闻鼓角声，自坠如雨。癸巳，禄山陷荥阳，杀无诐，以其将武令珣守之。禄山声势益张，以其将田承嗣、安忠志、张孝忠为前锋。封常清所募兵皆白徒，未更训练，屯武牢以拒贼。贼以铁骑蹂之，官军大败。常清收馀众，战于葵园，又败。战上东门内，又败。丁酉，禄山陷东京，贼鼓噪自四门入，纵兵杀掠。常清战于都亭驿，又败；退守宣仁门，又败；乃自苑西坏墙西走。

河南尹达奚珣降于禄山。留守李憕谓御史中丞卢奕曰："吾曹荷国重任，虽知力不敌，必死之！"奕许诺。憕收残兵数百，欲战，皆弃憕溃去，憕独坐府中。奕先遣妻子怀印间道走长安，朝服坐台中，左右皆散。禄山屯于闲厩，使人执憕、奕及采访判官蒋清，皆杀之。奕骂禄山，数其罪，顾贼党曰："凡为人当知逆顺。我死不失节，夫复何恨？"憕，文水人；奕，怀慎之子；清，钦绪之子也。禄山以其党张万顷为河南尹。

封常清帅馀众至陕，陕郡太守窦廷芝已奔河东，吏民皆散。常清谓高仙芝曰："常清连日血战，贼锋不可当。且潼关无兵，若贼豕突入关，则长安危矣。陕不可守，不如引兵先据潼关以拒之。"仙芝乃帅见兵西趣潼关。贼寻至，官军狼狈走，无复部伍，士马相腾践，死者甚众。至潼关，修完守备，贼至，不得入而去。禄山使其将崔乾祐屯陕，临汝、弘农、济阴、濮阳、云中郡皆降于禄山。是时，朝廷征兵诸道，皆未至，关中恼惧。会禄山方谋称帝，留东京不进，故朝廷得为之备，兵亦稍集。

安禄山率兵进军荥阳,太守崔无诐率官兵拒守,登上城头的士兵听见叛军的鼓角之声,吓得直往下掉。癸巳(初八),安禄山攻陷荥阳,杀了崔无诐,让部将武令珣守卫。安禄山叛军的声势更加浩大,他命令部将田承嗣、安忠志、张孝忠为先锋进攻东京。封常清所招募的兵都是一些没有经过军事训练而临时被招来的平民,他率领这些兵屯驻武牢关以抵御叛军。叛军的精锐骑兵一阵冲锋,官军大败。封常清收罗残兵,与叛军战于葵园,又被打败。战于上东门内,官军又败。丁酉(十二日),安禄山攻陷东京,叛军呐喊着从四面的城门涌入城内,纵兵烧杀抢掠。封常清与叛军战于都亭驿,又被打败;只好退守宣仁门,又败于叛军;于是就推倒禁苑的西墙向西逃走。

河南尹达奚珣向安禄山投降。留守李憕对御史中丞卢奕说:"我们肩负着国家的重任,虽然自知力量微薄不能抵抗叛军,但也要为国家而死!"卢奕同意。李憕收罗了数百名残兵,想与叛军交战,这些士兵都离他而逃溃,只有李憕一人坐在府中。卢奕先派他的妻子怀藏大印从小路往长安,自己则穿着朝服坐在御史台中,左右的人都已逃散。安禄山率兵驻扎在闲厩之中,派人把李憕、卢奕及采访判官蒋清抓来,然后把他们杀掉。卢奕大骂安禄山,数落他忘恩负义的罪行,并对叛军党羽说:"凡是人都应该知道事情有逆顺的道理。我死也不失臣节,还有什么遗憾的呢?"李憕是文水人;卢奕是卢怀慎的儿子;蒋清是蒋钦绪的儿子。安禄山任命他的亲信张万顷为河南尹。

封常清率领残兵逃到陕郡,陕郡太守窦廷芝已逃往河东,官吏和民众也都已逃跑。封常清对高仙芝说:"我连日与叛军血战,叛军锐不可当。再说潼关无兵守卫,如果叛军突入关中,京城长安就危险了。陕郡不能守,不如率兵先占据潼关以抗御叛军。"于是高仙芝就率领所有的兵西向潼关。不久叛军追至,官军狼狈而逃,不成队伍,士卒与战马互相践踏,死了许多。退到了潼关,整饬防守器械,叛军追兵赶到,不能够入关而退去。安禄山派部将崔乾祐率兵屯于陕郡,临汝、弘农、济阴、濮阳、云中等郡都降于安禄山。这时朝廷向诸道所征的兵都还没有赶到,关中民众十分惊慌。正好安禄山谋划着称帝,留在东京不再进攻,所以朝廷才得到喘息的时间备战,所征的兵也陆续赶到。

禄山以张通儒之弟通晤为睢阳太守,与陈留长史杨朝宗将胡骑千馀东略地,郡县官多望风降走,惟东平太守嗣吴王祗、济南太守李随起兵拒之。祗,祎之弟也。郡县之不从贼者,皆倚吴王为名。单父尉贾贲帅吏民南击睢阳,斩张通晤。李庭望引兵欲东徇地,闻之,不敢进而还。

14 庚子,以永王璘为山南节度使,江陵长史源洧为之副;颍王璬为剑南节度使,蜀郡长史崔圆为之副。二王皆不出阁。洧,光裕之子也。

15 上议亲征,辛丑,制太子监国,谓宰相曰:“朕在位垂五十载,倦于忧勤,去秋已欲传位太子;值水旱相仍,不欲以馀灾遗子孙,淹留俟稍丰。不意逆胡横发,朕当亲征,且使之监国。事平之日,朕将高枕无为矣。”杨国忠大惧,退谓韩、虢、秦三夫人曰:“太子素恶吾家专横久矣,若一旦得天下,吾与姊妹并命在旦暮矣!”相与聚哭。使三夫人说贵妃,衔土请命于上,事遂寝。

16 颜真卿召募勇士,旬日至万馀人,谕以举兵讨安禄山,继以涕泣,士皆感愤。禄山使其党段子光赍李憕、卢奕、蒋清首徇河北诸郡,至平原,壬寅,真卿执子光,腰斩以徇;取三人首,续以蒲身,棺敛葬之,祭哭受吊。禄山以海运使刘道玄摄景城太守,清池尉贾载、盐山尉河内穆宁共斩道玄,得其甲仗五十馀船;携道玄首谒长史李昕,昕收严庄宗族,悉诛之。是日,送道玄首至平原。真卿召载、宁及清河尉张澹诣平原计事。饶阳太守卢全诚据城不受代;河间司法李奂杀禄山所署长史王怀忠;李随遣游弈将訾嗣贤济河,杀禄山所署

安禄山任命张通儒的弟弟张通晤为睢阳太守,与陈留长史杨朝宗一起率领胡人骑兵一千多人向东攻城掠地,郡县官闻风或降或逃,只有东平太守嗣吴王李祗、济南太守李随起兵反抗。李祗是李祎的弟弟。于是各郡县不愿意投降叛军的官吏民众都借吴王李祗的名义起兵。单父县尉贾贲率领官吏民众向南攻打睢阳,杀了叛军将领张通晤。安禄山大将李庭望想率兵向东掠地,得知此事后,不敢进军而回。

14 庚子(十五日),玄宗任命永王李璘为山南节度使,江陵长史源洧为副使;颍王李璬为剑南节度使,蜀郡长史崔圆为副使。二王都不亲自到职。源洧是源光裕的儿子。

15 玄宗想要亲自挂帅去征讨安禄山,辛丑(十六日),下制书令太子监国,对宰相们说:"朕在皇帝位快五十年了,懒于处理政事,去年秋天就想传位给太子,又逢水灾旱灾不断,朕不想把这些灾祸留给子孙去承担,想等到形势好转后再传位。不料逆胡安禄山举兵谋反,朕一定要亲自去征讨,让太子监国。待叛乱平定后,朕将高枕无忧地退位。"杨国忠听后大为恐惧,退朝后对韩国、虢国和秦国三夫人说:"太子早就恨我们杨家专权,如果让他当皇帝得天下,我与姊妹们的生命将会危在旦夕!"杨家诸姊妹相聚哭泣。杨国忠就让三夫人去劝说杨贵妃,杨贵妃又死命地阻拦玄宗,这件事遂不能实行。

16 平原太守颜真卿招募勇士,十天即募得一万多人,告诉他们要举兵讨伐安禄山,并失声痛哭,勇士们都被感动。安禄山命令他的亲信段子光拿着李憕、卢奕和蒋清三人的头颅宣示河北地区各郡县,到了平原,壬寅(十七日),颜真卿抓了段子光,将他腰斩示众;又取下李憕等三人的首级,用蒲草作人身续接在头上,入殓装入棺材,然后祭奠哭泣接受吊唁。安禄山任命海运使刘道玄代理景城太守,清池县尉贾载和盐山县尉河内人穆宁一起杀了刘道玄,获得盔甲器仗共五十多船,然后持着刘道玄的首级去见长史李暐,李暐逮捕了严庄的宗族,把他们全部杀掉。同日把刘道玄的首级送到平原。颜真卿把贾载、穆宁及清河县尉张澹召到平原谋划联兵抵抗叛军的事。饶阳太守卢全诚占据郡城不接受安禄山的招降;河间郡司法李奂杀了安禄山所任命的长史王怀忠;李随派游弈将訾嗣贤渡过黄河杀了安禄山所任命的

博平太守马冀；各有众数千或万人，共推真卿为盟主，军事皆禀焉。禄山使张献诚将上谷、博陵、常山、赵郡、文安五郡团结兵万人围饶阳。

17 高仙芝之东征也，监军边令诚数以事干之，仙芝多不从。令诚入奏事，具言仙芝、常清桡败之状，且云："常清以贼摇众，而仙芝弃陕地数百里，又盗减军士粮赐。"上大怒，癸卯，遣令诚赍敕即军中斩仙芝及常清。初，常清既败，三遣使奉表陈贼形势，上皆不之见。常清乃自驰诣阙，至渭南，敕削其官爵，令还仙芝军，白衣自效。常清草遗表曰："臣死之后，望陛下不轻此贼，无忘臣言！"时朝议皆以为禄山狂悖，不日授首，故常清云然。令诚至潼关，先引常清，宣敕示之；常清以表附令诚上之。常清既死，陈尸蓬蒩。仙芝还，至听事，令诚索陌刀手百馀人自随，乃谓仙芝曰："大夫亦有恩命。"仙芝遽下，令诚宣敕。仙芝曰："我遇敌而退，死则宜矣。今上戴天，下履地，谓我盗减粮赐则诬也。"时士卒在前，皆大呼称枉，其声振地，遂斩之。以将军李承光摄领其众。

河西、陇右节度使哥舒翰病废在家，上藉其威名，且素与禄山不协，召见，拜兵马副元帅，将兵八万以讨禄山。仍敕天下四面进兵，会攻洛阳。翰以病固辞，上不许，以田良丘为御史中丞，充行军司马，起居郎萧昕为判官，蕃将火拔归仁等各将部落以从，并仙芝旧卒，号二十万，军于潼关。翰病，不能治事，悉以军政委田良丘；良丘复不敢专决，使王思礼主骑，李承光主步，二人争长，无所统壹。翰用法严而不恤，士卒皆懈弛，无斗志。

博平太守马冀。这些忠义之士各有兵数千或一万人，共同推举颜真卿为盟主，军事行动都听从他的指挥。安禄山派部将张献诚率领上谷、博陵、常山、赵郡、文安等五郡的团练兵共一万人包围饶阳。

17　高仙芝率兵东征，监军宦官边令诚多次因事求他，高仙芝大都不听。边令诚入朝奏事，向玄宗报告了高仙芝、封常清战败的情况，并且说："封常清借叛军的强大势力动摇军心，高仙芝无故丧失陕郡数百里之地，还盗减军士的粮食和物资。"玄宗大为愤怒，癸卯（十八日）派边令诚手持敕书到军中杀高仙芝及封常清。起初封常清兵败后，三次派使者入朝上表陈述叛军的形势，玄宗都不见。于是封常清就亲自骑马入朝报告，到了渭南，玄宗下敕书剥夺了他的官职和爵位，让他回到高仙芝的军中作为一名普通的士卒去效命。封常清草写了上给玄宗的遗表说："我死了以后，希望陛下千万不要轻视逆贼安禄山，不要忘记我说的话！"当时朝臣都认为安禄山狂傲叛逆，用不了多长时间就会失败，所以封常清这样告诫玄宗。边令诚到了潼关，先把封常清叫来，向他宣示了敕书。封常清把自己草写的遗表交给边令诚呈送玄宗。封常清被杀后，尸体陈放在一张粗席子上面。高仙芝回到官署后，边令诚带领着陌刀手一百多人，对高仙芝说："皇帝也有恩命给高大夫。"高仙芝听后立刻下厅，边令诚遂宣示敕书。高仙芝说："我遇到叛军没有抵抗而退却，死了是应该的。但是现上有天下有地，说我盗减士兵的军粮和物资实在是冤枉。"当时高仙芝部下的士卒都在场，大呼高仙芝冤枉，吼声震地，但边令诚还是杀了他。然后命令将军李承光代理统帅军队。

河西、陇右节度使哥舒翰因病在家中休养，玄宗因为他有威名，而且素来与安禄山关系不和，于是就召见他，拜为兵马副元帅，率兵八万去征讨安禄山。还下敕让各地进军，集兵收复洛阳。哥舒翰因病坚辞不受，玄宗不答应，并任命田良丘为御史中丞兼行军司马，起居郎萧昕为判官，蕃人将领火拔归仁等都率领部落军队归哥舒翰指挥，再加上高仙芝原来的军队，号为二十万，守卫潼关。哥舒翰因病不能料理军务，就把军政大事都委托给田良丘处理。田良丘又不敢一人决定大事，于是就让王思礼统领骑兵，李承光统领步兵，又因为这二人争权，军令无法统一。哥舒翰用法严厉而不体恤士卒，所以士卒们意志松懈，士气低落，没有战斗力。

18 安禄山大同军使高秀岩寇振武军,朔方节度使郭子仪击败之,子仪乘胜拔静边军。大同兵马使薛忠义寇静边军,子仪使左兵马使李光弼、右兵马使高濬、左武锋使仆固怀恩、右武锋使浑释之等逆击,大破之,坑其骑七千。进围云中,使别将公孙琼岩将二千骑击马邑,拔之,开东陉关。甲辰,加子仪御史大夫。怀恩,哥滥拔延之曾孙也,世为金微都督。释之,浑部酋长,世为皋兰都督。

19 颜杲卿将起兵,参军冯虔、前真定令贾深、藁城尉崔安石、郡人翟万德、内丘丞张通幽皆预其谋。又遣人语太原尹王承业,密与相应。会颜真卿自平原遣杲卿甥卢逖潜告杲卿,欲连兵断禄山归路,以缓其西入之谋。时禄山遣其金吾将军高邈诣幽州征兵,未还,杲卿以禄山命召李钦凑,使帅众诣郡受犒赉。丙午,薄暮,钦凑至,杲卿使袁履谦、冯虔等携酒食妓乐往劳之,并其党皆大醉,乃断钦凑首,收其甲兵,尽缚其党,明日,斩之,悉散井陉之众。有顷,高邈自幽州还,且至藁城,杲卿使冯虔往擒之。南境又白何千年自东京来,崔安石与翟万德驰诣醴泉驿迎千年,又擒之,同日致于郡下。千年谓杲卿曰:"今太守欲输力王室,既善其始,当慎其终。此郡应募乌合,难以临敌,宜深沟高垒,勿与争锋。俟朔方军至,并力齐进,传檄赵、魏,断燕、蓟要膂。今且宜声云'李光弼引步骑一万出井陉';因使人说张献诚云'足下所将多团练之人,无坚甲利兵,难以当山西劲兵',献诚必解围遁去。此亦一奇也。"杲卿悦,用其策,献诚果遁去,其团练兵皆溃。

18　安禄山的部将大同军使高秀岩率兵侵略振武军,被朔方节度使郭子仪击退打败,郭子仪又乘胜攻克了静边军。安禄山的大同兵马使薛忠义侵略静边军,郭子仪派左兵马使李光弼、右兵马使高濬、左武锋使仆固怀恩、右武锋使浑释之等率兵去迎战,大败叛军,七千骑兵被坑杀。然后又进军包围了云中郡,郭子仪派别将公孙琼岩率领两千骑兵攻克了马邑,打开了东陉关的通路。甲辰(十九日),玄宗加封郭子仪为御史大夫。仆固怀恩是哥滥拔延的曾孙,世代为金微都督。浑释之是浑族部落酋长,世代为皋兰都督。

19　颜杲卿将要起兵讨叛,参军冯虔、前真定县令贾深、藁城县尉崔安石、常山人翟万德、内丘县丞张通幽等人都参与谋划。颜杲卿又派人联络太原尹王承业,让他也起兵响应。这时颜真卿从平原派颜杲卿的外甥卢逖暗中与颜杲卿联系,想与他连兵断绝安禄山的后路,阻止向西进攻长安的阴谋。这时安禄山派遣他的金吾将军高邈往幽州征兵,还没有回来,颜杲卿就假借安禄山的命令召李钦凑,让他率部下到郡城接受犒赏。丙午(二十一日),天刚黑,李钦凑来到常山,颜杲卿让袁履谦与冯虔等人带着酒食妓乐去慰劳,连同他的党羽都被灌得大醉,于是袁履谦等就割下李钦凑的首级,缴获了他的武器,并把他的部将全部捆绑起来,第二天把他们全部杀掉,遣散了叛军守卫井陉关的兵众。不久,高邈从幽州返回,快要到藁城,颜杲卿派冯虔去抓获了高邈。南面又报告何千年从东京来到,崔安石与翟万德骑马到醴泉驿去迎接,又抓获了何千年,同一天被押到郡城。何千年对颜杲卿说:"现在您要全力维护唐朝的天下,既然已经有了好的开头,也应当有一个好的结果。在常山郡所招募的士卒都是一帮乌合之众,难以抵挡叛军,所以应该深沟高垒,以逸待劳,不要与叛军的精锐直接交锋。等到朔方镇的兵到后,并力齐进,传檄赵郡、魏郡,让他们同时进攻,分割断绝范阳叛军的联系。现在应该声言说:'李光弼率领步、骑兵一万已出井陉关。'并让人告诉张献诚说:'您所统领的大多是没有多少战斗力的团练兵,没有坚甲快刀,难以抵挡山西来的劲兵。'这样张献诚就会自动解围撤退。这也是一大奇计。"颜杲卿听后大喜,就按照何千年的计谋行事,张献诚果然撤退,所率领的团练兵也都溃败。

杲卿乃使人入饶阳城,慰劳将士。命崔安石等徇诸郡云:"大军已下井陉,朝夕当至,先平河北诸郡。先下者赏,后至者诛!"于是河北诸郡响应,凡十七郡皆归朝廷,兵合二十余万。其附禄山者,唯范阳、卢龙、密云、渔阳、汲、邺六郡而已。

杲卿又密使人入范阳招贾循,郏城人马燧说循曰:"禄山负恩悖逆,虽得洛阳,终归夷灭。公若诛诸将之不从命者,以范阳归国,倾其根柢,此不世之功也。"循然之,犹豫不时发。别将牛润容知之,以告禄山,禄山使其党韩朝阳召循。朝阳至范阳,引循屏语,使壮士缢杀之,灭其族,以别将牛廷玠知范阳军事。史思明、李立节将蕃、汉步骑万人击博陵、常山。马燧亡入西山,隐者徐遇匿之,得免。

20　初,禄山欲自将攻潼关,至新安,闻河北有变而还。蔡希德将兵万人自河内北击常山。

21　戊申,荣王琬薨,赠谥靖恭太子。

22　是岁,吐蕃赞普乞梨苏笼猎赞卒,子娑悉笼猎赞立。

肃宗文明武德大圣大宣孝皇帝上之上
至德元载(丙申,756)

1　春,正月乙卯朔,禄山自称大燕皇帝,改元圣武,以达奚珣为侍中,张通儒为中书令,高尚、严庄为中书侍郎。

2　李随至睢阳,有众数万。丙辰,以随为河南节度使,以前高要尉许远为睢阳太守兼防御使。濮阳客尚衡起兵讨禄山,以郡人王栖曜为衙前总管,攻拔济阴,杀禄山将邢超然。

于是颜杲卿就派人进入饶阳城,慰劳将士。又命令崔安石告诉其他州郡说:"朝廷大军已下井陉关,不久就到,先平定河北的州郡。先归顺的有赏,后到的杀!"因此河北地区的州郡纷纷响应,共有十七郡归顺朝廷,合兵二十多万。其馀依附安禄山叛军的只有范阳、卢龙、密云、渔阳、汲郡和邺郡等六郡。

颜杲卿又秘密地派人入范阳城去招降贾循,这时郏城人马燧劝告贾循说:"安禄山忘恩负义,举兵反叛,倒行逆施,虽然占据了洛阳,但终究会败亡。您如果能够杀掉不愿意归附朝廷的将领,以范阳归顺朝廷,倾覆安禄山叛军的巢穴,就等于建立了千古不朽的功勋。"贾循认为他说的对,但因犹豫不决还没有行动。这件事被别将牛润容知道了,就报告了安禄山,安禄山就派他的亲信韩朝阳去召贾循。韩朝阳到了范阳,叫来贾循密谈,乘机让壮士勒死了他,并灭杀了他的家族,然后任命别将牛廷玠统领范阳的军队。叛军将领史思明与李立节率领蕃汉步、骑兵一万攻打博陵、常山两郡。马燧逃入西山,被隐士徐遇藏匿,才免于一死。

20 起初,安禄山想要亲自率兵攻打潼关,到了新安,得知河北发生变故而返回。叛将蔡希德率兵一万从河内向北进攻常山。

21 戊申(二十三日),荣王李琬去世,玄宗赠谥号为靖恭太子。

22 这一年,吐蕃赞普乞梨苏笼猎赞去世,他的儿子娑悉笼猎赞继立。

肃宗文明武德大圣大宣孝皇帝上之上
唐肃宗至德元载(丙申,公元756年)

1 春季,正月乙卯朔(初一),安禄山自封为大燕皇帝,改年号为圣武,并任命达奚珣为侍中,张通儒为中书令,高尚、严庄为中书侍郎。

2 李随到睢阳,共有兵数万。丙辰(初二),玄宗任命李随为河南节度使,前高要县尉许远为睢阳太守兼防御使。濮阳人尚衡起兵讨伐安禄山,任命同郡人王栖曜为衙前总管,攻克了济阴,杀了安禄山的部将邢超然。

3　颜杲卿使其子泉明、贾深、翟万德献李钦凑首及何千年、高邈于京师。张通幽泣请曰："通幽兄陷贼,乞与泉明偕行,以救宗族。"杲卿哀而许之。至太原,通幽欲自托于王承业,乃教之留泉明等,更其表,多自为功,毁短杲卿,别遣使献之。杲卿起兵才八日,守备未完,史思明、蔡希德引兵皆至城下。杲卿告急于承业,承业既窃其功,利于城陷,遂拥兵不救。杲卿昼夜拒战,粮尽矢竭;壬戌,城陷。贼纵兵杀万馀人,执杲卿及袁履谦等送洛阳。王承业使者至京师,玄宗大喜,拜承业羽林大将军,麾下受官爵者以百数。征颜杲卿为卫尉卿。朝命未至,常山已陷。

杲卿至洛阳,禄山数之曰:"汝自范阳户曹,我奏汝为判官,不数年超至太守,何负于汝而反邪?"杲卿瞋目骂曰:"汝本营州牧羊羯奴,天子擢汝为三道节度使,恩幸无比,何负于汝而反? 我世为唐臣,禄位皆唐有,虽为汝所奏,岂从汝反邪? 我为国讨贼,恨不斩汝,何谓反也? 臊羯狗,何不速杀我?"禄山大怒,并袁履谦等缚于中桥之柱而剐之。杲卿、履谦比死,骂不绝口。颜氏一门死于刀锯者三十馀人。

史思明、李立节、蔡希德既克常山,引兵击诸郡之不从者,所过残灭,于是邺、广平、钜鹿、赵、上谷、博陵、文安、魏、信都等郡复为贼守。饶阳太守卢全诚独不从,思明等围之。河间司法李奂将七千人、景城长史李暐遣其子祀将八千人救之,皆为思明所败。

3 颜杲卿派他的儿子颜泉明与贾深、翟万德一起到京师向朝廷进献李钦凑的首级及何千年与高邈。张通幽哭泣着请求说:"我的哥哥张通儒是叛军的将领,我恳求与颜泉明一起入京,以救我们家族人的性命。"颜杲卿被感动就答应了他的请求。到了太原,张通幽想要依附于太原尹王承业,于是就让王承业扣留了颜泉明等人,另作了表书,夸大自己的功劳,而贬低颜杲卿,然后另派使者去献给朝廷。颜杲卿起兵才几天,还没有作好守卫的准备,叛将史思明和蔡希德就率兵到了城下。颜杲卿急忙向王承业求援,王承业既已窃取其功,又希望叛军早一点攻陷常山,于是拥兵不救。颜杲卿率兵昼夜苦战,箭尽粮绝,壬戌(初八),叛军攻陷了常山城。叛军放纵士兵杀了一万多人,抓住了颜杲卿与袁履谦等人送往洛阳。王承业所派的使者到了京师,玄宗十分高兴,就拜王承业为羽林大将军,部下被加官封爵的达一百多人。朝廷又征颜杲卿为卫尉卿。任命还未到达,常山城已被叛军攻陷。

颜杲卿被押送到洛阳,安禄山责备他说:"你原是范阳户曹,我上奏朝廷任命你为判官,不几年又越级提升为太守,有什么地方负于你,而你竟起兵反对我?"颜杲卿怒目大骂安禄山说:"你原本是营州的一个牧羊胡奴,天子提升作为三道节度使,恩情深厚,宠信无比,有什么地方负于你,而你却起兵反叛?我世世代代为唐朝的臣子,利禄官位都是唐朝所给予的,虽然是你上奏朝廷任命的,我怎么能够跟随你反叛呢?我是为国家讨伐叛贼,可恨的是没有杀掉你,怎么能说是反叛呢?你这个臭胡狗,为何还不快一点杀我?"安禄山十分恼怒,把颜杲卿与袁履谦捆绑在中桥的桥柱上面,用刀将他们剐死。颜杲卿与袁履谦到死还骂不绝口。颜杲卿一家被安禄山杀掉的有三十多人。

叛军将领史思明、李立节与蔡希德攻克了常山后,又率兵攻打不投降的州郡,在所经过的地方大肆杀戮,邺郡、广平、钜鹿、赵郡、上谷、博陵、文安、魏郡、信都等郡又相继落入敌手。只有饶阳太守卢全诚不投降,史思明等人就率兵包围了饶阳。河间司法李奂率兵七千、景城长史李暐派他的儿子李祀率兵八千去援救,都被史思明打败。

4　上命郭子仪罢围云中,还朔方,益发兵进取东京,选良将一人分兵先出井陉,定河北。子仪荐李光弼,癸亥,以光弼为河东节度使,分朔方兵万人与之。

5　甲子,加哥舒翰左仆射、同平章事,馀如故。

6　置南阳节度使,以南阳太守鲁炅为之,将岭南、黔中、襄阳子弟五万人屯叶北,以备安禄山。炅表薛愿为颍川太守兼防御使,庞坚为副使。愿,故太子瑛之妃兄;坚,玉之曾孙也。

7　乙丑,安禄山遣其子庆绪寇潼关,哥舒翰击却之。

8　己巳,加颜真卿户部侍郎兼本郡防御使;真卿以李晖为副。

9　二月丙戌,加李光弼魏郡太守、河北道采访使。

10　史思明等围饶阳二十九日,不下,李光弼将蕃、汉步骑万馀人、太原弩手三千人出井陉。己亥,至常山,常山团练兵三千人杀胡兵,执安思义出降。光弼谓思义曰:“汝自知当死否?”思义不应。光弼曰:“汝久更陈行,视吾此众,可敌思明否?今为我计当如何?汝策可取,当不杀汝。”思义曰:“大夫士马远来疲弊,猝遇大敌,恐未易当;不如移军入城,早为备御,先料胜负,然后出兵。胡骑虽锐,不能持重,苟不获利,气沮心离,于时乃可图矣。思明今在饶阳,去此不二百里。昨暮羽书已去,计其先锋来晨必至,而大军继之,不可不留意也。”光弼悦,释其缚,即移军入城。史思明闻常山不守,立解饶阳之围;明日未旦,先锋已至,思明等继之,合二万馀骑,直抵城下。光弼遣步卒五千自东门出战,贼守门不退。光弼命五百弩于城上齐发射之,贼稍却。乃出弩手千人分为四队,

4 玄宗命令郭子仪撤去包围云中的军队,回军朔方,更增兵准备收复东京,并让另选一名战将带领一部分军队出井陉关,平定河北。郭子仪推荐李光弼,癸亥(初九),玄宗任命李光弼为河东节度使,分出朔方兵一万交他指挥。

5 甲子(初十),玄宗加封哥舒翰为左仆射、同平章事,原任的官职如旧。

6 玄宗设置南阳节度使,任命南阳太守鲁炅担任此职,率领岭南、黔中、襄阳各地子弟兵五万人驻扎于叶县北面,防备安禄山南侵。鲁炅上表,请任命薛愿为颍川太守兼防御史,庞坚为副使。薛愿是原来的太子李瑛妃子的哥哥,庞坚是庞玉的曾孙。

7 乙丑(十一日),安禄山派遣他的儿子安庆绪率兵进攻潼关,被哥舒翰击退。

8 己巳(十五日),朝廷加封颜真卿为户部侍郎兼本郡防御使,颜真卿又任命李晖为副防御使。

9 二月丙戌(初二),朝廷加封李光弼为魏郡太守、河北道采访使。

10 史思明等叛将已经将饶阳城包围了二十九天,还没有攻下,李光弼率领蕃汉步、骑兵一万多人,再加上太原弩机手三千人出井陉关。己亥(十五日),李光弼兵到常山,常山团练兵三千人杀死反叛的胡兵,抓住安思义出城投降。李光弼对安思义说:"你知道你的罪该死吗?"安思义不说话。李光弼又说:"你久经沙场,看我的这些部队能否打败史思明?如今为我打算,我应该怎么办才好?如果你的计策可取,我就不杀死你。"安思义说:"您的兵马远道而来,士卒疲劳,猝然与强敌交锋,恐怕难以抵挡,不如率兵入城,早做准备,先为部署,然后再出兵。叛军虽然精锐,但难以持久,如果一旦失利,就会气衰心离,到那时就可以打败他们。史思明现在饶阳,距离此地不到两百里路程。昨天晚上已向他发出了求援信,估计先锋部队明天早上一定会到达,紧接着后面就是大部队,一定要留意才是。"李光弼听后很高兴,就为安思义松了绑,当即移军入城。史思明得知常山失守,立刻解除对饶阳的包围来救常山。次日天未亮,前锋部队已到达常山,史思明等率大军其后,共两万多名骑兵,直逼城下。李光弼派步兵五千从东门出击迎战,叛军死命地堵住城门不退。李光弼命五百名弩机手从城头上一齐射击,叛军被迫后撤。然后李光弼又把一千名弩机手分为四队,

使其矢发发相继,贼不能当,敛军道北。光弼出兵五千为枪城于道南,夹呼沱水而陈;贼数以骑兵搏战,光弼之兵射之,人马中矢者太半,乃退,小憩以俟步兵。有村民告贼步兵五千自饶阳来,昼夜行百七十里,至九门南逢壁,度憩息。光弼遣步骑各二千,匿旗鼓,并水潜行,至逢壁,贼方饭,纵兵掩击,杀之无遗。思明闻之,失势,退入九门。时常山九县,七附官军,惟九门、藁城为贼所据。光弼遣裨将张奉璋以兵五百戍石邑,馀皆三百人戍之。

11　上以吴王祗为灵昌太守、河南都知兵马使。贾贲前至雍丘,有众二千。先是谯郡太守杨万石以郡降安禄山,逼真源令河东张巡使为长史,西迎贼。巡至真源,帅吏民哭于玄元皇帝庙,起兵讨贼,吏民乐从者数千人。巡选精兵千人西至雍丘,与贾贲合。

初,雍丘令令狐潮以县降贼,贼以为将,使东击淮阳救兵于襄邑,破之,俘百馀人,拘于雍丘,将杀之,往见李庭望。淮阳兵遂杀守者,潮弃妻子走,故贾贲得以其间入雍丘。庚子,潮引贼精兵攻雍丘,贲出战,败死。张巡力战却贼,因兼领贲众,自称吴王先锋使。

三月乙卯,潮复与贼将李怀仙、杨朝宗、谢元同等四万馀众奄至城下,众惧,莫有固志。巡曰:"贼兵精锐,有轻我心。今出其不意击之,彼必惊溃。贼势小折,然后城可守也。"乃使千人乘城,自帅千人,分数队,开门突出。巡身先士卒,直冲贼陈,人马辟易,贼遂退。明日,复进攻城,设百炮环城,楼堞皆尽。巡于城上立木栅以拒之。贼蚁附而登,巡束蒿灌脂,

一队接一队地不停地发射,叛军不能抵挡,收军退于道北。李光弼派五千手持矛枪排成方形的队伍出于道南,在呼沱河两岸列阵。叛军多次用骑兵来进攻,都被李光弼的弩机手射退,大半人马被射中,只好停止进攻,退下去休战,以等待步兵。这时有村民报告说叛军的五千步兵从饶阳向常山进军,昼夜兼程,行走一百七十里,已到了九门南面的逢壁,估计正在那里休息。李光弼立刻派出步、骑兵各两千,偃旗息鼓,沿呼沱河悄悄地进军,到了逢壁,叛军正在吃饭,官军突然袭击,叛军被全部歼灭。史思明得知步兵被消灭,形势不妙,遂率兵退入九门。当时常山郡的九个县,有七个归顺了官军,只有九门与藁城还被叛军占据着。李光弼派副将张奉璋率兵五百驻守石邑,其馀的县都派三百人守卫。

11　玄宗任命吴王李祗为灵昌太守、河南都知兵马使。贾贲先到了雍丘,有兵二千。先前谯郡太守杨万石献城投降了安禄山,又逼着让真源县令河东人张巡为他的长史,向西去迎接叛军。张巡到了真源,率领官吏民众哭于玄元皇帝庙中,然后起兵讨伐叛军,响应他的有数千人。张巡挑选了精兵一千人向西到达雍丘,与贾贲合兵。

起初,雍丘县令令狐潮率县投降了叛军,叛军任命他为军将,让他率兵到襄邑攻打淮阳来的官军,令狐潮战胜,俘虏了一百多人,关在雍丘县城,准备杀掉他们,然后去见叛军大将李庭望。淮阳兵乘机杀了看守的士兵,令狐潮丢下妻子和儿子逃走,所以贾贲得以趁乱进入雍丘。庚子(十六日),令狐潮带领叛军精兵来攻打雍丘,贾贲出战,兵败而死。张巡奋战击退了叛军,因此兼领贾贲的部队,自称为吴王先锋使。

三月乙卯(初二),令狐潮又与叛军大将李怀仙、杨朝宗、谢元同等率兵四万多人蜂拥来到城下,准备攻城。城中的士兵十分害怕,没有固守决心。张巡对他们说:“叛军兵强马壮,有轻我之心。我们如果出其不意突然袭击,叛军必定会因惊慌而溃败。叛军攻城受挫,我们就可以坚守。”于是就派一千人登上城墙守卫,自己另率一千人,分为数小队,开打城门,突然冲出。张巡身先士卒,直冲叛军阵中,叛军人马惊慌躲避,然后退去。第二天,叛军又集兵来攻城,环城架设了石炮,向城头发射,城楼和矮墙都被摧毁。张巡又在城上架立木栅抵御叛军的进攻。叛军蜂拥登城,张巡教士兵扎起蒿草灌入油脂,

焚而投之,贼不得上。时伺贼隙,出兵击之,或夜缒斫营,积六十馀日,大小三百馀战,带甲而食,裹疮复战,贼遂败走。巡乘胜追之,获胡兵二千人而还,军声大振。

12　初,户部尚书安思顺知禄山反谋,因入朝奏之。及禄山反,上以思顺先奏,不之罪也。哥舒翰素与之有隙,使人诈为禄山遗思顺书,于关门擒之以献,且数思顺七罪,请诛之。丙辰,思顺及弟太仆卿元贞皆坐死,家属徙岭外。杨国忠不能救,由是始畏翰。

13　郭子仪至朔方,益选精兵,戊午,进军于代。

14　戊辰,吴王祗击谢元同,走之,拜陈留太守、河南节度使。

15　壬午,以河东节度使李光弼为范阳长史、河北节度使。加颜真卿河北采访使。真卿以张澹为支使。

先是清河客李萼,年二十馀,为郡人乞师于真卿曰:"公首唱大义,河北诸郡恃公以为长城。今清河,公之西邻,国家平日聚江、淮、河南钱帛于彼以赡北军,谓之'天下北库'。今有布三百馀万匹,帛八十馀万匹,钱三十馀万缗,粮三十馀万斛。昔讨默啜,甲兵皆贮清河库,今有五十馀万事。户七万,口十馀万。窃计财足以三平原之富,兵足以倍平原之强。公诚资以士卒,抚而有之,以二郡为腹心,则馀郡如四支,无不随所使矣。"真卿曰:"平原兵新集,尚未训练,自保恐不足,何暇及邻?虽然,借若诸子之请,则将何为乎?"

然后点火投向敌人,使叛军不能登城。又乘叛军懈怠间隙,出兵袭击,或趁夜晚,从城头用绳子把士兵放下,夜袭敌营,共守城六十多天,大小三百馀战,张巡连吃饭时也不解甲胄,负伤后还继续作战。叛军不能攻克,只好退兵。张巡又乘胜追击,俘虏胡兵两千多人而回,军势大振。

12　起初,户部尚书安思顺得知安禄山要谋反,借入朝之机向玄宗奏报了此事。安禄山起兵反叛后,玄宗因为安思顺先已奏报,所以不加问罪。哥舒翰素来与安思顺有矛盾,于是就故意伪造了一封安禄山给安思顺的信,让人假装送信,然后在潼关城门口抓住此人,献给朝廷,而且列举了安思顺的七条罪状,请求玄宗杀了他。丙辰(初三),安思顺和他的弟弟太仆卿安元贞都因此事被处死,家人被流放到岭南。杨国忠无法救他们,因此开始畏惧哥舒翰。

13　郭子仪回到朔方,增加了精兵强将,戊午(初五),进军于代州。

14　戊辰(十五日),吴王李祗击退了叛军将领谢元同,玄宗任命他为陈留太守、河南节度使。

15　壬午(二十九日),玄宗任命河东节度使李光弼为范阳长史、河北节度使。又加封颜真卿为河北采访使。颜真卿遂任命张澹为支使。

当初,有个清河人李萼,二十多岁,代表清河郡人来向颜真卿借兵,对颜真卿说:“您大义凛然,首先号召大家来反抗叛军,河北地区的郡县都把您看作是国家的长城。现在清河是您西面的邻郡,国家平常把江、淮以及河南地区的金钱布帛都积聚于那里以供赡北方的军队,被人们称为‘天下北仓库’。现在那里有布三百多万匹,帛八十多万匹,钱三十多万缗,粮三十多万斛。过去征讨突厥默啜可汗时,把兵器都贮藏在清河郡的武库中,现在还有五十多万件。清河郡有户数七万,人口十多万。我计算它的财物足可以抵得上三个平原郡,兵马足可以抵得上两个平原郡。您如果真能够借兵给清河郡,并控制这一地区,以平原、清河两郡作为核心力量,那么周围的其他州郡就会如人体的四肢一样,听从您的指挥。”颜真卿说:“平原郡的兵是刚刚召集在一起的,没有经过任何训练,自保还觉得兵力不够,哪里顾得上邻郡呢?但是,我如果答应了您的请求,那将会怎么样呢?”

尊曰:"清河遣仆衔命于公者,非力不足而借公之师以尝寇也,亦欲观大贤之明义耳。今仰瞻高意,未有决辞定色,仆何敢遽言所为哉?"真卿奇之,欲与之兵。众以为尊年少轻肆,徒分兵力,必无所成,真卿不得已辞之。尊就馆,复为书说真卿,以为:"清河去逆效顺,奉粟帛器械以资军,公乃不纳而疑之。仆回辕之后,清河不能孤立,必有所系托,将为公西面之强敌,公能无悔乎?"真卿大惊,遽诣其馆,以兵六千借之,送至境,执手别。真卿问曰:"兵已行矣,可以言子之所为乎?"尊曰:"闻朝廷遣程千里将精兵十万出崞口讨贼,贼据险拒之,不得前。今当引兵先击魏郡,执禄山所署太守袁知泰,纳旧太守司马垂,使为西南主人;分兵开崞口,出千里之师,因讨汲、邺以北至于幽陵郡县之未下者。平原、清河帅诸同盟,合兵十万,南临孟津,分兵循河,据守要害,制其北走之路。计官军东讨者不下二十万,河南义兵西向者亦不减十万。公但当表朝廷坚壁勿战,不过月馀,贼必有内溃相图之变矣。"真卿曰:"善!"命录事参军李择交及平原令范冬馥将其兵,会清河兵四千及博平兵千人军于堂邑西南。袁知泰遣其将白嗣恭等将二万馀人来逆战,三郡兵力战尽日,魏兵大败,斩首万馀级,捕虏千馀人,是马千匹,军资甚众。知泰奔汲郡,遂克魏郡,军声大振。

时北海太守贺兰进明亦起兵,真卿以书召之并力,进明将步骑五千渡河,真卿陈兵逆之,相揖,哭于马上,哀动行伍。进明屯平原城南,休养士马,真卿每事咨之,由是军权稍移于进明矣,真卿不以为嫌。真卿以堂邑之功让进明,进明奏其状,

李萼说:"清河郡派我来向您借兵,并不是兵力不足而借您的兵去与叛军血战,只是想借此看一下您这位贤明之士的雅量。现在看您的意思还没有下定决心,我怎么敢鲁莽地说出下一步的计划呢?"颜真卿听后很惊奇,就想借兵与他。但其他的人都认为李萼年轻气盛,没有看到叛军力量的强大,借兵只能分散兵力,将会一事无成,颜真卿只好拒绝。李萼住到馆舍后,又给颜真卿写信,指出:"清河郡脱离叛军,归顺朝廷,奉献粮食、布帛和武器帮助官军,您不但拒绝接受,而且还心存疑问。我回去复命之后,清河郡不能孤立存在,必定要有所依靠,如果投向叛军,就会成为您西面的强敌,到那时您能不后悔吗?"颜真卿大为震惊,立刻到馆舍去见李萼,答应借兵六千,一直送到边境,握手而别。这时颜真卿又问道:"所借给的兵已经出发,你可以告诉我你的下一步计划吗?"李萼说:"听说朝廷派程千里率领精兵十万出崞口讨伐叛军,被占据险要地形的叛军阻击,不能前进。现在应当先率兵攻打魏郡,抓住安禄山所任命的太守袁知泰,恢复原来的太守司马垂的职位,让他做西南的主将,分出一部分兵力打开崞口,让程千里的军队出来,共同讨伐汲郡、邺郡以北一直到幽陵被叛军占领的郡县。平原与清河两郡率领其他的同盟郡兵,合兵十万,向南进临孟津,然后分兵沿着黄河占领战略要地,控制叛军向北逃跑的退路。估计官军东征的军队不少于二十万,河南地区忠于朝廷的西征军队不少于十万。您只要上表朝廷请求东征的军队固守,不要轻易出战。这样用不了一个多月,叛军必然会发生内乱。"颜真卿说:"你说得好!"于是就命令录事参军李择交与平原县令范冬馥率领这些军队,会同清河兵四千及博平兵一千,驻扎在堂邑县西南。袁知泰派部将白嗣恭等率兵两万多人来迎战,三郡兵与魏郡兵血战一天,魏郡兵大败,被杀一万多人,被俘一千多人,缴获战马一千匹,还有许多其他的军用物资。袁知泰逃往汲郡,于是官军收复了魏都,军势大振。

这时北海太守贺兰进明也起兵讨伐叛军,颜真卿就写信召他来合兵行动、贺兰进明遂率领步、骑兵五千渡过黄河,颜真卿率兵去迎接,两人互相作揖行礼,在马上痛哭,以至感动了队伍中的士兵。贺兰进明率兵驻扎在平原城南,休养兵马,颜真卿遇到问题都与他商量,因此军权逐渐归于贺兰进明,而颜真卿却不以为疑。颜真卿把堂邑之战的功劳让给贺兰进明,于是贺兰进明就向朝廷上奏表功,

取舍任意。敕加进明河北招讨使,择交、冬馥微进资级,清河、博平有功者皆不录。进明攻信都郡,久之,不克;录事参军长安第五琦劝进明厚以金帛募勇士,遂克之。

16　李光弼与史思明相守四十馀日,思明绝常山粮道。城中乏草,马食荐藉。光弼以车五百乘之石邑取草,将车者皆衣甲,弩手千人卫之,为方陈而行,贼不能夺。蔡希德引兵攻石邑,张奉璋拒却之。光弼遣使告急于郭子仪,子仪引兵自井陉出,夏,四月壬辰,至常山,与光弼合,蕃、汉步骑共十馀万。甲午,子仪、光弼与史思明等战于九门城南,思明大败。中郎将浑瑊射李立节,杀之。瑊,释之之子也。思明收馀众奔赵郡,蔡希德奔钜鹿。思明自赵郡如博陵,时博陵已降官军,思明尽杀郡官。河朔之民苦贼残暴,所至屯结,多至二万人,少者万人,各为营以拒贼;及郭、李军至,争出自效。庚子,攻赵郡,一日,城降。士卒多虏掠,光弼坐城门,收所获,悉归之,民大悦。子仪生擒四千人,皆舍之,斩禄山太守郭献璆。光弼进围博陵,十日,不拔,引兵还恒阳就食。

17　杨国忠问士之可为将者于左拾遗博平张镐及萧昕,镐、昕荐左赞善大夫永寿来瑱,丙午,以瑱为颍川太守。贼屡攻之,瑱前后破贼甚众,加本郡防御使,人谓之"来嚼铁"。

18　安禄山使平卢节度使吕知诲诱安东副大都护马灵詧,杀之。平卢游弈使武陟刘客奴、先锋使董秦及安东将王玄志同谋讨诛知诲,遣使逾海与颜真卿相闻,请取范阳以自效。真卿遣判官贾载赍粮及战士衣助之。真卿时惟一子颇,才十馀岁,

任意为自己歌功颂德。玄宗就下敕书加封贺兰进明为河北招讨使,李择交与范冬馥略微有所升迁,而清河与博平的有功将士都没有得到奖赏。贺兰进明又率兵进攻信都郡,很久不能攻克,录事参军长安人第五琦劝贺兰进明用重金招募敢死之士,于是攻克了信都。

16 李光弼与史思明相持了四十多天,史思明断绝了向常山运粮的道路。常山城中饲草已尽,战马只好吃草垫子。李光弼派车五百辆到石邑去取草,赶车的人都穿着甲胄,并派弩机手一千人护卫,结成方阵而行,叛军无法抢夺。叛将蔡希德率兵攻打石邑,被张奉璋击退。李光弼派人向郭子仪求救,郭子仪率兵出井陉关,夏季,四月壬辰(初九),到了常山,与李光弼合兵,共有蕃汉步、骑兵十多万。甲午(十一日),郭子仪、李光弼与史思明交战于九门县城南,史思明被打得大败。中郎将浑瑊射死了叛将李立节。浑瑊是浑释之的儿子。史思明收罗残兵逃奔赵郡,蔡希德逃奔钜鹿。史思明从赵郡又逃到博陵,当时博陵已经归顺了官军,史思明就把郡官全部杀死。河朔地区的民众不堪忍受叛军的残暴行为,纷纷起兵反抗,各郡县都有抵抗的军队聚结,多的达两万人,少的也有一万人,各自与叛军战斗。郭子仪与李光弼的大军一到,这些军队都自动来助战。庚子(十七日),进攻赵郡,打了一天,全城投降。入城的官军士卒大肆抢掠,李光弼坐在城门上,收缴了所有被抢掠的物品,全部归还了城民,民众十分高兴。郭子仪俘虏了四千多人,都释放了他们,杀了安禄山所任命的太守郭献璆。李光弼又率兵包围了博陵,攻了十天没有攻克,于是就退兵回恒阳补充粮草。

17 杨国忠问左拾遗博平人张镐与萧昕,官吏中谁可以为将率兵讨叛,张镐与萧昕就推荐了左赞善大夫永寿人来瑱,丙午(二十三日),朝廷任命来瑱为颍川太守。叛军多次来攻城,来瑱前后击退甚多,于是加封为本郡防御使,人们称他为"来嚼铁"。

18 安禄山让部将平卢节度使吕知诲诱杀了安东副大都护马灵詧。平卢游弈使武陟人刘客奴、先锋使董秦与安东将领王玄志合谋杀了吕知诲,并派使者通过海路去告知平原太守颜真卿,主动请求攻取范阳以效力。颜真卿派判官贾载运送了一批粮食和士卒所穿的衣服去助战。颜真卿只有一个儿子名叫颜颇,当时才十多岁,

使诣客奴为质。朝廷闻之,以客奴为平卢节度使,赐名正臣;玄志为安东副大都护,董秦为平卢兵马使。

19　南阳节度使鲁炅立栅于滍水之南,安禄山将武令珣、毕思琛攻之。

颜真卿就把他送给刘客奴作为人质。朝廷得知此事后,就任命刘客奴为平卢节度使,赐名正臣,任命王玄志为安东副大都护,董秦为平卢兵马使。

19 南阳节度使鲁炅于滍水南岸架设木栅,安禄山的部将武令珣与毕思琛率兵来攻。

卷第二百一十八　唐纪三十四

起丙申(756)五月尽九月不满一年

肃宗文明武德大圣大宣孝皇帝上之下

至德元载(丙申,756)

1　五月丁巳,炅众溃,走保南阳,贼就围之。太常卿张
垍荐夷陵太守虢王巨有勇略,上征吴王祗为太仆卿,以巨为
陈留谯郡太守、河南节度使,兼统岭南节度使何履光、黔中节
度使赵国珍、南阳节度使鲁炅。国珍,本牂柯夷也。戊辰,巨
引兵自蓝田出,趣南阳。贼闻之,解围走。

2　令狐潮复引兵攻雍丘。潮与张巡有旧,于城下相劳
苦如平生,潮因说巡曰:"天下事去矣,足下坚守危城,欲谁为
乎?"巡曰:"足下平生以忠义自许,今日之举,忠义何在?"潮
惭而退。

3　郭子仪、李光弼还常山,史思明收散卒数万踵其后。子
仪选骁骑更挑战,三日,至行唐,贼疲,乃退。子仪乘之,又败之
于沙河。蔡希德至洛阳,安禄山复使将步骑二万人北就思明,
又使牛廷玠发范阳等郡兵万馀人助思明,合五万馀人,而同罗、
曳落河居五分之一。子仪至恒阳,思明随至,子仪深沟高垒以
待之,贼来则守,去则追之,昼则耀兵,夜斫其营,贼不得休息。
数日,子仪、光弼议曰:"贼倦矣,可以出战。"壬午,战于嘉山,

肃宗文明武德大圣大宣孝皇帝上之下
唐肃宗至德元载(丙申,公元756年)

1 五月丁巳(初四),鲁炅兵败,退守南阳,被叛军包围。太常卿张垍推荐说夷陵太守虢王李巨有勇有谋,玄宗就征召吴王李祗为太仆卿,任命虢王李巨为陈留及谯郡太守、河南节度使,并统领岭南节度使何履光、黔中节度使赵国珍和南阳节度使鲁炅。赵国珍本是牂柯地方的夷人。戊辰(十五日),李巨率兵从蓝田出发,向南阳进军。叛军得知后,解围而去。

2 令狐潮又率兵来攻打雍丘。令狐潮与张巡有交情,两人就在城下像平时见面那样互相问候,令狐潮借机对张巡说:"现在唐朝的大势已去,您还在为谁苦守危城呢?"张巡说"你平常总是说自己如何忠义,而现在这种叛逆行为哪有一点忠义的味道?"令狐潮听后惭愧而退。

3 郭子仪与李光弼率兵退回常山,史思明又收罗散兵数万随后追击。郭子仪挑选骁勇善战的骑兵轮番挑战,三天以后,到了行唐县,叛军因疲劳无力再战,才退兵。郭子仪乘机出击,又败叛军于沙河县。蔡希德到了洛阳,安禄山又让他率领步、骑兵两万人向北靠近史思明,并派牛廷玠发范阳等郡兵一万多人增援史思明,合兵共五万多人,其中同罗、曳落河精兵占五分之一。郭子仪抵达恒阳,史思明也率兵追到,郭子仪依靠深沟高垒,以逸待劳,叛军来攻就固守,撤兵就追击,白天以大兵向叛军炫耀武力,夜里则派部队袭击敌营,使叛军不得安宁。这样持续了数天,郭子仪与李光弼商议说:"叛军已经疲劳,可以出战。"壬午(二十九日),两军战于嘉山,

大破之,斩首四万级,捕虏千馀人。思明坠马,露髻跣足步走,至暮,杖折枪归营,奔于博陵。光弼就围之,军声大振。于是河北十馀郡皆杀贼守将而降。渔阳路再绝,贼往来者皆轻骑窃过,多为官军所获,将士家在渔阳者无不摇心。

　　禄山大惧,召高尚、严庄诟之曰:"汝数年教我反,以为万全。今守潼关,数月不能进,北路已绝,诸军四合,吾所有者止汴、郑数州而已,万全何在? 汝自今勿来见我!"尚、庄惧,数日不敢见。田乾真自关下来,为尚、庄说禄山曰:"自古帝王经营大业,皆有胜败,岂能一举而成? 今四方军垒虽多,皆新募乌合之众,未更行陈,岂能敌我蓟北劲锐之兵,何足深忧? 尚、庄皆佐命元勋,陛下一旦绝之,使诸将闻之,谁不内惧? 若上下离心,臣窃为陛下危之!"禄山喜曰:"阿浩,汝能豁我心事。"即召尚、庄,置酒酣宴,自为之歌以侑酒,待之如初。阿浩,乾真小字也。禄山议弃洛阳,走归范阳,计未决。

　　是时,天下以杨国忠骄纵召乱,莫不切齿。又,禄山起兵以诛国忠为名,王思礼密说哥舒翰,使抗表请诛国忠,翰不应。思礼又请以三十骑劫取以来,至潼关杀之,翰曰:"如此,乃翰反,非禄山也。"或说国忠:"今朝廷重兵尽在翰手,翰若援旗西指,于公岂不危哉?"国忠大惧,乃奏:"潼关大军虽盛,而后无继,万一失利,京师可忧,请选监牧小儿三千于苑中训练。"

叛军大败,被杀四万多人,被俘一千多人。史思明从马上坠落下来,发髻散乱,赤脚步行而逃,到了晚上,挂着折断的长枪回到军营,然后又逃奔博陵。李光弼率兵紧紧地围住了博陵,军势大振。于是河北地区原先被叛军占据的十多个州郡都杀了叛军的守将而归降朝廷。范阳的归路再次被切断,叛军往来都是轻骑偷偷摸摸地通过,就是这样还大多被官军俘获,家在范阳的叛军将士都心中动摇。

安禄山十分恐惧,把高尚与严庄召来骂道:"数年来你们都劝我反叛,认为一定能够成功。而现在大军被阻于潼关,数月不能攻破,北归的路也被断绝,官军大集,我们所占据的只有汴州、郑州等几个州郡,如何能够取胜呢?从现在开始你们再也不要来见我!"高尚与严庄听后极为害怕,好多天都不敢去见安禄山。这时田乾真从潼关回来,为高尚、严庄说话,劝安禄山说:"自古以来,凡是要成就大事业的帝王,都有胜有败,怎么能够指望一举成功呢?现在四面八方的官军虽然多,但都是新招募的乌合之众,没有经过战阵,怎么能够敌得过我们蓟北的这些精兵强将呢?您根本不用担忧。高尚、严庄都是跟随您多年的功臣元勋,陛下就这样一下子把他们抛弃,如果让诸位将领知道了,哪一个能不心中恐惧呢?如果内部分裂,上下离心,我觉得陛下的处境就危险了!"安禄山听后高兴地说:"阿浩,你真能够体谅我的心事。"于是就把高尚与严庄召来,摆设宴席招待,安禄山还为他们唱歌以劝酒,仍像以前那样对待他们。阿浩是田乾真的小名。安禄山计划放弃洛阳,率军回保范阳,但还没有下定决心。

这时,人们都认为安禄山叛乱是因为杨国忠骄横放纵所致,无不对杨国忠切齿痛恨。而且安禄山起兵是以讨杨国忠为名,所以王思礼就悄悄地劝哥舒翰,让他上表请求玄宗杀掉杨国忠,哥舒翰没有答应。王思礼又请求率领三十个骑兵把杨国忠劫持出京师,到潼关把他杀掉,哥舒翰说:"如果这样做就是我谋反,而不是安禄山谋反。"有人劝杨国忠说:"现在朝廷的重兵都在哥舒翰掌握之中,他如果挥兵西向京城,您不就危险了吗?"杨国忠大为恐惧,于是就上奏玄宗说:"现在潼关虽然有大军把守,但后无援兵,一旦潼关失守,京师就难保,请求挑选牧马的士卒三千人于禁宛中训练,以应付不测。"

上许之,使剑南军将李福德等领之。又募万人屯灞上,令所亲杜乾运将之,名为御贼,实备翰也。翰闻之,亦恐为国忠所图,乃表请灞上军隶潼关。六月癸未,召杜乾运诣关,因事斩之。国忠益惧。

会有告崔乾祐在陕,兵不满四千,皆羸弱无备,上遣使趣哥舒翰进兵复陕、洛。翰奏曰:"禄山久习用兵,今始为逆,岂肯无备?是必羸师以诱我,若往,正堕其计中。且贼远来,利在速战;官军据险以扼之,利在坚守。况贼残虐失众,兵势日蹙,将有内变;因而乘之,可不战擒也。要在成功,何必务速?今诸道征兵尚多未集,请且待之。"郭子仪、李光弼亦上言:"请引兵北取范阳,覆其巢穴,质贼党妻子以招之,贼必内溃。潼关大军,唯应固守以弊之,不可轻出。"国忠疑翰谋己,言于上,以贼方无备,而翰逗留,将失机会。上以为然,续遣中使趣之,项背相望。翰不得已,抚膺恸哭。丙戌,引兵出关。

己丑,遇崔乾祐之军于灵宝西原。乾祐据险以待之,南薄山,北阻河,隘道七十里。庚寅,官军与乾祐会战。乾祐伏兵于险,翰与田良丘浮舟中流以观军势,见乾祐兵少,趣诸军使进。王思礼等将精兵五万居前,庞忠等将馀兵十万继之,翰以兵三万登河北阜望之,鸣鼓以助其势。乾祐所出兵不过万人,什什伍伍,散如列星,或疏或密,或前或却,官军望而笑之。乾祐严精兵,陈于其后。兵既交,贼偃旗如欲遁者,官军懈,不为备。须臾,伏兵发,贼乘高下木石,击杀士卒甚众。道隘,士卒如束,枪槊不得用。翰以毡车驾马为前驱,欲以冲贼。日过中,东风暴急,乾祐以草车数十乘塞毡车之前,纵火焚之。

玄宗同意，于是就派剑南军将李福德等人统领这支队伍。杨国忠又招募了一万人屯兵于灞上，命令他的亲信杜乾运率领，名义上是抵御叛军，实际上却是为了防备哥舒翰。哥舒翰得知后，也怕被杨国忠谋算，于是就上表玄宗请求把驻扎在灞上的军队归于潼关军队统一指挥。六月癸未（初一），哥舒翰把杜乾运召到潼关，借机杀了他，杨国忠更加害怕。

这时有人告诉玄宗说崔乾祐在陕郡的兵力不到四千，都是老弱兵，而且没有准备，玄宗就派人催促哥舒翰出兵收复陕郡和洛阳。哥舒翰上奏说："安禄山善于用兵，现在刚举兵反叛，怎么能够不设防呢？这一定是故意示弱来引诱我们，如果出兵攻打，正中了他的计谋。再说叛军远来，利在速战速决，我们据险扼守，利在长期坚持。何况叛军残暴，失去人心，兵势正在变为不利，将会有内乱，到那时再乘机进攻，就可不战而获胜。我们最主要是要取胜，何必要立刻出兵呢？现在各地所征的兵大多都还没有到达，请暂且等待一段时间。"郭子仪与李光弼也上言说："请让我们率兵向北攻取范阳，直捣叛军巢穴，抓住他们的妻子、儿子作为人质用来招降，这样叛军内部必定大乱。坚守潼关的大军应该固守以挫敌锐气，不可轻易出战。"杨国忠怀疑哥舒翰想要谋害他，就告诉玄宗说叛军没有准备，而哥舒翰却逗留拖延，将要失去战机。玄宗信以为然，于是又派宦官去催促出兵，连续不断。哥舒翰没有办法，抚胸痛哭。丙戌（初四），亲自率兵出关。

己丑（初七），官军与崔乾祐的叛军相遇于灵宝西原。崔乾祐的军队占据险要之地，南靠大山，北据黄河天险，有狭道七十里。庚寅（初八），官军与崔乾祐的叛军交战。崔乾祐先把精兵埋伏在险要的地方，哥舒翰与田良丘乘船在黄河中观察军情，看见崔乾祐兵少，就命令大军前进。王思礼等率领精兵五万在前，庞忠等率领其馀的十万在后，哥舒翰率兵三万登上黄河北岸的高丘观察指挥，并鸣鼓助战。崔乾祐出兵不到一万，三五成群，散如诸星，队伍有疏有密，士兵有前有后，官军看见后都大笑叛军不会用兵。而崔乾祐却把精兵摆在阵后。两军一交战，叛军偃旗息鼓假装败逃，官军斗志松懈，毫无准备。不一会儿，叛军伏兵齐发，占据着高地，用滚木石块打击官军，官军死伤惨重。又因为道路狭窄，士卒拥挤，刀枪伸展不开。哥舒翰又让马拉毡车为前队，去冲击叛军。过了中午，东风骤起，崔乾祐把数十辆草车塞于毡车之前，放火焚烧。

烟焰所被,官军不能开目,妄自相杀,谓贼在烟中,聚弓弩而射之。日暮,矢尽,乃知无贼。乾祐遣同罗精骑自南山过,出官军之后击之,官军首尾骇乱,不知所备,于是大败。或弃甲窜匿山谷,或相挤排入河溺死,嚣声振天地,贼乘胜蹙之。后军见前军败,皆自溃,河北军望之亦溃。翰独与麾下数百骑走,自首阳山西渡河入关。关外先为三堑,皆广二丈,深丈,人马坠其中,须臾而满;馀众践之以度,士卒得入关者才八千馀人。辛卯,乾祐进攻潼关,克之。

翰至关西驿,揭榜收散卒,欲复守潼关。蕃将火拔归仁等以百馀骑围驿,入谓翰曰:“贼至矣,请公上马。”翰上马出驿,归仁帅众叩头曰:“公以二十万众一战弃之,何面目复见天子?且公不见高仙芝、封常清乎?请公东行。”翰不可,欲下马。归仁以毛絷其足于马腹,及诸将不从者,皆执之以东。会贼将田乾真已至,遂降之,俱送洛阳。安禄山问翰曰:“汝常轻我,今定何如?”翰伏地对曰:“臣肉眼不识圣人。今天下未平,李光弼在常山,李祗在东平,鲁炅在南阳,陛下留臣,使以尺书招之,不日皆下矣。”禄山大喜,以翰为司空、同平章事。谓火拔归仁曰:“汝叛主,不忠不义。”执而斩之。翰以书招诸将,皆复书责之。禄山知不效,乃囚诸苑中。潼关既败,于是河东、华阴、冯翊、上洛防御使皆弃郡走,所在守兵皆散。

是日,翰麾下来告急,上不时召见,但遣李福德等将监牧兵赴潼关。及暮,平安火不至,上始惧。壬辰,召宰相谋之。杨国忠自以身领

顿时大火熊熊,烟雾蔽天,官军睁不开眼睛,敌我不分,互相冲杀,以为叛军在烟火中,就招集弓箭手和弩机手射击。持续到天黑,箭已射尽,才知道没有叛军。这时崔乾祐派同罗精锐骑兵过南山,从官军后面发起进攻,官军腹背受敌,首尾大乱,不知道如何抵挡,因此大败。有的丢盔弃甲逃入山谷,有的互相拥挤被推入黄河中淹死,喊声震天动地,叛军又乘胜追击。官军后面的将士看见前军大败,也纷纷溃逃,黄河北岸的军队看见了也向后逃跑。哥舒翰仅与部下数百骑兵得以逃脱,从首阳山西面渡过黄河,进入潼关。潼关城外先前挖了三条深沟,都是宽两丈,深一丈,过关的人马坠落沟中,很快就填满了沟,后面的人踏着他们得以通过,残兵逃入关内的才八千多人。辛卯(初九),崔乾祐率兵攻陷潼关。

哥舒翰到了关西驿站,张贴告示收罗逃散的士卒,想重新守卫潼关。这时蕃人将领火拔归仁等率领一百多名骑兵包围了驿站,进去对哥舒翰说:“叛军来了,请您赶快上马。”哥舒翰上马出驿站后,火拔归仁率部下叩头说:“您率领二十万军队一战而全军覆没,还有什么脸面去见天子呢?再说您没有看到封常清与高仙芝的下场吗?还不如向东去归降安禄山。”哥舒翰不同意,想要下马。火拔归仁就用毛绳把他的双脚捆绑在马肚子下,对于将领中不愿意投降的,也都捆起来押往东方。这时叛军将领田乾真赶到,火拔归仁就投降了他,被一起送往洛阳。安禄山问哥舒翰说:“你过去总是看不起我,现在怎么样呢?”哥舒翰伏地而拜回答说:“我凡人肉眼不识圣人。现在天下还没有平定,李光弼率兵在常山,吴王李祗在东平,鲁炅在南阳,陛下如果能够留我一条性命,让我写信招降他们,用不了多长时间就会平定。”安禄山很高兴,于是就拜哥舒翰为司空、同平章事。又对火拔归仁说:“你背叛了你的主人,是不忠不义。”然后就杀了他。哥舒翰写信招降其他将帅,他们都复信责备他的背叛行为。安禄山知道没有什么效果,就把哥舒翰囚禁于禁苑中。潼关既已失守,于是河东、华阴、冯翊、上洛等郡的防御使都弃郡而逃,部下的守兵也纷纷逃命。

潼关失守的当天,哥舒翰的部下到朝廷报告情况危急,玄宗当时没有召见,只是派李福德等人率领监牧小儿组成的军队开赴潼关增援。到了晚上,没看到报告平安的烽火,玄宗才感到惧怕。壬辰(初十),玄宗把宰相召来商议对策。杨国忠因为自己兼任

剑南，闻安禄山反，即令副使崔圆阴具储偫，以备有急投之，至是首唱幸蜀之策。上然之。癸巳，国忠集百官于朝堂，惶懅流涕；问以策略，皆唯唯不对。国忠曰："人告禄山反状已十年，上不之信，今日之事，非宰相之过。"仗下，士民惊扰奔走，不知所之，市里萧条。国忠使韩、虢入宫，劝上入蜀。

甲午，百官朝者什无一二。上御勤政楼，下制，云欲亲征，闻者皆莫之信。以京兆尹魏方进为御史大夫兼置顿使；京兆少尹灵昌崔光远为京兆尹，充西京留守；将军边令诚掌宫闱管钥。托以剑南节度大使颍王璬将赴镇，令本道设储偫。是日，上移仗北内。既夕，命龙武大将军陈玄礼整比六军，厚赐钱帛，选闲厩马九百馀匹，外人皆莫之知。乙未，黎明，上独与贵妃姊妹、皇子、妃、主、皇孙、杨国忠、韦见素、魏方进、陈玄礼及亲近宦官、宫人出延秋门，妃、主、皇孙之在外者，皆委之而去。上过左藏，杨国忠请焚之，曰："无为贼守。"上愀然曰："贼来不得，必更敛于百姓，不如与之，无重困吾赤子。"是日，百官犹有入朝者，至宫门，犹闻漏声，三卫立仗俨然。门既启，则宫人乱出，中外扰攘，不知上所之。于是王公、士民四出逃窜，山谷细民争入宫禁及王公第舍，盗取金宝，或乘驴上殿。又焚左藏大盈库。崔光远、边令诚帅人救火，又募人摄府、县官分守之，杀十馀人，乃稍定。光远遣其子东见禄山，令诚亦以管钥献之。

剑南节度使,安禄山反叛后,即命令节度副使崔圆暗中准备物资,以防备危急时刻到剑南使用,所以这时他首先提出到蜀中避难。玄宗赞成他的意见。癸巳(十一日),杨国忠召集百官于朝堂,神色惊惧,痛哭流涕地问他们有什么计策,百官都不回答。杨国忠说:"人们告安禄山的反状已有十年了,但皇上总是不相信。现在事情发展到这种地步,不是宰相的过错。"罢朝后卫兵退下,这时长安城中的百姓惊慌逃命,都不知道该往哪里躲避,店铺关门,市里一片萧条。杨国忠又让韩国夫人与虢国夫人入宫,劝说玄宗到蜀中去避难。

　　甲午(十二日),百官上朝的不到十分之一二。玄宗登临勤政务本楼,下制书说要亲自率兵征讨安禄山,听到的人都不相信。玄宗又任命京兆尹魏方进为御史大夫兼置顿使,京兆少尹灵昌人崔光远为京兆尹,兼西京留守,让将军边令诚掌管宫殿的钥匙。玄宗假称剑南节度大使颍王李璬说将要赴镇,命令剑南道准备所用物资。当天,玄宗移居大明宫。天黑以后,玄宗命令龙武大将军陈玄礼集合禁军六军,重赏他们金钱布帛,又挑选了闲厩中的骏马九百馀匹,所做的这些事情外人都不知晓。乙未(十三日),天刚发亮,玄宗只与杨贵妃姊妹、皇子、皇妃、公主、皇孙、杨国忠、韦见素、魏方进、陈玄礼及亲信宦官、宫人从延秋门出发,在宫外的皇妃、公主及皇孙都弃而不顾,只管自己逃难。玄宗路过左藏库,杨国忠请求放火焚烧,并说:"不要把这些钱财留给叛贼。"玄宗心情凄惨地说:"叛军来了没有钱财,一定会向百姓征收,还不如留给他们,以减轻百姓们的苦难。"这一天,百官还有入朝的,到了宫门口,还能听到漏壶滴水的声音,仪仗队的卫士们仍然整齐地站在那里,待宫门打开后,刚看见宫人乱哄哄地出逃,宫里宫外一片混乱,都不知道皇上在哪里。于是王公贵族、平民百姓四出逃命,山野小民争着进入皇宫及王公贵族的宅第,盗抢金银财宝,有的还骑驴跑到殿里。还放火焚烧了左藏大盈库。崔光远与边令诚带人赶来救火,又召募人代理府、县长官分别守护,杀了十多个人,局势才稳定下来。崔光远派他的儿子去见安禄山,边令诚也把宫殿各门的钥匙献给安禄山。

　　上过便桥,杨国忠使人焚桥。上曰:"士庶各避贼求生,奈何绝其路?"留内侍监高力士,使扑灭乃来。上遣宦者王洛卿前行,告谕郡县置顿。食时,至咸阳望贤宫,洛卿与县令俱逃,中使征召,吏民莫有应者。日向中,上犹未食,杨国忠自市胡饼以献。于是民争献粝饭,杂以麦豆,皇孙辈争以手掬食之,须臾而尽,犹未能饱。上皆酬其直,慰劳之。众皆哭,上亦掩泣。有老父郭从谨进言曰:"禄山包藏祸心,固非一日,亦有诣阙告其谋者,陛下往往诛之,使得逞其奸逆,致陛下播越。是以先王务延访忠良以广聪明,盖为此也。臣犹记宋璟为相,数进直言,天下赖以安平。自顷以来,在廷之臣以言为讳,惟阿谀取容,是以阙门之外,陛下皆不得而知。草野之臣,必知有今日久矣,但九重严邃,区区之心无路上达。事不至此,臣何由得睹陛下之面而诉之乎?"上曰:"此朕之不明,悔无所及。"慰谕而遣之。俄而尚食举御膳而至,上命先赐从官,然后食之。令军士散诣村落求食,期未时皆集而行。夜将半,乃至金城,县令亦逃,县民皆脱身走,饮食器皿具在,士卒得以自给。时从者多逃,内侍监袁思艺亦亡去。驿中无灯,人相枕藉而寝,贵贱无以复辨。王思礼自潼关至,始知哥舒翰被擒,以思礼为河西、陇右节度使,即令赴镇,收合散卒,以俟东讨。

　　丙申,至马嵬驿,将士饥疲,皆愤怒。陈玄礼以祸由杨国忠,欲诛之,因东宫宦者李辅国以告太子,太子未决。会吐蕃使者二十馀人遮国忠马,诉以无食,国忠未及对,军士呼曰:"国忠与胡虏谋反!"

玄宗一行经过便桥后,杨国忠派人放火烧桥,玄宗说:"官吏百姓都在避难求生,为何要断绝他们的生路呢?"于是就把内侍监高力士留下,让他把大火扑灭后再来。玄宗派宦官王洛卿先行,告诉郡县官做好准备。到吃饭的时候,抵达咸阳县望贤宫,而王洛卿与咸阳县令都已逃跑,宦官去征召,官吏与民众都没有人来。已到了中午,玄宗还没有吃饭,杨国忠就亲自用钱买来胡饼献给玄宗。于是百姓争献粗饭,并掺杂有麦豆,皇孙们争着用手抓吃,不一会儿就吃光了,还没有吃饱。玄宗都按价给了他们金钱,并慰劳他们。众人都涕泣流泪,玄宗也禁不住哭泣。这时有一位名叫郭从谨的老人进言说:"安禄山包藏祸心,阴谋反叛已经很久了,其间也有人到朝廷去告发他的阴谋,而陛下却常常把这些人杀掉,使安禄山奸计得逞,以致陛下出逃。所以先代的帝王务求延访忠良之士以广视听,就是为了这个道理。我还记得宋璟做宰相的时候,敢于犯颜直谏,所以天下得以平安无事。但从那时候以后,朝廷中的大臣都忌讳直言进谏,只是一味地阿谀奉承,取悦于陛下,所以对于宫门之外所发生的事陛下都不得而知。那些远离朝廷的臣民早知道会有今日了,但由于宫禁森严,远离陛下,区区效忠之心无法上达。如果不是安禄山反叛,事情到了这种地步,我怎么能够见到陛下而当面诉说呢?"玄宗说:"这都是我的过错,但后悔已经来不及了。"然后安慰了一番郭从谨,让他走了。不一会儿,管理皇上吃饭的官吏给玄宗送饭来了,玄宗命令先赏赐给随从的官吏,然后自己才吃。玄宗命令士卒分散到各村落去寻找食品,约好未时集合继续前进。快半夜时,到了金城县,县令和县民都已逃走,但食物和器物都在,士卒才能够吃饭。当时跟随玄宗的官吏逃跑的也很多,宦官内侍监袁思艺也借机逃走了。驿站中没有灯火,人们互相枕藉而睡,也不管身份的贵贱。王思礼从潼关赶到后,玄宗才知道哥舒翰被俘,于是就任命王思礼为河西、陇右节度使,命令他立刻赴任,收罗散兵,准备向东进讨叛军。

丙申(十四日),玄宗一行到了马嵬驿,随从的将士因为饥饿疲劳,心中怨恨愤怒。龙武大将军陈玄礼认为天下大乱都是杨国忠一手造成的,想杀掉他,于是就让东宫宦官李辅国转告太子,太子犹豫不决。这时有吐蕃使节二十多人拦住杨国忠的马,向他诉说没有吃的,杨国志还没有来得及回答,士卒们就喊道:"杨国忠与胡人谋反!"

或射之，中鞍。国忠走至西门内，军士追杀之，屠割支体，以枪揭其首于驿门外，并杀其子户部侍郎暄及韩国、秦国夫人。御史大夫魏方进曰："汝曹何敢害宰相！"众又杀之。韦见素闻乱而出，为乱兵所挝，脑血流地。众曰："勿伤韦相公。"救之，得免。军士围驿，上闻喧哗，问外何事，左右以国忠反对。上杖屦出驿门，慰劳军士，令收队，军士不应。上使高力士问之，玄礼对曰："国忠谋反，贵妃不宜供奉，愿陛下割恩正法。"上曰："朕当自处之。"入门，倚杖倾首而立。久之，京兆司录韦谔前言曰："今众怒难犯，安危在晷刻，愿陛下速决！"因叩头流血。上曰："贵妃常居深宫，安知国忠反谋？"高力士曰："贵妃诚无罪，然将士已杀国忠，而贵妃在陛下左右，岂敢自安？愿陛下审思之，将士安则陛下安矣。"上乃命力士引贵妃于佛堂，缢杀之。舆尸置驿庭，召玄礼等入视之。玄礼等乃免胄释甲，顿首请罪，上慰劳之，令晓谕军士。玄礼等皆呼万岁，再拜而出，于是始整部伍为行计。谔，见素之子也。国忠妻裴柔与其幼子晞及虢国夫人、夫人子裴徽皆走，至陈仓，县令薛景仙帅吏士追捕，诛之。

　　丁酉，上将发马嵬，朝臣惟韦见素一人，乃以韦谔为御史中丞，充置顿使。将士皆曰："国忠谋反，其将吏皆在蜀，不可往。"或请之河、陇，或请之灵武，或请之太原，或言还京师。上意在入蜀，虑违众心，竟不言所向。韦谔曰："还京，当有御贼之备。今兵少，未易东向，不如且至扶风，徐图去就。"上询于众，众以为然，乃从之。及行，

有人用箭射击，射中了杨国忠坐骑的马鞍。杨国忠急忙逃命，逃至马嵬驿西门内，被士兵追赶上杀死，并肢解了他的尸体，把首级挂在矛上插于西门外示众，然后杀了他的儿子户部侍郎杨暄与韩国夫人、秦国夫人。御史大夫魏方进说："你们胆大妄为，竟敢谋害宰相！"士兵们又把他杀了。韦见素听见外面大乱，跑出驿门察看，被乱兵用鞭子抽打得头破血流。众人喊道："不要伤了韦相公。"前来救他，韦见素才免于一死。士兵们又包围了驿站，玄宗听见外面的喧哗之声，就问是什么事，左右侍从回答说是杨国忠谋反。玄宗拄着拐杖走出驿门，慰劳军士，命令他们撤走，但军士不答应。玄宗又让高力士去问话，陈玄礼回答说："杨国忠谋反被诛，杨贵妃不应该再侍奉陛下，愿陛下能够割爱，把杨贵妃处死。"玄宗说："这件事由我自行处置。"然后进入驿站，拄着拐杖侧首而立。过了一会儿，京兆司录参军韦谔上前说道："现在众怒难犯，形势十分危急，安危在片刻之间，希望陛下赶快做出决断！"说着不断地跪下吓头，以至血流满面。玄宗说："杨贵妃居住在戒备森严的宫中，不与外人交结，怎么能知道杨国忠谋反呢？"高力士说："杨贵妃确实是没有罪，但将士们已经杀了杨国忠，而杨贵妃还在陛下的左右侍奉，他们怎么能够安心呢？希望陛下好好地考虑一下，将士安宁陛下就会安全。"玄宗这才命令高力士把杨贵妃引到佛堂内，用绳子勒死了她。然后把尸体抬到驿站的庭中，召陈玄礼等人入驿站察看。陈玄礼等人脱去甲胄，叩头谢罪，玄宗安慰他们，并命令告谕其他的军士。陈玄礼等都高喊万岁，拜了两拜而出，然后整顿军队准备继续行进。韦谔是韦见素的儿子。杨国忠的妻子裴柔与她的小儿子杨晞、虢国夫人与她的儿子裴徽都乘乱逃走，到了陈仓县，被县令薛景仙率领官吏抓获杀掉。

丁酉（十五日），玄宗将要从马嵬驿出发，朝臣中只有韦见素一人随行，于是就任命韦谔为御史中丞，并兼任置顿使。这时将士们都说："杨国忠谋反被杀，而他的部下亲信都在蜀中，不能去那里避难。"有人请求去河西、陇右，有人请求去灵武，有人请求去太原，还有的请求回京师。玄宗想去蜀中，又恐怕违背众心，所以沉默不言。韦谔说："如果要返回京师，就要有足够的兵力抵御叛军。而现在兵力单薄，不要轻易向东。不如暂时到扶风郡，再慢慢考虑去向。"玄宗征求大家的意见，大家都同意，于是准备去扶风。等到出发时，

父老皆遮道请留，曰："宫阙，陛下家居，陵寝，陛下坟墓，今舍此，欲何之？"上为之按辔久之，乃令太子于后宣慰父老。父老因曰："至尊既不肯留，某等愿帅子弟从殿下东破贼，取长安。若殿下与至尊皆入蜀，使中原百姓谁为之主？"须臾，众至数千人。太子不可，曰："至尊远冒险阻，吾岂忍朝夕离左右。且吾尚未面辞，当还白至尊，更禀进止。"涕泣，跋马欲西。建宁王倓与李辅国执鞚谏曰："逆胡犯阙，四海分崩，不因人情，何以兴复？今殿下从至尊入蜀，若贼兵烧绝栈道，则中原之地拱手授贼矣。人情既离，不可复合，虽欲复至此，其可得乎！不如收西北守边之兵，召郭、李于河北，与之并力东讨逆贼，克复两京，削平四海，使社稷危而复安，宗庙毁而更存，扫除宫禁以迎至尊，岂非孝之大者乎？何必区区温清，为儿女之恋乎？"广平王俶亦劝太子留。父老共拥太子马，不得行。太子乃使俶驰白上。上总辔待太子，久不至，使人侦之，还白状，上曰："天也！"乃分后军二千人及飞龙厩马从太子，且谕将士曰："太子仁孝，可奉宗庙，汝曹善辅佐之。"又谕太子曰："汝勉之，勿以吾为念。西北诸胡，吾抚之素厚，汝必得其用。"太子南向号泣而已。又使送东宫内人于太子，且宣旨欲传位，太子不受。俶、倓，皆太子之子也。

4　己亥，上至岐山。或言贼前锋且至，上遽过，宿扶风郡。士卒潜怀去就，往往流言不逊，陈玄礼不能制，上患之。

当地的父老乡亲拦在路中请求玄宗留下,并说:"森严宏壮的宫殿是陛下的家室,那些列祖列宗的陵园是陛下先人的葬地,现在都舍弃不顾,想要到哪里去呢?"玄宗骑在马上停留了很长时间,然后命令太子留在后面安慰这些父老乡民。父老们因此对太子说:"皇上既然不愿意留下来,我们愿意率领子弟跟随殿下向东讨伐叛军,收复长安。如果殿下与皇上都逃向蜀中,那么谁为中原的百姓们做主呢?"不一会儿,来到太子跟前的多达数千人。太子不肯,并说:"父皇冒艰历险,远出避难,我怎么忍心早晚都不在他身边呢?再说我也没有当面向他辞别,我要回去告诉父皇,然后听候他的吩咐。"说着涕泣流泪,要回马西行。这时建宁王李倓与宦官李辅国拉着太子的马笼头进谏说:"逆胡安禄山举兵反叛,进犯长安,以致四海沸腾,国家分裂,如果不服从民意,怎么能够复兴大唐天下呢?现在殿下随从皇上入蜀中避难,如果叛军焚烧断绝了通向蜀中的栈道,那么中原大地就拱手送给叛军了。人心既已分离,就难以再聚合,到那时就是想要有所作为,恐怕也不可能了。不如现在收聚西北边防的镇兵,再加上郭子仪与李光弼在河北地区的兵力,与他们合兵东讨叛贼,收复两京,平定四海,挽救国家于危难之中,使大唐的帝业得以继续,然后再打扫宫殿,迎接皇上返回京师,这难道不是最好的孝顺行为吗?何必因为区区冷暖问候之礼,而作儿女之态呢?"广平王李俶也劝太子留下来。父老乡亲们都拦住太子的马,使他无法前行。于是太子就让广平王李俶驰马去报告玄宗。玄宗骑在马上等待太子,久等不见,就派人去打听,被派去的人回来报告了太子的情况,玄宗说:"这真是天意!"于是就从后军中分出两千人,再加上一批最好的飞龙厩马给予太子,并且告谕将士说:"太子仁义孝顺,能够继承我们大唐的帝业,希望你们好好辅佐他。"然后又告谕太子说:"希望你好自为之,不要为我而担心。西北地区的各族胡人,我一直待他们厚道,你一定能用得上。"太子听后向南号叫哭泣。玄宗又派人把太子东宫中的宫女送给太子。并且宣旨说要传帝位给太子,太子不接受。广平王李俶和建宁王李倓都是太子的儿子。

4 己亥(十七日),玄宗到达岐山县。这时有人传言说叛军的前锋立刻就到,玄宗不敢停留,继续前行,晚上宿于扶风郡。随从保驾的士卒暗谋出路,往往出言不逊,龙武大将军陈玄礼无力控制,玄宗十分担忧。

会成都贡春彩十馀万匹,至扶风,上命悉陈之于庭,召将士入,临轩谕之曰:"朕比来衰耄,托任失人,致逆胡乱常,须远避其锋。知卿等皆苍猝从朕,不得别父母妻子,荄涉至此,劳苦至矣,朕甚愧之。蜀路阻长,郡县褊小,人马众多,或不能供,今听卿等各还家,朕独与子、孙、中官前行入蜀,亦足自达。今日与卿等诀别,可共分此彩以备资粮。若归,见父母及长安父老,为朕致意,各好自爱也!"因泣下沾襟。众皆哭,曰:"臣等死生从陛下,不敢有贰!"上良久曰:"去留听卿。"自是流言始息。

5　太子既留,莫知所适。广平王俶曰:"日渐晏,此不可驻,众欲何之?"皆莫对。建宁王倓曰:"殿下昔尝为朔方节度大使,将吏岁时致启,倓略识其姓名。今河西、陇右之众皆败降贼,父兄子弟多在贼中,或生异图。朔方道近,士马全盛,裴冕衣冠名族,必无贰心。贼入长安方虏掠,未暇徇地,乘此速往就之,徐图大举,此上策也。"众皆曰:"善!"至渭滨,遇潼关败卒,误与之战,死伤甚众。已,乃收馀卒,择渭水浅处,乘马涉渡,无马者涕泣而返。太子自奉天北上,比至新平,通夜驰三百里,士卒、器械失亡过半,所存之众不过数百。新平太守薛羽弃郡走,太子斩之。是日,至安定,太守徐毅亦走,又斩之。

6　庚子,以剑南节度留后崔圆为剑南节度等副大使。辛丑,上发扶风,宿陈仓。

适逢成都进献给朝廷的春织丝绸十多万匹到了扶风,玄宗命令把这些丝绸都陈放在庭中,召来随从将士,然后在殿前的台阶上告诉他们说:"朕近年来由于衰老糊涂,任人失当,以致造成安禄山举兵反叛,逆乱天常,朕不得不远行避难,躲其兵锋。朕知道你们仓促之间跟随出来,来不及与自己的父母妻儿告别,艰难跋涉到了这里,非常辛苦,朕感到十分惭愧。去蜀中的道路艰险长远,而且那里地方狭小,难以供应如此众多的人马,现在允许你们各自回家,朕只与儿子、孙子以及侍奉的宦官前往蜀中,这些人也足以保朕到达。现在就与你们分别了,你们可把这些丝绸分掉作为资费。如果你们回去,见到自己的父母与长安城中的父老们,请代朕向他们问好,让他们多多保重!"说着泪流沾襟。将士们听完玄宗的话后,都哭着说:"我们生死在所不惜,愿意永远跟随陛下,不敢有二心!"玄宗等了一会儿说:"去留听从你们自愿。"从此那些不恭敬的言语才平息了下来。

5 太子留下来以后,不知道该往哪里去。广平王李俶说:"天已经快黑了,此地不宜久留,大家觉得到哪里去好呢?"众人都不说话。这时建宁王李倓说:"殿下过去曾经做过朔方节度大使,朔方镇的将领官吏每年送来问安书,我大略记得他们的姓名。现在河西与陇右的兵都因战败投降了叛军,父兄子弟多有在叛军中的,到那里去恐怕有危险。而朔方距离较近,军队完好、兵马强盛,再说河西行军司马裴冕出自世家大族,一定不会有二心。叛军正在进入长安大肆抢掠财物,还顾不上向外攻城略地,趁此机会应该立刻往朔方,到那里以后再图谋大计,这是最好的战略。"大家听后都说:"好!"到了渭河岸边,遇上了潼关战败后退下来的士卒,误以为是叛军而交战,死伤了许多人。不久弄清楚后,就又收罗散兵,选择了一处水浅的地方,乘马渡过渭水,没有马匹的人只好流泪而返回。太子从奉天县向北,到达新平,一夜行进了三百里,清点士卒和武器装备,已丢失大半,留下来的人也不过数百。新平太守薛羽弃郡逃跑,被太子杀掉。当天到了安定郡,太守徐毂也要逃跑,太子又把他杀了。

6 庚子(十八日),玄宗任命剑南节度留后崔圆为剑南节度等副大使。辛丑(十九日),玄宗从扶风出发,晚上住在陈仓。

7　太子至乌氏,彭原太守李遵出迎,献衣及糗粮。至彭原,募士,得数百人。是日至平凉,阅监牧马,得数万匹,又募士,得五百馀人,军势稍振。

8　壬寅,上至散关,分扈从将士为六军,使颍王璬先行诣剑南,寿王瑁等分将六军以次之。丙午,上至河池郡。崔圆奉表迎车驾,具陈蜀土丰稔,甲兵全盛。上大悦,即日,以圆为中书侍郎、同平章事,蜀郡长史如故。以陇西公璃为汉中王、梁州都督、山南西道采访、防御使。璃,班之弟也。

9　王思礼至平凉,闻河西诸胡乱,还,诣行在。初,河西诸胡部落闻其都护皆从哥舒翰没于潼关,故争自立,相攻击;而都护实从翰在北岸,不死,又不与火拔归仁俱降贼。上乃以河西兵马使周泌为河西节度使,陇右兵马使彭元耀为陇右节度使,与都护思结进明等俱之镇,招其部落。以思礼为行在都知兵马使。

10　戊申,扶风民康景龙等自相帅击贼所署宣慰使薛总,斩首二百馀级。庚戌,陈仓令薛景仙杀贼守将,克扶风而守之。

11　安禄山不意上遽西幸,遣使止崔乾祐兵留潼关,凡十日,乃遣孙孝哲将兵入长安,以张通儒为西京留守,崔光远为京兆尹;使安忠顺将兵屯苑中,以镇关中。孝哲为禄山所宠任,尤用事,常与严庄争权。禄山使监关中诸将,通儒等皆受制于孝哲。孝哲豪侈,果于杀戮,贼党畏之。禄山命搜捕百官、宦者、宫女等,每获数百人,辄以兵卫送洛阳。王、侯、将、相扈从车驾、家留长安者,诛及婴孩。陈希烈以晚节失恩,怨上,与张均、张垍等皆降于贼。禄山以希烈、垍为相,自馀朝士皆授以官。于是贼势大炽,西胁汧、陇,南侵江、汉,北割河东之半。

7　太子到了乌氏县，彭原太守李遵出来迎接，并献上衣服和干粮。到了彭原，招募了数百名士卒。当天到了平凉郡，太子察看监牧所养的马，有数万匹，又招募士卒五百多人，军势稍微得到加强。

8　壬寅（二十日），玄宗到达散关，把护卫的士兵分为六军，派颍王李璬先往剑南，寿王李瑁分别率领六军随后。丙午（二十五日），玄宗到达河池郡。蜀郡长史崔圆持表书前来迎接，并说蜀中富饶，粮食丰收，兵马强盛。玄宗非常高兴，当天就任命崔圆为中书侍郎、同平章事，仍兼蜀郡长史。又任命陇西公李瑀为汉中王、梁州都督、山南西道采访及防御使。李瑀是李琳的弟弟。

9　王思礼到达平凉后，得知河西镇胡人作乱，就又返回玄宗的行在。起初，河西镇的各胡人部落听说他们的都护跟随哥舒翰平叛死于潼关之战，所以争着自立为王，互相攻击；而实际上都护跟随哥舒翰在黄河北岸，并没有战死，也没有与火拔归仁一起投向叛军。于是玄宗就任命河西兵马使周泌为河西节度使，陇右兵马使彭元耀为陇右节度使。让他们与都护思结进明等人一起到镇赴任，招抚胡人部落。玄宗又任命王思礼为行在都知兵马使。

10　戊申（二十七日），扶风郡百姓康景龙等人自动组织起来攻打叛军所任命的宣慰使薛总，杀死叛军两百多人。庚戌（二十九日），陈仓县令薛景仙杀掉叛军守将，攻克了扶风郡而率兵镇守。

11　安禄山没料想玄宗那么快就会西去避难，就派人让崔乾祐留兵潼关，十天后才派孙孝哲率兵进入长安，任命张通儒为西京留守，崔光远为京兆尹。派安忠顺率重兵驻守在禁苑中，以镇抚关中地区。孙孝哲是安禄山最宠信的心腹，喜欢专权用事，常常与严庄争权。安禄山派孙孝哲监督关中诸将帅的军队，张通儒等人都受他的节制。孙孝哲性情粗犷，处事果断，用刑严厉，叛军将领都十分害怕他。安禄山命令搜捕朝臣、宦官和宫女，每抓到数百人时，就派兵护送到洛阳。对于跟随玄宗避难而家还留在长安的王侯将相，连婴儿也杀死。陈希烈因为晚年失去玄宗的信任，所以心中怨恨，就与张均、张垍兄弟等人投降了叛军。安禄山任命陈希烈、张垍为宰相，其馀投降的朝臣都授以官职。因此叛军的势力大盛，向西威胁汧水、陇山，向南侵扰长江与汉水流域，向北占领了河东道的一半。

然贼将皆粗猛无远略,既克长安,以为得志,日夜纵酒,专以
声色宝贿为事,无复西出之意,故上得安行入蜀,太子北行亦
无追迫之患。

12 李光弼围博陵未下,闻潼关不守,解围而南。史思
明蹑其后,光弼击却之,与郭子仪皆引兵入井陉,留常山太守
王俌将景城、河间团练兵守常山。平卢节度使刘正臣将袭范
阳,未至,史思明引兵逆击之,正臣大败,弃妻子走,士卒死者
七千馀人。初,颜真卿闻河北节度使李光弼出井陉,即敛军
还平原,以待光弼之命。闻郭、李西入井陉,真卿始复区处河
北军事。

13 太子至平凉数日,朔方留后杜鸿渐、六城水陆运使
魏少游、节度判官崔漪、支度判官卢简金、盐池判官李涵相与
谋曰:"平凉散地,非屯兵之所,灵武兵食完富,若迎太子至
此,北收诸城兵,西发河、陇劲骑,南向以定中原,此万世一时
也。"乃使涵奉笺于太子,且籍朔方士马、甲兵、谷帛、军须之
数以献之。涵至平凉,太子大悦。会河西司马裴冕入为御史
中丞,至平凉见太子,亦劝太子之朔方,太子从之。鸿渐,暹
之族子;涵,道之曾孙也。鸿渐、漪使少游居后,葺次舍,庀资
储,自迎太子于平凉北境,说太子曰:"朔方,天下劲兵处也。
今吐蕃请和,回纥内附,四方郡县大抵坚守拒贼以俟兴复。
殿下今理兵灵武,按辔长驱,移檄四方,收揽忠义,则逆贼不
足屠也。"少游盛治宫室,帷帐皆仿禁中,饮膳备水陆。秋,七
月辛酉,太子至灵武,悉命撤之。

但是叛军将领都勇猛有馀，而智谋不足，既已攻陷长安，志骄意满，日夜纵酒取乐，沉湎于声色珍宝财物，再也没有向西进攻的意图，所以玄宗得以安全地避入蜀中，而太子北上也不必担心敌军的追赶逼迫。

12 李光弼率兵攻打博陵，没有攻克，得知潼关失守，便撤兵向南退去。史思明率兵追击，被李光弼击退，李光弼与郭子仪都率兵入井陉关，留下常山太守王俌率领景城与河间郡的团练兵守卫常山。平卢节度使刘正臣将要袭击范阳，军队还未到，史思明就率兵来阻击，刘正臣大败，丢弃妻子而逃，部下士卒七千多人战死。当初颜真卿听说河北节度使李光弼率兵出井陉关，就收兵回平原，等待李光弼的命令。此时得知郭子仪与李光弼又率兵西入井陉关，颜真卿就重新暂时指挥河北地区反抗叛军的军事行动。

13 太子李亨到达平凉数天以后，朔方留后杜鸿渐、六城水陆运使魏少游、节度判官崔漪、支度判官卢简金与盐池判官李涵等人商议说：“平凉地势平坦，不是屯驻军队之地，而灵武兵强粮足，如果把太子迎接到该地，向北召集诸郡之兵，向西征发河西、陇右的精锐骑兵，然后挥师南下，平定中原，这实在是千载难逢的大好时机。”于是就派李涵持笺表上于太子，并且把朔方镇的士卒、马匹、武器、粮食、布帛以及其他军用物资的帐籍一同奉献给太子。李涵到平凉见太子后，太子非常高兴。这时河西司马裴冕入朝为御史中丞，路过平凉见到太子，也奉劝太子去朔方，太子同意。杜鸿渐是杜暹同族的侄子；李涵是李道的曾孙。杜鸿渐与崔漪让魏少游留下来修茸房舍，准备食物用具，自己去平凉的北面去迎接太子，并对太子说：“朔方镇是天下精兵强将所聚之地。现在境外吐蕃求和，回纥归附，境内的郡县大都坚守城池，抵御叛军，等待大唐王朝的复兴。殿下如果能够集兵于灵武，然后挥师长驱，南下平叛，传告四方郡县，收揽忠义之士，则反叛的逆贼就不难平定。”魏少游留下来后，大力修治宫室，就连所用的帐幕都模仿皇宫中的样子，所备的饮食水陆之物俱备。秋季，七月辛酉(初九)，太子到达灵武，命令把这些奢侈品全部撤去。

14　甲子，上至普安，宪部侍郎房琯来谒见。上之发长安也，群臣多不知，至咸阳，谓高力士曰："朝臣谁当来，谁不来？"对曰："张均、张垍父子受陛下恩最深，且连戚里，是必先来。时论皆谓房琯宜为相，而陛下不用，又禄山尝荐之，恐或不来。"上曰："事未可知。"及琯至，上问均兄弟，对曰："臣帅与偕来，逗遛不进，观其意，似有所蓄而不能言也。"上顾力士曰："朕固知之矣。"即日，以琯为文部侍郎、同平章事。

初，张垍尚宁亲公主，听于禁中置宅，宠渥无比。陈希烈求解政务，上幸垍宅，问可为相者。垍未对。上曰："无若爱婿。"垍降阶拜舞。既而不用，故垍怀怏怏，上亦觉之。是时均、垍兄弟及姚崇之子尚书右丞奕、萧嵩之子兵部侍郎华、韦安石之子礼部侍郎陟、太常少卿斌，皆以才望至大官，上尝曰："吾命相，当遍举故相子弟耳。"既而皆不用。

15　裴冕、杜鸿渐等上太子笺，请遵马嵬之命，即皇帝位，太子不许。冕等言曰："将士皆关中人，日夜思归，所以崎岖从殿下远涉沙塞者，冀尺寸之功。若一朝离散，不可复集。愿殿下勉徇众心，为社稷计！"笺五上，太子乃许之。是日，肃宗即位于灵武城南楼，群臣舞蹈，上流涕歔欷。尊玄宗为上皇天帝，赦天下，改元。以杜鸿渐、崔漪并知中书舍人事，裴冕为中书侍郎、同平章事。改关内采访使为节度使，徙治安化，以前蒲关防御使吕崇贲为之。以陈仓令薛景仙为扶风太守，兼防御使；陇右节度使郭英义为天水太守，兼防御使。时塞上精兵皆选入讨贼，惟馀老弱守边，文武官不满三十人，披草莱，立朝廷，制度草创，

14　甲子(十二日),玄宗到达普安郡,宪部侍郎房琯赶来觐见。玄宗从长安出发时,朝中群臣大多数都不知道,到了咸阳,玄宗对高力士说:"你说朝臣中谁会赶来,谁不会赶来?"高力士回答说:"张均、张垍兄弟和他的父亲张说受陛下的恩惠最深,并且张垍还是驸马,与陛下连亲,所以他们兄弟一定会先赶来。大家都认为房琯应该拜相,而陛下却不加重用,而且安禄山也曾经推荐过他,所以他可能不来。"玄宗说:"此事难以预料。"房琯赶到后,玄宗就问张均、张垍兄弟的情况,房琯说:"我约他们一起来追随陛下,而他们却犹豫不决,看他们的意思,好像有什么难言之隐。"玄宗看着高力士说:"朕早就知道他们不会来。"当天,玄宗就任命房琯为文部侍郎、同平章事。

当初张垍娶了玄宗的女儿宁亲公主为妻,玄宗允许他在宫中建设宅第,宠信无比。当时陈希烈请求罢相,玄宗到张垍的宅第,问他谁可以当宰相。张垍没有回答。玄宗说:"都不如我的爱婿。"张垍听后急忙伏到台阶下拜舞。但后来没有拜他为宰相,所以张垍心怀怨意,玄宗也能够感觉到。当时张均、张垍兄弟及姚崇的儿子尚书右丞姚奕、萧嵩的儿子兵部侍郎萧华、韦安石的儿子礼部侍郎韦陟、太常少卿韦斌等,都因才华名望而位至高官,玄宗曾经说道:"我要任命宰相,就选拔前宰相的子弟。"而后来却全都没有任用。

15　裴冕、杜鸿渐等人向太子上笺表,请求他遵照玄宗在马嵬驿的命令即皇帝位,太子不同意。裴冕等人对太子说:"殿下所率领的将士都是关中人,日夜思念家乡,他们所以经历艰险跟随殿下到这种荒沙野城中来,就是希望能够建功立业。这些人一旦离散,就难以再聚集到一起。希望殿下能够顺应人心,也为国家着想!"一连五次上笺奏,太子才同意。当天,肃宗于灵武城南楼即帝位,群臣拜舞,肃宗也流涕叹息。尊称玄宗为上皇天帝,大赦天下,改天宝十五载为至德元载。肃宗任命杜鸿渐、崔漪为中书舍人,裴冕为中书侍郎、同平章事。改关内采访使为节度使,把治所迁到安化郡,任命前蒲关防御使吕崇贲为节度使。又任命陈仓县令薛景仙为扶风太守,兼防御使;陇右节度使郭英乂为天水太守,兼防御使。当时塞外的精兵都入内地讨伐叛军,只剩下老弱残兵防守边疆,文武官吏不到三十人,他们披荆斩棘,建立朝廷,但因为制度革创,

武人骄慢。大将管崇嗣在朝堂,背阙而坐,言笑自若,监察御史李勉奏弹之,系于有司。上特原之,叹曰:"吾有李勉,朝廷始尊!"勉,元懿之曾孙也。旬日间,归附者渐众。

张良娣性巧慧,能得上意,从上来朔方。时从兵单寡,良娣每寝,常居上前。上曰:"御寇非妇人所能。"良娣曰:"苍猝之际,妾以身当之,殿下可从后逸去。"至灵武,产子,三日起,缝战士衣。上止之,对曰:"此非妾自养之时。"上以是益怜之。

16　丁卯,上皇制:"以太子亨充天下兵马元帅,领朔方、河东、河北、平卢节度都使,南取长安、洛阳。以御史中丞裴冕兼左庶子,陇西郡司马刘秩试守右庶子;永王璘充山南东道、岭南、黔中、江南西道节度都使,以少府监窦绍为之傅,长沙太守李岘为都副大使;盛王琦充广陵大都督,领江南东路及淮南、河南等路节度都使,以前江陵都督府长史刘汇为之傅,广陵郡长史李成式为都副大使;丰王珙充武威都督,仍领河西、陇右、安西、北庭等路节度都使,以陇西太守济阴邓景山为之傅,充都副大使。应须士马、甲仗、粮赐等,并于当路自供。其诸路本节度使虢王巨等并依前充使。其署置官属及本路郡县官,并任自简择,署讫闻奏。"时琦、珙皆不出阁,惟璘赴镇。置山南东道节度使,领襄阳等九郡。升五府经略使为岭南节度,领南海等二十二郡。升五溪经略使为黔中节度,领黔中等诸郡。分江南为东、西二道,东道领馀杭,西道领豫章等诸郡。先是四方闻潼关失守,莫知上所之,及是制下,始知乘舆所在。汇,秩之弟也。

武人骄横傲慢。大将管崇嗣在朝堂中背对宫阙而坐,言笑自若,监察御史李勉上奏弹劾他,并把他关了起来。肃宗特下令赦免了管崇嗣,并感叹说:"我只是因为有李勉这样的人,朝廷才开始有尊严!"李勉是李元懿的曾孙。肃宗即帝位后十多天内,归附的人越来越多。

张良娣性情乖巧聪明,善于讨肃宗的欢心,所以跟随肃宗来到朔方。当时保卫肃宗的兵力不多,张良娣每当睡觉时,总是睡在肃宗的前面。肃宗说:"抵御敌寇不是妇人的事情。"张良娣却说:"如果发生了意外的事情,我可先用身体抵挡一阵,以使殿下能够从后面逃走。"到了灵武,张良娣生了一个孩子,三天后就起来为战士们缝补衣服。肃宗阻止她,她说:"现在不是我休养身体的时候。"因此肃宗对她更加怜爱。

16 丁卯(十五日),玄宗下制书说:"任命太子李亨为天下兵马元帅,统辖朔方、河东、河北、平卢节度都使,南下收复长安、洛阳。任命御史中丞裴冕兼左庶子,陇西郡司马刘秩试兼右庶子;永王李璘为山南东道、岭南、黔中、江南西道节度都使,少府监窦绍做他的师傅,长沙太守李岘为都副大使;任命盛王李琦为广陵大都督,统辖江南东路及淮南、河南等路节度都使,前江陵都督府长史刘汇做他的师傅,广陵郡长史李成式为都副大使;任命丰王李珙为武威都督,仍然统辖河西、陇右、安西、北庭等路节度都使,陇西太守济阴人邓景山做他的师傅,并兼任都副大使。各自所需要的士卒、马匹、武器以及粮资等,都在当地征求,自行解决。其他各地原来的节度使如虢王李巨等仍旧为节度使。各王所需要任命的部下官吏以及所统辖地方的郡县官,可以由自己挑选,任命以后再上奏报告。"当时盛王李琦、丰王李珙等都不亲身赴任,只有永王李璘赴镇就职。又设置山南东道节度使,统辖襄阳等九郡。升五府经略使为岭南节度使,统辖南海等二十二郡。升五溪经略使为黔中节度使,统辖黔中等郡。分江南道为东、西二道,东道统辖馀杭等郡,西道统辖豫章等郡。以前,四方人士听说潼关失守,都不知玄宗去向,这道制书颁下后,人们才知道皇上在何处。刘汇是刘秩的弟弟。

17　安禄山使孙孝哲杀霍国长公主及王妃、驸马等于崇仁坊，刳其心，以祭安庆宗。凡杨国忠、高力士之党及禄山素所恶者皆杀之，凡八十三人，或以铁楇揭其脑盖，流血满街。己巳，又杀皇孙及郡、县主二十馀人。

18　庚午，上皇至巴西，太守崔涣迎谒。上皇与语，悦之，房琯复荐之，即日，拜门下侍郎、同平章事，以韦见素为左相。涣，玄暐之孙也。

19　初，京兆李泌，幼以才敏著闻，玄宗使与忠王游。忠王为太子，泌已长，上书言事。玄宗欲官之，不可；使与太子为布衣交，太子常谓之先生。杨国忠恶之，奏徙蕲春，后得归隐，居颍阳。上自马嵬北行，遣使召之，谒见于灵武。上大喜，出则联辔，寝则对榻，如为太子时，事无大小皆咨之，言无不从，至于进退将相亦与之议。上欲以泌为右相，泌固辞，曰："陛下待以宾友，则贵于宰相矣，何必屈其志？"上乃止。

20　同罗、突厥从安禄山反者屯长安苑中，甲戌，其酋长阿史那从礼帅五千骑，窃厩马二千匹逃归朔方，谋邀结诸胡，盗据边地。上遣使宣慰之，降者甚众。

21　贼遣兵寇扶风，薛景仙击却之。

22　安禄山遣其将高嵩以敕书、缯彩诱河、陇将士，大震关使郭英乂擒斩之。

23　同罗、突厥之逃归也，长安大扰，官吏窜匿，狱囚自出。京兆尹崔光远以为贼且遁矣，遣吏卒守孙孝哲宅。孝哲以状白禄山，光远乃与长安令苏震帅府、县官十馀人来奔。

17　安禄山让孙孝哲于长安崇仁坊杀了霍国长公主以及王妃、驸马等人,挖下他们的心肝,用来祭奠安庆宗。凡是杨国忠、高力士的亲信党羽以及安禄山平时憎恨的人都被杀掉,总共八十三人。有的被叛军用铁棒揭去脑盖,以至血流满街。己巳(十七日),叛军又杀死皇孙及郡主、县主二十多人。

18　庚午(十八日),玄宗到达巴西郡,太守崔涣来迎接。玄宗与崔涣谈话,十分欣赏他,又加上房琯的推荐,当天即任命他为门下侍郎、同平章事,又任命韦见素为左相。崔涣是崔玄暐的孙子。

19　当初,京兆人李泌年幼时因才华聪敏而著名,玄宗就让他与忠王李玙一起游玩。忠王被册封为太子时,李泌年岁已大,曾上书议论政事。玄宗想要授予他官职,被他拒绝,玄宗只好让他以平民的身份与太子为友,太子常常称他为先生。李泌的所作所为遭到杨国忠的憎恨,杨国忠上奏把他迁移到蕲春郡。后来李泌得以回到家乡,做了隐士,居住在颍阳县。肃宗从马嵬驿北上后,派人去召李泌,李泌在灵武觐见肃宗。肃宗十分高兴,与李泌出则并马而行,寝则对榻而眠,仍然像自己做太子时那样,事无大小都要先征求李泌的意见,而且言听计从,甚至将相的任免都与他商议。肃宗想要任命李泌为右相,李泌坚辞不受,并说:"陛下像对待宾客朋友那样对待我,比任命我为宰相还要高贵,何必要违背我的意愿呢?"肃宗这才作罢。

20　跟随安禄山举兵反叛的同罗和突厥部落军队屯驻在长安的禁苑中,甲戌(二十二日),他们的首长阿史那从礼率领五千骑兵,盗得两千四厩马逃回朔方,阴谋联结其他胡人部落占领边疆地区。肃宗派使者去安抚,归降者极多。

21　叛军派兵进攻扶风郡,被薛景仙击退。

22　安禄山派部将高嵩携带敕书和丝绸去诱降河西和陇右的将士,被大震关使郭英乂抓获而杀死。

23　阿史那从礼率领同罗和突厥的部落军队逃回朔方后,长安大乱,官吏流窜躲藏,监狱中的囚犯也自行出逃。京兆尹崔光远以为叛军要撤退,就派兵守住孙孝哲的住宅。孙孝哲把此事告诉了安禄山,于是崔光远与长安县令苏震率领府、县官吏十多人来投奔朝廷。

己卯,至灵武,上以光远为御史大夫兼京兆尹,使之渭北招集吏民;以震为中丞。震,璟之孙也。禄山以田乾真为京兆尹。侍御史吕谭、右拾遗杨绾、奉天令安平崔器相继诣灵武。以谭、器为御史中丞,绾为起居舍人、知制诰。

上命河西节度副使李嗣业将兵五千赴行在,嗣业与节度使梁宰谋,且缓师以观变。绥德府折冲段秀实让嗣业曰:"岂有君父告急而臣子晏然不赴者乎?特进常自谓大丈夫,今日视之,乃儿女子耳!"嗣业大惭,即白宰如数发兵,以秀实自副,将之诣行在。上又征兵于安西,行军司马李栖筠发精兵七千人,励以忠义而遣之。

24　敕改扶风为凤翔郡。

25　庚辰,上皇至成都,从官及六军至者千三百人而已。

26　令狐潮围张巡于雍丘,相守四十馀日,朝廷声问不通。潮闻玄宗已幸蜀,复以书招巡。有大将六人,官皆开府、特进,白巡以兵势不敌,且上存亡不可知,不如降贼。巡阳许诺。明日,堂上设天子画像,帅将士朝之,人人皆泣。巡引六将于前,责以大义,斩之。士心益劝。

中城矢尽,巡缚藁为人千馀,被以黑衣,夜缒城下,潮兵争射之,久乃知其藁人。得矢数十万。其后复夜缒人,贼笑不设备,乃以死士五百斫潮营;潮军大乱,焚垒而遁,追奔十馀里。潮惭,益兵围之。

巡使郎将雷万春于城上与潮相闻,贼弩射之,面中六矢而不动。潮疑其木人,使谍问之,乃大惊,遥谓巡曰:"向见雷将军,方知足下军令矣,然其如天道何?"巡谓之曰:"君未识人伦,焉知天道?"

己卯(二十七日),到达灵武。肃宗任命崔光远为御史大夫兼京兆尹,让他去渭水北岸招集逃散的官吏民众;任命苏震为御史中丞。苏震是苏瓌的孙子。安禄山任命田乾真为京兆尹。侍御史吕諲、右拾遗杨绾、奉天县令安平人崔器相继来到灵武投奔朝廷。肃宗任命吕諲、崔器为御史中丞;杨绾为起居舍人、知制诰事。

肃宗命令河西节度副使李嗣业率兵五千赴灵武,而李嗣业与节度使梁宰商议,决定暂缓发兵以观形势的变化。绥德府折冲都尉段秀实责备李嗣业说:"难道有君父告急而臣子安然不赴难的吗?您常常自称为大丈夫,现在来看,只不过是小儿女子罢了!"李嗣业听后十分惭愧,当即报告梁宰请如数发兵。并任命段秀实为自己的副将,率兵往灵武。肃宗向安西征兵,安西行军司马李栖筠发精兵七千人,并勉励他们要为国效忠尽义。

24　肃宗下敕书改扶风郡为凤翔郡。

25　庚辰(二十八日),玄宗到达成都,随从到达的官吏及六军将士只有一千三百人。

26　令狐潮率兵在雍丘包围张巡,张巡坚守了四十多天,与朝廷的联系断绝。令狐潮得知玄宗已逃往蜀中,就又写信招降张巡。张巡有大将六人,官职都是开府、特进,他们劝张巡说,我们兵力弱小,难以抵御叛军,况且皇上的生死不得而知,不如投降。张巡假装许诺。第二天,在堂上放置皇上的画像,率领将士朝拜,大家都泣不成声。然后张巡把六位部将带到前面,责备他们不忠不义,并杀了他们。从此军心更加坚定。

城中的箭已经用尽,张巡就命令士卒用稻草扎成一千多草人,给他们穿上黑衣服,夜晚用绳子放到城下,令狐潮的军队争相射击,很久以后才知道是草人。这样智取箭数十万支。后来又用绳子把人放下城头,叛军大笑,还以为是草人,不加防务,于是用五百名敢死之士袭击叛军的大营,令狐潮的军队顿时大乱,烧掉营垒而逃,张巡率兵追击了十多里才返回。令狐潮兵败,又气又恨,就又增兵把雍丘紧紧包围。

张巡让郎将雷万春在城头上与令狐潮对话,叛军乘机用弩机射雷万春,雷万春脸上被射中了六处,仍旧巍然挺立不动。令狐潮怀疑是木头人,就派兵去侦察,得知确实是雷万春,十分惊异,远远地对张巡说:"刚才看见雷将军,才知道您的军令是多么森严了,然而这对于天道又能怎样呢?"张巡回答说:"你已丧尽人伦,还有什么资格来谈论天道?"

末几，出战，擒贼将十四人，斩首百馀级。贼乃夜遁，收兵入陈留，不敢复出。

顷之，贼步骑七千馀众屯白沙涡，巡夜袭击，大破之。还，至桃陵，遇贼救兵四百馀人，悉擒之。分别其众，妫、檀及胡兵，悉斩之；荥阳、陈留胁从兵，皆散令归业。旬日间，民去贼来归者万馀户。

27　河北诸郡犹为唐守，常山太守王俌欲降贼，诸将怒，因击毬，纵马践杀之。时信都太守乌承恩麾下有朔方兵三千人，诸将遣使者宗仙运帅父老诣信都，迎承恩镇常山。承恩辞以无诏命，仙运说承恩曰："常山地控燕、蓟，路通河、洛，有井陉之险，足以扼其咽喉。顷属车驾南迁，李大夫收军退守晋阳，王太守权统后军，欲举城降贼，众心不从，身首异处。大将军兵精气肃，远近莫敌，若以家国为念，移据常山，与大夫首尾相应，则洪勋盛烈，孰与为比。若疑而不行，又不设备，常山既陷，信都岂能独全？"承恩不从。仙运又曰："将军不纳鄙夫之言，必惧兵少故也。今人不聊生，咸思报国，竞相结聚，屯据乡村，若悬赏招之，不旬日十万可致；与朔方甲士三千馀人相参用之，足成王事。若舍要害以授人，居四通而自安，譬如倒持剑戟，取败之道也。"承恩竟疑不决。承恩，承玼之族兄也。

是月，史思明、蔡希德将兵万人南攻九门。旬日，九门伪降，伏甲于城上。思明登城，伏兵攻之，思明坠城，鹿角伤其左胁，夜，奔博陵。

28　颜真卿以蜡丸达表于灵武。以真卿为工部尚书兼御史大夫，依前河北招讨、采访、处置使，并致赦书，亦以蜡丸达之。真卿颁下河北诸郡，又遣人颁于河南、江、淮。由是诸道始知上即位于灵武，徇国之心益坚矣。

不久张巡又率兵出战,擒获叛将十四人,杀死一百多人。于是叛军乘夜而逃,收兵入保陈留,不敢再出来交战。

不久,叛军步、骑兵七千多人进驻白沙涡,张巡夜间率兵袭击,大败叛军。张巡回军到桃陵,又与四百多名叛军救兵相遇,全部将其俘虏。张巡把这些叛军分开,将其中的妫州、檀州兵以及胡人全部杀掉,荥阳、陈留的胁从兵则予以遣散,令他们各归其业。十日之间,民众脱离叛军来归附张巡的达一万多户。

27 河北地区的大多数州郡还在为唐朝而坚守着,常山太守王俌想要投降叛军,其他将领得知后大为愤怒,就借玩马毬的机会,纵马踩死了他。当时信都太守乌承恩部下有三千朔方兵,常山诸将派使者宗仙运带领当地父老往信都,邀请乌承恩率兵来镇守常山。乌承恩以没有诏命为由而拒绝。宗仙运劝乌承恩说:"常山是战略要地,北控燕、蓟地区;南通黄河、洛水,并且有井陉关之险,占据这一要地就等于扼住了叛军的咽喉。前不久因为皇上向南去避难,李光弼大夫收兵退守晋阳,王俌太守暂时统领后军,想要举城投降叛贼,违背民意,以至身首异处。大将军您兵强马壮,军令严明,天下无敌,如果能够以国家利益为重,移军常山,与李大夫遥相呼应,那么大功大勋,无人可比。如果还犹豫不决,又不加防备,常山如果落入敌手,信都如何能够保全?"乌承恩不听。宗仙运又说:"将军不听从我的劝告,一定是害怕兵力单薄的缘故。现在民不聊生,都想报效国家,竞相聚结为兵,屯乡据村以自保,如果能够悬赏招集,用不了十天就可集兵十万,再与您部下的三千多朔方兵相互参用,一定能够成就大事。如果放弃常山这样的要害之地不去占据,而拱手送给叛军,而自己占据着信都这样四通八达无险可守的地方想要保全,那无异于倒持剑戟与敌交战,必定会失败。"乌承恩还是犹豫不决。乌承恩是乌承玼的族兄。

本月,史思明与蔡希德率兵一万南攻九门。攻了十天,九门士卒假装投降,伏兵于城上。史思明登城,中了埋伏,从城头上掉了下来,被埋在城下的交叉树枝刺伤了左胁,连夜逃奔博陵。

28 颜真卿派使者把蜡丸密封表书送到灵武。肃宗任命颜真卿为工部尚书兼御史大夫,仍为河北招讨、采访、处置使,又下赦书,也用蜡丸密封送达颜真卿。颜真卿把赦书颁下河北地区的郡州,同时又派人颁下河南与江、淮地区的各郡。因此各地才知道肃宗已于灵武即帝位,为国坚守抗击叛军的信心更加坚决了。

29　郭子仪等将兵五万自河北至灵武,灵武军威始盛,人有兴复之望矣。八月壬午朔,以子仪为武部尚书、灵武长史,以李光弼为户部尚书、北都留守,并同平章事,馀如故。光弼以景城、河间兵五千赴太原。

先是,河东节度使王承业军政不修,朝廷遣侍御史崔众交其兵,寻遣中使诛之。众侮易承业,光弼素不平。至是,敕交兵于光弼,众见光弼,不为礼,又不时交兵,光弼怒,收斩之,军中股栗。

30　回纥可汗、吐蕃赞普相继遣使请助国讨贼,宴赐而遣之。

31　癸未,上皇下制,赦天下。

北海太守贺兰进明遣录事参军第五琦入蜀奏事,琦言于上皇,以为:“今方用兵,财赋为急,财赋所产,江、淮居多,乞假臣一职,可使军无乏用。”上皇悦,即以琦为监察御史、江淮租庸使。

32　史思明再攻九门,辛卯,克之,所杀数千人,引兵东围藁城。

33　李庭望将蕃、汉二万馀人东袭宁陵、襄邑,夜,去雍丘城三十里置营,张巡帅短兵三千掩击,大破之,杀获太半。庭望收军夜遁。

34　癸巳,灵武使者至蜀,上皇喜曰:“吾儿应天顺人,吾复何忧?”丁酉,制:“自今改制敕为诰,表疏称太上皇。四海军国事,皆先取皇帝进止,仍奏朕知,俟克复上京,朕不复预事。”己亥,上皇临轩,命韦见素、房琯、崔涣奉传国宝玉册诣灵武传位。

35　辛丑,史思明陷藁城。

29　郭子仪等率兵五万从河北到达灵武,灵武的军势开始强盛,人们才觉得大唐的复兴有了希望。八月壬午朔(初一),肃宗任命郭子仪为武部尚书、灵武长史,李光弼为户部尚书、北都留守,两人并同平章事,其他所任的职务仍如旧。李光弼率领景城、河间兵五千赴太原。

先前,河东节度使王承业不理军务,朝廷派侍御史崔众收缴了他的兵权,不久又派宦官杀了他。崔众曾经侮辱王承业,李光弼早就心中不平。这时,肃宗下敕书命令崔众把兵权交给李光弼,而崔众见李光弼后,不作礼,也不按时交出兵权,李光弼十分愤怒,就把崔众抓起来杀了,因此军中都十分畏惧李光弼。

30　回纥可汗与吐蕃赞普相继派遣使节来请求派兵帮助唐朝讨伐叛军,肃宗宴请赏赐了他们后遣回。

31　癸未(初二),玄宗下制书,大赦天下。

北海太守贺兰进明派录事参军第五琦入蜀中奏事,第五琦对玄宗说:"现在正是国家用兵之机,财赋十分重要,而财赋大多出自江、淮地区,请求任命我一个职务,可以保证军用充足。"玄宗很高兴,即任命第五琦为监察御史、江淮租庸使。

32　史思明再一次率兵攻打九门,辛卯(初十),九门城陷,被杀数千人。史思明又领兵向东包围了藁城。

33　李庭望率领蕃汉兵两万多人向东袭击宁陵与襄邑,夜里在雍丘城外三十里处宿营,遭到张巡率领的三千名手持短兵器的士卒袭击,叛军大败,死伤大半。李庭望收兵连夜而逃。

34　癸巳(十二日),灵武派出的使者到了蜀中,玄宗高兴地说:"我儿子顺应天命人心,即皇帝位,我还有什么忧愁的呢?"丁酉(十六日),玄宗下制书说:"从今以后改制敕为诰令,所上的表疏称太上皇。国家的军政大事都先听候皇帝的处置,然后再奏报朕知即可,等收复京城后,朕就不再参与政事。"己亥(十八日),玄宗亲临殿前的台阶,命令韦见素、房琯与崔涣奉送传国宝器与玉册往灵武传皇帝位。

35　辛丑(二十日),史思明攻陷藁城。

36 初,上皇每酺宴,先设太常雅乐坐部、立部,继以鼓吹、胡乐、教坊、府县散乐、杂戏,又以山车、陆船载乐往来,又出宫人舞《霓裳羽衣》;又教舞马百匹,衔杯上寿;又引犀象入场,或拜,或舞。安禄山见而悦之,既克长安,命搜捕乐工,运载乐器、舞衣,驱舞马、犀、象,皆诣洛阳。

臣光曰:圣人以道德为丽,仁义为乐;故虽茅茨土阶,恶衣菲食,不耻其陋,惟恐奉养之过以劳民费财。明皇恃其承平,不思后患,殚耳目之玩,穷声技之巧,自谓帝王富贵皆不我如,欲使前莫能及,后无以逾,非徒娱己,亦以夸人。岂知大盗在旁,已有窥窬之心,卒致銮舆播越,生民涂炭。乃知人君崇华靡以示人,适足为大盗之招也。

37 禄山宴其群臣于凝碧池,盛奏众乐。梨园弟子往往歔欷泣下,贼皆露刃睨之。乐工雷海清不胜悲愤,掷乐器于地,西向恸哭。禄山怒,缚于试马殿前,支解之。

禄山闻向日百姓乘乱多盗库物,既得长安,命大索三日,并其私财尽掠之。又令府县推按,铢两之物无不穷治,连引搜捕,支蔓无穷,民间骚然,益思唐室。

自上离马嵬北行,民间相传太子北收兵来取长安,长安民日夜望之,或时相惊曰:"太子大军至矣!"则皆走,市里为空。贼望见北方尘起,辄惊欲走。京畿豪杰往往杀贼官吏,遥应官军,诛而复起,相继不绝,贼不能制。其始自京畿、鄜、坊至于岐、陇皆附之,至是西门之外率为敌垒,贼兵力所及者,南不出武关,北不过云阳,西不过武功。江、淮奏请贡献之蜀、之灵武者,皆自襄阳取上津路抵扶风,道路无壅,皆薛景仙之功也。

36　当初,玄宗每当聚会设宴时,先让太常雅乐的坐部和立部演奏,继后的是鼓吹曲、胡人乐、教坊、京兆府长安与万年两县的散乐以及杂戏;又让做成山状的山车和旱船载着乐队来来往往演奏;又让宫女表演《霓裳羽衣舞》;又让一百匹舞马嘴里衔杯跳舞祝寿;又让犀牛和大象入场跳舞礼拜。安禄山观看后很喜欢,攻克长安,就命令部下搜捕乐工,运送乐器、舞衣,驱赶舞马、犀牛和大象,全部到洛阳。

　　　　臣司马光说:圣人都以道德为美,以仁义为乐;所以他们虽然住在以茅草作顶、黄土为台的房屋中,穿粗糙的衣服,吃菲薄的饭食,但不以简陋为耻,只是担心自己生活太奢侈而劳民伤财。唐玄宗自认为天下太平,想不到会有后患,遍享耳目的欢娱,极尽歌舞精巧,认为帝王富贵都不如他,想使前无古人,后无来者,不只是娱乐自己,也借以向他人炫耀。却不知道强盗就在身旁,觊觎着帝王的宝座,以致最后落得仓皇出逃,生灵涂炭。由此可知,君王如果一味地追求豪华奢侈的生活,并向他人夸耀,只能招来强盗。

37　安禄山在凝碧池宴请他的臣下,盛奏各种乐曲。梨园弟子往往叹息哭泣,叛军则都露着刀刃,斜着眼监视。乐工雷海清不胜悲痛,把乐器扔在地上,向西痛哭。安禄山大为愤怒,命令把雷海清捆在试马殿前,支解了他的身体。

　　安禄山听说长安城陷时老百姓多趁乱盗窃府库中的财物,攻克长安后,命令部下大肆搜索三天,连百姓的私有财物都被掠夺一空。又命令府县官审讯逼供,一点财物都要穷追,并大肆搜捕,株连极多,以致民不安生,更加思念大唐王朝。

　　自从肃宗离开了马嵬驿北上以后,民间都传言说太子已北上集兵要来收复长安,长安市民翘首盼望,有时人们在一起惊呼:"太子大军来了!"然后就全都跑散,市里为之一空。叛军如果看见北方扬起的沙尘,就会惊恐地想要逃走,京畿地区的豪杰常常杀掉叛军所任命的官吏,与官军遥相呼应。豪杰被镇压后又起,层出不穷,叛军无法制止。从京畿、鄜州、坊州开始,一直到岐州、陇州都起来响应。这时长安城的西门以外都变成了战场,叛军兵力所能控制的地区,南不出武关,北不过云阳,西不越武功。江、淮地区的奏疏以及贡献的物资往蜀中和灵武,都从襄阳取道上津抵达扶风,道路畅通无阻,这都是薛景仙的功绩。

38 九月壬子,史思明围赵郡,丙辰,拔之;又围常山,旬日,城陷,杀数千人。

39 建宁王倓,性英果,有才略,从上自马嵬北行,兵众寡弱,屡逢寇盗,倓自选骁勇,居上前后,血战以卫上。上或过时未食,倓悲泣不自胜,军中皆属目向之。上欲以倓为天下兵马元帅,使统诸将东征,李泌曰:"建宁诚元帅才;然广平,兄也。若建宁功成,岂可使广平为吴太伯乎?"上曰:"广平,冢嗣也,何必以元帅为重?"泌曰:"广平未正位东宫。今天下艰难,众心所属,在于元帅。若建宁大功既成,陛下虽欲不以为储副,同立功者其肯已乎? 太宗、上皇,即其事也。"上乃以广平王俶为天下兵马元帅,诸将皆以属焉。倓闻之,谢泌曰:"此固倓之心也!"

上与泌出行军,军士指之,窃言曰:"衣黄者,圣人也。衣白者,山人也。"上闻之,以告泌,曰:"艰难之际,不敢相屈以官,且衣紫袍以绝群疑。"泌不得已,受之;服之,入谢,上笑曰:"既服此,岂可无名称?"出怀中敕,以泌为侍谋军国、元帅府行军长史。泌固辞,上曰:"朕非敢相臣,以济艰难耳。俟贼平,任行高志。"泌乃受之。置元帅府于禁中,俶入则泌在府,泌入俶亦如之。泌又言于上曰:"诸将畏惮天威,在陛下前敷陈军事,或不能尽所怀,万一小差,为害甚大。乞先令与臣及广平熟议,臣与广平从容奏闻,可者行之,不可者已之。"上许之。时军旅务繁,四方奏报,自昏至晓无虚刻,上悉使送府,泌先开视,有急切者及烽火,重封,隔门通进,馀则待明。禁门钥契,悉委俶与泌掌之。

38　九月壬子(初一),史思明率兵包围赵郡。丙辰(初五),攻陷赵郡。然后又包围了常山,十天后常山城陷,被杀数千人。

39　建宁王李倓性格英豪果断,有雄才大略,跟随肃宗从马嵬驿北上时,兵力寡少,屡逢强盗,李倓就亲自挑选了一批骁勇善战之士,走在肃宗的前后,浴血奋战保卫肃宗。有时肃宗过了吃饭的时间还未进食,李倓总是悲泣不已,所以很得军心。肃宗想任命李倓为天下兵马元帅,让他统帅诸将东征,李泌说:"建宁王李倓确实有元帅之才,但是广平王李俶是兄长,如果让建宁王李倓功成名垂,广平王李俶岂不是要像周朝的吴太伯那样让位吗?"肃宗说:"广平王李俶是嫡长子,将来要继承皇位,何必把元帅之职看得那么重呢?"李泌说:"广平王虽然是嫡长子,但还没有册封为太子。现在天下战乱,众心所向,在于元帅。如果建宁王大功已成,陛下虽然不想立他为太子,与他一起建功立业的人肯答应吗? 太宗和太上皇就是典型的例子。"于是肃宗就任命广平王李俶为天下兵马元帅,诸位将领都由他指挥。建宁王李倓得知此事后,感谢李泌说:"这本是我的心意!"

肃宗与李泌出外行军,军士都指着他们私下说:"穿黄衣服的是圣人,穿白衣服的是山中隐士。"肃宗听说后,就告诉了李泌,并说:"现在是战乱时期,我不敢违背您的意志委以官职,但应该暂时着紫袍以防止众人猜疑。"李泌不得已,只好接受了紫袍。穿上紫袍后,李泌入宫谢恩,肃宗笑着说:"您既已身着朝服,怎么可以没有名称呢?"于是就从怀中拿出了敕书,任命李泌为侍谋军国、元帅府行军长史。李泌坚辞不受,肃宗说:"朕不敢以宰相一职难为您,只是想任命这一职务以度过眼下的艰难时期。等平定叛乱后,就满足您归隐的志向。"李泌这才接受。肃宗于宫中设置了元帅府,如果广平王李俶入宫,李泌就留在府中,如果李泌入宫,李俶就留在府中。李泌又对肃宗说:"诸位将领畏惧陛下的天威,在陛下面前陈述军务大事时,常常因拘束不能尽兴,万一出现了小的差错,将会招致极大的损失。请求先向我与广平王商议,然后再向陛下报告,可行的就命令执行,不可行的就加以否决。"肃宗同意。当时军务繁忙,各地所上的奏疏整夜不断,肃宗让全部送到元帅府,由李泌先打开批阅,如果有紧急事情或烽火战报,李泌就加以重封,隔门传进宫中,其他不重要的事情就等到天亮后再奏报。肃宗还把宫门的钥匙和符契全部委托给广平王李俶与李泌掌管。

40　阿史那从礼说诱九姓府、六胡州诸胡数万众,聚于经略军北,将寇朔方,上命郭子仪诣天德军发兵讨之。左武锋使仆固怀恩之子玢别将兵与虏战,兵败,降之;既而复逃归,怀恩叱而斩之。将士股栗,无不一当百,遂破同罗。

上虽用朔方之众,欲借兵于外夷以张军势,以邠王守礼之子承寀为敦煌王,与仆固怀恩使于回纥以请兵。又发拔汗那兵,且使转谕城郭诸国,许以厚赏,使从安西兵入援。李泌劝上:"且幸彭原,俟西北兵将至,进幸扶风以应之,于时庸调亦集,可以赡军。"上从之。戊辰,发灵武。

41　内侍边令诚复自贼中逃归,上斩之。

42　丙子,上至顺化。韦见素等至自成都,奉上宝册,上不肯受,曰:"比以中原未靖,权总百官,岂敢乘危,遽为传袭?"群臣固请,上不许,置宝册于别殿,朝夕事之,如定省之礼。上以韦见素本附杨国忠,意薄之;素闻房琯名,虚心待之。琯见上言时事,辞情慷慨,上为之改容,由是军国事多谋于琯。琯亦以天下为己任,知无不为,诸相拱手避之。

43　上皇赐张良娣七宝鞍,李泌言于上曰:"今四海分崩,当以俭约示人,良娣不宜乘此。请撤其珠玉付库吏,以俟有战功者赏之。"良娣自閤中言曰:"乡里之旧,何至于是?"上曰:"先生为社稷计也。"遽命撤之。建宁王倓泣于廊下,声闻于上。上惊,召问之,对曰:"臣比忧祸乱未已,今陛下从谏如流,不日当见陛下迎上皇还长安,是以喜极而悲耳。"良娣由是恶李泌及倓。

40　同罗与突厥酋长阿史那从礼引诱九姓府与六胡州的诸部落胡人数万,聚集在经略军北边,准备侵略朔方,肃宗命令朔方节度使郭子仪到天德军发兵讨伐。左武锋使仆固怀恩的儿子仆固玢另率兵与胡人交战,兵败而降,不久又逃了回来,被仆固怀恩责骂后杀掉。所以其他的将士都十分畏惧,作战时奋勇争先,以一当百,于是打败了同罗。

肃宗虽然依靠朔方镇的兵力平叛,但还想要借外夷的兵力以壮大威势,于是就封邠王李守礼的儿子李承寀为敦煌王,与仆固怀恩一起去回纥借兵。又征发拔汗那的兵众,并让他转告西域各国,许以重赏,让他们跟随安西兵一起入援。李泌劝肃宗说:"不如暂时先到彭原,等所征的西北地区的兵到后,再前往扶风以接应他们,那时丝织品、布帛等庸调也到了,可以供应军队。"肃宗同意。戊辰(十七日),肃宗从灵武出发。

41　内侍宦官边令诚从叛军中逃回,被肃宗杀掉。

42　丙子(二十五日),肃宗到达顺化郡。韦见素等人从成都到达,奉上传国宝器和玉册,肃宗不肯接受,并说:"近来因为中原地区战乱,所以暂时管理百官,怎么敢乘此危急时刻,立刻就继承皇位呢?"群臣坚决请求,肃宗不答应,于是就把传国宝器和玉册放置在另一座殿中,如早晚礼拜父母那样去礼敬。肃宗因为韦见素原来曾依附杨国忠,所以对他很冷淡;又因为久闻房琯的声名,所以对他很热情。房琯对肃宗谈及时事,陈辞慷慨,感情激昂,以至肃宗为之而动情,所以对于军国大事多与房琯商议。房琯也以平定天下为己任,知道的事没有不做的,其他宰相只好拱手避位。

43　肃宗赏赐张良娣七宝马鞍,李泌因此对肃宗说:"现在天下大乱,分崩离析,应该以节俭处世,张良娣不应该使用这样的马鞍。请撤去马鞍上的珍珠宝玉交给府库官吏,将来赏给那些立功的战士。"这时张良娣在自己的房子里对李泌说:"您和我是乡亲,何必这样呢?"肃宗说:"李先生是为了国家的事业着想。"于是命令立刻撤去。此时建宁王李倓在房外的廊庑下哭泣,被肃宗听见,十分惊奇,就召来问他为什么哭泣,李倓回答说:"我近来非常担忧战乱难以平定,现在看见陛下从谏如流,虚心待下,用不了多长时间就会看见陛下迎接上皇返回长安,所以喜极而悲泣。"张良娣从此憎恨李泌与建宁王李倓。

上尝从容与泌语及李林甫,欲敕诸将克长安,发其冢,焚骨扬灰,泌曰:"陛下方定天下,奈何雠死者? 彼枯骨何知,徒示圣德之不弘耳。且方今从贼者皆陛下之雠也,若闻此举,恐阻其自新之心。"上不悦,曰:"此贼昔日百方危朕,当是时,朕弗保朝夕。朕之全,特天幸耳! 林甫亦恶卿,但未及害卿而死耳,奈何矜之?"对曰:"臣岂不知? 上皇有天下向五十年,太平娱乐,一朝失意,远处巴蜀。南方地恶,上皇春秋高,闻陛下此敕,意必以为用韦妃之故,内惭不怿。万一感愤成疾,是陛下以天下之大不能安君亲。"言未毕,上流涕被面,降阶,仰天拜曰:"朕不及此,是天使先生言之也!"遂抱泌颈泣不已。

他夕,上又谓泌曰:"良娣祖母,昭成太后之妹也,上皇所念。朕欲使正位中宫以慰上皇心,何如?"对曰:"陛下在灵武,以群臣望尺寸之功,故践大位,非私己也。至于家事,宜待上皇之命,不过晚岁月之间耳。"上从之。

44 南诏乘乱陷越嶲会同军,据清溪关,寻传、骠国皆降之。

肃宗曾经在闲暇时对李泌谈及李林甫的事,说要下敕书让诸将攻克长安后,挖开李林甫的坟墓,焚烧他的尸骨,把骨灰扬弃,李泌说:"陛下正在平定天下,为何要与死者为仇呢?那尸骨又知道什么,这样做只能表示圣上的德行不够宽宏。再说现在跟随安禄山反叛的人都是陛下的仇敌,如果他们听到这样的举动,恐怕会阻止他们悔过自新之心。"肃宗听后不高兴,又说:"李林甫这个奸贼过去千方百计地想要动摇朕的地位,那时朕是朝不保夕。朕所以能够保全,实在是上天的帮助!再说李林甫也十分憎恨先生,只不过是没有来得及害死您罢了,您为何还要可怜他呢?"李泌回答说:"这些事情我怎么能不知道呢?只是因为上皇在帝位快五十年了,太平安乐,不料一朝祸起,天下大乱,只好远避巴蜀。南方气候恶劣,上皇年纪已大,如果听到陛下有这样的敕书,一定会以为陛下是为了报复废掉韦妃的仇恨,心中惭愧。万一因此感愤成病,天下人就会认为陛下心胸狭隘,容不得君父。"李泌还未说完,肃宗已泪流满面,走下台阶,仰天礼拜说:"朕没有想到这一点,是上天让先生您来告诫我的!"于是抱着李泌的脖子哭泣不已。

　　有一天晚上,肃宗又对李泌说:"张良娣的祖母是上皇母亲昭成太后的妹妹,上皇十分思念她。所以朕想把良娣立为皇后以慰藉上皇之心,您觉得如何?"李泌回答说:"陛下在灵武时,因为群臣都希望能够建功立业,所以即皇帝位,这并不是陛下私心想要做皇帝。至于家事,还是应该等待上皇的命令,不必过急,这只不过是时间早晚的问题。"肃宗同意李泌的意见。

　　44　南诏乘唐朝大乱之际攻陷了越巂郡的会同军,占据了清溪关,寻传蛮和骠国都归降了南诏。

卷第二百一十九　唐纪三十五

起丙申(756)十月尽丁酉(757)闰八月不满一年

肃宗文明武德大圣大宣孝皇帝中之上

至德元载(丙申,756)

1　冬,十月辛巳朔,日有食之,既。

2　上发顺化,癸未,至彭原。

3　初,李林甫为相,谏官言事皆先白宰相,退则又以所言白之,御史言事须大夫同署。至是,敕尽革其弊,开谏诤之涂。又令宰相分直政事笔、承旨,旬日而更,惩林甫及杨国忠之专权故也。

4　第五琦见上于彭原,请以江、淮租庸市轻货,溯江、汉而上至洋川,令汉中王瑀陆运至扶风以助军,上从之。寻加琦山南等五道度支使。琦作榷盐法,用以饶。

5　房琯喜宾客,好谈论,多引拔知名之士,而轻鄙庸俗,人多怨之。北海太守贺兰进明诣行在,上命琯以为南海太守,兼御史大夫,充岭南节度使,琯以为摄御史大夫。进明入谢,上怪之,进明因言与琯有隙,且曰:"晋用王衍为三公,祖尚浮虚,致中原板荡。今房琯专为迂阔大言以立虚名,所引用皆浮华之党,真王衍之比也!陛下用为宰相,恐非社稷之福。且琯在南朝佐上皇,使陛下与诸王分领诸道节制,仍置陛下于沙塞空虚之地,又布私党于诸道,使统大权。其意以为上皇一子得天下,则己不失富贵,此岂忠臣所为乎?"上由是疏之。

肃宗文明武德大圣大宣孝皇帝中之上
唐肃宗至德元载(丙申,公元756年)

1 冬季,十月辛巳朔(初一),出现日全食。

2 肃宗从顺化郡出发,癸未(初三),到达彭原。

3 先前,李林甫做宰相时,谏官向皇上进谏以前都要先告诉宰相,退朝后也要把与皇上谈话的内容告诉宰相。御史进言须御史大夫同时署名。这时,肃宗下敕书命令全部革除这些弊政,大开进谏之路。又命令宰相分别在政事堂值日,听候皇上的召见,十日一更换,这都是为了戒除李林甫和杨国忠那样的宰相专权的局面。

4 第五琦觐见肃宗于彭原,请求把江、淮地区征收的租庸变卖成贵重的货物,沿着长江、汉水而上运到洋川郡,然后命令汉中王李瑀从陆地运到扶风以助唐军,肃宗同意。不久,加封第五琦为山南等五道度支使。第五琦又制定了食盐专营制度,使国用充足。

5 房琯喜欢接交朋友,爱好高谈阔论,引荐了许多知名士人,而鄙视无名庸俗之辈,所以很多人怨恨他。北海太守贺兰进明到达行在,肃宗命令房琯任命贺兰进明为南海太守,兼御史大夫,并充任岭南节度使,而房琯却任命贺兰进明为代理御史大夫。贺兰进明入朝谢恩,肃宗感到奇怪,贺兰进明乘机说自己与房琯有矛盾,并说:"西晋任用王衍为三公,因为崇尚浮华虚名,致使五胡乱华,中原沦陷。现在房琯喜好迂阔不切实际的言论而图虚名,所引用的人都是轻浮之辈,真是第二个王衍!陛下任用这样的人为宰相,恐怕对国家不利。再说房琯在成都辅佐太上皇,使陛下与诸王分别为各道节度使,而把陛下分置在塞外荒凉空虚的地方,又把自己的亲信私党分别安插在各地,使他们统领大权。房琯的用心是不管皇上的哪一个儿子得天下继承皇位,自己都会大富大贵,这难道是忠臣应该做的事吗?"肃宗因此疏远了房琯。

　　房琯上疏,请自将兵复两京,上许之,加持节、招讨西京兼防御蒲潼两关兵马节度等使。琯请自选参佐,以御史中丞邓景山为副,户部侍郎李揖为行军司马,给事中刘秩为参谋。既行,又令兵部尚书王思礼副之。琯悉以戎务委李揖、刘秩,二人皆书生,不闲军旅。琯谓人曰:"贼曳落河虽多,安能敌我刘秩?"琯分为三军:使裨将杨希文将南军,自宜寿入;刘贵哲将中军,自武功入;李光进将北军,自奉天入。光进,光弼之弟也。

　　以贺兰进明为河南节度使。

　　6　颍王璬之至成都也,崔圆迎谒,拜于马首,璬不之止,圆恨之。璬视事两月,吏民安之。圆奏罢璬,使归内宅;以武部侍郎李峘为剑南节度使,代之。峘,岘之兄也。上皇寻命璬与陈王珪诣上宣慰,至是,见上于彭原。延王玢从上皇入蜀,追车驾不及,上皇怒,欲诛之。汉中王瑀救之,乃命玢亦诣上所。

　　7　甲申,令狐潮、王福德复将步骑万馀攻雍丘。张巡出击,大破之,斩首数千级,贼遁去。

　　8　房琯以中军、北军为前锋,庚子,至便桥。辛丑,二军遇贼将安守忠于咸阳之陈涛斜。琯效古法,用车战,以牛车二千乘,马步夹之;贼顺风鼓噪,牛皆震骇。贼纵火焚之,人畜大乱,官军死伤者四万馀人,存者数千而已。癸卯,琯自以南军战,又败,杨希文、刘贵哲皆降于贼。上闻琯败,大怒。李泌为之营救,上乃宥之,待琯如初。

　　以薛景仙为关内节度副使。

房琯上疏肃宗,请求亲自率兵收复两京,肃宗同意,于是就加封房琯为持节、招讨西京兼防御蒲、漳两关兵马及节度等使。房琯请求由自己挑选部下参佐,于是以御史中丞邓景山为副将,户部侍郎李揖为行军司马,给事中刘秩为参谋。临行前,肃宗又命令兵部尚书王思礼去协助房琯。房琯把军务大事都委托给李揖与刘秩,此二人都是文弱书生,不懂得军事。房琯对人说:"叛军的精锐壮士曳落河虽然多,但怎么能够敌得过我的谋士刘秩呢?"房琯把部队分成三军:派副将杨希文率领南军,从宜寿县进攻;派刘贵哲率领中军,从武功县进攻;派李光进率领北军,从奉天县进攻。李光进是李光弼的弟弟。

肃宗任命贺兰进明为河南节度使。

6　颍王李璬到达成都,崔圆去迎接,于马首下拜见,李璬不予制止,所以崔圆心里怨恨他。李璬上任两个月,官吏与百姓安定。但崔圆却奏请玄宗罢免李璬,让他回到宫中宅舍,并任命武部侍郎李峘为剑南节度使,以代替李璬。李峘是李岘的哥哥。不久,玄宗又命令李璬与陈王李珪去宽慰肃宗,至此,李璬在彭原见到肃宗。延王李玢追随玄宗逃入蜀中,因为追赶不及,玄宗发怒,想要杀掉他。汉中王李瑀从中援救,于是玄宗命令李玢也去肃宗所在地。

7　甲申(初四),叛军将领令狐潮与王福德又率领步、骑兵一万多人进攻雍丘。张巡领兵出击,大败叛军,杀死数千人,叛军败逃而去。

8　房琯命令中军与北军为前锋,庚子(二十日),进军到便桥。辛丑(二十一日),两军与叛军将领安守忠相遇于咸阳的陈涛斜。房琯效法古人,用战车进攻,组成牛车两千辆,并让步、骑兵护卫。叛军顺风擂鼓呼喊,牛都受到惊吓。这时叛军放火焚烧战车,顿时战阵大乱,人畜相杂,唐军死伤达四万多人,逃命存活的仅数千名。癸卯(二十三日),房琯亲自率领南军作战,又被打得大败,杨希文与刘贵哲都投降了叛军。肃宗得知房琯大败,十分愤怒。李泌从中营救,肃宗才赦免了房琯,仍像过去那样对待他。

肃宗任命薛景仙为关内节度副使。

9 敦煌王承寀至回纥牙帐,回纥可汗以女妻之,遣其贵臣与承寀及仆固怀恩偕来,见上于彭原。上厚礼其使者而归之,赐回纥女号毗伽公主。

10 尹子奇围河间,四十馀日不下,史思明引兵会之。颜真卿遣其将和琳将万二千人救河间,思明逆击,擒之,遂陷河间;执李奂送洛阳,杀之。又陷景城,太守李暐赴湛水死。思明使两骑赍尺书以招乐安,乐安即时举郡降。又使其将康没野波将先锋攻平原,兵未至,颜真卿知力不敌,壬寅,弃郡渡河南走。思明即以平原兵攻清河、博平,皆陷之。思明引兵围乌承恩于信都,承恩降,亲导思明入城,交兵马、仓库,马三千匹、兵万人。思明送承恩诣洛阳,禄山复其官爵。

饶阳裨将束鹿张兴,力举千钧,性复明辨,贼攻饶阳,弥年不能下。及诸郡皆陷,思明并力围之,外救俱绝,太守李係窘迫,赴火死,城遂陷。思明擒兴,立于马前,谓曰:"将军真壮士,能与我共富贵乎?"兴曰:"兴,唐之忠臣,固无降理。今数刻之人耳,愿一言而死。"思明曰:"试言之。"兴曰:"主上待禄山,恩如父子,群臣莫及,不知报德,乃兴兵指阙,涂炭生人。大丈夫不能翦除凶逆,乃北面为之臣乎?仆有短策,足下能听之乎?足下所以从贼,求富贵耳,譬如燕巢于幕,岂能久安?何如乘间取贼,转祸为福,长享富贵,不亦美乎?"思明怒,命张于木上,锯杀之,骂不绝口,以至于死。

贼每破一城,城中衣服、财贿、妇人皆为所掠。男子,壮者使之负担,羸、病、老、幼皆以刀槊戏杀之。禄山初以卒三千人授思明,使定河北,至是,河北皆下之,郡置防兵三千,杂以胡兵镇之。思明还博陵。

9　敦煌王李承寀来到回纥牙帐，回纥可汗把女儿嫁给了他，并派自己的大臣与李承寀及仆固怀恩一起来唐朝，在彭原见到肃宗。肃宗对回纥使节重加赏赐，然后使他们归国，并将回纥可汗的女儿赐号为毗伽公主。

10　叛军将领严庄奇率兵围攻河间，四十多天未攻克，史思明率兵来增援。颜真卿派大将和琳率兵一万两千人来救河间，遭到史思明的阻击，和琳被俘，于是叛军攻陷了河间，抓获守将李奂送往洛阳杀掉。叛军又攻陷了景城，太守李暐投湛水自杀。史思明派遣两名骑兵持书信去招降乐安郡，乐安郡立刻投降了叛军。史思明又派部将康没野波率先锋兵攻打平原，兵还未到，颜真卿自知兵力不敌叛军，壬寅(二十二日)，遂放弃郡城渡过黄河南撤。于是史思明用平原郡兵攻打清河、博平，均攻陷。史思明又亲自率兵于信都包围了乌承恩，乌承恩投降，并亲自引导史思明入城，把兵马及府库中的物资交给史思明，共有马三千匹，兵一万人。史思明把乌承恩送往洛阳，安禄山恢复了他的官职与爵位。

饶阳副将束鹿人张兴不但勇力过人，而且心有计谋，叛军围攻饶阳，一年都未攻克。及至其他的郡城都被攻陷，史思明遂全力围攻饶阳，外援全部断绝，太守李係无计可施，投火而死，城遂被攻陷。史思明抓住了张兴，让他立在马前，然后说："将军真是一位壮士，不知道能否与我同享富贵?"张兴说："我张兴是唐朝的忠臣，绝没有投降的道理。现在活在世上的时间已不长了，只希望进一言而死。"史思明说："请你说出来。"张兴说："皇上对待安禄山恩如父子，群臣都无法相比，安禄山却忘恩负义，不知报答皇上的恩德，反而兴兵攻打长安，使生灵涂炭。大丈夫不能平叛除掉逆凶，怎么还能再做逆臣呢? 我有一点浅见，不知道足下愿意听否? 足下之所以跟随安禄山反叛，贪图的不过是富贵，这就好似燕子作巢于帷幕之上，怎么能够长久呢? 不如乘机攻灭叛贼，转祸为福，长享荣华富贵，不也是一件美事吗?"史思明听后大怒，命令把张兴捆绑在木头上，用锯子锯杀了他。张兴到死还骂不绝口。

叛军每当攻破一城，就把城中的衣服、财物和妇女全部抢掠而去。让壮年男人为他们运送，把老弱病幼者在嬉笑中用刀枪杀死。起初，安禄山授给史思明兵卒三千，让他平定河北地区，至此，河北地区全部落入叛军之手，每郡驻兵三千，并掺杂胡兵镇守，史思明返回博陵。

尹子奇将五千骑渡河,略北海,欲南取江、淮。会回纥可汗遣其臣葛逻支将兵入援,先以二千骑奄至范阳城下,子奇闻之,遽引兵归。

11 十二月戊午,回纥至带汗谷,与郭子仪军合;辛酉,与同罗及叛胡战于榆林河北,大破之,斩首三万,捕虏一万,河曲皆平。子仪还军洛交。

12 上命崔涣宣慰江南,兼知选举。

13 令狐潮帅众万馀营雍丘城北,张巡邀击,大破之,贼遂走。

14 永王璘,幼失母,为上所鞠养,常抱之以眠;从上皇入蜀。上皇命诸子分总天下节制。谏议大夫高适谏,以为不可,上皇不听。璘领四道节度都使,镇江陵。时江、淮租赋山积于江陵,璘召募勇士数万人,日费巨万。璘生长深宫,不更人事,子襄城王㻛,有勇力,好兵,有薛镠等为之谋主,以为今天下大乱,惟南方完富,璘握四道兵,封疆数千里,宜据金陵,保有江表,如东晋故事。上闻之,敕璘归觐于蜀,璘不从。江陵长史李岘辞疾赴行在,上召高适与之谋。适陈江东利害,且言璘必败之状。十二月,置淮南节度使,领广陵等十二郡,以适为之,置淮南西道节度使,领汝南等五郡,以来瑱为之;使与江东节度使韦陟共图璘。

15 安禄山遣兵攻颍川。城中兵少,无蓄积,太守薛愿、长史庞坚悉力拒守,绕城百里庐舍、林木皆尽。期年,救兵不至,禄山使阿史那承庆益兵攻之,昼夜死斗十五日,城陷,执愿、坚送洛阳,禄山缚于洛滨冰上,冻杀之。

16 上问李泌曰:"今敌强如此,何时可定?"对曰:"臣观贼所获子女金帛,皆输之范阳,此岂有雄据四海之志邪?今独虏将或为之用,中国之人惟高尚等数人,自馀皆胁从耳。

叛军大将尹子奇率领骑兵五千渡过黄河，侵犯北海郡，想向南攻占江、淮地区。适逢回纥可汗派大臣葛逻支率兵助唐平叛，先以骑兵两千突然出现在范阳城下，尹子奇得知后，立刻领兵退回。

　　11　十二月戊午（初八），回纥兵到达带汗谷，与郭子仪兵相会；辛酉（十一日），回纥及唐兵与同罗及反叛的胡兵战于榆林河北岸，大获全胜，杀敌三万人，俘虏一万，河曲平定。郭子仪率军返回洛交。

　　12　肃宗命崔涣宣抚慰问江南，并兼主管科举选人之事。

　　13　叛军将领令狐潮率兵一万多人扎营于雍丘城北面，张巡领兵出击，大败叛军，叛军逃走。

　　14　永王李璘幼年失去母亲，由肃宗抚养，常常抱在怀中同睡；后来李璘跟随玄宗逃向蜀中。玄宗任命诸子分别兼领天下节度使。谏议大夫高适进谏说不可行，但玄宗不听。李璘兼领四道节度都使，坐镇江陵。当时江、淮地区所征收的租赋都积聚于江陵，李璘招募数万勇士为兵，每日耗费巨大。李璘从小长于深宫之中，不懂人间世事，儿子襄城王李场勇武有力，喜好用兵，又有薛镠等人为谋士，认为当今天下大乱，只有南方富有，未遭破坏，李璘手握四道重兵，疆土数千里，应该占据金陵，保有江东，像东晋王朝那样占据一方。肃宗得知后，下敕让李璘往蜀中朝见玄宗，李璘不听。江陵长史李岘以有病为名辞别李璘奔赴行在，肃宗召来高适与他一同商讨计策。高适陈说了江东的形势，并分析说李璘必败。十二月，设置淮南节度使，管辖广陵等十二郡，任命高适为节度使。又设置淮南西道节度使，管辖汝南等五郡，任命来瑱为节度使，让他们与江东节度使韦陟共同对付李璘。

　　15　安禄山派兵攻打颍川。城中兵力少，也没有粮草储备，太守薛愿与长史庞坚竭力坚守，城周围百里以内的房舍和林木都被毁掉。坚守了一年，救兵不来，安禄山又派阿史那承庆增兵攻打，昼夜连续死战十五天，最后城被攻陷，薛愿与庞坚被抓住送往洛阳，安禄山把他们捆绑在洛水边的冰上，活活冻死。

　　16　肃宗问李泌说："现在叛军如此强大，不知什么时候才能够平定？"李泌回答说："我看到叛军把抢掠的子女与财物都运往老巢范阳，这难道有雄据天下的志向吗？现在只是那些胡人将领为安禄山卖力，汉人只有高尚等几个人，其馀的都不过是一些胁从。

以臣料之，不过二年，天下无寇矣。"上曰："何故?"对曰："贼之骁将，不过史思明、安守忠、田乾真、张忠志、阿史那承庆等数人而已。今若令李光弼自太原出井陉，郭子仪自冯翊入河东，则思明、忠志不敢离范阳、常山，守忠、乾真不敢离长安，是以两军縶其四将也，从禄山者，独承庆耳。愿敕子仪勿取华阴，使两京之道常通，陛下以所征之兵军于扶风，与子仪、光弼互出击之，彼救首则击其尾，救尾则击其首，使贼往来数千里，疲于奔命，我常以逸待劳，贼至则避其锋，去则乘其弊，不攻城，不遏路。来春复命建宁为范阳节度大使，并塞北出，与光弼南北犄角以取范阳，覆其巢穴。贼退则无所归，留则不获安，然后大军四合而攻之，必成擒矣。"上悦。

时张良娣与李辅国相表里，皆恶泌。建宁王倓谓泌曰："先生举倓于上，得展臣子之效，无以报德，请为先生除害。"泌曰："何也?"倓以良娣为言。泌曰："此非人子所言，愿王姑置之，勿以为先。"倓不从。

17 甲辰，永王璘擅引兵东巡，沿江而下，军容甚盛，然犹未露割据之谋。吴郡太守兼江南东路采访使李希言平牒璘，诘其擅引兵东下之意。璘怒，分兵遣其将浑惟明袭希言于吴郡，季广琛袭广陵长史、淮南采访使李成式于广陵。璘进至当涂，希言遣其将元景曜及丹徒太守阎敬之将兵拒之，李成式亦遣其将李承庆拒之。璘击斩敬之以徇，景曜、承庆皆降于璘，江、淮大震。高适与来瑱、韦陟会于安陆，结盟誓众以讨之。

以我的看法，不过两年，天下就会平定。"肃宗说："这有什么道理?"
李泌回答说："叛军中勇将不过是史思明、安守忠、田乾真、张忠志、
阿史那承庆等几个人。现在我们如果命令李光弼率兵从太原出井
陉关，郭子仪率兵从冯翊进入河东，这样史思明与张忠志便不敢离
开范阳与常山，安守忠与田乾真则不敢离开长安，我们以两支军队
拖住了叛军的四员骁将，跟随安禄山的只有阿史那承庆了。希望
下敕书命令郭子仪不要攻取华阴，使两京之间的道路畅通，陛下率
领所征召的军队驻扎于扶风，与郭子仪、李光弼交互攻击叛军，叛
军如果救援这头，就攻击他们的那头，如果救援那头，就攻击这头，
使叛军在数千里长的战线上往来，疲于奔命，我们则以逸待劳，叛
军如果来交战，就避开他的锋芒，如果要撤退，就乘机攻击，不攻占
城池，不切断来往的道路。明年春天再任命建宁王李倓为范阳节
度大使，从塞北出击，与李光弼形成南北夹击之势，以攻取范阳，颠
覆叛军的巢穴。这样叛军想要撤退则归路已断，要留在两京则不
得安宁，然后各路大军四面合击而进攻，就一定能够平息叛军。"肃
宗听后很高兴。

　　当时张良娣与李辅国内外勾结，二人都嫉恨李泌。建宁王李
倓对李泌说："先生你在皇上面前荐举了我，使我得以效臣子之忠，
大恩大德无以报答，请让我为先生除掉大害。"李泌说："你说的是
什么意思?"李倓就说到张良娣。李泌听后说："这样的话不是作臣
子所应该说的，希望你暂时把这件事放下，不要先做这种事。"但李
倓不听从李泌的话。

　　17　甲辰(二十五日)，永王李璘擅自率兵东巡，沿着长江而
下，军势浩大，但还没有显露出割据一方的图谋。吴郡太守兼江南
东路采访使李希言写信给李璘，责问他擅自发兵东下的意图。李
璘大怒，于是就分兵派遣部将浑惟明在吴郡袭击李希言，季广琛在
广陵袭击广陵长史、淮南采访使李成式。李璘率兵进至当涂，李希
言派遣部将元景曜与丹徒太守阎敬之率兵抵挡，李成式也派部将
李承庆迎击。李璘将阎敬之斩首示众，于是元景曜与李承庆都投
降了李璘，江、淮地区大为震动。高适、来瑱与韦陟会合于安陆，结
盟誓师讨伐李璘。

18　于闐王胜闻安禄山反,命其弟曜摄国事,自将兵五千入援。上嘉之,拜特进,兼殿中监。

19　令狐潮、李庭望攻雍丘,数月不下,乃置杞州,筑城于雍丘之北,以绝其粮援。贼常数万人,而张巡众才千馀,每战辄克。河南节度使虢王巨屯彭城,假巡先锋使。是月,鲁、东平、济阴陷于贼。贼将杨朝宗帅马步二万,将袭宁陵,断巡后。巡遂拔雍丘,东守宁陵以待之,始与睢阳太守许远相见。是日,杨朝宗至宁陵城西北,巡、远与战,昼夜数十合,大破之,斩首万馀级,流尸塞汴而下,贼收兵夜遁。敕以巡为河南节度副使。巡以将士有功,遣使诣虢王巨请空名告身及赐物,巨唯与折冲、果毅告身三十通,不与赐物。巡移书责巨,巨竟不应。

20　是岁,置北海节度使,领北海等四郡;上党节度使,领上党等三郡;兴平节度使,领上洛等四郡。

21　吐蕃陷威戎、神威、定戎、宣威、制胜、金天、天成等军,石堡城、百谷城、雕窠城。

22　初,林邑王范真龙为其臣摩诃漫多伽独所杀,尽灭范氏。国人立其王头黎之女为王,女不能治国,更立头黎之姑子诸葛地,谓之环王,妻以女王。

二载(丁酉,757)

1　春,正月,上皇下诰,以宪部尚书李麟同平章事,总行百司,命崔圆奉诰赴彭原。麟,懿祖之后也。

18 于阗王尉迟胜得知安禄山谋反,就任命他的弟弟尉迟曜代理国政,自己亲自率兵五千入朝援助平叛。肃宗嘉奖他的忠诚,拜他为特进,兼殿中监。

19 叛军将领令狐潮与李庭望率兵攻打雍丘,数月未攻克,于是就设置了杞州,在雍丘北面筑杞州城,以断绝雍丘城的粮食援助。叛军经常用数万兵力来进攻,而张巡的兵力才有一千多人,但每次交战都打退叛军。河南节度使虢王李巨率兵屯驻于彭城,命张巡为代理先锋使。此月,鲁郡、东平、济阴都落入叛军之手。叛军大将杨朝宗率领步、骑兵两万将要袭击宁陵,断绝张巡的后路。张巡于是率兵撤出雍丘,向东坚守宁陵,抵抗叛军,这时张巡才与睢阳太守许远见面。当天,杨朝宗率兵到达宁陵城西北,张巡、许远与他交战,一昼夜达数十次,大败叛军,杀死一万多人,死尸塞满汴水,顺流而下,叛军收兵连夜逃走。肃宗下敕书任命张巡为河南节度副使。张巡认为部下将士有功,派遣使者向虢王李巨请求给予空名的委任状以及赏赐物品,而虢王李巨只给了折冲都尉与果毅都尉的委任状三十通,没有给予赏赐的物品。张巡写信责备李巨,李巨竟不回信。

20 这一年,唐朝设置北海节度使,统辖北海等四郡;设置上党节度使,统辖上党等三郡;设置兴平节度使,统辖上洛等四郡。

21 吐蕃军队攻陷唐朝的威戎、神威、定戎、宣威、制胜、金天、天成等军及石堡城、百谷城、雕窠城。

22 当初,林邑国王范真龙被臣子摩诃漫多伽独杀死,并族灭了范氏。国人又立国王头黎的女儿为王,因为头黎的女儿不能治理国家,国人就改立头黎姑母的儿子诸葛地为王,被称为环王,并把女王嫁给他。

唐肃宗至德二载(丁酉,公元 757 年)

1 春季,正月,玄宗颁下诰令,任命宪部尚书李麟为同平章事,总管朝中各个部门,并命令崔圆奉诰命赴彭原。李麟是懿祖光皇帝李天锡的后代。

2　安禄山自起兵以来,目渐昏,至是不复睹物,又病疽,性益躁暴,左右使令,小不如意,动加棰挞,或时杀之。既称帝,深居禁中,大将希得见其面,皆因严庄白事。庄虽贵用事,亦不免棰挞。阉宦李猪儿被挞尤多,左右人不自保。禄山嬖姜段氏,生子庆恩,欲以代庆绪为后。庆绪常惧死,不知所出。庄谓庆绪曰:"事有不得已者,时不可失。"庆绪曰:"兄有所为,敢不敬从。"又谓猪儿曰:"汝前后受挞,宁有数乎?不行大事,死无日矣!"猪儿亦许诺。庄与庆绪夜持兵立帐外,猪儿执刀直入帐中,斫禄山腹。左右惧,不敢动。禄山扪枕旁刀,不获,撼帐竿,曰:"必家贼也。"肠已流出数斗,遂死。掘床下深数尺,以毡裹其尸埋之,诫宫中不得泄。乙卯旦,庄宣言于外,云禄山疾亟。立晋王庆绪为太子,寻即帝位,尊禄山为太上皇,然后发丧。庆绪性昏懦,言辞无序,庄恐众不服,不令见人。庆绪日纵酒为乐,兄事庄,以为御史大夫、冯翊王,事无大小,皆取决焉;厚加诸将官爵以悦其心。

3　上从容谓李泌曰:"广平为元帅逾年,今欲命建宁专征,又恐势分。立广平为太子,何如?"对曰:"臣固尝言之矣,戎事交切,须即区处,至于家事,当俟上皇。不然,后代何以辨陛下灵武即位之意邪?此必有人欲令臣与广平有隙耳,臣请以语广平,广平亦必未敢当。"泌出,以告广平王俶,俶曰:"此先生深知其心,欲曲成其美也。"乃入,固辞,曰:"陛下犹未奉晨昏,臣何心敢当储副?愿俟上皇还宫,臣之幸也。"上赏慰之。

2 安禄山从起兵反叛以来,视力逐渐下降,至此已看不清东西,又因为身上长了毒疮,性情更加暴躁,对左右的官员稍不如意,就用鞭子抽打,有时干脆杀掉。称帝以后,居于深宫之中,大将难得见他的面,都是通过严庄向安禄山报告。严庄虽然贵有权势,但也免不了被鞭打。宦官李猪儿挨的打尤其多,安禄山左右的人都感到自身难保。安禄山的爱妾段氏生子名叫庆恩,想要替代安庆绪为太子,所以安庆绪常常害怕被杀死,不知道怎么办才好。严庄对安庆绪说:"事情往往有迫不得已的时候,机不可失。"安庆绪说:"老兄如果要想有所为,我怎么敢不跟从。"严庄又对李猪儿说:"你前后挨的毒打难道还有数吗? 如果再不干大事,恐怕离死就不远了!"李猪儿也答应一块儿行动。于是严庄与安庆绪夜里手持武器立在帐幕外面,李猪儿手执大刀直入帐中,向安禄山的腹部砍去。安禄山左右的人因为恐惧都不敢动。安禄山用手摸枕旁的刀,没有拿到,于是就用手摇动帐幕的竿子说:"这一定是家贼干的。"这时肠子已流出一大堆,随即死去。严庄等在安禄山的床下挖了数尺深的坑,用毡包裹了安禄山的尸体,埋了进去,并告诫宫中人不得向外泄露真相。乙卯(初六)早晨,严庄向外宣布说安禄山病重,立晋王安庆绪为太子,不久安庆绪即皇帝位,尊称安禄山为太上皇,然后才发丧。安庆绪性情昏庸懦弱,说话时语无伦次,严庄恐怕众人不服,所以不让安庆绪出来见人。安庆绪每天以饮酒为乐,称严庄为兄,任命他为御史大夫,封冯翊王爵位,大小事情都由严庄决定,并加封诸将的官爵,借以笼络人心。

3 肃宗从容地对李泌说:"广平王李俶为元帅已经过了一个年头,现在想命令建宁王李倓专管征讨叛军之事,但又恐怕大权分散。立广平王李俶为太子如何?"李泌回答说:"我早已说过,现在战事急迫,形势紧张,必须立刻处理,至于立太子这一类的家事,应当等待上皇的命令。不然,后代的人怎么看待陛下灵武即帝位的用意呢? 这一定是有人想要挑拨我与广平王的关系,我请求把此事告诉广平王,广平王也必定不敢接受。"李泌出宫后把此事告诉了广平王李俶,李俶说:"这是先生深知我的心意,并想从侧面促成美事。"于是就入宫,坚持推辞不受说:"陛下即帝位后还没有来得及行早晚看望上皇的礼节,我怎么敢于当太子呢? 愿能等待上皇还宫,这是我的荣幸。"肃宗赏赐并慰勉了广平王。

李辅国本飞龙小儿,粗闲书计,给事太子宫,上委信之。辅国外恭谨寡言而内狡险,见张良娣有宠,阴附会之,与相表里。建宁王倓数于上前诋讦二人罪恶,二人谮之于上曰:"倓恨不得为元帅,谋害广平王。"上怒,赐倓死。于是广平王俶及李泌皆内惧。俶谋去辅国及良娣,泌曰:"不可,王不见建宁之祸乎?"俶曰:"窃为先生忧之。"泌曰:"泌与主上有约矣。俟平京师,则去还山,庶免于患。"俶曰:"先生去,则俶愈危矣。"泌曰:"王但尽人子之孝。良娣妇人,王委曲顺之,亦何能为?"

4　上谓泌曰:"今郭子仪、李光弼已为宰相,若克两京,平四海,则无官以赏之,奈何?"对曰:"古者官以任能,爵以酬功。汉、魏以来,虽以郡县治民,然有功则锡以茅土,传之子孙,至于周、隋皆然。唐初,未得关东,故封爵皆设虚名,其食实封者,给缯布而已。贞观中,太宗欲复古制,大臣议论不同而止。由是赏功者多以官。夫以官赏功有二害,非才则废事,权重则难制。是以功臣居大官者,皆不为子孙之远图,务乘一时之权以邀利,无所不为。向使禄山有百里之国,则亦惜之以传子孙,不反矣。为今之计,俟天下既平,莫若疏爵土以赏功臣,则虽大国,不过二三百里,可比今之小郡,岂难制哉?于人臣乃万世之利也。"上曰:"善!"

5　上闻安西、北庭及拔汗那、大食诸国兵至凉、鄯,甲子,幸保定。

6　丙寅,剑南兵贾秀等五千人谋反,将军席元庆、临邛太守柳奕讨诛之。

李辅国本是飞龙厩中的一个杂役,粗通文墨,肃宗为太子时,李辅国在宫中侍奉,所以深受肃宗信任。李辅国外表恭顺谨慎,寡言少语,而内心却狡诈阴险,看见张良娣受到肃宗的宠爱,就暗中依附张良娣,与她内外勾结。建宁王李倓多次在肃宗面前揭发两人的罪恶,两人就在肃宗面前进谗言说:"李倓因为没有被任命为元帅,心中怨恨,想要谋害广平王李俶。"肃宗听后大怒,就下令赐建宁王李倓自杀。因此广平王李俶与李泌都心怀恐惧。李俶谋划要除掉李辅国与张良娣,李泌说:"此事不可行,您难道没有看见建宁王遭到了杀身之祸吗?"李俶说:"我私下为先生的生命担忧。"李泌说:"我与皇上有约定。等待收复京师以后,我就返回山中过隐居生活,这样或许可以免除祸患。"李俶说:"先生如果离开,我就更加危险了。"李泌说:"您只管尽儿子的孝心。张良娣是一个妇人,您如果能够委曲求全,顺从她的心意,她还能有什么作为呢?"

4　肃宗对李泌说:"现在郭子仪与李光弼已贵为宰相,如果他们克复两京,平定天下,就再也没有官赏赐他们了,那将怎么办呢?"李泌回答说:"古时候官职任命给有能力的人,爵位酬答有功勋的人。汉魏以来,虽然设立郡县用来治理民众,但对有功人则赏赐土地,可以传给子孙,直至北周、隋朝都是如此。唐朝建立之初,因为还没有取得关东,所以封爵都只有虚名,享受实封者,只给他们封地上所征收的丝织品与布匹而已。贞观年间,太宗皇帝想要恢复古代的制度,因为大臣们有不同的意见而没有实行。因此赏赐有功的人多是给他们以高官。用官职赏赐功劳有两种危害:如果所任非才就会误事,如果权力过重则难以控制。所以有功之臣被任命为大官的,都不为子孙的长远利益考虑,只是借权力谋取利益,无所不为。假如过去封给安禄山百里之国,那么他就会珍惜封国以传子孙,不谋反了。为现在的情况考虑,等天下平定后,不如分土封爵以赏功臣,虽是大国也不过二三百里,与现在的小郡差不多,难道不好控制吗?这样对于为臣子的人乃是万世的利益。"肃宗听后说:"你说的好!"

5　肃宗得知安西、北庭及拔汗那、大食诸国援兵到达凉州、鄯州,甲子(十五日),临幸保定郡。

6　丙寅(十七日),剑南镇兵贾秀等五千人举兵谋反,被将军席元庆与临邛太守柳奕讨伐诛杀。

7　河西兵马使盖庭伦与武威九姓商胡安门物等杀节度使周泌,聚众六万。武威大城之中,小城有七,胡据其五,二城坚守。支度判官崔称与中使刘日新以二城兵攻之,旬有七日,平之。

8　史思明自博陵,蔡希德自太行,高秀岩自大同,牛廷介自范阳,引兵共十万,寇太原。李光弼麾下精兵皆赴朔方,馀团练乌合之众不满万人。思明以为太原指掌可取,既得之,当遂长驱取朔方、河、陇。太原诸将皆惧,议修城以待之,光弼曰:“太原城周四十里,贼垂至而兴役,是未见敌先自困也。”乃帅士卒及民于城外凿壕以自固。作墼数十万,众莫知所用;及贼攻城于外,光弼用之增垒于内,坏辄补之。思明使人取攻具于山东,以胡兵三千卫送之,至广阳,别将慕容溢、张奉璋邀击,尽杀之。

思明围太原,月馀不下,乃选骁锐为游兵,戒之曰:“我攻其北则汝潜趣其南,攻东则趣西,有隙则乘之。”而光弼军令严整,虽寇所不至,警逻未尝少懈,贼不得入。光弼购募军中,苟有小技,皆取之,随能使之,人尽其用。得安边军钱工三,善穿地道。贼于城下仰而侮詈,光弼遣人从地道中曳其足而入,临城斩之。自是贼行皆视地。贼为梯冲、土山以攻城,光弼为地道以迎之,近城辄陷。贼初逼城急,光弼作大炮,飞巨石,一发辄毙二十馀人。贼死者十二三,乃退营于数十步外,围守益固。光弼遣人诈与贼约,刻日出降,贼喜,不为备。光弼使穿地道周贼营中,撜之以木。至期,光弼勒兵在城上,

7　河西兵马使盖庭伦与武威郡昭武九姓胡商安门物等杀死节度使周泌,聚集兵众至六万人。武威郡大城之中有七个小城,胡人已占据了五个,只有两个城还在坚守。河西支度判官崔称与中使刘日新率领二城中的军队攻打叛胡,经过十七日苦战,平定了叛乱。

8　叛军大将史思明率兵从博陵,蔡希德从太行,高秀岩从大同,牛廷介从范阳,发兵共十万,来进攻太原。李光弼部下的精兵都奔赴朔方,其馀的团练兵都是乌合之众,不满一万人。史思明认为太原城唾手可得,如果攻下太原,当立即长驱直取朔方、河西、陇右。太原城中的将领都十分害怕,商议修治城池抵抗叛军,李光弼说:“太原城周长四十里,在叛军即刻就要来到时修治城池,是未见敌人而先疲困自己。”于是率领士卒及民众于城外开凿壕沟准备固守。又让士卒做了数十万块砖坯,大家都不知道有什么用处。等到叛军在城外进攻,李光弼就让士卒用砖坯在城内加高城墙,有毁坏的地方便立刻补修。史思明派人到崞山以东去取攻城的器具,并且让胡兵三千护送,他们到达广阳时,遭到别将慕容溢、张奉璋的拦击,胡兵全部被杀死。

史思明围攻太原一个多月还未攻下,于是挑选了一批骁勇善战的精兵,作为流动作战的军队,告诫他们说:“我率兵攻打城北时,你们就暗中往城南;攻打城东时,你们就向城西,见到有机可乘时就进攻。”但因为李光弼军令严整,即使叛军没有攻打的地方,巡逻的士卒也十分警惕,未曾大意,所以叛军攻不进城。李光弼在军中征募人才,只要是有小技艺的人都被选中,根据能力予以使用,所以人尽其才。李光弼得到安边军的三个铸钱工匠,他们善于挖掘地道。叛军士卒站在城下抬头辱骂,李光弼就派人从地道中拉住叫骂人的脚,拽入城中,在城墙上杀掉。从此叛军士卒行走时都看着地。叛军又制作云梯和土山作为攻城的器具,李光弼就挖地道以迎战,所以这些器具在临近城时都陷入地中。叛军起初攻城急迫,李光弼就作了大炮,发射大石,一发打死二十多人。叛军在攻城中战死了十分之二三,于是就退营到城墙数十步以外,死死地把城围住。李光弼又派人假装与叛军相约,定好日子出城投降,叛军大为喜欢,不加防备。而李光弼却让士卒在叛军的营地周围穿掘地道,然后用木头顶住。到了约好的投降日期,李光弼率兵站在城上,

遣裨将将数千人出，如降状，贼皆属目。俄而营中地陷，死者千馀人，贼众惊乱，官军鼓噪乘之，俘斩万计。会安禄山死，庆绪使思明归守范阳，留蔡希德等围太原。

9　庆绪以尹子奇为汴州刺史、河南节度使。甲戌，子奇以归、檀及同罗、奚兵十三万趣睢阳。许远告急于张巡，巡自宁陵引兵入睢阳。巡有兵三千人，与远兵合六千八百人。贼悉众逼城，巡督励将士，昼夜苦战，或一日至二十合；凡十六日，擒贼将六十馀人，杀士卒二万馀，众气自倍。远谓巡曰："远懦，不习兵，公智勇兼济，远请为公守，公请为远战。"自是之后，远但调军粮，修战具，居中应接而已，战斗筹划一出于巡。贼遂夜遁。

10　郭子仪以河东居两京之间，得河东则两京可图。时贼将崔乾祐守河东，丁丑，子仪潜遣人入河东，与唐官陷贼者谋，俟官军至，为内应。

11　初，平卢节度使刘正臣自范阳败归，安东都护王玄志鸩杀之。禄山以其党徐归道为平卢节度使，玄志复与平卢将侯希逸袭杀之；又遣兵马使董秦将兵以苇筏渡海，与大将田神功击平原、乐安，下之。防河招讨使李铣承制以秦为平原太守。

12　二月戊子，上至凤翔。

13　郭子仪自洛交引兵趣河东，分兵取冯翊。己丑夜，河东司户韩旻等翻河东城迎官军，杀贼近千人。崔乾祐逾城得免，发城北兵攻城，且拒官军，子仪击破之。乾祐走，子仪追击之，斩首四千级，捕虏五千人。乾祐至安邑，安邑人开门纳之，半入，闭门击之，尽殪。乾祐未入，自白径岭亡去。遂平河东。

派遣副将率领数千人出城,假装投降,叛军都一心站着观看。忽然营中地面塌陷,死了一千多人,叛军顿时惊慌散乱,官军乘机擂鼓呼喊,出城袭击,俘虏杀死叛军一万多人。这时恰逢安禄山死去,安庆绪命令史思明归守范阳,留下蔡希德等人继续围攻太原。

9　安庆绪任命尹子奇为汴州刺史、河南节度使。甲戌(二十五日),尹子奇率领归州、檀州以及同罗、奚人部队兵共十三万来进攻睢阳。许远向张巡求援,张巡即率兵从宁陵进入睢阳。张巡有兵三千人,与许远合兵共六千八百人。叛军全力攻城,张巡亲自督战,勉励将士,昼夜与叛军苦战,有时一天交战二十次,共激战十六日,俘虏叛军将领六十多人,杀死叛军士卒两万多,士气大振。许远对张巡说:"我性情懦弱,不懂得军事,你智勇双全,请让我为你坚守,你代我指挥作战。"从此以后,许远只调集军粮,修理作战器具,在军中处理杂事接应而已,作战指挥权都交给了张巡。叛军攻城不下,乘夜退去。

10　郭子仪认为河东居于东京与西京之间,如果占据了河东则两京就容易收复。当时叛军大将崔乾祐率兵守卫河东,丁丑(二十八日),郭子仪秘密地派人潜入河东,与陷于叛军中的唐朝官员密谋,等待唐军来攻时,作为内应。

11　当初,平卢节度使刘正臣从范阳败归后,被安东都护王玄志毒死。安禄山任命部将徐归道为平卢节度使,王玄志又联合平卢军将侯希逸袭击杀死了徐归道,并派遣兵马使董秦率兵乘苇筏渡过大海,与大将军田神功进攻平原与乐安,都被攻克。防河招讨使李铣遵照皇上的制书任命董秦为平原太守。

12　二月戊子(初十),肃宗到达凤翔。

13　郭子仪从洛交率兵向河东进发,途中分兵攻取了冯翊。己丑(十一日)夜晚,河东司户参军韩旻等翻越河东城来迎接官军,杀死叛军近一千人。叛军大将崔乾祐跳过城墙得以逃脱,然后他召集驻扎在城北的士兵来攻城,并阻击郭子仪的军队,被郭子仪击败。崔乾祐领兵退逃,郭子仪领兵追击,杀死四千人,俘虏五千人。崔乾祐逃至安邑,安邑人打开城门,让他入城,当叛军人马进去一半时,安邑人闭门袭击,把进入城中的敌人全部杀死。崔乾祐没有入城,从白径岭逃走。郭子仪于是平定了河东。

14 上至凤翔旬日,陇右、河西、安西、西域之兵皆会,江、淮庸调亦至洋川、汉中。上自散关通表成都,信使骆驿。长安人闻车驾至,从贼中自拔而来者日夜不绝。西师憩息既定,李泌请遣安西及西域之众,如前策并塞东北,自归、檀南取范阳。上曰:"今大众已集,庸调亦至,当乘兵锋捣其腹心,而更引兵东北数千里,先取范阳,不亦迂乎?"对曰:"今以此众直取两京,必得之。然贼必再强,我必又困,非久安之策。"上曰:"何也?"对曰:"今所恃者,皆西北守塞及诸胡之兵,性耐寒而畏暑,若乘其新至之锐,攻禄山已老之师,其势必克。两京春气已深,贼收其馀众,遁归巢穴,关东地热,官军必困而思归,不可留也。贼休兵秣马,伺官军之去,必复南来,然则征战之势未有涯也。不若先用之于寒乡,除其巢穴,则贼无所归,根本永绝矣。"上曰:"朕切于晨昏之恋,不能待此决矣。"

15 关内节度使王思礼军武功,兵马使郭英乂军东原,王难得军西原。丁酉,安守忠等寇武功,郭英乂战不利,矢贯其颐而走;王难得望之不救,亦走。思礼退军扶风。贼游兵至大和关,去凤翔五十里,凤翔大骇,戒严。

16 李光弼将敢死士出击蔡希德,大破之,斩首七万馀级;希德遁去。

17 安庆绪以史思明为范阳节度使,兼领恒阳军事,封妫川王;以牛廷介领安阳军事;张忠志为常山太守兼团练使,镇井陉口;馀各令归旧任,募兵以御官军。先是安禄山得两京,珍货悉输范阳。思明拥强兵,据富资,益骄横,浸不用庆绪之命;庆绪不能制。

14　肃宗到达凤翔十天,陇右、河西、安西、西域的援兵都来相会,江、淮地区所征收的丝织品与布匹也运到洋川、汉中。肃宗从散关向在成都的玄宗上表书,信使络绎不绝。长安城中的民众听说皇上到达,纷纷从叛军的统治下逃出,奔向朝廷,日夜不绝。西方增援的部队既已休整充足,李泌请求肃宗按原来制定的战略,派遣安西及西域兵进军东北,从归州、檀州向南攻取范阳。肃宗说:"现在大军已集,征收的丝织品、布匹等庸调也到达,应该以强兵直捣叛军的腹心,而您却要领兵向东北数千里,先攻取范阳,不是迂腐的计策吗?"李泌回答说:"现在让大军直接攻取两京,一定能够收复,但是叛军还会东山再起,我们又会陷入困难的境地,这不是久安之策。"肃宗说:"你说的有什么根据?"李泌说:"我们现在所依靠的是西北各军镇的守兵以及西域各国的胡兵,他们能够忍耐寒冷而害怕暑热,如果借新到之兵的锐气,攻击安禄山已经疲劳的叛军,一定能够取胜。但是两京已到了深春,叛军如果收集残兵,逃回老巢,而关东地区气候炎热,官军必定会由于炎热的气候而想要西归,难以在那里久留。叛军休整兵马,看见官军撤退,一定会卷土重来,这样与叛军的交战就会无休无止。不如先向北方寒冷的地区用兵倾覆叛军的巢穴,那样叛军就会无路可退,可以一举彻底平息叛乱。"肃宗说:"朕急于收复两京,迎接上皇回来,难以按照你的战略行事。"

15　关内节度使王思礼率兵驻于武功,兵马使郭英乂驻于东原,王难得驻于西原。丁酉(十九日),叛军将领安守忠等率兵进攻武功,郭英乂与叛军交战不利,被箭射穿脸颊而败走,王难得见死不救,也随之败退。王思礼率兵撤退至扶风。叛军的游兵至大和关,离凤翔五十里,肃宗在凤翔大为惊骇,实行戒严。

16　李光弼亲自率领敢死队出城袭击蔡希德,大败叛军,杀敌七万多人,蔡希德逃走。

17　安庆绪任命史思明为范阳节度使,并兼任指挥恒阳军事,封爵为妫川王;又命令牛廷介指挥安阳军事;任命张忠志为常山太守兼团练使,镇守井陉口。其馀的将领仍各任旧职,招募军队抵御官军。先前安禄山攻陷两京时,把两京中的珍宝财物全部运往范阳。史思明手握重兵,拥有财物,更加骄横,逐渐不听从安庆绪的命令,安庆绪不能节制。

18　戊戌,永王璘败死,其党薛镠皆伏诛。

时李成式与河北招讨判官李铣合兵讨璘,铣兵数千,军于扬子;成式使判官裴茂将兵三千,军于瓜步,广张旗帜,列于江津。璘与其子玚登城望之,始有惧色。季广琛召诸将谓曰:"吾属从王至此,天命未集,人谋已隳,不如及兵锋未交,早图去就。死于锋镝,永为逆臣矣。"诸将皆然之。于是广琛以麾下奔广陵,浑惟明奔江宁,冯季康奔白沙。璘忧惧,不知所出。其夕,江北之军多列炬火,光照水中,一皆为两,璘军又以火应之。璘以为官军已济江,遽挈家属与麾下潜遁。及明,不见济者,乃复入城收兵,具舟楫而去。成式将赵侃等济江至新丰,璘使玚及其将高仙琦将兵击之;侃等逆战,射玚中肩,璘兵遂溃。璘与仙琦收馀众,南奔鄱阳,收库物甲兵,欲南奔岭表,江西采访使皇甫侁遣兵追讨,擒之,潜杀之于传舍;玚亦死于乱兵。

侁使人送璘家属还蜀,上曰:"侁既生得吾弟,何不送之于蜀而擅杀之邪?"遂废侁不用。

19　庚子,郭子仪遣其子旰及兵马使李韶光、大将王祚济河击潼关,破之,斩首五百级。安庆绪遣兵救潼关,郭旰等大败,死者万馀人。李韶光、王祚战死,仆固怀恩抱马首浮渡渭水,退保河东。

20　三月辛酉,以左相韦见素为左仆射,中书侍郎、同平章事裴冕为右仆射,并罢政事。

初,杨国忠恶宪部尚书苗晋卿。安禄山之反也,请出晋卿为陕郡太守,兼陕、弘农防御使。晋卿固辞老病,上皇不悦,使之致仕。及长安失守,晋卿潜窜山谷。上至凤翔,手敕征之为左相,军国大务悉咨之。

18　戊戌(二十日),永王李璘兵败身死,他的同党薛镠等也被杀死。

当时李成式与河北招讨判官李铣合兵讨伐李璘,李铣有兵数千,驻扎在扬子县,李成式派判官裴茂率兵三千驻扎在瓜步,广树军旗,列于长江沿岸。李璘与他的儿子李玚登上城头,望见军旗极多,心中开始感到惧怕。其部将季广琛召集其他的将领们说:"我们跟随永王走到这一步,只因为天命不助,人谋已不能成功,不如趁还未交战,赶快图谋出路;否则就会战败身死,永远成为逆臣贼子。"诸将听后都认为他说得对。于是季广琛领着自己的部队逃向广陵,浑惟明逃向江宁,冯季康逃向白沙。永王李璘恐惧,不知道怎么办才好。当天晚上,长江北面的军队盛列火炬,光照水中,一变为二,李璘的军队也列火炬响应。李璘错认为官军已经渡过长江,匆忙携家眷与部下潜逃。等到天亮,不见过江的官军,李璘又返回城中收集军队,乘船而逃。李成式的部将赵侃等渡过长江到达新丰,李璘派儿子李玚与部将高仙琦率兵迎击,赵侃与李玚等交战,射中李玚的肩臂,李璘的军队于是溃败。李璘与高仙琦收集残兵,向南逃奔鄱阳,收聚库中的兵器物资,想向南逃奔岭表,江西采访使皇甫侁派兵追击,俘获了李璘,秘密杀死于传舍,李玚也死于乱军之中。

皇甫侁派人送李璘的家属回蜀中,肃宗说:"皇甫侁既然生擒了我弟弟永王李璘,为什么不送回蜀中而要擅自把他杀死呢?"于是撤了皇甫侁的官职而不录用。

19　庚子(二十二日),郭子仪派他的儿子郭旰与兵马使李韶光、大将王祚等渡过黄河攻下了潼关,杀敌五百。安庆绪又派兵援救潼关,郭旰等大败,官军死者一万多人。李韶光与王祚战死,仆固怀恩抱着马头渡过渭水,退保河东。

20　三月辛酉(十三日),肃宗任命左相韦见素为左仆射,中书侍郎、同平章事裴冕为右仆射,罢免了两人的宰相职务。

当初,杨国忠因为嫉恨宪部尚书苗晋卿,安禄山反叛后,就请求玄宗让苗晋卿出任陕郡太守,兼陕郡、弘农郡防御使。苗晋卿以老弱多病坚决推辞,玄宗不高兴,就让苗晋卿退休。及至长安失守,苗晋卿潜身逃入山谷之中。肃宗来到凤翔,下手敕征苗晋卿为左相,军国大事都向他征求意见。

21　上皇思张九龄之先见,为之流涕,遣中使至曲江祭之,厚恤其家。

22　尹子奇复引大兵攻睢阳。张巡谓将士曰:"吾受国恩,所守,正死耳。但念诸君捐躯命,膏草野,而赏不酬勋,以此痛心耳。"将士皆激励请奋。巡遂椎牛,大飨士卒,尽军出战。贼望见兵少,笑之。巡执旗,帅诸将直冲贼陈,贼乃大溃。斩将三十馀人,杀士卒三千馀人,逐之数十里。明日,贼又合军至城下,巡出战,昼夜数十合,屡摧其锋,而贼攻围不辍。

23　辛未,安守忠将骑二万寇河东,郭子仪击走之,斩首八千级,捕虏五千人。

24　夏,四月,颜真卿自荆、襄北诣凤翔,上以为宪部尚书。

25　上以郭子仪为司空、天下兵马副元帅,使将兵赴凤翔。庚寅,李归仁以铁骑五千邀之于三原北,子仪使其将仆固怀恩、王仲昇、浑释之、李若幽伏兵击之于白渠留运桥,杀伤略尽,归仁游水而逸。若幽,神通之玄孙也。

子仪与王思礼军合于西渭桥,进屯潏西。安守忠、李归仁军于京城西清渠。相守七日,官军不进。五月癸丑,守忠伪退,子仪悉师逐之。贼以骁骑九千为长蛇陈,官军击之,首尾为两翼,夹击官军,官军大溃。判官韩液、监军孙知古皆为贼所擒,军资器械尽弃之。子仪退保武功,中外戒严。

是时府库无蓄积,朝廷专以官爵赏功,诸将出征,皆给空名告身,自开府、特进、列卿、大将军,下至中郎、郎将,听临事注名。其后又听以信牒授人官爵,有至异姓王者。诸军但以职任相统摄,不复计官爵高下。及清渠之败,复以官爵收散卒。

21　玄宗思念张九龄对安禄山有先见之明,因此痛哭流涕,派宦官到韶州曲江县祭祀张九龄,并重赏他的家属。

22　叛军大将尹子奇又率大军来进攻睢阳。张巡对将士们说:"我身受国恩,要死守此城,为国家效命。但想到大家为国家献身,血染原野,而赏赐难以酬劳所建立的功勋,感到万分痛心。"将士们听后都情绪激动,奋勇请战。于是张巡杀牛设宴,犒劳士卒,率全军出战。叛军看见官军兵少,嘲笑官军。张巡手执战旗,率领众将直冲叛军阵中,叛军全军溃败。斩敌将三十多人,杀死士卒三千多人,追赶敌军数十里。第二天,叛军又集兵逼临城下,张巡率兵出战,昼夜交战数十回合,屡次挫败了叛军进攻的锋锐,但叛军仍然不停地围城攻打。

23　辛未(二十三日),叛军大将安守忠率领骑兵二万进攻河东,被郭子仪领兵击退,杀敌八千,俘虏五千。

24　夏季,四月,平原太守颜真卿绕道从荆州、襄阳北至凤翔,肃宗任命他为宪部尚书。

25　肃宗任命郭子仪为司空、天下兵马副元帅,让他率兵赴凤翔。庚寅(十三日),叛军大将李归仁率领五千精锐骑兵在三原县北面截击郭子仪,郭子仪派部将仆固怀恩、王仲昇、浑释之、李若幽等埋伏于白渠留运桥,几乎全歼叛军,李归仁游水逃脱。李若幽是李神通的玄孙。

郭子仪与王思礼在西渭桥合兵,进军驻扎在潏水西岸。叛军大将安守忠与李归仁率兵驻扎在京城西面的清渠。两军相持七日,官军没有进攻。五月癸丑(初六),安守忠假装撤退,郭子仪率全军追击。叛军以九千精锐骑兵摆成长蛇阵,官军从中间进击,叛军变首尾为两军,夹击官军,官军大败。判官韩液与监军孙知古都被叛军俘获,军用物资全部丢弃。郭子仪退军防守武功,内外严加戒备。

当时朝廷的府库中没有财物积蓄,对于立功的将士只能赏赐官爵,诸将出征时,都给予空名委任状,上自开府、特进、列卿、大将军,下至中郎、郎将,都允许临时填写名字。后来又允许用信牒授予官爵,以至有异姓被封为王的。各路军队都以职务大小相互统辖,不看官爵的高低。这次清渠战败后,又滥赏官爵以招集散兵游勇。

由是官爵轻而货重，大将军告身一通，才易一醉。凡应募入军者，一切衣金紫，至有朝士僮仆衣金紫，称大官，而执贱役者。名器之滥，至是而极焉。

26　房琯性高简，时国家多难，而琯多称病不朝谒，不以职事为意，日与庶子刘秩、谏议大夫李揖，高谈释、老，或听门客董庭兰鼓琴，庭兰以是大招权利。御史奏庭兰赃贿，丁巳，罢琯为太子少师。以谏议大夫张镐为中书侍郎、同平章事。上常使僧数百人为道场于内，晨夜诵佛。镐谏曰："帝王当修德以弭乱安人，未闻饭僧可致太平也！"上然之。

27　庚申，上皇追册上母杨妃为元献皇后。

28　山南东道节度使鲁炅守南阳，贼将武令珣、田承嗣相继攻之。城中食尽，一鼠直钱数百，饿死者相枕藉。上遣宦官将军曹日昇往宣慰，围急，不得入。日昇请单骑入致命，襄阳太守魏仲犀不许。会颜真卿自河北至，曰："曹将军不顾万死以致帝命，何为沮之？借使不达，不过亡一使者；达，则一城之心固矣。"日昇与十骑偕往，贼畏其锐，不敢逼。城中自谓望绝，及见日昇，大喜。日昇复为之至襄阳取粮，以千人运粮而入，贼不能遏。炅围中凡周岁，昼夜苦战，力竭不能支，壬戌夜，开城帅馀兵数千突围而出，奔襄阳。承嗣追之，转战二日，不能克而还。时贼欲南侵江、汉，赖炅扼其冲要，南夏得全。

29　司空郭子仪诣阙请自贬。甲子，以子仪为左仆射。

因此官爵贱而钱货贵，一通大将军委任状才能换取一次酒醉。凡是被招募参军的人，都穿金紫色衣服，甚至有朝士的仆人身着金紫色衣服，口称自己是大官，而实际却干的是低贱的工作。唐朝的封官赏爵之滥，至此达到了极点。

26 房琯性情高傲，这时国家正处于危难之际，而房琯却常常说有病不入朝，不积极处理自己职权内的政事，每天与庶子刘秩、谏议大夫李揖高谈佛教与道教，有时听自己的门客董庭兰弹琴，董庭兰也借此而弄权谋利。御史上奏说董庭兰受贿，丁巳（初十），肃宗罢免房琯为太子少师；同时任命谏议大夫张镐为中书侍郎、同平章事。肃宗常常召纳僧人数百名在宫内做道场，早晚诵读佛经。张镐进谏说："帝王应该修治德行以平乱安民，没有听说过布施僧人能使天下太平的！"肃宗认为他说得对。

27 庚申（十三日），玄宗追封册命肃宗的母亲杨妃为元献皇后。

28 山南东道节度使鲁炅守卫南阳，叛军将领武令珣与田承嗣率军相继来攻城。城中的粮食吃尽，以至一只老鼠值钱数百缗，到处都是饿死的人。肃宗派宦官将军曹日昇往南阳宣慰士卒，因为叛军包围，不得入城。曹日昇请求单枪匹马入城传达帝旨，襄阳太守魏仲犀不答应。这时颜真卿从河北到达，说："曹将军冒着生命危险要去传达皇上的命令，为何要阻拦他呢？假使他不能到达，也不过是死一个使者；如果能够到达，那么城中人的信心就会更加坚定。"于是曹日昇与十名骑兵一起入城，叛军害怕他们的锋锐，不敢逼近。南阳城中的人已经绝望，及至见到曹日昇，都十分欢喜。曹日昇去襄阳又为南阳守城将士取粮，领着一千人运粮入城，叛军不能阻挡。鲁炅在城中已经一年，昼夜苦战，力尽而无法坚守，壬戌（十五日）夜晚，打开城门率领剩馀的数千兵力突围而出，奔向襄阳。田承嗣领兵追击，连续两天辗转交战，没有战果而返回。当时叛军想要向南侵略江、汉地区，多亏鲁炅扼守住了战略要地，南夏得以保全。

29 司空郭子仪赴朝自请贬官。甲子（十七日），肃宗任命郭子仪为左仆射。

30　尹子奇益兵围睢阳益急，张巡于城中夜鸣鼓严队，若将出击者；贼闻之，达旦儆备。既明，巡乃寝兵绝鼓。贼以飞楼瞰城中，无所见，遂解甲休息。巡与将军南霁云、郎将雷万春等十馀将各将五十骑开门突出，直冲贼营，至子奇麾下，营中大乱，斩贼将五十馀人，杀士卒五千馀人。巡欲射子奇而不识，乃剡蒿为矢，中者喜，谓巡矢尽，走白子奇，乃得其状。使霁云射之，丧其左目，几获之。子奇乃收军退还。

31　六月，田乾真围安邑。会陕郡贼将杨务钦密谋归国，河东太守马承光以兵应之，务钦杀城中诸将不同己者，翻城来降。乾真解安邑，遁去。

32　将军王去荣以私怨杀本县令，当死。上以其善用炮，壬辰，敕免死，以白衣于陕郡效力。中书舍人贾至不即行下，上表，以为："去荣无状，杀本县之君。《易》曰：'臣弑其君，子弑其父，非一朝一夕之故，其所由来者渐矣。'若纵去荣，可谓生渐矣。议者谓陕郡初复，非其人不可守。然则他无去荣者，何以亦能坚守乎？陛下若以炮石一能即免殊死，今诸军技艺绝伦者，其徒实繁。必恃其能，所在犯上，复何以止之？若止舍去荣而诛其馀者，则是法令不一而诱人触罪也。今惜一去荣之材而不杀，必杀十如去荣之材者，不亦其伤益多乎？夫去荣，逆乱之人也，焉有逆于此而顺于彼，乱于富平而治于陕郡，悖于县君而不悖于大君欤？伏惟明主全其远者、大者，则祸乱不日而定矣。"上下其事，令百官议之。

30　叛军将领尹子奇增兵把睢阳包围得更紧,夜晚,张巡在城中鸣鼓整理队伍,像要出击的样子,叛军闻知,整夜严备。天亮后,张巡却停鼓息兵。叛军在飞楼上瞭望城中,什么也看不见,于是解甲休息。这时,张巡与将军南霁云、郎将雷万春等十多名将领各率五十名骑兵打开城门突然杀出,直冲叛军营地,来到尹子奇的战旗下,敌营顿时大乱,杀敌将五十多人,杀士卒五千多人。张巡想要射杀尹子奇,但不认识他,于是就削蒿草做箭头,被射中的叛军十分高兴,以为张巡他们的箭头已射完,就去报告尹子奇,张巡因此认出了尹子奇。于是让南霁云射击,射中尹子奇左眼,差一点抓获了他。尹子奇只好收兵退去。

31　六月,叛军将领田乾真率兵包围了安邑。这时守卫陕郡的叛军将领杨务钦暗中图谋归顺朝廷,河东太守马承光领兵接应,杨务钦杀了城中不同意归顺的诸将,翻越城墙前来投降。田乾真解安邑之围而去。

32　将军王去荣因为私仇杀了本县富平县令,按罪应当处死。肃宗因为他善于使用石炮,壬辰(十六日),下敕书免其死罪,让他作为一名普通战士在陕郡效力。中书舍人贾至没有立刻颁下敕书,上表认为:"王去荣行为不端,杀死本县的长官。《周易》说:'臣子杀死君主,儿子杀死父亲,都不是一朝一夕的原因,而是长久演变的结果。'如果赦免了王去荣的罪,就是放纵此种行为,使恶人萌生这种邪念。有人认为陕郡刚刚收复,没有王去荣难以坚守。然而其他的郡县没有王去荣这样的人,为何也能坚守?陛下如果因为善于使用石炮这一种技能就免除一个人的死罪,那么现在各军中有绝技的士卒实在太多了。这些人必定依仗他们的技能,在各地犯上作乱,又怎么制止他们呢?如果只是赦免王去荣的罪而杀掉其他的人,那就是法律没有准则而诱人犯罪。现在如果怜惜一个王去荣的才能而不杀,以后必定要杀掉十个像王去荣这样有才能的人,那样伤害的人不是更多了吗?这个王去荣实在是一个逆臣贼子,怎么能够在这里为逆而在那里恭顺,在富平作乱而在陕郡治安,逆乱于县令而不逆乱于天子呢?真诚地希望陛下作为贤明的君主能从长远和大处考虑,那么祸乱不久就可以平定。"肃宗把这件事下达百官,让他们发表意见。

太子太师韦见素等议,以为:"法者天地大典,帝王犹不敢擅杀,是臣下之权过于人主也。去荣既杀人不死,则军中凡有技能者,亦自谓无忧,所在暴横。为郡县者,不亦难乎?陛下为天下主,爱无亲疏,得一去荣而失万姓,何利之有?于律,杀本县令,列于十恶。而陛下宽之,王法不行,人伦道屈,臣等奉诏,不知所从。夫国以法理,军以法胜;有恩无威,慈母不能使其子。陛下厚养战士而每战少利,岂非无法邪?今陕郡虽要,不急于法也。有法则海内无忧不克,况陕郡乎?无法则陕郡亦不可守,得之何益?而去荣末技,陕郡不以之存亡;王法有无,国家乃为之轻重。此臣等所以区区愿陛下守贞观之法。"上竟舍之。至,曾之子也。

33　南充土豪何滔作乱,执本郡防御使杨齐鲁,剑南节度使卢元裕发兵讨平之。

34　秋,七月,河南节度使贺兰进明克高密、琅邪,杀贼二万馀人。

35　戊申夜,蜀郡兵郭千仞等反,六军兵马使陈玄礼、剑南节度使李峘讨诛之。

36　壬子,尹子奇复征兵数万,攻睢阳。先是,许远于城中积粮至六万石,虢王巨以其半给濮阳、济阴二郡,远固争之,不能得。既而济阴得粮,遂以城叛,而睢阳城至是食尽。将士人廪米日一合,杂以茶纸、树皮为食,而贼粮运通,兵败复征。睢阳将士死不加益,诸军馈救不至,士卒消耗至一千六百人,皆饥病不堪斗,遂为贼所围,张巡乃修守具以拒之。贼为云梯,

太子太师韦见素等人认为:"法律是天下的根本典章,作为帝王都不敢随意杀人,而王去荣竟敢擅自杀人,这是臣下的权力超过君主。王去荣既然犯了杀人罪而不处死,那么军队中凡是身怀一技一能的人都会自认为无所顾忌,在各地横行为暴,那些做郡县官的不就很难治理了吗?陛下作为天下的君主,对人的爱应当没有亲疏之分,如果那样做,保全了一个王去荣而失掉天下的百姓,有什么利益可言呢?按照刑律,杀本县县令属于十恶之罪。而陛下却要加以赦免,致使王法不能施行,人伦道德不能伸张,我等奉行诏书,实在难以服从。国家要以法律来治理,军队要严格执行军令才能取得胜利。如果只用恩惠而无威权,就是慈祥的母亲也不能说动他的儿子。陛下重赏战士,但每当作战时却少能取胜,难道不是因为执行军法不严吗?现在陕郡虽然要紧,但也没有执行国家的法令急迫。如果有法必依,则天下不愁不能够平定,何况一区区陕郡?如果无法无天,就是陕郡也难以守住,得到它又有什么益处呢?何况王去荣不过有一点雕虫小技,陕郡不会因为有他无他而存亡;而王法的有无,才是国家的根本所在。我们都衷心地希望陛下遵守贞观年间制定下来的法律。"但肃宗最终不听臣下的意见,赦免了王去荣。贾至是贾曾的儿子。

33　南充土豪何滔作乱,抓住了本郡防御使杨齐鲁。剑南节度使卢元裕发兵讨平了何滔。

34　秋季,七月,河南节度使贺兰进明率兵收复高密与琅邪,杀死叛军两万多人。

35　戊申(初二)夜,蜀郡兵郭千仞等人谋反,被六军兵马使陈玄礼、剑南节度使李峘讨杀。

36　壬子(初六),叛军大将尹子奇又征兵数万名,来围攻睢阳。先前,许远于睢阳城中积蓄资粮达六万石,虢王李巨命令分其一半,给濮阳、济阴两郡,许远坚决反对,但意见未被采纳。济阴得到粮食以后,随即连城投降了叛军,而睢阳城中的积粮此时已被吃尽。将士每人每日给米一合,并夹杂茶纸、树皮而食,而叛军却粮道畅通,兵员充足,伤亡能够及时得到补充。睢阳守城的将士死伤得不到援助,诸军粮食救应不至,士卒损耗得仅剩下一千六百人,都因为饥饿疾病没有多少战斗力,于是睢阳城被叛军紧紧地包围,张巡便准备守城的战具抵御敌人。叛军制作了云梯,

势如半虹,置精卒二百于其上,推之临城,欲令腾入。巡豫于城凿三穴,候梯将至,于一穴中出大木,末置铁钩,钩之使不得退;一穴中出一木,拄之使不得进;一穴中出一木,木末置铁笼,盛火焚之,其梯中折,梯上卒尽烧死。贼又以钩车钩城上栅阁,钩之所及,莫不崩陷。巡以大木,末置连锁,锁末置大环,拓其钩头,以革车拔之入城,截其钩头而纵车令去。贼又造木驴攻城,巡熔金汁灌之,应投销铄。贼又于城西北隅以土囊积柴为磴道,欲登城。巡不与争利,每夜,潜以松明、乾蒿投之于中,积十馀日,贼不之觉,因出军大战,使人顺风持火焚之,贼不能救,经二十馀日,火方灭。巡之所为,皆应机立办,贼服其智,不敢复攻。遂于城外穿三重壕,立木栅以守巡,巡亦于内作壕以拒之。

37　丁巳,贼将安武臣攻陕郡,杨务钦战死,贼遂屠陕。

38　崔涣在江南选补,冒滥者众,八月,罢涣为馀杭太守、江东采访、防御使。

39　以张镐兼河南节度、采访等使,代贺兰进明。

40　灵昌太守许叔冀为贼所围,救兵不至,拔众奔彭城。

41　睢阳士卒死伤之馀,才六百人,张巡、许远分城而守之,巡守东北,远守西南,与士卒同食茶纸,不复下城。贼士攻城者,巡以逆顺说之,往往弃贼来降,为巡死战,前后二百馀人。

是时,许叔冀在谯郡,尚衡在彭城,贺兰进明在临淮,皆拥兵不救。城中日蹙,巡乃令南霁云将三十骑犯围而出,告急于临淮。霁云出城,贼众数万遮之,霁云直冲其众,左右驰射,贼众披靡,止亡两骑。既至临淮,见进明,进明曰:"今日睢阳不知

高大如半个彩虹,上面安置了两百精兵,推临城下,想令士兵跳入城中。张巡事先在城墙上凿了三个洞穴,等待云梯快临近时,从一穴中伸出一根大木,头上设置了铁钩,钩住云梯使不得退去;又一穴中出一根木头,顶住云梯使不得前进;其馀一穴中出一大木,头上安置了一个铁笼,笼中装着火焚烧云梯,云梯从中间被烧断,梯上的士卒全部被烧死。叛军又用钩车钩城头上的敌楼,钩车所到之处,敌楼纷纷崩陷。张巡在大木头上安置了连锁,锁头装置大环,套住叛军的钩车头,然后用皮车拔入城中,截去车上的钩头,然后把车放掉。叛军又制作木驴来攻城,张巡就熔化铁水浇灌木驴,木驴立刻被销毁。叛军最后在城西北角用土袋和柴木积成阶道,想借此登城。张巡不与叛军交战,只是每天夜晚,暗中把松明与干草投进正在堆积的阶道中,共十多天,叛军没有察觉,张巡乘机出军大战,派人顺风纵火焚烧阶道,叛军无法救火,经过二十多天大火才熄灭。张巡的所作所为都是随机应变,立刻办理。叛军信服他智谋高强,不敢再来进攻。于是在城外挖了三道壕沟,并置立木栅而围城,张巡也在城内挖了壕沟以对抗敌人。

37　丁巳(十一日),叛军大将安武臣率兵进攻陕郡,杨务钦战死,叛军遂在城中大肆屠杀。

38　崔涣在江南主持科举选人的事务,作弊的人很多,八月,肃宗将崔涣罢免,任命为馀杭太守、江东采访、防御使。

39　肃宗任命张镐兼河南节度、采访等使,以代替贺兰进明。

40　灵昌太守许叔冀被叛军包围,外无救兵,只好率兵逃奔彭城。

41　坚守睢阳的士卒死伤仅剩下六百人,张巡与许远把全城分为两部分,亲自率兵固守,张巡守东北,许远守西南,两人与士卒一起吃茶纸,日夜苦战,不再下城。对于攻城的叛军,张巡对他们讲说逆顺的道理,经常有人脱离敌军,前来投诚,为张巡死战,前后有两百多人。

这时,许叔冀在谯郡,尚衡在彭城,贺兰进明在临淮,都拥兵不救睢阳。城中日益艰难,于是张巡命南霁云率领三十名骑兵突围出城,往临淮去求援兵。南霁云出城后,叛军数万人来阻击,霁云率骑兵直冲敌阵,左右射击,叛军披靡,霁云仅伤亡了两名骑兵。南霁云到达临淮,见到贺兰进明,贺兰进明说:"现在睢阳城不知

存亡,兵去何益?"霁云曰:"睢阳若陷,霁云请以死谢大夫。且睢阳既拔,即及临淮,譬如皮毛相依,安得不救?"进明爱霁云勇壮,不听其语,强留之,具食与乐,延霁云坐。霁云慷慨,泣且语曰:"霁云来,睢阳之人不食月馀矣!霁云虽欲独食,且不下咽。大夫坐拥强兵,观睢阳陷没,曾无分灾救患之意,岂忠臣义士之所为乎?"因啮落一指以示进明,曰:"霁云既不能达主将之意,请留一指以示信归报。"座中往往为泣下。

霁云察进明终无出师意,遂去。至宁陵,与城使廉坦同将步骑三千人,闰月戊申夜,冒围,且战且行,至城下,大战,坏贼营,死伤之外,仅得千人入城。城中将吏知无救,皆恸哭。贼知援绝,围之益急。

初,房琯为相,恶贺兰进明,以为河南节度使,以许叔冀为进明都知兵马使,俱兼御史大夫。叔冀自恃麾下精锐,且官与进明等,不受其节制。故进明不敢分兵,非惟疾巡、远功名,亦惧为叔冀所袭也。

42　戊辰,上劳飨诸将,遣攻长安,谓郭子仪曰:"事之济否,在此行也!"对曰:"此行不捷,臣必死之。"

43　辛未,御史大夫崔光远破贼于骆谷。光远行军司马王伯伦、判官李椿将两千人攻中渭桥,杀贼守桥者千人,乘胜至苑门。贼有先屯武功者闻之,奔归,遇于苑北,合战,杀伯伦,擒椿送洛阳。然自是贼不复屯武功矣。

44　贼屡攻上党,常为节度使程千里所败。蔡希德复引兵围上党。

存亡,派援兵去又有什么用呢?"南霁云说:"我以死来向你担保,睢阳城还没有被攻陷。再说睢阳如果被叛军攻占,下一个就是临淮,此二城犹如毛皮相依,怎么能够见死不救呢?"贺兰进明很喜欢南霁云的勇敢,但不听他的劝告,还强行把他留下,准备了酒食与音乐歌舞,来招待南霁云。南霁云慷慨激昂地哭着说:"我突围出来时,睢阳城中的将士已经有一个多月没有粮食吃了!我虽然想在此进食,但实在难以下咽。大夫你手握强兵,眼看着睢阳将要陷落,却丝毫没有救援之意,这难道是忠臣义士所应该有的行为吗?"南霁云咬掉自己一个手指头让贺兰进明看,并说:"我南霁云既然不能完成主将交付给我的命令,请留下一个指头以表示信用而归报主将。"座中的人都被感动而哭泣。

南霁云知道贺兰进明终不肯出兵救援,只好离开了临淮。到达宁陵,与宁陵城使廉坦一起率领步、骑兵三千人,闰月戊申(初三)夜,突进叛军的包围圈,边战边进,来到睢阳城下,与叛军交战,毁坏了敌营,自己所率领的军队伤亡很大,只剩下一千人得以入城。城中将士与官吏得知救兵无望,都大声痛哭。叛军知道没有援兵,围攻更加急迫。

当初,房琯做宰相时,因为嫉恨贺兰进明,就任命他为河南节度使,又任许叔冀为他的都知兵马使,二人都兼御史大夫。许叔冀自恃部下兵力强壮,并且官职与贺兰进明相等,不接受贺兰进明节制。所以贺兰进明不敢分兵去救援睢阳,不是仅仅嫉妒张巡、许远的功名,也害怕乘机遭到许叔冀的袭击。

42 戊辰(二十三日),肃宗犒劳诸位将领,让他们进攻长安,并对郭子仪说:"事情成功与否,在此一举!"郭子仪回答说:"这一次如果不能够战胜,我一定以死相报。"

43 辛未(二十六日),御史大夫崔光远败叛军于骆谷。崔光远的行军司马王伯伦、判官李椿率领两千人进攻中渭桥,杀死叛军守桥将士一千人,乘胜进兵至苑门。叛军先前驻扎在武功的军队得知后,逃回长安,在禁苑北面与官军相遭遇,两军交战,王伯伦战死,李椿被俘房后送往洛阳。但是从此叛军不再占据武功。

44 叛军多次进攻上党郡,都被节度使程千里打败。叛军大将蔡希德又率兵围攻上党。

卷第二百二十　唐纪三十六

起丁酉(757)九月尽戊戌(758)凡一年有奇

肃宗文明武德大圣大宣孝皇帝中之下
至德二载(丁酉,757)

1　九月丁丑,希德以轻骑至城下挑战,千里帅百骑开门突出,欲擒之,会救至,收骑退还,桥坏,坠堑中,反为希德所擒。仰谓从骑曰:"吾不幸至此,天也!归语诸将,善为守备,宁失帅,不可失城。"希德攻城,竟不克,送千里于洛阳,安庆绪以为特进,囚之客省。

2　郭子仪以回纥兵精,劝上益征其兵以击贼。怀仁可汗遣其子叶护及将军帝德等将精兵四千馀人来至凤翔。上引见叶护,宴劳赐赉,惟其所欲。丁亥,元帅广平王俶将朔方等军及回纥、西域之众十五万,号二十万,发凤翔。俶见叶护,约为兄弟,叶护大喜,谓俶为兄。回纥至扶风,郭子仪留宴三日。叶护曰:"国家有急,远来相助,何以食为?"宴毕,即行。日给其军羊二百口,牛二十头,米四十斛。

庚子,诸军俱发;壬寅,至长安西,陈于香积寺北沣水之东。李嗣业为前军,郭子仪为中军,王思礼为后军。贼众十万陈于其北,李归仁出挑战,官军逐之,逼于其阵,贼军齐进,官军却,为贼所乘,军中惊乱,贼争趣辎重。李嗣业曰:"今日不以身饵贼,军无孑遗矣。"乃肉袒、执长刀,立于阵前,大呼奋击,当其刀者,

肃宗文明武德大圣大宣孝皇帝中之下
唐肃宗至德二载(丁酉,公元 757 年)

1 九月丁丑(初二),叛军大将蔡希德率领轻装骑兵来到上党城下挑战,节度使程千里率领一百名骑兵开城门突然杀出,想要活捉蔡希德,这时叛军救兵来到,程千里只好收兵退回,因为城门口的吊桥被毁坏,程千里坠入城壕之中,反被蔡希德俘虏。程千里仰天长叹对随从的骑兵说:"我不幸被叛军俘虏,这是天意!回到城里后请告诉诸位将领,让他们好好坚守,宁可失去将帅,不能够失去城池。"蔡希德又领兵攻城,没有攻克,于是把程千里送往洛阳,安庆绪任命程千里为特进,囚禁于客省。

2 郭子仪认为回纥兵精,能征善战,就劝肃宗多征回纥兵以平叛。回纥怀仁可汗派他的儿子叶护和将军帝德等率领精兵四千多人来到凤翔。肃宗接见叶护,设宴招待,赏赐财物,随其所愿,无不满足。丁亥(十二日),元帅广平王李俶率领朔方等各镇兵及回纥、西域各国兵共十五万,号称二十万,从凤翔出发。李俶见到回纥叶护,两人约为兄弟,叶护十分高兴,称李俶为兄。回纥人到达扶风,郭子仪留他们宴请三天。叶护说:"国家在危难之中,我们远来援助,还没有作战,哪里顾得上大吃大喝?"宴会后便立即出发。唐朝每天供给回纥军羊两百头,牛二十头,米四十斛。

庚子(二十五日),各路大军同时出发,壬寅(二十七日),到达长安城西,在香积寺北面沣水东岸结成阵列。李嗣业为前军,郭子仪为中军,王思礼为后军。叛军十万在北面列阵,叛将李归仁出阵挑战,官军追击,逼近叛军阵中,叛军一齐进发,官军退却,叛军乘机突进,官军十分吃惊,顿时大乱,叛军争着抢夺军用物资。这时李嗣业说:"今天如果不拼死抵抗,官军就会彻底灭亡。"于是就袒露上身,手执长刀,立于阵前,大声呼喊,奋勇杀敌,叛军遇到他的刀锋,

人马俱碎，杀数十人，阵乃稍定。于是嗣业帅前军各执长刀，如墙而进，身先士卒，所向摧靡。都知兵马使王难得救其裨将，贼射之中眉，皮垂鄣目。难得自拔箭，掔去其皮，血流被面，前战不已。贼伏精骑于阵东，欲袭官军之后，侦者知之，朔方左厢兵马使仆固怀恩引回纥就击之，翦灭殆尽，贼由是气索。李嗣业又与回纥出贼阵后，与大军夹击，自午及酉，斩首六万级，填沟堑死者甚众，贼遂大溃。馀众走入城，迨夜，嚣声不止。

仆固怀恩言于广平王俶曰：“贼弃城走矣，请以二百骑追之，缚取安守忠、李归仁等。”俶曰：“将军战亦疲矣，且休息，俟明旦图之。”怀恩曰：“归仁、守忠，贼之骁将，骤胜而败，此天赐我也，奈何纵之？使复得众，还为我患，悔之无及！战尚神速，何明旦也？”俶固止之，使还营。怀恩固请，往而复反，一夕四五起。迟明，谍至，守忠、归仁与张通儒、田乾真皆已遁矣。癸卯，大军入西京。

初，上欲速得京师，与回纥约曰：“克城之日，土地、士庶归唐，金帛、子女皆归回纥。”至是，叶护欲如约。广平王俶拜于叶护马前曰：“今始得西京，若遽俘掠，则东京之人皆为贼固守，不可复取矣，愿至东京乃如约。”叶护惊跃下马答拜，跪捧王足，曰：“当为殿下径往东京。”即与仆固怀恩引回纥、西域之兵自城南过，营于浐水之东。百姓、军士、胡虏见俶拜，皆泣曰：“广平王真华、夷之主！”上闻之喜曰：“朕不及也！”俶整众入城，百姓老幼夹道欢呼悲泣。俶留长安，镇抚三日，引大军东出。以太子少傅虢王巨为西京留守。

人马纷纷落地,接连杀死数十人,才稳住了官军的阵地。然后李嗣业率领前军各持长刀,排成横队,如墙向前推进,自己身先士卒,叛军纷纷后退,官军所向披靡。都知兵马使王难得为了救他的副将,被叛军射中眼眉,垂下的肉皮遮住了眼睛。王难得自己拔去箭头,扯掉肉皮,血流满面,但仍然奋勇作战,不下战场。叛军埋伏精兵于阵地东面,想要从后面袭击官军,被官军侦察发觉,朔方左厢兵马使仆固怀恩领回纥兵袭击叛军伏兵,叛军被全部消灭,因而士气大落。李嗣业又与回纥兵绕道至叛军阵后,与大军前后夹击,从午时至酉时,共杀敌六万多人,被填于沟堑中的死者无数,叛军大败而溃退。其馀的残兵逃入长安城中,夜晚喧叫声不止。

仆固怀恩对广平王李俶说:"叛军要放弃长安城逃走,请让我率领两百名骑兵追击,捉住安守忠、李归仁等人。"李俶说:"将军作战已经很疲劳了,暂且休息,等到明天再作计议。"仆固怀恩说:"李归仁与安守忠都是叛军中骁勇善战的大将,现在骤然被我们打败,实在是天赐良机,为何要放虎归山呢? 如果让他们收拾残兵,再来与我们作战,那时后悔就来不及了! 再说兵贵神速,为何要等到明天呢?"但广平王李俶坚持不同意,让仆固怀恩返回营中。仆固怀恩坚请不已,来来回回,一夜达四五次。等到天亮,侦察人员回来,报告说叛军守将安守忠、李归仁与张通儒、田乾真等都已逃跑。癸卯(二十八日),唐朝大军进入西京。

起初,肃宗急于收复京师,与回纥相约定:"收复京城之日,土地与男子归唐朝所有,金帛与女人全部归于回纥。"这时,回纥叶护要按约定办事。广平王李俶拜于回纥叶护马前说:"现在刚克复了西京,如果大肆进行抢掠,那么在东京的人就会为叛军死守,难以再攻取,希望到东京后再履行约定。"回纥叶护吃惊地跳下马回拜,并跪下来捧着广平王的脚,说:"我当率军为殿下立刻前往东京。"于是与仆固怀恩率领回纥、西域的军队从长安城南经过,扎营于浐水东岸。百姓、军士以及胡人见到广平王李俶纷纷下拜,都哭泣着说:"广平王真不愧汉夷各族的主人!"肃宗得知后高兴地说:"朕不如广平王!"于是广平王李俶整军入东城,城中百姓不分男女老幼,都夹道欢呼悲泣。李俶留在长安,镇守安抚了三天后,率领大军向东去收复洛阳。任命太子少傅虢王李巨为西京留守。

甲辰，捷书至凤翔，百寮入贺。上涕泗交颐，即日，遣中使啖庭瑶入蜀奏上皇，命左仆射裴冕入京师，告郊庙及宣慰百姓。

上以骏马召李泌于长安。既至，上曰："朕已表请上皇东归，朕当还东宫复修臣子之职。"泌曰："表可追乎？"上曰："已远矣。"泌曰："上皇不来矣。"上惊，问故。泌曰："理势自然。"上曰："为之奈何？"泌曰："今请更为群臣贺表，言自马嵬请留，灵武劝进，及今成功，圣上思恋晨昏，请速还京以就孝养之意，则可矣。"上即使泌草表。上读之，泣曰："朕始以至诚愿归万机。今闻先生之言，乃寤其失。"立命中使奉表入蜀，因就泌饮酒，同榻而寝。而李辅国请取契钥付泌，泌请使辅国掌之，上许之。

泌曰："臣今报德足矣，复为闲人，何乐如之！"上曰："朕与先生累年同忧患，今方相同娱乐，奈何遽欲去乎？"泌曰："臣有五不可留，愿陛下听臣去，免臣于死。"上曰："何谓也？"对曰："臣遇陛下太早，陛下任臣太重，宠臣太深，臣功太高，迹太奇，此其所以不可留也。"上曰："且眠矣，异日议之。"对曰："陛下今就臣榻卧，犹不得请，况异日香案之前乎！陛下不听臣去，是杀臣也。"上曰："不意卿疑朕如此，岂有如朕而办杀卿邪？是直以朕为句践也！"对曰："陛下不办杀臣，故臣求归；若其既办，臣安敢复言？且杀臣者，非陛下也，乃'五不可'也。陛下向日待臣如此，臣于事犹有不敢言者，况天下既安，臣敢言乎？"

甲辰(二十九日),报捷的文书到达凤翔,百官都入宫祝贺。肃宗泪流满面,当天即派宦官啖庭瑶入蜀中上奏玄宗,又命令左仆射裴冕先入京师,告慰祖宗陵庙并安抚百姓。

肃宗派人用骏马召李泌于长安。李泌到后,肃宗说:"朕已经上表请求上皇回京城,朕当让帝位,还东宫重为太子。"李泌说:"上表还能够追回吗?"肃宗说:"已经走远了。"李泌说:"上皇不会回来。"肃宗吃惊地问什么原因。李泌说:"按道理和情势,不回来是自然的。"肃宗说:"那怎么办呢?"李泌说:"现在请再写一份群臣贺表,就说自从在马嵬被留,在灵武被劝说即帝位,到今天克复京城,陛下时刻思念着上皇,请上皇立刻返回京城,以使陛下能尽孝养之心,这样就可以了。"肃宗听后立刻让李泌草写表书。肃宗读了表书后,泣不成声地说:"朕开始时真心想把帝位复归上皇。现在听了先生的话,才知道是失策。"于是立刻命令宦官奉表书入蜀,然后与李泌一起饮酒,并同床而睡。而李辅国请求把宫禁中的符契与钥匙交付给李泌,李泌请求让李辅国掌管,肃宗同意。

李泌说:"我现在已经报答了陛下的知遇之恩,想要重新做隐士,那将是多么快乐!"肃宗说:"朕与先生多少年来共经患难,现在正到了同享欢乐的时候了,为何想要立刻离开我呢?"李泌说:"我有五条理由不能够留下来,希望陛下能够答应我离去,使我免于一死。"肃宗说:"这是什么意思?"李泌回答说:"我与陛下相遇太早,陛下任用我太重,宠爱我太深,我的功劳太高,事迹太奇,这就是我不能够留在朝中的原因。"肃宗说:"现在先睡觉吧,以后再说这件事。"李泌说:"陛下现在与我同床而睡,我请求的事都不答应,何况以后在朝廷的殿上!还能够有所请求吗?陛下不答应我离开朝廷,实际上是在杀死我。"肃宗说:"没有想到你对朕如此疑心,朕怎么能够杀你呢?你真是把朕当做春秋时期的越王勾践了!"李泌回答说:"正因为陛下不杀掉我,所以我才要求离去归隐;如果要杀掉我,我还怎么敢说离去的事呢?再说要杀掉我的并不是陛下,而是我所说的不能够留下来的五条理由。陛下过去待我如此之好,我有时遇事还不敢尽言,何况现在天下已经安定,我还敢直言吗?"

上良久曰："卿以朕不从卿北伐之谋乎？"对曰："非也，所不敢言者，乃建宁耳。"上曰："建宁，朕之爱子，性英果，艰难时有功，朕岂不知之？但因此为小人所教，欲害其兄，图继嗣，朕以社稷大计，不得已而除之，卿不细知其故邪？"对曰："若有此心，广平当怨之。广平每与臣言其冤，辄流涕呜咽。臣今必辞陛下去，始敢言之耳。"上曰："渠尝夜扣广平，意欲加害。"对曰："此皆出谗人之口，岂有建宁之孝友聪明，肯为此乎？且陛下昔欲用建宁为元帅，臣请用广平。建宁若有此心，当深憾于臣；而以臣为忠，益相亲善，陛下以此可察其心矣。"上乃泣下曰："先生言是也。既往不咎，朕不欲闻之。"

泌曰："臣所以言之者，非咎既往，乃欲使陛下慎将来耳。昔天后有四子，长曰太子弘，天后方图称制，恶其聪明，鸩杀之，立次子雍王贤。贤内忧惧，作《黄台瓜辞》，冀以感悟天后。天后不听，贤卒死于黔中。其辞曰：'种瓜黄台下，瓜熟子离离。一摘使瓜好，再摘使瓜稀，三摘犹为可，四摘抱蔓归！'今陛下已一摘矣，慎无再摘！"上愕然曰："安有是哉？卿录是辞，朕当书绅。"对曰："陛下但识之于心，何必形于外也？"是时广平王有大功，良娣忌之，潜构流言，故泌言及之。

3　郭子仪引蕃、汉兵追贼至潼关，斩首五千级，克华阴、弘农二郡。关东献俘百馀人，敕皆斩之。监察御史李勉言于上曰："今元恶未除，为贼所污者半天下，闻陛下龙兴，咸思洗心以承圣化，今悉诛之，是驱之使从贼也。"上遽使赦之。

肃宗想了一会说:"你是因为朕没有听从你关于北伐的计谋吗?"李泌回答说:"不是关于北伐的事,我所不敢直言的是关于建宁王李倓的事。"肃宗说:"建宁王李倓是朕的爱子,性格英勇果断,在艰难之际立了大功,朕怎么能不知道呢? 但他受到小人的教唆,想要谋害他的哥哥广平王李俶,图谋为太子,朕从国家的利益考虑,不得已才除掉了他,你难道不知道这一原因吗?"李泌回答说:"建宁王如果有谋害太子的心意,广平王应该怨恨他。但广平王每当与我言及此事,涕泣呜咽,称建宁王冤枉。我现在决计辞陛下而去,所以才敢于说这件事。"肃宗说:"建宁王曾经在夜晚摸广平王的门,是想要害死广平王。"李泌说:"这都是坏人进的谗言,建宁王孝友聪明,怎么肯做这样的事呢? 再说陛下过去想要任用建宁王为元帅,我请求任用广平王。建宁再如果有谋害广平王而自己当太子的野心,应当深深地恨我,而他却认为我忠心,与我更加亲密友善,陛下通过此事就可看出建宁王的心意。"肃宗听完后哭泣着说:"先生所说的话都非常正确。既往不咎,我不想再听说这件事了。"

　　李泌说:"我所以谈起这件事,并不是要说陛下既往的错误,而是想要让陛下谨慎地处理将来的政事。过去天后武则天有四个儿子,长子是太子李弘,当天后正图谋称帝时,讨厌太子李弘聪明,就毒杀了他,又立次子雍王李贤为太子。李贤心怀忧惧,就作了《黄台瓜辞》,希望能借此使天后感悟。而天后不听,李贤最后还是死于黔中。他所作的《黄台瓜辞》是:'种瓜黄台下,瓜熟子离离。一摘使瓜好,再摘使瓜稀,三摘犹为可,四摘抱蔓归!'现在陛下已经一摘瓜了,希望不要再摘!"肃宗听后惊愕地说:"怎么会那样呢? 你录下这些歌辞,朕当书于条幅之上。"李泌说:"只希望陛下记在心中,何必要形之于外呢?"当时因为广平王李俶有大功,张良娣忌恨他,暗中散布流言,所以李泌对肃宗谈到此事。

　　3　郭子仪率领蕃、汉兵追击叛军至潼关,杀敌五千人,攻克了华阴、弘农两郡。关东向朝廷献来俘虏一百多人,肃宗下敕书让把他们全部杀掉。这时监察御史李勉向肃宗进言说:"现在发动叛乱的元凶还没有被除掉,战乱波及了大半个国家,许多人都受到了牵连,他们得知陛下即皇帝位,率兵平叛,都想着洗心革面,来服从陛下,现在如果把这些被俘的人全部杀掉,是逼迫那些跟随反叛的人继续作乱。"肃宗听后立即命令赦免了他们。

4　冬,十月丁未,谈庭瑶至蜀。

5　壬子,兴平军奏:破贼于武关,克上洛郡。

6　吐蕃陷西平。

7　尹子奇久围睢阳,城中食尽,议弃城东走,张巡、许远谋,以为:"睢阳,江、淮之保障,若弃之去,贼必乘胜长驱,是无江、淮也。且我众饥羸,走必不达。古者战国诸侯,尚相救恤,况密迩群帅乎? 不如坚守以待之。"茶纸既尽,遂食马;马尽,罗雀掘鼠;雀鼠又尽,巡出爱妾,杀以食士,远亦杀其奴;然后括城中妇人食之,继以男子老弱。人知必死,莫有叛者,所馀才四百人。

癸丑,贼登城,将士病,不能战。巡西向再拜曰:"臣力竭矣,不能全城,生既无以报陛下,死当为厉鬼以杀贼!"城遂陷,巡、远俱被执。尹子奇问巡曰:"闻君每战眦裂齿碎,何也?"巡曰:"吾志吞逆贼,但力不能耳。"子奇以刀抉其口视之,所馀才三四。子奇义其所为,欲活之。其徒曰:"彼守节者也,终不为用。且得士心,存之,将为后患。"乃并南霁云、雷万春等三十六人皆斩之。巡且死,颜色不乱,扬扬如常。生致许远于洛阳。

巡初守睢阳时,卒仅万人,城中居人亦且数万,巡一见问姓名,其后无不识者。前后大小战凡四百馀,杀贼卒十二万人。巡行兵不依古法教战陈,令本将各以其意教之。人或问其故,

4　冬季,十月丁未(初三),谈庭瑶到达蜀郡。

5　壬子(初八),兴平军上奏说:在武关打败叛军,收复了上洛郡。

6　吐蕃军队攻陷西平郡。

7　叛军将领尹子奇率兵久围睢阳,城中粮食已经吃尽,有人建议放弃睢阳把军队撤向东面,张巡与许远商议,认为:"睢阳是江、淮地区的屏障,如果放弃睢阳城,那么叛军就可以长驱南下,侵占江、淮地区。再说我们的将士都因饥饿劳累病弱,要撤退也必定走不脱。战国时代的各国诸侯交战时,同盟国还互相救援,何况我们周围不远还有许多朝廷的驻军将帅!不如固守以待援。"包茶的纸吃完以后,就杀马而食;马被杀完后,又捕鸟雀和掘地抓鼠而食;鸟鼠又吃尽后,张巡就杀掉自己的爱妾,让士卒们吃肉,许远也杀了他的家奴;然后把城中的女人全部搜寻出来杀死后吃掉,接着又杀了老弱病残的男子。城中的人都知道必死,所以没有叛变的,最后剩下的只有四百人。

癸丑(初九),叛军登上城头,将士们因为病弱,不能再战。张巡向西拜了两拜说:"我已经竭尽全力,但没有守住睢阳城,生时既然不能报答陛下的恩德,死后作为没有归宿的鬼魂也要英勇杀敌!"随后城被叛军攻陷,张巡与许远都做了俘虏。尹子奇问张巡说:"听说将军你每当作战时眼角睁裂,牙齿咬碎,不知道这是为什么?"张巡说:"我是坚决想要吞掉你们这伙叛逆的贼党,但恨力不从心。"尹子奇就用刀撬开张巡的口探视,只剩下三四颗牙齿。尹子奇十分欣赏张巡的忠义,不想杀掉他。但他的部下却说:"像张巡这样的人,都是忠义守节之士,终究不会为我们所用。再说他深得军心,如果不杀掉他,必为后患。"于是尹子奇就把张巡与南霁云、雷万春等三十六人全部杀掉。张巡临刑前,神色自若,面不改色,慷慨赴难。尹子奇把许远送往洛阳。

张巡起初坚守睢阳时,仅有士兵一万人,而城中居民百姓却有数万人,张巡每见一人就询问其姓名,以后没有不认识的。前后大小战斗共进行了四百多次,杀死叛军十二万人。张巡练兵不按照古人的兵法作战布阵,而是命令部下的将领各自按照自己的战略教习战法。有人问其中的原因,

巡曰:"今与胡虏战,云合鸟散,变态不恒,数步之间,势有同异。临机应猝,在于呼吸之间,而动询大将,事不相及,非知兵之变者也。故吾使兵识将意,将识士情,投之而往,如手之使指。兵将相习,人自为战,不亦可乎?"自兴兵,器械、甲仗皆取之于敌,未尝自修。每战,将士或退散,巡立于战所,谓将士曰:"我不离此,汝为我还决之。"将士莫敢不还,死战,卒破敌。又推诚待人,无所疑隐;临敌应变,出奇无穷;号令明,赏罚信,与众共甘苦寒暑,故下争致死力。

张镐闻睢阳围急,倍道亟进,檄浙东、浙西、淮南、北海诸节度及谯郡太守闾丘晓,使共救之。晓素傲很,不受镐命。比镐至,睢阳城已陷三日。镐召晓,杖杀之。

8 张通儒等收馀众走保陕,安庆绪悉发洛阳兵,使其御史大夫严庄将之,就通儒以拒官军,并旧兵步骑犹十五万。己未,广平王至曲沃。回纥叶护使其将军鼻施吐拨裴罗等引军旁南山搜伏,因驻军岭北。郭子仪等与贼遇于新店,贼依山而陈,子仪等初与之战,不利,贼逐之下山。回纥自南山袭其背,于黄埃中发十馀矢。贼惊顾曰:"回纥至矣!"遂溃。官军与回纥夹击之,贼大败,僵尸蔽野。严庄、张通儒等弃陕东走,广平王俶、郭子仪入陕城,仆固怀恩等分道追之。

严庄先入洛阳告安庆绪。庚申夜,庆绪帅其党自苑门出,走河北,杀所获唐将哥舒翰、程千里等三十馀人而去。许远死于偃师。

张巡说:"现在是与反叛的胡人作战,他们忽散忽合,变化不定,有时在数步之内,军势都不同。所以就需要将领们在很短的时间内能够应接突发的事件,如果让他们动不动就要请示大将,那就来不及了,这是不知道作战用兵的变化。所以我让士卒了解将领的心意,将领熟悉士卒的情绪,这样将领指挥士卒作战,就如手使用自己的指头一样自如。兵与将都相互了解,部队各自为战,不是很好吗?"自从与叛军交战以来,守城所用的器械与作战所用的兵器都是缴获敌人的,守城部队没有修理制造过。每当战斗激烈时,有的将士后退下来,张巡就立在阵地上对将士们说:"我决不离开这里,你们为我返回去继续与叛军决战。"将士听后,没有敢再后退的,又纷纷向前,与叛军死战,最后都能够打退敌人的进攻。张巡待人诚恳,胸怀坦荡,善于随机应变,出奇制胜;并且号令严明,赏罚分明,能够与部下同甘共苦,所以部下的将士都拼死效力。

河南节度、采访等使张镐得知睢阳危急,率兵日夜兼程,并发文书告浙东、浙西、淮南、北海等节度使以及谯郡太守闾丘晓,让他们也发兵来救。而闾丘晓因为素来狂傲,竟不听从张镐的命令。等到张镐率兵赶到,睢阳城已被攻陷了三天。张镐召来闾丘晓,命令用棍子打死了他。

8 叛军大将张通儒等收罗残兵退保陕郡,安庆绪调集了洛阳的全部兵力,命令他的御史大夫严庄率领,与张通儒合兵,共有步、骑共十五万,来阻挡官军。己未(十五日),广平王李俶率兵到达曲沃。回纥叶护命令其部将鼻施吐拨裴罗等率兵顺着南山搜寻叛军,于是驻于岭北。郭子仪等人率兵与叛军相遇于新店,叛军依山而布阵,郭子仪初战不利,被叛军赶到山下。这时回纥军从南山袭击叛军的背面,在漫天黄尘中射了十多箭。叛军回头一看,吃惊地说:"回纥兵来了!"于是溃败。官军与回纥军乘机前后夹击,叛军被打得大败,尸横遍野。严庄与张通儒等人放弃陕郡向东败逃,广平王李俶与郭子仪进入陕城,仆固怀恩率兵分头追击叛军。

严庄先进入洛阳向安庆绪报告败状。庚申(十六日)夜晚,安庆绪率领他的部下从苑门逃出,逃向河北,并在逃走前杀了所俘虏的朝廷将领哥舒翰、程千里等三十多人。许远死于偃师县。

壬戌,广平王俶入东京。回纥意犹未厌,俶患之。父老请率罗锦万匹以赂回纥,回纥乃止。

9　成都使还,上皇诰曰:"当与我剑南一道自奉,不复来矣。"上忧惧,不知所为。后使者至,言:"上皇初得上请归东宫表,彷徨不能食,欲不归。及群臣表至,乃大喜,命食作乐,下诰定行日。"上召李泌告之曰:"皆卿力也!"

泌求归山不已,上固留之,不能得,乃听归衡山。敕郡县为之筑室于山中,给三品料。

10　癸亥,上发凤翔,遣太子太师韦见素入蜀,奉迎上皇。

11　乙丑,郭子仪遣左兵马使张用济、右武锋使浑释之将兵取河阳及河内;严庄来降。陈留人杀尹子奇,举郡降。田承嗣围来瑱于颍川,亦遣使来降;郭子仪应之缓,承嗣复叛,与武令珣皆走河北。制以瑱为河南节度使。

12　丙寅,上至望贤宫,得东京捷奏。丁卯,上入西京。百姓出国门奉迎,二十里不绝,舞跃呼万岁,有泣者。上入居大明宫。御史中丞崔器令百官受贼官爵者皆脱巾徒跣立于含元殿前,搏膺顿首请罪,环之以兵,使百官临视之。太庙为贼所焚,上素服向庙哭三日。是日,上皇发蜀郡。

13　安庆绪走保邺郡,改邺郡为安成府,改元天成。从骑不过三百,步卒不过千人,诸将阿史那承庆等散投常山、赵郡、范阳。旬日间,蔡希德自上党,田承嗣自颍川,武令珣自南阳,各帅所部兵归之。又召募河北诸郡人,众至六万,军声复振。

壬戌(十八日),广平王李俶率兵进入东京。回纥军还不满足,李俶十分忧虑。东京父老百姓请求以一万匹丝织品贿赂回纥军,回纥军才罢休。

9　使者从成都回来,带回玄宗的诰命说:"只要给我剑南一道容身自保就足够了,不想再回长安。"肃宗十分忧愁,不知道怎么办才好。这时后来派去的使者回来说:"上皇先得到陛下请来归还皇位的表书后,游移不定,吃不下饭,不想归来。等到群臣所上的表书到后,才心中大喜,命准备饮食歌舞,并颁下诰命确定了动身的日期。"肃宗把李泌召来说:"这都是你的功劳!"

李泌屡次请求归隐山中,肃宗执意挽留,不得已,才允许他返回衡山。并下敕书命令郡县官为李泌在山中建造房屋,给三品官的俸料。

10　癸亥(十九日),肃宗从凤翔出发回京师,并派太子太师韦见素往蜀中去迎接玄宗。

11　乙丑(二十一日),郭子仪派左兵马使张用济与右武锋使浑释之率兵攻占了河阳及河内两郡,叛军大将严庄投降。陈留人杀了叛将尹子奇,献郡来降。叛军将领田承嗣于颍川围攻来瑱,这时也派使者来请求投降,因为郭子仪接应缓慢,田承嗣再度反叛,与叛将武令珣退保河北。肃宗下制书任命来瑱为河南节度使。

12　丙寅(二十二日),肃宗到达咸阳望贤宫,收到了东京克复的捷报。丁卯(二十三日),肃宗进入西京。城中百姓出城门外二十里来迎接,一路不绝,拜舞跳跃,高呼万岁,还有人哭泣。肃宗入居大明宫。御史中丞崔器命令接受过安禄山叛军官爵的人都解下头巾赤脚立于含元殿前,让他们自己捶打自己的胸口,叩头谢罪,周围站立着持武器的士卒,并让百官在含元殿台上观看。因为太庙被叛军烧毁,肃宗身着白色的服装,向着太庙大哭三天。当天,玄宗从蜀郡出发。

13　安庆绪率领部下败退到邺郡,于是改邺郡为安成府,改年号为天成。这时跟随他的骑兵不过三百,步兵不过一千人,其他部将如阿史那承庆等都分别逃向常山、赵郡、范阳等地。十天之内,蔡希德从上党,田承嗣从颍川,武令珣从南阳,各自率领本部兵马投奔邺郡。安庆绪又在河北各郡招募人马,兵众达到六万,军队的声势又一次壮大起来。

14 广平王俶之入东京也,百官受安禄山父子官者陈希烈等三百馀人,皆素服悲泣请罪。俶以上旨释之,寻勒赴西京。己巳,崔器令诣朝堂请罪,如西京百官之仪,然后收系大理、京兆狱。其府县所由、祗承人等受贼驱使追捕者,皆收系之。

初,汲郡甄济,有操行,隐居青岩山,安禄山为采访使,奏掌书记。济察禄山有异志,诈得风疾,舁归家。禄山反,使蔡希德引行刑者二人,封刀召之,济引首待刀。希德以实病白禄山。后安庆绪亦使人强舁至东京,月馀,会广平王俶平东京,济起,诣军门上谒。俶遣诣京师,上命馆之于三司,令受贼官爵者列拜以愧其心,以济为秘书郎。国子司业苏源明称病不受禄山官,上擢为考功郎中、知制诰。壬申,上御丹凤门,下制:"士庶受贼官禄,为贼用者,令三司条件闻奏。其因战被虏,或所居密近,因与贼往来者,皆听自首除罪;其子女为贼所污者,勿问。"

15 癸酉,回纥叶护自东京还,上命百官迎之于长乐驿,上与宴于宣政殿。叶护奏以"军中马少,请留其兵于沙苑,自归取马,还为陛下扫除范阳馀孽。"上赐而遣之。

16 十一月,广平王俶、郭子仪来自东京,上劳子仪曰:"吾之家国,由卿再造。"

17 张镐帅鲁炅、来瑱、吴王祗、李嗣业、李奂五节度徇河南、河东郡县,皆下之。惟能元皓据北海,高秀岩据大同未下。

14　广平王李俶进入东京后,百官中接受过安禄山与安庆绪父子官爵的陈希烈等三百多人,都穿着白色的衣服悲泣请罪。李俶按照肃宗的意旨,都释放了他们,不久又把他们押送往西京。己巳(二十五日),崔器命令他们到朝堂向肃宗请罪,如同在西京对待接受伪职的百官那样,然后把他们关进大理寺和京兆的狱中。府县中那些为叛军干过事的小官吏,被抓住后,也关进狱中。

起初,汲郡人甄济,操行清高,隐居于青岩山,安禄山为河北采访使时,上奏任命甄济为掌书记。甄济觉察到安禄山有反叛的野心,就假称中风,让人抬回家中。安禄山率兵反叛后,让蔡希德带领两名剑子手,手持大刀去召甄济,甄济伸出头等待着杀掉他。于是蔡希德就认为甄济确实有病,回去报告了安禄山。后来安庆绪也派人强把甄济抬到东京,一个多月以后,广平王李俶率兵收复东京,甄济即起来到军中去谒见李俶。李俶让甄济前往京师,肃宗让甄济住在三司的馆舍中,命令接受过叛军官爵的人列队向他伏拜,让这些人愧悔,并任命甄济为秘书郎。国子司业苏源明假装有病,没有接受安禄山所委任的官爵,肃宗就提拔他为考功郎中、知制诰。壬申(二十八日),肃宗登临丹凤门,颁下制书说:"对于官吏和百姓中接受过安禄山叛军官爵、俸禄以及为叛军干过事的人,命御史台、中书、门下三司分别不同情况上奏。在战斗中被叛军俘虏的将士,或与叛军居住靠近,因而与其往来的人,一律允许自首免罪。家中有妇女被叛军污辱的,都不问罪。"

15　癸酉(二十九日),回纥叶护从东京返回,肃宗命令百官于长乐驿迎接,然后在宣政殿设宴招待叶护。叶护上奏说:"因为军中缺少战马,请把军队留在沙苑,自己回国取马,然后为陛下扫除范阳叛军的残馀。"肃宗重加赏赐,然后遣叶护回去。

16　十一月,广平王李俶与郭子仪从东京来到西京,肃宗慰劳郭子仪说:"我们李家的大唐王朝,是由你复兴的。"

17　河南节度、采访等使张镐率领鲁炅、来瑱、吴王李祗、李嗣业与李奂等五节度使攻打河南、河东道的郡县,全部收复。只有叛将能元皓占据着北海,高秀岩占据着大同,还未克复。

18　己丑，以回纥叶护为司空、忠义王；岁遗回纥绢二万匹，使就朔方军受之。

19　以严庄为司农卿。

20　上之在彭原也，更以栗为九庙主。庚寅，朝享于长乐殿。

21　丙申，上皇至凤翔，从兵六百馀人，上皇命悉以甲兵输郡库。上发精骑三千奉迎。十二月丙午，上皇至咸阳，上备法驾迎于望贤宫。上皇在宫南楼，上释黄袍，著紫袍，望楼下马，趋进，拜舞于楼下。上皇降楼，抚上而泣，上捧上皇足，呜咽不自胜。上皇索黄袍，自为上著之，上伏地顿首固辞。上皇曰："天数、人心皆归于汝，使朕得保养馀齿，汝之孝也！"上不得已，受之。父老在仗外，欢呼且拜。上令开仗，纵千馀人入谒上皇，曰："臣等今日复睹二圣相见，死无恨矣！"上皇不肯居正殿，曰："此天子之位也。"上固请，自扶上皇登殿。尚食进食，上品尝而荐之。丁未，将发行宫，上亲为上皇习马而进之上皇。上皇上马，上亲执鞚。行数步，上皇止之。上乘马前引，不敢当驰道。上皇谓左右曰："吾为天子五十年，未为贵，今为天子父，乃贵耳！"左右皆呼万岁。上皇自开远门入大明宫，御含元殿，慰抚百官，乃诣长乐殿谢九庙主，恸哭久之。即日，幸兴庆宫，遂居之。上累表请避位还东宫，上皇不许。

22　辛亥，以礼部尚书李岘、兵部侍郎吕谭为详理使，与御史大夫崔器共按陈希烈等狱。岘以殿中侍御史李栖筠为详理判官，栖筠多务平恕，故人皆怨谭、器之刻深，而岘独得美誉。

18 己丑(十五日),唐朝任命回纥叶护为司空,封忠义王爵,并答应每年赠送回纥丝织品两万匹,让他们到朔方军受取。

19 任命严庄为司农卿。

20 肃宗在彭原的时候,改用栗木为九庙中的神主。庚寅(十六日),肃宗于长乐殿中祭祀九庙神主。

21 丙申(二十二日),玄宗到达凤翔,跟随护卫的士兵有六百多人,玄宗命令他们把兵器全部交到凤翔郡的武器库中。肃宗派精锐骑兵三千去迎接。十二月丙午(初三),玄宗到达咸阳,肃宗准备了皇帝所乘的车驾在望贤宫迎接玄宗。玄宗在望贤宫中的南楼上,肃宗脱下黄袍,身着紫袍,望着南楼下马,用小步快速前行,伏身拜于楼下。玄宗从楼上下来,抚摸肃宗而哭泣,肃宗手捧玄宗的双脚,呜咽不已。玄宗要来黄袍,亲自为肃宗穿上,肃宗伏地叩头,坚辞不敢接受。玄宗说:"天命与人心都已经归于你,你能够让我安度晚年,就是你的忠孝了!"肃宗推辞不过,只好接受了黄袍。这时,被挡在仪仗外面的父老百姓们都高声欢呼拜舞。肃宗命令士卒们开禁,让一千多人进宫谒见玄宗,他们说:"我们今天重又见到两位圣人相逢,就是死了也不感到遗憾!"玄宗不肯居住在宫中的正殿,说:"这是天子的住地。"肃宗坚请,并亲自扶玄宗上殿。尚食官进上食物时,肃宗都亲自品尝后再献上去让玄宗吃。丁未(初四),玄宗将要从行宫出发,肃宗亲自为玄宗练马然后进上。等玄宗上马后,肃宗亲自为玄宗牵马。行走了数步后,被玄宗制止。肃宗又乘马在前面引导,不敢在路中央驰马。玄宗对左右的人说:"我作了五十年天子,都没有感到高贵过;现在作了天子的父亲,才高贵了!"左右的人听后,都高呼万岁。玄宗一行从开远门进入大明宫,驾临含元殿,抚慰百官,然后到长乐殿中谢九庙神主,恸哭了很久。当天,玄宗前往兴庆宫,就居住在宫中。肃宗多次上表请求归帝位于玄宗,自己还东宫仍为太子,玄宗不答应。

22 辛亥(初八),肃宗任命礼部尚书李岘、兵部侍郎吕諲为详理使,与御史大夫崔器一起审讯处置投敌的陈希烈等人的案件。李岘又任命殿中侍御史李栖筠为详理判官,李栖筠多从宽处理,所以人们都怨恨吕諲与崔器的严酷,而只有李岘一人得到人们的称赞。

23　戊午,上御丹凤楼,赦天下,惟与安禄山同反及李林甫、王铣、杨国忠子孙不在免例。立广平王俶为楚王,加郭子仪司徒,李光弼司空,自馀蜀郡、灵武扈从立功之臣,皆进阶,赐爵,加食邑有差。李憕、卢奕、颜杲卿、袁履谦、许远、张巡、张介然、蒋清、庞坚等皆加赠官其子孙。战亡之家,给复二载。郡县来载租、庸三分蠲一。近所改郡名、官名,一依故事。以蜀郡为南京,凤翔为西京,西京为中京。以张良娣为淑妃,立皇子南阳王係为赵王,新城王仅为彭王,颍川王偗为兖王,东阳王倕为泾王,僙为襄王,倕为杞王,偲为召王,佋为兴王,侗为定王。

议者或罪张巡以守睢阳不去,与其食人,曷若全人。其友人李翰为之作传,表上之,以为:“巡以寡击众,以弱制强,保江、淮以待陛下之师,师至而巡死,巡之功大矣。而议者或罪巡以食人,愚巡以守死,善遏恶扬,录瑕弃用,臣窃痛之。巡所以固守者,以待诸军之救,救不至而食尽,食既尽而及人,乖其素志。设使巡守城之初已有食人之心,损数百之众以全天下,臣犹曰功过相掩,况非其素志乎?今巡死大难,不睹休明,唯有令名是其荣禄。若不时纪录,恐远而不传,使巡生死不遇,诚可悲焉。臣敢撰传一卷献上,乞编列史官。”众议由是始息。是后赦令无不及李憕等,而程千里独以生执贼庭,不沾褒赠。

24　甲子,上皇御宣政殿,以传国宝授上,上始涕泣而受之。

23　戊午(十五日),肃宗登临丹凤楼,大赦天下,只有与安禄山共同谋反的人及李林甫、王铢与杨国忠的子孙不在赦免之列。又封广平王李俶为楚王,擢升郭子仪为司徒,李光弼为司空,其馀跟随玄宗和肃宗往蜀郡、灵武护驾的有功之臣,都进官封爵,并加封多少不等的食邑。对于平叛而死的李憕、卢奕、颜杲卿、袁履谦、许远、张巡、张介然、蒋清、庞坚等人都加赠官衔,并任命他们的子孙当官。对于战斗中死亡的将士,免除他们的家人两年的赋役。各郡县明年的租、庸免除三分之一。近年来所改的郡名、官名,都恢复原来的旧名。以蜀郡为南京,凤翔为西京,西京为中京。以张良娣为淑妃,立皇子南阳王李係为赵王,新城王李仅为彭王,颍川王李侗为兖王,东阳王李侹为泾王,李僙为襄王,李偲为杞王,李偲为召王,李侶为兴王,李侗为定王。

有人议论说张巡死守睢阳,不肯撤离,与其在城中杀人而食,不如弃城而保全人命。张巡的朋友李翰就为他作了传记,上奏肃宗,认为:"张巡率兵以少敌众,以弱兵制强敌,努力保全江、淮地区,等待陛下派兵增援,援兵至而张巡死,他的战功确实是非常大。而有的人却认为张巡杀人而食是有罪的,死守睢阳城是一种愚蠢的行为,对于这种贬善扬恶,指斥缺点而不讲其功绩的行为,我感到实在痛心。张巡之所以要固守睢阳城,是想等待其他的军队来救援,救兵不至而城中粮绝,只好杀人而食,这实在不是他的心愿。假如张巡在守城的初期已有杀人而食的用心,杀害了数百人而来保全天下,我还认为他是功过相当,何况那样做绝非他的意愿?现在张巡已为国战死,不能够再看到圣朝的昌明,只有留下身后美名才是他的荣禄。如果不能够及时地把他的大功记录下来,恐怕不久就会被人们淡忘,使他在生前和死后都得不到美名,这才真是可悲之处。我谨撰写张巡的传记一卷奉献给陛下,希望能够编列于国史之中。"从此才没有人再非议此事。此后朝廷的赦令总包括李憕等为国殉难的壮士,唯独程千里因曾被叛军生俘,所以不在褒誉赠官之列。

24　甲子(二十一日),玄宗登临宣政殿,把传国宝册授给肃宗,肃宗痛哭流涕地接受了宝册。

25　安庆绪之北走也，其大将北平王李归仁及精兵曳落河、同罗、六州胡数万人皆溃归范阳，所过俘掠，人物无遗。史思明厚为之备，且遣使逆招之范阳境，曳落河、六州胡皆降。同罗不从，思明纵兵击之，同罗大败，悉夺其所掠，馀众走归其国。

庆绪忌思明之强，遣阿史那承庆、安守忠往征兵，因密图之。判官耿仁智说思明曰："大夫崇重，人莫敢言，仁智愿一言而死。"思明曰："何也？"仁智曰："大夫所以尽力于安氏者，迫于凶威耳。今唐室中兴，天子仁圣，大夫诚帅所部归之，此转祸为福之计也。"裨将乌承玼亦说思明曰："今唐室再造，庆绪叶上露耳。大夫奈何与之俱亡？若归款朝廷，以自湔洗，易于反掌耳。"思明以为然。

承庆、守忠以五千劲骑自随，至范阳，思明悉众数万逆之，相距一里所，使人谓承庆等曰："相公及王远至，将士不胜其喜，然边兵怯懦，惧相公之众，不敢进，愿弛弓以安之。"承庆等从之。思明引承庆入内厅乐饮，别遣人收其甲兵，诸郡兵皆给粮纵遣之，愿留者厚赐，分隶诸营。明日，囚承庆等，遣其将窦子昂奉表以所部十三郡及兵八万来降，并帅其河东节度使高秀岩亦以所部来降。乙丑，子昂至京师。上大喜，以思明为归义王、范阳节度使，子七人皆除显官。遣内侍李思敬与乌承恩往宣慰，使将所部兵讨庆绪。

25 安庆绪率领他的部下向北逃走,他的部下大将北平王李归仁与精兵曳落河、同罗、六州胡数万人都逃往范阳,他们在所经过的地区大肆进行掳掠,人财都被掠夺一空。史思明以重兵防备,并派使者在范阳境内迎接招抚,曳落河与六州胡人都投向了史思明。只有同罗军队不服从,史思明就出兵攻打,同罗大败,所掳掠的东西都被史思明夺走,馀下的残兵逃回本国。

安庆绪忌恨史思明的兵强,于是派阿史那承庆和安守忠前往范阳去征调史思明的部队,并让他们暗中消灭史思明。范阳节度判官耿仁智对史思明说:"史大夫你官高位重,身边的人都不敢对你说话,我愿冒死进一言。"史思明听后说:"你想要说什么呢?"耿仁智说:"大夫你所以竭力为安氏效力,是因为迫于他们的威势。现在唐朝中兴,当代皇帝仁义贤明,你如果能够率领部下的将士归服朝廷,实在是转祸为福的一条出路。"副将乌承玼也劝史思明说:"现在唐朝复兴,安庆绪就好似树叶上的露水,难以长久。大夫你为何要与他一起灭亡呢?如果归顺朝廷,洗刷掉以前背叛的过错,真是易如反掌。"史思明认为他们说得正确。

阿史那承庆与安守忠以五千精锐骑兵护卫,来到范阳,史思明领着全部兵众数万人去相迎,相距一里多路时,史思明派人对阿史那承庆等人说:"相公与大王远道而来,范阳的将士们都十分高兴,但是处在边远地区的范阳士卒素来胆怯,惧怕你们的军队,不敢再前来迎接,希望你们的士兵收起弓箭刀枪,使范阳的士兵安心。"阿史那承庆等人答应了这一要求。史思明引着阿史那承庆到内厅中饮酒作乐,另派人收缴了他部下的兵器,对那些士卒全部发给资粮放遣,愿意留下来效力的,重加赏赐,然后分配到自己部队的各营中。第二天,史思明便囚禁了阿史那承庆等人,然后派自己的部将窦子昂奉上表书,率自己所辖的十三郡及八万兵士归降朝廷,并命令部将河东节度使高秀岩也带领自己的部众及辖地来投降。乙丑(二十二日),窦子昂到达京师。肃宗非常高兴,就封史思明为归义王、范阳节度使,对史思明的七个儿子也封以大官。又派宦官李思敬与朝官乌承恩前往范阳安抚史思明,让他率领部下将士去讨伐安庆绪。

先是,庆绪以张忠志为常山太守,思明召忠志还范阳,以其将薛萼摄恒州刺史,开井陉路,招赵郡太守陆济,降之。命其子朝义将兵五千人摄冀州刺史,以其将令狐彰为博州刺史。乌承恩所至宣布诏旨,沧、瀛、安、深、德、棣等州皆降,虽相州未下,河北率为唐有矣。

26　上皇加上尊号曰光天文武大圣孝感皇帝。

27　郭子仪还东都,经营河北。

28　崔器、吕𬤇上言:"诸陷贼官,背国从伪,准律皆应处死。"上欲从之。李岘以为:"贼陷两京,天子南巡,人自逃生。此属皆陛下亲戚或勋旧子孙,今一概以叛法处死,恐乖仁恕之道。且河北未平,群臣陷贼者尚多,若宽之,足开自新之路;若尽诛,是坚其附贼之心也。《书》曰:'歼厥渠魁,胁从罔理。'𬤇、器守文,不达大体。惟陛下图之。"争之累日,上从岘议,以六等定罪,重者刑之于市,次赐自尽,次重杖一百,次三等流、贬。壬申,斩达奚珣等十八人于城西南独柳树下,陈希烈等七人赐自尽于大理寺;应受杖者于京兆府门。

上欲免张均、张垍死,上皇曰:"均、垍事贼,皆任权要。均仍为贼毁吾家事,罪不可赦。"上叩头再拜曰:"臣非张说父子,无有今日。臣不能活均、垍,使死者有知,何面目见说于九泉?"因俯伏流涕。上皇命左右扶上起,曰:"张垍为汝长流岭表,张均必不可活,汝更勿救。"上泣而从命。

先前,安庆绪任命张忠志为常山太守,于是史思明就召张忠志回范阳,然后任命部将薛萼代理恒州刺史,打开了从井陉关出常山的通路,招降了赵郡太守陆济。又任命他的儿子史朝义率兵五千人代理冀州刺史,部将令狐彰为博州刺史。乌承恩在所到之处宣布皇帝的诏书,于是沧州、瀛州、安州、深州、德州、棣州等州全部投降,只有相州因被安庆绪所占据而未降,河北地区的其他州都归顺了唐朝。

　　26　玄宗加肃宗尊号为光天文武大圣孝感皇帝。

　　27　郭子仪回到东都,准备收复河北地区。

　　28　御史大夫崔器与兵部侍郎吕諲上言说:"那些投降过叛军的官吏,背叛了国家,依附于伪朝廷,按照法律,都应该处死。"肃宗计划按照他们的意见办。而礼部尚书李岘却认为:"当叛军攻陷两京时,天子南逃避难,人们都各自逃生。那些投向叛军的官吏都是陛下的亲戚,或是一些功臣的子孙,现在如果一概以叛逆罪把他们处死,恐怕有违陛下的仁恕之道。再说河北地区还没有平定,群臣中投向叛军的还有许多人,如果能够宽大处理,就为那些投敌的人打开了一条自新之路;如果把他们全部杀死,就会更加坚定那些投敌官吏的反心。《尚书》说:'首恶必办,胁从不问。'吕諲与崔器两人只知道谨守法律条文,不懂得大道理。希望陛下慎重考虑。"争论了数日,最后肃宗依从了李岘的建议,决定分成六等定罪,罪重者在市中公开处死,二等赐他们自杀,三等用棍杖重打一百下,三等以下是流放、贬官。壬申(二十九日),斩达奚珣等十八人于长安城西南独柳树下,赐陈希烈等七人自杀于大理寺,又于京兆府门棍打那些应受此刑的人。

　　肃宗想要免除张均、张垍的死罪,玄宗说:"张均、张垍兄弟投降了叛军,都被委以要职。张均还在叛军面前诋毁我们家中的事,罪不能赦。"肃宗叩头再拜说:"我不是因为张说与张均、张垍父子的保护,就不会有今天。我若是不能救张垍、张均兄弟,如果死者灵魂不死,我有何面目在九泉之下去见张说?"说着伏地流涕。玄宗命令左右的人把肃宗扶起说:"因为你的请求,张垍流放到岭表,张均罪大,不可饶恕,你不要再为他求情了。"肃宗涕泣而服从了玄宗的命令。

安禄山所署河南尹张万顷独以在贼中能保庇百姓不坐。顷之,有自贼中来者,言"唐群臣从安庆绪在邺者,闻广平王赦陈希烈等,皆自悼,恨失身贼庭。及闻希烈等诛,乃止。"上甚悔之。

> 臣光曰:为人臣者,策名委质,有死无贰。希烈等或贵为卿相,或亲连肺腑,于承平之日,无一言以规人主之失,救社稷之危,迎合苟容以窃富贵。及四海横溃,乘舆播越,偷生苟免,顾恋妻子,媚贼称臣,为之陈力,此乃屠酤之所羞,犬马之不如。傥各全其首领,复其官爵,是谄谀之臣无往而不得计也。彼颜杲卿、张巡之徒,世治则摈斥外方,沈抑下僚;世乱则委弃孤城,齑粉寇手。何为善者之不幸而为恶者之幸,朝廷待忠义之薄而保奸邪之厚邪? 至于微贱之臣,巡徼之隶,谋议不预,号令不及,朝闻亲征之诏,夕失警跸之所,乃复责其不能扈从,不亦难哉? 六等议刑,斯亦可矣,又何悔焉?

29　故妃韦氏既废为尼,居禁中,是岁卒。

30　置左、右神武军,取元从子弟充,其制皆如四军,总谓之北牙六军。又择善骑射者千人为殿前射生手,分左、右厢,号曰英武军。

31　升河中防御使为节度,领蒲、绛等七州;分剑南为东、西川节度,东川领梓、遂等十二州;又置荆澧节度,领荆、澧等五州;夔峡节度,领夔、峡等五州。更安西曰镇西。

只有安禄山所任命的河南尹张万顷,因为能够在叛军中保护百姓,不加问罪。不久有人从叛军中回来说:"跟随安庆绪在邺郡的唐朝群臣,听说广平王李俶赦免了陈希烈等人,都十分痛心,恨自己失身叛国。后来又得知陈希烈等人被杀,又坚定了反叛的决心。"肃宗听后,悔恨不已。

臣司马光说:身为君主的臣下,既然接受了君王的任命,委身于国家,就应该死心塌地,忠贞不贰。而陈希烈等人,有的贵为王侯将相,有的是皇亲国戚,在天下太平之时,没有一个人进言规劝皇帝的过失,挽救国家的危机,只是一味地迎合时势,以图富贵。等到安禄山反叛,天下大乱,皇帝远出避难,他们却贪生怕死,顾恋家室,卖身投靠,媚贼称臣,为叛逆安禄山出谋划策,这样无耻的行为,连犬马都不如,为屠夫酤酒商贩之辈所不齿。如果再保全他们的生命,恢复他们的官爵,就会使那些阿谀奉承之徒得势于天下。而如颜杲卿、张巡这样的忠臣,太平之世被排挤于朝廷之外,居身贱职;天下大乱之时被弃之于孤城之中,最后惨死于敌手。世道为什么会使善人如此不幸,恶人如此幸运?朝廷为什么对待忠义之士是如此刻薄,而对奸邪之徒竟如此宽厚?至于那些地位低贱的小臣,巡逻传令的奴仆,因为没有参与谋划,也没有得到命令,早晨才听说皇帝亲征的诏书,晚上就不知道皇帝的行在,却责备怪罪他们不能护驾,岂不是太苛刻了吗?对于投敌叛变的官吏按照六等定罪,是必要的,唐肃宗又有什么可悔恨的呢?

29　肃宗先前的妃子韦氏被废为尼姑后,居于禁中,这一年去世。

30　唐朝建立左、右神武军,征召跟随肃宗平乱的青年军人充当,其建制全都与禁军中的左右羽林、左右龙武军相同,总称为北牙六军。又挑选善于骑马射箭的一千士卒为殿前射生手,分为左、右两厢,号称英武军。

31　唐朝升河中防御使为节度使,管辖蒲州、绛州等七州;分剑南节度使为剑南东川、剑南西川节度使,东川节度使管辖梓州、遂州等十二州;又设置荆澧节度使,管辖荆州、澧州等五州;夔峡节度使,管辖夔州、峡州等五州。改安西节度为镇西节度。

乾元元年（戊戌，758）

1　春，正月戊寅，上皇御宣政殿，授册，加上尊号。上固辞"大圣"之号，上皇不许。上尊上皇曰太上至道圣皇天帝。

先是，官军既克京城，宗庙之器及府库资财多散在民间，遣使检括，颇有烦扰；乙酉，敕尽停之，乃命京兆尹李岘安抚坊市。

2　二月癸卯朔，以殿中监李辅国兼太仆卿。辅国依附张淑妃，判元帅府行军司马，势倾朝野。

3　安庆绪所署北海节度使能元皓举所部来降，以为鸿胪卿，充河北招讨使。

4　丁未，上御明凤门，赦天下，改元。尽免百姓今载租、庸，复以载为年。

5　庚午，以安东副大都护王玄志为营州刺史，充平卢节度使。

6　三月甲戌，徙楚王俶为成王。

7　戊寅，立张淑妃为皇后。

8　镇西、北庭行营节度使李嗣业屯河内。癸巳，北庭兵马使王惟良谋作乱，嗣业与裨将荔非元礼讨诛之。

9　安庆绪之北走也，其平原太守王暕、清河太守宇文宽皆杀其使者来降。庆绪使其将蔡希德、安太清攻拔之，生擒以归，剐于邺市。凡有谋归者，诛及种、族，乃至部曲、州县、官属，连坐死者甚众。又与其群臣歃血盟于邺南，而人心益离。庆绪闻李嗣业在河内，夏，四月，与蔡希德、崔乾祐将步骑二万，涉沁水攻之，不胜而还。

10　癸卯，以太子少师虢王巨为河南尹，充东京留守。

唐肃宗乾元元年(戊戌,公元758年)

1 春季,正月戊寅(初五),玄宗登临宣政殿,授肃宗玉册,并加肃宗尊号。肃宗坚决不接受"大圣"的称号,玄宗不答应。肃宗尊玄宗为太上至道圣皇天帝。

先前,唐军收复京城以后,因为宗庙祭祀所用的器物以及府库中的财物都散落在民间,于是就派使者搜寻,烦扰百姓;乙酉(十二日),肃宗下敕书一律停止搜寻,并命令京兆尹李岘安抚坊市民众。

2 二月癸卯朔(初一),肃宗任命殿中监宦官李辅国兼任太仆卿。李辅国依附张淑妃,兼任元帅府行军司马,权势压倒朝野人士。

3 安庆绪所任命的北海节度使能元皓率领部众归降朝廷,被任命为鸿胪卿,兼任河北招讨使。

4 丁未(初五),肃宗登临明凤门,大赦天下,改年号。并免除百姓今年的全部租、庸,又将"载"改回为"年"。

5 庚午(二十八日),朝廷任命安东副大都护王玄志为营州刺史,并兼任平卢节度使。

6 三月甲戌(初二),移封楚王李俶为成王。

7 戊寅(初六),肃宗立张淑妃为皇后。

8 镇西、北庭行营节度使李嗣业屯驻于河内。癸巳(二十一日),北庭兵马使王惟良阴谋叛乱,被李嗣业与副将荔非元礼讨杀。

9 安庆绪北逃时,平原太守王暕与清河太守宇文宽都杀死叛军使者归降了朝廷。安庆绪遂派其部将蔡希德与安太清攻克平原与清河,俘获了王暕与宇文宽而归,将他们在邺城街市中处以剐刑。安庆绪对于谋求归顺朝廷的部将,一律处死,并株连部落与宗族,以至部曲、州县民众、属官等被连坐而死的甚多。安庆绪又与他的群臣在邺城南歃血结盟,但人心更加不稳,众叛亲离。安庆绪得知李嗣业驻守在河内,夏季,四月,与蔡希德、崔乾祐率领步、骑兵二万,渡过沁水来攻打河内,没有攻克而率兵返回。

10 癸卯(初二),肃宗任命太子少师虢王李巨为河南尹,兼东京留守。

11　辛卯,新主入太庙。甲寅,上享太庙,遂祀昊天上帝。乙卯,御明凤门,赦天下。

12　五月壬午,制停采访使,改黜陟使为观察使。

13　张镐性简澹,不事中要,闻史思明请降,上言:"思明凶险,因乱窃位,力强则众附,势夺则人离,彼虽人面,心如野兽,难以德怀,愿勿假以威权。"又言:"滑州防御使许叔冀,狡猾多诈,临难必变,请征入宿卫。"时上以宠纳思明,会中使自范阳及白马来,皆言思明、叔冀忠恳可信,上以镐为不切事机,戊子,罢为荆州防御使;以礼部尚书崔光远为河南节度使。

14　张后生兴王佋,才数岁,欲以为嗣,上疑未决,从容谓考功郎中、知制诰李揆曰:"成王长,且有功,朕欲立为太子,卿意何如?"揆再拜贺曰:"此社稷之福,臣不胜大庆。"上喜曰:"朕意决矣。"庚寅,立成王俶为皇太子。揆,玄道之玄孙也。

15　乙未,以崔圆为太子少师,李麟为少傅,皆罢政事。上颇好鬼神,太常少卿王玙专依鬼神以求媚,每议礼仪,多杂以巫祝俚俗。上悦之,以玙为中书侍郎、同平章事。

16　赠故常山太守颜杲卿太子太保,谥曰忠节,以其子威明为太仆丞。杲卿之死也,杨国忠用张通幽之谮,竟无褒赠。上在凤翔,颜真卿为御史大夫,泣诉于上,上乃出通幽为普安太守,具奏其状于上皇,上皇杖杀通幽。杲卿子泉明为王承业所留,因寓居寿阳,为史思明所虏,裹以牛革,送于范阳,会安庆绪初立,有赦,得免。思明降,乃得归,求其父尸于东京,得之,

11　辛卯，将新神主送入太庙。甲寅（十三日），肃宗祭祀太庙，然后祭祀昊天上帝。乙卯（十四日），肃宗登临明凤门，大赦天下。

12　五月壬午（十一日），肃宗下制书取消采访使的官职，改黜陟使为观察使。

13　张镐为人单纯淡泊，不巴结身居要职的宦官，听说史思明请求归降朝廷，上言说："史思明为人凶恶阴险，借叛乱而得以窃取高位，当力量强大时，部下就依附于他，势力削弱时，人心就会离散，实在是人面兽心，难以用仁德感化他，希望不要给他显要的职位。"又说："滑州防御使许叔冀，狡猾多诈，在危急时刻必然会背叛朝廷，请陛下把他征入京师，担任警卫。"当时肃宗正宠信史思明，正好有宦官从范阳和白马县回来，都说史思明和许叔冀忠诚可靠，因此肃宗就认为张镐不识事机，戊子（十七日），把张镐贬为荆州防御使，任命礼部尚书崔光远为河南节度使。

14　张皇后所生的兴王李佋，年纪才几岁，张皇后就想要把他立为太子。肃宗犹豫不决，就口气和缓地对考功郎中、知制诰李揆说："成王李俶年纪大，并且有战功，我想立他为太子，你看如何？"李揆拜了两拜祝贺说："这真是国家的大幸，我不胜欢喜。"肃宗高兴地说："朕绝不再犹豫了。"庚寅（十九日），肃宗立成王李俶为皇太子。李揆是李玄道的玄孙。

15　乙未（二十四日），肃宗任命崔圆为太子少师，李麟为太子少傅，都罢免他们的宰相职务。肃宗迷信鬼神，所以太常少卿王玙专门以鬼神之事来取悦肃宗，每当议论礼仪时，王玙就常常夹杂一些巫术和俚俗。肃宗很喜欢王玙，于是就任命他为中书侍郎、同平章事。

16　追赠故常山太守颜杲卿太子太保，谥号为"忠节"，任命他的儿子颜威明为太仆丞。颜杲卿殉难时，因为杨国忠听信张通幽的谗言，竟没有追赠官衔以褒扬。肃宗在凤翔时，颜真卿为御史大夫，曾向肃宗哭诉此事，于是肃宗将张通幽外放为普安郡太守，然后把此事上奏玄宗，玄宗命令用棍子打死了张通幽。颜杲卿的儿子颜泉明被王承业收留，因此寓居寿阳县，后来被史思明俘虏，裹以牛皮，送往范阳，适逢安庆绪刚即位，有赦免令，颜泉明免于一死。史思明归顺朝廷后，颜泉明才得以归来，在东京寻找到他父亲颜杲卿的尸体，

遂并袁履谦尸棺敛以归。杲卿姊妹女及泉明之子皆流落河北；真卿时为蒲州刺史，使泉明往求之，泉明号泣求访，哀感路人，久乃得之。泉明诣亲故乞索，随所得多少赎之，先姑姊妹而后其子。姑女为贼所掠，泉明有钱二百缗，欲赎己女，闵其姑愁悴，先赎姑女，比更得钱，求其女，已失所在。遇群从姊妹及父时将吏袁履谦等妻子流落者，皆与之归，凡五十馀家，三百馀口，均减资粮，一如亲戚。至蒲州，真卿悉加赡给，久之，随其所适而资送之。袁履谦妻疑履谦衣衾俭薄，发棺视之，与杲卿无异，乃始惭服。

17 六月己酉，立太一坛于南郊之东，从王玙之请也。上尝不豫，卜云山川为祟，玙请遣中使与女巫乘驿分祷天下名山、大川。巫恃势，所过烦扰州县，干求受赃。黄州有巫，盛年美色，从无赖少年数十，为蠹尤甚，至黄州，宿于驿舍。刺史左震晨至驿，门扃锁，不可启，震怒，破锁而入，曳巫于阶下斩之，所从少年悉毙之。籍其赃，数十万，具以状闻，且请以其赃代贫民租，遣中使还京师，上无以罪也。

18 以开府仪同三司李嗣业为怀州刺史，充镇西、北庭行营节度使。

19 山人韩颖改造新历，丁巳，初行颖历。

20 戊午，敕两京陷贼官，三司推究未毕者皆释之，贬、降者续处分。

就同袁履谦的尸体一起装入棺材,送归长安。颜杲卿妹妹的女儿与颜泉明的儿子都流落在河北地区,颜真卿当时为蒲州刺史,就让颜泉明去寻找,颜泉明号泣求访,以至感动了过路的行人,过了很久才找到。然后颜泉明又往亲戚故友那里去借钱,依借得的数目而赎人,先是姑母姊妹,而后才赎回自己的儿子。当时姑母的女儿被叛军抢掠而去,颜泉明有钱二百缗,想赎回自己的女儿,但因为怜悯姑母的愁苦,就先赎回了姑母的女儿。等到再借来钱赎自己的女儿时,已找不到了。颜泉明遇到流落在河北地区的堂姊妹以及父亲的将吏袁履谦等人的妻子,都让他们跟随一起回来,总共收罗了五十多家,三百多口人,一路上有资粮则大家均分,一如对待自己的亲戚。到了蒲州,颜真卿对他们都加以接济,住了一段时间以后,按照他们的意愿,资送他们而去。袁履谦的妻子曾经怀疑袁履谦入殓时衣被比颜杲卿俭薄,等打开棺材检视,与颜杲卿没有区别,心中才惭愧信服。

17 六月己酉(初九),肃宗根据王玙的请求,于长安南郊的东面立太一神坛。肃宗曾经身体有病,占卜者说是因为山河在作祟,于是王玙就请求派宦官与女巫乘驿马分别去祷告天下的名山、大河。这些女巫依仗着权势,在所经过的地方烦扰州县官吏百姓,索要财物。黄州有一女巫,年轻漂亮,身后跟随着数十名无赖少年,为害尤其严重,到了黄州,住在驿站的馆舍中。黄州刺史左震早晨来到驿站,见到馆舍的门闩锁着,打不开,左震大怒,砸坏门锁而入,把女巫拉出来在台阶下立刻杀掉,所跟从的无赖少年也全部打死。检查女巫所贪污的财物,多达数十万,左震把此事上奏给朝廷,并且请求用这些赃物代替贫民的租赋,打发宦官返回京师,肃宗无法问左震的罪。

18 肃宗任命开府仪同三司李嗣业为怀州刺史,兼镇西、北庭行营节度使。

19 隐士韩颖改造历法,丁巳(十七日),开始实行韩颖的新历。

20 戊午(十八日),肃宗下敕书:对于两京沦陷时投靠叛军的官吏,如果御史台、中书省与门下省三司还没有审讯处理完毕的全部免罪释放,被贬谪降官者保持原有的处置。

21　太子少师房琯既失职，颇怏怏，多称疾不朝，而宾客朝夕盈门，其党为之扬言于朝云：“琯有文武才，宜大用。”上闻而恶之，下制数琯罪，贬邠州刺史。前祭酒刘秩贬阆州刺史，京兆尹严武贬巴州刺史，皆琯党也。

22　初，史思明以列将事平卢军使乌知义，知义善待之。知义子承恩为信都太守，以郡降思明，思明思旧恩而全之。及安庆绪败，承恩劝思明降唐。李光弼以思明终当叛乱，而承恩为思明所亲信，阴使图之。又劝上以承恩为范阳节度副使，赐阿史那承庆铁券，令共图思明，上从之。

承恩多以私财募部曲，又数衣妇人服诣诸将营说诱之，诸将以白思明，思明疑未察。会承恩入京师，上使内侍李思敬与之俱至范阳宣慰。承恩既宣旨，思明留承恩馆于府中，帷其床，伏二人于床下。承恩少子在范阳，思明使省其父。夜中，承恩密谓其子曰：“吾受命除此逆胡，当以吾为节度使。”二人于床下大呼而出。思明乃执承恩，索其装囊，得铁券及光弼牒，牒云：“承庆事成则付铁券；不然，不可付也。”又得簿书数百纸，皆先从思明反者将士名。思明责之曰：“我何负于汝而为此？”承恩谢曰：“死罪，此皆李光弼之谋也。”思明乃集将佐吏民，西向大哭曰：“臣以十三万众降朝廷，何负陛下，而欲杀臣？”遂榜杀承恩父子，连坐死者二百馀人。承恩弟承玼走免。思明囚思敬，表上其状。上遣中使慰谕思明曰：“此非朝廷与光弼之意，皆承恩所为，杀之甚善。”

21　太子少师房琯被罢相后，心怀不满，常常假装有病不去朝见皇上，而来往的宾客却熙熙攘攘，不绝于门，他的一些亲党为他在朝中扬言说："房琯是文武全才，应该重用。"肃宗听到这些话后，十分反感，于是就下制书历数房琯的罪责，贬他为幽州刺史。又贬前祭酒刘秩为阆州刺史，京兆尹严武为巴州刺史，二人都是房琯的党羽。

22　起初，史思明以将领的身份侍奉平卢军使乌知义，乌知义也对史思明很友好。乌知义的儿子乌承恩为信都太守，举郡投降了史思明，史思明念及旧恩而保全了他。及至安庆绪兵败逃回河北，乌承恩即劝史思明归顺了朝廷。李光弼认为史思明终究还会反叛，而乌承恩是史思明的亲信，所以就让他暗中谋算史思明。李光弼又劝肃宗任命乌承恩为范阳节度副使，赏赐阿史那承庆铁券，让他们共同消灭史思明，肃宗同意。

乌承恩多次用自己的私财招募army兵，又屡次穿上妇人的服装暗中到其他将领的营中诱说士卒，诸将把此事报告了史思明，史思明怀疑事不确凿，没有追查。这时乌承恩入京师，肃宗就派宦官李思敬与他一起前往范阳去慰问史思明。乌承恩宣布了皇上的圣旨后，史思明就留乌承恩住在府中的馆舍，又用帷帐把他的床遮了起来，暗中派两个人埋伏在床下。乌承恩的小儿子在范阳，史思明就让他去看望自己的父亲。半夜，乌承恩悄悄地对他的儿子说："我是受皇帝的命令来除掉史思明这个逆贼的，那时当任命我为节度使。"这时伏在床下的二人大呼而出。于是史思明把乌承恩抓了起来，搜查他的行装袋囊，得到了铁券和李光弼的公文，公文说："如果阿史那承庆能够成事，就付给铁券，否则不要付给他。"又搜得一本数百张纸的簿书，上面都是先前跟随史思明谋反的将士名单。史思明责骂乌承恩说："我有什么地方对不起你，你竟会干这种事？"乌承恩谢罪说："我真是罪该万死，这都是出于李光弼的计谋。"于是史思明就召集将士官吏和百姓，向西大哭说："我率领十三万人归顺了朝廷，有什么地方对不起陛下，而想要杀死我？"然后用棍子打死了乌承恩父子，被株连而死的有两百多人。乌承恩的弟弟乌承玼因为逃走得以免死。史思明囚禁了宦官李思敬，并把此事表上给朝廷。肃宗派宦官安慰史思明说："这不是朝廷与李光弼的意图，都是乌承恩一人干的，杀了他是罪有应得。"

会三司议陷贼官罪状至范阳,思明谓诸将曰:"陈希烈辈皆朝廷大臣,上皇自弃之幸蜀,今犹不免于死,况吾属本从安禄山反乎?"诸将请思明表求诛光弼,思明从之,命判官耿仁智与其僚张不矜为表云:"陛下不为臣诛光弼,臣当自引兵就太原诛之。"不矜草表以示思明,及将入函,仁智悉削去之。写表者以白思明,思明命执二人斩之。仁智事思明久,思明怜,欲活之,复召入,谓曰:"我任使汝垂三十年,今日非我负汝。"仁智大呼曰:"人生会有一死,得尽忠义,死之善者也。今从大夫反,不过延岁月,岂若速死之愈乎?"思明怒,乱捶之,脑流于地。

乌承玼奔太原,李光弼表为昌化郡王,充石岭军使。

23 秋,七月丙戌,初铸当十大钱,文曰"乾元重宝",从御史中丞第五琦之谋也。

24 丁亥,册命回纥可汗曰英武威远毗伽阙可汗,以上幼女宁国公主妻之。以殿中监汉中王瑀为册礼使,右司郎中李巽副之,命左仆射裴冕送公主至境上。戊子,又以司勋员外郎鲜于叔明为瑀副。叔明,仲通之弟也。甲子,上送宁国公主至咸阳,公主辞诀曰:"国家事重,死且无恨。"上流涕而还。

瑀等至回纥牙帐,可汗衣赭袍胡帽,坐帐中榻上,仪卫甚严,引瑀等立于帐外。瑀不拜而立,可汗曰:"我与天可汗两国之君,君臣有礼,何得不拜?"瑀与叔明对曰:"曩者唐与诸国为婚,皆以宗室女为公主。今天子以可汗有功,自以所生女妻可汗。恩礼至重,可汗奈何以子婿傲妇翁,坐榻上受册命邪?"可汗改容,起受册命。明日,立公主为可敦,举国皆喜。

这时御史台、中书省与门下省三司处置投敌官吏罪状的文书传到范阳,史思明对诸将说:"陈希烈等人都是朝廷的大臣,上皇弃他们不顾,自己逃向蜀中避难,而现在他们还不免于一死,何况我们都是本来跟随安禄山反叛的人?"诸位将领请求史思明上表让朝廷杀掉李光弼,史思明答应,于是命令判官耿仁智与幕僚张不矜作表书说:"陛下如果不杀掉李光弼,我就亲自率兵往太原杀死他。"张不矜起草表书让史思明过目后,将要入函封缄时,耿仁智把上面的话全部删去。抄写表书的人把此事报告了史思明,史思明命令把两人抓起来杀掉。耿仁智由于久任史思明的部下,史思明爱怜他,想要免他一死,于是就把他召进来说:"我重用你快三十年了,现在的事绝不及我负于你。"耿仁智大声说:"人生总有一死,如果为忠义而死,是死得其所。现在再跟随你而反叛,不过是苟延残喘,真不如立刻就死掉为好!"史思明听后大怒,就用乱棍打死了他,脑浆流了一地。

乌承玼逃奔太原后,李光弼上表封他为昌化郡王,任命为石岭军使。

23 秋季,七月丙戌(十六日),开始铸以一当十的大钱,名为"乾元重宝"钱,这是根据御史中丞第五琦的建议实行的。

24 丁亥(十七日),唐朝册封回纥可汗为英武威远毗伽阙可汗,并把肃宗的小女儿宁国公主嫁给回纥可汗为妻。肃宗任命殿中监汉中王李瑀为册礼使,右司郎中李巽为副使,并命令左仆射裴冕把宁国公主送到边疆上。戊子(十八日),肃宗又任命司勋员外郎鲜于叔明为册礼副使。鲜于叔明是鲜于仲通的弟弟。甲子,肃宗将宁国公主送至咸阳,公主告辞说:"为了国家,死而无恨。"肃宗痛哭流涕而返回。

李瑀等人到了回纥的牙帐,回纥可汗身着红褐色的袍子,头戴胡帽,坐在帐中的床上,戒备森严,而却让李瑀等人立在牙帐外面。李瑀不拜而立,可汗说:"我与你们的皇帝天可汗都是国家的君主,君与臣有礼节,你们为何不下拜?"李瑀与鲜于叔明回答说:"过去我们唐朝与其他的国家通婚,都是以宗室女为公主。现在我们的天子因为可汗有战功,所以把自己的亲生女儿嫁给可汗为妻。恩重礼厚,不知可汗为什么要以女婿的身份而傲视岳丈,坐于床上接受册命?"可汗听后,立刻改变了态度,起来接受册命。第二天,又立宁国公主为可敦,举国庆贺。

25 乙未,郭子仪入朝。

26 八月壬寅,以青、登等五州节度使许叔冀为滑、濮等六州节度使。

27 庚戌,李光弼入朝。丙辰,以郭子仪为中书令,光弼为侍中。丁巳,子仪诣行营。

28 回纥遣其臣骨啜特勒及帝德将骁骑三千助讨安庆绪,上命朔方左武锋使仆固怀恩领之。

29 九月庚午朔,以右羽林大将军赵泚为蒲、同、虢三州节度使。

30 丙子,招讨党项使王仲昇斩党项酋长拓跋戎德,传首。

31 安庆绪之初至邺也,虽枝党离析,犹据七郡六十多城,甲兵资粮丰备。庆绪不亲政事,专以缮台沼楼船、酣饮为事。其大臣高尚、张通儒等争权不叶,无复纲纪。蔡希德有才略,部兵精锐,而性刚,好直言,通儒潛而杀之,麾下数千人皆逃散,诸将怨怒不为用。以崔乾祐为天下兵马使,总中外兵。乾祐愎戾好杀,士卒不附。

庚寅,命朔方郭子仪、淮西鲁炅、兴平李奂、滑濮许叔冀、镇西北庭李嗣业、郑蔡季广琛、河南崔光远七节度使及平卢兵马使董秦将步骑二十万讨庆绪;又命河东李光弼、关内泽潞王思礼二节度使将所部兵助之。上以子仪、光弼皆元勋,难相统属,故不置元帅,但以宦官开府仪同三司鱼朝恩为观军容宣慰处置使。观军容之名自此始。

32 癸巳,广州奏:大食、波斯围州城,刺史韦利见逾城走,二国兵掠仓库,焚庐舍,浮海而去。

25 乙未(二十五日),郭子仪入朝。

26 八月壬寅(初三),朝廷任命青州、登州等五州节度使许叔冀为滑州、濮州等六州节度使。

27 庚戌(十一日),李光弼入朝。丙辰(十七日),朝廷任命郭子仪为中书令,李光弼为侍中。丁巳(十八日),郭子仪返回节度行营。

28 回纥可汗派遣他的臣下骨啜特勒与帝德率领精锐骑兵三千来助唐讨伐安庆绪,肃宗命令朔方左武锋使仆固怀恩带领他们。

29 九月庚午朔(初一),朝廷任命右羽林大将军赵泚为蒲州、同州、虢州三州节度使。

30 丙子(初七),招讨党项使王仲昇杀了党项酋长拓跋戎德,传首级到京师。

31 安庆绪刚到邺郡时,虽然势力分崩,党羽离析,但还占据着七郡六十多城,兵器资粮充足。但安庆绪不理政事,而是热衷于大兴土木,修建宫殿庭台、楼船池沼,以饮酒为乐。他的大臣高尚与张通儒等人又因争权不和,没有政令。大将蔡希德有才略,所率领的部队精锐,但性格刚正,直言不讳,张通儒就进谗言杀死了他,蔡希德部下数千人都离军而逃,诸将也怨恨不肯卖力。安庆绪又任命崔乾祐为天下兵马使,总揽兵权。崔乾祐刚愎好杀,士卒都不愿意为他出力。

庚寅(二十一日),肃宗命令朔方节度使郭子仪、淮西节度使鲁炅、兴平节度使李奂、滑濮节度使许叔冀、镇西及北庭节度使李嗣业、郑蔡节度使季广琛与河南节度使崔光远等七节度使以及平卢兵马使董秦率领步、骑兵二十万讨伐安庆绪,又命令河东节度使李光弼与关内及泽潞节度使王思礼率兵助战。肃宗因为郭子仪与李光弼二人都是元勋功臣,难以相互统属,所以不设置元帅,只是任命宦官开府仪同三司鱼朝恩为观军容宣慰处置使。观军容使之名从此开始。

32 癸巳(二十四日),广州上奏说:大食与波斯国军队包围了州城,刺史韦利见逾城逃走,两国军队在城中抢掠府库,焚烧房舍,然后乘船从海上离去。

33 冬,十月甲辰,册太子,更名曰豫。自中兴以来,群下无复赐物,至是,始有新铸大钱,百官、六军沾赉有差。

34 郭子仪引兵自杏园济河,东至获嘉,破安太清,斩首四千级,捕虏五百人。太清走保卫州,子仪进围之;丙午,遣使告捷。鲁炅自阳武济,季广琛、崔光远自酸枣济,与李嗣业兵皆会子仪于卫州。庆绪悉举邺中之众七万救卫州,分三军,以崔乾祐将上军,田承嗣将下军,庆绪自将中军。子仪使善射者三千人伏于垒垣之内,令曰:“我退,贼必逐我,汝乃登垒,鼓噪而射之。”既而与庆绪战,伪退,贼逐之,至垒下,伏兵起射之,矢如雨注,贼还走,子仪复引兵逐之,庆绪大败。获其弟庆和,杀之。遂拔卫州。庆绪走,子仪等追之至邺,许叔冀、董秦、王思礼及河东兵马使薛兼训皆引兵继至。庆绪收馀兵拒战于愁思冈,又败。前后斩首三万级,捕虏千人。庆绪乃入城固守,子仪等围之。庆绪窘急,遣薛嵩求救于史思明,且请以位让之。思明发范阳兵十三万欲救邺,观望未敢进,先遣李归仁将步骑一万军于滏阳,遥为庆绪声势。

35 甲寅,上皇幸华清宫;十一月丁丑,还京师。

36 崔光远拔魏州。丙戌,以前兵部侍郎萧华为魏州防御使。会史思明分军为三,一出邢、洺,一出冀、贝,一自洹水趣魏州。郭子仪奏以崔光远代华,十二月癸卯,敕以光远领魏州刺史。

37 甲辰,置浙江西道节度使,领苏、润等十州,以昇州刺史韦黄裳为之。庚戌,置浙江东道节度使,领越、睦等八州,以户部尚书李峘为之,兼淮南节度使。

33 冬季,十月甲辰(初五),肃宗册立太子,改太子名为李豫。自从唐朝中兴以来,群臣都没有赏赐过财物,这时有了新铸的乾元重宝大钱,所以朝中百官与禁军六军都得到数量不等的赐钱。

34 郭子仪率兵从卫州汲县杏园渡过黄河,向东到达获嘉,击败叛军安太清,杀敌四千人,俘虏五百人。安太清退保卫州,郭子仪进兵包围,丙午(初七),派使者入朝报捷。鲁炅从阳武渡过黄河,季广琛、崔光远从酸枣渡过黄河,与李嗣业部队一起到卫州与郭子仪会师。安庆绪发邺中的全部兵七万来救卫州,分为三军,崔乾祐率领上军,田承嗣率领下军,安庆绪亲自率领中军。郭子仪命令善射手三千埋伏在军营垒墙的后面,命令他们说:"我如果领兵退却,叛军必定来追击,那时你们就登上垒墙,擂鼓叫喊而射击。"郭子仪与安庆绪交战,假装退却,叛军遂来追赶,来到垒下,伏兵齐发而射击,箭如雨下,叛军退走,郭子仪又率兵追击,安庆绪大败。郭子仪俘虏了安庆绪的弟弟安庆和,立即杀了他。于是克复了卫州。安庆绪败逃,郭子仪等率兵一直追到邺城,这时许叔冀、董秦、王思礼及河东兵马使薛兼训都领兵相继来到。安庆绪收罗残兵与官军战于愁思冈,又被打败。前后杀死叛军三万人,俘虏一千人。于是安庆绪入城固守,郭子仪等率兵包围了邺城。安庆绪危急,于是就派薛嵩向史思明求救,并请求把帝位让给史思明。史思明发范阳兵十三万想要救援邺城,但不敢贸然进军,先派部将李归仁率领步、骑兵一万驻扎于滏阳,与安庆绪遥相呼应。

35 甲寅(十五日),玄宗前往华清宫;十一月丁丑(初八),返回京师。

36 崔光远率兵克复魏州。丙戌(十七日),朝廷任命前兵部侍郎萧华为魏州防御使。这时史思明把军队分为三路:一路出邢州、洺州,一路出冀州、贝州,一路从洹水县进军魏州。郭子仪上奏请求让崔光远代替萧华,十二月癸卯(初五),肃宗下敕书命崔光远兼领魏州刺史。

37 甲辰(初六),唐朝设置浙江西道节度使,管辖苏州、润州等十一州,任命昇州刺史韦黄裳为节度使。庚戌(十二日),又设置浙江东道节度使,管辖越州、睦州等八州,任命户部尚书李峘为节度使,并兼任淮南节度使。

38 己未,群臣请上尊号曰乾元大圣光天文武孝感皇帝,许之。

39 史思明乘崔光远初至,引兵大下,光远使将军李处崟拒之。贼势盛,处崟战不利,还趣城。贼追至城下,扬言曰:"处崟召我来,何为不出?"光远信之,腰斩处崟。处崟,骁将,众所恃,既死,众无斗志,光远脱身走还汴州。丁卯,思明陷魏州,所杀三万人。

40 平卢节度使王玄志薨,上遣中使往抚将士,且就察军中所欲立者,授以旌节。高丽人李怀玉为裨将,杀玄志之子,推侯希逸为平卢军使。希逸之母,怀玉姑也。故怀玉立之。朝廷因以希逸为节度副使。节度使由军士废立自此始。

臣光曰:夫民生有欲,无主则乱。是故圣人制礼以治之。自天子、诸侯至于卿、大夫、士、庶人,尊卑有分,大小有伦,若纲条之相维,臂指之相使,是以民服事其上,而下无觊觎。其在《周易》,"上天、下泽,履。"象曰:"君子以辨上下,定民志。"此之谓也。凡人君所以能有其臣民者,以八柄存乎己也。苟或舍之,则彼此之势均,何以使其下哉?

肃宗遭唐中衰,幸而复国,是宜正上下之礼以纲纪四方;而偷取一时之安,不思永久之患。彼命将帅,统藩维,国之大事也,乃委一介之使,徇行伍之情,无问贤不肖,惟其所欲与者则授之。自是之后,积习为常,君臣循守,以为得策,谓之姑息。乃至偏裨士卒,杀逐主帅,亦不治其罪,因以其位任授之。然则爵禄、废置、杀生、予夺,皆不出于上而出于下,乱之生也,庸有极乎?

38 己未(二十一日),群臣请求上肃宗尊号为乾元大圣光天文武孝感皇帝,肃宗答应。

39 史思明乘崔光远初到魏州之机率兵大举进攻,崔光远派部将李处崟去迎战。由于叛军兵势强盛,李处崟连战失利,还兵退回城中。叛兵追到城下,扬言说:"李处崟召我们前来,为什么不出来呢?"崔光远中了叛军的离间之计,将李处崟腰斩处死。李处崟作战勇敢,深得军心,他死后,军心涣散,崔光远脱身逃回汴州。丁卯(二十九日),史思明攻陷魏州,杀死三万人。

40 平卢节度使王玄志故去,肃宗派宦官去安抚将士,并察看军中将士想要立谁为节度使,以便授给旌节,加以任命。高丽人副将李怀玉杀了王玄志的儿子,推立侯希逸为平卢军使。因为侯希逸的母亲是李怀玉的姑母,所以李怀玉推立他为军使。于是朝廷任命侯希逸为节度副使。唐朝的节度使由军中将士自行废立从此开始。

　　臣司马光说:天下的民众都有欲望,如果没有君主,就会大乱。所以圣人制定礼来治理国家。从天子、诸侯以至公卿、大夫、官吏、百姓,使他们尊卑有分别,大小有次序,就如网在纲上,有条而不紊,如手臂驱使手指,无不服从,只有这样,百姓才会服事他们的上层,在下层的人才不会有觊觎之心。《周易》说:"天尊在上,湖卑处下,这是履卦。"象辞说:"君子以此分辨上尊下卑,端正民众的意志。"这就是上面所议论的意思。凡是作君主的,所以能够控制他的臣民,是因为驾驭臣民时八种权柄掌握在自己手中。假如舍弃这八种权柄,那么君臣上下就会势均力敌,还怎么来统治臣下呢?

　　唐肃宗逢唐朝中期大乱,有幸而复兴,应该端正君臣上下之礼,以统治四方,而他却苟且获取一时之安,没有想到会成为永久的祸患。任命将帅,统治地方,是国家的大事,却仅委派一介使者,曲从于士卒的意愿,不管贤能与否,只是按照军中将士的要求授给军权。从此以后,习以为常,而君臣还循守不变,以为是上策,这就是姑息。甚至副将士兵杀死或驱逐主帅,也不惩处他们的罪行,反而将主帅的职位授给他们。但是这样一来,君主驾驭臣下的八种权柄爵禄、废置、杀生、予夺,都不是出自君主,而是出于臣下,那么天下生乱还会有个完吗?

　　且夫有国家者,赏善而诛恶,故为善者劝,为恶者惩。彼为人下而杀逐其上,恶孰大焉! 乃使之拥旄秉钺,师长一方,是赏之也。赏以劝恶,恶其何所不至乎?《书》云:"远乃猷。"《诗》云:"猷之未远,是用大谏。"孔子曰:"人无远虑,必有近忧。"为天下之政而专事姑息,其忧患可胜校乎? 由是为下者常眈眈焉伺其上,苟得间则攻而族之;为上者常惴惴焉畏其下,苟得间则掩而屠之。争务先发以逞其志,非有相保养为俱利久存之计也。如是而求天下之安,其可得乎? 迹其厉阶,肇于此矣。

　　盖古者治军必本于礼,故晋文公城濮之战,见其师少长有礼,知其可用。今唐治军而不顾礼,使士卒得以陵偏裨,偏裨得以陵将帅,则将帅之陵天子,自然之势也。

　　由是祸乱继起,兵革不息,民坠涂炭,无所控诉,凡二百馀年,然后大宋受命。太祖始制军法,使以阶级相承,小有违犯,咸伏斧质。是以上下有叙,令行禁止,四征不庭,无思不服,宇内乂安,兆民允殖,以迄于今,皆由治军以礼故也。岂非诒谋之远哉?

　41　是岁,置振武节度使,领镇北大都护府、麟胜二州。又置陕虢华及豫许汝二节度使。安南经略使为节度使,领交、陆等十一州。
　42　吐蕃陷河源军。

君主治理国家,应该奖赏善举,惩罚恶行,这样就会劝人为善,戒人作恶。而如李怀玉等人身为部将,竟然杀逐他的上司,作恶莫过于此! 朝廷却让他们做节度使,掌管一方大权,这是在奖赏这种行为。这样来奖赏恶行,恶行怎么能不处处产生呢?《尚书》说:"谋划事情要从长远的利益着想。"《诗经》说:"帝王谋事鼠目寸光,所以我要向他进谏。"孔子说:"人无远虑,必有近忧。"帝王治理天下而一味姑息,天下的忧患怎么能够消除呢? 于是为臣下的总是蔑视君王,伺察君王的过失,如果有机会就会起兵叛逆而族灭他;为君王的常常因为畏惧臣下而心怀不安,如果有时机,就会乘其不备而行屠杀。于是,都争着先发制人,以使自己的意愿得逞,而没有利于双方的长治久安之计。这样下去,想求得天下的安定,难道能够实现吗? 考察唐代后期藩镇割据的起因,是肇始于朝廷任命侯希逸为平卢节度使。

古人治理军队的根本是要合乎礼法,所以春秋时期晋国与楚国的城濮之战中,晋文公看到自己的军队少长有礼,便知道可以打败楚军。现在唐朝治军却不顾礼法,使得士卒可以欺侮副将,副将可以欺侮将帅,那么将帅欺侮天子,就是必然的趋势了。

从此战乱迭起,兵革不息,百姓涂炭,无处申诉,前后二百多年,然后是大宋王朝的建立。宋太祖开始制定军法,使将士以大制小,如稍有违犯,就会招来杀身之祸。所以上下有序,令行禁止,征讨四方割据势力,无不威服,天下安定,生民乐业,以至于今,都是因为治军用礼法的缘故。这难道不是见识深远的谋略吗?

41　这一年,唐朝设置振武节度使,管辖镇北大都护府与麟州、胜州两州。又设置陕州、虢州、华州与豫州、许州、汝州两节度使。改安南经略使为节度使,管辖交州、陆州等十一州。

42　吐蕃攻陷河源军。

卷第二百二十一　唐纪三十七

起己亥(759)尽庚子(760)凡二年

肃宗文明武德大圣大宣孝皇帝下之上

乾元二年(己亥,759)

1　春,正月己巳朔,史思明筑坛于魏州城北,自称大圣燕王,以周挚为行军司马。李光弼曰:"思明得魏州而按兵不进,此欲使我懈惰,而以精锐掩吾不备也。请与朔方军同逼魏城,求与之战,彼惩嘉山之败,必不敢轻出。得旷日引久,则邺城必拔矣。庆绪已死,彼则无辞以用其众也。"鱼朝恩以为不可,乃止。

2　戊寅,上祀九宫贵神,用王玙之言也。乙卯,耕藉田。

3　镇西节度使李嗣业攻邺城,为流矢所中,丙申,薨;兵马使荔非元礼代将其众。初,嗣业表段秀实为怀州长史,知留后事。时诸军屯戍日久,财竭粮尽,秀实独运刍粟,募兵市马以奉镇西行营,相继于道。

4　二月壬子,月食,既。先是百官请加皇后尊号曰"辅圣",上以问中书舍人李揆,对曰:"自古皇后无尊号,惟韦后有之,岂足为法?"上惊曰:"庸人几误我!"会月食,事遂寝。后与李辅国相表里,横于禁中,干豫政事,请托无穷。上颇不悦,而无如之何。

肃宗文明武德大圣大宣孝皇帝下之上
唐肃宗乾元二年(己亥,公元 759 年)

1 春季,正月己巳朔(初一),史思明在魏州城北建筑祭坛,祭天称王,自称大圣燕王,任命周挚为行军司马。李光弼说:"史思明攻占魏州后,按兵不动,是想松懈我们的意志,然后趁我们不备用精兵突然袭击我们。请让我与朔方军联兵进逼魏州城,向史思明挑战,史思明鉴于嘉山之败的经验,必定不敢轻易出战。这样旷日持久,我们就能够收复邺城。如果安庆绪败死,史思明就会失去号召力,难以指挥叛军。"而观军容使宦官鱼朝恩却认为此计不可行,只好作罢。

2 戊寅(初十),肃宗采用王玙的建议,祭祀九宫贵神。乙卯,肃宗行藉田礼,亲自耕田,以示重农。

3 镇西节度使李嗣业在攻打邺城时,被乱箭射中,丙申(二十八日)去世;兵马使荔非元礼代替他指挥军队。起初,李嗣业奏请任命段秀实为怀州长史,主管留后事宜。此时,各路军队因为屯兵于邺城之下日久,财竭粮尽,而只有段秀实运送粮草,招兵买马,用以供应镇西行营兵,道路上络绎不绝。

4 二月壬子(十五日),出现月全食。此前,百官请求加封张皇后尊号为"辅圣",肃宗因此事问中书舍人李揆,李揆回答说:"自古以来皇后都没有尊号,只有中宗时韦皇后曾经有过尊号,怎么能够效法呢?"肃宗吃惊地说:"这些庸人几乎误了我的大事!"适逢出现月食,于是此事搁置。后来张皇后与宦官李辅国相互勾结,横行朝中,干预政事,无穷尽地请托。肃宗虽然心中不满,但也无可奈何。

5　郭子仪等九节度使围邺城,筑垒再重,穿堑三重,壅漳水灌之。城中井泉皆溢,构栈而居,自冬涉春,安庆绪坚守以待史思明,食尽,一鼠直钱四千,淘墙麸及马矢以食马。人皆以为克在朝夕,而诸军既无统帅,进退无所禀。城中人欲降者,碍水深,不得出。城久不下,上下解体。

思明乃自魏州引兵趣邺,使诸将去城各五十里为营,每营击鼓三百面,遥胁之。又每营选精骑五百,日于城下抄掠,官军出,辄散归其营。诸军人马牛车日有所失,樵采甚艰,昼备之则夜至,夜备之则昼至。时天下饥馑,转饷者南自江、淮,西自并、汾,舟车相继。思明多遣壮士窃官军装号,督趣运者,责其稽缓,妄杀戮人,运者骇惧。舟车所聚,则密纵火焚之。往复聚散,自相辨识,而官军逻捕不能察也。由是诸军乏食,人思自溃。思明乃引大军直抵城下,官军与之刻日决战。

三月壬申,官军步骑六十万陈于安阳河北,思明自将精兵五万敌之,诸军望之,以为游军,未介意。思明直前奋击,李光弼、王思礼、许叔冀、鲁炅先与之战,杀伤相半;鲁炅中流矢。郭子仪承其后,未及布陈,大风忽起,吹沙拔木,天地昼晦,咫尺不相辨,两军大惊,官军溃而南,贼溃而北,弃甲仗辎重委积于路。子仪以朔方军断河阳桥保东京。战马万匹,惟存三千;甲仗十万,遗弃殆尽。东京士民惊骇,散奔山谷;留守崔圆、河南尹苏震等官吏南奔襄、邓;诸节度各溃归本镇。士卒所过剽掠,吏不能止,旬日方定。惟李光弼、王思礼整勒部伍,全军以归。

5 郭子仪等九节度使包围了邺城,筑垒两道,挖壕三重,堵塞漳河水灌城。邺城中井泉都水满溢出,人们只好构栈而住,从冬天一直到春天,安庆绪死死坚守,等待史思明率兵解围,城中粮食吃尽,以至一只老鼠值钱四千,士卒挖出墙中的麦秸及马粪来喂养战马。人们都认为邺城危在旦夕,必能攻克,但是官军的各路军队因为没有统帅,进退没有统一指挥。城中的人想要投降,但因为水深不得出城。这样邺城久攻不下,官军疲困解体,没有士气。

这时,史思明才率兵从魏州进军邺城,命令诸将在距离邺城五十里处扎营,每个营中击鼓三百面,遥为安庆绪声援,威胁官军。史思明又从每个营中挑选精锐骑兵五百,每天到城下抢掠,官军如果出来交战,他们就散归自己的军营中。这样官军各路的人马牛车每天都有丧失,甚至连采集薪柴都很艰难。官军白天防备,叛军骑兵就在夜里来骚扰,如果夜里防备,叛军就白天来。当时天下饥荒,军中所用粮饷都是南从江、淮地区,西自并州、汾州运来,船车相继不断。于是史思明派壮士穿上官军的服装,窃取官军的号令,去督促运粮者,斥责他们缓慢,随便杀戮,使转运的人心中惊骇恐惧。他们又在运送粮饷的船车聚集的地方,暗中放火焚烧。神出鬼没,聚散无常,他们自己能够相识别,但巡逻的官军士卒却抓不到,也侦察不出行迹。因此官军各路军队都缺乏粮食,人心涣散。史思明这才率领大军直抵城下,与官军定好了决战的日期。

三月壬申(初六),官军步、骑兵六十万在安阳河北岸摆开阵势,史思明亲自率领精兵五万来交战,官军望见,以为是流动部队,不加介意。史思明身先士卒,率军冲锋,李光弼、王思礼、许叔冀与鲁炅先领兵迎战,杀伤各半,鲁炅还被乱箭射中。郭子仪率兵紧跟在后面,还未及布阵,大风急起,吹沙拔木,天地一片昏暗,咫尺之间,人马不辨,两军都大吃一惊,接着官军向南溃退,叛军向北溃退,所丢弃的武器盔甲等军用物资满路都是。郭子仪命令朔方军切断了河阳桥,以确保东京的安全。一万匹战马仅剩下三千,十万盔甲兵器差不多全部丧失。东京城中的官吏民众十分惊恐,都纷纷逃向山中,留守崔圆与河南尹苏震等官吏向南逃奔襄州、邓州,各路节度使也率领自己的兵马逃回本镇。这些败兵沿路大肆抢掠,胡作非为,当地官吏和军中将帅无法制止,十多天才安定下来。只有李光弼与王思礼整理队伍,全军返回。

　　子仪至河阳,将谋城守,师人相惊,又奔缺门。诸将继至,众及数万,议捐东京,退保蒲、陕。都虞候张用济曰:"蒲、陕荐饥,不如守河阳,贼至,并力拒之。"子仪从之。使都游弈使灵武韩遊瓌将五百骑前趣河阳,用济以步卒五千继之。周挚引兵争河阳,后至,不得入而去。用济役所部兵筑南、北两城而守之。段秀实帅将士妻子及公私辎重自野戍渡河,待命于河清之南岸,荔非元礼至而军焉。诸将各上表谢罪,上皆不问,惟削崔圆阶封,贬苏震为济王府长史,削银青阶。

　　史思明审知官军溃去,自沙河收整士众,还屯邺城南。安庆绪收子仪营中粮,得六七万石,与孙孝哲、崔乾祐谋闭门更拒思明。诸将曰:"今日岂可复背史王乎?"思明不与庆绪相闻,又不南追官军,但日于军中飨士。张通儒、高尚等言于庆绪曰:"史王远来,臣等皆应迎谢。"庆绪曰:"任公暂往。"思明见之涕泣,厚礼而归之。经三日,庆绪不至。思明密召安太清令诱之,庆绪窘蹙,不知所为,乃遣太清上表称臣于思明,请待解甲入城,奉上玺绶。思明省表,曰:"何至如此?"因出表遍示将士,咸称万岁。乃手疏唁庆绪而不称臣,且曰:"愿为兄弟之国,更作藩篱之援。鼎足而立,犹或庶几;北面之礼,固不敢受。"并封表还之。庆绪大悦,因请歃血同盟,思明许之。庆绪以三百骑诣思明营,思明令军士擐甲执兵以待之,引庆绪及诸弟入至庭下。庆绪再拜稽首曰:"臣不克荷负,弃失两都,久陷重围,不意大王以太上皇之故,远垂救援,使臣应死复生,摩顶至踵,无以报德。"思明忽震怒曰:"弃失两都,亦何足言。尔为人子,杀父夺其位,天地所不容。

郭子仪到达河阳，想要坚守河阳城，因为部队自相惊扰，又逃奔到缺门。这时部将都陆续赶到，点检人马，才有几万，大家商议放弃东京，退保蒲州、陕州。都虞候张用济说："蒲州与陕州连年饥荒，不如坚守河阳，叛军如果来攻，就全力坚守。"郭子仪同意。于是就派都游弈使灵武人韩遊瓌率领五百骑兵先进军河阳，张用济率领五千步兵继后。叛军的行军司马周挚领兵来争夺河阳，因为晚到一步，无法入城而退去。张用济让士兵筑南、北两城准备坚守。段秀实率领镇西将士的家眷以及公私物资从野戍渡过黄河，在河清县南面待命，荔非元礼到后遂驻军于此。各路将帅都上表谢罪，肃宗都不责问，只是削夺了崔圆的封爵与官阶，并贬苏震为济王府长史，削夺银青光禄大夫官阶。

史思明得知官军败退，就从沙河整顿兵马，还军邺城南面。安庆绪收集了郭子仪军队败退时留在营中的粮食，有六七万石，于是就与孙孝哲、崔乾祐等计谋闭门抗拒史思明。这时各位将领说："我们现在怎么能够背叛史王呢？"而史思明既不与安庆绪通报情况，也不南下追击官军，只是每天在军中宴请士卒。张通儒、高尚等人对安庆绪说："史王远道率兵来救援我们，我们都应该去迎接感谢。"安庆绪说："随你们去吧。"史思明见到张通儒、高尚等，痛哭流涕，重加礼赏，然后让他们回去。过了三天，安庆绪还不来。于是史思明就暗中把安太清召来，让他诱骗安庆绪，安庆绪无计可施，不知道怎么办才好，只好派安太清向史思明上表称臣，并说等待史思明安顿好部队入城后，就奉上皇帝印玺。史思明看了表书后说："你何必要这样呢？"并把表书拿出来让将士们看，将士们都呼喊万岁。因此史思明就亲手写信安慰安庆绪，并不称臣，只是说："愿与你作为兄弟邻国，互相援助。我们之间地位平等，鼎足而立，这还差不多；如果向我称臣，万不敢接受。"并把表书封缄后还给安庆绪。安庆绪十分高兴，因此请求与史思明歃血结盟，史思明同意。于是安庆绪带领三百名骑兵来到史思明军营中，史思明命令士卒全副武装以防备安庆绪，然后引安庆绪与他的几个弟弟进入庭中。安庆绪叩头再拜说："作为臣下我治军无方，丧失东西二京，并陷于重兵包围之中，没有想到大王看在我父亲太上皇的情分上，远来救危，使我得以复生，恩深如海，终生难以报答。"史思明忽然大怒说："丢失两京，何足挂齿。你身为人子，杀父篡位，为天地之所不容。

吾为太上皇讨贼,岂受尔佞媚乎?"即命左右牵出,并其四弟及高尚、孙孝哲、崔乾祐皆杀之;张通儒、李庭望等悉授以官。思明勒兵入邺城,收其士马,以府库赏将士,庆绪先所有州、县及兵皆归于思明。遣安太清将兵五千取怀州,因留镇之。思明欲遂西略,虑根本未固,乃留其子朝义守相州,引兵还范阳。

6 甲申,回纥骨啜特勒、帝德等十五人自相州奔还西京,上宴之于紫宸殿,赏赐有差。庚寅,骨啜特勒等辞还行营。

7 辛卯,以荔非元礼为怀州刺史,权知镇西、北庭行营节度使。元礼复以段秀实为节度判官。

8 甲午,以兵部侍郎吕諲同平章事。乙未,以中书侍郎、同平章事苗晋卿为太子太傅,王玙为刑部尚书,皆罢政事。以京兆尹李岘行吏部尚书,中书舍人兼礼部侍郎李揆为中书侍郎,及户部侍郎第五琦并同平章事。上于岘恩意尤厚,岘亦以经济为己任,军国大事多独决于岘。于是京师多盗,李辅国请选羽林骑士五百以备巡逻。李揆上疏曰:"昔西汉以南北军相制,故周勃因南军入北军,遂安刘氏。皇朝置南、北牙,文武区分,以相伺察。今以羽林代金吾警夜,忽有非常之变,将何以制之?"乃止。

9 丙申,以郭子仪为东畿、山东、河东诸道元帅,权知东京留守。以河西节度使来瑱行陕州刺史,充陕、虢、华州节度使。

10 夏,四月庚子,泽潞节度使王思礼破史思明将杨旻于潞城东。

11 太子詹事李辅国,自上在灵武,判元帅行军司马事,侍直帷幄,宣传诏命,四方文奏,宝印符契,晨夕军号,一以委之。及还京师,

我是为太上皇讨伐你这个逆贼,怎么肯受你讨好的假话欺骗呢?"当即命令左右的人把安庆绪连同他的四个弟弟以及高尚、孙孝哲、崔乾祐等全部杀掉。张通儒、李庭望等人都被授以官职。然后史思明整军入邺城,收集了安庆绪的兵马,把府库中的财物分赏给将士,安庆绪原先所占据的州、县以及兵马都归史思明所有。史思明又派安太清率兵五千攻取怀州,因此留安太清镇守怀州。史思明想立刻率兵向西发展,考虑到后方还不稳固,于是就把他的儿子史朝义留下镇守相州,自己率兵返回范阳。

6 甲申(十八日),回纥将领骨啜特勒、帝德等十五人从相州逃回西京,肃宗于紫宸殿宴请他们,并赏赐给他们数量不等的财物。庚寅(二十四日),骨啜特勒等辞别,返回行营。

7 辛卯(二十五日),肃宗任命荔非元礼为怀州刺史,代理镇西、北庭行营节度使。荔非元礼又任命段秀实为节度判官。

8 甲午(二十八日),肃宗任命兵部侍郎吕𬤇同平章事。乙未(二十九日),任命中书侍郎、同平章事苗晋卿为太子太傅,王玙为刑部尚书,都免去他们的宰相职务。又任命京兆尹李岘为吏部尚书,中书舍人兼礼部侍郎李揆为中书侍郎,以及户部侍郎第五琦并同平章事。肃宗特别赏识李岘,李岘也以经国治邦为己任,所以军国大事大多由李岘一人处理。当时京城盗贼横行,宦官李辅国请求挑选羽林军的五百骑兵以备巡逻搜捕。李揆上疏说:"过去西汉王朝设置南北两军互相制约,所以周勃得以由南军进入北军,于是安定了刘氏王朝。我们大唐王朝设置南牙与北牙,文臣与武将相区别,以使他们互相监督。现在用羽林军代替金吾卫巡夜,如果发生了突发事件,怎么控制局势呢?"此事只好作罢。

9 丙申(三十日),肃宗任命郭子仪为东畿、山东、河东诸道元帅,暂代东京留守。又任命河西节度使来瑱为陕州刺史,并兼任陕州、虢州、华州节度使。

10 夏季,四月庚子(初四),泽潞节度使王思礼于潞城东面击败史思明将领杨旻。

11 太子詹事宦官李辅国,自肃宗在灵武时,就任元帅府行军司马,侍奉在肃宗左右,宣布诏敕诰命,肃宗把四方来的文书奏疏,军中的印玺符契以及军队的号令集训等事,全都委任于他。到收复京师后,

专掌禁兵，常居内宅，制敕必经辅国押署，然后施行，宰相百司非时奏事，皆因辅国关白、承旨。常于银台门决天下事，事无大小，辅国口为制敕，写付外施行，事毕闻奏。又置察事数十人，潜令于人间听察细事，即行推按；有所追索，诸司无敢拒者。御史台、大理寺重囚，或推断未毕，辅国追诣银台，一时纵之。三司、府、县鞫狱，皆先诣辅国咨禀，轻重随意，称制敕行之，莫敢违者。宦官不敢斥其官，皆谓之五郎。李揆山东甲族，见辅国执子弟礼，谓之"五父"。

及李岘为相，于上前叩头，论制敕皆应由中书出，具陈辅国专权乱政之状，上感寤，赏其正直；辅国行事，多所变更，罢其察事。辅国由是让行军司马，请归本官，上不许。制："比缘军国务殷，或宣口敕处分。诸色取索及杖配囚徒，自今一切并停。如非正宣，并不得行。中外诸务，各归有司。英武军虞候及六军诸使、诸司等，比来或因论竞，悬自追摄，自今须一切经台、府。如所由处断不平，听具状奏闻。诸律令除十恶、杀人、奸、盗、造伪外，馀烦冗一切删除，仍委中书、门下与法官详定闻奏。"辅国由是忌岘。

12 甲辰，置陈、郑、亳节度使，以邓州刺史鲁炅为之；以徐州刺史尚衡为青、密七州节度使；以兴平军节度使李奂兼豫、许、汝三州节度使。仍各于境上守捉防御。

九节度之溃于相州也，鲁炅所部兵剽掠尤甚，闻郭子仪退屯河上，李光弼还太原，炅惭惧，饮药而死。

李辅国又专门掌管禁军，常常住在宫中的署舍里，肃宗所颁下的制敕，必须经过李辅国画押签署，然后才能施行，宰相以及百官有急事上奏时，都要通过李辅国禀告和受旨。李辅国经常在银台门处理国家的政事，不管大小事，都由李辅国口宣制敕，写好后交给外面去执行，等事情完结后才上奏给肃宗。李辅国又设置察事数十人，暗中让他们打听民间的秘密事情，然后再进行审讯；如果要追查什么案子，朝廷各部门都不敢加以拒绝。关在御史台与大理寺内的重刑犯人，有的还没有审讯完毕，李辅国就追到银台门，一下子把这些人全部放掉。御史台、中书省、门下省三司以及府、县审理案件，都要先报告李辅国，听候他的指示，随他的意思而判，声称是皇上的制敕，命令实行，没有人敢于违抗。宦官不能直呼李辅国的官名，都称他五郎。李揆是崤山以东地区的名门大族，见了李辅国还要行子弟礼，称他为"五父"。

李岘做宰相以后，在肃宗面前叩头，论说皇上的制敕都应该由中书省出，并陈述了李辅国专权乱政的事例，肃宗因此醒悟，称赞李岘为人正直，李辅国做事也多所改变，罢掉了那些察事。李辅国因此又辞让元帅府行军司马一职，请求回归本官为太子詹事，肃宗不答应。肃宗下制说："近来因为军国大事繁忙，有时让人宣布口敕处理政事。从今以后，各种索取以及棍打发配囚犯之事，全部停止。如果不是由中书省所宣布的敕命，都不能施行。朝野内外的一切事务，各归主管部门办理。英武军的虞候及禁军六军的各使、各司，近来有时为了竞争，就各自追踪犯人，从今以后，一切案件都要经过御史台与京兆府处理。如果台、府官员处理判决不公平，允许写状上奏。各种刑律除了十恶、杀人、奸、盗、伪造罪外，其馀的过烦过多的条款全部删除，并委托中书省、门下省与法官详细确定以后再上奏告知。"李辅国因此忌恨李岘。

12　甲辰（初八），唐朝设置陈州、郑州、亳州节度使，任命邓州刺史鲁炅为节度使，任命徐州刺史尚衡为青州、密州等七州节度使，兴平军节度使李奂兼任豫州、许州、汝州三州节度使。各节度使仍在自己的境内行使防御使与守捉使的职权。

九节度使兵败相州以后，鲁炅部下的士卒抢掠尤其厉害，得知郭子仪兵退到黄河岸边，李光弼回军太原，鲁炅惭愧害怕，饮毒药而死。

13 史思明自称大燕皇帝,改元顺天,立其妻辛氏为皇后,子朝义为怀王,以周挚为相,李归仁为将,改范阳为燕京,诸州为郡。

14 戊申,以鸿胪卿李抱玉为郑、陈、颍、亳节度使。抱玉,安兴贵之后也,为李光弼裨将,屡有战功,自陈耻与安禄山同姓,故赐姓李氏。

15 回纥毗伽阙可汗卒,长子叶护先遇杀,国人立其少子,是为登里可汗。回纥欲以宁国公主为殉。公主曰:"回纥慕中国之俗,故娶中国女为妇。若欲从其本俗,何必结婚万里之外邪?"然亦为之劓面而哭。

16 凤翔马坊押官为劫,天兴尉谢夷甫捕杀之。其妻讼冤。李辅国素出飞龙厩,敕监察御史孙蓥鞫之,无冤。又使御史中丞崔伯阳、刑部侍郎李晔、大理卿权献鞫之,与蓥同。犹不服,又使侍御史太平毛若虚鞫之,若虚倾巧士,希辅国意,归罪夷甫。伯阳怒,召若虚诘责,欲劾奏之。若虚先自归于上,上匿若虚于帘下。伯阳寻至,言若虚附会中人,鞫狱不直。上怒,叱出之。伯阳贬高要尉,献贬桂阳尉,晔与凤翔尹严向皆贬岭下尉,蓥除名,长流播州。吏部尚书、同平章事李岘奏伯阳无罪,责之太重,上以为朋党,五月辛巳,贬岘蜀州刺史。右散骑常侍韩择木入对,上谓之曰:"李岘欲专权,今贬蜀州,朕自觉用法太宽。"对曰:"李岘言直,非专权。陛下宽之,祇益圣德耳。"若虚寻除御史中丞,威振朝廷。

17 壬午,以滑、濮节度使许叔冀为汴州刺史,充滑、汴等七州节度使;以试汝州刺史刘展为滑州刺史,充副使。

13 史思明自称大燕皇帝,改年号为顺天,立妻子辛氏为皇后,儿子史朝义为怀王,任命周挚为宰相,李归仁为大将,改范阳为燕京,各州改称为郡。

14 戊申(十二日),肃宗任命鸿胪卿李抱玉为郑州、陈州、颍州、亳州节度使。李抱玉是安兴贵的后代,李光弼的副将,多次立有战功,自己奏陈耻与安禄山同姓,所以被赐姓李氏。

15 回纥毗伽阙可汗去世,因为他的长子叶护已遇刺身亡,所以国人立他的小儿子为可汗,这就是登里可汗。回纥想要让宁国公主为毗伽阙可汗殉葬。公主说:"回纥因为美慕中国的风俗,所以才娶中国女子为妻。如果想遵从你们本来的风俗,何必要同万里之外的中国女人结婚呢?"但公主还是按照回纥的风俗习惯,为回纥可汗割破面颊,流血哭泣。

16 凤翔管马坊的押官因为抢劫,被天兴县尉谢夷甫抓住杀掉。押官的妻子为她的丈夫诉冤。李辅国原本是飞龙马厩养马小儿出身,于是就命令监察御史孙蓥审问,结果不是冤案。李辅国又让御史中丞崔伯阳、刑部侍郎李晔、大理卿权献审问,结果与孙蓥相同。押官的妻子还不服,李辅国就又让侍御史太平人毛若虚审问,毛若虚本是小人,按照李辅国的意图,归罪于谢夷甫。崔伯阳十分愤怒,就把毛若虚叫来质问他,想上奏弹劾他。毛若虚自己先跑到肃宗那里,肃宗把毛若虚藏在帘子后面。不久崔伯阳来到,说毛若虚依附宦官,审理案件不公平。肃宗听后十分愤怒,就把崔伯阳呵斥出去。于是贬崔伯阳为高要县尉,大理卿权献为桂阳县尉,刑部侍郎李晔与凤翔尹严向也都被贬到岭南做县尉,监察御史孙蓥被削除名籍,流放到播州。吏部尚书、同平章事李岘上奏,说崔伯阳无罪,处理太重,而肃宗认为李岘与崔伯阳等人结党,五月辛巳(十六日),贬李岘为蜀州刺史。右散骑常侍韩择木入朝应对,肃宗对他说:"李岘想要专权,现在已被贬为蜀州刺史,朕还觉得用法太宽大。"韩择木回答说:"李岘直言不讳,并不是专权。陛下如果能够宽大地处理,只能够增加陛下的圣德。"不久,毛若虚被任命为御史中丞,威震朝廷。

17 壬午(十七日),肃宗任命滑、濮节度使许叔冀为汴州刺史,兼滑、汴等七州节度使;又任命试汝州刺史刘展为滑州刺史,兼节度副使。

18　六月丁巳,分朔方置邠、宁等九州节度使。

19　观军容使鱼朝恩恶郭子仪,因其败,短之于上。秋,七月,上召子仪还京师,以李光弼代为朔方节度使、兵马元帅。士卒涕泣,遮中使请留子仪。子仪绐之曰:"我饯中使耳,未行也。"因跃马而去。

光弼愿得亲王为之副,辛巳,以赵王係为天下兵马元帅,光弼副之,仍以光弼知诸节度行营。光弼以河东骑五百驰赴东都,夜,入其军。光弼治军严整,始至,号令一施,士卒、壁垒、旌旗、精采皆变。是时朔方将士乐子仪之宽,惮光弼之严。

左厢兵马使张用济屯河阳,光弼以檄召之。用济曰:"朔方,非叛军也,乘夜而入,何见疑之甚邪?"与诸将谋以精锐突入东京,逐光弼,请子仪。命其士皆被甲上马,衔枚以待。都知兵马使仆固怀恩曰:"邺城之溃,郭公先去,朝廷责帅,故罢其兵柄。今逐李公而强请之,是反也,其可乎?"右武锋使康元宝曰:"君以兵请郭公,朝廷必疑郭公讽君为之,是破其家也。郭公百口何负于君乎?"用济乃止。光弼以数千骑东出汜水,用济单骑来谒。光弼责用济召不时至,斩之,命部将辛京杲代领其众。

20　仆固怀恩继至,光弼引坐,与语。须臾,阍者曰:"蕃、浑五百骑至矣。"光弼变色。怀恩走出,召麾下将,阳责之曰:"语汝勿来,何得固违?"光弼曰:"士卒随将,亦复何罪!"命给牛酒。

18　六月丁巳(二十三日),朝廷在朔方节度下分设邠州、宁州等九州节度使。

19　宦官观军容使鱼朝恩忌恨郭子仪,因此借相州之败,在肃宗面前进谗言。秋季,七月,肃宗召郭子仪回京师,任命李光弼为朔方节度使、兵马元帅。朔方士卒痛哭流涕,拦住传达命令的宦官,请求把郭子仪留下来。郭子仪欺骗士卒们说:"我先去送别传达命令的宦官,不是要离开。"借此策马而去。

李光弼希望能让一位亲王为天下兵马元帅,自己为副元帅,辛巳(十七日),肃宗任命赵王李係为天下兵马元帅,李光弼为副元帅,仍兼统诸节度行营。李光弼率领河东镇的五百骑兵驰往东都赴任,在夜晚进入朔方军。李光弼治军严整,到达朔方军营后,号令一经下达,朔方军的士卒、营垒、旌旗等军容为之一变。这时朔方军的将士都喜欢郭子仪的宽厚,而害怕李光弼的严厉。

朔方军左厢兵马使张用济率兵屯驻在河阳,李光弼发檄书召他。张用济说:"朔方军又不是叛兵,而李光弼却在夜晚来到军中,为什么要这样猜疑我们呢?"因此就与其他的将领商议,要用精锐骑兵突入东京,赶走李光弼,把郭子仪请回来。于是就命令士兵披甲上马,整装待发。这时都知兵马使仆固怀恩说:"九节度使邺城之败时,郭将军先领兵退却,朝廷责罚元帅,所以罢了他的兵权。现在如果赶走李将军而强请郭将军回来,这是反叛行为,怎么能行呢?"右武锋使康元宝也说:"你率兵强请郭将军回来,朝廷一定会怀疑这是郭将军暗中指使你这么干,这不是要他家破人亡吗?郭将军百口之家有什么地方对不起你的呢?"张用济听后才罢休。李光弼率领数千名骑兵东出汜水县,张用济单枪匹马来晋见李光弼。李光弼责备张用济接到檄书后没有及时赶到,就杀了他,并命令部将辛京杲代他率兵。

20　接着仆固怀恩到达,李光弼引他入座,与他谈话。不一会儿,看门的报告说:"来了蕃种和浑种的五百名骑兵。"李光弼听后大惊失色。这时仆固怀恩走了出来,召来部下的将领,假装责备说:"我已经告诉你们不要来,为什么要违抗我的命令呢?"李光弼说:"士卒跟随自己的将帅,也没有什么过错。"然后命令部下杀牛置酒招待这些士卒。

21 以潞沁节度使王思礼兼太原尹,充北京留守、河东节度使。

初,潼关之败,思礼马中矢而毙,有骑卒鍪屋张光晟下马授之,问其姓名,不告而去。思礼阴识其状貌,求之不获。及至河东,或譖代州刺史河西辛云京,思礼怒之,云京惧,不知所出。光晟时在云京麾下,曰:“光晟尝有德于王公,从来不敢言者,耻以此取赏耳。今使君有急,光晟请往见王公,必为使君解之。”云京喜而遣之。光晟谒思礼,未及言,思礼识之曰:“噫!子非吾故人乎?何相见之晚邪?”光晟以实告,思礼大喜,执其手,流涕曰:“吾之有今日,皆子力也。吾求子久矣。”引与同榻坐,约为兄弟。光晟因从容言云京之冤。思礼曰:“云京过亦不细,今日特为故人舍之。”即日擢光晟为兵马使,赠金帛田宅甚厚。

22 辛卯,以朔方节度副使、殿中监仆固怀恩兼太常卿,进爵大宁郡王。怀恩从郭子仪为前锋,勇冠三军,前后战功居多,故赏之。

23 八月乙巳,襄州将康楚元、张嘉延据州作乱,刺史王政奔荆州。楚元自称南楚霸王。

24 回纥以宁国公主无子,听归,丙辰,至京师。

25 戊午,上使将军曹日昇往襄州慰谕康楚元,贬王政为饶州长史,以司农少卿张光奇为襄州刺史,楚元不从。

26 壬戌,以李光弼为幽州长史、河北节度等使。

27 九月甲午,张嘉延袭破荆州,荆南节度使杜鸿渐弃城走,澧、朗、郢、峡、归等州官吏闻之,争潜窜山谷。

21 肃宗任命潞沁节度使王思礼兼任太原尹,并充任北京留守、河东节度使。

当初,潼关战败时,王思礼的马中箭而死,这时有一名骑兵盩厔县人张光晟把自己的马给了他,王思礼问他的姓名,他没有告诉就走了。王思礼暗中记住了张光晟的相貌,后来多方寻找,但没有找到。王思礼到了河东后,有人进谗言陷害代州刺史河西人辛云京,王思礼十分愤怒,辛云京惧怕,不知道如何办才好。这时张光晟是辛云京的部下,就对辛云京说:"我曾经帮助过王将军,向来不敢提起这件事的原因,是认为以这件事来取赏是耻辱。现在你有危急,请让我去见王将军,一定能为你解除危难。"辛云京就高兴地让他去了。张光晟谒见王思礼,还没有说话,就被王思礼认出来,说:"噫!你难道不是我的救命恩人吗?为什么这样晚才见到你呢?"张光晟就把实情告诉了王思礼。王思礼十分高兴,握着张光晟的手,涕泣呜咽地说:"我所以能有今天,都是因为你救我一命的功劳。我一直在寻找你。"于是引张光晟同床而坐,相约结为兄弟。张光晟借机谈了辛云京的冤情。王思礼说:"辛云京罪过也不小,现在为你的情面而饶恕他。"当天,王思礼就提升张光晟为兵马使,并赠送给他许多钱财以及田地宅第。

22 辛卯(二十七日),肃宗任命朔方节度副使、殿中监仆固怀恩兼任太仆卿,封爵大宁郡王。仆固怀恩是郭子仪的前锋,勇冠三军,多次荣立战功,所以朝廷加以奖赏。

23 八月乙巳(十二日),襄州将领康楚元、张嘉延起兵作乱,占据了州城,襄州刺史王政逃向荆州。康楚元自称为南楚霸王。

24 回纥因为宁国公主没有儿子,让她回朝,丙辰(二十三日),宁国公主回到京师。

25 戊午(二十五日),肃宗派将军曹日昇到襄州安慰康楚元,并贬王政为饶州长史,任命司农少卿张光奇为襄州刺史,康楚元不答应。

26 壬戌(二十九日),任命李光弼为幽州长史、河北节度等使。

27 九月甲午,张嘉延攻破荆州,荆南节度使杜鸿渐弃城逃走,澧、朗、郢、峡、归等州的官吏闻风丧胆,也纷纷逃入山谷中。

28 戊辰,更令绛州铸乾元重宝大钱,加以重轮,一当五十。在京百官,先以军旅皆无俸禄,宜以新钱给其冬料。

29 丁亥,以太子少保崔光远为荆、襄招讨使,充山南东道处置兵马都使;以陈、颍、亳、申节度使王仲昇为申、沔等五州节度使,知淮南西道行营兵马。

30 史思明使其子朝清守范阳,命诸郡太守各将兵三千从己向河南,分为四道,使其将令狐彰将兵五千自黎阳济河取滑州,思明自濮阳,史朝义自白皋,周挚自胡良济河,会于汴州。

李光弼方巡河上诸营,闻之,还入汴州,谓汴滑节度使许叔冀曰:"大夫能守汴州十五日,我则将兵来救。"叔冀许诺。光弼还东京。思明至汴州,叔冀与战,不胜,遂与濮州刺史董秦及其将梁浦、刘从谏、田神功等降之。思明以叔冀为中书令,与其将李详守汴州;厚待董秦,收其妻子,置长芦为质。使其将南德信与梁浦、刘从谏、田神功等数十人徇江、淮。神功,南宫人也,思明以为平卢兵马使。顷之,神功袭德信,斩之。从谏脱身走。神功将其众来降。

思明乘胜西攻郑州,光弼整众徐行,至洛阳,谓留守韦陟曰:"贼乘胜而来,利在按兵,不利速战。洛城不可守,于公计何如?"陟请留兵于陕,退守潼关,据险以挫其锐。光弼曰:"两敌相当,贵进忌退,今无故弃五百里地,则贼势益张矣。不若移军河阳,北连泽潞,利则进取,不利则退守,表里相应,使贼不敢西侵,此猿臂之势也。夫辨朝廷之礼,光弼不如公;论军旅之事,公不如光弼。"陟无以应。判官韦损曰:"东京帝宅,

28　戊辰(初五),肃宗又命令绛州铸造乾元重宝大钱,并在背部的外郭加上重轮,以一钱当五十钱用。当时在京城的百官因为战乱不断,都没有俸禄,这时用新铸的乾元重宝大钱支给他们的冬季俸禄。

29　丁亥(二十四日),任命太子少保崔光远为荆州、襄州招讨使,并兼任山南东道处置兵马都使;又任命陈州、颍州、亳州、申州节度使王仲昇为申州、沔州等五州节度使,并领淮南西道行营的兵马。

30　史思明让他的儿子史朝清守卫范阳,然后命令各郡太守各率兵三千跟随自己南下进攻河南地区,把军队分为四路:命部将令狐彰率兵五千从黎阳渡河进攻滑州,史思明自己率兵从濮阳渡黄河,史朝义率兵从白皋渡黄河,周挚率兵从胡良渡黄河,约好在汴州会合。

李光弼正在巡视黄河边上的各营部队,得知史思明率兵南下,立即返回汴州,对汴滑节度使许叔冀说:"你如果能够坚守汴州十五天,我就率兵来救。"许叔冀说可以。于是李光弼回东京。史思明率兵来攻汴州,许叔冀与史思明交战兵败,就与濮州刺史董秦及部将梁浦、刘从谏、田神功等投降了史思明。史思明任命许叔冀为中书令,与他的部将李详一起守卫汴州;又厚待董秦,把他的妻子和儿子安置在长芦县,作为人质。史思明又让自己的部将南德信与梁浦、刘从谏、田神功等数十人攻略江、淮地区。田神功是南宫县人,史思明任命他为平卢兵马使。不久,田神功就袭击杀死了南德信。刘从谏脱身逃走。田神功又率兵归顺了朝廷。

史思明率兵乘胜西攻郑州,李光弼整军缓缓而行,到了洛阳,对留守韦陟说:"叛军乘胜来攻,我们应该按兵不动,不宜与敌速战速决。看形势洛阳城难以坚守,你有什么计策呢?"韦陟请求留兵于陕州,退过潼关,占据险要之地,以挫敌锋锐。李光弼说:"两军相当,贵进忌退,现在没来由地放弃五百里地,叛军的势力就会更加嚣张。不如移军于河阳,北与泽潞兵相连,如果有利就进取,不利就退守,里外相应,使叛军不敢向西进攻,这形势就好似猿猴伸缩自如的手臂。说到朝廷中的礼仪,我不如你;如果论指挥军事,你不如我。"韦陟没有说话。这时判官韦损说:"东京是大唐都城之一,

侍中奈何不守?"光弼曰:"守之,则汜水、崿岭、龙门皆应置兵,子为兵马判官,能守之乎?"遂移牒留守韦陟使帅东京官属西入关,牒河南尹李若幽使帅吏民出城避贼,空其城。光弼帅军士运油、铁诸物诣河阳为守备,光弼以五百骑殿。时思明游兵已至石桥,诸将请曰:"今自洛城而北乎,当石桥而进乎?"光弼曰:"当石桥而进。"及日暮,光弼秉炬徐行,部曲坚重,贼引兵蹑之,不敢逼。光弼夜至河阳,有兵二万,粮才支十日。光弼按阅守备,部分士卒,无不严办。庚寅,思明入洛阳,城空,无所得,畏光弼掎其后,不敢入宫,退屯白马寺南,筑月城于河阳南以拒光弼。于是郑、滑等州相继陷没,韦陟、李若幽皆寓治于陕。

31　冬,十月丁酉,下制亲征史思明,群臣上表谏,乃止。

32　史思明引兵攻河阳,使骁将刘龙仙诣城下挑战。龙仙恃勇,举右足加马鬣上,谩骂光弼。光弼顾诸将曰:"谁能取彼者?"仆固怀恩请行。光弼曰:"此非大将所为。"左右言"裨将白孝德可往。"光弼召问之。孝德请行。光弼问:"须几何兵?"对曰:"请挺身取之。"光弼壮其志,然固问所须。对曰:"愿选五十骑出垒门为后继,兼请大军助鼓噪以增气。"光弼抚其背而遣之。孝德挟二矛,策马乱流而进。半涉,怀恩贺曰:"克矣。"光弼曰:"锋未交,何以知之?"怀恩曰:"观其揽辔安闲,知其万全。"龙仙见其独来,甚易之。稍近,将动,孝德摇手示之,若非来为敌者,

不知你为什么要放弃它而不坚守？"李光弼说："如果要坚守东京，那么汜水、崿岭、龙门一带都要布兵设防，你是兵马判官，试想能够守得住吗？"于是李光弼下文书命令东京留守韦陟率领东京的官吏以及家属西入潼关，发文命令河南尹李若幽率领官吏民众出城躲避叛军，使东京变成一座空城。李光弼则率领士卒把油、铁等军用物资运入河阳，准备防守，李光弼亲自领着五百骑兵殿后。当时史思明的流动部队已经到了石桥，众将领问李光弼说："现在是应该从洛阳城北绕过去呢，还是就从石桥上过去？"李光弼说："就从石桥上过去。"到天黑时，李光弼命令士卒手持火炬，缓慢地前进，队伍严整，叛军紧紧地跟在后面，但不敢逼近。李光弼率兵晚上到达河阳，共有兵两万人，河阳城中的粮食仅够十天吃。李光弼检查守备，分布士卒防守，丝毫不敢大意。庚寅（二十七日），史思明率兵进入洛阳，城中已空，叛军什么都没有得到，因为害怕李光弼抄后路，所以不敢入宫，退兵驻扎在白马寺南面，又于河阳城南建筑月城，以防备李光弼。于是郑州、滑州等州相继落入叛军之手，韦陟与李若幽都领着官属寓居于陕州。

31　冬季，十月丁酉（初四），肃宗下制书要亲自征讨史思明，因群臣上表谏阻才罢。

32　史思明率兵来攻打河阳，派骁将刘龙仙到城下来挑战。刘龙仙仗着勇力，把右脚举起来放在马鬃上，谩骂李光弼。李光弼看着各位将领说："哪一位能为我把他的头颅取来？"仆固怀恩请战，李光弼说："这件事不应该让你这样的大将去干。"这时左右的人说："副将白孝德可以胜任。"于是李光弼就把白孝德召来询问，白孝德愿往，李光弼问道："你需要多少兵马？"白孝德回答说："我一个人就行。"李光弼赞扬他的勇敢，但坚持问他需要什么支援。白孝德说："希望挑选五十名骑兵出营门为后援，并请求大军在后面擂鼓叫喊以助威。"李光弼拍着白孝德的肩膀鼓励他，然后让他出战。白孝德挟着两根长矛，策马横过河流而进。当白孝德半渡时，仆固怀恩道贺说："白孝德能够战胜。"李光弼说："还没有交锋，你怎么能够知道呢？"仆固怀恩说："看白孝德手揽缰绳，如此沉着，可知他万无一失。"刘龙仙看见白孝德单枪匹马而来，很轻视他。当白孝德稍近时，刘龙仙准备动手，只见白孝德摆手示意，好像不是来交战的样子，

龙仙不测而止。去之十步，乃与之言，龙仙谩骂如初。孝德息马良久，因瞋目谓曰："贼识我乎？"龙仙曰："谁也？"曰："我，白孝德也。"龙仙曰："是何狗彘！"孝德大呼，运矛跃马搏之。城上鼓噪，五十骑继进。龙仙矢不及发，环走堤上。孝德追及，斩首，携之以归。贼众大骇。孝德，本安西胡人也。

思明有良马千馀匹，每日出于河南渚浴之，循环不休以示多。光弼命索军中牝马，得五百匹，系其驹于城内。俟思明马至水际，尽出之，马嘶不已，思明马悉浮渡河，一时驱之入城。思明怒，列战船数百艘，泛火船于前而随之，欲乘流烧浮桥。光弼先贮百尺长竿数百枚，以巨木承其根，毡裹铁叉置其首，以迎火船而叉之。船不得进，须臾自焚尽。又以叉拒战船，于桥上发炮石击之，中者皆沉没，贼不胜而去。

思明见兵于河清，欲绝光弼粮道，光弼军于野水渡以备之。既夕，还河阳，留兵千人，使部将雍希颢守其栅，曰："贼将高庭晖、李日越、喻文景，皆万人敌也，思明必使一人来劫我。我且去之，汝待于此。若贼至，勿与之战。降，则与之俱来。"诸将莫谕其意，皆窃笑之。既而思明果谓李日越曰："李光弼长于凭城，今出在野，此成擒矣。汝以铁骑宵济，为我取之，不得，则勿返。"日越将五百骑晨至栅下，希颢阻壕休卒，吟啸相视。日越怪之，问曰："司空在乎？"曰："夜去矣。""兵几何？"曰："千人。"

刘龙仙不知道是怎么回事便停下来。当双方相距十步之遥时，白孝德才与刘龙仙说话，刘龙仙仍然不停地谩骂。白孝德把马停下来呆了许久，然后怒目对刘龙仙说："叛贼认识我吗？"刘龙仙说："你是谁？"白孝德说："我是白孝德。"刘龙仙骂道："你算什么猪狗！"这时白孝德大声高呼，跃马挥矛上前来搏击。城上也擂鼓呐喊，五十名骑兵也在后面杀出，刘龙仙来不及拉弓发箭，绕道走上河堤，被白孝德追上，砍下头颅，持之以归。叛军士卒看见后十分惊骇。白孝德原是安西地区的胡人。

史思明有良马一千多匹，每天都出来在黄河南岸的沙洲上洗浴，往复不停，以显示马多。李光弼命令把军中的母马都挑选出来，共有五百匹，把马驹都圈在城内。等史思明的马来到水边时，就把这些母马全部放出去，一时嘶鸣不已，史思明的战马看见后，都纷纷渡过黄河来追赶母马，被李光弼的士卒全部赶入城中。史思明十分愤怒，就在河中摆列了数百艘战船，在船队前摆上火船，想要顺流烧毁浮桥。李光弼先预备了数百根百尺长的木杆，用大木头撑住，把用毡裹的铁叉安置在长杆前端，阻拦并叉住火船，使火船无法前进，不久就自动烧毁。然后又用铁叉拦住那些战船，从桥上用炮发射大石块攻击，被击中的船只纷纷沉没，叛军大败而退。

史思明又出兵于河清县，想要断绝李光弼的粮道，李光弼率兵进驻野水渡以抵御叛军。到了晚上，李光弼还军河阳，留兵一千人，让部将雍希颢率领守卫营栅，并说："叛军大将高庭晖、李日越、喻文景都是骁勇善战的将领，史思明必定要派其中一名来劫我们的军营。我暂且回河阳，你在这里等待。如果叛军来了，不要与他们交战。如果他们投降，就与他们一起回来。"众将领都不理解李光弼所说的意思，所以偷偷地发笑。不久，史思明果然对李日越说："李光弼善于凭借城池而战，现在出兵在野外，正是打败他的大好时机。命令你率领精锐骑兵连夜渡过黄河，为我把他抓来，如果抓不到，你就不要回来见我。"李日越即率领五百骑兵早晨来到野水渡的营栅下，雍希颢让士兵隔着战壕休息，并呼喊着互相察看。李日越觉得奇怪，就问道："李司空在吗？"雍希颢说："李司空晚上已经走了。"李日越又问："你们有多少兵？"雍希颢说："共有一千人。"

"将谁?"曰:"雍希颢。"日越默计久之,谓其下曰:"今失李光弼,得希颢而归,吾死必矣,不如降也。"遂请降。希颢与之俱见光弼,光弼厚待之,任以心腹。高庭晖闻之,亦降。或问光弼:"降二将何易也?"光弼曰:"此人情耳。思明常恨不得野战,闻我在外,以为必可取。日越不获我,势不敢归。庭晖才勇过于日越,闻日越被宠任,必思夺之矣。"庭晖时为五台府果毅,己亥,以庭晖为右武卫大将军。

思明复攻河阳,光弼谓郑陈节度使李抱玉曰:"将军能为我守南城二日乎?"抱玉曰:"过期何如?"光弼曰:"过期救不至,任弃之。"抱玉许诺,勒兵拒守。城且陷,抱玉绐之曰:"吾粮尽,明旦当降。"贼喜,敛军以待之。抱玉缮完城备,明日,复请战。贼怒,急攻之。抱玉出奇兵,表里夹击,杀伤甚众。

董秦从思明寇河阳,夜,帅其众五百,拔栅突围,降于光弼。时光弼自将屯中潬,城外置栅,栅外穿堑,深广二丈。乙巳,贼将周挚舍南城,并力攻中潬。光弼命荔非元礼出劲卒于羊马城以拒贼。光弼自于城东北隅建小朱旗以望贼。贼恃其众,直进逼城,以车载攻具自随,督众填堑,三面各八道以过兵,又开栅为门。光弼望贼逼城,使问元礼曰:"中丞视贼填堑开栅过兵,晏然不动,何也?"元礼曰:"司空欲守乎,战乎?"光弼曰:"欲战。"元礼曰:"欲战,则贼为吾填堑,何为禁之?"光弼曰:"善,吾所不及,勉之!"元礼俟栅开,帅敢死士突出击贼,却走数百步。元礼度贼陈坚,未易摧陷,乃复引退。

李日越又问："谁是将帅？"雍希颢说："雍希颢是将帅。"李日越听后，沉默了许久，然后对部下的将士说："现在失掉了李光弼，就是抓住了雍希颢回去，我也免不了一死，还不如投降为好。"于是就请求归降。雍希颢与李日越一起来见李光弼，李光弼厚待李日越，并把他作为心腹将领。高庭晖得知这件事后，也来投降。有人问李光弼："你为什么这么容易就招降了史思明的两员大将？"李光弼说："这都是利用人情。史思明常恨不能与我在野外交战，得知我在城外，就以为一定能够抓到我。李日越没有抓到我，必定不敢回去。高庭晖的智谋勇气都在李日越之上，听说李日越受到重用和信任，一定想夺得李日越的地位。"高庭晖当时是五台府果毅都尉，己亥(初六)，朝廷任命高庭晖为右武卫大将军。

史思明又率兵进攻河阳，李光弼对郑陈节度使李抱玉说："你能够为我坚守南城两天吗？"李抱玉说："超过两天以后怎么办？"李光弼说："如果超过两天救兵不来，就随你放弃。"李抱玉答应，然后整兵守城。城快要被攻陷时，李抱玉欺骗叛军说："我们的粮食已经吃尽，明天早晨就投降。"叛军十分高兴，就收军等待。李抱玉乘机修补城池，准备器具，第二天，又请求交战。叛军十分愤怒，立刻又来攻城。李抱玉出奇兵到叛军背后，内外夹击，叛军死伤众多。

叛将董秦跟随史思明攻打河阳，夜晚，率领部下士卒五百人，拔掉木栅突围出来，投降了李光弼。当时李光弼亲自率兵驻扎在中潬，在城外设置了木栅，栅外又挖了壕沟，宽深各二丈。乙巳(十二日)，叛军大将周挚放弃进攻南城，全力来攻中潬。李光弼命令荔非元礼率领精兵，在城外的低垣内迎击叛军。他自己于城东北角树起一面小红旗，在那里观察叛军。叛军仗着兵力强大，一直进军到城下，用车载着攻城的战具相随，并督促士卒填埋壕沟，在城的三面共填了八条路准备通过，又打开木栅作为出口。李光弼见叛军逼近城下，就派人问荔非元礼说："你看见叛军填壕开栅准备通过，却安然不动，这是为什么呢？"荔非元礼说："您是想坚守呢，还是想出战呢？"李光弼说："想出战。"非元礼说："如果想出战，那么叛军正是在为我们填壕，为什么要禁止他呢？"李光弼说："你的计策好，我没有想到，希望你好好干。"荔非元礼等到叛军打开栅门时，就率领敢死队突然杀出攻打叛军，击退敌人数百步。荔非元礼考虑到叛军的战阵坚固，难以轻易摧垮，就领兵退了下来。

须其怠而击之。光弼望元礼退,怒,遣左右召,欲斩之。元礼曰:"战正急,召何为?"乃退入栅中,贼亦不敢逼。良久,鼓噪出栅门,奋击,破之。

周挚复收兵趣北城。光弼遽帅众入北城,登城望贼曰:"贼兵虽多,嚣而不整,不足畏也。不过日中,保为诸君破之。"乃命诸将出战。及期,不决,召诸将问曰:"向来贼陈,何方最坚?"曰:"西北隅。"光弼命其将郝廷玉当之。廷玉请骑兵五百,与之三百。又问其次坚者。曰:"东南隅。"光弼命其将论惟贞当之。惟贞请铁骑三百,与之二百。光弼令诸将曰:"尔曹望吾旗而战,吾飐旗缓,任尔择利而战;吾急飐旗三至地,则万众齐入,死生以之,少退者斩!"又以短刀置靴中,曰:"战,危事,吾国之三公,不可死贼手,万一战不利,诸君前死于敌,我自刭于此,不令诸君独死也。"诸将出战,顷之,廷玉奔还。光弼望之,惊曰:"廷玉退,吾事危矣。"命左右取廷玉首。廷玉曰:"马中箭,非敢退也。"使者驰报。光弼令易马,遣之。仆固怀恩及其子开府仪同三司场战小却,光弼又命取其首。怀恩父子顾见使者提刀驰来,更前决战。光弼连飐其旗,诸将齐进致死,呼声动天地,贼众大溃,斩首千馀级,捕虏五百人,溺死者千馀人,周挚以数骑遁去,擒其大将徐璜玉、李秦授。其河南节度使安太清走保怀州。思明不知挚败,尚攻南城,光弼驱俘囚临河示之,乃遁。

想等到叛军大意的时候再进攻。李光弼看见荔非元礼率兵退了下
来,不禁大怒,就派左右人去召荔非元礼,想要杀掉他。荔非元礼
说:"战斗正在紧急时刻,召我有什么事呢?"于是领兵退入栅中,叛
军也不敢紧逼。过了一会儿,荔非元礼率兵擂鼓呼叫杀出栅门,突
然向叛军发起袭击,打败了敌人。

　　叛军大将周挚又收兵逼近北城。李光弼立刻率兵到了北城,
登上城头望着叛军说:"敌人虽然兵多,但混乱而不整齐,用不着害
怕。过不了中午,我保证为大家打败敌人。"于是就命令众将领出
战。到了中午,还没有决出胜负,于是李光弼就把众将领召来问
道:"敌人的阵势一贯是哪个方面最强?"他们说:"西北方向最强。"
于是李光弼就命令部将郝廷玉到西北面坚守。郝廷玉请求给自己
骑兵五百,李光弼只给了他三百。李光弼又问哪个方面的敌人兵
力第二强,众将领说:"东南方向。"于是李光弼就命令部将论惟贞
去东南面守卫。论惟贞请求精锐骑兵三百,李光弼只给了他二百。
然后李光弼命令众将领说:"你们都看着我的旗子作战,如果我的
旗子挥动缓慢,就任凭你们选择有利时机出战,如果我急速往地上
挥动旗子三下,你们就全军齐发,冒死前进,稍有后退者杀!"然后
李光弼又把一把短刀放置在自己的靴子中,说:"战斗是危险的事
情,我身为国家的三公,不能够死于叛军之手,万一战斗失败,大家
在前面死于敌手,我就在这里自刎而死,决不会只让大家战死。"于
是众将领出战,不一会儿,郝廷玉逃下阵来。李光弼望见,大惊说:
"郝廷玉逃下阵来,我的计划就危险了。"于是命令左右的人去把郝
廷玉的头颅割下来。郝廷玉说:"是我的坐骑中箭,并不是我怯战
退了下来。"使者驰马来报告李光弼。李光弼就命令换了一匹马,
让郝廷玉重新上阵。仆固怀恩和他的儿子开府仪同三司仆固玚与
叛军交战稍有退却,李光弼又命令左右的人去把他们的头颅割下
来。仆固怀恩父子看见李光弼派来的人提刀骑马而来,就重新上
前决战。李光弼不断地挥动着手中的指挥旗,众将领都冒死进攻,
呼喊之声惊天动地,叛军顿时大败,被杀一千多人,被俘虏五百人,
掉进水中被淹死的有一千多人,周挚仅带领数名骑兵逃走,叛军大
将徐璜玉、李秦授被俘。叛军的河南节度使安太清退保怀州。史
思明不知道周挚已被打败,还在南城进攻,李光弼把俘虏的叛军赶
到河边上让史思明观看,史思明才退去。

丁巳,以李日越为右金吾大将军。

33　邛、简、嘉、眉、泸、戎等州蛮反。

34　十一月甲子,以殿中监董秦为陕西、神策两军兵马使,赐姓李,名忠臣。

35　康楚元等众至万馀人,商州刺史充荆、襄等道租庸使韦伦发兵讨之,驻于邓之境,招谕降者,厚抚之;伺其稍怠,进军击之,生擒楚元,其众遂溃;得其所掠租庸两百万缗、荆、襄皆平。伦,见素之从弟也。

36　发安西、北庭兵屯陕,以备史思明。

37　第五琦作乾元钱、重轮钱,与开元钱三品并行,民争盗铸,货轻物重,谷价腾踊,饿殍相望。上言者皆归咎于琦,庚午,贬琦忠州长史。御史大夫贺兰进明贬溱州员外司马,坐琦党也。

38　十二月甲午,吕𬤇领度支使。

39　乙巳,韦伦送康楚元诣阙,斩之。

40　史思明遣其将李归仁将铁骑五千寇陕州,神策兵马使卫伯玉以数百骑击破之于礓子阪,得马六百疋,归仁走。以伯玉为镇西、四镇行营节度使。李忠臣与归仁等战于永宁、莎栅之间,屡破之。

上元元年(庚子,760)

1　春,正月辛巳,以李光弼为太尉兼中书令,馀如故。

2　丙戌,以于阗王胜之弟曜同四镇节度副使,权知本国事。

3　党项等羌吞噬边鄙,将逼京畿,乃分邠宁等州节度为鄜坊丹延节度,亦谓之渭北节度。以邠州刺史桑如珪领邠宁,鄜州刺史杜冕领鄜坊节度副使,分道招讨。戊子,以郭子仪领两道节度使,留京师,假其威名以镇之。

丁巳(二十四日),任命李日越为右金吾大将军。

33 邛、简、嘉、眉、泸、戎等州蛮民反叛。

34 十一月甲子(初一),任命殿中监董秦为陕西、神策两军兵马使,赐姓名为李忠臣。

35 康楚元等人的兵众达一万多人,商州刺史充荆、襄等道租庸使韦伦发兵讨叛,驻军于邓州境内,招降叛军,加以安抚,见叛军稍有松懈时,就率军进攻,活捉了康楚元,其部下溃败,缴获了康楚元所掠夺的租庸两百万缗钱,荆州与襄州平定。韦伦是韦见素的堂弟。

36 朝廷征发安西、北庭兵屯于陕州,以防备史思明西侵。

37 根据第五琦的建议,铸造了乾元钱、重轮钱,与开元钱一起流通,民间争相盗铸,以至钱轻物重,粮价暴涨,饿殍遍野。上言给肃宗的人都把此事归咎于第五琦,庚午(初七),肃宗贬第五琦为忠州长史。又贬御史大夫贺兰进明为溱州员外司马,因为他是第五琦的同党。

38 十二月甲午(初二),任命吕谭领度支使。

39 乙巳(十三日),韦伦把康楚元送到朝廷,处死。

40 史思明派遣部将李归仁率领精锐骑兵五千进攻陕州,神策兵马使卫伯玉率领数百名骑兵于礓子阪打败了李归仁,缴获战马六百匹,李归仁逃走。肃宗任命卫伯玉为镇西、四镇行营节度使。李忠臣与叛将李归仁等战于永宁、莎栅之间,屡次败敌。

唐肃宗上元元年(庚子,公元760年)

1 春季,正月辛巳(十九日),肃宗任命李光弼为太尉兼中书令,其馀的官职如旧。

2 丙戌(二十四日),唐朝命令于阗国王尉迟胜的弟弟尉迟曜同四镇节度副使一起,暂时代理国王职务,处理国政。

3 党项等羌族侵吞唐朝的边疆,将逼近京郊地区,于是唐朝分邠宁等州节度为鄜坊丹延节度,也称为渭北节度。任命邠州刺史桑如珪为邠宁节度副使,鄜州刺史杜冕为鄜坊节度副使,分道招讨党项等羌族。戊子(二十六日),任命郭子仪兼任邠宁、鄜坊节度使,留在京师,借他的威名以镇抚党项。

4 上祀九宫贵神。

5 二月，李光弼攻怀州，史思明救之。癸卯，光弼逆战于沁水之上，破之，斩首三千馀级。

6 忠州长史第五琦既行，或告琦受人金二百两，遣御史刘期光追按之。琦曰："琦备位宰相，二百两金不可手掣，若付受有凭，请准律科罪。"期光即奏琦已服罪。庚戌，琦坐除名，长流夷州。

7 三月甲申，改蒲州为河中府。

8 庚寅，李光弼破安太清于怀州城下；夏，四月壬辰，破史思明于河阳西渚，斩首千五百馀级。

9 襄州将张维瑾、曹玠杀节度使史翙，据州反。制以陇州刺史韦伦为山南东道节度使。时李辅国用事，节度使皆出其门。伦既朝廷所除，又不谒辅国，寻改秦州防御使。己未，以陕西节度使来瑱为山南东道节度使。瑱至襄州，张维瑾等皆降。

10 闰月丁卯，加河东节度使王思礼为司空。自武德以来，思礼始不为宰相而拜三公。

11 甲戌，徙赵王係为越王。

12 己卯，赦天下，改元。

13 追谥太公望为武成王，选历代名将为亚圣、十哲。其中祀、下祀并杂祀一切并停。

14 是日，史思明入东京。

15 五月丙午，以太子太傅苗晋卿行侍中。晋卿练达吏事，而谨身固位，时人比之胡广。

16 宦者马上言受赂，为人求官于兵部侍郎、同中书门下三品吕谔，谔为之补官。事觉，上言杖死。壬子，谔罢为太子宾客。

4 肃宗祭祀九宫贵神。

5 二月,李光弼进攻怀州,史思明领兵来救。癸卯(十一日),李光弼迎战于沁水岸边,打败了史思明,杀死叛军三千多人。

6 第五琦被贬为忠州长史,已经上路赴任,这时有人告发第五琦接受了别人送给的黄金两百两,于是肃宗派御史刘期光追究按验。第五琦说:"我位至宰相,两百两黄金又不能放在手里拿着,如果有确凿的证据,请按法律处置。"但刘期光却上奏说第五琦已经服罪。庚戌(十八日),第五琦因此案被削除名籍,流放到夷州。

7 三月甲申(二十三日),唐朝改蒲州为河中府。

8 庚寅(二十九日),李光弼于怀州城下打败了安太清;夏季,四月壬辰(初二),李光弼于河阳城西黄河中的沙洲上打败了史思明,杀死叛军一千五百多人。

9 襄州将领张维瑾与曹玠杀死了节度使史翙,占据州城反叛。肃宗下制书任命陇州刺史韦伦为山南东道节度使。当时宦官李辅国专权用事,节度使的任命都要经过他的许可。韦伦既是朝廷所任命,又不去谒见李辅国,不久就被改任命为秦州防御使。己未(二十九日),任命陕西节度使来瑱为山南东道节度使。来瑱接到任命到达襄州,还没有交战,张维瑾等就都向他投降了。

10 闰月丁卯(初七),肃宗加封河东节度使王思礼为司空。从唐高祖武德年间以来,王思礼是第一位没有做过宰相而拜为三公的人。

11 甲戌(十四日),肃宗改封赵王李係为越王。

12 己卯(十九日),肃宗大赦天下,改乾元三年为上元元年。

13 追赠西周的姜太公吕望谥号为武成王,并选历代的名将为亚圣、十哲。命令中等、下等祭祀和其他杂祀全部停止。

14 当天,史思明进入东京。

15 五月丙午(十七日),任命太子太傅苗晋卿为侍中。苗晋卿善于处理政事,但处事谨慎,明哲保身,当时的人把他比作东汉的胡广。

16 宦官马上言接受了贿赂,为行贿人向兵部侍郎、同中书门下三品吕𬤇求官,吕𬤇就将此人补选为官。这件事被发觉,马上言受杖刑而死。壬子(二十三日),吕𬤇被罢免为太子宾客。

17　癸丑,以京兆尹南华刘晏为户部侍郎,充度支、铸钱、盐铁等使。晏善治财利,故用之。

18　六月甲子,桂州经略使邢济奏:破西原蛮二十万众,斩其帅黄乾曜等。

19　乙丑,凤翔节度使崔光远奏破泾、陇羌、浑十馀万众。

20　三品钱行浸久,属岁荒,米斗至七千钱,人相食。京兆尹郑叔清捕私铸钱者,数月间,榜死者八百馀人,不能禁。乃敕京畿,开元钱与乾元小钱皆当十,其重轮钱当三十,诸州更俟进止。是时史思明亦铸顺天得一钱,一当开元钱百,贼中物价尤贵。

21　甲申,兴王佋薨。佋,张后长子也,幼曰定王侗。张后以故数欲危太子,太子常以恭逊取容。会佋薨,侗尚幼,太子位遂定。

22　乙酉,凤翔节度使崔光远破党项于普润。

23　平卢兵马使田神功奏破史思明之兵于郑州。

24　上皇爱兴庆宫,自蜀归,即居之。上时自夹城往起居,上皇亦间至大明宫。左龙武大将军陈玄礼、内侍监高力士久侍卫上皇。上又命玉真公主、如仙媛、内侍王承恩、魏悦及梨园弟子常娱侍左右。上皇多御长庆楼,父老过者往往瞻拜,呼万岁,上皇常于楼下置酒食赐之,又尝召将军郭英义等上楼赐宴。有剑南奏事官过楼下拜舞,上皇命玉真公主、如仙媛为之作主人。

李辅国素微贱,虽暴贵用事,上皇左右皆轻之。辅国意恨,且欲立奇功以固其宠,乃言于上曰:"上皇居兴庆宫,日与外人交通,

17　癸丑(二十四日),肃宗任命京兆尹南华人刘晏为户部侍郎,兼度支、铸钱、盐铁等使。刘晏善于理财,所以肃宗重用他。

18　六月甲子(初六),桂州经略使邢济上奏说:打败了西原蛮二十万,并杀了他们的酋帅黄乾曜等人。

19　乙丑(初七),凤翔节度使崔光远上奏说打败了泾州和陇州的羌族、浑族十多万军队。

20　开元钱、乾元重宝钱与重轮钱流通已久,适逢年荒,每斗米价值达七千钱,以至出现了人吃人的现象。京兆尹郑叔清抓捕私自铸钱的人,数月之间,被打死的人就有八百多,但还是不能禁止。于是肃宗就下敕书于京畿道,命令开元钱与乾元重宝小钱都以一钱当十钱,重轮钱以一钱当三十钱,其他的各州仍等待处理。当时史思明也铸造了顺天钱与得一钱,一钱当开元钱一百钱,所以叛军占据的地区物价尤其昂贵。

21　甲申(二十六日),兴王李佋去世。李佋是张皇后的长子,幼子是定王李侗。张皇后多次借故想要动摇太子李豫的地位,李豫总是恭恭敬敬地讨好张皇后。这时兴王李佋去世,定王李侗年纪还幼小,太子李豫的地位才得以确定。

22　乙酉(二十七日),凤翔节度使崔光远于普润县打败了党项军队。

23　平卢兵马使田神功上奏说在郑州打败了史思明的军队。

24　玄宗喜欢兴庆宫,所以从蜀中返回长安后,就一直居住在兴庆宫中。肃宗经常从夹城中去问候请安,玄宗有时也到大明宫中来看望肃宗。左龙武大将军陈玄礼与内侍监高力士长期侍奉保卫玄宗。肃宗又命令玉真公主、如仙媛、内侍王承恩、魏悦以及梨园弟子等经常在玄宗左右,以使他欢娱。玄宗经常登临长庆楼,经过的父老百姓看见后,总是下拜,并高呼万岁,玄宗就在楼下设置酒宴赏赐他们。玄宗又曾经把将军郭英乂等召上楼款待他们。有一次,剑南道来京师奏事的官吏经过,在楼下向玄宗拜舞,玄宗就命令玉真公主与如仙媛设宴招待。

宦官李辅国出身贫贱,后来虽然飞黄腾达,在朝中专权用事,但玄宗左右的人都瞧不起他。李辅国心中怀恨,并且想建立奇功借以巩固自己的地位,就对肃宗说:“上皇居住在兴庆宫中,每天都与外面的人交结,

陈玄礼、高力士谋不利于陛下。今六军将士尽灵武勋臣,皆反仄不安,臣晓谕不能解,不敢不以闻。"上泣曰:"圣皇慈仁,岂容有此?"对曰:"上皇固无此意,其如群小何!陛下为天下主,当为社稷大计,消乱于未萌,岂得徇匹夫之孝?且兴庆宫与阎闾相参,垣墉浅露,非至尊所宜居。大内深严,奉迎居之,与彼何殊,又得杜绝小人荧惑圣听。如此,上皇享万岁之安,陛下有三朝之乐,庸何伤乎?"上不听。兴庆宫先有马三百匹,辅国矫敕取之。才留十匹。上皇谓高力士曰:"吾儿为辅国所惑,不得终孝矣。"

辅国又令六军将士,号哭叩头,请迎上皇居西内。上泣不应。辅国惧。会上不豫,秋,七月丁未,辅国矫称上语,迎上皇游西内,至睿武门,辅国将射生五百骑,露刃遮道奏曰:"皇帝以兴庆宫湫隘,迎上皇迁居大内。"上皇惊,几坠。高力士曰:"李辅国何得无礼?"叱令下马。辅国不得已而下。力士因宣上皇诰曰:"诸将士各好在!"将士皆纳刃,再拜,呼万岁。力士又叱辅国与己共执上皇马鞚,侍卫如西内,居甘露殿。辅国帅众而退。所留侍卫兵,才尫老数十人。陈玄礼、高力士及旧宫人皆不得留左右。上皇曰:"兴庆宫,吾之王地,吾数以让皇帝,皇帝不受。今日之徙,亦吾志也。"是日,辅国与六军大将素服见上,请罪。上又迫于诸将,乃劳之曰:"南宫、西内,亦复何殊?卿等恐小人荧惑,防微杜渐,

特别是陈玄礼与高力士，在谋划做不利于陛下的事。现在禁军的六军将士都是在灵武拥立陛下即位的元勋功臣，他们都议论纷纷，心中不安，我虽然多方给他们解释，但他们不听，所以不敢不向陛下报告。"肃宗听后痛哭流涕地说："父皇仁慈，怎么会有那种事呢？"李辅国又说："上皇固然不会做那种事，但在他周围的那些小人就难说了！陛下是天下的君主，应该为国家的前途着想，消除内乱于萌芽之时，怎么能够遵从凡夫之孝而误了国家的大事呢？再说兴庆宫与坊市居民相混杂，宫墙低矮，不是上皇所应该居住的地方。皇宫内戒备森严，如果把上皇迎进来居住，与兴庆宫没有什么不同，而且还能够杜绝那些小人蛊惑上皇。这样，对于上皇来说可以享受终身之安，对于陛下来说可以一日三次去请安问好，有什么不好呢？"肃宗不答应。兴庆宫原先有马三百匹，李辅国就假称有诏书命令取走了这些马，仅留下十匹。玄宗对高力士说："我的儿子听信了李辅国的谗言，不能够对我始终尽孝了。"

李辅国又命令禁军六军将士在肃宗面前号哭叩头，请求将玄宗移居到太极宫内。肃宗哭泣不应。李辅国感到惧怕。这时逢肃宗身体有病，秋季，七月丁未（十九日），李辅国伪称肃宗有话，迎接玄宗到太极宫游玩，等玄宗到了睿武门，李辅国就率领殿前射生手骑兵五百，手持出鞘的刀拦住道路上奏说："皇上说兴庆宫低卑狭小，让我们来迎接上皇迁居到皇宫内。"玄宗听后十分惊恐，差一点坠下马背。这时高力士说："李辅国怎么能如此无礼呢？"并且责骂令他下马。李辅国不得已，只好下马。然后高力士宣读玄宗的诰命说："诸位将士不要无礼！"于是这些将士都收起刀枪，拜了两拜，高呼万岁。高力士又斥责李辅国，让他与自己一起拉着玄宗的马缰绳，护卫到了太极宫，居住在甘露殿。李辅国这才领着将士退走。留下的侍卫兵只有老弱病残数十人，陈玄礼、高力士以及过去的宫人都不能够留在玄宗身边。玄宗说："兴庆宫本是我封王时的居住地，我曾多次要求让给皇帝，但皇帝不接受。现在迁出去也是我的心愿。"当天，李辅国即与六军将领身着白衣服去见肃宗请罪。肃宗因为迫于诸位将领的压力，就慰劳说："上皇居住在兴庆宫或太极宫，又有什么区别呢？你们恐怕那些小人蛊惑人心，防微杜渐，

以安社稷，何所惧也？"刑部尚书颜真卿首率百寮上表，请问上皇起居。辅国恶之，奏贬蓬州长史。

25　癸丑，敕天下重棱钱皆当三十，如畿内。

26　丙辰，高力士流巫州，王承恩流播州、魏悦流溱州，陈玄礼勒致仕，置如仙媛于归州，玉真公主出居玉真观。上更选后宫百馀人，置西内，备洒扫。令万安、咸宜二公主视服膳。四方所献珍异，先荐上皇。然上皇日以不怿，因不茹荤，辟谷，浸以成疾。上初犹往问安，既而上亦有疾，但遣人起居。其后上稍悔寤，恶辅国，欲诛之，畏其握兵，竟犹豫不能决。

27　初，哥舒翰破吐蕃于临洮西关磨环川，于其地置神策军。及安禄山反，军使成如璆遣其将卫伯玉将千人赴难。既而军地沦入吐蕃，伯玉留屯于陕，累官至右羽林大将军。八月庚午，以伯玉为神策军节度使。

28　丁亥，赠谥兴王佋曰恭懿太子。

29　九月甲午，置南都于荆州，以荆州为江陵府，仍置永平军团练兵三千人，以扼吴、蜀之冲，从节度使吕諲之请也。

30　或上言："天下未平，不宜置郭子仪于散地。"乙未，命子仪出镇邠州，党项遁去。戊申，制："子仪统诸道兵自朔方直取范阳，还定河北，发射生英武等禁军及朔方、廊坊、邠宁、泾原诸道蕃、汉兵共七万人，皆受子仪节度。"制下旬日，复为鱼朝恩所沮，事竟不行。

31　冬，十月丙子，置青、沂等五州节度使。

是为了安定国家,又有什么可害怕的呢?"刑部尚书颜真卿首先率领百官上表书,请问玄宗的起居饮食,遭到李辅国的忌恨,于是就上奏把颜真卿贬为蓬州长史。

25　癸丑(二十五日),肃宗下敕书命令天下的重轮钱,如京畿道一样,都以一钱当三十钱。

26　丙辰(二十八日),将高力士流放到巫州,王承恩流放到播州,魏悦流放到溱州,陈玄礼被勒令退役;又把如仙媛安置到归州,玉真公主出宫居住在玉真观内。肃宗另挑选了后宫中的一百多人,安置在太极宫内,打扫庭院。并命令万安公主与咸宜公主侍候玄宗的服饰饮食。对于各国各地所进献的美味佳肴,肃宗都先让送给玄宗品尝。但是玄宗的心情越来越不好,又因为不吃荤肉,修炼辟谷方术,所以逐渐患了疾病。肃宗开始时还去问候请安,不久肃宗也患病,只派人去问安。后来肃宗逐渐有所悔悟,怨恨李辅国,想要杀掉他,但又畏惧他手握兵权,犹豫不决。

27　起初,哥舒翰于临洮西关磨环川打败了吐蕃,在那里设置了神策军。及至安禄山反叛,神策军使成如璆派部将卫伯玉率兵一千人入援,讨伐叛军。不久,神策军所占据的地区落入吐蕃之手,卫伯玉就率神策军驻扎在陕州,后官至右羽林大将军。八月庚午(十三日),任命卫伯玉为神策军节度使。

28　丁亥(三十日),肃宗追赠兴王李佋谥号为恭懿太子。

29　九月甲午(初七),于荆州设置南都,以荆州为江陵府,仍然设置永平军,有团练兵三千人,用以扼守吴、蜀两地的咽喉,这是根据节度使吕諲的请求而设置的。

30　有人上言说:"天下还没有平定,不应该削夺郭子仪的实权。"乙未(初八),肃宗即命郭子仪出镇邠州,党项军队闻风而退。戊申(二十一日),肃宗下制书说:"命令郭子仪统帅各路兵马从朔方直捣范阳,然后回师平定河北地区,并征发殿前射生手英武军等禁军以及朔方、廊坊、邠宁、泾原等各路蕃人、汉人兵共七万人,都受郭子仪节制。"制书颁下后十天,因为受到宦官鱼朝恩的阻挠,此事竟作罢。

31　冬季,十月丙子(十九日),唐朝设置青州、沂州等五州节度使。

32 十一月壬辰,泾州破党项。

33 御史中丞李铣、宋州刺史刘展皆领淮西节度副使。铣贪暴不法,展刚强自用,故为其上者多恶之;节度使王仲昇先奏铣罪而诛之。时有谣言曰:"手执金刀起东方。"仲昇使监军使、内左常侍邢延恩入奏:"展偎强不受命,姓名应谣谶,请除之。"

延恩因说上曰:"展与李铣一体之人,今铣诛,展不自安,苟不去之,恐其为乱。然展方握强兵,宜以计去之。请除展江淮都统,代李峘,俟其释兵赴镇,中道执之,此一夫力耳。"上从之,以展为都统淮南东、江南西、浙西三道节度使,密敕旧都统李峘及淮南东道节度使邓景山图之。

延恩以制书授展,展疑之,曰:"展自陈留参军,数年至刺史,可谓暴贵矣。江、淮租赋所出,今之重任,展无勋劳,又非亲贤,一旦恩命宠擢如此,得非有谗人间之乎?"因泣下。延恩惧,曰:"公素有才望,主上以江、淮为忧,故不次用公。公反以为疑,何哉?"展曰:"事苟不欺,印节可先得乎?"延恩曰:"可。"乃驰诣广陵,与峘谋,解峘印节以授展。展得印节,乃上表谢恩,牒追江、淮亲旧,置之心膂,三道官属遣使迎贺,申图籍,相望于道,展悉举宋州兵七千趣广陵。

延恩知展已得其情,还奔广陵,与李峘、邓景山发兵拒之,移檄州县,言展反。展亦移檄言峘反,州县莫知所从。峘引兵渡江,与副使润州刺史韦儇、浙西节度使侯令仪屯京口,邓景山将万人屯徐城。展素有威名,御军严整,江、淮人望风畏之。

32 十一月壬辰(初六),泾州兵打败党项军队。

33 御史中丞李铣与宋州刺史刘展都兼任淮西节度副使。李铣贪婪残暴,不守法纪,刘展为人刚愎自用,所以做他们上司的人多厌恶他们;淮西节度使王仲昇先上奏说李铣有罪,借机杀了他。当时有谣言说:"手执金刀起东方。"于是王仲昇就派监军使、内左常侍邢延恩入朝上奏说:"刘展倔强不服从命令,而且他的姓名与谣言相符合,请求除掉他,以防后患。"

邢延恩乘机对肃宗献计说:"刘展是李铣的同党,现在李铣被杀,刘展心中不安,如果不设法除掉他,恐怕将会作乱。但是刘展正手握重兵,应该设计除去他。不如任命刘展为江淮都统,以代替李峘,等到他交出兵权赴任时,在半道上把他抓住,只需要派一个人杀他就行了。"肃宗同意,于是就任命刘展为都统淮南东、江南西、浙江西三道节度使,并下密敕给旧都统李峘与淮南东道节度使邓景山,让他们设法除掉刘展。

邢延恩把任命的制书授给刘展时,刘展心中起疑,说:"我刘展原是陈留郡的一名参军,数年间官至刺史,可以算得上是飞黄腾达。江、淮地区是国家租赋的主要产地,江淮都统是一个十分重要的职务,我刘展既没有显赫的功勋,又不是皇上的亲信,而一下子受到如此的重用和信任,是不是有小人进谗言想要陷害我呢?"并因此痛哭流涕。邢延恩害怕地说:"你本来就有能力,皇上认为江、淮地区地位重要,所以越级重用提拔你,而你反而疑心,这是为什么呢?"刘展说:"如果不是在欺骗我,是否可以把江淮都统的印玺和旌节先给我?"邢延恩说:"可以。"于是就驰马至广陵,与李峘密谋,把李峘的江淮都统印玺与旌节授给刘展。刘展得到印玺与旌节后,就上表谢恩,然后下文书召来在江淮地区的亲信,委以重任,江淮地区三道的官吏都派使者来迎接恭贺,并申报地图和户籍,一路不绝,刘展率领宋州所有的七千兵往广陵去赴任。

邢延恩得知刘展已经知道了他的阴谋,于是奔回广陵,与李峘、邓景山一起发兵阻挡刘展,并下檄书给各州县,说刘展谋反。而刘展也发布檄书说李峘谋反,各州县都不知道谁是谁非。李峘率兵渡过长江,与节度副使润州刺史韦儇、浙西节度使侯令仪屯兵京口,淮南东道节度使邓景山率兵一万人驻扎在徐城县。刘展善于治军,素负盛名,江、淮地区的州县闻风丧胆。

展倍道先期至,使人问景山曰:"吾奉诏书赴镇,此何兵也?"景山不应。展使人呼于陈前曰:"汝曹皆吾民也,勿干吾旗鼓。"使其将孙待封、张法雷击之,景山众溃,与延恩奔寿州。展引兵入广陵,遣其将屈突孝标将兵三千徇濠、楚,王暉将兵四千略淮西。

李峘辟北固为兵场,插木以塞江口。展军于白沙,设疑兵于瓜洲,多张火、鼓,若将趣北固者,如是累日。峘悉锐兵守京口以待之。展乃自上流济,袭下蜀。峘军闻之,自溃,峘奔宣城。

甲午,展陷润州。昇州军士万五千人谋应展,攻金陵城,不克而遁。侯令仪惧,以后事授兵马使姜昌群,弃城走。昌群遣其将宗犀诣展降。丙申,展陷昇州,以宗犀为润州司马、丹杨军使,使昌群领升州,以从子伯瑛佐之。

34　李光弼攻怀州,百馀日,乃拔之,生擒安太清。

35　史思明遣其将田承嗣将兵五千徇淮西,王同芝将兵三千人徇陈,许敬江将二千人徇兖郓,薛鄂将五千人徇曹州。

36　十二月丙子,党项寇美原、同官,大掠而去。

37　贼帅郭愔等引诸羌、胡败秦陇防御使韦伦,杀监军使。

38　兖郓节度使能元皓击史思明兵,破之。

39　李峘之去润州也,副使李藏用谓峘曰:"处人尊位,食人重禄,临难而逃之,非忠也;以数十州之兵食,三江、五湖之险固,不发一矢而弃之,非勇也。失忠与勇,何以事君?藏用请收馀兵,竭力以拒之。"峘乃悉以后事授藏用。藏用收散卒,得七百人,东至苏州募壮士,得二千人,立栅以拒刘展。

刘展率兵昼夜兼程,提前到达,派人质问邓景山说:"我奉皇上的任命诏书而赴镇就任,你率兵阻拦是什么意思?"邓景山不回答。刘展就派人在邓景山的部队阵前高呼说:"你们都是我刘展部下的百姓民众,请不要阻拦我的道路。"然后派部将孙待封和张法雷率兵攻击,邓景山溃败,与邢延恩逃奔寿州。于是刘展率兵进入广陵,又派他的部将屈突孝标率兵三千攻掠濠州、楚州,王暅率兵四千攻略淮西。

李峘在京口开辟北固山为战场,用大木塞住长江口。刘展驻扎在白沙,却在瓜州设疑兵,点燃许多火炬,擂打战鼓,好像要从这里进攻北固山,一连数天都是如此。李峘率领所有的精锐部队守卫京口等待刘展的进攻。但刘展却从上游渡过长江,袭击了下蜀戍。李峘的军队得知这一消息后,不战自溃,李峘本人逃向宣城。

甲午(初八),刘展攻陷润州。昇州城中的士卒一万五千人谋划接应刘展,就攻打金陵城,没有攻克而逃散。浙西节度使侯令仪惧怕,就把后事托付给兵马使姜昌群,自己弃城逃走。而姜昌群却派自己的部将宗犀去投降了刘展。丙申(初十),刘展攻陷昇州,任命宗犀为润州司马、丹杨军使,姜昌群暂时管理昇州政事,并让自己的侄子刘伯瑛辅佐他。

34　李光弼率兵攻打怀州,一百多天才攻克,并活捉了安太清。

35　史思明派遣自己的部将田承嗣率兵五千攻略淮西地区,王同芝率兵三千攻略陈州,许敬江率兵两千攻略兖州、郓州,薛鄂率兵五千攻略曹州。

36　十二月丙子(二十日),党项军队侵扰美原县与同官县,大肆掠夺后离去。

37　强盗首领郭愔等人引导羌族各部落以及胡人的军队打败了秦陇防御使韦伦,杀死了朝廷派去的监军使。

38　兖郓节度使能元皓率兵打败了史思明的军队。

39　李峘弃润州而逃时,副使李藏用对李峘说:"你占据着重要的职位,享受着朝廷的俸禄,却临难而逃,这是不忠诚。你手握数十州的重兵,粮饷充足,又守着襟带三江、五湖的战略要地,面对反叛的敌人却不发一箭而弃城逃跑,是怯懦胆小的表现。丧失了忠心勇敢,还怎么做君主的臣子呢?我请求收集残兵,尽力抗拒敌人。"于是李峘就把后事全都委托给李藏用。李藏用收集散兵,共有七百人,又向东到苏州招募勇士,募得两千人,于是修治栅垒准备抵御刘展。

展遣其将傅子昂、宗犀攻宣州，宣歙节度使郑炅之弃城走，李岠奔淇州。

李藏用与展将张景超、孙待封战于郁墅，兵败，奔杭州。景超遂据苏州，待封进陷湖州。展以其将许峄为润州刺史，李可封为常州刺史，杨持璧苏州刺史，待封领湖州事。景超进逼杭州，藏用使其将温晁屯馀杭。展以李晃为泗州刺史，宗犀为宣州刺史。

傅子昂屯南陵，将下江州，徇江西。于是屈突孝标陷濠、楚州，王晅陷舒、和、滁、庐等州，所向无不摧靡，聚兵万人，骑三千，横行江、淮间。寿州刺史崔昭发兵拒之，由是晅不得西，止屯庐州。

初，上命平庐兵马使田神功将所部精兵五千屯任城；邓景山既败，与邢延恩奏乞敕神功救淮南，未报。景山遣人趣之，且许以淮南金帛子女为赂，神功及所部皆喜，悉众南下，及彭城，敕神功讨展。展闻之，始有惧色，自广陵将兵八千拒之，选精兵二千渡淮，击神功于都梁山。展败，走至天长，以五百骑据桥拒战，又败，展独与一骑亡渡江。神功入广陵及楚州，大掠，杀商胡以千数，城中地穿掘略遍。

40　是岁，吐蕃陷廓州。

刘展派遣部将傅子昂与宗犀率兵攻打宣州,宣歙节度使郑炅之弃城逃走,李峘又逃向淇州。

李藏用与刘展的部将张景超、孙待封交战于郁墅,兵败逃奔杭州。于是张景超占领了苏州,孙待封进兵攻陷了湖州。刘展任命他的部将许峄为润州刺史,李可封为常州刺史,杨持璧为苏州刺史,孙待封暂时管理湖州政事。张景超又率兵逼近杭州,李藏用就派部将温晁率兵屯驻在馀杭县。刘展又任命李晃为泗州刺史,宗犀为宣州刺史。

傅子昂率兵屯驻于南陵县,想要攻掠江州,进占江南西道。于是刘展的部将屈突孝标率兵攻陷了濠州、楚州,王暅攻陷了舒州、和州、滁州、庐州等州,军队所向披靡,聚兵达一万人,骑兵三千,横行于江、淮地区。由于寿州刺史崔昭发兵抵御,王暅不能够再向西进攻,只好屯兵于庐州。

起初,肃宗命令平卢兵马使田神功率领部下的五千精兵屯驻在任城,邓景山被刘展打败后,就与邢延恩上奏请求肃宗下敕书命令田神功率兵救援淮南,平定刘展。还没有得到回报,邓景山就派人催促田神功出兵,并许诺战胜后把淮南的财物、女人都送给田神功,田神功与部下听后都很高兴,于是就全军南下,等到了彭城,肃宗命令田神功去讨伐刘展的敕书才下达。刘展得知田神功率平卢兵来讨伐,才开始感到惧怕,于是率兵八千从广陵来迎战,并挑选了两千精兵渡过淮河,在都梁山进击田神功。刘展被打败,逃至天长县,率领骑兵五百占据河桥抵抗,又被打败,仅带领一名骑兵渡江逃跑。田神功率兵进入广陵与楚州,放纵士兵大肆掠夺,杀死胡商数以千计,为了寻求财宝,几乎挖遍了城中各处。

40 这一年,吐蕃军队攻陷了廓州。

卷第二百二十二　唐纪三十八

起辛丑(761)尽癸卯(763)六月凡二年有奇

肃宗文明武德大圣大宣孝皇帝下之下
上元二年(辛丑,761)

1　春,正月癸卯,史思明改元应天。

2　张景超引兵攻杭州,败李藏用将李彊于石夷门。孙待封自武康南出,将会景超攻杭州,温晁据险击败之;待封脱身奔乌程,李可封以常州降。丁未,田神功使特进杨惠元等将千五百人西击王暅。辛亥夜,神功先遣特进范知新等将四千人自白沙济,西趣下蜀;邓景山将千人自海陵济,东趣常州;神功与邢延恩将三千人军于瓜洲,壬子,济江。展将步骑万馀陈于蒜山;神功以舟载兵趣金山,会大风,五舟飘抵金山下,展屠其二舟,沈其三舟,神功不得渡,还军瓜洲。而范知新等兵已至下蜀,展击之,不胜。弟殷劝展引兵逃入海,可延岁月,展曰:"若事不济,何用多杀人父子乎?死,早晚等耳!"遂更率众力战。将军贾隐林射展,中目而仆,遂斩之。刘殷、许峄等皆死。隐林,滑州人也。杨惠元等击破王暅于淮南,暅引兵东走,至常熟,乃降。孙待封诣李藏用降。张景超聚兵至七千馀人,闻展死,悉以兵授张法雷,使攻杭州,景超逃入海。法雷至杭州,李藏用击破之,馀党皆平。平卢军大掠十馀日。安、史之乱,乱兵不及江、淮,至是,其民始罹荼毒矣。

肃宗文明武德大圣大宣孝皇帝下之下
唐肃宗上元二年(辛丑,公元761年)

1　春季,正月癸卯(十七日),史思明改年号为应天。

2　张景超率军进攻杭州,在石夷门击败李藏用的部将李疆。孙待封从武康南下,将要会同张景超进攻杭州,温晁凭借险要地形将孙待封击败,孙待封脱身逃往乌程,李可封献出常州向朝廷投降。丁未(二十一日),田神功派遣特进杨惠元等人率领一千五百人向西攻击王暅。辛亥(二十五日)夜里,田神功先派遣特进范知新等人率领四千人从白沙渡长江,西赴下蜀戍;邓景山率领一千人从海陵渡过长江,东奔常州;随后田神功与邢延恩率领三千人驻军瓜洲,壬子(二十六日),渡过长江。刘展率领步骑兵一万多人在蒜山布阵。田神功用船运载军队奔赴金山,恰巧路遇大风,有五艘船漂到了金山下,刘展便杀掉了其中两艘船上的士兵,又将另三艘船凿沉,田神功无法再渡长江,只好回师瓜洲。而那时范知新等人的军队已经到达下蜀,刘展攻击范知新,未能获胜。于是刘展弟弟刘殷劝刘展率领军队入海逃命,这样可以拖延时间,刘展说:"如果大事不能成功,何苦要多杀人父子呢? 早些死晚些死还不是一样!"于是刘展再次率领部众死战。将军贾隐林用箭射击刘展,击中他的眼睛,刘展倒在地上,于是被贾隐林杀死。刘殷、许峄等人也都战死。贾隐林是滑州人。杨惠元等人在淮南击败王暅,王暅率军向东逃跑,到达常熟时,才投降。孙待封也到李藏用处投降。张景超聚集的军队达到七千多人,听到刘展已死,便将全部军队交给张法雷,让他进攻杭州,张景超自己入海逃命。张法雷到达杭州,李藏用击败了他,残馀军队全部被平定。平卢军大肆房掠十多天。安、史之乱的时候,叛军尚未到达江、淮地区,到这时,江、淮地区的百姓才遭受战火的蹂躏。

3　荆南节度使吕谨奏:请以江南之潭、岳、郴、邵、永、道、连,黔中之涪州,皆隶荆南。从之。

4　二月,奴刺、党项寇宝鸡,烧大散关,南侵凤州,杀刺史萧悦,大掠而西。凤翔节度使李鼎追击,破之。

5　戊辰,新罗王金嶷入朝,因请宿卫。

6　或言:"洛中将士皆燕人,久戍思归,上下离心,击之,可破也。"陕州观军容使鱼朝恩以为信然,屡言于上,上敕李光弼等进取东京。光弼奏称:"贼锋尚锐,未可轻进。"朔方节度使仆固怀恩,勇而愎,麾下皆蕃、汉劲卒,恃功,多不法,郭子仪宽厚曲容之,每用兵临敌,倚以集事。李光弼性严,一裁之以法,无所假贷。怀恩惮光弼而心恶之,乃附朝恩,言东都可取。由是中使相继,督光弼使出师,光弼不得已,使郑陈节度使李抱玉守河阳,与怀恩将兵会朝恩及神策节度使卫伯玉攻洛阳。

戊寅,陈于邙山。光弼命依险而陈,怀恩陈于平原,光弼曰:"依险则可以进,可以退;若平原,战而不利则尽矣。思明不可忽也。"命移于险,怀恩复止之。史思明乘其陈未定,进兵薄之,官军大败,死者数千人,军资器械尽弃之。光弼、怀恩渡河走保闻喜,朝恩、伯玉奔还陕,抱玉亦弃河阳走,河阳、怀州皆没于贼。朝廷闻之,大惧,益兵屯陕。

7　李揆与吕谨同为相,不相悦。谨在荆南,以善政闻,揆恐其复入相,奏言置军湖南非便,又阴使人如荆、湖求谨过失。谨上疏讼揆罪,癸未,贬揆袁州长史,以河中节度使萧华为中书侍郎、同平章事。

3 荆南节度使吕谭上奏:请求将江南的潭州、岳州、郴州、邵州、永州、道州、连州,黔中的涪州,都归属荆南管辖。肃宗同意了这一请求。

4 二月,奴剌、党项进犯宝鸡,焚烧大散关,向南入侵凤州,杀掉刺史萧愰,大肆掠夺,然后西归。凤翔节度使李鼎前去追击,将他们击败。

5 戊辰(十三日),新罗王金嶷入朝,奏请留下为朝廷值宿警卫。

6 有人说:"洛中的将士都是燕地人,因长期戍守洛中,都思归故乡,军中上下离心离德,这时攻击他们,就可以将他们打败。"陕州观军容使鱼朝恩信以为然,多次在肃宗面前提到此事,于是肃宗命令李光弼等人去攻取东京。李光弼上奏说:"贼军士气还很盛,不可轻举冒进。"朔方节度使仆固怀恩生性勇敢,但刚愎自用,他的部下都是蕃、汉劲旅,他们依仗有功,做了许多违法乱纪的事情,郭子仪对他们宽仁厚待,委曲包容,每次在临敌用兵之际,都依靠他们成事。而李光弼生性严厉,将他们一一绳之以法,决不包容。仆固怀恩害怕李光弼,内心又十分厌恶他,于是附和鱼朝恩的意见,说东京可以攻取。由此,中使一个接着一个,督促李光弼出师,李光弼迫不得已,派遣郑陈节度使李抱玉镇守河阳,自己与仆固怀恩率领军队会合鱼朝恩及神策节度使卫伯玉进攻洛阳。

戊寅(二十三日),官军在邙山布阵。李光弼下令军队依据险要地形布阵,当时仆固怀恩在平原地带布阵,李光弼时他说:"依据险要地形布阵,可以进攻,也可以退守;如果在平原地带布阵,交战不利就全完了。我们不能小看史思明这个人。"于是命令军队转移到险要的地方布阵,但仆固怀恩又制止了这种做法。这时,史思明乘官军阵势还没有部署完毕,发兵进攻,结果官军大败,死了数千人,军资器械全部丢弃。李光弼、仆固怀恩渡过黄河,退保闻喜,鱼朝恩、卫伯玉逃回陕州,李抱玉也放弃河阳城逃跑,于是河阳、怀州都陷入叛军之手。朝廷得知此事,大为惊恐,便增兵驻守陕州。

7 李揆与吕谭同时担任宰相,他们互相看不起。吕谭在荆南时,以善治政事而闻名,李揆害怕他再次入朝出任宰相,便上奏说在湖南设置军镇很不便利,同时,又偷偷地派人到荆南、湖南,收集吕谭的过失。吕谭上书控告李揆之罪,癸未(二十八日),肃宗将李揆贬为袁州长史,任命河中节度使萧华为中书侍郎、同平章事。

8　史思明猜忍好杀，群下小不如意，动至族诛，人不自保。朝义，其长子也，常从思明将兵，颇谦谨，爱士卒，将士多附之，无宠于思明。思明爱少子朝清，使守范阳，常欲杀朝义，立朝清为太子，左右颇泄其谋。思明既破李光弼，欲乘胜西入关，使朝义将兵为前锋，自北道袭陕城，思明自南道将大军继之。三月甲午，朝义兵至礓子岭，卫伯玉逆击，破之。朝义数进兵，皆为陕兵所败。思明退屯永宁，以朝义为怯，曰："终不足成吾事！"欲按军法斩朝义及诸将。戊戌，命朝义筑三隅城，欲贮军粮，期一日毕。朝义筑毕，未泥，思明至，诟怒之，令左右立马监泥，斯须而毕。思明又曰："俟克陕州，终斩此贼。"朝义忧惧，不知所为。

思明在鹿桥驿，令腹心曹将军将兵宿卫。朝义宿于逆旅，其部将骆悦、蔡文景说朝义曰："悦等与王，死无日矣！自古有废立，请召曹将军谋之。"朝义俯首不应。悦等曰："王苟不许，悦等今归李氏，王亦不全矣。"朝义泣曰："诸君善为之，勿惊圣人！"悦等乃令许叔冀之子季常召曹将军，至，则以其谋告之。曹将军知诸将尽怨，恐祸及己，不敢违。是夕，悦等以朝义部兵三百被甲诣驿，宿卫兵怪之，畏曹将军，不敢动。悦等引兵入至思明寝所，值思明如厕，问左右，未及对，已杀数人，左右指示之。思明闻有变，逾垣至厩中，自鞴马乘之，悦傔人周子俊射之，中臂，坠马，遂擒之。思明问："乱者为谁？"悦曰："奉怀王命。"思明曰："我朝来语失，宜其及此。然杀我太早，何不待我克长安？今事不成矣。"

8　史思明猜忌残忍,好杀无辜,部下稍不如他的意,动辄就诛杀九族,因而人人都不能自保。史朝义是史思明的长子,经常跟随史思明带兵,比较恭谦谨慎,爱惜士兵,将士们多归心于他,但史朝义没有受到史思明的宠爱。史思明偏爱小儿子史朝清,派他镇守范阳,时常想杀掉史朝义,立史朝清为太子,史思明的随从对他的打算颇有泄露。史思明已经击败李光弼的军队,想乘胜西进入关,便派遣史朝义率兵作为前锋,自北道袭击陕城,史思明亲率大军自南道进攻。三月甲午(初九),史朝义军至礓子岭,遭到唐军卫伯玉的反击而失败。史朝义数次进攻,均被卫伯玉打败。史思明退兵驻守永宁,以为史朝义临阵胆怯,史思明说:"史朝义终究不能成就我的大事!"想要按军法斩杀史朝义及诸位将领。戊戌(十三日),史思明命令史朝义修筑三隅城,打算贮存军粮,限期一天修完。史朝义修筑完毕,尚未抹泥,史思明来到,大肆怒骂史朝义,命令随从骑在马上监督抹泥,片刻之间完成。史思明又说:"等攻克陕州,终究要杀掉史朝义。"史朝义十分忧虑恐惧,不知如何是好。

史思明在鹿桥驿,命令心腹曹将军率军值宿警卫。这时史朝义在旅馆住宿,他的部将骆悦、蔡文景劝史朝义说:"我们与您已经死到临头了!自古以来就有废立君王之事,请您召见曹将军,共商大事。"史朝义低着头,没有回答。骆悦等人又说:"您假如不允许的话,我们今天就归附李氏,那么您也就完了。"史朝义哭着说:"诸位好好处理这件事,不要惊吓我父亲!"骆悦等人就命令许叔冀的儿子许季常去召见曹将军,他来到后,就将他们的计划告诉了他。曹将军知道诸位将领都心怀怨恨,害怕自己受害,不敢违抗。当天傍晚,骆悦等人率领史朝义的士兵三百人,全副武装来到驿站,值宿的卫兵颇觉奇怪,但他们惧怕曹将军,不敢动手。骆悦等人带兵闯入史思明的卧室,正好史思明上厕所了,于是问他身边的人,没等他们回答,骆悦已经杀掉了好几个人,史思明身边的人指出了他的去向。史思明听到情况有变,跳墙来到马厩里,自己驾马逃跑,骆悦的侍从周子俊发箭,射中手臂,史思明坠落马下,于是被他们抓住。史思明问道:"谁在作乱?"骆悦回答说:"奉怀王史朝义的命令。"史思明说:"早晨我说话失口,应该得到这样的下场。但是这样杀我太早了,为什么不等到攻克长安呢?如今不能成就大业了。"

悦等送思明于柳泉驿,囚之,还,报朝义曰:"事成矣。"朝义曰:"不惊圣人乎?"悦曰:"无。"时周挚、许叔冀将后军在福昌,悦等使许季常往告之,挚惊倒于地;朝义引军还,挚、叔冀来迎,悦等劝朝义执挚,杀之。军至柳泉,悦等恐众心未壹,遂缢杀思明,以毡裹其尸,橐驼负归洛阳。

朝义即皇帝位,改元显圣。密使人至范阳,敕散骑常侍张通儒等杀朝清及朝清母辛氏并不附己者数十人。其党自相攻击,战城中数月,死者数千人,范阳乃定。朝义以其将柳城李怀仙为范阳尹、燕京留守。时洛阳四面数百里,州、县皆为丘墟,而朝义所部节度使皆安禄山旧将,与思明等夷,朝义召之,多不至,略相羁縻而已,不能得其用。

9 李光弼上表,固求自贬,制以开府仪同三司、侍中,领河中节度使。

10 术士长塞镇将朱融与左武卫将军窦如玢等谋奉嗣岐王珍作乱,金吾将军邢济告之。夏,四月乙卯朔,废珍为庶人,溱州安置,其党皆伏诛。珍,业之子也。丙辰,左散骑常侍张镐贬辰州司户,镐尝买珍宅故也。

11 己未,以吏部侍郎裴遵庆为黄门侍郎、同平章事。

12 乙亥,青密节度使尚衡破史朝义兵,斩首五千馀级。

13 丁丑,兖郓节度使能元皓破史朝义兵。

14 壬午,梓州刺史段子璋反。子璋骁勇,从上皇在蜀有功,东川节度使李奂奏替之,子璋举兵,袭奂于绵州。道过遂州,刺史虢王巨苍黄修属郡礼迎之,子璋杀之。李奂战败,奔成都,子璋自称梁王,改元黄龙,以绵州为龙安府,置百官,又陷剑州。

骆悦等人将史思明押送柳泉驿，囚禁起来，然后回去报告史朝义说："大事已经完成。"史朝义说："没有惊吓我父亲吗?"骆悦回答说："没有。"当时周挚、许叔冀率领后军驻扎在福昌，骆悦等人派许季常前去通告此事，周挚惊倒在地。史朝义率领军队回来，周挚、许叔冀出来迎接，骆悦等人劝史朝义拿下周挚，将他杀掉。军队到达柳泉，骆悦等人害怕众心不一，于是勒杀史思明，用毡毯裹尸，用骆驼运回洛阳。

史朝义即帝位，改年号为显圣。他秘密派人到范阳，命令散骑常侍张通儒等人杀掉史朝清以及史朝清的母亲辛氏，还有数十名不归附自己的人。叛军自相攻击，在城中打了几个月，死掉数千人，范阳这才安定。史朝义任命他的部将柳城人李怀仙为范阳尹、燕京留守。当时洛阳四周数百里，州、县城都成为废墟，而史朝义所部节度使都是安禄山的旧部将，与史思明同辈，史朝义召见他们，他们多不前来，相互之间大致仅仅维持君臣关系而已，不能为史朝义所用。

9　李光弼上书，坚决要求将自己贬官。肃宗下诏让他以开府仪同三司、侍中的身份，出任河中节度使。

10　方士长塞镇将朱融与左武卫将军窦如玢等人图谋拥戴岐王李珍叛乱，金吾将军邢济告发了他们。夏季，四月乙卯朔(初一)，肃宗将李珍废为平民，安置到溱州，他的党羽全部伏法。李珍是李业的儿子。丙辰(初二)，左散骑常侍张镐被贬为辰州司户，因为张镐曾经买过李珍的住宅。

11　己未(初五)，肃宗任命吏部侍郎裴遵庆为黄门侍郎、同平章事。

12　乙亥(二十一日)，青密节度使尚衡击败史朝义的军队，杀死五千多人。

13　丁丑(二十三日)，兖郓节度使能元皓击败史朝义的军队。

14　壬午(二十八日)，梓州刺史段子璋造反。段子璋作战勇猛，跟从太上皇玄宗到蜀地，立下汗马功劳，东川节度使李奂上奏要替代他，所以段子璋举兵造反，在绵州袭击李奂。路过遂州时，刺史虢王李巨急忙按照属郡的礼节迎接，被段子璋杀死。李奂战败，逃往成都，段子璋自称梁王，改年号为黄龙，以绵州为龙安府，设置百官，又攻陷剑州。

15　五月己丑,李光弼自河中入朝。

16　初,李辅国与张后同谋迁上皇于西内。是日端午,山人李唐见上,上方抱幼女,谓唐曰:"朕念之,卿勿怪也。"对曰:"太上皇思见陛下,计亦如陛下之念公主也。"上泫然泣下,然畏张后,尚不敢诣西内。

17　癸巳,党项寇宝鸡。

18　初,史思明以其博州刺史令狐彰为滑郑汴节度使,将数千兵戍滑台。彰密因中使杨万定通表请降,徙屯杏园度。思明疑之,遣其将薛岌围之。彰与岌战,大破之,因随万定入朝。甲午,以彰为滑、卫等六州节度使。

19　戊戌,平卢节度使侯希逸击史朝义范阳兵,破之。

20　乙未,西川节度使崔光远与东川节度使李奂共攻绵州,庚子,拔之,斩段子璋。

21　复以李光弼为河南副元帅、太尉兼侍中,都统河南、淮南东西、山南东、荆南、江南西、浙江东西八道行营节度,出镇临淮。

22　六月甲寅,青密节度使能元皓败史朝义将李元遇。

23　江淮都统李峘畏失守之罪,归咎于浙西节度使侯令仪,丙子,令仪坐除名,长流康州;加田神功开府仪同三司,徙徐州刺史;征李峘、邓景山还京师。

24　戊寅,党项寇好畤。

25　秋,七月癸未朔,日有食之既,大星皆见。

26　以试少府监李藏用为浙西节度副使。

27　八月癸丑朔,加开府仪同三司李辅国兵部尚书。乙未,辅国赴上,宰相朝臣皆送之,御厨具馔,太常设乐。辅国骄纵日甚,

15　五月己丑(初五),李光弼从河中入朝。

16　当初,李辅国与张后合谋将太上皇玄宗迁到西内居住。这一天是端午,隐士李唐见到肃宗,肃宗正抱着小女儿,对李唐说:"朕很顾念她,你不要见怪。"李唐回答说:"太上皇思念和想见陛下,大概也同陛下顾念公主一样。"肃宗流下了眼泪,然而他惧怕张后,还不敢到西内去探视。

17　癸巳(初九),党项进犯宝鸡。

18　从前,史思明让他的博州刺史令狐彰担任滑郑汴节度使,率领数千士兵戍守滑台。令狐彰秘密通过中使杨万定上表请求归降,又将军队转移到杏园度驻扎。史思明怀疑令狐彰叛变,派遣部将薛岌包围他。令狐彰与薛岌交战,将薛岌打得大败,于是跟随杨万定入朝。甲午(初十),肃宗任命令狐彰为滑州、卫州等六州节度使。

19　戊戌(十四日),平卢节度使侯希逸攻击史朝义的范阳部队,将他们打败。

20　乙未(十一日),西川节度使崔光远与东川节度使李奂共同进攻绵州,庚子(十六日),攻克绵州,杀掉段子璋。

21　肃宗重新任命李光弼为河南副元帅、太尉兼侍中,统领河南、淮南东、淮南西、山南东、荆南、江南西、浙江东、浙江西八道行营节度,让他出镇临淮郡。

22　六月甲寅(初一),青密节度使能元皓击败史朝义的部将李元遇。

23　江淮都统李峘害怕朝廷治他失守之罪,就将责任归咎于浙西节度使侯令仪,丙子(二十三日),侯令仪因此被削除名籍,远地流放到康州;肃宗加封田神功为开府仪同三司,调任徐州刺史;召李峘、邓景山回京师。

24　戊寅(二十五日),党项进犯好畤。

25　秋季,七月癸未朔(初一),出现日全食,大星都显现出来。

26　肃宗任命试少府监李藏用为浙西节度副使。

27　八月癸丑朔(初一),肃宗加封开府仪同三司李辅国为兵部尚书。乙未,李辅国赴尚书省上任,宰相和朝臣都去送他,御厨摆上食品,太常卿设乐队奏乐。李辅国日益骄横放纵,

求为宰相,上曰:"以卿之功,何官不可为,其如朝望未允何?"辅国乃讽仆射裴冕等使荐己。上密谓萧华曰:"辅国求为宰相,若公卿表来,不得不与。"华出,问冕,曰:"初无此事,吾臂可断,宰相不可得!"华入言之,上大悦。辅国衔之。

28　己巳,李光弼赴河南行营。

29　辛巳,以殿中监李若幽为镇西、北庭、兴平、陈郑等节度行营及河中节度使,镇绛州,赐名国贞。

30　九月甲申,天成地平节,上于三殿置道场,以宫人为佛菩萨,武士为金刚神王,召大臣膜拜围绕。

31　壬寅,制去尊号,但称皇帝,去年号,但称元年,以建子月为岁首,月皆以所建为数,因赦天下。停京兆、河南、太原、凤翔四京及江陵南都之号。自今每除五品以上清望官及郎官、御史、刺史,令举一人自代,观其所举,以行殿最。

32　江、淮大饥,人相食。

33　冬,十月,江淮都统崔圆署李藏用为楚州刺史。会支度租庸使以刘展之乱,诸州用仓库物无准,奏请征验。时仓猝募兵,物多散亡,征之不足,诸将往往卖产以偿之。藏用恐其及己,尝与人言,颇有悔恨。其牙将高幹挟故怨,使人诣广陵告藏用反,先以兵袭之。藏用走,幹追斩之。崔圆遂簿责藏用将吏以验之,将吏畏,皆附成其状。独孙待封坚言不反,圆命引出斩之。或曰:"子何不从众以求生?"待封曰:"吾始从刘大夫,奉诏书来赴镇,人谓吾反。李公起兵灭刘大夫,今又以李公为反。如此,谁则非反者?庸有极乎?吾宁就死,不能诬人以非罪。"遂斩之。

请求担任宰相,肃宗对他说:"以你的功劳,有什么官不可以担任的呢?只是朝廷中有声望的大臣不同意,又怎么办呢?"李辅国就暗示仆射裴冕等人,让他们推荐自己。肃宗悄悄地对萧华说:"李辅国请求担任宰相,如果公卿大臣们上表推荐的话,那就不得不给他了。"萧华出宫后去问裴冕,裴冕说:"从来就没有那回事,我的臂可以断,但宰相的职位决不让他得到。"萧华入宫将此事告诉肃宗,肃宗十分高兴。而李辅国则对裴冕怀恨。

28 己巳(十七日),李光弼前往河南行营。

29 辛巳(二十九日),肃宗任命殿中监李若幽为镇西、北庭、兴平、陈郑等节度行营以及河中节度使,镇守绛州,赐名为国贞。

30 九月甲申(初三),是天成地平节,肃宗在三殿设置道场,以宫人装扮佛和菩萨,武士装扮金刚神王,命令大臣围绕着他们膜拜。

31 壬寅(二十一日),肃宗下诏去掉尊号,只称皇帝,去掉年号,只称元年,以建子月为一年的第一月,每月都以所建字的起首命名,因而大赦天下。又下令停用京兆、河南、太原、凤翔四京以及江陵南都的称号。自今以后,每当任命五品以上的清望官及郎官、御史、刺史时,都命令他们推举一人替代自己,然后朝廷考察他们所推举的人,以确定先后名次。

32 江淮地区发生特大饥荒,出现人吃人的现象。

33 冬季,十月,江淮都统崔圆让李藏用暂任楚州刺史。恰巧支度租庸使因为刘展之乱,各州使用仓库中的财物没有标准,上奏请求核验。当时招募士兵很仓促,财物又多流散,经核验数量不足,于是诸位将领往往卖掉自己的财产来补偿。李藏用害怕核验到自己头上,曾经对人说,对担任楚州刺史,他有点悔恨。李藏用手下的牙将高轩对他怀有旧恨,派人到广陵控告李藏用谋反,并且首先用兵袭击。李藏用逃跑,高轩追上去将他杀掉。于是崔圆按文簿次序一一盘问李藏用的将领,以核实李藏用谋反事,将领很害怕,都附和高轩的说法,说李藏用谋反。唯独孙待封坚持说李藏用没有谋反,崔圆命令把他推下去斩首。有人对孙待封说:"你为什么不附和大家的意见求得生存呢?"孙待封说:"起先我跟随刘大夫,奉诏书来上任,人们说我谋反。李公起兵消灭了刘大夫,如今人们又认为李公谋反。如此一来,谁才算不是谋反者呢?那还有个完吗?我宁愿去死,也不能诬告没有罪的人。"于是崔圆将他杀掉。

34 建子月壬午朔,上受朝贺,如正旦仪。

35 或告鸿胪卿康谦与史朝义通,事连司农卿严庄,俱下狱。京兆尹刘晏遣吏防守庄家。上寻敕出庄,引见。庄怨晏,因言晏与臣言,常道禁中语,矜功怨上。丁亥,贬晏通州刺史,庄难江尉,谦伏诛。戊子,御史中丞元载为户部侍郎,充句当度支、铸钱、盐铁兼江淮转运等使。载初为度支郎中,敏悟善奏对,上爱其才,委以江淮漕运,数月,遂代刘晏,专掌财利。

36 戊戌,冬至。己亥,上朝上皇于西内。

37 神策节度使卫伯玉攻史朝义,拔永宁,破渑池、福昌、长水等县。

38 己酉,上朝献太清宫。庚戌,享太庙、元献庙。建丑月辛亥朔,祀圜丘、太一坛。

39 平卢节度使侯希逸与范阳相攻连年,救援既绝,又为奚所侵,乃悉举其军二万馀人袭李怀仙,破之,因引兵而南。

宝应元年(壬寅,762)

1 建寅月甲申,追尊靖德太子琮为奉天皇帝,妃窦氏为恭应皇后,丁酉,葬于齐陵。

2 甲辰,吐蕃遣使请和。

3 李光弼拔许州,擒史朝义所署颍川太守李春;朝义将史参救之,丙午,战于城下,又破之。

4 戊申,平卢节度使侯希逸于青州北渡河而会田神功、能元皓于兖州。

34 建子月壬午朔(十一月初一),肃宗接受大臣们上朝祝贺,仪式如同正月初一。

35 有人控告鸿胪卿康谦与史朝义有联系,此事牵连司农卿严庄,肃宗将他们都关进监狱。京兆尹刘晏派遣官吏看守严庄的家。不久,肃宗下令释放严庄,带他来见。严庄很恨刘晏,因而说刘晏对他说,刘晏经常传宫中一些闲话,自夸其功,埋怨皇上。丁亥(初六),肃宗贬刘晏为通州刺史,严庄为难江县尉,康谦伏法。戊子(初七),御史中丞元载担任户部侍郎,出任句当度支使、铸钱使、盐铁使、兼任江淮转运使。从前元载担任度支郎中时,生性敏悟而又善于奏对,肃宗爱他有才气,委任他掌管江淮漕运事务,数月之后,便取代刘晏,专管财政事务。

36 戊戌(十七日),冬至。己亥(十八日),肃宗到西内拜见太上皇玄宗。

37 神策军节度使卫伯玉进攻史朝义,攻克永宁、渑池、福昌、长水等县。

38 己酉(二十八日),肃宗去太清宫祭祀。庚戌(二十九日),去太庙祭祀祖宗,元献庙祭祀母后。建丑月辛亥朔(十二月初一),肃宗祭圜丘和太一神坛。

39 平卢节度使侯希逸与范阳李怀仙的军队相攻多年,救援已经断绝,又遭到奚人的侵扰,便率领全军两万多人袭击李怀仙,击败李怀仙后,就率军南归。

唐肃宗宝应元年(壬寅,公元762年)

1 建寅月甲申(正月初四),肃宗追封靖德太子李琮为奉天皇帝,妃子窦氏为恭应皇后,丁酉(十七日),将他们葬在齐陵。

2 甲辰(二十四日),吐蕃派遣使者请求与唐朝和好。

3 李光弼攻克许州,抓获史朝义所任命的颍川太守李春;史朝义的部将史参前去援救,丙午(二十六日),双方在许州城下交战,李光弼又将史参击败。

4 戊申(二十八日),平卢节度使侯希逸在青州北面渡过黄河,与在兖州的田神功和能元皓会合。

5　租庸使元载以江、淮虽经兵荒,其民比诸道犹有赀产,乃按籍举八年租调之违负及逋逃者,计其大数而征之。择豪吏为县令而督之,不问负之有无,赀之高下,察民有粟帛者发徒围之,籍其所有而中分之,甚者什取八九,谓之白著。有不服者,严刑以威之。民有蓄谷十斛者,则重足以待命。或相聚山泽为群盗,州县不能制。

6　建卯月辛亥朔,赦天下,复以京兆为上都,河南为东都,凤翔为西都,江陵为南都,太原为北都。

7　奴刺寇成固。

8　初,王思礼为河东节度使,资储丰衍,赡军之外,积米百万斛,奏请输五十万斛于京师。思礼薨,管崇嗣代之,为政宽弛,信任左右,数月间,耗散殆尽,惟陈腐米万馀斛在。上闻之,以邓景山代之。景山至,则钩校所出入,将士辈多有隐没,皆惧。有裨将抵罪当死,诸将请之,不许;其弟请代兄死,亦不许;请入一马以赎死,乃许之。诸将怒曰:“我辈曾不及一马乎?”遂作乱。癸丑,杀景山。上以景山抚御失所以致乱,不复推究乱者,遣使慰谕以安之。诸将请以都知兵马使、代州刺史辛云京为节度使。云京奏张光晟为代州刺史。

9　绛州素无储蓄,民间饥,不可赋敛,将士粮赐不充,朔方等诸道行营都统李国贞屡以状闻。朝廷未报,军中咨怨。突将王元振将作乱,矫令于众曰:“来日修都统宅,各具畚锸,待命于门。”士卒皆怒,曰:“朔方健儿岂修宅夫邪?”乙丑,元振帅其徒作乱,烧牙城门。国贞逃于狱,元振执之,

5 租庸使元载认为江淮地区虽然经历战事与饥荒,但是那里的百姓仍比各道百姓富有,于是按照户籍查出八年来拒交、欠交租调者和逃亡者,然后估计一个大概数字进行征收。元载选择豪强官吏担任县令,让他们督办此事,无论是否拖欠,资产多少,只要查到百姓有粮食和布帛,就派人将他们围起来,登记粮食、布帛的数量后对半分,甚至取走十分之八九,称之为白著。如果有不服的,就施以严刑来威胁他们。有的百姓积蓄了十斛粮食,就非常惊恐地等待官府的命令。有的百姓相聚在山川河泽,成为强盗,州县都无法制止。

6 建卯月辛亥朔(二月初一),大赦天下;再次以京兆为上都,河南为东都,凤翔为西都、江陵为南都,太原为北都。

7 奴剌进犯成固县。

8 从前,王思礼担任河东节度使时,储备了大量物资,除了供养军队之外,积蓄粮米一百万斛,王思礼上奏请求输送给京师五十万斛粮米。王思礼去世后,由管崇嗣继任,他为政宽容松弛,信任他左右的人,数月间,粮食耗散殆尽,只存下一万多斛陈腐烂米。肃宗听说后,让邓景山取代管崇嗣。邓景山到任后,就查对府库所出入的账目,大多数将士隐藏了粮食,他们都很惧怕。有一副将抵罪应当处死,诸将请求赦免,邓景山不同意;副将的弟弟请求代兄去死,也不同意;他们又请求带一匹马来赎取死罪,邓景山这才同意。诸将愤怒地说道:“我们还不如一匹马吗?”于是诸将作乱。癸丑(初三),杀掉邓景山。肃宗认为邓景山安抚和驾驭部下不当,使得他们叛乱,因此,不再追究叛乱者,而派遣使者去劝慰、安抚他们。诸将请求让都知兵马使、代州刺史辛云京担任河东节度使。辛云京奏请让张光晟担任代州刺史。

9 绛州一向没有粮食储蓄,民间闹饥荒,无法再征收赋税,因此赐赏给将士的粮食不足,朔方等诸道行营都统李国贞屡次奏报这一情况。朝廷没有答复,军中将士哀叹埋怨。突将王元振行将作乱,在众人面前诈称上峰有令,说道:“将来的几天让你们修理都统的住宅,各自准备畚箕铁锹,在门口待命。”士兵们都很愤怒,说道:“朔方的健儿难道是修理住宅的民夫吗?”乙丑(十五日),王元振率领部下作乱,烧毁牙城门。李国贞逃进监狱,被王元振抓住,

置卒食于前,曰:"食此而役其力,可乎?"国贞曰:"修宅则无之,军食则屡奏而未报,诸君所知也。"众欲退。元振曰:"今日之事,何必更问?都统不死,则我辈死矣。"遂拔刃杀之。镇西、北庭行营兵屯于翼城,亦杀节度使荔非元礼,推裨将白孝德为节度使,朝廷因而授之。

10 戊辰,淮西节度使王仲昇与史朝义将谢钦让战于申州城下,为贼所虏,淮西震骇。会侯希逸、田神功、能元皓攻汴州,朝义召钦让兵救之。

11 绛州诸军剽掠不已,朝廷忧其与太原乱军合从连贼,非新进诸将所能镇服。辛未,以郭子仪为汾阳王,知朔方、河中、北庭、潞泽节度行营兼兴平、定国等军副元帅,发京师绢四万匹、布五万端、米六万石以给绛军。

建辰月庚寅,子仪将行,时上不豫,群臣莫得进见。子仪请曰:"老臣受命,将死于外,不见陛下,目不瞑矣。"上召入卧内,谓曰:"河东之事,一以委卿。"

史朝义遣兵围李抱玉于泽州,子仪发定国军救之,乃去。

12 上召山南东道节度使来瑱赴京师。瑱乐在襄阳,其将士亦爱之,乃讽所部将吏上表留之;行及邓州,复令还镇。荆南节度使吕谭、淮西节度使王仲昇及中使往来者言"瑱曲收众心,恐久难制。"上乃割商、金、均、房别置观察使,令瑱止领六州。会谢钦让围王仲昇于申州数月,瑱怨之,按兵不救,仲昇竟败没。行军司马裴茙谋夺瑱位,密表瑱倔强难制,请以兵袭取之,上以为然。癸巳,以瑱为淮西、河南十六州节度使,外示宠任,实欲图之。密敕以茙代瑱为襄、邓等州防御使。

王元振把士兵们吃的食物摆在李国贞面前,说道:"吃这些东西又要让他们出力修理住宅,能行吗?"李国贞回答说:"修理住宅并无此事,至于军粮则屡次奏报,但没有得到答复,这是诸位所知道的事。"众人想退走。王元振说道:"今日之事,何必再问呢?都统不死,那么我们就得死了。"于是拔刀杀掉李国贞。镇西、北庭行营的士兵驻扎在翼城,也杀掉节度使荔非元礼,推举副将白孝德为节度使,朝廷因此授予白孝德为节度使。

10 戊辰(十八日),淮西节度使王仲昇与史朝义部将谢钦让在申州城下交战,王仲昇被贼军俘虏,淮西十分震惊和恐惧。恰巧此时侯希逸、田神功、能元皓进攻汴州,史朝义命令谢钦让的军队前去救援。

11 绛州各军掠杀不止,朝廷担心他们与太原作乱的军队联合起来,绝不是新提拔的诸将所能镇服的。辛未(二十一日),朝廷将郭子仪封为汾阳王,担任朔方、河中、北庭、潞泽节度行营兼兴平军、定国军副元帅,调拨京师四万匹绢、五万端布匹、六万石大米供给绛州的军队。

建辰月庚寅(三月十一日),郭子仪即将动身,当时肃宗生病,大臣们不能前去觐见。郭子仪请求说:"老臣受命,将死在外面,不见陛下,死不瞑目。"肃宗将郭子仪召入卧室,对他说:"河东的事情,全部托付给你了。"

史朝义派遣军队在泽州围攻李抱玉,郭子仪征调定国军前去救援,史朝义军才退走。

12 肃宗命令山南东道节度使来瑱前来京师。来瑱乐意呆在襄阳,他的将士也爱他,于是来瑱便暗示部将上表请求肃宗让他留在襄阳;当他到达邓州时,肃宗又命令他回到镇所。荆南节度使吕諲、淮西节度使王仲昇以及往来各地的中使都说:"来瑱千方百计收买人心,恐怕时间一长难于节制。"肃宗便将商州、金州、均州、房州分出另设观察使,使来瑱只统领六州。那时,恰好谢钦让在申州围攻王仲昇数月,来瑱很怨愤,按兵不救,王仲昇最终全军覆灭。行军司马裴茙谋图夺取来瑱的位置,秘密上表声称来瑱生性倔强,难于节制,请求让他率军袭取襄阳,肃宗以为这个建议很正确。癸巳(十四日),肃宗任命来瑱为淮西、河南十六州节度使,表面上表示对他宠幸重用,实际上想要除掉他。肃宗又秘密下令让裴茙取代来瑱担任襄州、邓州等州防御使。

13 甲午,奴剌寇梁州,观察使李勉弃城走。以邠州刺史河西臧希让为山南西道节度使。

14 丙申,党项寇奉天。

15 李辅国以求宰相不得怨萧华。庚午,以户部侍郎元载为京兆尹。载诣辅国固辞,辅国识其意;壬寅,以司农卿陶锐为京兆尹。辅国言萧华专权,请罢其相,上不许。辅国固请不已,乃从之,仍引元载代华。戊申,华罢为礼部尚书,以载同平章事,领度支、转运使如故。

16 建巳月庚戌朔,泽州刺史李抱玉破史朝义兵于城下。

17 壬子,楚州刺史崔侁表称,有尼真如,恍惚登天,见上帝,赐以宝玉十三枚,云:“中国有灾,以此镇之。”群臣表贺。

18 甲寅,上皇崩于神龙殿,年七十八。乙卯,迁坐于太极殿。上以寝疾,发哀于内殿,群臣发哀于太极殿。蕃官剺面割耳者四百馀人。丙辰,命苗晋卿摄冢宰。上自仲春寝疾,闻上皇登遐,哀慕,疾转剧,乃命太子监国。甲子,制改元,复以建寅为正月,月数皆如其旧,赦天下。

19 初,张后与李辅国相表里,专权用事,晚年,更有隙。内射生使三原程元振党于辅国。上疾笃,后召太子谓曰:“李辅国久典禁兵,制敕皆从之出,擅逼迁圣皇,其罪甚大,所忌者吾与太子。今主上弥留,辅国阴与程元振谋作乱,不可不诛。”太子泣曰:“陛下疾甚危,二人皆陛下勋旧之臣,一旦不告而诛之,必致震惊,恐不能堪也。”后曰:“然则太子姑归,吾更徐思之。”太子出,后召越王系谓曰:“太子仁弱,不能诛贼臣,汝能之乎?”对曰:“能。”

13 甲午(十五日),奴剌进犯梁州,观察使李勉弃城逃跑。肃宗任命邠州剌史河西人臧希让为山南西道节度使。

14 丙申(十七日),党项进犯奉天县。

15 李辅国因为求任宰相没有得到,十分怨恨萧华。庚午,肃宗任命户部侍郎元载为京兆尹。元载到李辅国那里坚决辞让,李辅国知道他的意图;壬寅(二十三日),肃宗任命司农卿陶锐为京兆尹。李辅国对肃宗说萧华专权,请求罢免他的宰相职务,肃宗不同意。李辅国不停地坚持请求,肃宗才勉强同意,于是李辅国引荐元载来取代萧华。戊申(二十九日),萧华被罢去宰相职务,任礼部尚书,元载被任命为同平章事即宰相,仍然兼任度支使、转运使。

16 建巳月庚戌朔(四月初一),泽州剌史李抱玉在泽州城下击败史朝义的军队。

17 壬子(初三),楚州剌史崔侁上表说,有一名叫真如的尼姑,在恍惚中登天,见到了上帝,上帝赐给她十三枚宝玉,说道:"中国有灾难,用这些宝玉可以镇压。"大臣们上表表示祝贺。

18 甲寅(初五),太上皇玄宗在神龙殿驾崩,享年七十八岁。乙卯(初六),将太上皇的神座迁到太极殿。肃宗因为卧病不起,在内殿举哀,大臣们在太极殿举哀。有四百多名蕃官划破面孔、割耳表示哀悼。丙辰(初七),肃宗命令苗晋卿总摄朝政。自从仲春以来,肃宗卧病不起,听说太上皇驾崩,十分哀痛,病情由此加重,便命令太子监理国政。甲子(十五日),肃宗下诏改年号为宝应,又以建寅为正月,其他月份都恢复旧称,宣布大赦天下。

19 从前,张后与李辅国互相勾结,掌握大权,独断专行,晚年时,两人有了矛盾。内射生使三原人程元振与李辅国结成一党。肃宗病情恶化,张后召见太子,对他说:"李辅国长期执掌禁军,皇上的命令都从他手中发出,又擅自威逼太上皇迁到西内,他的罪行很大,所忌恨的就是我和太子你了。如今皇上已处在弥留之际,李辅国暗中与程元振图谋作乱,不能不杀。"太子哭着说:"陛下病情十分危急,他们两人都是陛下有功勋的旧臣,一旦不告诉陛下而杀掉他们,必然会使陛下震惊,恐怕承受不住。"张后说:"那么太子暂且回去,我再慢慢考虑。"太子出去后,张后召见越王李系,对他说:"太子仁慈软弱,不能杀掉贼臣,你能够办这件事吗?"李系回答说:"能。"

係乃命内谒者监段恒俊选宦官有勇力者二百餘人,授甲于长生殿后。乙丑,后以上命召太子。元振知其谋,密告辅国,伏兵于陵霄门以俟之。太子至,以难告。太子曰:"必无是事,主上疾亟召我,我岂可畏死而不赴乎?"元振曰:"社稷事大,太子必不可入。"乃以兵送太子于飞龙厩,且以甲卒守之。是夜,辅国、元振勒兵三殿,收捕越王係、段恒俊及知内侍省事朱光辉等百餘人,系之。以太子之命迁后于别殿。时上在长生殿,使者逼后下殿,并左右数十人幽于后宫,宦官宫人皆惊骇逃散。丁卯,上崩。辅国等杀后并係及兖王侗。是日,辅国始引太子素服于九仙门与宰相相见,叙上皇晏驾,拜哭,始行监国之令。戊辰,发大行皇帝丧于两仪殿,宣遗诏。己巳,代宗即位。

20　高力士遇赦还,至朗州,闻上皇崩,号恸,呕血而卒。

21　甲戌,以皇子奉节王适为天下兵马元帅。

22　李辅国恃功益横,明谓上曰:"大家但居禁中,外事听老奴处分。"上内不能平,以其方握禁兵,外尊礼之。乙亥,号辅国为尚父而不名,事无大小皆咨之,群臣出入皆先诣,辅国亦晏然处之。以内飞龙厩副使程元振为左监门卫将军。知内侍省事朱光辉及内常侍啖庭瑶、山人李唐等二十餘人皆流黔中。

23　初,李国贞治军严,朔方将士不乐,皆思郭子仪,故王元振因之作乱。子仪至军,元振自以为功,子仪曰:"汝临贼境,辄害主将,若贼乘其衅,无绛州矣。吾为宰相,岂受一卒之私邪?"五月庚辰,收元振及其同谋四十人,皆杀之。辛云京闻之,亦推按杀邓景山者数十人,诛之。由是河东诸镇率皆奉法。

于是李係便命令内调者监段恒俊挑选勇敢有力的宦官两百多人,在长生殿后授给他们铠甲。乙丑(十六日),张后以皇上的命令召见太子。程元振知道了张后的阴谋,悄悄地将此事告诉了李辅国,又在陵霄门埋下伏兵,等待太子的到来。太子来到后,程元振告诉他皇后发难。太子说:"一定没有这样的事,皇上病重才召见我,我难道可以怕死而不去吗?"程元振说:"社稷事大,太子万万不可入宫。"于是派士兵将太子送到飞龙厩,并且让全副武装的士兵守住他。当天夜里,李辅国、程元振率军来到三殿,逮捕越王李係、段恒俊以及掌管内侍省事务的朱光辉等一百多人,将他们囚禁起来。又以太子的命令将张后迁到别殿。当时皇上在长生殿,使者逼着张后离开长生殿,将她和左右数十人一起幽禁在后宫,宦官和宫女都惊恐害怕,纷纷逃散。丁卯(十八日),肃宗驾崩。李辅国等人杀掉张后和李係以及兖王李侗。这一天,李辅国才带着太子,让他人身着素服,在九仙门与宰相相见,讲述太上皇驾崩以后宫中的一系列变故,并且伏地哭拜,太子这才开始行使监国的权力。戊辰(十九日),太子在两仪殿给大行皇帝发丧,宣读遗诏。己巳(二十日),唐代宗即位。

20 高力士遇到特赦,返回京师,当他到达朗州时,听说太上皇玄宗驾崩,放声大哭,呕血而死。

21 甲戌(二十五日),代宗任命皇子奉节王李适为天下兵马元帅。

22 李辅国自恃有功而更加专横,明确地对代宗说:"陛下住在宫中就可以了,外面的事让老奴处理。"代宗内心忿忿不平,但因李辅国正掌握着禁军,所以表面上对他十分尊敬。乙亥(二十六日),代宗尊称李辅国为尚父,而不直呼其名,事无大小都征询他的意见,大臣们出入宫中都先到李辅国那儿,李辅国也安然处之。代宗任命内飞龙厩副使程元振为左监门卫将军。掌管内侍省事务的朱光辉以及内常侍啖庭瑶、隐士李唐等二十多人都被流放到黔中。

23 从前,李国贞治军严厉,朔方将士很不高兴,都思念郭子仪,所以王元振乘机作乱。郭子仪来到军中,王元振自以为有功,郭子仪说:"你身临敌境,杀害主将,如果叛贼乘此机会进攻,那么绛州就完了。我身为宰相,难道要接受一个士兵的私托吗?"五月庚辰(初二),郭子仪将王元振及其同谋四十人抓起来,全部杀掉。辛云京听说此事后,也推究审问杀害邓景山的几十个人,然后将他们杀掉。因此河东诸镇大都遵奉法令。

24 壬午，以李辅国为司空兼中书令。

25 党项寇同官、华原。

26 甲申，以平卢节度使侯希逸为平卢、青淄等六州节度使，由是青州节度有平卢之号。

27 乙酉，徙奉节王适为鲁王。

28 追尊上母吴妃为皇太后。

29 壬辰，贬礼部尚书萧华为峡州司马。元载希李辅国意，以罪诬之也。

30 敕乾元大小钱皆一当一，民始安之。

31 史朝义自围宋州数月，城中食尽，将陷，刺史李岑不知所为。遂城果毅开封刘昌曰："仓中犹有曲数千斤，请屑食之；不过二十日，李太尉必救我。城东南隅最危，昌请守之。"李光弼至临淮，诸将以朝义兵尚强，请南保扬州。光弼曰："朝廷倚我以为安危，我复退缩，朝廷何望？且吾出其不意，贼安知吾之众寡？"遂径趣徐州，使兖郓节度使田神功进击朝义，大破之。先是，田神功既克刘展，留连扬州未还，太子宾客尚衡与左羽林大将军殷仲卿相攻于兖、郓，闻光弼至，惮其威名，神功遽还河南，衡、仲卿相继入朝。

光弼在徐州，惟军旅之事自决之，自馀众务，悉委判官张傪。傪吏事精敏，区处如流，诸将白事，光弼多令与傪议之，诸将事傪如光弼，由是军中肃然，东夏以宁。先是，田神功起偏裨为节度使，留前使判官刘位等于幕府，神功皆平受其拜。及见光弼与傪抗礼，乃大惊，遍拜位等曰："神功出于行伍，不知礼仪，诸君亦胡为不言，成神功之过乎？"

32 丁酉，赦天下。

33 立皇子益昌王邈为郑王，延为庆王，迥为韩王。

24　壬午(初四),代宗任命李辅国为司空兼中书令。

25　党项进犯同官、华原二县。

26　甲申(初六),代宗任命平卢节度使侯希逸为平卢、青、淄等六州节度使,由此青州节度使有了平卢的称号。

27　乙酉(初七),代宗改封奉节王李适为鲁王。

28　代宗追封他的母亲吴妃为皇太后。

29　壬辰(十四日),代宗将礼部尚书萧华贬为峡州司马。这是由于元载迎合李辅国的意图,诬告萧华有罪。

30　代宗下令大小乾元通宝钱都以一当一,百姓这才安心。

31　自从史朝义围困宋州以来已有数月,城中粮食已经用尽,宋州即将陷落,刺史李岑束手无策。遂城府果毅开封人刘昌说:"粮仓中还有几千斤酒曲,请捣碎吃,不出二十天,李太尉必定前来救援我们。城东南角最危急,请让我前去防守。"这时,李光弼来到临淮,诸位将领认为史朝义兵力还很强大,请求向南退保扬州。李光弼说:"朝廷依靠我来决定安危,我再退缩,朝廷还指望什么呢?况且我出其不意,贼军哪里知道我军众寡?"于是直赴徐州,派兖郓节度使田神功进击史朝义,将史朝义打得大败。起先,田神功已经攻克刘展,留恋扬州不愿回去,太子宾客尚衡与左羽林大将军殷仲卿在兖州、郓州相互攻击,他们听说李光弼到来,都慑于李光弼的威望,田神功急速返回河南,尚衡、殷仲卿也相继入朝。

李光弼在徐州的时候,只有军队的事情自己决断,其馀一切事务都委托判官张傪处理。张傪为政精明,处理事务十分自如,诸将陈述事情李光弼多让与张傪商议,诸将事奉张傪如同事奉李光弼一样,因此军中十分整肃,东夏得以安宁。先前,田神功从偏将出任节度使,将前节度使判官刘位等人留在节度使幕府中,平时一概接受他们的叩拜;等到看到李光弼与张傪行对等礼时,才大吃一惊,于是一一拜见刘位等人,说道:"田神功行伍出身,不懂礼仪,诸位为什么也不说,铸成田神功的大错呢?"

32　丁酉(十九日),大赦天下。

33　代宗册封皇子益昌王李邈为郑王,李延为庆王,李迥为韩王。

34　来瑱闻徙淮西,大惧,上言:"淮西无粮,请俟收麦而行",又讽将吏留己。上欲姑息无事,壬寅,复以瑱为山南东道节度使。

35　飞龙副使程元振谋夺李辅国权,密言于上,请稍加裁制。六月己未,解辅国行军司马及兵部尚书,馀如故,以元振代判元帅行军司马,仍迁辅国出居外第。于是道路相贺。辅国始惧,上表逊位。辛酉,罢辅国兼中书令,进爵博陆王。辅国入谢,愤咽而言曰:"老奴事郎君不了,请归地下事先帝!"上犹慰谕而遣之。

36　壬戌,以兵部侍郎严武为西川节度使。

37　襄邓防御使裴茙屯谷城,既得密敕,即帅麾下二千人沿汉趣襄阳;己巳,陈于谷水北。瑱以兵逆之,问其所以来,对曰:"尚书不受朝命,故来。若受代,谨当释兵。"瑱曰:"吾已蒙恩,复留镇此,何受代之有?"因取敕及告身示之,茙惊惑。瑱与副使薛南阳纵兵夹击,大破之,追擒茙于申口,送京师,赐死。

38　乙亥,以通州刺史刘晏为户部侍郎兼京兆尹,充度支、转运、盐铁、铸钱等使。

39　秋,七月壬辰,以郭子仪都知朔方、河东、北庭、潞仪泽沁陈郑等节度行营及兴平等军副元帅。

40　癸巳,剑南兵马使徐知道反,以兵守要害,拒严武,武不得进。

41　八月,桂州刺史邢济讨西原贼帅吴功曹等,平之。

42　己未,徐知道为其将李忠厚所杀,剑南悉平。

34 来瑱听说让他去淮西出任节度使,十分害怕,进言说:"淮西没有粮食,请等到收麦后再动身前去。"同时又暗示将领们挽留自己。代宗想姑息宁事,壬寅(二十四日),再次任命来瑱为山南东道节度使。

35 飞龙副使程元振谋划夺取李辅国的权力,悄悄地请求代宗对李辅国稍加抑制。六月己未(十一日),代宗解除了李辅国行军司马及兵部尚书的职务,其馀职务不变,让程元振取代李辅国兼任元帅行军司马,还让李辅国迁出皇宫到外面的宅第居住。于是人们都互相庆贺。李辅国这才害怕起来,上表请求退位。辛酉(十三日),代宗罢免了李辅国兼任的中书令职务,进爵位为博陆王。李辅国入宫致谢,愤恨哽咽地对代宗说道:"老奴侍候不了郎君了,请让老奴到九泉之中去侍候先帝吧!"代宗仍然安慰劝说一番,然后让他回去。

36 壬戌(十四日),代宗任命兵部侍郎严武为西川节度使。

37 襄邓防御使裴茙驻军谷城,既然得到了代宗的密令,便率领部下两千人沿汉江奔赴襄阳,己巳(二十一日)在谷水北岸布阵。来瑱率军迎战,询问裴茙率军前来的原因,裴茙回答说:"尚书不接受朝廷的命令,所以我前来讨伐。如果你接受取代你的命令,我自当解甲而归。"来瑱说:"我已经承蒙皇上的恩典,再次留下来镇守襄阳,还有什么要接受替代的呢?"说罢便取出代宗的敕令以及任命书给裴茙看,裴茙惊疑不解。来瑱与节度副使薛南阳出兵夹击,将裴茙打得大败,在申口追上裴茙,将他抓获,押送京师,代宗赐他自裁而死。

38 乙亥(二十七日),代宗任命通州刺史刘晏为户部侍郎兼京兆尹,担任度支使、转运使、盐铁使、铸钱使等职。

39 秋季,七月壬辰(十五日),代宗让郭子仪总领朔方、河东、北庭及潞、仪、泽、沁、陈、郑等节度使行营,以及兴平等军副元帅。

40 癸巳(十六日),剑南兵马使徐知道造反,派军队扼守要害地区,抵挡严武,严武无法前进。

41 八月,桂州刺史邢济征讨西原贼军统帅吴功曹等人,将他们平定。

42 己未(十三日),徐知道被他的部将李忠厚杀掉,剑南叛军全部平定。

43　乙丑，山南东道节度使来瑱入朝谢罪，上优待之。

44　己巳，郭子仪自河东入朝。时程元振用事，忌子仪功高任重，数谮之于上。子仪不自安，表请解副元帅、节度使。上慰抚之，子仪遂留京师。

45　台州贼帅袁晁攻陷浙东诸州，改元宝胜，民疲于赋敛者多归之。李光弼遣兵击晁于衢州，破之。

46　乙亥，徙鲁王适为雍王。

47　九月庚辰，以来瑱为兵部尚书、同平章事、知山南东道节度使。

48　乙未，加程元振骠骑大将军兼内侍监。

49　左仆射裴冕为山陵使，议事有与程元振相违者，丙申，贬冕施州刺史。

50　上遣中使刘清潭使于回纥，修旧好，且征兵讨史朝义。清潭至其庭，回纥登里可汗已为朝义所诱，云"唐室继有大丧，今中原无主，可汗宜速来共收其府库。"可汗信之。清潭致敕书曰："先帝虽弃天下，今上继统，乃昔日广平王，与叶护共收两京者也。"回纥业已起兵至三城，见州、县皆为丘墟，有轻唐之志，乃困辱清潭。清潭遣使言状，且曰："回纥举国十万众至矣！"京师大骇。上遣殿中监药子昂往劳之于忻州南。初，毗伽阙可汗为登里求婚，肃宗以仆固怀恩女妻之，为登里可敦。可汗请与怀恩相见，怀恩时在汾州，上令往见之。怀恩为可汗言唐家恩信不可负，可汗悦，遣使上表，请助国讨朝义。可汗欲自蒲关入，由沙苑出潼关东向，

43　乙丑(十九日),山南东道节度使来瑱入朝请求恕罪,代宗对他很优待。

44　己巳(二十三日),郭子仪从河东入朝。当时程元振当权,他忌妒郭子仪功高任重,多次在皇上面前说郭子仪的坏话。郭子仪心里不安,上表请求解除副元帅、节度使的职务。代宗慰劳安抚他,于是郭子仪便留在京师。

45　台州贼军统帅袁晁攻陷浙东各州,改年号为宝胜,颇受赋税之苦的百姓纷纷归附袁晁。李光弼派遣军队在衢州进攻袁晁,将他击败。

46　乙亥(二十九日),代宗改封鲁王李适为雍王。

47　九月庚辰(初四),代宗任命来瑱为兵部尚书、同平章事,出任山南东道节度使。

48　乙未(十九日),代宗提升程元振为骠骑大将军兼内侍监。

49　左仆射裴冕担任山陵使,商议事情时,有时意见与程元振不一致,丙申(二十日),代宗将裴冕贬为施州刺史。

50　代宗派遣中使刘清潭出使回纥,重新建立过去的友好关系,并想征调回纥军队讨伐史朝义。刘清潭来到回纥王庭,当时回纥登里可汗已经受到史朝义的诱惑,史朝义曾对他说:"唐室相继有大丧事,如今中原没有皇帝,可汗应当迅速前来共同收取唐室府库的财物。"回纥可汗信以为真。刘清潭将诏书递给可汗,说道:"先帝虽然驾崩,但是现今的皇上已经即位,皇上就是过去的广平王,曾与叶护共同收复两京。"当时回纥已经调动军队到达三受降城,他们看到当地州、县都成为废墟,产生了瞧不起唐朝的念头,于是困辱刘清潭。刘清潭便派遣使者回朝汇报当地情况,并且说:"回纥调动全国十万军队前来了!"京师上下大为震骇。代宗派遣殿中监药子昂前去忻州南面慰劳回纥军队。从前,回纥毗伽阙可汗曾向唐朝为登里求婚,肃宗将仆固怀恩的女儿嫁给登里为妻,成为登里可敦。回纥可汗请求与仆固怀恩会面,仆固怀恩当时在汾州,代宗命他前去见面。仆固怀恩对回纥可汗说对唐朝的恩典信义不能辜负,回纥可汗很高兴,便派遣使者上表,请求帮助唐朝讨伐史朝义。回纥可汗想从蒲关进入关中,经由沙苑,出潼关向东开拔,

药子昂说之曰:"关中数遭兵荒,州县萧条,无以供拟,恐可汗失望,贼兵尽在洛阳,请自土门略邢、洺、怀、卫而南,得其资财以充军装。"可汗不从。又请"自太行南下据河阴,扼贼咽喉",亦不从。又请"自陕州大阳津渡河,食太原仓粟,与诸道俱进",乃从之。

51　袁晁陷信州。

52　冬,十月,袁晁陷温州、明州。

53　以雍王适为天下兵马元帅。辛酉,辞行,以兼御史中丞药子昂、魏琚为左右厢兵马使,以中书舍人韦少华为判官,给事中李进为行军司马,会诸道节度使及回纥于陕州,进讨史朝义。上欲以郭子仪为适副,程元振、鱼朝恩等沮之而止。加朔方节度使仆固怀恩同平章事兼绛州刺史,领诸军节度行营以副适。

54　上在东宫,以李辅国专横,心甚不平,及嗣位,以辅国有杀张后之功,不欲显诛之。壬戌夜,盗入其第,窃辅国之首及一臂而去。敕有司捕盗,遣中使存问其家,为刻木首葬之,仍赠太傅。

55　丙寅,上命仆固怀恩与母、妻俱诣行营。

雍王适至陕州,回纥可汗屯于河北,适与僚属从数十骑往见之。可汗责适不拜舞,药子昂对以礼不当然。回纥将军车鼻曰:"唐天子与可汗约为兄弟,可汗于雍王,叔父也,何得不拜舞?"子昂曰:"雍王,天子长子,今为元帅。安有中国储君向外国可汗拜舞乎?且两宫在殡,不应舞蹈。"力争久之,车鼻遂引子昂、魏琚、韦少华、李进各鞭一百,以适年少未谙事,遣归营。琚、少华一夕而死。

药子昂劝可汗说:"关中多次遭受战火的洗劫,州县十分萧条,没有东西可以供给,恐怕会使可汗失望。叛军全在洛阳,请可汗从土门攻略邢州、洺州、怀州、卫州,向南进军,得到各州的资财,可以补充军备。"回纥可汗不同意。药子昂又请回纥可汗"从太行山南下,占据河阴,卡住叛军的咽喉",回纥可汗也不同意。药子昂又请回纥可汗"从陕州大阳津渡过黄河,食用太原仓的粟米,与诸道军队一起进军",回纥可汗这才同意。

51 袁晁攻陷信州。

52 冬季,十月,袁晁攻陷温州、明州。

53 代宗任命雍王李适为天下兵马元帅。辛酉(十六日),雍王李适向代宗辞行,代宗任命兼任御史中丞的药子昂、魏琚为左右厢兵马使,中书舍人韦少华为判官,给事中李进为行军司马,前去陕州会合诸道节度使和回纥军队,共同进军讨伐史朝义。代宗想让郭子仪担任李适的副手,程元振、鱼朝恩等人阻止,代宗只好作罢。另外任命朔方节度使仆固怀恩为同平章事兼绛州刺史,统领各军节度行营,担任李适的副手。

54 代宗在东宫当太子时,因为李辅国专横跋扈,心里忿忿不平,等到即位后,因为李辅国有杀掉张后的功劳,不想公开杀掉他。壬戌(十七日)夜里,盗贼进入李辅国的宅第,杀掉李辅国,带了他的头和一条臂走了。代宗命令有关部门捕捉盗贼,又派遣中使慰问李辅国的家属,为他们刻了一个木脑袋来安葬李辅国,还追赠李辅国为太傅。

55 丙寅(二十一日),代宗命令仆固怀恩和他母亲、妻子都到行营去。

雍王李适到达陕州时,回纥可汗驻扎在陕州河北县,李适与僚属随从数十人乘马前往看望回纥可汗。回纥可汗叱责李适不行大礼拜舞,药子昂回答说,按照礼仪不应当这样行礼。回纥将军车鼻说:"唐朝天子与可汗已经结为兄弟,对雍王来说,可汗是叔父,怎么能不拜舞呢?"药子昂说:"雍王是天子的长子,如今又为元帅。哪里有中国的储君向外国可汗拜舞的道理呢?况且太上皇和先帝尚未出殡,也不应该舞蹈。"据理力争好长时间,于是车鼻将药子昂、魏琚、韦少华、李进各打一百鞭,以李适年少不懂事,遣送回营。魏琚、韦少华过了一夜就死了。

　　戊辰,诸军发陕州,仆固怀恩与回纥左杀为前锋,陕西节度使郭英乂、神策观军容使鱼朝恩为殿,自渑池入;潞泽节度使李抱玉自河阳入;河南等道副元帅李光弼自陈留入;雍王留陕州。辛未,怀恩等军于同轨。

　　史朝义闻官军将至,谋于诸将。阿史那承庆曰:"唐若独与汉兵来,宜悉众与战;若与回纥俱来,其锋不可当,宜退守河阳以避之。"朝义不从。壬申,官军至洛阳北郊,分兵取怀州;癸酉,拔之。乙亥,官军陈于横水。贼众数万,立栅自固,怀恩陈于西原以当之。遣骁骑及回纥并南山出栅东北,表里合击,大破之。朝义悉其精兵十万救之,陈于昭觉寺,官军骤击之,杀伤甚众,而贼陈不动。鱼朝恩遣射生五百人力战,贼虽多死者,陈亦如初。镇西节度使马璘曰:"事急矣!"遂单骑奋击,夺贼两牌,突入万众中。贼左右披靡,大军乘之而入,贼众大败。转战于石榴园、老君庙,贼又败;人马相蹂践,填尚书谷。斩首六万级,捕虏二万人,朝义将轻骑数百东走。怀恩进克东京及河阳城,获其中书令许叔冀、王伷等,承制释之。怀恩留回纥可汗营于河阳,使其子右厢兵马使玚及朔方兵马使高辅成帅步骑万馀乘胜逐朝义,至郑州,再战皆捷。朝义至汴州,其陈留节度使张献诚闭门拒之,朝义奔濮州,献诚开门出降。

　　回纥入东京,肆行杀略,死者万计,火累旬不灭。朔方、神策军亦以东京、郑、汴、汝州皆为贼境,所过虏掠,三月乃已。比屋荡尽,士民皆衣纸。回纥悉置所掠宝货于河阳,留其将安恪守之。

戊辰(二十三日),各路军队从陕州出发,仆固怀恩与回纥左杀为前锋,陕西节度使郭英乂、神策观军容使鱼朝恩殿后,从渑池入攻洛阳;潞泽节度使李抱玉从河阳入攻洛阳,河南等道副元帅李光弼从陈留攻洛阳;雍王李适留守陕州。辛未(二十六日),仆固怀恩等在同轨县驻扎。

史朝义听说官军即将到达,便与诸将商议对策。阿史那承庆说:"如果唐朝单独率领汉军前来,就应当率领全部军队与他们决战。如果与回纥军队一起来,兵锋锐不可当,我们就应该退守河阳,避其锋芒。"史朝义不同意。壬申(二十七日),官军到达洛阳北郊,分兵夺取怀州;癸酉(二十八日),官军攻克怀州。乙亥(三十日),官军在横水布阵。数万叛军,设置栅垒,各自固守,仆固怀恩在西原布阵抵挡叛军。又派遣劲骑以及回纥军队出南山攻到栅垒东北,这样里外合击,将叛军打得大败。史朝义率领他所有的精锐部队十万人前去救援,在昭觉寺布阵,官军急速冲击敌阵,杀伤很多敌军,但贼军阵势仍然没有动摇。鱼朝恩派遣射生手五百人奋力冲杀,虽然叛军死者众多,但阵势仍如当初。镇西节度使马璘说:"事情急迫了!"于是单枪匹马奋力冲击,夺得叛军两块盾牌,突入千军万马之中。叛军纷纷倒下,大部队乘机突入敌阵,叛军大败。双方转战到石榴园、老君庙一带,叛军又遭惨败,人马互相践踏,填满了尚书谷。官军杀死六万人,捕获两万人,史朝义仅率领数百名轻骑向东逃窜。仆固怀恩进而攻克东京以及河阳城,抓获史朝义的中书令许叔冀、王伷等人,遵照代宗的命令又将他们释放了。仆固怀恩留在河阳回纥可汗的营帐中,派他的儿子右厢兵马使仆固玚以及朔方兵马使高辅成率领步、骑兵一万多人乘胜追击史朝义,到达郑州时,又与叛军交战,都取得了胜利。史朝义逃到汴州,他的陈留节度使张献诚紧闭城门,拒绝让他进城,史朝义又逃奔濮州,张献诚打开城门出城向官军投降。

回纥军队进入东京,肆意杀掠,死者数以万计,大火几十天都没有熄灭。朔方、神策军也因为东京、郑州、汴州、汝州都是叛军控制的区域,所以随处大肆虏掠,三个月之后才停止。一排排的房屋被毁坏荡尽,百姓都只好穿上纸衣。回纥可汗将他们所掠的财物全部存放到河阳,留下他的将领安恪在河阳看守财物。

十一月丁丑,露布至京师。

朝义自濮州北渡河,怀恩进攻滑州,拔之,追败朝义于卫州。朝义睢阳节度使田承嗣等将兵四万馀人与朝义合,复来拒战。仆固玚击破之,长驱至昌乐东。朝义帅魏州兵来战,又败走。于是邺郡节度使薛嵩以相、卫、洺、邢四州降于陈郑、泽潞节度使李抱玉,恒阳节度使张忠志以赵、恒、深、定、易五州降于河东节度使辛云京。嵩,楚玉之子也。抱玉等已进军入其营,按其部伍,嵩等皆受代;居无何,仆固怀恩皆令复位。由是抱玉、云京疑怀恩有贰心,各表言之,朝廷密为之备。怀恩亦上疏自理,上慰勉之。辛巳,制:"东京及河南、北受伪官者,一切不问。"

56 己丑,以户部侍郎刘晏兼河南道水陆转运都使。

57 丁酉,以张忠志为成德军节度使,统恒、赵、深、定、易五州,赐姓李,名宝臣。初,辛云京引兵将出井陉,常山裨将王武俊说宝臣曰:"今河东兵精锐,出境远斗,不可敌也。且吾以寡当众,以曲遇直,战则必离,守则必溃,公其图之。"宝臣乃撤守备,举五州来降。及复为节度使,以武俊之策为善,擢为先锋兵马使。武俊,本契丹也,初名没诺干。

郭子仪以仆固怀恩有平河朔功,请以副元帅让之。己亥,以怀恩为河北副元帅,加左仆射兼中书令、单于、镇北大都护、朔方节度使。

史朝义走至贝州,与其大将薛忠义等两节度合,仆固玚追之至临清。朝义自衡水引兵三万还攻之,玚设伏击走之。回纥又至,官军益振,遂逐之;大战于下博东南,贼大败,积尸拥流而下,朝义奔莫州。怀恩都知兵马使薛兼训、兵马使郝庭玉与田神功、辛云京会于下博,进围朝义于莫州,青淄节度使侯希逸继至。

十一月丁丑(初二),捷报传到京师。

史朝义从濮州北渡黄河,仆固怀恩进攻并攻克了滑州,又在卫州追上史朝义,将他击败。史朝义的睢阳节度使田承嗣等人率领四万多人的军队与史朝义会合,又前来抵抗。仆固玚将他们击败,长驱直入,到达昌乐县东面。史朝义率领魏州的军队前来交战,又兵败退走。于是邺郡节度使薛嵩献出相州、卫州、洺州、邢州,向陈郑、泽潞节度使李抱玉投降。恒阳节度使张忠志献出赵州、恒州、深州、定州、易州,向河东节度使辛云京投降。薛嵩是薛楚玉的儿子。李抱玉等人已进军到薛嵩的军营中,检查他的部队,薛嵩等人被李抱玉派人取代;没过多久,仆固怀恩让他们都官复原位。因此,李抱玉、辛云京怀疑仆固怀恩怀有二心,分别上表说到此事,朝廷暗地里防备仆固怀恩。仆固怀恩也上书为自己辩护,代宗安慰和勉励他一番。辛巳(初六),代宗下令:"东京以及河南、河北接受伪职的人概不追究。"

56 己丑(十四日),代宗任命户部侍郎刘晏兼任河南道水陆转运都使。

57 丁酉(二十二日),代宗任命张忠志为成德军节度使,统领恒州、赵州、深州、定州、易州,赐姓为李,名为宝臣。从前,辛云京率领军队将要东出井陉,常山副将王武俊劝李宝臣说:"如今河东军队十分精锐,出境远征,势不可敌。况且我们以少挡多,以曲遇直,如果交战就必定会众叛亲离,固守就必然会溃败,你应该好好考虑。"李宝臣便撤除守备,率五州前来投降辛云京。等到李宝臣又任节度使后,认为王武俊的计策很好,所以提拔他为先锋兵马使。王武俊本是契丹族人,原名没诺干。

郭子仪因为仆固怀恩有平定河朔的功劳,请求代宗将副元帅的职位让给他。己亥(二十四日),代宗任命仆固怀恩为河北副元帅,加任左仆射兼中书令、单于、镇北大都护、朔方节度使。

史朝义逃到贝州,与他的大将薛忠义等两节度使会合,仆固玚一直追击到临清县。史朝义从衡水县率军三万回师反攻,仆固玚设下伏兵将他们击退。此时回纥军队又抵达临清县,官军势力更加壮大,于是追击史朝义;在下博县东南双方大战一场,贼军大败,成堆的尸体随着河流冲走了,史朝义逃往莫州。仆固怀恩部下都知兵马使薛兼训、兵马使郝庭玉在下博县与田神功、辛云京会合后,便进军莫州,围攻史朝义,青淄节度使侯希逸也随后赶到。

58　十二月庚申，初以太祖配天地。

代宗睿文孝武皇帝上之上
广德元年（癸卯，763）

1　春，正月己卯，追谥吴太后曰章敬皇后。

2　癸未，以国子祭酒刘晏为吏部尚书、同平章事，度支等使如故。

3　初，来瑱在襄阳，程元振有所请托，不从；及为相，元振谮瑱言涉不顺。王仲昇在贼中，以屈服得全，贼平得归，与元振善，奏瑱与贼合谋，致仲昇陷贼。壬寅，瑱坐削官爵，流播州，赐死于路，由是藩镇皆切齿于元振。

4　史朝义屡出战，皆败，田承嗣说朝义，令亲往幽州发兵，还救莫州，承嗣自请留守莫州。朝义从之，选精骑五千自北门犯围而出。朝义既去，承嗣即以城降，送朝义母、妻、子于官军。于是仆固场、侯希逸、薛兼训等帅众三万追之，及于归义，与战，朝义败走。

时朝义范阳节度使李怀仙已因中使骆奉仙请降，遣兵马使李抱忠将兵三千镇范阳县。朝义至范阳，不得入。官军将至，朝义遣人谕抱忠以大军留莫州、轻骑来发兵救援之意，因责以君臣之义，抱忠对曰："天不祚燕，唐室复兴，今既归唐矣，岂可更为反覆，独不愧三军邪？大丈夫耻以诡计相图，愿早择去就以谋自全。且田承嗣必已叛矣，不然，官军何以得至此？"朝义大惧，曰："吾朝来未食，独不能以一餐相饷乎？"抱忠乃令人设食于城东。于是范阳人在朝义麾下者，并拜辞而去，朝义涕泣而已，独与胡骑数百既食而去。

58　十二月庚申(十六日),首次在祭祀天地时祔祭太祖。

代宗睿文孝武皇帝上之上
唐代宗广德元年(癸卯,公元763年)

1　春季,正月己卯(初五),代宗追谥吴太后为章敬皇后。

2　癸未(初九),代宗任命国子祭酒刘晏为吏部尚书、同平章事,度支使等职务仍然不变。

3　从前,来瑱在襄阳时,程元振曾经请求和嘱托他办事,来瑱没有答应;等到来瑱担任宰相后,程元振诬陷来瑱说了对皇上不恭敬的话。王仲昇在贼军中,曾因表示屈服才得以偷生,贼军被平定后,他回归朝廷,与程元振关系很好,便奏称来瑱与贼军合谋,致使自己被贼军抓获。壬寅(二十八日),来瑱被削去官爵,流放播州,在流放的路上被皇上赐死,因此各藩镇都对程元振恨得咬牙切齿。

4　史朝义屡次出战,都遭失败,田承嗣劝说史朝义,他亲自前往幽州征调军队,回救莫州,请求让自己留下来守卫莫州。史朝义采纳了他的建议,挑选五千精锐骑兵从北门冲出包围。史朝义离去之后,田承嗣马上举城投降,将史朝义的母亲、妻子、儿子一起送到官军那儿。于是仆固玚、侯希逸、薛兼训等人率领三万士兵追击史朝义,在归义县追上了史朝义,双方交战,史朝义又败走。

当时史朝义部下范阳节度使李怀仙已经通过中使骆奉仙向朝廷请求投降,并派遣兵马使李抱忠率领三千士兵镇守范阳县。史朝义来到范阳,李抱忠不让他入城。官军即将追到,史朝义派人将大部队留在莫州、轻装骑兵前来征调军队救援的意图告诉了李抱忠,并且用君臣道理责备他,李抱忠回答说:"老天不让燕人做皇帝,唐室又复兴了,今天既然已经归顺唐朝,难道可以再反复,就不愧对三军将士吗?大丈夫以诡计相图为可耻,但愿你能早点选择后路,考虑保全自己。况且田承嗣一定已经叛变了,不然的话,官军怎么能够追到这里呢?"史朝义十分害怕,说:"从早晨以来,我们滴水未进,难道不能让我们吃一顿饭吗?"李抱忠便让人在城东供应膳食。于是史朝义手下的范阳人一起向史朝义叩拜辞别而去,史朝义只是痛哭流涕而已,吃罢饭,独自与数百名胡人骑兵离去。

东奔广阳,广阳不受;欲北入奚、契丹,至温泉栅,李怀仙遣兵追及之。朝义穷蹙,缢于林中,怀仙取其首以献。仆固怀恩与诸军皆还。

甲辰,朝义首至京师。

5　闰月己酉夜,有回纥十五人犯含光门,突入鸿胪寺,门司不敢遏。

6　癸亥,以史朝义降将薛嵩为相、卫、邢、洺、贝、磁六州节度使,田承嗣为魏、博、德、沧、瀛五州都防御使,李怀仙仍故地为幽州、卢龙节度使。时河北诸州皆已降,嵩等迎仆固怀恩,拜于马首,乞行间自效;怀恩亦恐贼平宠衰,故奏留嵩等及李宝臣分帅河北,自为党援。朝廷亦厌苦兵革,苟冀无事,因而授之。

7　回纥登里可汗归国,其部众所过抄掠,禀给小不如意,辄杀人,无所忌惮。陈郑、泽潞节度使李抱玉欲遣官属置顿,人人辞惮,赵城尉马燧独请行。比回纥将至,燧先遣人赂其渠帅,约毋暴掠,帅遗之旗曰:“有犯令者,君自戮之。”燧取死囚为左右,小有违令,立斩之。回纥相顾失色,涉其境者皆拱手遵约束。抱玉奇之,燧因说抱玉曰:“燧与回纥言,颇得其情。仆固怀恩恃功骄蹇,其子玚好勇而轻,今内树四帅,外交回纥,必有窥河东、泽潞之志,宜深备之。”抱玉然之。

8　初,长安人梁崇义以羽林射生从来瑱镇襄阳,累迁右兵马使。崇义有勇力,能卷铁舒钩,沉毅寡言,得众心。瑱之入朝也,命诸将分戍诸州,瑱死,戍者皆奔归襄阳。行军司马庞充将兵二千赴河南,至汝州,闻瑱死,引兵还袭襄州。

史朝义向东奔赴广阳,广阳也不接收他们。史朝义想向北进入奚、契丹境内,来到温泉栅时,李怀仙派兵追上了他们。史朝义走投无路,在树林中上吊自杀,李怀仙割取了他的首级献给朝廷。仆固怀恩与各路军队都胜利归来。

甲辰(三十日),史朝义的首级被送到了京师。

5　闰正月己酉(初五)夜里,有十五名回纥人侵犯含光门,冲进鸿胪寺,守门人不敢制止他们。

6　癸亥(十九日),代宗任命史朝义部下的降将薛嵩为相、卫、邢、洺、贝、磁六州节度使,田承嗣为魏、博、德、沧、瀛五州都防御使,李怀仙仍在故地担任幽州、卢龙节度使。当时河北各州都已投降,薛嵩等人迎接仆固怀恩,在他坐骑前叩拜,恳求让他们留在军中效力,仆固怀恩也害怕贼军平定后会失宠,所以上奏让薛嵩等人以及李宝臣留下来,分别统率河北各藩镇,成为他的党羽外援。朝廷也厌恶战争,姑且希望天下无事而已,因而将河北交给他们。

7　回纥登里可汗回国,他的部众在所经之地搜劫财物,由官府供给他们粮食,稍有不如意的地方,就动手杀人,无所顾忌。陈郑、泽潞节度使李抱玉想派遣下属官吏设立停留食宿的场所,但因为害怕,人人都推托,唯独赵城县尉马燧请求让他去办理。等到回纥军即将到达时,马燧先派人贿赂他们的首领,约定不得残暴抢劫,首领给他留下了一面旗,说道:"如果有违反命令的人,你可以自行杀掉他们。"马燧让死囚做他的帮手,遇到有人稍微违令,便立即杀掉。回纥人互相对视,大惊失色,于是经过境内的回纥人都拱手遵守规约。李抱玉十分惊奇,马燧借此机会劝说李抱玉,说道:"我与回纥人交谈过,对他们情况有所了解。仆固怀恩自恃有功,傲慢不顺,他的儿子仆固玚喜欢逞能,轻率浮躁,如今在国内树立田承嗣、李宝臣、李怀仙、薛嵩四员大将,对外结交回纥,一定有窥视河东、泽潞的志向,应当好好地防备他们。"李抱玉认为确实如此。

8　从前,长安人梁崇义率领羽林射生军跟随来瑱守襄阳,历经升迁,任右兵马使。梁崇义有神力,能够弯卷铁器,舒展铁钩,生性刚毅,沉默寡言,很得人心。来瑱入朝时,命令诸将分别戍守各州,来瑱死后,戍守各州的将士都纷纷逃回襄阳。行军司马庞充率领二千士兵奔赴河南,到达汝州时,听说来瑱去世,便率军回袭襄州。

左兵马使李昭拒之,充奔房州。崇义自邓州引成兵归,与昭及副使薛南阳相让为长,久之不决,众皆曰:"兵非梁卿主之不可。"遂推崇义为帅。崇义寻杀昭及南阳,以其状闻,上不能讨。三月甲辰,以崇义为襄州刺史、山南东道节度留后。崇义奏改葬瑱,为之立祠,不居瑱听事及正堂。

9　辛酉,葬至道大圣大明孝皇帝于泰陵,庙号玄宗。庚午,葬文明武德大圣大宣孝皇帝于建陵,庙号肃宗。

10　夏,四月庚辰,李光弼奏擒袁晁,浙东皆平。时晁聚众近二十万,转攻州县,光弼使部将张伯仪将兵讨平之。伯仪,魏州人也。

11　郭子仪数上言:"吐蕃、党项不可忽,宜早为之备。"

12　辛丑,遣兼御史大夫李之芳等使于吐蕃,为虏所留,二年乃得归。

13　群臣三上表请立太子;五月癸卯,诏许俟秋成议之。

14　丁卯,制分河北诸州:以幽、莫、妫、檀、平、蓟为幽州管;恒、定、赵、深、易为成德军管;相、贝、邢、洺为相州管;魏、博、德为魏州管;沧、棣、冀、瀛为青淄管;怀、卫、河阳为泽潞管。

15　六月癸酉,礼部侍郎华阴杨绾上疏,以为:"古之选士必取行实,近世专尚文辞。自隋炀帝始置进士科,犹试策而已。至高宗时,考功员外郎刘思立始奏进士加杂文,明经加帖,从此积弊,转而成俗。朝之公卿以此待士,家之长老以此训子,其明经则诵帖括以求侥幸。又,举人皆令投牒自应,如此,欲其返

左兵马使李昭抵抗庞充,庞充逃往房州。梁崇义从邓州率领戍守的军队返回襄阳,他与李昭和节度副使薛南阳互相推让不肯做统帅,很长时间决定不下,大家都说:"军队非梁崇义统帅不可。"于是推举梁崇义为统帅。不久梁崇义杀掉了李昭和薛南阳,并向代宗作了奏报,代宗不能讨伐他。三月甲辰(初一),代宗任命梁崇义为襄州刺史、山南东道节度留后。梁崇义奏请为来瑱改葬,并建立祠堂,自己不在来瑱的官署和正堂居住。

9　辛酉(十八日),代宗将至道大圣大明孝皇帝葬在泰陵,庙号为玄宗。庚午(二十七日),将文明武德大圣大宣孝皇帝葬在建陵,庙号为肃宗。

10　夏季,四月庚辰(初七),李光弼奏称已经抓获袁晁,浙东地区的叛乱全部平息。当时,袁晁聚集了近二十万人马,辗转进攻州县,李光弼派遣部将张伯仪率领军队讨伐,镇压了他们。张伯仪是魏州人。

11　郭子仪多次进言说:"吐蕃、党项不可忽视,应当及早防备他们。"

12　辛丑(二十五日),代宗派遣兼御史大夫的李之芳等人出使吐蕃,他们被吐蕃扣留,两年之后才得以回到唐朝。

13　大臣们三次上表请求立太子,五月癸卯(初一),代宗下诏允许等到秋收后商议此事。

14　丁卯(二十五日),唐代宗颁布命令分割河北各州:将幽州、莫州、妫州、檀州、平州、蓟州归属幽州统管;恒州、定州、赵州、深洲、易州归属成德军统管;相州、贝州、邢州、洺州归属相州统管;魏州、博州、德州归属魏州统管;沧州、棣州、冀州、瀛州归属青淄统管;怀州、卫州、河阳归属泽潞统管。

15　六月癸酉(初一),礼部侍郎华阴人杨绾上书认为:"古代选官必须看他的生平事迹,近代选官则专门崇尚文章。从隋炀帝开始设置进士科以来,还只是考试策论而已。到唐高宗时,考功员外郎刘思立首次上奏,考进士科要加试杂文,明经科加试帖经,从此积成弊端,又转变成习俗。朝廷的公卿大臣以此来看待士人,家中长辈以此来教导儿子,其中明经科的考试,人们背诵所帖经文以求侥幸及第。而且,让举人都自己呈递谱牒前来应试,如此一来,要想让他们回归

淳朴、崇廉让,何可得也?请令县令察孝廉,取行著乡闾,学知经术者,荐之于州。刺史考试,升之于省。任各占一经,朝廷择儒学之士,问经义二十条,对策三道,上第即注官,中第得出身,下第罢归。又道举亦非理国所资,望与明经、进士并停。"上命诸司通议,给事中李栖筠、左丞贾至、京兆尹严武并与绾同。至议以为:"今试学者以帖字为精通,考文者以声病为是非,风流颓弊,诚当厘改。然自东晋以来,人多侨寓,士居乡土,百无一二。请兼广学校,保桑梓者乡里举焉,在流寓者庠序推焉。"敕礼部具条目以闻。绾又请置五经秀才科。

16　庚寅,以魏博都防御使田承嗣为节度使。承嗣举管内户口,壮者皆籍为兵,惟使老弱者耕稼,数年间有众十万。又选其骁健者万人自卫,谓之牙兵。

17　同华节度使李怀让为程元振所谮,恐惧,自杀。

淳朴,崇尚清廉忍让,怎么做得到呢?请让县令察举孝廉之士,取那些在乡里表现出众的,以及饱读经书的人,推荐他们到州府。经过刺史对他们的考试,再送到尚书省。让他们各自口述一部经典,朝廷从中选择儒学之士,考问他们经义二十条,对策三道,考试成绩优秀的便按资历名次授予官职,中等的给予录选的资格,下等的让他们回去。再者,道举科也同治理国家无干,希望与明经、进士两科的考试一起停止。"代宗命令各有关部门共同商议,给事中李栖筠、左丞贾至、京兆尹严武都与杨绾的意见相同。贾至的意见认为:"如今考试经学的人以帖括经书的文字来断定是否精通经典,考试文章的人以音从文顺来辨别文章的好坏,这种风气颓废衰败,确实应当更改。然而从东晋以来,人们都侨居他乡,在故乡居住的士人,不到百分之一二。请求朝廷同时广设学校,确保在故乡的人得到乡里的推举,寓居他乡的人得到学校的推举。"代宗下令礼部制定科举考试条目,再上报给他。杨绾又请求代宗设置五经秀才科的考试。

16 庚寅(十八日),代宗任命魏博都防御使田承嗣为节度使。田承嗣检索所辖的全部户籍人口,强壮者都入册让他们当兵,只让老弱病残者耕种庄稼,数年时间便拥有十万大军。他又挑选骁勇刚健的士兵一万人保卫自己,称之为牙兵。

17 同华节度使李怀让被程元振所诬陷,恐惧万分,最后自杀身亡。